173.90
198)

ALBERT BLAISE

Agrégé de l'Université

LE VOCABULAIRE
LATIN

des
principaux thèmes
liturgiques

Ouvrage revu par
DOM ANTOINE DUMAS O.S.B.

BREPOLS

DU MÊME AUTEUR

DICTIONNAIRE LATIN-FRANÇAIS DES AUTEURS CHRÉTIENS

revu par H. Chirat, professeur à l'Université de Strasbourg, Strasbourg 1954.

Ouvrage couronné par l'Académie des Inscriptions et Belles-Lettres.

Nouvelle édition avec Addenda et Corrigenda, Édit. BREPOLS, Turnhout, Belgique.

MANUEL DU LATIN CHRÉTIEN
Strasbourg 1955.

LES LANGUES SACRÉES

(en collaboration : Paul AUVRAY, pour l'hébreu ; Pierre POULAIN, pour le grec ; Albert BLAISE, pour le latin).

Collection « Je sais, Je crois », Édit. Arthème Fayard, Paris 1957.

SAINT CÉSAIRE D'ARLES

textes choisis et traduits.

Collection « Les Écrits des saints », Édit. du Soleil Levant, Namur 1962.

SAINT HILAIRE DE POITIERS

De Trinitate et ouvrages exégétiques, textes choisis et traduits.

Collection « Les Écrits des saints », Édit. du Soleil Levant, Namur 1964.

PRÉFACE

Le latin reste la langue de l'Église. La langue latine, « par droit et par mérite acquis, doit être appelée et est la langue propre de l'Église », disait déjà saint Pie X (*Vehementer sane*, Lettre de la Sacrée Congrégation des Études, 1er juillet 1908). D'ailleurs tous les souverains pontifes de notre temps, émus d'une certaine décadence des études latines, n'ont cessé de le répéter : « Qu'il n'y ait aucun prêtre qui ne sache la lire et la parler avec facilité et aisance » (Pie XII, disc. *Magis quam*, A.A.S. 23 sept. 1951). La Constitution apostolique « *Veterum sapientia* » de Jean XXIII (A.A.S. 22 février 1962) est spécialement destinée à rappeler cette vérité. Enfin la Constitution conciliaire de Vatican II sur la Liturgie précise que « l'usage de la langue latine, sauf droit particulier, sera conservé dans les rites latins » (art. 36, § 1).

Ce serait donc une inconvenance ridicule et même un contresens de vouloir entreprendre ce qui semblerait une sorte de plaidoyer en faveur d'une langue supposée sur le point d'être condamnée à mort. S'il convient d'étendre l'usage du français et des autres langues modernes dans la liturgie, pour faire participer plus intimement le peuple fidèle au culte divin, si l'Église ouvre largement ses bras au monde moderne de l'Orient à l'Occident, elle plonge aussi ses racines et va chercher sa vie, à travers la tradition, jusqu'à sa source qui est la Parole de Dieu. Pour lire l'Écriture, un jeune clerc peut-il se contenter d'une traduction sans aborder les textes originaux de ce que l'on appelle « les langues sacrées » ? S'il n'a pas eu le temps matériel de lire de nombreuses pages de la littérature patristique, doit-il se contenter, pour les textes liturgiques avec lesquels il est journellement en contact, d'une connaissance approximative et purement machinale ?

Ce que nous disons du clergé peut s'appliquer aussi aux religieuses de plus en plus nombreuses à s'initier à la prière latine, ainsi qu'aux laïcs cultivés qui s'intéressent, à ce point de vue, à la vie de l'Église. Depuis un demi-siècle, le « latin chrétien » a été étudié plus sérieusement par les philologues, et le préjugé a disparu qui le regardait comme une simple manifestation de la littérature latine en décadence. L'ignorance allait jusqu'à le confondre avec le bas-latin (Voir « Le style chrétien », *Manuel du latin chrétien*, Ire Partie). En réalité, il faut bien constater que le christianisme a renouvelé le latin, qu'il a donné une nouvelle vie à la langue latine en spiritualisant son vocabulaire. Or l'essentiel de cette richesse est contenu dans les différentes sortes de textes liturgiques. Nous nous adressons donc à ceux qui, sans la connaître complètement, ont senti la noblesse de cette langue chrétienne, et ont à cœur d'en approfondir l'étude avec le sérieux, le respect et la vénération qui lui sont dus. Car il s'agit, oserait-on dire, d'une sorte de « troisième Testament ». Parmi les différents sens mystiques du mot *testamentum*, envisageons celui-ci: « témoignage, attestation ». Dans l'Écriture sainte, en effet, nous trouvons ce que Dieu a attesté à son propre sujet *(Deo testante de se*, Hilar. Trin. 1,5), ou ce que l'écrivain inspiré a attesté au sujet de Dieu. Or pourrait-on dire qu'après le Nouveau Testament, il n'y a plus d' « attestation », alors que Jésus a dit à ses disciples : « Je serai avec vous jusqu'à la fin des temps », et aussi : « Je vous enverrai le Saint-Esprit » ? C'est pourquoi, dans le latin liturgique, même en dehors des textes bibliques, on doit reconnaître le « témoignage » de la foi de l'Église, le reflet de sa croyance, tel qu'elle nous l'a « légué » au cours des siècles, le « testament » dont elle nous a confié le dépôt, dans sa prière et dans sa vie.

Précisons d'abord l'objet propre du présent travail. Pour en délimiter les contours, on pourrait commencer par dire ce qu'il n'est pas. En premier lieu, il convient de signaler qu'il ne s'agit aucunement ici d'un cours de liturgie, ni d'un lexique correspondant à un cours de liturgie. On n'y trouvera donc pas des termes tels que *concurrere* (opp. à *occurrere), festum duplex,* etc., qui appartiennent au latin des rubriques ; ni les mots désignant des objets ou des vêtements liturgiques, tels que *pyxis, patena, paropsis, tobaleæ, pluviale, casula,* etc. ; ni le vocabulaire se rapportant à l'architecture, au mobilier des églises et, d'une manière générale, à tout ce que l'on pourrait trouver dans le « *Dictionnaire d'archéologie chrétienne et de liturgie* ».

D'autre part, en parcourant notre table des matières, on pourrait croire à une sorte de résumé théologique. En réalité, ces différents titres constituent seulement un cadre : un tel groupement des « principaux thèmes liturgiques » a pour but de permettre une étude méthodique et suivie de ce vocabulaire, alors que le lexique placé en tête de l'ouvrage est destiné à ceux qui ne veulent l'utiliser que comme un livre de consultation.

Une fois ces précisions données, on peut se demander ce que signifie l'expression « latin liturgique » : peut-on parler de latin liturgique ? Oui, si l'on entend par là simplement les divers textes latins que renferment les livres liturgiques anciens et les livres liturgiques en usage actuellement. Non, si l'on voulait dire qu'il existe une langue spéciale (*Sondersprache,* comme dirait l'école de Nimègue) pour la liturgie latine. Car il s'agit là d'une latinité assez diverse : il faut distinguer en effet le latin biblique, le latin des oraisons et des préfaces, le latin des hymnes ou des proses (et là encore que de variétés, selon qu'il s'agit d'auteurs anciens ou d'humanistes modernes), le latin des leçons, qui présente toute la

variété des textes patristiques, sans parler des notices biographiques à la manière de Cornelius Nepos ou de l'abbé
Lhomond.

A la rigueur, on pourrait parler de latin proprement liturgique, si l'on s'en tenait seulement aux oraisons et aux préfaces : là en effet on peut constater une certaine uniformité de
vocabulaire et de stylistique, une tradition qui fait que les
oraisons plus modernes ont gardé les tournures et les termes
des Sacramentaires anciens ; et encore ne faudrait-il pas
exagérer cette uniformité : des expressions comme *in unione
intentionis, sacramentum paenitentiae* pour désigner la confession, *ad christianam pauperum eruditionem* « pour l'enseignement chrétien des pauvres », n'ont certes pas une saveur
antique, mais elles sont rares.

Dans ce latin liturgique, entendu au sens large, c'est-à-dire
dans le latin des prières, des chants, des lectures, qu'il s'agit
ici de faire comprendre à ceux qui ont reçu une simple culture
classique, nous donnons la première importance aux oraisons
et aux préfaces. Nous faisons aussi un large appel aux citations bibliques, à cette langue sacrée qui a toujours tenu une
place d'honneur dans les offices de la liturgie : au 17e siècle,
selon dom Guéranger, un archevêque de Paris avait même
expulsé de l'Antiphonaire tout ce qui n'était pas biblique.
Mais nous ne faisons pas intervenir d'une façon systématique
et complète le vocabulaire patristique que l'on peut trouver
dans les leçons du Bréviaire ; par contre, chez les Pères, nous
citons surtout (que ce soit dans le Bréviaire ou non) ce qui
peut corroborer ou éclairer le sens de telle ou telle formule des
oraisons. Quant aux hymnes ou autres chants (en dehors des
textes bibliques), si l'on considère la fréquence de nos citations, elles n'interviennent qu'en troisième lieu : certaines
sont d'une haute valeur poétique, mystique ou théologique,
il y a eu certes des Ambroise, des Fortunat, des Thomas
d'Aquin et des inconnus d'une inspiration authentique, mais
à côté d'eux un certain nombre de *minores*. La vraie poésie
du latin mystique, en dehors de la Bible, serait plus souvent
à chercher dans le texte d'anciennes oraisons.

Puisqu'il s'agit d'un ouvrage utilitaire en quelque sorte,
un ouvrage de vulgarisation plutôt que d'érudition, nous
citons surtout les livres liturgiques en usage actuellement,
du moins jusqu'en 1962, en suivant l'ordre d'importance
suivant : Missel, Bréviaire, Pontifical, Rituel. Mais l'intelligence du latin liturgique actuel serait bien incomplète, si l'on
ne donnait pas, pour chaque citation, sauf s'il s'agit d'une
oraison plus moderne, la référence aux Sacramentaires du
haut moyen âge, en indiquant, autant que possible, le texte
le plus ancien où se retrouve cette formule. Ce n'est pas tout :
il a paru intéressant à notre propos de citer aussi des exem-

ples, de faire connaître un vocabulaire qui n'est plus de l'usage actuel. C'est ainsi que l'on aura un aperçu, sinon complet, du moins instructif, de l'ensemble du latin liturgique au cours de l'histoire. Car notre but principal, qui est l'étude du latin en usage dans la liturgie d'aujourd'hui, ne nous détourne pas de conseiller la lecture ou du moins la consultation des sources : *Fontes*, c'est d'ailleurs le titre de la *series major* qui contient les Sacramentaires, dans la collection *Rerum Ecclesiasticarum Documenta* publiée à Rome sous la direction de Dom Mohlberg. Il y a en effet des richesses qui ne méritent pas de rester le domaine exclusif des spécialistes, et il serait bon de susciter l'intérêt en faveur des anciens monuments de notre liturgie occidentale.

Il est bien entendu, je le répète, que ce travail est une œuvre de vulgarisation qui, visant un but surtout pratique, ne prétend pas avoir découvert des nouveautés. Elle est même sujette à des lacunes. Malgré tout, dans ce domaine relativement vaste, je me suis efforcé de ne rien oublier d'essentiel. C'est pourquoi des ouvrages comme ceux de Dom P. Bruylants, de l'abbé Pflieger, de G. Manz, cités dans la bibliographie, m'ont grandement aidé à ne pas être trop incomplet : je me fais un devoir de reconnaître ici tout ce que je leur dois. Monsieur le Chanoine Martimort de son côté a bien voulu manifester son intérêt pour ce travail, pour le lexique en particulier. Cet encouragement a levé mes doutes sur l'opportunité de continuer dans cette voie. Je lui en exprime ma reconnaissance, ainsi que pour les renseignements précieux contenus dans l'ouvrage qu'il a dirigé, « *L'Église en prière* ».

Enfin, ma principale dette est celle que j'ai contractée envers Dom Antoine Dumas, O.S.B., de l'Abbaye d'Hautecombe. Un latiniste qui s'est spécialisé, plus ou moins, comme j'ai essayé de le faire, dans le latin chrétien n'a pas pour autant la prétention d'enseigner les sciences ecclésiastiques : ce qu'il peut enseigner, c'est l'instrument qui permet de les aborder avec fruit ; je risquais donc d'être un intrus dans ce domaine. Mais Dom Antoine Dumas, qui est un spécialiste des textes liturgiques, a bien voulu se laisser mettre à contribution. Tout en corrigeant certaines erreurs, il m'a suggéré aussi des idées nouvelles et des additions importantes. Pour de nombreuses oraisons, j'ai adopté son excellente traduction, publiée dans les *Missels d'Hautecombe* (Édit. Brepols 1964). Je suis heureux de lui exprimer ici toute ma reconnaissance pour sa collaboration et pour l'amabilité avec laquelle il l'a pratiquée, sans oublier la bonne hospitalité reçue dans la célèbre abbaye savoyarde.

A.B.

N.B. Alors que nous achevions la préparation de cet ouvrage (1964-1965), l'Épiscopat Français publiait la série de ses livres liturgiques officiels : Missel bilingue et Lectionnaire quotidien. Tout en reconnaissant, pour les préfaces et oraisons, les qualités de ces adaptations françaises et leur valeur pour l'usage public, nous avons cru préférable de maintenir nos traductions et celles de l'ancien Missel d'Hautecombe, qui visent à une exactitude plus rigoureuse, dans les diverses citations du Vocabulaire. Il s'agit d'ailleurs ici, non pas d'un ouvrage officiel, mais d'une sorte de cours de latin de caractère privé.

TEXTES CITÉS

I

BIBLIA SACRA (¹)

texte de la Vulgate d'après l'édition Clémentine (1592)
A consulter :
Bibliorum Sacrorum juxta Vulgatam Clementinam nova editio,
Rome, depuis 1926.

NOVUM TESTAMENTUM Græce et Latine
A. Merk S.J., 6ᵉ éd. Rome 1948.

Sigles : Abd. Abdias - Act. Actes des Apôtres - Agg. Aggée - Am.
Amos - Ap. Apocalypse - Bar. Baruch - Cant. Cantique des ¡cantiques -
Col. Épître aux Colossiens - Cor. Épîtres aux Corinthiens - Dan. Daniel
- Deut. Deutéronome - Eccl. Ecclésiaste - Eccli. Ecclésiastique -
Ephes. Épîtres aux Éphésiens - Esd. Esdras. - Esther - Ex. Exode -
Ez. Ézéchiel - Gal. Épître aux Galates - Gen. Genèse - Hab. Habacuc
- Hebr. Épître aux Hébreux - Is. Isaïe - Jac. Épître de Jacques - Job -
Jud. Livre des Juges - Joel - Judith - Jo. Évangile selon saint Jean -
1, 2, 3 Jo. Épîtres de saint Jean - Jon. Jonas - Jos. Livre de Josué -
Jer. Jérémie - Juda, Épître de Jude - Lev. Lévitique - Luc. Évangile
selon saint Luc - Mac. Livres des Maccabées - Mal. Malachie - Marc.
Évangile selon saint Marc - Mat. Évangile selon saint Matthieu -
Na. Nahum - Num. Nombres - Os. Osée - Par. Paralipomènes - Petr.
Épîtres de saint Pierre - Philipp. Épître aux Philippiens - Phil. Épître
à Philémon - Prov. Proverbes - Ps. Psaumes - Reg. Livres des Rois -
Rom. Épître aux Romains - Sap. Sagesse - Soph. Sophonie - Thess.
Épître aux Thessaloniciens - Tim. Épître à Timothée - Tit. Épître
à Tite - Tob. Tobie - Zach. Zacharie.

Les Psaumes sont cités d'après la Vulgate (Psautier dit « Gallican »)
sauf indication contraire : dans certaines parties chantées (introïts,
etc.), il s'agit du Psautier dit « Romain ».

Les traductions sont en général celles de la Bible de Jérusalem, sauf
évidemment lorsqu'elles s'écartent du texte latin.

II

LIVRES LITURGIQUES ACTUELS

dans l'ordre de l'importance des citations

Miss. R. MISSALE ROMANUM, éd. typique 1920.
Avec la mention « vet. ord. » ou « vet. off. », s'il s'agit d'un office
qui n'est plus en usage, par ex. pour la Semaine sainte ou l'Assomption.
Chaque référence est suivie, s'il y a lieu, du renvoi au Sacramentaire le plus ancien renfermant cette formule.

(¹) S.S. = *Sacra Scriptura*, quand il s'agit de textes bibliques cités par les Pères.

Dernières vérifications sur l'édition de Mame, 1962.

Brev. R. BREVIARIUM ROMANUM.

On s'est servi de l'édition Labergerie, 1956. Quelques citations sont empruntées à un Bréviaire de chœur édité à Malines en 1868, ainsi qu'à un Breviarium Monasticum (pro Congregatione Gallica Ordinis S. Benedicti, 1892), notamment pour le texte primitif et authentique des hymnes.

Rit. R. RITUALE ROMANUM.

Utilisé seulement pour certaines citations concernant le baptême, la confirmation, l'extrême onction, dans l'édition typique de 1952.

Pont. R. PONTIFICALE ROMANUM.

Utilisé seulement pour certaines citations concernant la dédicace des églises, les ordinations et consécrations, d'après l'édition de 1888.
Le livre II est cité d'après l'édition vaticane de 1961.

III

SOURCES ANCIENNES

Comme il s'agit ici d'un ouvrage didactique, nous rétablissons l'orthographe traditionnelle dans les citations des anciens Sacramentaires.

Leon. SACRAMENTARIUM VERONENSE, (6e siècle). Édit. L. C. Mohlberg OSB, Rome, 1956.

C'est le Sacramentaire appelé jadis « Léonien » : les numéros renvoient aux paragraphes.

Gel. LIBER SACRAMENTORUM Romanæ Ecclesiæ ordinis anni circuli (Sacramentarium Gelasianum), dit « Gélasien ancien » (7e siècle). Éd. L. C. Mohlberg OSB, Rome, 1960.

Gel. Cagin. LE SACRAMENTAIRE GÉLASIEN D'ANGOULÊME (8e siècle). Éd. P. Cagin OSB, Mâcon, 1918.

Renvoi aux paragraphes.

Greg. DAS SACRAMENTARIUM GREGORIANUM (= Hadrianum) (8e siècle), nach dem Aachener Urexemplar, éd. D. H. Lietzmann, dern. éd. Munster (West.) 1958.

N⁰ˢ des chapitres et paragraphes.

Suppl. Alc. Supplément d'Alcuin au Sacramentaire Grégorien, cité d'après les pages de l'éd. H. A. Wilson, The Gregorian Sacramentary, Londres, 1915.

Miss. Gall. MISSALE GALLICANUM VETUS (8e siècle), éd. L. C. Mohlberg OSB, Rome, 1958.

Miss. Fr. MISSALE FRANCORUM (8e siècle), éd. L. C. Mohlberg OSB, Rome, 1957.

Miss. Goth. MISSALE GOTHICUM (8e siècle), éd. L. C. Mohlberg OSB, Rome, 1961.

Ord. Rom. LES ORDINES ROMANI du Haut Moyen-Age (8e siècle), éd. M. Andrieu, 1951.

L'Ordo Romanus I se trouve au tome II de cette édition.
Ordo Romanus L = Pont. Rom.-Germ. XCIX.

Lib. Goth.-Hisp. LIBELLUS ORATIONUM GOTHICO-HISPA-NUS, in Thomasii opera omnia, éd. Blanchini I, Rome, 1741. (Nouvelle édition : Vives, Barcelone, 1946).

Moz. Lib. Ord. LE LIBER ORDINUM (7e siècle), éd. Férotin, Paris, 1904.
Les numéros renvoient aux pages.

Moz. Sacram. LE LIBER MOZARABICUS SACRAMENTORUM (7e siècle), éd. Férotin, Paris, 1912.
Les numéros renvoient aux pages.

Moz. Psalt. THE MOZARABIC PSALTER, éd. Gilson, 1905 (Henry Bradshaw-Society, vol. 30).

Anal. Hymn. ANALECTA HYMNICA MEDII AEVI, Dreves-Blume, Leipsig, 1886-1922.

Pont. Rom.-Germ. LE PONTIFICAL ROMANO-GERMANIQUE DU Xe SIÈCLE, tome I et II, éd. C. Vogel et R. Elze, Cité du Vatican, 1963.

IV

AUTEURS CHRÉTIENS

A.A.S.   *Acta Apostolicæ Sedis.*
Corp. Chr. *Corpus Christianorum*, Brepols, Turnhout.
CSEL.   *Corpus scriptorum ecclesiasticorum latinorum* (Corpus de Vienne).
M.   Migne, Patrologie latine.
M.G.H.   *Monumenta Germaniæ historica.*
Ma.   *Mansi*, v. Conc.

Ambr. AMBROSIUS, S. Ambroise, év. de Milan (339-397).

Ep. Epistulæ, M. 16.
Hex. Hexameron libri sex, CSEL. 32,I - M. 14.
Hymn. Hymni, M. 16, et Ps.-Ambr., M. 17, c. 1210.
Incarn. De incarnationis Dominicæ sacramento, M. 16.
Luc. Expositio evangelii secundum Lucam, CSEL. 32, IV - Sources chrétiennes, 45 et 52 - M. 15 - Corp. Chr. 14.
Psal. Enarrationes in psalmos, CSEL. 64 - M. 14.
Sacram. De sacramentis, éd. dom Botte, Sources chrétiennes 25 avec le *De Mysteriis.*
Vid. De viduis, M. 16.
Virg. De virginibus, M. 16.

Ambrosiast. AMBROSIASTER, nom donné à un commentateur inconnu (4e siècle) des Épîtres de S. Paul;
on cite ici un autre ouvrage qui lui est attribué :
Quæstiones veteris et novi testamenti, CSEL. 50 - Ps.-Aug., M. 35.

Arn.-J. *Psal. Commentarius in Psalmos*, M. 53,
d'Arnobe le Moine, selon dom Morin.

Aug. AURELIUS AUGUSTINUS, S. Augustin, év. d'Hippone (354-430), M. t. 32 à 47.
Bapt. De baptismo contra Donatistas, CSEL. 51 - M. 43.
Catech. De catechizandis rudibus, M. 40.
Civ. De Civitate Dei, CSEL. 40 - M. 41 - Corp. Chr. 47 et 48.

Conf. Confessionum libri XIII, éd. de Labriolle, Coll. Budé, 1926.
- CSEL. 33 - M. 32.
Cons. De consensu evangelistarum, CSEL. 43 - M. 34.
Ep. Epistulæ, CSEL. 34, 44, 57, 58 - M. 33.
Ep. ad cath. Epistula ad catholicos, CSEL. 52 - M. 43.
C. Faust. Contra Faustum Manichæum, CSEL. 25 - M. 42.
Fid. et op. De fide et operibus, CSEL. 41 - M. 40.
Gen. litt. De Genesi ad litteram, CSEL. 28, 1 - M. 34.
Gen. Man. De Genesi contra Manichæos, M. 34.
Gest. Pelag. De gestis Pelagii, CSEL. 42 - M. 44.
Grat. Chr. De gratia Christi, CSEL. 42 - M. 44.
Hept. Quæstiones in Heptateuchum (I *Quæst. Gen.*), CSEL. 28, 11 -
M. 34 - Corp. Chr. 33.
Jul. Contra Julianum, M. 44.
Lib. arb. De libero arbitrio, M. 32.
Nat. et grat. De natura et gratia, CSEL. 60 - M. 44.
Nat. et or. De natura et origine animæ, CSEL. 60 - M. 44.
Parm. Contra epistulam Parmeniani, CSEL. 51 - M. 43.
Peccat. merit. De peccatorum meritis, CSEL. 42 - M. 44.
Psal. ou Enarr. Psal. Enarrationes in psalmos, M. 36 et 37 - Corp.
Chr. 38-40.
Serm. Sermones, M. 38 et 39.
Simpl. De diversis quæstionibus ad Simplicianum, M. 40.
Symb. De symbolo ad catechumenos, M. 40.
Tr. ev. Jo. In evangelium Johannis tractatus, M. 35 - Corp. Chr. 36.
Trin. De Trinitate, M. 42.
Ver. rel. De vera religione, M. 34.

Ps.-Aug. *Sermones ad fratres in eremo* (13e siècle), M. 40.
Avell. AVELLANA COLLECTIO, rescrits d'empereurs et de papes, CSEL.
35, I et II.
Ben. I BENEDICTUS I, pape (6e siècle).
Ep. Epistulæ, M. 72.
Ben. BENEDICTUS, S. Benoît, patriarche des moines d'Occident (début
6e siècle).
Reg. Regula, éd. Schmitz, Maredsous, 1946 - M. 66.
S. Bern. BERNARD DE CLAIRVAUX, S. Bernard, apôtre de la 2e croisade.
Ep. Epistulæ, M. 182.
Mor. ep. De moribus episcoporum, M. 185.
Serm. Sermones, M. 183.
Boet. *Anicius Manlius Severinus Boethius*, Boèce, philosophe mis à
mort en 524 ;
(Ps. Boet.) *Fid. De fide catholica*, M. 64.
Bonif. S. BONIFACE, archevêque de Mayence (7e s.).
Vita Bonif. Vita Bonifatii, éd. Levison, M.G.H.
Cæs.-Arel. CÆSARIUS ARELATENSIS, S. Césaire, év. d'Arles (6e s.).
Serm. Sermones, éd. Morin, Maredsous, 1937 - Corp. Chr. 103 et 104.
Cassian. JOHANNES CASSIANUS, Cassien, moine en Orient, puis à
Marseille, mort en 435.
Coll. Collationes XXIV, CSEL. 13 - Sources chrétiennes 64.
Inst. De institutis cœnobiorum, CSEL. 17.
Cass. FLAVIUS MAGNUS AURELIUS CASSIODORUS SENATOR, Cassiodore
(6e s.).

Psal. Expositio in psalmos, M. 70 - Corp. Chr. 97 et 98.

Var. Variæ, éd. Mommsen, M. G. H. Auct. Ant. XII - M. 69.

C.-Th. CODEX THEODOSIANUS, éd. Mommsen, 1905.

Conc. Carth. IV *Concilium Carthaginiense*, an. 398, Mansi t. III.

Conc. Milev. *Acta concilii Milevitani*, an 417, Aug. Ep. 176.

Conc. Turon. II *Concilium Turonense*, an. 567, Mansi t. IX - M.G.H. Conc. Merov. p. 121.

Conc. Aurel. *Concilium Aurelianense*, an. 639, M.G.H. Conc. Merov. p. 207.

Conc.Trid. *Concilium Tridentinum*, cité d'après Denzinger-Bannwart, *Enchiridion symbolorum*, Fribourg-Br., 1937.

Const. Apost. *Constitutiones apostolicæ*, M. gr. I.

Cypr. THASCIUS CÆCILIUS Cyprianus, S. Cyprien, év. de Carthage, mort en 328. M. 3 et 4 - CSEL. 3, I, II, III.
Ad Demetr. Ad Demetrianum.
Ad Fort. Ad Fortunatum de exhortatione martyrii.
Dom. orat. De Dominica oratione.
Eccl. unit. De catholicæ ecclesiæ unitate.
Ep. Epistulæ.
Hab. virg. De habitu virginum.
Laps. De lapsis.
Op. et el. De opere et eleemosynis.
Zel. De zelo et livore.

Denz., v. *Conc. Trid.*

Didasc. Apost. *Didascaliae apostolorum*, éd. Conolly, Oxford, 1920.

Dion.-Ex. DIONYSIUS EXIGUUS, Denys le Petit, moine scythe venu à Rome (6e s.) M. 67.

Eleuth. ELEUTHERIUS, S. Éleuthère, év. de Tournai (6e s.), M. 65.

Faust.-R. FAUSTUS RHEGIENSIS (Reiensis), év. de Riez (5e s.).
Ep. Epistulæ, M. 58 - CSEL. 21.

Fort. HONORIUS CLEMENTIANUS VENANTIUS FORTUNATUS, Fortunat, év. de Poitiers (6e s.) M. 88 - M.G.H. Auct. ant. IV, 2.
Carm. Carmina.
Mart. Vita S. Martini.

Fulb.-Carn. SAINT FULBERT, év. de Chartres (11e s.), M. 141.

Fulg.-R. FULGENTIUS RUSPENSIS, S. Fulgence, év. de Ruspes en Afrique (467-533).
Serm. Sermones M. 65.
Trin. De Trinitate, M. 65.

Gaud. GAUDENTIUS, S. Gaudence, év. de Brescia (4e s.).
Serm. Sermones, M. 68 - CSEL. 68.

Gel. I GELASIUS I, Gélase, pape (fin du 5e s.).
Ep. Epistulæ, M. 59 - Thiel, *Epistulæ Romanorum pontificum*, Bromberg 1868 - voir : Sources chrétiennes N° 65.

Greg.-M. GREGORIUS MAGNUS, S. Grégoire le Grand, pape de 590 à 604 ; M. 76 et 77.
Ep. Epistulæ, M.G.H. Ep. I, 2.
Dial. Dialogi.
Hom. Ez. In Ezechielem homiliæ.
Hom. ev. In Evangelia homiliæ.
Moral. Moralia in Job.
Past. Regula pastoralis.

Greg.-T. Gregorius Turonensis, Grégoire de Tours, év. de Tours (fin du 6ᵉ s.); M. 71.
   Glor. mart. Liber in gloria martyrum, M.G.H. Merov. I.
   Hist. Historia Francorum, M.G.H. Rer. Merov. I.
   Vit. Mart. Liber de virtutibus sancti Martini, Script. Merov. I.
   Vit. Patr. Vitæ Patrum, ibid.
Hier. Sophronius Eusebius Hieronymus, S. Jérôme (347 ?-420), M. 22 à 31.
   Am. Commentariorum in Amos libri III, M. 25.
   Ephes. Commentariorum in epistulam ad Ephesios libri III, M. 26.
   Ep. Epistulæ, M. 22 - CSEL. 54 et 55 - voir éd. Labourt, Coll. Budé.
   Ez. Commentariorum in Ezechielem libri XVI, M. 25.
   Helv. Adversus Helvidium de Mariæ virginitate perpetua, M. 23.
   Is. Commentariorum in Isaiam libri XVIII, M. 24.
   Jer. Commentariorum in Jeremiam libri VI, M. 24 - CSEL. 59.
   Joel. Commentariorum in Joelem liber, M. 25.
   Jov. Adversus Jovinianum libri II, M. 23.
   Matth. Commentariorum in Matthæum libri IV, M. 26.
   Orig. Ez. Homiliæ XXVIII in Jeremiam et Ezechielem e Græco Origenis Latine redditæ, M. 25 - M. gr. 13.
   Psal. Tractatus in Psalmos, Morin Anec. III, 2, 3 - Corp. Chr. 78.
   Vit. Paul. Vita S. Pauli, primi eremitæ, M. 23.
Hilar. pap. Hilarius, pape (de 461 à 468).
   Ep. Epistulæ, M. 58 - Thiel, p. 27.
Hilar. Hilarius Pictavensis, S. Hilaire, év. de Poitiers (315 ?-367).
   Mat. In Evangelium Matthæi, M. 9.
   Myst. De mysteriis, CSEL. 65 - Sources chrétiennes, Nᵒ 19.
   Psal. Tractatus super Psalmos, M. 9.
   Trin. De Trinitate, M. 10.
Hipp. Hippolyte de Rome.
   Trad. La tradition apostolique (ancienne version latine), éd. Dom Botte, Paris, 1946, Sources chrétiennes.
Ignat. Ignatii *epistula ad Romanos* (anc. traduction latine), éd. Lagarde, Die Lat. Uebersetzungen, Göttingen, 1882.
Imit. *De imitatione Christi* (auteur anonyme du 15ᵉ s.).
Innoc. I Innocentius I, pape (de 412 à 417).
   Ep. Epistulæ, M. 20 et 67, c. 238.
Iren. Irenæi interpres, anc. trad. latine de S. Irénée, év. de Lyon (2ᵉ s.).
   Hær. Peri hæreseon, M. gr. 7 - éd. Harvey, 1857 - livre III dans Sources chrétiennes, Nᵒ 34.
Isid. Isidorus, S. Isidore, év. de Séville (560 ?-636).
   Eccl. off. De ecclesiasticis officiis, M. 83.
   Or. Originum (Etym.) libri, M. 82.
Juvc. C. Vettius Aquilinus Juvencus, prêtre espagnol, poète (4ᵉ s.).
   De historia evangelica (carmen), M. 19 - CSEL. 24.
Lact. Caecilius Firmianus Lactantius, Lactance, apologiste africain (début du 4ᵉ s.), M. 6 et 7.
   Inst. Divinarum institutionum libri VII, CSEL. 19.
   Mort. De Mortibus persecutorum, CSEL. 27 - Sources chrétiennes Nᵒ 39.
Leo-M. Leo Magnus, S. Léon le Grand, pape (de 440 à 461), M. 54.
   Ep. Epistulæ.
   Serm. Sermones.

Lib. pont. LIBER PONTIFICALIS, notices biographiques sur les papes, commencées au 6ᵉ s., éd. Duchesne, Paris, 1886-96 - éd. Mommsen, 1898.

Mar.-Vict. MARIUS VICTORINUS AFER, Victorin, rhéteur converti (4ᵉ s.).
    Arr. Adversus Arrium, M. 8 - éd. Henry-Hadot, Sources chrétiennes, Nᵒˢ 68-69.

Max.-Taur. (ou Ps. Max.-T.), MAXIMUS TAURINENSIS, év. de Turin, mort en 420.
    Serm. Sermones, M. 57.

Med. Dei, Encyclique *Mediator Dei*, 1947.

Mercat. MARIUS MERCATOR (5ᵉ s.).
    Subnot. Liber subnotationum..., M. 48.

Minuc. MINUCIUS FELIX (fin du 2ᵉ s.), M. 3.
    Octavius, CSEL. 2 - éd. Waltzing, Liège, 1909.

Novat. NOVATIANUS, Novatien (3ᵉ s.).
    Trin. De Trinitate, M. 3.

Oros. PAULUS OROSIUS, Orose, prêtre espagnol (5ᵉ s.).
    Hist. Historiarum adversus paganos libri VII, CSEL. 5 - M. 31.

Pass. Perp. *Passio S.S. Perpetuæ et Felicitatis* (3ᵉ s.).
    M. 2 - éd. Van Beek, Nimègue, 1936.

Paulin. PAULINUS MEDIOLANUS, Paulin de Milan (5ᵉ s.).
    Vit. Ambr. Vita Ambrosii Mediolanensis, M. 14.

P.-Diac. PAULUS DIACONUS, Paul Diacre (Warnefried), moine du mont Cassin (8ᵉ s.), M. 95.
    Hymnes, dans Dreves-Blume, *Analecta...*, t. 50.

P.-Nol. MEROPIUS PONTIUS PAULINUS NOLANUS, S. Paulin, év. de Nole (353-431). M. 61 - CSEL. 29 et 30.
    Carm. Carmina.
    Ep. Epistulæ.

Pelag. PELAGIUS, traducteur d'un texte grec des *Vitæ Patrum*, livre V, M. 73.

Pereg. *Peregrinatio ad loca sancta*, récit d'une dame espagnole, Ethéria, ou plutôt Egéria, qui raconte son voyage aux lieux saints, CSEL. 39 - éd. Pétré, Sources chrétiennes, Nᵒ 21.

Prud. AURELIUS PRUDENTIUS CLEMENS, Prudence, poète (fin du 4ᵉ s.), M. 59 et 60 - CSEL. 61.
    Cath. Liber Cathemerinon.
    Peri. Peristephanon.
    Symm. Contra Symmachum.

Ruf. TURRANIUS RUFINUS, Rufin, prêtre d'Aquilée, adversaire de S. Jérôme.
    Greg. traduction de Grégoire de Nazianze, CSEL. 46.
    Orig. traduction du *De principiis* ($\Pi\epsilon\rho\grave{\iota}$ $\dot{\alpha}\rho\chi\tilde{\omega}\nu$) d'Origène, M. gr. 11.

Rupert. RUPERT DE DEUTZ (12ᵉ s.).
    De divinis officiis, M. 170.

Rustic. RUSTICUS, diacre de l'église romaine (6ᵉ s.), dans *Acta conciliorum œcumenicorum*, éd. Schwartz, Berlin. 1914, t. I, 3.

Salv. SALVIANUS, Salvien, prêtre de Marseille (5ᵉ s.), M. 53 - CSEL. 8.
    Eccl. Ad ecclesiam.
    Gub. De Gubernatione Dei.

S.S. *Scriptura Sacra*, pour les références autres qu'à la Vulgate.

Tert. QUINTUS SEPTIMIUS FLORENS TERTULLIANUS, Tertullien (début du 3ᵉ s.), M. 1 et 2 - Corp. Chr. 1 et 2.

An. De anima, CSEL. 20 - éd. Waszink, 1947.
Apol. Apologeticum, CSEL. 69.
Bapt. De baptismo, CSEL. 20.
Carn. Chr. De carne Christi. CSEL. 20.
Cast. De exhortatione castitatis, CSEL. 70.
Cor. De corona, CSEL. 70.
Idol. De idololatria, CSEL. 20.
Jud. Adversus Judæos, CSEL. 70.
Adv. Marc. Adversus Marcionem, CSEL. 70.
Monog. De monogamia.
Orat. De oratione, CSEL. 20.
Praescr. De præscriptione hæreticorum, CSEL. 70.
Paen. De paenitentia.
Pud. De pudicitia, CSEL. 20.
Spect. De spectaculis, CSEL. 20.
Scorp. Scorpiace, CSEL. 20.
Ux. Ad uxorem, CSEL. 70.

Thom.-Aq. S. Thomas d'Aquin, dominicain (13e s.); M. 217.
   Sti Thomæ Aquinatis opera omnia, jussu impensoque Leon. XIII
   P. M. edita, 12 vol. 1882-1906.
   Summ. Summa theologica.

Tycon. Tyconius ou Tichonius, donatiste (4e s.), M. 18.

Vict.-Vit. Victor Vitensis, Victor de Vite, év. de Vite en Afrique
(5e s.).
   Pers. Historia persecutionis Vandalicæ, M. 58 - CSEL. 7.

Vinc.-Lir. Vincentius Lirinensis, Vincent de Lérins (5e s.).
   Comm. Commonitorium, M. 50.

BIBLIOGRAPHIE

Plusieurs volumes seraient nécessaires pour établir une bibliographie des innombrables ouvrages concernant la liturgie, dont certains touchent de près ou de loin à la question du vocabulaire latin.

Voici d'abord une liste d'ouvrages d'un caractère encyclopédique, dont les différents chapitres contiennent une bibliographie détaillée :

LITURGIA, Encyclopédie populaire des connaissances liturgiques, publiée sous la direction de l'abbé R. Aigrain, professeur aux facultés catholiques de l'Ouest. Paris, Bloud et Gay, 1931.

L'ÉGLISE EN PRIÈRE, Introduction à la liturgie, sous la direction du chanoine A. G. Martimort, professeur à la faculté de théologie de Toulouse et à l'Institut Supérieur de liturgie de Paris, directeur du Centre de pastorale liturgique. Paris-Tournai, Desclée et Cie, 1961.

ENCHIRIDION LITURGICUM, 2 vol., par Polycarpus Radó O.S.B., professeur à la Faculté de théologie de Budapest. Rome-Fribourg-en-Br., 1961.

DICTIONNAIRE D'ARCHÉOLOGIE CHRÉTIENNE ET DE LITURGIE, par Dom Cabrol, Dom Leclercq, Marrou, etc. Paris, Letouzey et Ané, depuis 1903.

Chaque volume des SOURCES ANCIENNES mentionnées plus haut, pp. 12-13, contient une importante bibliographie.

QUELQUES REVUES

Revue Bénédictine, Maredsous.
Ephemerides liturgicæ, Rome.
Maison-Dieu, Revue de pastorale liturgique, Éd. du Cerf, Paris.
Questions liturgiques et paroissiales, Abbaye du Mont César, Louvain.
Paroisse et liturgie, Abbaye S. André, Bruges.
Revue des sciences religieuses, Strasbourg.

QUELQUES TITRES

Backer (de), Poukens, etc., *Pour l'histoire du mot « sacramentum »*, I *Les Anténicéens*, Spicilegium Lovaniense, 1924.

A. Blaise, *Dictionnaire latin-français des auteurs chrétiens*, Strasbourg 1954.

A. Blaise, *Manuel du latin chrétien*, Strasbourg, 1955.

Dom Botte et Chr. Mohrmann, *L'ordinaire de la messe*, Coll. Études liturgiques, Louvain, 1953.

Dom Brou, *Les oraisons des dimanches après la Pentecôte*, Abbaye S. André, Bruges, 1959.

Dom P. Bruylants, *Les oraisons du Missel Romain*, 2 vol., Abb. du Mont César, 1952.

Dom. P. Bruylants, *Concordance verbale du Sacramentaire Léonien*, Archivum latinitatis medii ævi, t. 18 et 19, Louvain.

Fr. Dalpane, *Nuovo lessico della Bibbia Volgata*, Florence, 1911.

Sr. M. P. Ellebracht, *Remarks on the vocabulary of the ancients orations in the Missale Romanum* (importante bibliographie), Nimègue, 1963.

Gélase I, *Lettre contre les Lupercales, et dix-huit messes du Sacramentaire Léonien*, éd. G. Pomarès, Sources chrétiennes, No 65.

A. Chavasse, *Le Sacramentaire Gélasien, Vatic. Regin. 316. Sacramentaire presbytéral en usage dans les Titres romains au VIIe s.*, Bibl. de théol. IV, I, Paris-Tournai-New York-Rome, 1958.

B. Lécureux, *Le latin, langue de l'Église*, Paris, 1964.

G. Manz, *Ausdrucksformen der lateinischen Liturgiesprache bis ins 11. Iahrhundert*, Erzabtei Beuron, 1941.

Chr. Mohrmann, *Le latin liturgique*, La Maison-Dieu, No 23, 1950, p. 5.

Nun, *An introduction to ecclesiastical latin*, Cambridge, 2e éd. 1953.

A. Pflieger, *Liturgicæ orationis concordantia verbalia, I pars, Missale Romanum*, Herder 1964.

PRINCIPALES ABRÉVIATIONS

outre les sigles signalés pour les TEXTES CITÉS.

abl. ablatif
absol. absolutio
abs. absolument (sans complément)
acc. accusatif
act. actio
adj. adjectif, adjectivement
Adv. Adventus
adv. adverbe, adverbialement
æt. æternus
all. alleluia (Miss. R.)
ang. angelus
anniv. anniversarium, anniversarius
ant. antiphona, antienne
Ap. Apostolus
apr. aprilis
Arch. Archangelus
arch. archaïque
Asc. ou Ascens. Ascensio
Ass. ou Assumpt. Assumptio
aug. augustus
av. avec

bapt. baptisma, baptismus, baptême
ben. benedictio, benedicere
benef. benefactor
B.M.V. Beata Maria Virgo

cand. candela
cant. canticum
car. caritas
c.-à-d. c'est-à-dire
Cen. Dom. Cena Domini, Jeudi-saint
ch. chose
chrism. chrisma, chrismalis
Cin. Cineres
Circ. Circumcisio
cl. ou class. classique
cœm. cœmeterium
coll. collecta, v. oratio, oraison du jour (Miss. et Br. R.)
c. comme

c. colonne (dev. un chiffre)
cf. confer, comparez
conf. confessor
compar. comparatif
commem. ou comm. commemoratio
compl. completorium
comm. commune
Conc. Conceptio
concr. concret
conf. confessor
congreg. congregatio
Cord., S.S. Cord. Jes., du Sacré-Cœur
Corp. Chr. Corpus Christi
consecr. consecratio
coron. coronatio
dat. datif
dec. december
Dedic. Dedicatio
def. defunctus
dep. déponent
dem. démonstratif
depos. depositio
dim. diminutif
doct. doctor
D.N.J.C. Dominus Noster Jesus Christus
D. Domine
q.D. quæsumus, Domine
d. ou dom. dominica

eccl. ecclesia
elig. eligere, eligendus
epith. épithète
Epiph. Epiphania
episc. episcopus
ev. evangelista
Exalt. Exaltatio
ex. exemple
Exsultet = præconium paschale

f. féminin
febr. februarius
fer. feria
fest. festum
fig. figuré
fut. futur

gen.	génitif	oct.	octava
gen. obj., subj.	génitif, objectif, subjectif	oct.	october
		off.	officium
grad.	graduale (Miss. R.)	offert.	offertorium
grat.	gratia	opp.	opposé, opposition
grat. act.	gratiarum actio	ordin.	ordinairement
		ord.	ordo
hebd.	hebdomas	or.	oratio
Hebd. Maj.	Hebdomada Major, Semaine sainte	or. div.	orationes diversæ (Miss. R.)
hum. ou humil.	humilitas		
hymn.	hymnus	p.	page (devant un chiffre)
Immac.	Immaculata	pag.	paganus
imp.	imparfait	Palm.	Palmarum
imper.	impératif	d.palm. = dom.2 Pass.	
impers.	impersonnel	Parasc. Parasceve = fer. 6 in	
impr.	improperia		Passione et Morte
indec.	indéclinable		Domini
infr.	infra	pf. ou parf.	parfait
indic.	indicatif	part.	participe
indir.	indirect	p.p.	participe passé
inf.	infinitif	Pasch.	Pascha, paschalis
intr.	intransitif	passim	çà et là
intr.	introitus	Pass.	Passio
		pass.	passif
jan.	januarius	Pent.	Pentecoste
jul.	julius	pecc.	peccatum
jun.	junius	pejor.	péjoratif
		pereg.	peregrinantes
lap., prim. lap.	primarius lapis	pers.	personne, personnel
laud.	laudes	pl.	pluriel
lect.	lectio	plur.	plures
litan.	litanie	pont.	pontifex
litt.	littéralement	pop.	populus
		posc.	poscendus
m.	masculin	p. post, ex.d.2 p.Pent.	deuxième dimanche après la Pentecôte
mai.	maius		
Maj.	v. Hebd.		
mart.	martyr	postc.	postcommunio (Miss. R.)
mart.	martius		
mat.	matutinum	postul.	postulandus
ms.	manuscrit	præc.	præconium, ex.
m. ou miss.	missa		præconium Paschale = Exsultet
Nat.	Nativitas, Nat.Dom. Noël	præf.	præfatio
		præp.	præparatio
n.	neutre	prep.	préposition
nom.	nominatif	pres.	présent
nov.	november	pret.	pretiosus, pretiosissimus
obit.	obitus	p.	pro, pour
obj.	objectif	p.al.loc.	pro aliquibus locis

prof.	professio	sol.	solemnis, solemnitas
propag. fid.	propagatio fidei, pro- paganda fides	souv.	souvent
prom.	promissiones	spir.	spirituel, sens spiri- tuel
proph.	prophetia	Spir. S.	Spiritus Sanctus
pros.	prosa	spons.	sponsus, Sponsus (en
Purif.	Purificatio		parl. du Christ)
		subj.	subjectif
Quadr.	Quadragesima	subj.	subjonctif
Quat. T.	Quattuor Tempora	subst.	substantif, substan- tivement
qqch.	quelque chose		
qqfs.	quelquefois	summ.	summus
qqn.	quelqu'un	sup.	super
quot.	quotidianus	superl.	superlatif
		symb.	symbole, symboli- quement
rar.	rare, rarement		
rec.	reconciliatio		
relig.	religiosus	temp.	tempus
reliq.	reliquiæ	toll.	tollendus
remiss.	remissio	tract.	tractus (Miss. R.)
renov.	renovatio, renovare	Transfig.	Transfiguratio
resp.	respublica	Transfix.	Transfixio
Res.	Resurrectio	tr.	transitif
		Trin.	Trinitas
S.	Sanctus		
sacerd.	sacerdos	v.	voyez, voir
sabb.	sabbatum	vers.	versus
sacr.	sacratus	vesp.	vesperæ
S.S.	Sanctissimus ou Sacratissimus	vet.	vetus
		vig.	vigiliæ
S.S. (dev. un pluriel)	Sancti	virg.	virgo, Virgo (en parl. de la Sainte Vierge)
secr.	secreta = or. super oblata (Miss. R.)	Visit.	Visitatio
sept.	september	vit.	vitandus
sequ.	sequentia	voc.	vocatif
sing.	singulier	vot.	votivus
soc.	socius		

Index-Lexique ⁽¹⁾

A

A, ab, abs, 1. (éloignement, séparation)
terra cessavit a præliis, Jos. 14, 15, les
guerres cessèrent dans le pays – (au lieu
de *quam*, après comp.) *minuisti eum
paulominus ab angelis*, Ps. 8, 6, tu ne l'as
qu'un peu abaissé au-dessous des anges – à la différence de : *descendit justificatus ab illo*, Luc. 18, 14, revint justifié, l'autre non.
2. (provenance) de : (phrase nominale)
justum adjutorium a Domino, Ps. 7, 11,
c'est avec justice que j'attends le
secours du Seigneur – (partitif sujet,
hébr.) *quem appretiaverunt a filiis Israhel*,
Mat. 27, 9, qu'ont apprécié certains
fils d'Israël.
3. (distance) de, depuis : *a sæculo*,
Ps. 24, 6, de toute éternité.
4. (cause) de, par suite de (emplois
plus étendus qu'en latin class.) *a facie
iræ tuæ*, Ps. 37, 4, devant ta colère.
abalieno, *-are*, (pass.) se détourner
(de Dieu) 160, note 3.
Abba, indéc. Père (Dieu) 141.
abbas, *-atis*, abbé 141, note 9 ; 365.
abdico, *-are*, répudier, renoncer à :
terrena omnia a. 405 ; 451.
abhorreo, *-ere*, reculer devant, avoir
horreur de : *præsepe non abhorruit* 50.
abigo, *-ere*, écarter (le mal) 73.
abjectio, *-onis*, abaissement : *in carnis
abjectione* 187.
abjicio, *-ere*, rejeter : *a. opera tenebrarum* 451 – chasser (les démons) 320.
abluo, *-ere*, purifier : *a. aqua baptismatis* 334 ; *a. aliquem, a. inquinamenta* 281 ;
a. crimina 416.
ablutio, *-onis*, purification 281 – *a.
scelerum* 250.
abnegatio, *-onis*, renoncement, abné-
gation : *a. perfecta* ; *a. sui* 451 et note 9.

abnego, *-are*, renoncer à : *a. impietatem* 414 ; *a. semetipsum* 447 ; 451.
aboleo, *-ere*, effacer : *a. peccata* 281.
abolitio, *-onis*, suppression : *a. peccatorum* 250 ; 281 – amnistie 281, note 1.
abominatio, *-onis*, abomination, idolâtrie, idole : *abominationes abdicare* 9 ;
160 ; *a. desolationis*, Mat. 24, 15 –
(sodomie) 413.
abrenuntio, *-are*, renoncer : *a. satanæ* ;
a. diabolo et operibus ejus 331.
abscedo, *-ere*, se retirer (esprit impur)
323.
abscondo, *-ere*, cacher : *abscondisti hæc
a sapientibus* 495 – p.p., *absconditus*,
caché (péché caché aux regards de
Dieu) 412 – (subst. pl.n.) *abscondita
tenebrarum* 202 ; *in absconditis*, dans le
secret le plus profond 142 – secret : *in
abscondito loqui* 170 – secret, mystérieux : *Deus a.* 129 ; (sagesse de Dieu)
225 ; (plan du salut) *sacramentum a.* 225.
absisto, *-ere*, se retirer (démon) 322 ;
327.
absolutio, *-onis*, action de délier, délivrance (du péché), absolution 277.
absolutor, *-oris*, celui qui absout
(Dieu) 96.
absolvo, *-ere*, délier, détacher, délivrer, libérer, absoudre : *a. animam a
vinculo delictorum* 96 ; *a. a peccatis, a
vinculis peccatorum* 96 ; 279 ; *a. a delictis*
76 ; *mortis, mortalitatis vinculis, nexibus
a.* 408 ; *a. animam* ; *a. peccatores* 96 ;
279 ; *a. peccata, delicta* 279 – *a. vincula
pravitatis* 279.
absorbeo, *-ere*, engloutir (dans l'enfer)
319.
abstergeo, (*-go*), *-ere*, essuyer (les larmes) 74 – effacer, laver (les taches, les
péchés) 281.

---

1. Les numéros renvoient aux paragraphes du Vocabulaire.
La référence est donnée ici seulement pour quelques citations qui ne figurent
pas dans la suite de l'ouvrage, notamment en ce qui concerne les emplois non
classiques des prépositions dans le latin biblique.
Mais pour l'ensemble de ce latin, il faudra néanmoins recourir au Dictionnaire.

abstinentia, *-æ,* abstinence 448.

abstineo, *-ere,* intr., s'abstenir : *ab escis carnalibus a.* 448 – (réfl.) se tenir à l'écart de, s'abstenir : *se a. ab alimentis* 448 et note 3.

abstraho, *-ere,* arracher à, délivrer (du mal) 73 ; *a. peccatis* 283 ; *a. ab inferis* 314.

absumo, *-ere,* consumer (holocauste spirituel) 235, note 5 ; 237.

abundantia, *-æ,* abondance, surabondance : *a. pietatis (Dei)* 66 ; 68 ; *a. largitatis* 82.

abundo, *are,* être riche en : *a. in omne opus bonum* 274 – *a. ut,* réaliser abondamment, facilement 65, note 2 – être réalisé abondamment : *gratia abundavit* 229, note 3 – se multiplier : *abundavit delictum* 412.

abyssus, *-i,* l'abîme (d'en haut) : *fontes abyssi* 289 – (pl.) abîmes infernaux, ce qui est sous terre 130.

ac si (ou **acsi**), comme si 51.

accedo, *-ere,* s'approcher (pour une requête, fig. pour une prière) 51 ; 78, 100 – *a. ad altare* (prêtre) ; *a. ad tantum mysterium* 241 ; *ad cæleste convivium a.* 2 ; (au banquet céleste) *ad epulas a.* 254.

acceleratio, *-onis,* action de hâter : *a. cælestis auxilii* (secr. fer. 6 oct. Pasch.).

accelero, *-are,* hâter (grâce, pardon, aide, présence de Dieu) 56 ; 69 ; 411.

accendo, *-ere* allumer (la lumière, la charité dans les cœurs) 48 ; 220 – enflammer (de charité) 106.

acceptabilis, *-e,* favorable : *tempus a.* 449 ; 460 – agréable, agréé (par Dieu) *dies a.* 449, note 5 ; (offrande) 247 – réconcilié (par la rédemption): *populus a.* 232.

acceptio, *-onis,* acception, partialité : *a. personarum* 145.

accersio, *-ire,* (pass.) être rappelé (à Dieu) 442.

accersitio, *-onis,* rappel (à Dieu) 408.

accessus, *-us,* accès : *a. per fidem* 44 – accroissement : *piæ devotionis a.* 457.

accingo, *-ere,* (pass.) ceindre, se revêtir de : *a. ciliciis* 91, note 4.

accipio, *-ere,* recevoir (l'euchar.) 263 ; (le Saint-Esprit) 218 ; (au baptême) *a. Spiritum Sanctum ; a. signum crucis* 329 et note 7 – prendre : *accepit panem* 236 ; *a. crucem suam* 447 – recevoir, agréer (nos dons) 247 – *acceptus,* agréé, agréable (à Dieu) 69 ; 88 ; 234 ; *acceptum reddere, facere, habere* 247 ; (pers.) *nos reddere acceptos* 435.

acclinis, *-e,* prosterné 92.

accommodo, *-are,* prêter (l'oreille) : *aurem a.* 52.

accresco, *-ere,* s'accroître (piété) 457.

accumbo, *-ere,* v. *convivium* 254.

accusator, *-oris,* l'accusateur (le diable) : *a. fratrum nostrorum* 321.

accuso, *-are,* accuser : (pénitence) *se a.,* se reconnaître coupable, s'accuser 90.

acies, *-iei,* pénétration (du regard spirituel : *a. cordis ; a. mentis* 395.

acolythus, *-i,* acolyte 368.

acquiro, *-ere,* acquérir, obtenir (grâce, pardon, etc.) 61.

acquisitio, *-onis,* (concr.) le peuple acquis (par le Christ en nous rachetant) : *in redemptionem acquisitionis* 226.

actio, *-onis,* conduite, nos actes : *actiones sanctorum* 106 ; *nostra a. ; pondus propriæ actionis* 401 ; *ad cœlestis vitæ actionem ; pietas actionum ; voluntate et actione* 437 – célébration (en gén.) : *a. nuptialis* 242, note 10 – la célébration des mystères, le saint sacrifice : *canon actionis* 242.

actualis, v. *peccatum.*

actum, pl. **acta,** actes : *acta martyrum* 97 ; *acta martyrum, pontificum* 437.

actus, *-us,* pl., agissements, conduite : *dirigere actus nostros* 115 et 437 ; *actibus nostris non valemus* 437 – Actes (des Apôtres) : *Actus apostolorum* (Vulg.) 437.

ad, 1. à, vers : *dicere ad,* Jo. 6, 28 ; *orare ad,* Ps. 27, 2.

2. à, jusqu'à : *ad odium ejus,* Ps. 35, 2, jusqu'à le rendre odieux ; *ad horam,* Jo. 5, 35, pour une heure.

3. près de, à : *sepelierunt ad virum suum,* Act. 5, 10 ; *pacem habere ad Deum,* Rom. 5, 1, aux yeux de Dieu – *sedere ad dexteram Patris* 201.

4. pour : *qui ad eleemosynam sedebat,* Act. 3, 10.

5. selon : *ad desideria coacervabunt magistros,* 2 Tim. 4, 2.

Adam, indéc. **Adamus,** *-i,* Adam : *novus A.* (le Christ) 206.

adaperio, *-ire,* ouvrir (les cœurs) 395 ; (la porte de la miséricorde) 277.

adc-, v. *acc-.*

addico, *-ere, addictus,* condamné, voué (au feu) 318.

addo, *-ere,* donner en plus, donner (comme compagne) 340 – recommencer à 65, note 2.

adeps, *-ipis,* graisse, (fig.) la fine fleur, le meilleur : *ex adipe frumenti* 255.

adfectio (aff-), *-onis,* pl. affections 49.

adfectus (aff-), *-us,* sentiment, dispositions : *digno affectu* (pour recevoir l'eucharistie) 262 ; *piis affectibus* 262 – (pl., péjor.) désirs, passions : *terreni affectus* 212 – sentiment (de piété, de charité) : *cum affectu,* affectueusement 51 ; *caritatis a.* 46 ; *toto cordis ac mentis affectu* 28 ; *affectu contemplari* 292 ; *pietatis* ou *devotionis a.* 46 – amour (de Dieu pour nous) *pio affectu* 149.

adfero (aff-), *-ferre,* apporter (telle ou telle disposition) (secr. 5 jul.).

adfigo (aff-), *-ere,* clouer (à la croix) 195.

adfixio (aff-), *-onis,* action de clouer : *crucis a.* 498.

adflator (aff-), *-oris,* qui insuffle (la vie) : *a. animarum (Deus)* 137.

adflatus (aff-), *-us,* souffle (de l'Esprit) 218.

adflictio (aff-), *-onis,* affliction, acca-blement : *in loco afflictionis ; a. populi tui ; a. nostra* 443 ; *a. jejunii* 448.

adfligo (aff-), *-ere,* affliger, accabler 152 ; 442 ; *pro peccatis nostris affligimur* 443 – *se a.,* se mortifier 448.

adflo (aff-), *-are,* inspirer : *viscera afflata Sancto Spiritu* 218.

adfluo (aff-), *-ere,* affluer : *gratia affluens* 353.

adfulgeo (aff-), *ere,* luire (le jour de notre libération) 182.

adgravo (agg-), *-are,* alourdir, endur-cir (ses oreilles) 422.

adgrego (agg-), *-are,* incorporer (des peuples à l'Église) 271 ; 332 ; 351 ; 390.

adhæreo, *-ere,* s'attacher (à Dieu) : *a. Deo ; a. post te* 49 – (à son épouse) *a. uxori suæ* 340 – (en parl. d'une souil-lure) *a. alicui* 282.

adhæsio, *-onis,* action de s'attacher (à Dieu) 49, note 9.

adimpleo, *-ere,* accomplir (les oracles, les prophéties) 168 ; 173 ; *a. promis-sionem* 197 – accomplir (la loi, les com-mandements) 430 ; 433 – combler : *a. benedictionem* 87.

aditus, *-us,* entrée, accès : *æternitatis a.* 198 ; v. *adytum.*

adjicio, *-ere,* ajouter (une faveur, une grâce) 68 – (av. inf. ou *ut* et subj.) recommencer à 65, note 2.

adjumentum, *-i,* aide (de Dieu) 70, note 1.

adjuro, *-are,* adjurer, conjurer (le dé-mon, dans l'exorcisme) 327.

adjutor, *-oris,* aide, protecteur (Dieu) 43 ; 70 ; etc.

adjutorium, *-ii,* aide (de Dieu) 70 ; (de S. Raphaël) 70, note 1.

adjuvo, *-are,* aider (en parl. de Dieu

ou de la grâce) 56 ; 65 ; 70 ; 274 ; etc. ; *te adjuvante* 70 – (des mérites des saints) 67.

administratio, *-onis,* répartition (des secours ecclés.) : *a. caritatis* 385 ; 482.

administratorius, *-a,* chargé d'un ser-vice (ange) : *administratorii spiritus* 114.

administro, *-are,* distribuer (les aumô-nes) 363, note 13 ; cf. *minister.*

admirabilis, *-e,* admirable : *a. Con-siliarius* 204.

admitto, *-ere,* admettre, écouter (nos prières) 61 – admettre (à la commu-nion) 254 ; (à la profession religieuse) 380 – commettre : *peccata a.* 411.

admixtio, *-onis,* mélange qui s'ajoute, union : *a. luminis tui* 154 ; *contrariæ virtutis a.* (ben. aq. vig. Pasch., Gel. I, 44, 445), intrusion de la puissance ennemie.

adnotatio, (ann-), *-onis,* inscription (au livre de vie) : *æterna a.* 275.

adnumero (ann-), *-are,* compter au nombre de : *beatis annumerari* 488.

Adnuntiatio (Ann-), *-onis,* Annoncia-tion (fête de l') : *A. sanctæ Mariæ* 179.

adnuntio (ann-), *-are,* annoncer (le Messie) 175 ; (l'Incarnation) 112 ; 179 – annoncer (l'Évangile, le Christ) 172.

adnuo (ann-), *-ere,* faire un geste d'acquiescement, exaucer : *a. nobis, a. precibus,* (ou abs.) 65.

adoleo, *-ere,* brûler (de l'encens) 289.

Adonai, Maître suprême (un des noms de Dieu) 123.

adoptio, *-onis,* (notre) adoption (com-me fils par le salut de J. C.) : *a. filio-rum* 225 ; 233 ; 390 ; *adoptionis tuæ filii* (les chrétiens) 390 ; *spiritus adoptio-nis* 141, 233.

adorandus, *-a,* adj. verb., adorable 19.

adoratio, *-onis,* adoration 19.

adorator, *-onis,* adorateur 19.

adoro, *-are,* se prosterner devant : *a. aliquem, a. crucem* 19 ; 62 – adresser sa prière (abs. ou av. prép.) : *a. ad tem-plum ; a. in conspectu Dei* 77 – adorer (Dieu, le Christ) : *a. Deum, Christum, majestatem* 19 ; 20 ; etc. ; (av. *glorifi-care, laudare*) 19 ; (av. *venerari, colere*) 20.

adp-, v. *app-.*

adprecor, *-ari,* prier, supplier 79.

adscribo, *-ere,* inscrire au compte de – *adscriptus,* agréé 247.

adsequor (ass-), *-i,* obtenir (par ses prières) 44 ; 61 – atteindre : *a. veri-tatem* 466.

adsero (ass-), *-ere,* affirmer 429.

adsertor (ass-), *-oris,* défenseur (par la parole) : *verbi tui a.* 172 ; *a. materni-*

tatis Virginis Mariæ 208 – confesseur (martyr) : *assertores tui nominis (Dei)* 110.

adsidue (ass-), sans fin 109.

adsiduus (ass-), *-a,* continuel : *a. protectio* 72 ; etc. ; *a. meditatio* (postc. 17 sept.).

adsigno (ass-), *-are,* montrer, présenter (une prière, en intercesseur) 69.

adsimilo (ass-), *-are,* comparer à, ranger au nombre de 315, note 7.

adsisto (ass-), *-ere,* être présent (Dieu) 56 – (av. dat. ou abs.) se trouver autour, aux côtés de, assister, aider (en parl. de Dieu, des anges) 70 ; 113 ; 114 ; 115 ; 127 – être attentif (à nos prières) 61 – se tenir (en parl. des martyrs au ciel) *assidue a. ante Dominum* 109 – *altari a.,* être de service à l'autel 32, note 2 ; *altari a.,* se tenir debout à l'autel (pour célébrer) 84.

adsistrix (ass-), *-tricis,* celle qui assiste : *a. Sapientia* 217.

adsp-, v. *asp-.*

adsto (asto), *-are,* se tenir auprès, servir : *sacris altaribus a.* 364.

adsum, *adesse,* être là, être présent (Dieu) : *a. nobis* 56 ; 61 – assister, aider 56 ; 70 – se prêter à, écouter : *a. supplicationibus* 61 ; *a. populo tuo, a. nobis* 70 ; *a. invocantibus* 78.

adsumo (ass-), *-ere,* prendre : *galeam salutis a.* 441 – prendre, assumer (la nature humaine) : *a. carnem ; a. naturam generis humani* 185 – employer : *nomen Domini a. in vanum* 155 – recevoir accepter, agréer (nos dons) 247 – (pass) être emporté au ciel (Ascension) 201 ; (Assomption de Marie) *assumi ad cœlum, ad Deum* 213 ; (act.) *Mariam... assumpsisti* 213 – rappeler à soi (un défunt, en parl. de Dieu) 95.

Adsumptio (Ass-), *-onis,* Assomption : *A. sanctæ Mariæ ; corporea a.* 213.

adsumptor (ass-), *-oris,* (Dieu) qui prend sous sa protection : *a. humilitatis* 150.

adsurgo (ass-), *-ere,* surgir, se lever : *in unum corpus assurgens* 355.

adtendo (att-), *-ere,* tr., faire attention à, écouter, entendre (nos prières, nos chants) : *a. laudum cantica* 11 ; *preces a.* 52 – (intr.) *a. ad* 52 ; (abs. ou av. dat.) 52.

adtenuatio (att-), *-onis,* action d'exténuer, mortification : *jejunii a.* 450.

adtero (att-), *-ere,* écraser, accabler (spir. ou moral.) 420.

adtollo (att-), *-ere,* élever, soulever, soulager 71.

adulter, *-era,* adj. ou subst., infidèle à Dieu 160.

adulterium, *-ii,* infidélité à Dieu, idolâtrie 160 – (sens pr.) 420, note 10.

aduno, *-are,* rassembler (son Église) 62 ; 349.

aduro, *-ere,* tr., brûler (de charité) 48.

advena, *-æ,* étranger (au royaume de Dieu) 390.

advenio, *-ire,* venir, arriver (en parl. de Dieu ou du royaume de Dieu) 60 ; 131 ; *Spiritus S. adveniens* 218 ; *mundi salus adveniens* 216.

adventus, *-us,* venue, arrivée (du Sauveur, du Messie) 62 ; *a. Filii tui* 178 – Avent : *orationes de Adventu Domini* ou *de Adventu* 178 – avènement (parousie) 203 .

adversarius, adj. ou subst., l'ennemi (le démon) 325.

adversitas, *-atis,* (pl.) maux, malheurs, adversités 398 ; 443 ; etc.

adversor, *-ari,* subst. pl. n., *adversantia,* c. *adversitates* 73 ; 443.

adversus, *-a,* ennemi : *a. potestas* (du démon) 325 – (subst. pl. n.) l'adversité 73 ; 443.

advocata, *-æ,* (notre) avocate (Marie) 116 et note 2.

advocatio, *-onis,* secours, assistance (du S. Esprit) 219, note 3.

advocatus, *-i,* avocat, intercesseur : (le Christ) *a. apud Patrem* 205 ; (le S. Esprit) 219, note 3 – (un ange) 115 ; (S. Gabriel) 115.

adytum, *-i,* mystère 198 et note 6.

ædificatio, *-onis,* édification (sens matér. et spir.) : *a. ecclesiastica, a. tua* 452 et note 1 – édification, construction (du corps mystique) 348 – édification (de l'Église, du royaume, de la foi en soi-même et chez les autres) : *a. Dei ; a. sui* 452.

ægritudo, *-inis,* c. *ægrotatio* : *a. cordis et corporis* 395 ; *ægritudines animorum* 398.

ægrotatio, *-onis,* maladie : *ægrotationes nostras portavit* 187.

ægrotor, *-ari,* être malade 410 ; *ægrotantes = infirmi* 75.

ægrotus, *-a,* adj. et subst., malade 115.

æmulatio, *-onis,* zèle : *a. Dei* 474.

æmulator, *-oris,* zélateur : *a. legis* 474.

æmulor, *-ori,* aspirer à : *a. spiritalia* 474.

æmulus, *-i,* ennemi : *suis tradendus æmulis* 255.

ænigma, *-atis,* énigme, mystère : *in ænigmate videre* 298.

æqualis, *-e,* égal en puissance (en parl.

des personnes de la Sainte Trinité) 215 ; 216.

æqualitas, *-atis*, égalité de puissance 215 ; *paternæ gloriæ* a. 189.

æquanimiter, courageusement : *adversantia a. tolerare* 490.

æquitas, *-atis*, justice, équité 485 – (de Dieu) *judicare in æquitate* 143 – justice (des commandements de Dieu) 430.

æquus, *-a*, égal : *a. gloria* (Trinité) 38.

aer, *aeris*, l'air (où sont les esprits du mal) 322.

æreus, *-a*, de bronze, d'airain (idoles) 159.

aerius (-eus), *-a*, de l'air : *a. potestates* (démons) 322, note 4.

ærumna, *-æ*, misères, épreuves : *a. sæculi, mundi* 442.

æstuo, *-are*, brûler (de charité) 48 – *æstuans ignis* (de l'enfer) 318.

æstus, *-us*, chaleur (des passions) : *vitiorum æstus* (pl.) 419.

æternalis, *-e*, éternel : *portæ æternales* 314.

æternitas, *-atis*, éternité (de Dieu) : *habitans æternitatem ; in diem æternitatis* 126 – (des élus) *æternitatem consequi, conferre* 301 ; *æternitatis gloria* 301 – (locut.) *a. temporis* ou *temporum* 301 et note 18 ; 94, note 3.

æternus, *-a*, éternel : *Deus a. , divinitas a., lumen a.* 126 – (opp. à *temporalis*) *mysteria æterna* (euchar.) 259 – (locut.) *in æternum*, pour l'éternité, à jamais 59 ; 301 ; etc. ; *ab æterno*, de toute éternité 118 – éternel (éternité du ciel) : *vivere in æternum, vita æterna* 302 ; etc. ; *æterna beatitudo ; æternum consortium, gaudium ; æterna bona*, etc. 301 ; (subst. pl. n.) *æterna sectari ; ad æterna festinare* 301.

æther, *-eris*, pl. n., *æthera*, le ciel, les cieux 208 ; *æthre*, p. *æthere* 182.

æthereus, *-a*, du ciel (physique) éthéré : *a. cælum* 289 – céleste : *a. thalamus* 213 ; 295.

ævum, *-i*, durée : *omne per ævum*, éternellement 38.

aff-, v. *adf-*.

agape, *-es*, aumône, charité 482.

agg-, v. *adg-*.

agios, saint, v. *hagios*.

agmen, *-inis*, troupe, foule : *agmina cælitum* 98 ; 289, note 2 ; *agmina cælorum* ibid.

agnitio, *-onis*, connaissance, reconnaissance : *ad agnitionem veritatis venire* 275 ; *a. Filii Dei ; a. tui nominis* 466.

agnosco, *-ere*, connaître, reconnaître

(Dieu, sa grandeur) 19 ; 42 ; *a. Jesum Christum Dominum nostrum* 466 ; *a. veritatem ; a. gloriam Trinitatis* 466 ; *a. quia* 466 – reconnaître (ses fautes) 466, note 6.

I **agnus,** *-i*, l'agneau pascal (des Hébreux) 194.

II **Agnus,** *-i*, l'Agneau (le Christ) : *Agnus ; A. Dei ; A. immaculatus* 194 ; 206 ; *A. vulneratus* 194 ; *A. divinus* 206.

ago, *-ere*, faire, agir : *bene, male, inique a. ; a. mala ; quæ agenda sunt ; a. quæ recta sunt* 438 et passim – célébrer (les saints mystères) 242 ; *agenda agere, celebrare* 242 ; (une fête) *a. festa, solemnia, vigilias* 5 – *agenda*, service funèbre 242.

agon, *-onis*, combat (du martyre) 110 ; *a. certaminis* 110 ; (de cette vie) *hujus agonis stadium* 110 – agonie : *mortis a., in extremo agone* 71 ; 407.

agonia, *-æ*, détresse, agonie 407.

agonista, *-æ*, combattant (myst.) 384.

agonizo, *-are* (*-or, -ari*), agoniser 407, note 1.

agricola, *-æ*, cultivateur, vigneron (myst.) : *Pater meus a. est* 207 ; *a. cælestis* 207 ; 357.

agricultura, *-æ*, le champ (spir., les fidèles, l'Église) : *Dei a. estis* 357.

ala, *-æ*, aile, protection (de Dieu) 37 ; 57.

alacritas, *-atis*, vivacité, empressement : *a. mentis* 507 – allégresse : *a. mentis et gaudium* 9.

albus, *-a*, blanc : *stolæ albæ* ou *albæ*, vêtements blancs (des baptisés) ; *dominica in albis* 334 ; *alba*, semaine de Pâques 334.

ales, *-itis*, oiseau : *per quem nec ales esurit* 50.

alienatio, *-onis*, le fait d'être rejeté (par Dieu) 160, note 3.

alienigena, *-æ*, (*-genus, -a*), adj. et subst., païen 160.

alieno, *-are*, (pass.) se détourner de Dieu (par l'idolâtrie) 160, note 3 ; (par l'endurcissement) 422 ; (à cause de notre nature déchue) 224.

alienus, *-a*, païen 160 – d'autrui : *aliena peccata*, les fautes étrangères (præpar. ad miss. ; mais dans le Ps. 18, 14, il s'agit sans doute des dieux étrangers) ; cf. *externis delictis non gravari* (secr. sabb. p. d. 2 Quadr. Gel. III, 27), ne pas être chargé des fautes d'autrui ; v. *proprius* – étranger à la vraie foi, hérétique 467, note 7.

alimentum, *-i*, nourriture, aliment (euchar.) : *cælestia, vitalia alimenta* 255.

alimonia, *-æ*, c. *alimentum* : *a. spiritalis,*

cælestis ; a. immortalitatis 255 – (sens pr.) *carnalis a.* 449.

allegoria, *-æ*, interprétation allégorique (de l'Écriture) 171.

alleluia, „louez Dieu" 12.

alligo, *-are*, emmailloter (dans la Crèche) 50 – attacher : *a. dæmonem* 320.

almus, *-a*, saint, vénérable, sacré 34 et note 9 ; *a. Mater* 208 ; *a. Spiritus = Sanctus Spiritus* 38.

alo, *-ere*, nourrir (euchar.) 256.

alpha, *alpha et omega* 124.

altare, *-is*, autel 84 ; 88 ; 97 ; 246 ; 347 ; 364 ; *sacris altaribus astare* 364, *servire* 234 ; 365 ; *altaribus adsistere* 84 – *a. crucis* 193 – *altaria*, les deux autels (des Hébreux) 235.

altarium, *-ii*, c. *altare* 235 ; 364.

alter, *-era*, pron., le prochain 479 ; (réciprocité) *alter alterius onera portare* 478.

alteruter, *-tra*, réciproque : *a. pietas* 478 ; (pron.) *in alterutrum* 478 ; (adv.) *alterutrum*, mutuellement 90.

Altissimus, superl. de *altus*, le Très-Haut 125 ; (adj.) *Deus altissimus* 204 – *in altissimis = in excelsis* 24 ; 292.

altitudo, *-inis*, hauteur : *altitudines montium* 130 – (myst.) *o altitudo divitiarum sapientiæ et scientiæ Dei* 129.

alumnus, *-a*, adj. et subst., serviteur, servante : *alumna plebs ; alumna Christi* 388.

alvus, *-i*, le sein (de la Vierge) 58.

amabilis, *-e*, digne d'amour (la divinité) 34 – (pers.) *a. viro suo* (or. 2 m. p. spons.).

amarus, *-a*, amer : *aquæ amaræ* (de Mara, au désert), Ex. 15, 23 (ben. font. vig. Pasch., Gel. I, 44, 446).

amator, *-oris*, celui qui aime (en parl. de Dieu) : *fraternitatis a.* 479 ; *pacis a.* 476 ; *incorruptarum a. animarum* (Leon. 1104).

ambigo, *-ere*, discuter, (pass.) être controversé, douteux : *non ambigitur* („*Lauda, Sion*").

ambio, *-ire*, rechercher, aspirer à : *a. quæ recta sunt* 428.

ambitio, *-onis*, ambition, brigues, pompe, faste : *a. sæculi* (secr. ad postul. hum.).

ambitus, *-us*, pourtour, enceinte (du temple) 347.

ambulo, *-are*, marcher, se conduire, vivre : *secundum carnem a.* 399 ; *caute a.* 486 ; *a. coram Deo, in conspectu Dei, in Christo* 427 – (en parl. de Dieu) *ambulabo inter vos* 162.

amen, „en vérité", „oui", „ainsi soit-il" 502.

amicio, *-ire*, revêtir : *carne amictus* (incarnation) 186.

amictus, *-us*, habit : *mystico amictu vestiri* 373.

amicus, *-i*, ami : *pro devotis amicis* 75 – *a. Sponsi*, le paranymphe (myst.) 103 et note 2.

amitto, *-ere*, perdre : *a. bona æterna* 403.

amo, *-are*, aimer (Dieu) 46 ; 472 ; (amour de Dieu pour les hommes) 150 ; *amantissimum Cor tuum* 150.

amor, *-oris*, amour (de Dieu) : *timorem et amorem ; a. tui nominis* 46 – amour (de Dieu pour nous) *amoris vulnera* 150 – vénération (de reliques) : *pio amore* 108.

amoveo, *-ere*, écarter, détourner (le mal) 73.

amplector, *-i*, s'attacher à : *a. Mariam* 120.

amplexus, *-us*, embrassement, action d'embrasser (la croix) 49.

amplifico, *-are*, faire grandir : *ecclesiam tuam a.* 351 ; *a. populum (tuum)* 69.

amputo, *-are*, retrancher (les vices) : *noxas omnes a.* 282.

anastasis, *-eos*, résurrection : *prima a.* 410.

anathema, *-atis*, ex-voto – anathème, objet de malédiction (pers. ou ch.) 159 – victime expiatoire 159.

ancilla, *-æ*, servante (de Dieu, Marie) 119 ; *a. Dei*, femme soumise à Dieu ; servante de Dieu, chrétienne ; religieuse 375 et note 3.

angelicus, *-a*, angélique, des anges : *a. turba* (præc. Pasch.) – angélique, qui fait ressembler aux anges : *a. integritas* 379 ; *angelicis moribus* 425 ; (état religieux) *a. congregatio* 379.

angelus, *-i*, messager, envoyé (de Dieu), ange ; *a. Dei, Domini ; chorus angelorum* 112 ; *sancti angeli* 115 ; *a. sanctitatis* 114 ; *a. pietatis suæ ; a. pacis ; a. lucis ; a. salutis et pacis* 115 ; *ad similitudinem angelorum* (par leur état d'innocence) 379 – (en parl. d'éléments) 115 – mauvais ange : *a. satanæ* 326 ; *angeli peccantes, desertores* 324 et note 7.

angor, *-oris*, angoisse : *pellat angorem* 74.

anguis, *-is*, le serpent, le démon 328.

angularis, v. *lapis*.

angulus, *-i*, angle : *caput anguli* 206, v. *lapis*.

angustia, *-æ*, angoisse 442 ; *dies angustiæ* 158.

angustio, -*are*, (pass.) être dans l'angoisse 442.

anhelo, -*are*, a. *ad*, soupirer vers, aspirer à 49.

anima, -*æ*, âme (opp. au corps) : *salus corporis et animæ* 397 ; (des défunts) 153 ; 161 – vie : *animam ponere, dare pro aliquo* 194 ; 476 ; (martyr) *victricem animam emisit* 110 – (= pron. pers.) *anima mea* (= *ego*) 48 et note 4.

animadversio, -*onis*, jugement, condamnation 203 ; 316.

animalis, -*e*, animal (opp. à *spiritalis*) 394, note 1.

animo, -*are*, encourager (le martyr) 110 - *animatus*, doué d'une âme : *a. corpus* 189.

animosus, -*a*, vif, ardent : *a. fides* 263.

animus, -*i*, l'âme (opp. au corps) 397 ; 398 ; *animo*, en pensée 397.

anniversarius, -*a*, anniversaire : *a. dies* 5 ; 95 ; 347.

annu-, v. *adn-*.

annulus, -*i*, anneau (gage de fiançailles avec le Christ) 378 ; *a. fidei* 378 – anneau (pastoral, épiscopal) 384.

annuus, -*a*, annuel : *a. dies* ; *a. devotio* 18 ; *a. solemnitas* 22.

antecello, -*ere*, l'emporter, être supérieur 372.

antiquus, -*a*, v. *hostis*.

antistes, -*itis*, magistrat suprême 382, note 4 – évêque 367 ; 382.

aperio, -*ire*, ouvrir (fig. le passage de la Mer Rouge, le flanc du Christ d'un coup de lance) 195 – expliquer (l'Écriture) 168 ; 171 – (sens pr.) *aperiat carceres* (or. 6 Parasc., Gel. I, 41, 410) – (fig.) *fontem baptismatis a. gentibus* (ben. aq. vig. Pasch., Gel. I, 44, 445) ; *a. mentem* (Greg. 100, 1) ; (au futur baptisé) *a. januam misericordiæ* (Greg. 81).

apertio, -*onis*, action d'ouvrir : (rite de l'effeta" précédant le baptême) *aurium a.* (Gel. I, 34, tit.).

apertura, -*æ*, brêche, ouverture (au flanc du Christ) : *mitis a.* 35.

apex, -*icis*, signe d'écriture ; la Bible 168 – sommet (du pontificat) 382.

apis, -*is*, abeille : *opera apum* (præc. vig. Pasch.) ; *o vera beata et mirabilis apis* (Miss. Gall. 25).

aporior, -*ari*, être dans l'embarras, l'affliction 445.

apostaticus, -*a*, rebelle : *angeli a.* 324 ; cf. *apostatæ angeli* (Cypr. Hab. virg. 14).

apostatrix, -*tricis*, (nation) révoltée (contre Dieu) 160.

apostolicus, -*a*, apostolique, successeur des apôtres : *a. sacerdotes* 384 –

apostolique, du siège de Rome 349, note 2 ; *a. sedes* 384 ; *a. ecclesia* 350.

apostolus, -*i*, apôtre 98 et passim – (pl.) les Épîtres 168.

appareo, -*ere*, apparaître (en parl. de Jésus ressuscité) 200 – se manifester, venir (dans notre chair mortelle) 182 ; 183 – se manifester : *hoc in templo appare* (consécration d'église) 346 – (pl. n.) *non apparentia*, les choses invisibles 465.

apparitio, -*onis*, apparition, venue (du Sauveur) 183.

appendo, -*ere*, c. *pendo*, payer (la rançon de notre salut) 192.

appetitus, -*us*, désir : (pl.) *noxii a.* 418.

appeto, -*ere*, désirer (les biens éternels) 301.

appono, -*ere*, présenter (offrande, sacrifice) 247 – (av. inf.) continuer à 65, note 2.

apprecor, -*ari*, prier 79.

apprehendo, -*ere*, saisir (spir.) : *caritatis donum a.* (secr. ad postul. car., Gel. III, 26) – *bravium a.* 440.

appropinquo, -*are*, approcher, être proche (royaume de Dieu) 460.

approximo, -*are*, approcher : *a. ad aliquem*, atteindre qqn. 165.

apto, -*are*, *se a.* ou *aptari*, se disposer intérieurement à (postc. d. 3 p. Epiph., Gel. III, 16, 1266 ; secr. fer. 4 Cin., Gel. I, 17, 91).

aptus, -*a*, approprié à, digne de : *munera nativitatis hodiernæ apta* 247.

apud, aux yeux de, aux regards de : *glorifica me, tu, Pater, apud teipsum*, Jo. 17, 5 ; *judicari apud iniquos*, 1 Cor. 6, 1 – en : *Verbum erat apud Deum* Jo. 1, 1.

aqua, -*æ*, eau (du baptême) 331 ; 332 ; 333, note 19 ; *regenerare, renasci, baptizare ex aqua et Spiritu* 332 ; 335 ; 336 – *a. exorcizata* 88 – *aqua viva* (symb. de l'Esprit) 221 ; *haurire aquas de fontibus Salvatoris* 259 ; v. *salio* – (pl.) malheurs 165.

ara, -*æ*, autel : *in ara crucis* 193.

aranea, -*æ*, toile d'araignée (symb. de la faiblesse humaine) 400.

arbiter, -*tri*, le Juge (au jugement dernier) 202.

arbor, -*oris*, arbre : *a. dignoscentiæ boni et mali* 223, note 3 ; v. *lignum* – arbre, bois (de la croix) : *a. alta* 51 ; *a. vitæ* ; *a. decora, nobilis* 192.

arca, -*æ*, arche (d'alliance) : *a. fœderis*, Jos. 3, 11 ; *a. Dei*, 1 Reg. 3, 3 – arche (de salut, la croix) : *arca mundo naufrago* („Pange, lingua, Fort.) – arche (de

Noé, symb. de l'Église) 358 – coffre, (myst.) trésor (le Cœur de Jésus) 207 ; (le sein de la Vierge) 209 ; (Marie elle-même) *a. fœderis* 210.

arcanus, *-a*, mystérieux 154.

archangelus, *-i*, archange 112.

arcte, strictement 450.

ardenter, avec ardeur (charité) 48.

ardeo, *-ere*, brûler (de charité) : *per amorem suaviter arserunt* 472.

ardor, *-oris*, ardeur : *caritatis a.* 472, note 2 ; *fidei a.* ibid. – *ardoris locus* (purgatoire) 315.

arduus, *-a*, haut, élevé : (le Christ) *a. spes mundi* 136.

area, *-æ*, l'aire (du Seigneur, les élus) 305.

arguo, *-ere*, accuser, confondre : *(Paraclitus) arguet mundum de peccato* 219.

aridus, *-a*, sec – (subst. f.) *arida*, la terre ferme 88.

arma, *-orum*, armes (du combat spir.) 440 – *a. justitiæ* (le bois de la croix) 441 ; 484.

armatura, *-æ*, armure (du combat spirituel) 441.

aroma, *-atis*, v. *odor* 453 ; *aromata sancticatis* 339.

arra (arrha), *-æ*, gage (de l'Esprit) 233, note 12.

ars, *-artis*, ruse (du démon), v. *fallo*.

artifex, *-icis*, l'Ouvrier (le Créateur) 137.

arx, *arcis*, citadelle, hauteur (du ciel), le ciel : *a. Patris* 136 ; 188 ; *in arce siderum* 290 ; *a. ætherea* 290.

ascendo, *-ere*, monter (prière) : *a. ad te* 54 – monter (au ciel) : *ad cœlos a.* 40 ; *a. ad Patrem, ad cælos, in cœlum, in altum* 141 ; 201 – s'élever (vers Dieu par la contemplation) 507.

Ascensa, *-æ*, c. *Ascensio* 201, note 10.

ascensio, *-onis*, (pl.) montées (au temple), Ps. 83, 6 ; (spir.) *admirabiles ascensiones ad te* 507 – *Ascensio*, Ascension (du Seigneur) : *gloriosa A.* 201.

ascribo, v. *ads-*.

aspectus, *-us*, vue, vision (béatifique) 298.

aspergo, *-ere*, couvrir, asperger : *asperges me hyssopo* 281 ; *a. cinere* 91, note 4 ; *populum a.* 234.

aspersio, *-onis*, action de répandre, effusion : (du S. Esprit) *sui roris intima a.* 273 – v. *sanguis* 234 – aspersion : *a. aquæ (benedictæ, exorcizatæ)* 327.

aspicio, *-ere*, regarder, jeter un regard sur (en parl. de Dieu) 55 ; *aspice ad precem* 62 ; *aspiciat et benedicat* 139 – contempler (vision béatifique) 298.

aspiro, *-are*, aspirer à : *a. ad te* 49 –

inspirer (en parl. de Dieu) 54 ; 65 ; 270.

assec-, assi-, assu-, v. *ads-*.

asto, v. *adsto*.

astrum, *-i*, (pl.) le ciel : *dux ad astra* 290.

athanatos, immortel (Dieu) 33.

athleta, *-æ*, l'athlète : (le martyr) *a. Christi* 110.

atrium, *-ii*, tabernacle (de David), parvis, sanctuaire 98 ; 235 – (en parl. du ciel) palais : *regni cælestis atria* 283.

att-, v. *adt-*.

auctor, *-oris*, auteur, le Créateur 34 ; *a. sæculi* 34 ; 137 ; *a. omnium* 137 ; *a. lucis* 142 ; *a. pietatis* ; *a. pacis* 476 – (le Sauveur) *salutis a.* 58 ; 205 ; *a. vitæ* 137 ; 210 – (le démon) *a. mortis* 317.

audeo, *-ere*, oser (demander dans une prière) 62.

audio, *-ire*, entendre (la sentence de condamnation) 202 ; (en bonne part) 295, note 8 – entendre (nos prières), écouter, exaucer 34 ; *a. vocem, preces ; a. populum tuum* 53 – entendre, écouter (la parole de Dieu), la mettre en pratique 170 ; 433.

auditio, *-onis*, action d'entendre (mauvaise nouvelle, condamnation) 202, note 1.

auditor, *-oris*, celui qui entend tout (Dieu) 130 – celui qui entend, met en pratique : *a. legis* 438.

auditus, *-us*, action d'entendre (la parole de Dieu) : *interiorem admovere auditum* 168 ; *fides ex auditu* 170, note 1 – prédication 170 – audience, action d'exaucer : *præstare, præbere auditum* 52 – *a. malus, c. mala auditio* 202, note 1.

aufero, *-ferre*, emporter, enlever, supprimer : *a. iniquitatem* 282 – ôter : *qui abstulit peccata mundi* 206 – emporter, dissiper (les ténèbres morales, le mal) 73.

augeo, *-ere*, augmenter : *a. devotionem, caritatem* 47 ; 457 – (pass.) grandir (piété, charité) 47 ; 457.

augmentum, *-i*, accroissement (de foi, d'espérance, de charité) 39 ; *piæ conversationis a.* 457 ; *religionis a.* 471 – extension, progrès : *ecclesiæ a.* 351.

aula, *-æ*, cour, palais 305 ; *cælestis a.* 112 ; *a. Dei* 345 ; (le sein de la Vierge) *virginalis a.* 209.

auriga, *-æ*, aurige (triomphant, le Christ) 50, note 15.

auris, *-is*, oreille : (les idoles) *aures non habent* 159 – (fig.) oreille, attention (de Dieu qui nous écoute) : *aurem apponere, inclinare, accommodare* 52 ; *pateant aures* 52 – (de notre cœur attentif) *in aure cordis* 395.

aurum, *-i,* or (symb. de royautè) 183.
auxiliatrix, *-tricis,* secourable : *A. Virgo* 122.
auxilior, *-ari,* (av. dat.) secourir (en parl. de Dieu) 70 ; (des sacrements) 251.
auxilium, *-ii,* secours (de Dieu) 57 ; 67 ; 70 et passim ; *a. gratiæ tuæ* 274 ; *æternitatis a.* 310 – (des saints) 102 – aide (av. gen. obj.) *infirmitatis a.* 70 ; *continentiæ auxilia* 440 ; (*B.M.V.*) *Auxilium christianorum* 122.
avaritia, *-æ,* cupidité 436.

ave, de *aveo,* salut, je vous salue (salutation et prière) 35 ; 89 ; *avete* 35.
Avernus, *-i,* l'Averne, l'enfer 319.
aversio, *-onis,* action de se détourner (du vrai Dieu) 160.
averto, *-ere,* écarter, détourner (le mal) 73 ; (la colère de Dieu) 59.
axis, *-is,* le ciel 290, note 4.
azymus, *-i,* azyme : *dies festus azymorum* 199 – (symb. de renouvellement spirituel) *sicut estis azymi ; in azymis sinceritatis* 420.

B

baculus, *-i,* bâton, soutien (de Dieu) 57 – houlette, crosse pastorale 57, note 4 ; 384.
bajulo, *-are,* porter (la croix) 192 ; (la marque de la croix) 329 ; (mortification) *b. crucem suam* 447 – porter (en parl. de la maternité divine) *Deum et hominem b.* 208.
balteus, *-i,* ceinturon, ceinture (symb. de chasteté) 441.
baptisma, *-atis,* lavage, ablutions 332, note 16 – baptême 332 et passim – grâce du baptême : *baptismata perdere* 332, note 8.
baptismus (-mum), *-i,* c. *baptisma : custodire baptismum* 332 – *b. pænitentiæ* 332.
baptista, *-æ,* celui qui baptise (Aug. C. Cresc. 2, 26, 31) – (ordin.) S. Jean-Baptiste.
baptizo, *-are,* baptiser 332 ; *b. in nomine Patris...* 215 – (pass.) se laver 332, note 16.
barathrum, *-i,* enfer 314 et note 3.
beatifico, *-are,* proclamer bienheureux (sens non canon.) 490.
beatitudo, *-inis,* béatitude, bonheur (du ciel) : *perpetua, sempiterna, superna, æterna b.* 299 ; 306.
beatus, *-a,* bienheureux, saint 98 ; 99 et passim ; (en parl. des mystères) *beata mysteria* 99, note 1 ; (du Christ) *Auctor beate...* 34 ; (de la divinité) *b. Trinitas* 38 – bienheureux (au ciel) : *beata vita* 299 ; (pl.) *beati* 299.
bellator, c. *pugnator* 158.
bellicus, *-a,* de guerre : *b. furor* (or. 8 jul.).
bellum, *-i,* la guerre 75.
benedico, *-ere,* bénir, louer (tr. et intr.) 10 ; 25 ; 30 – rendre grâces 85 ; pro-noncer la bénédiction (sur le pain et le vin, à la Cène) 236 ; 239 – bénir (une prière), exaucer 69 – agréer (une offrande) *benedicas hæc dona* 88 ; 247 ; *benedictus,* agréé 247 – (av. dat. ou acc.) bénir qqn., qqch. 87 ; (abs.) donner la bénédiction 87 – (dans une consécration) *benedicendo b.* 89 ; *b. et sanctificare* 88 ; *benedictione sanctificare* 88 ; *hunc præsentem electum b. et sanctificare digneris* 370.
benedictio, *-onis,* promesse de bonheur 164 – bénédiction, louange 30 ; 38 ; *gloria et b.* 24 – action de grâces 85 ; 239 – eucharistie, pain eucharistique 239 ; *calix benedictionis* 85 – bénédiction, grâce : *benedictionem conferre ; gratia tuæ benedictionis* 267 – bénédiction (sur offrande agréée) *b. copiosa descendat* 247 ; *b. et sanctificatio* 247 – bénédiction (de Dieu sur nous) 87 ; *Spiritus benedictionis tuæ ; adimplere benedictionem* 87 ; *benedictionis infusio ; b. descendat* 87 et 88 – (sur ceux qui sont ordonnés et consacrés) *benedictionem Sancti Spiritus* ou *gratiæ effundere* 370 ; *super hos famulos tuos munus tuæ benedictionis infunde* 370 ; *b. et consecratio* 87.
benedictus, *-a,* béni : *benedicta in mulieribus, inter mulieres* 118 – (pl.) les bénis, les élus 295, note 8.
benefacio, *-ere,* faire du bien à 479 ; *pertransivit benefaciendo* 188.
benefactor, *-oris,* bienfaiteur 75.
beneficientia, *-æ,* action de faire le bien autour de soi 482.
beneficium, *-ii,* bienfait (de Dieu), grâce 9 ; 267 ; *consolationis suæ beneficia* 268 – bienfait (de la Rédemption) 269.
beneplaceo, *-ere,* être agréable (à Dieu), être selon son bon plaisir :

beneplacens, c. *beneplacitus* 504 ; (impers.)
beneplacitum est Deo 166 ; (subst. n.)
beneplacitum, ce qu'il a jugé bon 504,
note 3 – *beneplacitum,* volonté de bienveillance, faveur, complaisance (de
Dieu envers nous) : *secundum b. ejus*
266 – *beneplacitus,* qui plaît à Dieu 504.

benigne, avec bienveillance (en parl.
de Dieu) 63.

benignitas, *-atis,* bienveillance, bonté
(de Dieu) 149 et passim – (de pers.)
487.

benignus, *-a,* bienveillant (en parl. de
Dieu) 34 ; 52 ; 62 ; etc. ; c. *benigne*
(av. impér. ou subj. de demande) 63 ;
(accepter nos dons) avec bienveillance
faveur 248.

Biblia (fém. ou pl. n), *Biblia sacra* 168,
note 3.

bibo, *-ere,* boire (euchar.) : *calicem Domini b.* 255 ; *qui... bibit meum sanguinem*
263 – boire (fig.) : *bibamus sobriam
ebrietatem* 9.

bilinguis, *-e,* qui a deux paroles, fourbe 485.

blandimentum, *-i,* (pl. péjor.) flatte-
ries, séductions : *mundi hujus blandimenta* 405 ; *sæculi blandimenta* 405.

blanditia, *-æ,* (pl.) c. *blandimenta : b.
carnis* 399 ; 405.

blasphemia, *-æ,* parole, opinion outra-
geante, impie, blasphème 217.

blasphemo, *-are,* outrager (Dieu par
l'idolâtrie) 160, note 3.

bonitas, *-atis,* excellence, bonté (de
Dieu, sens intellectuel) 147 – bonté
(de Dieu, sens affectif), bienveillance
147 ; 148 ; *b. clementiæ ; b. et pietas* 148 ;
bonitatem facere cum aliquo 63, note 2 –
bonté (envers le prochain) 497.

bonus, *-a,* bon (sens intellect., en parl.
de l'excellence de Dieu) : *optimus* 147 ;
totum quod est optimum 147 – (sens
affectif) bon, bienveillant (en parl. de
Dieu, surt. au voc. *bone*) 34 ; 63 ; 148 ;
etc. ; *optime* 148 ; (en s'adressant au
Christ) *bone* ou *bone Jesu* 63 ; 149 –
bonum, le bien (sens intellect.) 147 ;
b. innocentiæ, b. patientiæ, etc. 147 –
(pl.) *bona cuncta,* tout bien (procède de
Dieu) 147 – *bona opera,* v. *opus* – bien,
bonheur : *beatificum bonum* 300 ; 299,
note 16 – (pl.) *bona æterna, invisibilia,
cælestia* 299.

brachium, *-ii,* bras (protecteur de
Dieu) 57 et note 21 – (pl.) bras (de la
croix) 194.

bravium, *-ii,* trophée, récompense
après la lutte 440 et note 2 – palme,
récompense (du ciel) *b. immortalitatis*
303 ; 440.

byssinus, *-a,* de lin (symb. de chasteté
ou de sainteté) 373.

C

cado, *-ere,* tomber à terre, se prosterner
83 – tomber (dans le péché) 421 –
(dans l'enfer) v. *obscurus.*

caducus, *-a,* caduc, éphémère (opp. à
æternus) : *caducæ res ;* (et subst. pl. n.)
caduca 404 ; *caduca caro* 187 ; 404.

cæcitas, *-atis,* aveuglement (moral) :
c. cordis, vitiorum c. 422 ; 406 ; 420 ;
(sens intellect.) 466.

cæcus, *-a,* aveugle : v. *illuminare.*

cælebs, *-ibis, cælibes,* c. *cælestes* 295.

cæles, *-itis,* céleste : *cælites,* les habitants du ciel 62 ; 63 ; 295.

cælestis, *-e,* du ciel, céleste : *c. regnum*
62 et passim ; *c. aula* 120 – qui vient du
ciel : *c. auxilium* 57 ; *gratia c.* 44 ; 291 –
qui mène au ciel, digne du ciel : *vita c.*
302, note 19 – (subst. m.) le Dieu du
ciel 291 – (subst. pl. n.) le ciel 291 ;
*habitare in cælestibus, pervenire ad cæ-
lestia* 295.

cælicus, *-a,* du ciel : *c. cœtus* („*Gloria,
laus*"), l'assemblée du ciel.

cælitus, venant du ciel, divinement 291.

cælum, *-i,* le ciel (matériel ou spirituel) : *c. corporeum ; c. æthereum ; c.
aereum ; c. incorporeum ; tertium c.* 289 ;
cataractæ cæli 289 ; *cælum* et *cæli,* la
voûte du ciel 289 ; *cæli cælorum* 289 –
(séjour de Dieu) *qui es in cælis* 291 ;
de sanctis cælis 293 ; *jurare in cælo,* par le
ciel 291 – (des élus) *in cælis* 62 et
passim.

cærimonia (cerem-), *-æ,* (pl.) cérémonies (de l'ancienne Loi) 7.

calamitas, *-atis,* calamité : *dies calamitatis* 158 ; 443.

calceamentum, *-i,* chaussure (symb.
de possession, de domination) 165.

calco, *-are,* fouler aux pieds, mépriser
404 ; *mundi delicias c.* 451.

caliginosus, *-a,* sombre (fig.) 405.

caligo, *-inis,* ténèbres (de ce monde) 405 ; (du cœur) 422 ; (de l'intelligence) *c. ignorantiæ* 466 – (du péché) *c. peccatorum* 422 ; *c. veteris delicti* 224.

calix, *-icis,* coupe, (fig.) lot, portion 165 ; *c. iræ, furoris* 165 ; (de la Passion) 165 – coupe, calice (euchar.) : *c. salutis perpetuæ* 255 ; *c. Domini* (opp. à *c. dæmoniorum*) 255 ; *consecrare calicem* 347.

callidus, *-a,* rusé (démon) 325.

calor, *-oris,* chaleur (mauvaise des passions) : *c. noxius* 419 – (en bonne part) ferveur : *fidei calor* 420 ; 464.

calumnia, *-æ,* outrage, blasphème hérétique 17, note 6.

Calvaria, *-æ,* Calvaire 192.

caminus, *-i,* fourneau, feu : *c. ignis,* la fournaise 419.

campus, *-i,* champ de bataille (fig.) : *hujus sæculi c.* 186.

candela, *-æ,* lumière, candélabre, cierge 88 ; 389.

candidatus, *-a,* revêtu de blancheur et d'innocence (martyr) 110.

candidus, *-a,* c. *candidatus* 110 – blanc (vêtement des baptisés) 334.

candor, *-oris,* blancheur, pureté : *c. vitæ* 492 ; (du diacre Étienne) *niveus c.* 111 ; (du vêtement blanc des baptisés) 334.

cano, *-ere,* chanter, glorifier 10 ; 11 ; 50 ; 112 ; *hymnum gloriæ tuæ canimus* 113

canon ou *canon actionis,* canon de la messe 242.

canonicus, *-a,* réglementaire, canonique : *c. horæ* 2, note 9.

canticum, *-i,* chant 10 ; *c. spiritalia* 10.

canto, *-are,* tr. et intr., chanter, célébrer (Dieu, ses louanges) 10.

cantor, *-oris,* celui qui chante, le Psalmiste 10.

capax, *-acis,* capable (de renouvellement spir.) 462.

capio, *-ere,* contenir : *cæli cælorum te c. non possunt* 127 ; 208 ; 345, note 1 – receuillir, recevoir (les dons éternels) : *c. æterna* 257 – obtenir : *requiem c. sempiternam* 252 – assimiler intimement, spirituellement (euchar.) : *salutaria dona c.* 256 ; 257 ; 262 – comprendre, saisir (les mystères) 263.

captivitas, *-atis,* (concr.) les captifs, les âmes rachetées : *captivam duxit captivitatem* 201 et note 11.

captivus, *-a,* captif (du démon, du péché) 226.

captor, *-oris,* celui qui prend : *c. piscium,* pêcheur 172.

caput, *-itis,* tête : *humiliare c.* 83 ; *c. declinare* (dans la prière) 84 – tête et chef : (le Christ) *c. ecclesiæ* 207 ; *vir caput est mulieris, sicut Christus c. est ecclesiæ* 341 ; *c. martyrum* 109.

carcer, *-eris,* prison (sens pr.) : *aperire carceres* 75 – (des âmes) *infernalis c.* 315 ; *c. inferus* 315, note 6.

cardinalis, *-e,* principal, cardinal : *c. virtutes* 484, note 1 – titulaire (prêtre, diacre, évêque) 361, note 6.

cardino, *-are,* c. *incardino* 369, note 37.

careo, *-ere,* être exempt de, être sans : *c. criminibus* 416 ; 419.

caritas, *-atis,* bonté, charité, amour (de Dieu pour nous) : *qualem caritatem dedit nobis* 141 ; *Deus c. est* 150 ; 472 ; *credere caritati* 150 ; *Dominica c.* 150 – *c. divina, c. Dei* (sens subj. ou obj.) amour de Dieu pour nous ou de nous pour Dieu 151 – charité, amour de Dieu (vertu théol.) 39 ; 47 ; 48 ; 463 ; 472 ; (opp. à *timor*) 473 – charité, amour du prochain : *caritatem habere ; amator caritatis* 476 ; *mutua c.* 478 – charité, dons charitables : *administratio caritatis* 482 ; *c. in pauperes* 482.

carmen, *-inis,* chant, poème : *c. sacrum* 10 ; 171 – chant prophétique 173.

carnalis, *-e,* corporel, charnel 440 et passim ; *c. sapientia* 398 ; *c. desideria* 399 ; *c. sum* 399 – (sens pr.) *c. alimonia* 449 – de chair, d'animaux : *carnalia sacrificia* 234.

caro, *carnis,* chair (mortelle assumée par le Christ) : *carnem sumere, assumere* 185 ; *carnem suscipere* 179 ; 185 ; *Verbum caro factum est* 185 – la chair (opp. à *spiritus*), la chair (soumise au péché) 398 ; *secundum carnem vivere* 398 ; *castigatio carnis ; blanditiæ carnis ; secundum carnem ambulare* 399 – chair, personne, créature 218 ; *omnis caro* 399.

carus, *-a,* cher : (adresse) *carissimi* 387 ; *cari nostri,* ceux qui nous sont chers (défunts) 95, note 10.

castifico, *-are,* surveiller, sanctifier : *c. animas vestras* 433.

castigatio, *-onis,* mortification, surveillance : *c. carnis ; c. voluntaria* 447.

castigo, *-are,* punir (en parl. de Dieu) 150 – corriger, châtier 443 ; *castigando sanas* 444 – mortifier : *c. corpus ; se c. carnis maceratione* 447.

castimonia, *-æ,* chasteté 492.

castitas, *-atis,* chasteté : *amator castitatis (Deus)* 492 ; *conjugalis c.* 340 ; *c. conjugalis, viduitatis, virginitatis* 492, note 3 ; *merito castitatis* 492.

castra, *-orum,* le camp (de la milice chrétienne, le sacerdoce) 374.

V L

castro, -are, se c. ,se faire eunuque (fig.) :
se c. propter regnum cælorum 493.

castus, -a, chaste 487 ; casto corpore 283 ;
casto corpore et mundo corde 492 – timor c.,
v. timor – saintement modéré : c. ju-
cunditates 9.

cataracta, -æ, cataracte, écluse : cataractæ cæli 289.

catechizo, -are, instruire en vue du
baptême 172 ; 391, note 9.

catechumenus, -i, catéchumène 391.

catena, -æ, chaîne (fig.) : c. delictorum
422 ; (du péché originel) 226.

cathedra, -æ, siège, chaire (fig.) : c. pestilentiæ 165 – chaire épiscopale 383 ;
C. Petri 383 et note 6.

catholicus, -a, adj. et subst., universel,
catholique 349 ; 350 ; 391 ; (le Christ)
c. Sacerdos 205 et note 8.

caula, -æ, le bercail (l'Église) 356, note
18.

causa, -æ, cause, motif : c. tuæ viæ 58.

caute, avec prudence : c. ambulare 486.

cautio, -onis, la dette (du péché originel)
223 ; 226.

celebratio, -onis, célébration 3.

celebritas, -atis, fête 7 – célébration 7 ;
109 ; etc.

celebro, -are, célébrer (un office) 3 ;
etc. ; (le saint sacrifice) 242 ; (une
fête solennelle ou une simple célébration) 3 ; 108 ; etc. ; – célébrer (les
mérites (d'un saint) 98 ; (sancti) merita
c. (or. 17 jun.) ; martyrum tuorum...
celebremus meritum (Leon. 47) – tenir
(un concile) 3 – pratiquer ensemble :
c. jejunium 3, note 1 ; 449.

celer, -era, rapide (secours de Dieu) 293.

celsitudo, -inis, hauteur, la grandeur
(de Dieu) 125.

cena, -æ, repas (eucharistique), la Cène :
Dominicam cenam manducare 254 ; Cena
Domini, Jeudi-Saint.

censeo, -ere, (pass.) être censé être,
être, être compté au nombre de, être
appelé, se réclamer de 388, note 2 ;
christiana professione censeri 469.

centuplum, -i, centuple : c. promittere
(or. 22 jun.) ; c. accipere, Mat. 19, 20.

cera, -æ, cire, cierge (præc. vig.
Pasch.).

cerebrum, -i, le front, la tête : signare
in cerebro 329.

cerem-, v. cær-.

cereus, -i, cierge 88 ; 219.

cerno, -ere, contempler (spir.) : mysterium c. 273.

cernuus, -a, penché vers la terre,
courbé (dans la prière) 83.

certamen, -inis, combat (du martyre)

110 ; (de la Passion) 193 – lutte, combat spirituel, le combat de cette vie :
bonum c. fidei ; ad propositum nobis c. ;
consummato cursu certaminis 440 ; hujus
sæculi c. 405.

certo, -are (-or, -ari), lutter (combat
spirituel) 76 ; 440.

cervix, -icis, nuque : (symb. de l'entêtement) dura c. ; indurare cervicem 422.

cervus, -i, le cerf (symb. de soif spirituelle) 48 et note 5.

cesso, -are, cesser : (av. part.) non cessamus orantes 76.

chaos, -i, chaos : infernum c. 226.

character, -eris, marque du soldat,
sceau (imprimé au baptême), caractère
(sacramentel) 329.

charisma, -atis, charisme, grâce particulière 271 ; cælestia charismata ; charismata gratiarum 271.

Cherubim, indéc. (sing. Cherub), Ché-
rubins 114.

chirographum, -i, cédule, arrêt (porté
contre nous, à cause du péché originel) 226 et note 1.

chorea, -æ, chœur : c. virginum 207.

chorus, -i, chœur : c. angelorum 115 ;
c. supernorum civium ; c. cælestium 312,
note 32.

chrisma, -atis, onction 204 ; onction
(postbaptismale) 330 ; (à la confirmation) signare chrismate ; sacro chrismate
delinire 338 – huile des malades 330 –
saint chrême et onction 330.

Christiades, -um, les chrétiens 98 ; 388.

christianus, -a, adj. et subst., chrétien :
fines christianorum ; populus c. ; c. plebs ;
c. professio 388.

Christicolus, -i, (-la, -æ), qui adore le
Christ 388.

Christifidelis, -is, fidèle du Christ 388.

I christus, -i, l'oint (le roi) 162 ; (le
prêtre) 204 ; (les baptisés) 330.

II Christus, -i, le Christ 204 et passim.

cibarium, -ii, nourriture (sens pr.) 50,
note 15.

cibo, -are, nourrir (euchar.) 255.

cibus, -i, nourriture, aliment (euchris-
tique) 263 ; c. spiritalis 255 ; c. æternitatis 259 ; cibus noster 50, note 15.

cilicium, -ii, cilice (du pénitent) 91.

cinctorium, -ii, armature, enveloppe
(charnelle, revêtue par le Christ) :
servile c. carnis 186.

cingo, -ere, ceindre, entourer (de langes) 50.

cingulum, -i, c. zona, ceinture : c. puri-
tatis (præp. ad miss., ad cing.) ; c. fidei
(præpar. ad miss. episc., ad cing.) ;
cf. scutum.

cinis, *-eris,* cendre (du repentir, des pénitents) : *in cinere et cilicio* 91 ; *cineres imponere* (or. 2 fer. 4 Cin.) – (pl.) c. *reliquiæ* 108.

cio, *-ire,* c. *cieo, -ere,* appeler : *Jesum ciamus vocibus* 78.

circuitus, *-us,* pourtour : *c. mensæ sacræ* 387, note 1.

circumadsto, c. *circumsto* 387.

circumcido, *-ere,* circoncire 184 – (fig.) retrancher (les vices), purifier 282 – (symb. du baptême) 329.

circumcisio, *-onis,* circoncision 184 ; 433 – (concr.) les circoncis, les Juifs 392 – (fête) *Circumcisio Domini* 184 – (myst.) *c. non manu facta* 329.

circumdo, *-are,* entourer (de sa protection) 101.

circumfero, *-ferre,* porter partout : *mortificationem Jesu in corpore nostro c.* 498 – (pass.) être emporté ici et là (au vent de l'erreur) 352.

circumspicio, *-ere,* voir à la ronde, dans son ensemble (regard de Dieu) 130.

circumsto, *-are,* se tenir debout autour (de la table du saint sacrifice) : *circumstantes* 84 ; 387.

circumtego, *-ere,* entourer de sa protection 72.

circumventio, *-onis,* tromperie : *errorum c.* (or. 14 apr.) ; *c. erroris,* Ephes. 4, 14.

circumvolo, *-are,* circuler çà et là (esprit impur) (ben. aq. vig. Pasch., Gel. I, 44, 445).

civis, *-is,* citoyen, concitoyen (de la maison de Dieu) : *cives sanctorum* 390 – citoyen (du ciel) : *superni cives* 313 et note 34 ; (anges) 114.

civitas, *-atis,* la cité (de Dieu), l'Église : *c. sancta ; c. tua* 353 et note 13 – la cité (du ciel) : *superna c., sancta c. Jerusalem* 313 ; *futura c.* 404.

clamo, *-are,* appeler, crier (vers Dieu) 43 ; (abs. ou) *c. ad Dominum* 78 ; *de tribulatione c.* 442.

clamor, *-oris,* cri, appel, prière 53 ; *c. vocis ; vox nostri clamoris* 78.

clangor, *-oris,* retentissement : *dies tubæ et clangoris* 158.

claresco, *-ere,* resplendir (de la vraie lumière) 13.

clarificatio, *-onis,* glorification (du Fils par le Père) 196.

clarifico, *-are,* glorifier, rendre glorieux 196 ; (le Christ) *hostia clarificata* 201 – glorifier (l'Église, en parl. des saints) 107 – (pass.) être glorifié (parole de Dieu) 170.

claritas, *-atis,* clarté, lumière (de Dieu) : *lumen claritatis tuæ* 154 ; (de la Rédemption, de l'Incarnation) *lux tuæ claritatis* 182 – (des anges) *angeli claritatis* 347 – clarté, gloire (du corps ressuscité) 410 – lumière (du ciel) 298 ; 300 ; *c. perpetua ; c. æterna* 308.

claudo, *-ere,* enfermer, enclore : *in tua se clausit viscera* 127 ; *sub arca clausus est* 209.

claudus, *-i,* boîteux : *claudi ambulant,* Mat. 11, 5.

claustrum, *-i,* enclos, cloître (le sein de la Vierge) 208 – (de l'enfer) *inferni claustra* 226 ; *Averni claustra* 319.

Claviger, *-eri,* Porte-clefs (du ciel, S. Pierre) 104.

clavis, *-is,* clef (symb. du pouvoir d'absoudre) : *claves regni cælorum* 98 ; *claves regni cælestis* 280.

clavus, *-i,* (pl.) clous (de la croix) 35 ; 195.

clemens, *-entis,* clément (Dieu) 34 et passim ; *clementissime* 63.

clementer, avec bonté : *c. exaudire, indulgere* (et nombreux impér. ou subj.) 53 et passim.

clementia, *-æ,* clémence, bonté, indulgence (de Dieu) 22 ; 151 ; etc.

clericus, *-i,* adj. et subst., clerc, du clergé 372.

clerus, *-i,* héritage, part tiré au sort ; héritage du Seigneur, les fidèles ; héritage du Seigneur, le clergé, ceux qui ont reçu une ordination 116 ; 372.

cliens, *-entis,* client, protégé (d'un saint, *patronus*) 98.

cludo, *-ere,* c. *claudo,* fermer : *clusum cælum* 289.

coædifico, *-are* (pass.) être intégré à la construction (du corps mystique) 348.

coæqualis, *-e,* semblable, égal (en parl. des personnes de la Sainte Trinité) 215.

coæquo, *-are,* mettre à un rang égal (en mérites) 107.

coæternus, *-a,* coéternel (personnes de la Sainte Trinité) 215 ; 216 ; 221.

coagitatus, *-a,* bien tassé (mesure) 485.

coapostolus, *-i,* frère dans l'apostolat (S. Paul) 104.

coaptatio, *-onis,* réunion (des élus) en un tout harmonieux 304.

cœmeterium, *-ii,* cimetière (or. ben. cœm.).

cœn-, v. *cen-.*

coessentialis, *-e,* égal par l'essence (personnes de la S. Trinité) 215.

cœtus, *-us,* assemblée : *sanctorum c.* 296.

cogitatio, *-onis,* (pl.) nos pensées 395 ; *cogitationes cordis nostri* 281 ; *immundæ*

cogitationes ; pravæ c. ; malæ c. 396 –
(sing.) *cogitatione, verbo et opere* 90.

cogitatus, *-us,* c. *cogitatio* 49.

cogito, *-are,* imaginer : *nil cogitatur
dulcius* 50 – se soucier de : *c. quæ
Domini sunt* 493.

cognitio, *-onis,* connaissance (de Dieu)
229.

cognosco, *-ere,* connaître (par la foi) :
c. verum Deum ; ex fide c. 466 ; (par le
Christ) *visibiliter Deum c.* 406 – connaître (les secrets de Dieu) : *nemo
cognovit...* 129 – reconnaître (sa faute)
90 – connaître (charnellement un
homme) 211.

cogo, *-ere,* forcer, pousser, rassembler :
coget omnes ante thronum (,,*Dies iræ''*).

cohabitatio, *-onis,* cohabitation (avec
les saints au ciel) : *c. sanctorum* 304,
note 21.

coheres, *-edis,* admis au même héritage
(les païens aussi par la Rédemption)
233 ; *coheredes Christi* 498 – qui partage
l'héritage du ciel 297 ; *Regis gloriæ
coheredes* 390.

cohibeo, *-ere,* contenir, réfréner : *c.
peccata* 447.

coinquino, *-are,* souiller : *qui cum mulieribus non sunt coinquinati* 493 (idolâtrie).

collaboro, *-are,* travailler avec, colla-
borer à : *c. evangelio* 169 ; 172.

collætor, *-ari,* se réjouir ensemble (au
ciel) 300.

collator, *-oris,* celui qui confère (des
honneurs, l'ordre) 366.

collaudatio, *-onis,* louange (collective)
26.

collaudo, *-are,* louer (ensemble) 26 ;
37 ; 112.

collecta, *-æ,* réunion, prière de réunion,
prière qui résume, oraison sur l'assemblée, collecte 76.

collectio, *-onis,* c. *collecta* 76 ; *c. ad
pacem* 76.

collegium, *-ii,* communauté, ordre
(religieux) : *sacrarum virginum c.* 377 –
assemblée (des élus) 305.

colligo, *-ere,* réunir (les fidèles) 348 –
rassembler, conclure (la prière) 76 –
réunir, rassembler (un ordre religieux) : *novam in ecclesia familiam c.* 380.

collis, *-is,* colline (myst.) : *colles æterni*
177.

colloco, *-are,* placer : *spem c. in* 44 –
placer (au ciel) 201 ; 308.

colloquium, *-ii,* conversation, fréquentation : *colloquia mala* 436.

colluctatio, *-onis,* lutte, combat (spirituel) 322 ; 440.

colluvio, *-onis,* souillure : *c. peccati* 419.

colo, *-ere,* adorer (Dieu) 28 ; 123 ; 159 ;
208 ; *colendus = adorandus* 20, note 3 –
honorer d'un culte 16 – honorer (un
saint) 106.

columba, *-æ,* colombe (symb. du
Saint-Esprit) 218 – (en parl. de la
Sainte Vierge) 118.

columna, *-æ,* la colonne (de feu) 337 ;
(fig.) 422 – (symb. de force) 489 –
les colonnes (du monde) 489, note 2.

comburo, *-ere,* brûler ensemble (au feu
éternel) 305.

combustio, *-onis,* la brûlure, le feu (de
l'enfer) : *æterna c.* 318, note 16.

comedo, *-ere,* manger (le fruit défendu)
223 – dévorer, consumer (de zèle)
48.

comes, *-itis,* m., compagnon (l'archange de Tobie) (or. 24 oct., S. Raphael) –
f., (Ève) compagne (d'Adam) 340.

comitatus, *-us,* cour, cortège (myst.)
378.

comitor, *-ari,* accompagner (fig.), favoriser, seconder (une prière, en parl. de
Dieu) 63 ; 141 ; (intercession) 65.

commemoratio, *-onis,* rappel, souvenir : *in meam commemorationem ; in sui
commemorationem ; in tui commemorationem* 236 ; *hujus hostiæ c.* 237 – commémoration (des défunts) 95 ; (de Notre
Dame, d'un saint) 5 ; 15 ; 108.

commemoro, *-are,* rappeler (le souvenir d'un défunt) 95.

commendatio, *-onis,* recommandation,
intercession (d'un saint) 102 – recommandation (d'un mourant) : *c. animæ*
95.

commendo, *-are,* remettre, recommander, confier : *in manus tuas commendo
spiritum meum* 45 – recommander
(dans une prière) 77 ; recommander
(à la Sainte Vierge) 116 – recommander (un défunt, l'âme d'un défunt) 95 ;
(un agonisant) 95, note 9 – (pass.) être
recommandé (par les suffrages d'un
saint) 102 ; (act.) *intercessio nos commendet* 102 ; 100 – recommander (à Dieu
une chose) 346.

commensalis, *-e,* adj. et subst., (spir.)
qui partage la même table (au ciel) :
tuos tibi commensales 297.

commercium, *-ii,* échange mystique
(dans l'Incarnation : humanité assumée, divinité accordée) *o admirabile c.*
189 ; (dans l'eucharistie : dons offerts,
dons reçus) 260 ; *sacrosancta commercia ;
veneranda c. ; sancta c.* 259 ; 260 ; re-
demptionis nostræ sacrosancta commercia
66 ; *hujus sacrificii veneranda c.* 159 –

participation : *cælestis vitæ commercia*
259 ; 260, note 1.

comminister, *-tri,* qui coopère au
ministère (diacre) 363, note 15.

committo, *-ere,* confier (les fidèles à
un pontife) : *commissi sibi populi* 381 ;
plebem commissam ; grex commissus 356 ;
385 ; (à un abbé) *congregationes illis
commissas* 380.

commixtio, *-onis,* mélange, commixtion : (euchar.) 263, note 4 ; *c. chrismatis* 330.

commoneo, *-ere,* avertir, exhorter (mo-
nition mutuelle) : *c. vosmetipsos* 453.

commonitio, *-onis,* exhortation 453.

commoror, *-ari,* demeurer (sur cette
terre) : *in hoc sæculo c.* (or. p. def.
sacerd., Gel. III, 93).

commoveo, *-ere,* secouer, bouleverser
(la terre) 155.

communicatio, *-onis,* action de participer ensemble, communion : *c. fractionis panis* 254, note 2 ; *c. præsentis
osculi* 483.

communico, *-are,* participer à : *c.
Christi passionibus* 498 – participer à,
communier à : *corpori et sanguini
Christi c.* 260 ; 348 – (abs.) communier
239 – être uni de communion avec
236 ; 350, note 5.

I **communio,** *-ire,* fortifier, réconforter
(en parl. de l'eucharistie) 251.

II **communio,** *-onis,* participation,
communion : *c. sacramenti* 62 ; 250 ;
hæc c. 260 ; *sacramentorum tuorum c.
sumpta* 260 – communion (des saints) :
sanctorum c. 350, note 6 – mise en
commun des ressources 482.

communis, *-e,* commun, de tous : *c.
Creator* 134 – (subst. n.) *commune,*
commun, office commun (opp. à *proprium*) (rubr.).

commuto, *-are,* échanger (échange
mystique) 49.

compaciscor, *-i,* p.p., *compactus,* réuni
en un tout (corps mystique) 350.

compagino, *-are,* unir, assembler (les
membres du corps mystique) 263,
note 1.

compar, *-aris,* égal (en parl. du Fils)
38 ; *c. laudatio* (au S. Esprit) 38 ; 222.

comparo, *-are,* acquérir (des richesses
mystiques) 49 – préparer (une demeure
au ciel) 304.

comparticeps, *-cipis,* qui participe à :
comparticipes passionis ejus 233.

compassivus, *-a,* qui souffre avec :
compassivi doloris gladio 498.

compatior, *-i,* souffrir avec, partager
les souffrances de : (en parl. du Christ)

c. infirmitatibus nostris 187 ; souffrir
(avec le Christ) 498 – (entre les hommes) *unanimes, compatientes* 479.

compello, *-ere,* forcer (action de la
grâce) 270.

compendium, *-ii,* raccourci (pour le
ciel, par le martyre) 110.

competo, *-ere,* revenir à, appartenir à :
soli (Deo) competit 310 – demander
ensemble : *competentes,* candidats au
baptême 391.

complaceo, *-ere,* plaire, être agréé (de
Dieu) : *ut tibi complaceant ; ut sibi complaceam* 504 – (réfléchi ou non) se plaire, mettre ses complaisances en : *in quo
mihi complacui* 196 ; 265 ; 502 ; *complacuit sibi in illo anima mea* 204 ; *in te
complacui ; in quo bene complacuit animæ
meæ* 502 – (impers.) plaire à (Dieu),
juger bon, daigner : *complaceat tibi ut*
62 ; *complacuit Patri dare* 502 et note 1 –
se plaire à, aimer : *complacui in veritate
tua* 502.

complanto, *-are,* (pass.) être planté
avec (spir.) : *complantati similitudini
mortis ejus* 498.

complector, *-i,* embrasser, entourer
(de vénération) 51 ; 108.

compleo, *-ere,* combler, exaucer (nos
désirs) 61 ; *c. desideria* 250.

completorium, *-ii,* complies (rubr.).

compono, *-ere,* réconcilier : *dissidentes
c.* (or. 12 jun.) – modeler (notre conduite, en parl. de Dieu) : *c. mores
nostros* (Leon. 932).

comprehendo, *-ere,* saisir, posséder
(le bonheur du ciel) 312 – (impossible
de) comprendre (Dieu) 126 – comprendre (les dimensions mystérieuses
du salut) 507.

comprehensor, *-oris,* celui qui jouit de
la vision béatifique 312, note 33.

comprimo, *-ere,* réfréner : *c. vitia*
450.

compunctio, *-onis,* douleur poignante :
potasti nos vino compunctionis 443 –
douleur, repentir 92 ; 422 – pensée
soudaine 92 note 8.

compungo, *-ere,* piquer, poindre, briser (de douleur, de chagrin) : *compunctos corde* 443 ; (de repentir) 92 –
saisir soudain : *tua inspiratione compuncti* 92, note 8.

concedo, *-ere,* (en parl. de Dieu) accorder, donner (av. acc. ; prop. inf. ;
ut et subj.) 65 ; 67 ; etc. – accorder
(une grâce) 270.

concelebro, *-are,* chanter, célébrer ensemble 9 ; 11 ; (louange des anges au
ciel) 312.

concentus, *-us,* chœur : *c. angelicus* 312, note 32.

Conceptio, *-onis,* Conception (Immaculée de Marie) 212.

concido, *-ere,* p. p., *concisus,* découpé : (*corpus Christi*) *non concisus, non confractus* 263.

concilio, *-are,* faire obtenir, nous valoir (le ciel, la grâce, le pardon, etc.) 66 ; 402 et passim – rendre agréables (nos offrandes) 247.

concilium, *-ii,* assemblée : *c. sanctorum* (au ciel) 107 – concile : *universale c.* 382.

concinno, *-ere,* disposer, arranger ; allumer ensemble : *luminaria c.,* Ex. 25, 6 (or. 4 ben. cand. 2 febr.).

concino, *-ere,* chanter ensemble 11 ; *hymnum gloriæ tuæ concinunt* 113 – (sans nuance collective) chanter : *triumphum concinit* 110 ; (en parl. du Psalmiste) 173.

concipio, *-ere,* concevoir : *in iniquitatibus conceptus sum* 224 – (Annonce de l'ange) *concipies in utero et paries filium* 179 ; *incorrupta concepit* 211 – (Immaculée Conception) *sine labe concepta* 212 – concevoir (fig.) : *desideria de tua inspiratione concepta* 273 – (en parl. des catéchumènes dans le sein de l'Église) 354.

concivis, *-is,* concitoyen (du ciel, ange) 114.

concludo, *-ere,* renfermer (tout en soi, en parl. de Dieu) 127 – fermer : *hortus conclusus,* v. *hortus* 211.

concordator, *-oris,* celui qui rétablit la concorde, l'harmonie : *c. discordiæ* (*Deus*) 214.

concordia, *-æ,* concorde 477.

concorporalis, *-e,* faisant partie du même corps mystique 233.

concors, *-cordis,* en bon accord 477 ; *in tua voluntate concordes* 350.

concresco, *-ere,* grandir, progresser (spir.) : *in tuo amore c.* 39.

concupiscentia, *-æ,* concupiscence : *c. carnis ; humana c.* 425 ; 73, note 10.

concupisco, *-ere,* languir de désir (spir.) 48.

concutio, *-ere,* secouer : *terræ fundamenta c.* (or. p. temp. terræmotus) – ébranler (moral.), menacer, maltraiter (secr. p. pace) ; (par les épreuves) 443.

condelector, *-ari,* se complaire à : *c. legi Dei* 394.

condemnatio, *-onis,* v. *judicium.*

condignus, *-a,* comparable : *c. passiones* 306.

conditio, *-onis,* création (sens concret et abstrait), créature, état de la créa-

ture, condition (humaine) 136 ; *c. humana* 201 ; 401 et note 3.

conditor, *-oris,* fondateur (d'une église) 242 – fondateur (en parl. du Christ) *c. pacis* 50, note 15 – le Créateur 136 et passim ; *Conditor alme* 34 ; *benigne C.* 53 ; *rerum C.* 58.

condo, *-ere,* créer 135 ; 136 ; etc. – installer, placer (dans la Crèche) 50.

condoleo, *-ere,* prendre part à (nos) souffrances : (*Christus*) *humanis condolens miseriis* 187 – souffrir avec (le Crucifié) 51.

condono, *-are,* pardonner : *c. peccata* 277.

confectio, *-onis,* consécration (euchar.) 243.

confero, *-ferre,* accorder (secours, grâce, etc.) 62 ; 65 ; etc. ; *pro collatis donis* 85 ; (av. inf.) *quos... contulisti præesse pastores* (præf. de Apost.), *collatis clavibus regni cælestis* (or. 30 jun., Gel. II, 30) ; *c. sacerdotium* (Leon. 1012) – *c. fero* 208.

confertus, *-a,* bien tassé, bien rempli : *mensura c.* 485.

confessio, *-onis,* louange 27 et passim. – aveu 27 ; 90 – action de reconnaître, de professer, de confesser (la foi) : *Domini c. ; apostolica c.* 468 – confession, témoignage du martyr, martyre 102 ; *c. gloriosa, beata, pretiosa, honoranda* 109 – tombeau (d'un martyr) ; (puis) église, autel (érigé à cet endroit) 109.

confessor, *-oris,* celui qui reconnaît, confesse (le Christ) 468 – celui qui fait profession de christianisme 390 – confesseur de la foi (dans la persécution) 109 – saint important (par ex. par sa défense de l'orthodoxie, par sa prédication), confesseur 104 – religieux ascète 368 et note 37.

conficio, *-ere,* réaliser (par la consécration euchar.), consacrer 236 ; *c. venerabile sacramentum* 236, note 2 ; *c. corpus Domini ; c. Christi corpus* 243 – accomplir (le saint sacrifice) : *sacramentum corporis c. ; sacrificium altaris c.* 243.

confido, *-ere,* avoir confiance (foi, espérance) 40 ; 43 ; *c. de, in* 44 ; 443 ; 470 ; (abs.) *confide* 470 ; *c. in Domino quia* 470 ; (av. inf.) 470 ; *sanctorum confisa suffragiis* 470.

configuro, *-are,* conformer, rendre conforme, semblable à : *configuratus morti ejus* 498 ; (par la résurrection) *corpus configuratum corpori claritatis ejus* 410.

confirmo, *-are,* fortifier, raffermir (spir.)

47 ; 338 ; 456 ; 465 ; *c. in fide et caritate* 274 – (pass.) se confirmer, s'affirmer 8 – confirmer (sacrement de confirmation) : *confirmo te chrismate salutis* 338.

confiteor, *-eri,* reconnaître (la grandeur de Dieu), louer (tr. et intr.) 25 ; 27 ; 78 ; etc. – reconnaître (par la foi) 41 ; 189 ; etc. ; *c. in ore* 468 ; *c. Deum* ; *c. unum baptisma* 41 ; 469 – confesser (la foi dans le martyre) 109 – reconnaître (ses fautes) : *c. injustitiam suam, peccata sua* 90 ; *c. Deo quia* 90 ; (abs. ou av. prop. inf.) 90 ; *confitentes* 277.

conflatilis, *-e,* subst. n. (pl. ou sing.), objets fondus, idoles 159 ; 160.

conflictus, *-us,* combat (engagé pour nous par le Christ) 186, note 8.

conformis, *-e,* semblable à : *quos... prædestinavit conformes fieri imaginis Filii sui* 500 ; 233.

conforto, *-are,* raffermir : *nos... in tuo... servitio c.* (litan. omn. sanct.).

confringo, *-ere,* p. p., *confractus* : v. *concido.*

confugio, *-ere,* se réfugier (sous la garde de Marie) 116.

confundo, *-ere,* confondre, remplir de confusion, bouleverser (en parl. de Dieu) 43 ; *c. sapientes* ; *c. fortia mundi* 495 – (pass.) rougir (du Christ), ne pas le reconnaître, Marc. 8, 38 – confondre, ne pas distinguer (les personnes de la S. Trinité) 214.

congaudeo, *-ere,* se réjouir avec, ensemble : *temporali solemnitate c.* 9 ; *secunda spes congaudeat* 39.

conglorifico, *-are,* (pass.) être glorifié avec (le Christ) 498.

congregatio, *-onis,* rassemblement (au ciel) : *c. justorum* 297 – ordre, communauté (de religieux) 380.

congrego, *-are,* rassembler (les peuples au jugement dernier) 202 ; (les fils de Dieu dispersés) 349, note 4 ; (une congrégation religieuse) 380 ; (les fidèles) 348 ; 349, note 4.

congressio, *-onis,* rencontre, combat : *c. martyrii* 110.

congruus, *-a,* digne, convenable : *dignum et congruum est* 9.

conjubilo, *-are,* se réjouir ensemble (hymn. 4 dec., Brev. O.S.B.).

conjugalis, *-e,* conjugal 340 ; *c. castitas* 341.

conjugium, *-ii,* var. de *connubium* 340.

conjungo, *-ere,* unir par le mariage : (abs. ou) *c. in matrimonium* 340 – unir (à Dieu par la charité) : *mentes nostras... tibi conjunge* (or. 2 dec.) ; (comme le lait et le miel dans la terre promise,

Ex. 13, 5) *conjunge ergo famulos tuos... Spiritui Sancto, sicut conjunctum est hoc mel et lac* (Leon. 205).

conjux, *-ugis,* époux, (ordin.) épouse 340.

conl-, v. *coll-.*

connecto, *-ere,* unir (par la charité) 479 ; *corpus compactum et connexum* 350.

connubium, *-ii,* mariage : *lex connubii* 340.

connumero, *-are,* compter avec, au nombre des (élus) 297.

conscientia, *-æ,* conscience (de sa culpabilité) 68 ; 412 ; 401 ; *secura c.* 395 ; 439.

conscius, *-a,* conscient de : *c. infirmitatis nostræ* 401 ; (de ses fautes) 420.

conscribo, *-ere,* inscire avec (au livre de vie) 94.

consecratio, *-onis,* consécration (eucharistique) 236 ; (d'une église) *sancti templi tui consecrationis dies* 347 ; 15 ; (d'un prêtre) 367 ; *c. presbyteri* 361 ; *c. episcoporum* 369 ; *c. et benedictio* 87.

consecrator, *-oris,* celui qui consacre (Dieu) 346.

consecro, *-are,* consacrer, rendre sacré : (un jour) *c. diem* 18 ; 108 ; 109 ; (une église) *purificare, beneaucere et c.* 347 ; (un prêtre) 369 – consacrer (les offrandes eucharistiques) 243 ; 236, note 2 ; *c. panem, vinum* 243 ; 244 ; (abs.) célébrer le saint sacrifice 243, note 12.

consensus, *-us,* consentement (à la tentation) 446, note 1.

consepelio, *-ire,* (fig.) ensevelir avec (le Christ) *consepulti* 498 ; 333.

consequor, *-i,* obtenir (par ses prières) 61 ; 80 ; etc. ; (par les prières des saints) 67.

conservator, *-oris,* celui qui conserve (Providence) 138.

conservo, *-are,* conserver, sauver, protéger (en parl. de Dieu, de la Providence) 72 ; 138 et passim.

consignatio, *-onis,* confirmation (sacrement) 338.

consigno, *-are,* marquer d'un sceau : (après le baptême) *ad infantes consignandos* 338 – confirmer (sacrement de confirmation) 338 ; *c. signo crucis Christi* 38.

Consiliarius, *-ii,* Conseiller (un nom du Messie dans Isaïe) 204.

consilium, *-ii,* dessein (de Dieu) 129 ; 140 – bon-sens, prudence (dans le jugement ou dans l'action) : *recta consilia* 488 ; *spiritus consilii* 488 ; *B.M.V. de Bono Consilio* 122.

consisto, *-ere*, demeurer, être : *salva c.* 268.

consocio, *-are*, associer (au bonheur du ciel) 296.

consolatio, *-onis*, réconfort : *tuæ gratiæ c.* 71 ; 268, note 1 ; 274 ; *c. æterna* 274 et note 3 – réconfort, consolation : *Deus totius consolationis* 152 ; (le Messie) *c. Israel* 177 – assistance (du S. Esprit) *de ejus semper consolatione gaudere* 71 ; 219 ; (de Marie) *Mater consolationis* 116.

consolator, *-oris*, celui qui réconforte : *Deus, mærentium c.* 152 – (ordin. en parl. du S. Esprit) celui qui réconforte, le Consolateur, le Paraclet 71 ; 219.

consolo, *-are*, (pass.) être réconforté (par la venue du Rédempteur) 173, note 3.

consolor, *-ari*, soutenir (en parl. de Dieu) 57 ; (de l'intercession d'un saint) 102.

consors, *-sortis*, qui partage, associé à : (en parl. du Fils) *c. Paterni luminis* 216 ; (en parl. du Christ) qui partage (notre humanité) 187 ; (en parl. des hommes) *divinæ naturæ consortes* 97 ; *divinæ consortes naturæ* 260 ; *divinitatis consortes* 260 ; (au ciel) *cælestis gloriæ consortes* 296 ; *divinitatis consortes* 296 – tes semblables : *consortes tui* 166.

consortium, *-ii*, part, participation, association : (avec Dieu, au ciel) *æterno consortio perfrui* 296 ; (avec le Christ) *ad ejus consortium pervenire* 296 ; (avec les saints, les anges, les élus) *c. sanctorum* 62 ; *sanctorum tuorum c.* 66 ; 296 ; *angelorum c.* 296 ; (pl.) *resurrectionis consortia* 198 – union (conjugale) 340.

conspectus, *-us*, vue, regard, présence (de Dieu) 54 ; 55 ; 125 ; 130 – regard favorable : *tuo conspectu digna (munera) ; sacrificia tuis oblata conspectibus* 247 – *in conspectu sanctorum* 107.

conspergo, *-ere*, couvrir (en répandant) : *c. cinere capita* 91, note 4.

conspersio, *-onis*, pâte (fig.) : *nova c.* 420.

conspicio, *-ere*, voir ensemble (regard de Dieu) 142 – voir (par l'intelligence les choses invisibles) 135 – veiller à : *ad defensionem c.* 72.

conspicuus, *-a*, visible : *visu conspicuus* (le Christ ressuscité) 200.

conspiro, *-are*, s'unir (pour intercéder) 102.

constantia, *-æ*, constance, courage, fermeté 490 ; (dans la foi) 106 ; *c. fidei* 106 ; 111 ; *in tua fide c.* 465 ; (dans le martyre) 110 ; 111.

constituo, *-ere*, créer, organiser (le monde, en parl. de Dieu) 136 – *constitutus*, placé, étant (passim).

constitutio, *-onis*, création (du monde) 136 ; *ante mundi constitutionem* 225 ; 275 – (pl.) constitutions (du S. Siège) 385.

constitutor, *-oris*, créateur (du monde) 136, note 8.

constitutum, *-i*, commandement : *sacra legis constituta* 475.

consto, *-are*, subsister, exister : *omnia in ipso constant* 124.

constringo, *-ere*, enchaîner (spir.) : *delictorum catena constrictus* 422 ; *conscientiæ reatu constringi* 423.

consubstantialis, *-e*, consubstantiel (en parl. du Fils) 215 ; *c. Patri* 216.

consuetus, *-a*, habituel (miséricorde de Dieu) 151.

consummatio, *-onis*, fin (du monde) : *c. sæculi* 203.

consummo, *-are*, achever : *nondum consummato certamine* 440 – (pass.) s'achever, passer : *postquam dies octo consummati sunt* 184 – (pass.) s'accomplir (prophétie) 173.

consumo, *-ere*, détruire : (*Christus*) *nec sumptus consumitur* (,,*Lauda, Sion*'').

consurgo, *-ere*, se lever, ressusciter 198.

contactus, *-us*, (pl.) contacts, rapports 341.

contagio, *-onis*, contact (du mal) 411 ; 419.

contagium, *-ii*, contact, souillure (du mal) : *terrena contagia* 419 ; (du démon) 321.

contemno, *-ere*, mépriser : *c. mundum* 499.

contemplatio, *-onis*, méditation 506 et note 1 – contemplation : *altissimæ contemplationis munus* 271 ; *superna c.* 506.

contemplor, *-ari*, méditer 506 et note 1 – contempler (au ciel) 125.

contemptus, *-us*, mépris : *c. Dei* 414 ; (des choses de ce monde) 405.

contero, *-ere*, mortifier, macérer : *c. corpus per abstinentiam* 448 – v.*contritus* – écraser (les ruses du diable) 325 – (pass.) s'user (fig., en parl. de l'homme) 400.

contessero, *-are*, se reconnaître en communion avec 40, note 2 ; cf. *tessera*.

contestatio, *-onis*, attestation (de la grandeur de Dieu, de la Trinité), préface (gallicane) 11 ; 32, note 1.

continentia, *-æ*, retenue 491 – abstinence (en Carême) 268 ; 440 ; 450 –

virginité (vœu de) : *propositum sanctæ continentiæ* 376.

contineo, *-ere,* contenir (tout, en parl. de Dieu) 128.

continuus, *-a,* incessant (action de Dieu) 140.

continuo, *-are,* p. p., *continuatus,* c. *continuus : miseratio continuata* 140 ; 151.

contra, (fig.) devant (mes yeux, ma conscience) 91.

contradico, *-ere,* contredire (par ses actes) 437.

contraho, *-ere,* commettre (le péché) 419.

contrarius, *-a,* ennemi (puissance) : *c. virtus* 325 – (subst. m.) satan 325, note 11.

contremisco, *-ere,* trembler, frémir 155.

contribulatio, *-onis,* accablement, douleur : *c. cordis contriti* 92.

contribulo, *-are,* écraser, briser, accabler (de douleur) : *spiritus contribulatus* 92.

contristor, *-ari,* être dans la tristesse 94 ; *(Mariam) contristatam et dolentem* 121.

contritio, *-onis,* blessure (de la terre) 92, note 5 – action de broyer, d'être écrasé (de douleur), contrition 92 ; *lacrimas contritionis ; cordis c.* 92 – mortification : *c. jejunii* 450.

contritus, *-a,* p. p. de *contero,* broyé de douleur, de contrition 92.

contubernium, *-ii,* action de partager (notre humanité) : *c. carnis* 187.

contueor, *-eri,* contempler (intérieurement) 395.

conturbo, *-are,* bouleverser 155.

convalesco, *-ere,* avoir la force (d'accomplir son devoir) 273 ; 438 – se faire entendre avec force 395.

convallis, *-is,* c. *vallis : c. plorationis* 402.

convenio, *-ire,* se réunir (fidèles) 348 et note 1.

conventus, *-us,* assemblée : (des saints, au ciel) 107 ; (des fidèles, de l'Église) *c. ecclesiæ* 348.

conversatio, *-onis,* citoyenneté, vie ; *nostra c. in cælis* 313 – vie, conduite : *dignis conversationibus* 296 ; *c. humana* 401 ; *c. pia, sancta, digna* 425 ; *conversatione tibi placeant* 425 – c. *conversio* 425, note 1 ; *sancta c.* 449 ; *c. monastica* 375.

conversio, *-onis,* conversion 461 – entrée en religion, vie religieuse 461, note 2.

conversor, *-ari,* vivre : *in mundo conversatus* 170 ; *c. sine querela* 425.

conversus, *-a,* adj. et subst., qui s'est retiré du monde, religieux 375.

converto, *-ere,* changer : *c. in vinum* 88 – changer, tourner, faire revenir (à Dieu) : *c. aliquem ; converte nos ; converte corda* 461.

convertor, *-i,* se retourner, se convertir, se tourner (vers la pénitence) 58, note 5 ; revenir (à Dieu) : *c. ad Deum vivum* 161 ; *convertimini ; convertantur ad Deum* 461 – se tourner vers (conversion à rebours) 461, note 1 – revenir vers nous (en parl. de Dieu) 73 – entrer en religion 375.

convivifico, *-are,* faire vivre avec (le Christ, par la Rédemption) 232.

convivium, *-ii,* repas en commun, banquet (eucharistique) : *c. sacrum ; c. divinum ; participatio cælestis convivii* 254 – banquet (céleste) : *cæleste c. ; æternum c.* 310.

coomnipotens, *-entis,* égal en toute-puissance (personnes de la S. Trinité) 215.

cooperator, *-oris,* celui qui coopère : (le nouvel ordonné) *c. ordinis nostri* 368 – *c. Paraclitus Spiritus* 221.

cooperor, *-ari,* coopérer, opérer avec (les autres personnes de la S. Trinité) *cooperante Spiritu Sancto* 221.

copiosus, *-a,* abondant : *c. benedictio* 87 ; *c. fructus* 458 ; *c. redemptio* 226.

copula, *-æ,* lien, union : *conjugalis c.* 341.

cor, *cordis,* cœur, sentiment : *sincero corde* 21 ; *toto corde ; dilatato corde* 47 ; *intima cordis* 219 – âme, pensée : *recogitare corde ; meditari corde ; cogitationes cordis* 395 ; *in cordis aure* 395 ; *corde,* en esprit (opp. *à corpore*) 395 ; *cor et caro* 395 – le Sacré-Cœur : *Cor Jesu* 34 ; *festum Sacratissimi Cordis Jesu* (fer. 6 p. d. 2 p. Pent.).

cornu, *-us,* corne, force, puissance 165 ; *c. salutis meæ* 162.

corona, *-æ,* couronne de victoire (pour les martyrs) 109 ; *c. martyrii* 110 – couronne (des élus) : (abs. ou) *c. vitæ ; c. æterna ; c. incorrupta ; immarcescibilis gloriæ c.* 306 ; (après la lutte d'ici-bas) 440.

corono, *-are,* (pass.) être couronné, recevoir le prix 440 ; (au ciel) *c. in cælis* 306 ; (martyr) *coronatus* 110 ; (act.) *c. merita* 288.

corporalis, *-e,* matériel, corporel : *c. jejunium* 450.

corporaliter, matériellement (opp. à *spiritaliter*) 398 et passim.

corporeus, *-a,* corporel, en corps 213.

corpus, *-oris,* le corps 398 et passim ; *mente et corpore* (or. passim) ; *de corpore* *mortis hujus* 400 – *corpus Christi*, le corps du Christ, le Saint Sacrement 243 ; 263 – le corps (mystique de l'Église) : *vos estis c. Christi ; ecclesiæ tuæ sacrum corpus* 348 ; *totum c. compactum et connexum* 350.

correctio, *-onis*, correction, punition 444.

correptio, *-onis*, avertissement, réprimande, correction, punition 444 ; (mutuelle) 483.

corrigo, *-ere*, (pass.) se corriger 444 ; 461 ; *spatium corrigendi tribuere* 461.

corripio, *-ere*, réprimander, reprendre (ses frères) 483.

corroboro, *-are*, fortifier (le martyr) 110.

corruo, *-ere*, tomber (dans le péché) 421.

corruptio, *-onis*, corruption (due au péché originel) : *c. primæ nativitatis* 224 – corruption (du tombeau) 410.

creatio, *-onis*, création (sens concret et abstrait) 134.

creator, *-oris*, le Créateur 134.

creatura, *-æ*, création 134 – créature, homme 134 – chose créée, créature de Dieu : *c. aquæ, salis* 88 ; 134 ; 343 ; *c. olei*, huile 88 et note 3 ; *c. olivæ*, branches d'olivier 134 ; *c. ignis ; c. lapidis* 88.

credo, *-ere*, croire (acte de foi) : *c.* (av. pr. infin.) ; *c. aliquid, aliquem, in aliquem* 40 ; etc. ; *corde c. ad* 468 ; *c. quoniam* 467 ; (av. nuance d'espérance) *credo videre* 40 et note 3 ; 116, note 3 ; (début de la croyance) *credidi* 40 et note 1 – *credentes*, les croyants : *lux credentium* 34 ; 389 ; *plebs credentium ; salus credentium ;*

credulitas, *-atis*, croyance, foi 288 ; 467.

cremo, *-are*, (pass.) brûler (en enfer) 318.

creo, *-are*, créer (en parl. de Dieu) 134.

cresco, *-ere*, croître, grandir (spirituellement) 47 ; 457.

cribro, *-are*, passer au crible (fig.), tenter 326.

crimen, *-inis*, crime, péché (originel) : *primi parentis c.* 223 – péché : *mundare a crimine ; purgare a crimine ; absolvere nexu criminis* 416.

cruciatus, *-us*, tourments (de l'enfer) 316.

crucifigo, *-ere*, crucifier 192 ; *Filius tuus crucifixus*, 192 – (subst. m.) *Crucifixus*, le Crucifié 51 – (fig.) crucifier, mortifier : *carnem c.* 447.

crucio, *-are*, tourmenter (en enfer) 318.

cruor, *-oris*, le sang (du Crucifié) 51 ;

194 ; 195 – (d'un martyr) *c. sanguinis* (pléon.) 111.

crux, *crucis*, la croix (de Jésus), le supplice de la croix : *in cruce pendens* 116 ; *crucis tormentum subire ; crucem subire* 192 – la croix (objet de vénération) : *c. sancta* 192 ; (ce qu'elle représente, symbole de rédemption) *in ligno crucis ; c. salutifera ; reconciliare per crucem* 192 et note 6 – la croix (épreuves, mortifications) *tollere crucem suam ; crucem ferre ; accipere, bajulare crucem suam* 447.

cubiculum, *-i*, chambre nuptiale (myst.) 378.

culmen, *-inis*, dignité suprême (du pape) 17.

culpa, *-æ*, (abs. ou) *originalis c.*, la faute originelle 212 ; 223 ; *felix c.* 223 ; *ab originali culpa præservare* (Marie) 212 – faute (personnelle), péché : *culparum labes ; a culpa expiari, liberari*, etc. 413 et passim.

cultor, *-oris*, (spir.) celui qui cultive (en parl. de Dieu) 357 – celui qui honore, adore, rend un culte à : *pius c.* 16 – celui qui cultive, entretient : *catholicæ et apostolicæ fidei cultores* 386.

cultura, *-æ*, action d'honorer, culte : *c. Dei* 414.

cultus, *-us*, culte : *cultum exsequi* 16 – le service divin, l'office 17.

cum, avec : *Dominus vobiscum* (formule de salut) 89 ; *gratia Domini cum omnibus vobis* 89 ; *cum spiritu tuo* 89 ; *tecum* 118 etc.

cumulate, avec abondance 271.

cumulo, *-are*, charger (l'autel de dons) 246.

cunabulum, *-i*, (pl.) berceau (de la Crèche) 20.

cunctus, *-a*, c. *totus* : *cuncta ecclesia* 350 – (ordin. pl. *cuncti*).

cupiditas, *-atis*, (pl.) désirs, passions : *terrenæ c.* 405.

cura, *-æ*, soin, charge : *c. animarum* 385 – souci : *mundiales curæ* 405.

curatio, *-onis*, guérison : *gratiæ curationum* 271.

curia, *-æ*, cour (du ciel) : *angelorum c.* 296, note 9.

curo, *-are*, guérir : *c. infirmos* – (sens spir.) *c. vitia* 282 ; *c. quidquid vitiosum est* 253.

curro, *-ere*, courir, s'empresser vers : *ad promissiones tuas c.* 44 et note 6 ; 470 – accomplir sa course (parole de Dieu) 170.

cursus, *-us*, le cours (des affaires de ce monde) : *mundi c.* 75 ; *sæculorum om-*

nium c. 139 – notre course, notre conduite 144.

curvo, *-are,* courber (ses genoux) ; (pass.) se courber, se prosterner 83 – (fig.) courber, faire plier : *curva cervicem ejus* 422.

custodia, *-æ,* garde, défense, protection (de Dieu) 72 ; (des anges) 115 – (fig.) garde, retenue : *custodiam ori ponere* 421, note 9.

custodio, *-ire,* garder, protéger (en parl. de Dieu) 62 ; 72 ; 127 ; etc. ; *c. ab* 72 ; (en parl. de la Providence) 138 ; (de la grâce eucharistique) 251 ; (des anges) 115 – c. *servare,* garder : *illæsas* (animas) *c.* 72 – garder, observer (les commandements) 433.

custos, *-odis,* celui qui garde (son peuple, Dieu) 72 – gardien (ange) : *angeli custodes* 115 ; (S. Raphaël) 74.

D

dæmon, *-onis,* démon, idole 160 ; 320, note 1 – le démon : *ejicere, abjicere dæmones* 320 ; *fraude dæmonum ; captivitate dæmonis* 320.

dæmonium, *-ii,* démon : *d. habere ; dæmonia expellere* 320 – (pl.) idoles 160 ; 320, note 2 – *d. meridianum* 320, note 2.

dalmatica, *-æ,* dalmatique : *d. justitiæ* 373.

damnatio, *-onis,* condamnation, damnation : *d. æterna* 62 ; 316.

damno, *-are,* condamner (à l'enfer) 316, note 8 – (en s'adressant au démon dans l'exorcisme) *damnate,* maudit 321.

damnum, *-i,* perte (spir.) 228.

daps, *dapis,* festin (eucharistique) 254 ; (pl.) ibid.

dator, *-oris,* celui qui donne : (le S. Esprit) *d. munerum* 221.

datum, *-i,* don (de Dieu) 147 ; 239, note 4 ; 244.

David, (appellation du Christ) *Filius David* 34 ; 204.

de, 1. (au lieu de *a, ex*) *ascendit de aqua,* Mat. 3, 16 ; *liberare de,* Ps. 50, 16.
2. de (partitif) *comedere de,* Gen. 2, 17.
3. de (matière) *corona de spinis,* Mat. 27, 29.
4. (nombreuses locutions) *de longe,* de loin, Ps. 37, 12 ; *reges de prope,* les rois voisins, Jer. 25, 26 ; *de repente =* repente ; etc.

dealbo, *-are,* blanchir, purifier 281.

debeo, *-ere,* devoir (un culte à Dieu) : *debita servitus* 1 ; *debitus honor* 17 ; *munera quæ debemus* 245, note 4.

debitum, *-i,* ce qui est dû (à Dieu), dette : *reddere debitum* 245 – (en parl. du péché originel) *d. Adæ, d. mortis antiquæ* 223 – *ex debito = merito* 223.

decantatio, *-onis,* chant, poème (sacré) 10 ; 171 – psalmodie (intérieure) *silens d.* 239, note 2.

decanto, *-are,* chanter, célébrer 10 – chanter (ou dire la messe) *secreto d.* 239, note 2.

deceptio, *-onis,* tromperie, séduction : *d. divitiarum* 442.

decipio, *-ere,* (pass.) être trompé (par le démon) 55 ; 321.

declaratio, *-onis,* manifestation, venue (du Christ par l'Incarnation) 183.

declaro, *-are,* faire voir (les prophéties accomplies) 173 – montrer symboliquement 344.

declinator, *-oris,* celui qui repousse, se détourne de : (le démon) *justitiæ d.* 323.

declino, *-are,* incliner : *d. caput* (dans la prière) 84.

decoro, *-are,* (en parl. de Dieu) embellir, honorer (un saint, par ses vertus, ses miracles) 107 ; 376 – (un prêtre, par le sacerdoce) 366.

decretalis, *-e,* de décret (papal) : *decretales constitutiones* 385.

decretum, *-i,* décision (du S. Siège) 385.

decurro, *-ere,* s'écouler, se dérouler (nos instants) 54.

decursus, *-us,* cours : *sæculorum d.* 213.

decus, *-oris,* honneur : *Christe, decus angelorum* 34 ; *par d. Paraclito* 38 – honneur (sacerdotal) 366.

dedecus, *-oris,* honte, déshonneur : *occulta dedecoris* 451.

dedicatio, *-onis,* dédicace (d'une église) 347.

dedicator, *-oris,* celui qui dédie, consacre 346 – celui qui inaugure (le martyre) 109.

dedico, *-are,* dédier (un temple, une église) 346 ; *d. locum nomini tuo* 346 – inaugurer (pr. et fig.) 109 – dédier, vouer : *ad presbyterii honorem d.* 370 ; (en parl. de religieux) *se d. Domino* 379.

dedo, *-ere,* p. p., *deditus,* voué à :

sacræ servituti d. 365 ; *mandatis tuis d.* 430.

deduco, *-ere,* conduire, escorter (au ciel) 94.

defendo, *-ere,* défendre, protéger (en parl. de Dieu) 71 ; 72 et passim.

defensatio, *-onis,* défense (des anges) 115.

defensio, *-onis,* garde, défense (de Dieu) 44 ; 57 ; *ad defensionem meam conspice* 72.

defensor, *-oris,* défenseur (Dieu) : *populi tui defensor et custos* (Leon. 725) ; *d. et rector* (Leon. 862) – (saint) défenseur (de l'Église) 104.

defero, *-ferre,* apporter (offrandes euchar.) 244 ; 246 ; 247 ; *d. preces* 95.

deficio, *-ere,* défaillir, faiblir (faiblesse humaine) 401 – défaillir de désir : *d. in atria Domini* 48 – *non d.,* ne pas faiblir, ne pas cesser 76.

defunctus, *-a,* adj. et subst., défunt : *defuncti* ou *fideles defuncti ; animæ defunctorum* 93.

defundo, *-ere,* verser d'en haut (les dons du S. Esprit) 219.

Deipara, *-æ* = *Mater Dei* 208.

deitas, *-atis,* divinité, caractère divin 186 ; 189 ; etc.

dejicio, *-ere,* p. p. *dejectus,* abattu, déchu (la nature humaine) 231.

delectamentum, *-i,* saveur, délices (en parl. de la manne et de l'eucharistie) *omne d. in se habentem* 255.

delectatio, *-onis,* (pl.) délices, joies : *tuorum mandatorum delectationes* 430 ; (péjor.) *terrenæ delectationes* 283 ; 405.

delego, *-are,* affecter (un ange à notre garde) 115.

deleo, *-ere,* effacer (le péché, la tache du péché) 282 ; 334.

deliciæ, *-arum,* délices : (euchar.) *deliciæ cælestes* 256 ; (du ciel) *paradisi d.* 305 – (péjor.) plaisirs (du monde) : *perituræ d.* 404.

delictum, *-i,* péché 52 ; 96 ; 412 ; etc. ; *propria delicta,* fautes personnelles 76 – péché originel : *vetus d.* 224.

delinquo, *-ere,* pécher 412 ; *d. per visum, per auditum,* etc. 339 – commettre : *quod deliquimus* 277 ; 320.

demeritum, *-i,* ce que mérite (péjor.) : *pravitatis nostræ d.* 286.

denuntio, *-are,* annoncer : *quod denuntiatum est in ultionem* 145.

depello, *-ere,* chasser (le mal) 74.

deploro, *-are,* déplorer (nos péchés) 92 ; 266.

depono, *-ere,* abandonner, rejeter : *hæretica pravitate deposita* 352 – ôter :

deponet omnes iniquitates nostras 228 – dépouiller (ce corps) 404.

deposco, *-ere,* demander instamment (prière) : *d. ut* (ou av. prop. infin.) 81.

depositio, *-onis,* abandon : *d. tabernaculi mei* (à la mort) 408 – mise en terre, enterrement : *depositionis dies* 95.

depositum, *-i,* dépôt (de la foi) 464, note 1.

deprecatio, *-onis,* supplication (pour détourner) 79 – supplication, prière 52 ; 63 ; 79 ; *deprecationem facere* 77 – intercession 79 ; 99 ; 100.

deprecor, *-ari,* supplier : *suppliciter d.* 22 ; (av. acc. ou *ad* et acc. ou abs. ou av. *ut*) 79 ; *d. Deum ; d. clementiam Dei ut* 79 – prier, intercéder (en parl. d'un saint) *d. pro nobis Filium* 98.

deprimo, *-ere,* (pass.) être accablé (par les maux de notre nature déchue) 223 ; (par la mort) 213.

depromo, *-ere,* formuler (vœux, prières) 78 ; *vota d.* 82.

deputo, *-are,* vouer, dédier : *ecclesia sancti meritis deputata* 346 – (pass.) être voué à (l'enfer) 316.

derelinquo, *-ere,* abandonner (en parl. de Dieu) 56 ; 72 – *d. legem* 427.

descendo, *-ere,* descendre (du ciel sur la terre par l'Incarnation) 188 – descendre (le Christ aux enfers) 314 – (le S. Esprit au baptême du Jourdain, à la Pentecôte, dans une bénédiction) 87 ; 88 ; 218 ; 347.

descensio, *-onis,* descente (sur la terre, par l'Incarnation) 188 et note 10.

desero, *-ere,* abandonner (en parl. de Dieu) 56.

desertor, *-oris,* celui qui abandonne, v. *angeli.*

desertum, *-i,* le désert (de la tentation de Jésus) 321.

deservio, *-ire,* (av. dat.) servir (Dieu) 434.

desiderium, *-ii,* désir, attente (du Messie) : *d. collium æternorum* 177 – (du ciel) 48 ; 49 – (de Dieu) *tuum d.* 48 – désir (humain, en gén.) : *justa desideria* 61.

desidero, *-are,* désirer, languir vers : *d. quod promittis* 44 ; *d. ad fontes...* ; *d. ad te* 48 ; *d. quæ recta sunt* 67 – *desideratus* désiré (Messie) 177.

designo, *-are,* signifier, symboliser : *mystice d.* 342 – p. *dissignare,* violer 327.

desolatio, *-onis,* désolation : (à la fin du monde) *abominatio desolationis* 442.

despero, *-are,* désespérer de : *promissa æterna non d.* 303.

despicio, *-ere,* mépriser, dédaigner :

terrena d. 405 ; 404 ; (en parl. de Dieu) *cor contritum... non despicies* 92.

despondeo, *-ere,* fiancer (symb.) : *despondi vos uni viro* 505.

desponso, *-are,* fiancer (au Christ) : *desponsata* 378 – (sens pr., en parl. de Marie) *ad virginem desponsatam viro,* Luc. I, 27.

destituo, *-ere,* abandonner (en parl. de Dieu) : *nunquam tua gubernatione destituis* 46 ; *non destituimur* 445.

destructor, *-oris,* destructeur, vainqueur de : (le Rédempteur) *d. mortis* 228.

destruo, *-ere,* jeter bas, détruire : *d. mortis imperium* 198.

desuper, d'en haut, du ciel 142 ; 175.

desursum, d'en haut, du ciel 147.

detineo, *-ere,* (pass.) être retenu (en purgatoire) 286.

detrimentum, *-i,* dommage : *virginitatis d.* 211.

detrudo, *-ere,* abattre, pousser dans : *d. in infernum* 114.

I **deus,** *-i,* dieu (païen), idole 123 ; *dii gentium* 160 – ange, grand personnage 123, note 1.

II **Deus,** *-i,* Dieu : *D. christianus* ; *D. noster* ; *D. verus* ; *D. unus* 123 ; 159 ; *D. vivus et verus* 159 ; 161 ; *D. vivens* 161 ; *Deus Abraham...* 155 ; *D. Israel* 155 ; *D. omnipotens* 32 et passim.

devinco, *-ere,* vaincre complètement : (par la Résurrection) *devicta morte* 198.

devito, *-are,* éviter : *vitiorum monstra d.* 417.

devius, *-a,* qui se détourne de, égaré : *a veritate d.* 317 – qui égare : *d. error* 420.

devote, = *devota mente,* d'un cœur fervent 21 ; 47.

devotio, *-onis,* dévouement, ferveur, piété, amour, charité, vénération 1 ; 21 ; 46 ; 92 et passim ; (dans sa conduite) 434 ; *jejunii d.* 450.

devotus, *-a,* empressé (à servir Dieu) 21 ; *devotis mentibus* 47.

devoveo, *-ere,* se *d.* = se *dedicare* 379 ; v. ex. à *paupertas.*

dextera (dextra), *-æ,* la droite, la main (protectrice de Dieu) : *dexteram extendere, prætendere, porrigere, dare,* tendre la main, aider 57 ; *vir dexteræ tuæ* 57 ; *potentiæ tuæ d.* 130 – la droite (de Dieu, symbole de l'égalité de puissance du Fils) *sede a dextris meis* ; *in dextera Dei sedens* ; *in gloriæ tuæ dextera* 201 ; *ad dexteram majestatis* 23 ; *ad dexteram Dei* ; *ad dexteram Patris* ; *stantem a dextris Dei* 201 – la droite (où seront

placés les bons) : *statuet oves a dextris suis* 202.

diabolicus, *-a,* du diable : *d. fraus* 55 ; *diabolicæ insidiæ* ; *d. incursus* 321.

diabolus, *-i,* le calomniateur, l'accusateur 321, note 3 – le diable : *tentari a diabolo* ; *nequitia* ou *nequitiæ diaboli* ; *insidiæ diaboli* 321 ; (exorc.) *diabole maledicte* 321.

diacon, *-onis,* diacre 362 ; 363.

diaconatus, *-us,* diaconat 363.

diaconium, *-ii,* diaconat 363.

diaconus, *-i,* diacre 363.

I **dico,** *-are,* consacrer (offrandes eucharistiques) : *dicatis muneribus* 108 ; 244 ; 245 – (une église) 346 – consacrer, réserver à 366, note 29.

II **dico,** *-ere,* dire (parole de l'Écriture, d'une prophétie) : *quod dictum est* 173 ; (sens solennel) *dixit Dominus* 170 ; (parole créatrice) 135 – commander : *dixit et facta sunt* 170 – dire ou chanter : *d. psalmum* 239, note 2 – *dictum,* parole (opp. aux actes, *factis*) 438.

dictus, *-us,* parole (créatrice) 135.

dies, *-iei,* jour (sens solennel) : *d. Domini* (pour punir) 158 ; *d. visitationis* 158 ; 202 ; *dies iræ* 158 ; *d. judicii* 202 ; *in novissimo die* 203 – jour (de délivrance) : *d. Domini* 158 ; *d. adventus Jesu Christi* 203 – jour de fête : *hæc d.* ; *hodierna d.* ; *præsens d.* 18 ; *d. anniversarius, annuus* (passim) ; *d. honorabilis* 108 ; *consecrare diem* 108 – (appellation du Christ) *d. sempiternus* 207 – époque : *in diebus nostris* 65.

differentia, *-æ,* différence (entre les personnes de la Trinité) 215 – multiplicité (des victimes de l'ancienne Loi) 234.

diffidentia, *-æ,* incroyance, infidélité : *filii diffidentiæ* 146 ; 392.

diffundo, *-ere,* répandre (par la parole, l'Évangile, la gloire de Dieu) 172 ; (en parl. de l'Église) *toto orbe diffusa* 351 ; *diffusa adoptionis gratia* 233.

digitus, *-i,* le doigt (de Dieu, manifestation de sa puissance) : *d. Dei* 133.

dignanter, avec bonté, favorablement (en parl. de Dieu) 62 ; etc.

dignatio, *-onis,* condescendance (de Dieu) : *pietatis tuæ d.* („*Exultet*", vig. Pasch.).

digne, dignement, avec les sentiments qui conviennent 2 ; 262.

dignitas, *-atis,* dignité (de prêtre) : *viros secundæ dignitatis* 360 ; (pl.) 366 ; (de l'Apôtre ou des apôtres) *apostolica d.* 17 – dignité, importance morale : *d. animarum* 115.

dignor, *-ari*, (en parl. de Dieu) daigner, vouloir bien (av. infin. ou *ut* et subj.) 62 et passim.

dignoscentia, *-æ*, v. *arbor* et *lignum*.

dignus, *-a*, digne (service, serviteur de Dieu) 2 ; *vere dignum* 239.

dilatatio, *-onis*, action d'étendre, propagation : *d. fidei* 351 ; 172.

dilato, *-are*, étendre, répandre : *promissionis filios d.* 390 ; *dilatato corde*, de grand cœur 426.

dilectus, *-a*, p. p. de *diligo*, aimé : *Filius meus dilectus* 196 – (adresse aux fidèles) *dilectissimi* 387.

diligo, *-ere*, aimer (Dieu) 39 ; 46 ; 472 ; (amour de Dieu pour nous) 150 ; (amour réciproque du Père et du Fils) 216 – aimer (le prochain) 429 ; 475 ; 476 ; *d. uxores* 341.

diluo, *-ere*, purifier ; *d. peccata ; d. maculas peccatorum* 281 ; *reatum d.* 423 ; *qui sacro baptismate diluuntur* 334.

diluvium, *-ii*, déluge : *in ipsa diluvii effusione* 176, note 12.

dimitto, *-ere*, remettre, pardonner 68 ; 483 ; *d. peccata ; d. noxam* 279 – laisser partir : *nunc dimittis...* 30 – renvoyer, congédier (les catéchumènes) 239 – répudier : *d. uxorem* 340, note 1.

dinumero, *-are*, compter : *d. ossa mea* 195, note 17.

directio, *-onis*, règle de conduite : *d. nostra* 432 – droiture : *virga directionis* 70, note 2.

dirigo, *-ere*, (en parl. de Dieu) diriger, mettre dans la bonne voie, la voie droite : *d. corda nostra* 274 ; *d. actus nostros* 428 ; 425 ; 115 – (pass.) monter tout droit (prière) 51 – adresser : *d. orationem ad Patrem* 52, note 2 – envoyer (un ange à notre secours) (postc. 24 oct.) – (pass.) se dérouler (en parl. des affaires du monde) 75.

dirumpo, *-ere*, rompre : *d. vincula peccatorum* 279 ; 411.

discedo, *-ere*, s'en aller (en parl. du mal) 421.

disciplina, *-æ*, enseignement : *d. cælestis* 172 – discipline religieuse, loi morale, esprit d'obéissance : *regimen disciplinæ ; robore disciplinæ ; d. Domini* 431 ; *disciplinæ cælestes* 431.

discipulus, *-i*, (pl.) les disciples (du Christ) (Vulg. ; Canon ; or. passim).

disco, *-ere*, (discipline morale et spir.) apprendre à (av. inf.) 404.

discrepo, *-are*, s'écarter de : *a tua voluntate d.* 503.

discretio, *-onis*, action de savoir dis-

tinguer : *d. spirituum* 271 – différence, distinction (à ne pas faire entre la nature et la puissance des trois Personnes) 215.

discretor, *-oris*, celui qui discerne (Dieu) : *d. cogitationum* 394.

discrimen, *-inis*, (pl.) dangers, hasards (de ce monde) 405.

discussio, *-onis*, examen (au jugement dernier) 203.

discussor, *-oris*, celui qui dissipe : *(Deus) simultatum d.* 483.

discutio, *-ere*, examiner, juger 203.

disgregatus, *-a*, désuni (nations) 224.

dispensatio, *-onis*, organisation, disposition (de la Providence), économie 139 – économie (du salut) : *d. sacramenti* 225 – gérance (d'un diacre) *d. ecclesiasticæ substantiæ* 363.

dispensator, *-oris*, ministre : *mysteriorum suorum dispensatores* 364.

dispensatrix, *-tricis*, dispensatrice : (Marie) *d. gratiæ* 120, note 7.

dispenso, *-are*, régler avec soin, organiser (Providence) 139.

dispertitus, *-a*, p. p. de *dispertio*, séparé : *dispertitæ linguæ tanquam ignis* 218.

dispono, *-ere*, organiser, disposer (Providence) 139 – vouloir (av. prop. inf.) 29.

dispositio, *-onis*, disposition providentielle 139 ; 140 ; (dans le plan du salut) 225 – volonté (de Dieu) 443.

dispositor, *-oris*, celui qui organise, règle (Providence) 139 – celui qui dispose de : *(Deus) officiorum d.* 366.

disrumpo, v. *dirumpo*.

dissimulo, *-are*, fermer les yeux sur : (en parl. de Dieu) *d. peccata* 277.

dissolvo, *-ere*, détacher, délier : *vincula d.* 75.

distributor, *-oris*, celui qui distribue (Dieu) : *bonorum d.* 366 ; *cælestium donorum d.* 267.

districtus, *-a*, sévère : *d. judex* 202.

dito, *-are*, enrichir (spir.) 219 ; 298 ; 303.

dius, *-a*, divin : *d. Victima* 123 – céleste 123.

diversitas, *-atis*, diversité (des nations à rassembler) 349 – différence (entre les personnes de la Trinité) 214.

divido, *-ere*, partager : *diviserunt vestimenta* 192.

divinitas, *-atis*, divinité 125 ; *una summa d.* 159 ; v. *particeps*.

divinitus, divinement, par inspiration divine (or. 4 dec. ; 28 jan.) ; *d. inspiratus* (Leon. 374).

divinus, *-a,* de Dieu, divin : v. *caritas, ignis, mysteria, opus,* etc.

divisio, *-onis,* division (des esprits) : *d. mentium* 350 – séparation : *ad divisionem animæ et spiritus* 142 ; 394 – diversité : *divisiones gratiarum* 271.

divitiæ, *-arum,* richesses (spir.) : *divitiæ bonitatis ejus* (Dei) 148 ; *d. amoris Cordis tui* 150 ; *d. cælestes* 299 ; *d. spiritales* 299 ; *divitiæ gratiæ ejus* 232.

do, *-are,* (en parl. de Dieu) donner, accorder (av. acc., av. inf. ou prop. inf., av. *ut*) 65 et passim ; *d. Spiritum* 218.

doceo, *-ere,* enseigner (en parl. du S. Esprit) 219 ; (par la prédication) 172 ; (av. prop. inf.) *d. nos orare* 76.

doctor, *-oris,* celui qui enseigne, docteur : (S. Paul) *d. orbis, d. gentium* 104 ; *d. Paule* 98 ; (en parl. de Dieu) 273 ; *doctores fidei* 362 et note 10 ; *d. vitæ* 99 ; 104.

doctrina, *-æ,* enseignement (du Christ, de S. Jean) 171 – science, doctrine, discipline : *cælestis d.* 432.

documentum, *-i,* enseignement : *patientiæ ejus* (Christi) *documenta* 191 ; *antiquum d.* 234 ; *d. justitiæ* 172.

dogma, *-atis,* opinion ; croyance ; *falsa dogmata* 352 – croyance de foi 263 – dogme 352, note 10.

doleo, *-ere,* souffrir : (en parl. de Marie) *animam... dolentem* 121.

dolor, *-oris,* douleur : *doloris gladius* 121 ; *dolores inferni* 316.

dolorosus, *-a,* accablé de douleur : *Mater d.* 121.

domesticus, *-a,* adj. et subst., de la maison de (Dieu) : *domestici Dei* 310 ; 390 – familial : *d. caritas* 477.

domina, *-æ,* dame, maîtresse : (Maria) *mundi d.* (grad. Sept. Dol. B. M. V.).

dominatio, *-onis,* domaine, domination (de Dieu) : *in omni loco dominationis tuæ* 131 ; 127 – (pl.) Dominations (anges) 113 ; 114.

Dominator, *-oris,* le Maître (Dieu) : *d. regum* 131 ; *d. Domine* 131.

dominatus, *-us,* empire : *d. mortis* 228.

Dominicus, *-a,* du Seigneur (passim) – dimanche : *dominica* ou *dies dominicus* (ou subst. n.) *dominicum* 18.

dominium, *-ii,* c. *dominatus : d. mortis* 228.

dominor, *-ari,* (en parl. de Dieu) régner sur, être le maître de : (av. gén.) *d. vivorum et mortuorum* 131 ; (av. dat.) *d. potestati maris* 131 – dominantes, les rois, les seigneurs : *Dominus dominantium* 131.

Dominus, *-i,* le Seigneur (Dieu ou le Christ) (passim) ; (trad. de Κύριος, correspondant à Yahvé) 123 ; 155 ; (salutation) *D. tecum* 118 ; *D. vobiscum* 89 ; (adresses) *Domine Deus, Domine, Domine Jesu,* etc. 32 ; *D. dominorum* 131.

domnus, *-i,* seigneur (en parl. du pape) : *d. apostolicus* 384 – domne, monseigneur 62.

domo, *-are,* dompter (fig.) : *corpus d. jejuniis* 450.

domus, *-us,* maison : *pax huic domui* 89 – (le temple de Jérusalem) *d. tua ; d. Domini ; d. Dei* 235 ; 345 et note 2 et 3– (église) *d. tua ; d. Dei ; orationis d. ; d. ecclesiæ* 345 ; 347 – (cloître) 345, note 2 – (fig.) *d. mentis* 281 ; 395 ; *terrestris domus nostra hujus habitationis ; terrestris hujus incolatus domo* 408.

donarium, *-ii,* don, récompense : *donaria sempiterna* 303 ; (euchar.) *sacra d.* 249.

donatio, *-onis,* charisme, don (de Dieu). *habentes donationes secundum gratiam,* Rom. 12, 6.

donec, jusqu'à ce que, avant que 211, note 1.

dono, *-are,* (en parl. de Dieu) donner, accorder : *d. aliquid ; d. aliquem aliqua re* 65 et passim ; (abs.) *te donante* 65 – donner par grâce, par faveur : *gratia... ex donante concessa* 264 – pardonner : *donantes vobismet ipsis* 478 ; (en parl. de Dieu) *d. delicta, peccata* 277.

donum, *-i,* don (de Dieu) grâce : *dona gratiæ tuæ ; cælestia dona* 267 ; *d. caritatis* 273 ; *continentiæ salutaris dona* 268 – dons (eucharistiques offerts) : *populi tui dona* 246 ; dons (euchar. reçus) 251 ; 253 ; 256 – le don par excellence (le Christ et la Rédemption) : *d. Dei* 269 – don (du S. Esprit) 221 – (de la foi) *fidei d. integrum* 464.

dormio, *-ire,* mourir, être mort : *dormientes* 94 ; *in Christo dormientes* 391 ; 409.

dormitio, *-onis,* la mort : *d. mortis* ou *dormitio* (seul) 409 et note 4.

draco, *-onis,* le dragon, le démon 321 ; 328.

dulcedo, *-inis,* douceur (de Dieu) 152 ; *d. tuæ suavitatis* 152 ; *tuæ dilectionis d.* 300 ; (de la charité) 46.

dulcis, *-e,* doux (amour, charité) 48 ; (le nom de Jésus) 50.

duritia, *-æ,* dureté : *d. cordis* 422.

durities, *-iei,* c. *duritia : d. cordis* 422.

dux, *ducis,* le chef, le prince (du salut, le Christ) : *d. salutis* 205 ; (pers.) guide 375.

E

ebdomas, v. *heb-*.

ebrietas, *-atis*, ivresse (spir.) : *e. spiritus* 9 – (sens pr.) 9.

ecclesia, *-æ*, église (corps mystique), assemblée des fidèles : *ædificare ecclesiam ; caput corporis ecclesiæ ; totum corpus ecclesiæ* 348 ; *una, sancta, catholica et apostolica e. ; e. tua sancta catholica* 349 ; *e. sancta Dei ; universa e. tua ; sancta mater e. ; sacrosancta Romana e.* 350 – église, lieu de réunion des fidèles, lieu de culte : *ecclesiam consecrare* 346 et note 4.

ecclesiasticus, *-a*, d'église, ecclésiastique : *gradus e.* 372.

edisco, *-ere*, apprendre (la science de Dieu) 507.

edo, *-ere*, réaliser (l'effet du sacrement) 249 – produire, engendrer (en parl. du Père) *quem... Pater supremus edidit* 180, note 1.

edoceo, *-ere*, c. *doceo* 106 ; 219 ; *orationem nos edocuit* 62.

educo, *-ere*, tirer (des larmes de repentir) 92 – emmener : *ex inferis e.* 314.

effectus, *-us*, influence, effet (du sacrement) 249 et note 1 – effet, réalisation (de la prière, de la demande) 65 ; 80 – acte : *effectu* (opp. à *professione*) 438.

effero, *-ferre*, exalter (par des louanges) 38.

efficaciter, avec efficacité, efficacement (effet de la prière, de la grâce, etc.) 61 et passim.

efficax, *-acis*, efficace, réalisateur : *in opere efficaces* 435.

efficio, *-ere*, faire, rendre (en parl. de l'action de Dieu) : *dignos e.* (secr. fer. 2 p. d. 2 quadr.) ; *participes effici* 97 ; *nos participes efficiat* (postc. sabb. p. d. 2 quadr.) ; *mentes unius e. voluntatis* 350.

effloreo, *-ere*, fleurir (fig., en parl. de l'homme éphémère) 400.

effugo, *-are*, chasser (le diable) : *ad effugandum inimicum* 327 ; (pass.) prendre la fuite : *effugare* (exorc.) 327.

effulgeo, *-ere*, briller sur : *Spiritus Paraclitus effulsit in discipulos* 218.

effundo, *-ere*, répandre : *e. Spiritum* 218 – verser sur, répandre (grâce, bénédiction) 66 ; 68 ; 88 – épancher, répandre (prières) 79 ; 80 – verser (le sang) : *sanguis meus... qui pro multis effundetur* 194, note 5 ; 236.

effusio, *-onis*, action de répandre, effu-sion : (à la Passion) *sanguinis e.* 195 ; *sine sanguinis effusione non fit remissio* 234 – débordement : *diluvii e.* 176, note 12.

egenus, *-a*, subst., le pauvre 482.

egredior, *-i*, sortir (à la tête de ses troupes, image biblique) 158.

egregius, *-a*, noble, glorieux (saint) 98.

ejicio, *-ere*, chasser (les démons) 271 ; 320.

El, pl. *Eloim*, nom hébreu de la divinité 123.

elatio, *-onis*, orgueil 385.

elatus, *-a*, orgueilleux 494, note 7.

electio, *-onis*, choix (de Dieu), vocation (de ceux qu'il a choisis) 275 ; (concr.) les élus, les chrétiens : *e. vestra* 390.

electus, *-a*, p. p. de *eligo*, adj. et subst. pl., les élus (de Dieu, les chrétiens) : *e. Dei* 390 – les élus (au ciel) 62 ; 297 ; (sur terre, ceux qui sont appelés au royaume) 295, note 8 – élu, candidat au baptême 329 – élu (évêque), v. *eligo* – *electus meus* (désignant le serviteur de Jahvé) 204 – *electa*, l'Élue (en parl. d'une église) 353.

eleemosyna, *-æ*, aumône 482.

eleison, aie pitié 64 ; 33, note 8.

elementum, *-i*, (pl.) les éléments (du monde) : *elementa mundi* (anciens rites juifs ou idolâtrie) 461, note 1.

elevatio, *-onis*, action d'élever : *e. manuum mearum* 84.

elevo, *-are*, élever (au ciel, en parl. de l'Ascension) : *elevatus est in cælum* 201 – élever (son cœur vers le ciel) : *ad sublimia e.* 395 – c. *levare*, lever : *e. manus* (pour bénir ou prier) 84 ; 87 ; *elevatis oculis in cælum* (Canon).

elicio, *-ere*, tirer (des larmes de repentir) 92.

eligo, *-ere*, élire, choisir (pour le salut) : *elegit nos* 275 ; (en parl. du choix de Dieu) *ad subdiaconatus officium e.* 366 ; (du Christ) *quos ministros elegit* 367 – (en parl. du peuple ou de l'autorité ecclésiastique) choisir, faire entrer dans un collège ecclésiastique, ordonner 366 ; *electus in episcopatum ; electum nobis antistitem* 367 ; *qualiter presbyteri, diaconi eligendi sunt* 367 – (A. T.) *elegi eum... mihi in sacerdotem* 367, note 30 – v. *electus.*

elongo, *-are*, (en parl. de Dieu) éloigner (son secours) 56 – (pass.) s'éloigner 56 ; (intr.) *elongavi fugiens*, Ps. 54, 8.

eloquium, -ii, sacrum e., l'Écriture sainte 353.

elucesco, -ere, briller, commencer à poindre : *donec dies elucescat* 207.

eluo, -ere, purifier : *e. aliquem a peccatis, a crimine* 281.

emaculo, -are, purifier : *e. a delicto* 281.

emanatio, -onis, émanation : (*sapientia*) *e. quædam est claritatis omnipotentis Dei* 217.

emendo, -are, guérir (spir.), corriger : *magis vis e. quam perdere* 90 ; 151.

emitto, -ere, envoyer : *e. septiformem Spiritum Sanctum* 338 ; 339 ; *Spiritum tuæ benedictionis e.* 87.

Emmanuel, E. *quod est interpretatum „Nobiscum Deus"* 179 ; 177.

emollio, -ire, adoucir (les cœurs) 422.

emundatio, -onis (pr. et fig.) purification (ben. aq. vig. Pasch., Gel. III, 44, 447).

emundo, -are, purifier : *e. conscientiam nostram* 232 ; *e. delicta* 250.

enarro, -are, proclamer, célébrer (la gloire de Dieu) 126 ; 135, note 4.

encænia, -orum, dédicace 347.

enitor, -i, enfanter : (en parl. de Marie) *enixa Regem* 118.

enutrio, -ire, nourrir (spir.) 49.

Epiphania, -æ (et pl. n., -a, -orum), manifestation, apparition, Épiphanie 183 et note 4 et 5.

episcopatus, -us, épiscopat 366 ; 381 ; 383 ; 385.

episcopus, -i, surveillant, évêque 381 – (le Christ) *pastorem et episcopum* 206.

epulæ, -arum, festin (spir.) : *e. æternæ salutis* 310 ; (eucharistique) *spiritales epulæ* 254 ; (le ciel) *epulæ æternæ* 254.

epulor, -ari, être au banquet céleste, être dans la joie 310 et note 30.

epulum, -i, c. *epulæ* 254.

eremita, -æ, ermite 375.

eremus, -i, le désert (de l'ermite) 375.

ergastulum, -i, prison : (de l'enfer) *Averni e.* 319 ; (de ce monde) *e. hujus sæculi* 402 ; *e. carnis* 402.

erigo, -ere, redresser (le monde déchu) 187 ; 228 – redresser, encourager (le martyr) 110 – sauver (de la mort éternelle) 317.

eripio, -ere, (en parl. de Dieu) arracher (au mal, au danger, à la damnation) 62 ; 73 ; (Rédemption) 228.

erro, -are, errer (spir.) 246 ; *e. a veritate* 461 ; *errantes*, les égarés 106 ; 426.

error, -oris, erreur (doctrinale) 351 – égarement, péché 411 ; 420 ; *ab errore viæ ; peccatorum suorum e.* 426 – (du péché originel) *vetustatis e.* 420.

eructo (-tuo), -are, faire jaillir, faire entendre, proférer (une louange) 28.

erudio, -ire, instruire (en parl. de Dieu) ou du prédicateur) *e. populum tuum ; e. prædicationibus* 171 ; (épouse) *doctrinis cælestibus erudita* 432.

eruditio, -onis, instruction : *ad christianam pauperum eruditionem* 388 – enseignement (d'un évangéliste) 106 ; (d'un saint) 107.

eruo, -ere, délivrer de, arracher à (au mal, aux puissances des ténèbres) 62 ; 72 ; 73 ; 228 ; *a porta inferi e.* 285.

esca, -æ, nourriture (euchar.) : *angelorum e.* 255 ; (spir.) 354.

essentia, -æ, essence (divine, oppos. ou confondu avec *substantia*) 215, note 5.

esurio, -ire, avoir faim (de justice) 48, note 5 ; 484 – (sens pr.) 50.

eucharistia, -æ, eucharistie : *eucharistiæ sacramentum* 239 ; sacrifice d'action de grâces (cf. *benedictio, sacrificium laudis, gratias agere*) 85 ; 239.

eulogia, -æ, c. *benedictio*, action de grâces 85.

eunuchus, -i, eunuque (pr. et fig.) 493.

Eva, Ève : *deceptio Evæ matris* (Leon. 826) ; (en parl. des hommes) *filii Evæ* („*Salve, Regina*").

evacuatio, -onis, suppression (du péché) : *vitiorum e.* 282.

evacuo, -are, vider, rendre vain : *ne evacuetur crux Christi* 192.

evado, -ere, échapper à : *e. judicium* 96.

evangelicus, -a, de l'Évangile, évangélique 107.

Evangelista, -æ, Évangéliste 107 ; 171 ; etc.

Evangelium, -ii, Bonne Nouvelle (du Royaume) 169 – révélation (à S. Paul) 169 – Évangile, récits, paroles du Christ, prédication de l'évangile 169 – texte de l'Évangile ou doctrine de l'Évangile : *prædicare e.* 169 – doctrine (en gén.) 169, note 5.

evangelizo, -are, annoncer la Bonne Nouvelle 169 et note 6.

evocatio, -onis, appel, rappel (à la mort) 408, note 2.

exaltatio, -onis, action d'élever (pr. et fig.) : *e. sanctæ crucis* 29 ; 193 – louange 29.

exalto, -are, élever (la croix) 29 – (pass.) être dressé, élevé (le serpent d'airain, la croix, Jésus sur la croix) 188 ; 193 ; 196 – exalter, célébrer, glorifier (Dieu, le Christ) 29 ; 196 – élever (les élus au jugement) 202.

examen, -inis jugement (dernier) 203.

examinatio, *-onis,* c. *examen : dies examinationis* 203.

examino, *-are,* examiner, éprouver, épurer 444.

exaudio, *-ire,* (en parl. de Dieu) entendre, écouter, exaucer 53 ; 59 ; 78 ; etc.

excedo, *-ere,* dépasser, surpasser (les vœux exprimés dans la prière) 68 ; *e. eloquii facultatem* 127.

excellens, *-entis,* supérieur, très grand : *e. mysterium* 341.

excellentia, *-æ,* hauteur, grandeur (de Dieu) : *e. sempiterna ; e. tua* 125.

excelsus, *-a,* très-haut (Dieu) 37 ; 127 – (subst.) le Très-Haut 125 – (subst. pl. n.) le ciel : *in excelsis* 23 ; *in excelsa tendere* 292 ; (sing.) *de excelso, in excelso* 292.

excessus, *-us,* action de sortir de la voie droite, excès : *humani, noxii excessus* 413 ; 443 – égarement, stupeur : *e. mentis* 507, note 3 – extase 507.

excido, *-ere,* tomber, être déchu de : *a gratia e.* 269 – s'écarter de : *e. a simplicitate* 496.

excipio, *-ere,* recevoir (des coups) 51 – accueillir : *nos geminata lætitia hodiernæ festivitatis excipiat* (or. 26 jun., Leon. 269).

excito, *-are,* (en parl. de Dieu) réveiller (sa puissance) 32 ; 60 ; 178 – stimuler : *e. corda nostra* 178.

excludo, *-ere,* (en parl. de Dieu) écarter (de nous le mal) 73.

excubiæ, *-arum,* garde (fig.), service ecclésiastique 374 – vigiles 136, note 2.

excubitor, *-oris,* veilleur (de la milice du Christ) 374.

excubo, *-are,* veiller, se lever avant le jour (pour les matines) 10 ; 11 ; 13.

excursus, *-us,* court délai : *vitæ præsentis e.* 404.

exemplar, *-aris,* modèle : (le Christ) *veræ humilitatis e.* 187.

exemplum, *-i,* exemple (par sa conduite) : *exempla monstrare ; verbo et exemplo* 451 ; etc. – exemple (d'un saint à imiter) 106.

exeo, *-ire,* sortir (en parl. de la génération du Fils), venir de : *a Deo exivi* 216 – (en s'adressant au démon dans l'exorcisme) *exi* 327.

exerceo, *-ere,* exercer, tourmenter 444 – méditer 444, note 1 – mettre en pratique : *e. quod docuit* (or. 6 jun., etc.) ; *e. caritatem* (Leon. 430).

exercitatio, *-onis,* exercice, épreuve 444 – méditation 444, note 1.

exercitus, *-us,* (pl.) armées du ciel, puissances célestes (anges, astres) 36 ; 113 ; 114 ; *Deus exercituum* 156 – cohorte : *martyrum e.* 110.

exhibeo, *-ere,* présenter (en offrande) 86 ; 244 ; 248 – célébrer : *e. sacramenta* 95 – montrer, témoigner : *liberam servitutem e.* 1.

exhilaro, *-are,* égayer : *e. faciem* 166 ; *e. vultus nostros* 10.

exhortatio, *-onis,* exhortation 395.

exhortor, *-ari,* exhorter 270.

exiguus, *-a,* petit, humble : *e. preces* 49.

exil-, v. *exs-.*

eximius, *-a,* magnifique, merveilleux : *e. confessor* 109.

exinanio, *-ire,* vider : (en parl. du Christ) *semetipsum exinanivit,* se dépouiller de lui-même (de sa divinité) 186.

exist-, v. *exsist-.*

exitus, *-us,* mort : *hora exitus nostri ; in exitu nostro* 407 ; 13.

exorcismus, *-i,* conjuration, exorcisme 343.

exorcista, *-æ,* exorciste 368.

exorcizo (-cidio), *-are,* exorciser 88 ; conjurer : *e. diabolum* 327.

exordium, *-ii,* début : *salutis e.* (l'enfantement de Marie) 210 – début (de l'Église) : *ecclesiæ e.* 356, note 18 ; (pl.) débuts (du monde) 139.

exoro, *-are,* supplier, prier avec instance, prier : *e. majestatem, misericordiam* (*Dei*) 77 ; *e. subsidium ; e. pro ; e. ut* 77 ; *supplices* ou *suppliciter e.* 62 ; 77 – *exoratus,* supplié 60 – intercéder (en parl. de Marie) 116.

expando, *-ere,* étendre (les mains, dans la prière) 84.

expect-, v. *exspect-.*

expedio, *-ire,* dégager, libérer, délivrer (du mal) 74 ; 252 ; *expeditus* 74 et passim ; *a perversitatibus, a reatibus, a delectationibus terrenis expediti* 283 ; *mente et corpore expediti* 283.

expello, *-ere,* chasser, repousser (le mal) 74 ; *e. peccata* 282.

expeto, *-ere,* demander (dans une prière, av. acc. ou inf.) 80 – désirer avidement : *e. fontem* 48, note 5 ; 80.

expiatio, *-onis,* purification 250.

expio, *-are,* purifier : *a vitiis expiari* 250 ; etc.

explano, *-are,* expliquer (l'Écriture) 171.

expleo, *-ere,* (pass.) être rassasié (par l'aliment eucharistique) 256.

expol-, v. *exspol-.*

expono, *-ere,* expliquer (l'Écriture) 168 ; 171 – exposer (les images des saints à l'église) 108.

expugno, *-are*, vaincre (l'erreur) 352 ; (les assauts du démon) *ad expugnandos diabolicos incursus* (præpar. ad miss., ad amict.).

expurgo, *-are*, purifier (les cœurs) 219 ; *e. corda* ; *e. peccata* 281 ; (deux acc.) *e. vos vetus fermentum* 420.

exsecutio, *-onis*, célébration : *e. sacramenti* 242, note 9.

exsequor, *-i*, rechercher, suivre 455 ; 458 ; *quæ divina sunt e.* 428 – accomplir (les commandements) 433 – accomplir, célébrer (les mystères) 8 ; (son ministère) *e. ministerium* 220.

exsilium, *-ii*, (l'exil de cette vie) 402.

exsisto (existo), *-ere*, être, se trouver 93 ; 99 ; etc.

exsolvo, *-ere*, payer, s'acquitter de (offrande) : *munera e.* 245, note 4.

exspectatio, *-onis*, attente 9 ; 13 ; (du Messie) *e. gentium* ; *e. annua* 177.

exspecto, *-are*, attendre (le Seigneur) 43 ; (le salut de Dieu, le Messie) 177 ; 183.

exspolio, *-are*, dépouiller (av. deux acc.) : *e. vos veterem hominem* 462 ; 437.

exstasis, *-is*, stupeur et extase 507, note 3.

exstinguo, *-ere*, éteindre (le feu des passions) 282 ; (les flammes de l'enfer, par le repentir) 92.

exsto, *-are*, c. *esse* 39.

exsufflo, *-are*, faire une exsufflation (au baptême) 329, note 8.

exsul, *-ulis*, exilé (dans cette vie) 402.

exsultatio, *-onis*, exultation, allégresse (des fêtes) 9 ; (dans la louange) 27 ; (au ciel) *socia e.* 312.

exsulto, *-are*, bondir de joie, exulter, être dans l'allégresse 9 ; 12 ; *cælum exultet laudibus* 312 ; *exsultet jam angelica turba* 9.

exsupero, *-are*, surpasser : *quæ exsuperat omnem sensum* 505.

exsurgo, *-ere*, (en parl. de Dieu) se lever, se réveiller 60.

extendo, *-ere*, étendre (pour protéger) : *e. dextram* 57.

exterior, *-ius*, extérieur, matériel, corporel (opp. à *interior*, spirituel) 281 ; 394 ; *lumen exterius* (*cerei*) 394.

exterius, adv., au dehors, matériellement (opp. à *interius*) 398 ; 433 ; etc.

externus, *-a*, étranger, d'autrui, v. ex. à *alienus*.

exting-, v. *exst-*.

extollo, *-ere*, élever, porter vers le haut : *extolle illos usque in æternum*, Ps. 27, 9 („*Te Deum*") – *se e.*, s'enorgueillir 385.

extremus, *-a*, *extremum vitæ*, agonie 407

extrinsecus, extérieurement, matériellement (opp. à *interius*) 394.

exul-, v. *exsul-*.

exuo, *-ere*, dépouiller de, délivrer de 73 ; *e. a delictis, a peccatis* 283 – *exutus*, dépouillé : *e. corpore* (défunt) 405 ; 408 – dépouiller, abandonner : *e. superbas vanitates sæculi* 451.

exuro, *-ere*, brûler (flamme des passions) 419.

F

fabrica, *-æ*, création (du monde) (concr. et abstr.) 137 ; 139.

fabrico, *-are*, intr., travailler (fig.) : *super dorsum meum fabricaverunt peccatores* 195, note 17.

fabulor, *-ari*, converser : *f. cum Deo* 49, note 12.

facies, *-iei*, la face (de Dieu) : *avertere faciem tuam* ; 165 ; (vision béatifique) *facie ad faciem* 298 ; *videre faciem Patris* 115 – (locut.) *a facie iræ tuæ* ; *a facie terræ* ; *ante faciem frigoris* 165.

facinus, *-oris*, crime, péché : *facinora nostra* 92 ; 416.

facio, *-ere*, (en parl. de Dieu) faire que, accorder de : *fac ut* ou av. prop. inf.) 66 – créer : *fiat lux* ; *faciamus hominem* ; *ex nihilo, de nihilo f.* 135 – faire,

agir, mettre en pratique : *f. et docere* 67 ; *facienda*, ce qu'il faut faire ; *mala quæ fecimus* 438 ; v. *factum* et *fio*.

factor, *-oris*, le Créateur 135 – (opp. à *auditor*) celui qui pratique : *f. legis* ; *f. verbi* 438.

factum, *-i*, acte : *facta carnis* ; *dictis et factis* 438.

factura, *-æ*, création, créature 135.

facultas, *-atis*, possibilité, grâce : *f. sufficiens* 274.

fallacia, *-æ*, tromperie, erreur, faute : *sine fallacia* 49.

fallo, *-ere*, (pass.) faillir, se tromper, ne pas réussir : (en parl. de la Providence) *non fallitur* 139 – mettre en défaut, déjouer : *proditoris artem f.* („*Pange, lingua*", Fort.).

fames, *-is,* faim, famine 75 ; 443.

familia, *-æ,* la famille, l'ensemble des serviteurs (de Dieu) : *f. tua* 60 ; 365 ; 389 – famille (des nations) 351 – famille, ordre religieux, congrégation 372 ; 376.

famula, *-æ,* servante (de Dieu) : *afflictio famulæ tuæ,* 1 Reg. 1, 11 ; (souv. en parl. des défuntes) *f. tua* 95 ; etc. – religieuse : *f. tua ; f. Dei* 376.

famulatio, *-onis,* service (de Dieu), (pl.) serviteurs 365.

famulatus, *-us,* service de Dieu (dans notre conduite) 434 ; (en parl. des prêtres) *humilitatis nostræ f.* 365.

famulor, *-ari,* servir (Dieu, comme prêtre, ou comme fidèle dans sa conduite) 434.

famulus, *-i,* serviteur (de Dieu) : (fidèles) *famuli tui* 65 ; 389 ; etc. ; (défunts) 93 ; 95 ; 389 ; (prêtre) *f. tuus ; indignus f. tuus ; famulus tuus presbyter, diaconus, abbas, episcopus, pontifex* 365.

fascia, *-æ,* langes (de la Crèche) 50.

fascis, *-is,* fardeau (fig.) : *mundialium f. curarum* 405.

fateor, *-eri,* professer (par sa conduite) 425.

fatisco, *-ere,* s'épuiser, (fig.) cesser 420.

fatum, *-i,* destin (des païens, opp. à la Providence) 139.

fatuus, *-a,* sot : *fatuæ virgines,* les vierges folles 487.

faveo, *-ere,* (en parl. de Dieu) accorder sa faveur, être favorable : *nobis f.* 81.

favilla, *-æ,* cendre (,,*Dies iræ*'').

favor, *-oris,* faveur, bienveillance (de Dieu) 141 ; *benigno favore ; pio favore* 63 ; 265.

fax, *facis,* torche, feu (fig.) : *faces libidinum* 418.

fecundo, *-are,* (en parl. du S. Esprit) féconder (les eaux du baptême) 302 ; 333 ; (en parl. du Christ) féconder (l'Église, en lui donnant de nouveaux enfants) 354.

fecundus, *-a,* fécond : *virginitas fecunda* (de Marie) 210.

fel, *fellis,* fiel : (à la Passion) *felle potus* (,,*Pange, lingua*'').

felicitas, *-atis,* félicité, bonheur (du ciel) : *perpetua f. ; superna f.* 299.

feliciter, avec bonheur : *f. pervenire* (au ciel) 311.

felix, *-icis,* heureux : *f. culpa* 223 ; *f. es, sacra Virgo Maria* (tract. 11 febr.) – (subst. pl.) *felices,* les bienheureux (Leo-M. Serm. 9, 2).

femina, *-æ,* femme (distingué de *mu-*

lier) 211 ; la femme (en gén. Ève) 117.

feneror, *-ari,* (fig.) prêter (au Seigneur, en faisant l'aumône) 482.

fenestra, *-æ,* fenêtre (myst.) : *cæli f.* (Marie) 210.

fenum, *-i,* foin, herbe (symb. de l'éphémère) : *omnis caro f.* 400 – (sens pr.) *feno jacere* 50.

ferculum, *-i,* plat, (d'où) aliment (euchar.) 255.

feria, *-æ,* jour de la semaine 18, note 8 ; 190.

fermentum, *-i,* (le bon) ferment (de la parabole) 453 – (péjor.) ferment (des péchés) 420 ; *vetus f. ; f. malitiæ* 420.

fero, *ferre,* porter : v. *crux* – porter, emporter, enlever : *totius mundi tulit offensam* 193 ; *f. nostra crimina* 228 – (pass.) être emporté, s'enlever (au ciel) : *ferebatur in cælum* 201.

ferveo, *-ere,* être brûlant (de charité), être fervent 48.

fervidus, *-a,* fervent : *f. cor* 47.

fervor, *-oris,* ferveur (de l'amour de Dieu) 48.

festino, *-are,* (en parl. de Dieu) se hâter (à notre secours) 56 – (en s'adressant aux reliques) *ad loca festinate* 108.

festivitas, *-atis,* fête : *f. hodierna ; f. sanctorum ; veneranda f.* 6 ; 107 ; etc.

festivus, *-a,* de fête 6.

festum, *-i,* fête (rare sing.) 6 ; *martyrum festa* 99 ; (au ciel) *perpetuæ claritatis festa* 308.

fetor, *-oris,* puanteur (des vices, des passions) 419.

fetus, *-us,* progéniture, les enfants (de l'Église) : *ecclesiam tuam novo fetu multiplicas* 354 – *sacer f.,* fardeau sacré (de la Vierge) 208.

fibra, *-æ,* (pl.) cordes vocales : *laxis fibris* 98.

fictor, *-oris,* c. *plasmator* 137, note 10.

fidelis, *-e,* (Dieu) fidèle (en ses promesses) 164 – plein de foi, fidèle : *fidelissima devotio* 21 – croyant (opp. à *incredulus*) 467 ; *populus f.* 62 ; 390 ; (et subst.) *fideles tui* 390.

fidelitas, *-atis,* qualité de croyant, foi 467.

fideliter, fidèlement, avec foi : *f. diligere* 42 ; *f. petere* 61 ; *f. credere* 465.

fides, *-ei,* la foi, la vertu de foi 39 ; (abs. ou) *f. ad Deum ; f. nostra ; fidei donum ; fidei meritum ; fidei gratia* 464 – foi, croyance, religion : *f. vera ; f. christiana ; fidei integritas ; f. catholica ;* 65 ; 214 ; 352 ; 464 ; *in fide stabiles ; stabilis f.* 465 – confiance : *promissionum f.* 175.

fido, -ere, c. confido : defensione tua f. 44.

fiducia, -æ, foi, confiance : fiduciam habere ad Deum 44 ; (orationem) cum fiducia dicere 62 ; cum omni fiducia loqui 170 ; f. sperandæ pietatis 470 – confiance présomptueuse 496 ; nulla f. meritorum 265.

fiducialiter, avec confiance 44, note 5.

figmentum, -i, objet pétri, créature 137, note 10.

figura, -æ, effigie visible, représentation : (en parl. du Fils) f. substantiæ ejus (Patris) 216 ; 23 – figure, aspect : præterit f. hujus mundi 403, note 5 – figure, préfigure, type 176.

figuralis, -e, en figure, symbolique 429.

figuro, -are, préfigurer 176, note 10.

filia, -æ, fille, habitante, celle qui habite (Sion), Jérusalem 166.

I **Filius,** -ii, (le Christ) le Fils (de Dieu) : Patris sempiternus Filius 40 ; Filius Dei ; Filius meus dilectus ; Filius tuus ; unigenitus Filius tuus 204 ; 216 et passim ; Filius David 204 ; Filius Hominis 189 et note 13 ; 204.

II **filius,** -ii, fils (de l'homme), homme (en gén.) : f. hominum 158 ; filii hominum 189, note 13 – fils (de Dieu, par adoption) : filii Dei 44 ; 141 ; filii tui ; promissionis tuæ filii 233 – (locut.) filii maledictionis ; filii pacis 146 – (les anges) filii Dei 204, note 4.

findo, -ere, fendre : (à la Passion) manus alma finditur 195.

finis, -is, fin : sine fine collaudare 26 ; in finem, à jamais 58 ; in fine mundi 98 – fin, mort : gere curam mei finis 407 – (en parl. de Dieu) non habet finem 127 ; principium et finis 124.

finio, -ire, (pass.) se terminer, s'achever 436 – mourir 407.

fio, fieri, se faire, être fait : fiat voluntas tua 502 ; = amen 38, note 12 ; 502 ; (en parl. de la transsubstantiation) ut nobis Corpus et Sanguis fiat dilectissimi Filii tui... (Canon, Gel. III, 17, 1248).

firmamentum, -i, forteresse (pr. et fig.), soutien 43 et note 3 ; 166 – la voûte solide du ciel, le firmament 166, note 4 ; 289.

firmitas, -atis, fermeté, solidité : f. fidei 465.

firmiter, fermement (en parl. de l'espérance) 44 ; f. credere 465.

firmo, -are, affermir (le ciel, le firmament), créer 135, note 5 – raffermir (spir.) 390 ; 456 – firmatus, affermi (dans tel sentiment) 46.

firmus, -a, ferme (espérance, attente) 44, note 4.

fixura, -æ, action de clouer, marque (des clous) : f. clavorum 195.

flagellatio, -onis, (fig., pl.) malheurs : dignis flagellationibus castigatus 443.

flagello, -are, fouetter, flageller (flagellation du Christ), Mat. 27, 26 – (fig.) accabler de malheurs 443.

flagellum, -i, fouet, (pl.) coups de fouets (à la Passion) 51 – (pl.) fléaux, malheurs, punitions (de Dieu) : flagella iracundiæ tuæ 443 ; 73 ; 146.

flagito, -are, réclamer, supplier : suppliciter f. 80 ; 62.

flagro, -are, brûler (du feu de la charité) 48.

Flamen, -inis, Esprit (Saint) : supernum F. 218 ; divinum F. 38.

flamma, -æ, (fig.) flamme, feu (de la charité) 48 – (des passions) f. vitiorum 105 ; 419 ; flammæ litium 419 – (de l'enfer) 96 ; 275 ; 318.

flammesco, -ere, s'enflammer (du feu de la charité) 48.

flatus, -us, souffle : f. vitæ 217, note 1 – Flatus Sanctus, le Saint-Esprit 217, note 1.

flebilis, -e, qui pleure, malheureux, (subst. pl.) 210 ; refove flebiles 122 – plaintif, humble : f. oratio ; f. vox 62 ; mente flebili (præpar. ad miss. episc.).

flecto, -ere, courber, fléchir : flecte ramos 51 ; omne genu flectatur 196 ; 83 – (fig.) fléchir, apaiser (Dieu) : qui humiliatione flecteris 494.

fleo, -ere, pleurer (ses péchés) 92 ; 417 ; (compassion) pie f. 51.

fletus, -us, pleurs (accompagnant la prière) 53 ; (du repentir) 92 ; v. à manipulus.

flo, are, souffler (souffle créateur) 217 note 1.

floreo, -ere, fleurir, s'épanouir, prospérer (fig.) : justus ut palma florebit 484.

floresco, -ere, c. floreo : in ecclesia tua f. (en parl. d'une congrégation) 377.

flos, floris, fleur (fig.) : f. virginitatis 376 ; 493 ; flores martyrum (en parl. des Saints Innocents) 98 ; 109.

fluctuo, -are, fluctuer, être agité : mare fluctuantis sæculi 442 – flotter, hésiter (dans la croyance) 352.

flumen, -inis, fleuve (fig.) : lacrymarum flumina 92 ; flumina aquæ vivæ 221.

fluo, -ere, couler avec abondance : (dans la terre promise) f. lacte et melle 175 et note 8.

fluvius, -ii, fleuve (myst.), f. aquæ vitæ 221.

fodio, -ere, creuser, fouiller (fig.) :

foderunt manus meas et pedes meos 195, note 17.

fœdus, *-eris*, pacte : *reconciliationis humanæ f.* 230 ; *nuptiarum fœdus* ou *fœdera* 340.

foen-, v. *fen-*.

foet-, v. *fet-*.

fons, *fontis*, fontaine, source : (en parl. de Dieu) *f. bonorum ; f. lucis* 144 ; (du Christ) *f. luminis* 207 ; (du S. Esprit) *f. vitæ* 48 ; 221 ; (de Marie) *f. amoris* 121 ; *f. signatus* 211 – abondance : *f. lacrymarum* 92 – les fonts baptismaux : *f. sacer* 176 ; 333 ; *f. baptismatis* 332 ; *f. baptismi* 332 ; 333 ; *ascendere a fonte* 329 ; *plenitudo fontis* 333.

for, *fari*, proclamer 28 ; 132.

foris, au dehors, matériellement (opp. à *intus*) 394.

forma, *-æ*, forme, nature : (dans l'Incarnation) *formam corporis nostri sumere* 58 ; *cum in forma Dei esset... formam servi accipiens* 186 – modèle, image : *divinæ benignitatis forma* 499 ; *humilitatis f.* ; *in illius inveniamur forma* 500 – figure, préfigure 176 ; *Mare Rubrum forma sacri fontis* 333.

formator, *-oris*, celui qui a formé (l'homme), le Créateur 137 ; 231, note 6.

formo, *-are*, façonner (l'homme), créer 137 ; (le monde) 126 – enseigner, former : *divina institutione formati* 172 ; 432.

formosus, *-a*, beau : (Marie) *regina formosissima* 313.

fornicatio, *-onis*, fornication 421, note 10 – (fig.) prostitution aux idoles, idolâtrie 160.

fornicator, *-oris*, fornicateur 296.

fornicor, *-ari*, se prostituer (aux idoles) s'adonner à l'idolâtrie : (abs. ou) *f. post deos alienos ; f. abs te* 160.

fortis, *-e*, fort, puissant (Dieu) 143 ; 156 ; *Deus Fortis,* (ou subst.) *Fortis* 156 ; (en parl. du Messie) 204 – (subst. pl. n.) les forces : *confundere fortia mundi* 495 – courageux (martyr) 109 – grand, fort : *forti voce* 156, note 2.

fortiter, courageusement : *adversantia f. superare* 489.

fortitudo, *-inis*, force, puissance (de Dieu) 156 – force, secours puissant (de Dieu) 44 ; 489 – vertu de force (spir.) 489.

fotisma, *-atis*, c. *illuminatio* 337, note 26.

foveo, *-ere*, réconforter, soulager (en parl. de Dieu) 70 ; 71 ; (des saints) 102 – réchauffer (spir.) 220.

fractio, *-onis*, fraction : *f. panis* 254, note 2.

fractura, *-æ*, c. *fractio : signi tantum fit fractura* (,,*Lauda, Sion*''), le signe, seul, est rompu.

fragilis, *-e*, faible : *sexus f.* 110 – humble : *f. officium* 496, note 8.

fragilitas, *-atis*, la fragilité, la faiblesse (humaine) : *f. nostra* 187 et passim ; *substantia nostræ fragilitatis* 201 ; *f. humana ; f. conditionis humanæ* 401 ; *carnis f.* 404.

fragro, *-are*, embaumer (vertu) 453.

frango, *-ere*, briser, partager (l'hostie) : *fracto... sacramento* (,,*Lauda, Sion*'') – (fig.) briser (la volonté mauvaise) 424.

frater, *-tris*, frère : *fratres*, les parents (du Seigneur) 211 – son frère, ses frères, le prochain : *animas pro fratribus ponere* 476 ; *animas fratrum lucrari* 389 – les frères, les fidèles 389 ; *falsi fratres* 389, note 4 ; (adresses) *fratres dilecti, fratres mei, fratres dilectissimi, carissimi* 387.

fraternitas, *-atis*, fraternité, (concr.) les frères : *fraternitatis amatores* 479 ; *f. vestra = vos fratres* 387.

fraus, *fraudis*, tromperie, perfidie (du premier homme) 223 ; (ordin. en parl. du démon) tromperie, ruse, mensonge 135 ; 446 ; *f. diabolica* 55 ; 321 ; *malorum spirituum fraudes* 446 – manquement, péché 420 – erreur, hérésie 420.

frequens, *-entis*, fréquent, répété : *f. devotio* 21.

frequentatio, *-onis*, fréquentation, célébration répétée ou nombreuse : *f. mysterii* 4.

frequento, *-are*, célébrer fréquemment ou en grand nombre 4 ; célébrer (le saint sacrifice) 242.

frigeo, *-ere*, être froid, indifférent (absence de charité) 472, note 2.

frigesco, *-ere*, se refroidir (charité) 48, note 6.

frigidus, *-a*, froid (spir.) 220.

fructifico, *-are*, fructifier (en bonnes œuvres) 457.

fructuosus, *-a*, fructueux, profitable (à l'âme) 67 ; 458 ; *f. operatio ; f. pænitentia* 458.

fructus, *-us*, fruit (fig.) : *f. ventris tui* 118 – profit (spirituel), grâces 249 ; *divini operis f. ; f. pænitentiæ ; f. justitiæ* 458 ; *f. bonorum operum* 342 – (en parl. de la louange) *f. labiorum* 26 ; 86.

fruitio, *-onis*, action de jouir de : *divinitatis tuæ sempiterna f.* 298.

fruor, *-i*, jouir (de la lumière céleste) 308.

frux, *frugis,* fruits, moisson (spir.) :
perpetua fruge ditentur (par le S. Esprit)
219 ; 458.

fugio, *-ere,* fuir : *exi, fuge* (exorcisme)
327.

fulgeo, *-ere,* resplendir (spir.) : *mens
nostra tuo desiderio fulgeat* 48.

fulgur, *-uris,* foudre : *orationes pro ful-
goribus* (Gel. III, 77).

fundamentum, *-i,* (pl.) les fondements
(de la terre) 155 – (en parl. du Christ)
immutabile fundamentum 88.

I **fundo,** *-are,* fonder (la terre), créer

136 ; 217 – (spir.) affermir sur des
bases solides : *in fide fundati* 465.

II **fundo,** *-ere,* verser (larmes, prières)
62.

funero, *-are,* ensevelir : *mortem f.* (le
Christ par sa résurrection) 198.

funus, *-eris,* funérailles, la mort : *surgit
de funere* 198.

furor, *-oris,* fureur : *bellicus f.* (or. 8 jul.),
hostium f. (postc. fer. 2 oct. Pent.,
Leon. 214).

futurus, *-a,* futur, de la vie future, du
ciel : *f. præmia* 303 ; *f. remedium* 310.

G

galea, *-æ,* casque (symb.) : *galeam salutis adsumite* 441 ; *g. munitionis et salutis*
(la mitre) 384.

gallicinium, *-ii,* chant du coq (matines) : *tempore gallicinii* 13, note 2.

gaudeo, *-ere,* être dans la joie (de la
célébration d'une fête) 9 – c. *frui,*
jouir de 65 ; 75 ; 297, note 10.

gaudium, *-ii,* joie (de la célébration
des fêtes) 9 ; *spiritalia gaudia* 9 ;
(pléon.) *g. lætitiæ* 9 – (du ciel) *gaudia
æterna, sempiterna* 66 ; *cælestis gaudii
consortes ; æternæ claritudinis g. ; dulce g.*
300.

gehenna, *-æ,* géhenne, enfer : *gehennæ
ignis* 96 ; 318 ; *gehennæ incendia* 318.

gemino, *-are,* redoubler, geminatus,
double : *g. lætitia* (en célébrant deux
saints) 9.

gemitus, *-us,* gémissement (du repentir) 92 ; (de la prière) 98 ; *g. cordis* 62 ;
(de l'Esprit qui intercède) *gemitibus
inenarrabilibus* 81 ; 219.

gemo, *-ere,* gémir, pleurer : *gementes et
flentes* 402 ; *preces gementes fundimus* 62 ;
animam gementem 121.

generatio, *-onis,* génération (du Verbe) : *superna et aeterna g.* 216 – notre
adoption divine, notre régénération
231 – race : *g. mala et adultera* 160 –
enfantement 216 – génération : *usque
ad tertiam et quartam generationem* 87.

genero, *-are,* engendrer (en parl. du
Père) : *Filium ante tempora æterna generatum* 216.

genitor, *-oris,* le Père 38 ; 216 – (en
parl. du Créateur) *nascentium g.* 137.

genitrix (genetrix), *-tricis,* (Marie)
Mère (de Dieu) : *Dei g.* 116 ; 120 ;
208 ; *Sancta Dei g. ; sanctissima Dei g. ;
g. tua ; g. Filii tui* 208.

genitus, v. *gigno* – subst., *Genitus,* le
Fils 38 ; 216.

gens, *gentis,* (pl.) les nations, les
païens, les gentils 159 ; 160 ; 393
– les nations (à évangéliser) 160 ;
in gentibus, parmi les nations 10 ; 66.

gentilis, *-e,* subst. pl., les païens 393.

gentilitas, *-atis,* la gentilité, les nations
païennes 393.

genu, *-us,* genou : *positis genibus ;
flectere genua ; curvare genu* 83 ; *fixis
genibus* 84.

genus, *-eris,* le genre (humain) : *g. hominum ; g. humanum* 175 ; etc.

germino, *-are,* faire éclore (fig.) :
g. Salvatorem 175 – (intr.) être florissant (fig.) 484.

gero, *-ere,* célébrer (une fête) 5 – accomplir (le saint sacrifice) 242.

gerulus (-olus), *-i,* qui porte : (vase
sacré) *corporis Christi g.* 263, note 4.

gesto, *-are,* porter (des cierges) (or. 2
ben. cand. 2 febr.) ; (des rameaux)
hos ramos gestantes (or. ben. ram. d.
2 Pass.) – (fig.) porter (dans son
cœur) 192.

gestum, *-i,* (pl.) les hauts faits (des
saints) 98.

gigno, *-ere,* engendrer (en parl. du
Père) : *hodie genui te ; ante sæcula genitus ; non factus... sed genitus* 216 ; 189
– enfanter (en parl. de la Vierge) 208
– *genitus,* né : *modo geniti infantes* 495.

gladius, *-ii,* le glaive (symb. du combat spirituel) 358 ; 440 ; *g. Spiritus* 441
– glaive (de douleur) : *g. doloris* 121.

gloria, *-æ,* gloire (à Dieu), glorification 24 ; 38 ; *dare gloriam* 26 ; *g. in
excelsis* 30 ; *honor et gloria ; salus et g. ;
g. nominis, majestatis* 24 ; 38 – gloire
(de Dieu), majesté, puissance 23 ;

133 ; 157 ; *g. divinæ potentiæ* 107 –
gloire (du Christ) 196 ; *g. Domini ;*
evangelium gloriæ Christi 154 ; (en parl.
du Christ au sein de la Trinité) *in*
gloria Dei Patris est 201 ; *ejusdem gloriæ*
et substantiæ 215, note 7 – gloire (des
élus) : *g. filiorum Dei* 44 ; *futura g. ;*
cælestis g. ; sempiterna g. 306 ; *æternæ*
gloriæ corona 67 – (ordin. en parl. de la
Sainte Vierge) *g. virginitatis* 493.

gloriatio, *-onis,* c. *glorificatio* 107.

glorificatio, *-onis,* action de glorifier
les saints, les justes) 107.

glorifico, *-are,* glorifier (Dieu) 24 ; 65 ;
(avec *adorare*) 19 – faire éclater la gloire
(du Christ) : *Pater... glorificat me* 196.

glorior, *-ari,* se glorifier (d'un saint),
le célébrer avec fierté 107 – se glorifier (de la dignité de chrétien) : *g. in*
Deo 33 ; *g. in spe gloriæ* 44.

gloriosus, *-a,* glorieux (gloires du
Christ) : *g. transfiguratio ; g. passio ; g.*
resurrectio 196 – glorieux (martyr) 109.

Golgotha, indic., Golgotha, Calvaire
192.

gradior, *-i,* marcher (fig.), se conduire
426 ; 427.

gradus, *-us,* degré, rang (ecclés.) :
sacerdotales gradus 363 ; *g. ecclesiasticus*
372 ; *trinis gradibus ministrorum* 374.

grates, c. *gratias* : *rependere grates* 85.

gratia, *-æ,* (pl.) grâces, remerciement :
gratias agere 77 ; 85 ; etc. ; (en parl.
du saint sacrifice) 27, note 11 ; 239 ;
gratiarum actio ; gratias referre ; gra-
tiarum actiones referre 85 ; *gratias per-*
solvere 26 ; 85 – grâce, faveur, bienveillance (de Dieu), le fait d'être en grâce
auprès de lui 44 ; 266 et note 3 –
faveur (de Dieu, dans le Christ)
plenus gratiæ et veritatis 265 ; (dans
Marie) *gratia plena ; invenisti gratiam*
118 ; 265 ; (dans les saints) *plenus*
gratia et fortitudine 265 ; (salutation)
gratia Domini cum... 89 – faveurs (de
Dieu), grâce, don 61 ; 264 ; etc. ;
(gratuit) *per gratiam* (opp. à *per natu-*
ram) 264 et note 2 ; *munus gratiæ ;*
gratiam infundere ; ineffabilis gratiæ tuæ
dona 267 ; *g. cælestis ; dona gratiæ tuæ*
265 ; *g. remissionis* 268 – pardon :
gratiæ tuæ indulgentiam invenire 266 ;
277 – réconciliation (avec Dieu) *tuæ*
gratiæ sacramentum 266 – grâce extraordinaire, charisme : *g. sanitatum ;*
g. singularis 271 – grâce, aide (de Dieu
pour accomplir le bien) 264 ; grâce
(particulière) : *sanctitatis g. ; humilita-*
tis g. ; protectionis tuæ g. 268 – grâce
(de la réconciliation, par la Rédemp-

tion) 269 ; cf. 266 ; *g. liberans ; g. adop-*
tionis 233 ; 269 ; *reparationis g.* 269 –
(du baptême) *per gratiam tuam re-*
nasci ; ad gratiam baptismi accedere 268
– (de la Rédemption annoncée par les
prophètes) 173 et note 3 ; *g. tuæ*
visitationis 173 – beauté lumineuse 265,
note 2.

gratifico, *-are,* gratifier (qqn.), lui
accorder une grâce 274 – remercier 85.

gratiosus, *-a,* qui jouit de la faveur de
Dieu 265.

gratis, gratuitement, sans mérite de
notre part 264 et note 2 – gratuitement (contre la simonie) 271.

gratuitus, *-a,* gratuit (de la part de
Dieu : *g. benignitas, bonitas, gratia, mi-*
seratio 265.

gratulor, *-ari,* se réjouir (des fêtes) 9 ;
(des bienfaits de Dieu) 66 ; 85 ; note 2
– rendre grâces : *g. Deo* 85.

gratus, *-a,* agréable, agréé (par Dieu) :
grata hostia, dona 247 ; (pers.) 265.

gravido, *-are,* (pass.) porter dans son
sein 208.

gravo, *-are,* accabler, alourdir (spir.)
401.

gremium, *-ii,* les genoux (de la Sainte
Vierge) 208 – le giron (de l'Église)
354.

gressus, *-us,* pas (fig.), conduite 426 ;
427.

grex, *gregis,* la multitude : *in electorum*
tuorum grege 62 ; 297 – le troupeau
(de l'Église, les fidèles) 350 ; 371 ;
unus g. 350 ; *g. commissus, creditus* 356.

gubernaculum, *-i,* le gouvernail, la
direction (des âmes) : *sedis apostolicæ*
gubernacula tenere 385 ; (de Dieu sur
l'Église) 385.

gubernatio, *-onis,* gouvernement (du
monde par la Providence) 46 ; 132 ;
(de Dieu sur l'Église) 385 et note 7.

gubernator, *-oris,* celui qui gouverne,
guide (Dieu) 139 ; 385, note 7.

guberno, *-are,* piloter, (fig., en parl. de
Dieu) gouverner (le monde) 139 ;
(l'Église) 268 ; 351 ; 385, note 7 –
(en parl. des chefs de l'Église) 381 ;
385 et note 7.

gurges, *-itis,* flots (du Jourdain) 206 –
(fig.) gouffre : *g. vitiorum* 421.

gusto, *-are,* goûter (en parl. de l'eucharistie) : *g. dulcedinem* 256.

gustus, *-us,* le goût : *per gustum delin-*
quere 339 – le fait de goûter (à l'eucharistie) 256.

guttula, *-æ,* goutte (de sang) 51.

guttur, *-uris,* gosier, (pl. fig.) langue,
éloquence 219.

H

habitaculum, *-i,* demeure (en parl.
d'une église) : *h. istud benedicere* 346 ;
*æternæ lucis h. temporale ; omnes habi-
tantes in hoc habitaculo* 346 – (myst.)
demeure (de Dieu en nous) 153 ;
(du S. Esprit en nous) 221 ; (de Dieu
au sein de la Vierge) 209 ; *Spiritus
Sancti h.* 120 – demeure (du ciel) :
æternum h. 304 – demeure secrète,
intime (de l'âme) ; *mentis nostræ h.* 395.

habitatio, *-onis,* maison (visitée par
Dieu) 60 – demeure (de Dieu en nous)
153 ; (du S. Esprit en nous) 221 ; (du
ciel) *æterna in cælis h.* 304 ; (de notre
séjour terrestre) *terrestris h.* 408.

habitator, *-oris,* celui qui habite,
demeure, habitant (Dieu en nous) 153 ;
(au ciel) *habitatores domus sanctæ tuæ* 304.

habito, *-are,* habiter, demeurer (Dieu
en nous) 153 ; (le S. Esprit) 221 ;
(au ciel) *in cælestibus h.* 304 ; (sur terre,
dans la concorde) *h. in unum* 477.

habitus, *-us,* tenue, habit : *h. indumenti ; sæcularis h. ; h. sacræ religionis* 373
et note 43.

hædus, *-i,* bouc, (pl.) les mauvais (au
jugement dernier) 202.

hæres, hæred-, v. *her-.*

hæresis, *-eos,* hérésie 352.

hæreticus, *-a,* adj. et subst. hérétique :
h. pravitas ; pro hæreticis 352.

hagios, saint (en parl. de Dieu) 33 ; 202.

haurio, *-ire,* puiser : v. *aqua.*

hebdomada, *-æ,* semaine : *Hebdomada
Major,* Semaine Sainte 191, note 4.

hebdomas, *-adis,* c. *hebdomada* 191,
note 4.

Hebraice, en hébreu 192.

helem-, v. *eleem-.*

Heloi, terme rappelant *Eloim* 123.

hereditarius, *-a,* héréditaire (en parl.
du péché originel) : *h. mors* 223.

hereditas, *-atis,* héritage, part, lot
(spir.) : *h. mea* 165 ; *Dominus, pars hereditatis meæ* 372 ; (appliqué au clergé)
h. Domini 372 – notre héritage (de fils
adoptifs de Dieu) 232 – héritage (du
ciel) : *æterna h. ; habere hereditatem* 296.

heredito, *-are,* hériter, posséder : *hereditabunt terram* 497.

heres, *-edis,* héritier (de la vie éternelle)
224.

Heva, v. *Eva.*

hiems, *hiemis,* hiver (fig.) : *h. infidelitatis* 392.

hilaritas, *-atis,* sourire (du visage de
Dieu) 55.

hircus, *-i,* bouc (immolé en sacrifice)
230.

historia, *-æ,* histoire, présentation des
faits (opp. à l'exégèse allégorique) 171
– récit, texte écrit 213.

historicus, *-a,* historique, littéral : *in
superficie historica* 171.

hodiernus, *-a,* d'aujourd'hui : v. *dies.*

holocaustum, *-i,* holocauste (sacrifice
où l'on brûlait la victime entière) 193,
note 15 ; 235 – (le Christ offert en
holocauste sur la croix) 193 – (le saint
sacrifice) 245.

homo, *-inis,* homme (passim) ; *vetus h.*
(opp. à *novus h.*) 462 ; *h. .Dei,* saint
homme 390 ; 455 ; = *vir* 118, note 2
– (en parl. du Christ) 182 ; 189 ; 197 ;
204 ; *Deum verum et hominem* 41 ;
Deus Homo 118.

honor, *-oris,* honneur (rendu à Dieu)
22 ; 24 ; *h. et gloria ; h. et benedictio* 38 ;
honorem dare nomini tuo 239 – honneur
(rendu à Dieu par une célébration) 17 ;
congruis honoribus 178 – honneur (rendu
à un saint) 17 ; *basilicam in honore
sancti nomini tuo dicatam* 346 – honneur
(du grand-prêtre hébreu) 366 –
honneur, charge ecclésiastique : *h.
ecclesiasticus ; honorum dator (Deus)* 366 ;
in officio vel in honore 366, note 27 –
(dans l'exorcisme) *dare honorem Deo,*
céder la place à Dieu 327.

honorabilis, *-e,* honoré, rendu solennel (par une fête) : *dies h.* 18 ; 108.

honorificentia, *-æ,* honneur (de notre
peuple : Judith ; Marie) 118.

honorifico, *-are,* honorer (Dieu) 17 –
honorer (son ministère) 362.

honoro, *-are,* honorer (Dieu) 17 ; (un
saint) 108 ; *honoranda confessio* (d'un
martyr) 109 – honorer (ses parents)
477.

hora, *-æ,* heure (de la venue du
Maître) 13 ; (de la Passion qui approche) 191 ; 50, note 15 ; (du jugement dernier) *novissima hora* 203 ;
(de notre mort) *h. mortis nostræ* 116 ;
407 – *hora tertia* (et les autres heures
de la prière) 13bis ; *horas persolvere* 505.

horrendus, *-a,* horrible (en parl. de la
damnation) : *h. mors* 317.

hortamentum, *-i,* exhortation 103 ;
172.

hortus, *-i,* le jardin (de Gethsémani) 76
– (myst., en parl. de la virginité de
Marie) *h. conclusus* 211.

hosanna (mot hébreu), exclamation de
joie et de louange 12 ; 204, note 3.

hospes, *-itis,* hôte (de l'âme, en parl. du
S. Esprit) 153 ; 219 – hôte, étranger
(au royaume) 390.

hospitalis, *-e,* hospitalier 478.

hospitium, *-ii,* demeure (myst.) :
h. cordis 153.

hostia, *-æ,* (pl.) victimes (de l'ancienne
Loi) 234 – *hostia laudis :* a) sacrifice
d'actions de grâce (Ps.) 235 – b) sacrifice de louange (en parl. aussi de
l'office) 26 – c) (en parl. du saint
sacrifice) *hostiam laudis offerre, immolare*
235 ; 239 – victime (du Calvaire) 193 ;
hujus hostiæ commemoratio 237 – victime
(du Calvaire et victime eucharistique),
offrande : *hostiam sanctam, hostiam immaculatam ; hostiam immolare, offerre*
244 ; *h. sancta, salutaris* 244 ; (pl.) *precibus et hostiis* 244 – hostie 244, note 2
– offrande, offrande spirituelle 86 ;
*exhibeatis corpora vestra hostiam viven-
tem* 447.

hostilis, *-e,* de l'Ennemi ou des ennemis (de l'Église) : *incursio h.* 358.

hostis, *-is,* l'Ennemi, le diable : *h. malignus* 192 ; *antiquus h.* 114 ; 192 ;
spirituales hostes 325 – (sens pr.) 73.

humanitas, *-atis,* nature humaine
(assumée par le Christ) : *humanitatis
nostræ particeps* 185 – amour (du
Christ) pour les hommes 149.

humanus, *-a,* humain, des hommes :
v. *conditio, genus ;* etc.

humiliatio, *-onis,* action de s'abaisser,
de s'humilier 494.

humilio, *-are,* abaisser (fig.) : *cor contritum et humiliatum* 92 – abaisser,
courber (vers la terre, *humum*) :
h. capita 83 ; *se h.,* se prosterner 83
– *se h.* (ou pass.), s'abaisser, s'humilier
(devant Dieu) 202 ; 494 et note 6 ;
(en parl. du Christ incarné) 187.

humilis, *-e,* humble : *h. corde* 494
– (subst. pl.) les humbles (opp. à
superbi) 494.

humilitas, *-atis,* abaissement, humilité :
humilitatis exemplum ; h. Cordis tui 494 ;
151 – abaissement (du Dieu incarné) :
Filii tui h. 187 – (concr.) *h. mea* =
ego humilis 52 ; *nostra h.* 365 et note
25 – *h. nostra,* notre état de misère
231.

humiliter, humblement (prier, supplier) 62 ; 494 ; et passim.

hymas, v. *imas.*

hymnus, *-i,* hymne, chant 10 ; 11.

hypapanti, v. *ypapanti.*

hyssopum, *-i,* hysope (plante employée pour les purifications) 281.

I

idiota (-tes), *-æ,* non expert, non initié
à la doctrine chrétienne 392.

idololatria, *-æ,* idolâtrie 159.

idolum, *-i,* idole 159.

ignis, *-is,* feu (en parl. des langues de
feu de la Pentecôte) *in visione ignis* 472 ;
v. *dispertitus* – feu (spir.) : (en parl.
du S. Esprit) 283 ; *invisibilis i.* 219 ;
i. divinus 237 ; (de la charité) 48 ;
ignem mittere in terram 220 ; (du jugement dernier) *judicare per ignem* 318,
note 16 – feu (éternel de l'enfer) :
gehennæ i. ; i. æternus ; i. perennis 318
et note 15.

ignitus, *-a,* enflammé : *ignita tela inimici* 265 ; 325.

ignorantia, *-æ,* ignorance (de Dieu) :
cæcitas ignorantiæ ; tenebræ ignorantiæ 466
– égarement 58 et note 5 ; (pl.) erreurs 412.

ignosco, *-ere,* pardonner (en parl. de
Dieu) : *i. aliquid* ou *alicui rei* (ou abs.)
277.

illabor, *-i,* glisser, descendre sur (en
parl. du S. Esprit) 218.

illæsus, *-a,* non blessé (spir.) 72.

illatio, *-onis,* oraison sur les offrandes
et préface 32, note 1.

ille, *-a,* un tel (= *N.* de nos oraisons
actuelles) : *papa nostro illo* (Gel. III,
17, 1244).

illecebra, *-æ,* (pl.) attraits : *mundi illecebræ ; i. sæculi* 405 ; *vitiorum illecebræ*
424.

illibatus, *-a,* sans tache (offrande) :
sacrificia illibata 245 – immaculé :
i. Virgo 58.

illicitus, *-a,* non permis 341 ; *i. voluptates* 449.

illucesco, *-ere,* briller (de l'éclat de la

vraie lumière), luire (jour de la Rédemption) 182 ; 183.

illuminatio, -onis, lumière (en parl. de Dieu) : *Dominus, i. mea* 202 – resplendissement : *i. evangelii ; i. scientiæ claritatis Dei* 154 – lumière, illumination (du S. Esprit) 219 – le baptême 337, note 26.

illumino, -are, faire luire : *illuminet vultum suum super nos* 64 – illuminer, éclairer (en parl. du Christ) : *lux vera quæ illuminat omnem hominem* 154 ; (en parl. du S. Esprit) 219 ; 395 ; (en parl. de l'évangéliste saint Jean) éclairer (l'Église par son enseignement) 171 ; éclairer (les intelligences par le baptême) 337 – dévoiler (au jugement dernier) 202 ; révéler (les secrets des cœurs) 202 – (pass.) resplendir: *surge, illuminare, Jerusalem* 154 – rendre la vue à : *cæcos i.* (all. 10 aug.).

illustratio, -onis, lueur, illumination, éclat (de la vraie lumière) 13 ; 182 – illumination (du S. Esprit) 219 ; 347 – apparition resplendissante (à la parousie) 203.

illustro, -are, illuminer (en parl. de Dieu) 13 ; *i. corda* 63 ; 154 ; (en parl. du S. Esprit) 219.

imago, -inis, image (l'homme créé à l'image de Dieu) : *ad imaginem Dei* 499 ; *i. et similitudo* 135 et note 3 ; 499, note 1 – (en parl. du Christ) : *i. Dei invisibilis* 500 ; 205 – modèle : *conformes imagini bonitatis tuæ* 500 – (pl.) images, représentations (des saints) 16 ; *imagines colere* 108 – figure, préfigure 176.

imas (ou hymas) (ἡμᾶς), nous : *eleison imas* („Populε meus", Parasc.).

imbecillitas, -atis, faiblesse : *i. humana* 384.

imber -bris, pluie (fig.) : *i. benedictionis tuæ* 88.

imbuo, -ere, instruire 168 ; 256, note 4 ; 432 – combler de (dons eucharistiques) : *mysteriis cælestibus i.* 256.

imitatio, -onis, imitation (d'un saint) 106.

imitator, -oris, celui qui imite, imitateur : *i. Dei ; i. sui auctoris ; imitatores mei estote* 499 ; 500 ; *Dominicæ caritatis i.* 501 ; (d'un saint) 106.

imitatrix -tricis, celle qui imite : *i. sanctarum feminarum* 106 ; 241.

imitor, -ari, imiter (Dieu) 499 ; 501 ; (les exemples des saints) 106.

immaculatus, -a, sans tache (l'Agneau, la victime du Calvaire) : *Agnus i.* 193 ;

i. hostia 236 – Immaculée (Conception) 209 ; 212 – (Marie) : *i. Virgo* 119 ; *i. Genitrix* 208.

immarcescibilis, -e, qui ne se flétrit pas : *i. corona* (des élus) 306 ; 440.

immemoratio, -onis, action d'oublier, oubli : *Dei i.* 160.

immensus, -a, qui ne se mesure pas, infini (en parl. de Dieu) : *i. majestas* 127 ; *i. pietas* 149 ; *i. largitas clementiæ* 151 ; (du Christ) : *i. caritas* 236 ; (Trinité) *i. Pater, i. Filius* 127.

immeritus, -a, qui ne mérite pas : *quod immeritis contulisti* 287.

immissio, -onis, charisme : *supernæ immissiones* 271.

immitis, -e, cruel : *i. clavus* (de la Passion) 195.

immoderantia, -æ, excès, démesure 419.

immolatio, -onis, c. *oblatio,* offrande (du sacrifice) 245 – immolation : *per immolationem suæ crucis* 193 – nom de la préface 32, note 1.

immolo -are, immoler, offrir en sacrifice (Isaac) 176 ; (la victime du Calvaire, du saint sacrifice) *immolatus Christus* 194 ; 198 ; *i. hostiam, hostias, victimam* 237 ; *immolatur et sumitur Jesus Christus* 237 ; *i. sacrificia* 9 ; 245 – (fig.) *devotionis nostræ... hostia... immoletur* 21.

immortalis, -e, immortel 126 ; *immortalia sæcula* 126 ; (en parl. de Dieu) *regi sæculorum immortali* 23.

immortalitas, -atis, immortalité (en parl. de Dieu, du Christ) 126 ; (des élus) *largitor immortalitatis ; promissio immortalitatis* 303.

immotus, -a, immuable (en parl. de Dieu) 126.

immunditia, -æ, impureté 436.

immundus, -a, impur : *immundæ cogitationes* 72 ; 396 – (subst.) le fornicateur 296 – impur (à cause du péché originel) 224 – immonde, impur (esprit, démon) : *spiritus i.* 323.

immunis, -e, exempt (de l'attrait du mal) 424 ; *a malis omnibus i.* 73 ; (Marie) *ab omni originalis culpæ labe i.* 212.

immutabilis, -e, immuable : *i. fundamentum* 88.

immutatio, -onis, changement : *nativitatis i.,* crime contre nature 160.

impassibilis, -e, non soumis à la souffrance, impassible (Dieu) 180.

impedimentum, -i, les embarras (du siècle) 405 et note 8.

impedio, -ire, entraver (moral.) 422

– p.p., *impeditus*, gêné, entravé (moral.) 74, note 11.

impendo, *-ere*, payer, (fig.) accorder : *i. auxilium* 67.

imperium, *-ii*, empire, souveraineté (du Christ) 23 ; 351 – *i. mortis* 198.

impero, *-are*, commander souverainement (en parl. du Christ) 205 ; (de la Vierge) 120, note 7.

impertio, *-ire* (*-ior*, *-iri*), accorder (grâce, faveur) 50, note 15 ; 66.

impetro, *-are*, obtenir (par ses prières) : *cuncta i.* 61 ; *i. misericordiam tuam* 61.

impetus, *-us*, attaque : *mortis i.* 317.

impietas, *-atis*, impiété, mépris de Dieu 414 – hérésie 467, note 7.

impius, *-a*, adj. et subst., impie, pécheur 393 ; 461 – hérétique 17, note 6.

impleo, *-ere*, accomplir, exaucer (prière, demande) 61 – accomplir (la loi, les commandements) 429 ; 433 ; 476 – accomplir, réaliser (oracle, prophétie) 168 ; 173 – remplir : *i. benigno lumine* 60 ; (du S. Esprit) 218.

imploro, *-are*, implorer : 53 et passim ; *i. nomen (Dei) ; i. misericordiam, subsidium*, etc. 80.

impollutus, *-a*, immaculé 359.

impono, *-ere*, *i. manus*, v. *manus*.

importo, *-are*, emporter (au ciel) : *sideribus i.* 201.

impositio, *-onis*, *i. manuum*, imposition des mains (pour donner le S. Esprit) 338 ; (à la confirmation) 338 ; (à l'ordination) 368.

impressio, *-onis*, marque imprimée (sur le front) : *crucis i.* 329.

imprimo, *-ere*, imprimer (fig.) : *cordibus nostris i.* (postc. 28 apr.).

improperium, *-ii*, outrage, affront, impropère, reproche qui doit faire honte 195, note 19.

impropero, *-are*, insulter, faire des reproches à 195, note 19.

imprudens, *-entis*, inconsidéré (dans sa conduite) 486.

impugnatio, *-onis*, attaque 75 ; *i. vitiorum* 424 ; *i. diaboli* 327, note 12.

impugnator, *-oris*, celui qui attaque (en parl. du démon) 325.

impugno, *-are*, assiéger (spir.) : *peccata quibus impugnatur* 74 ; 282.

in, I av. acc., **1.** (même dev. nom de ville) *cum venisset in Jerusalem*, Act. 9,26 – **2.** au sujet de : *nolite ergo solliciti esse in crastinum*, Mat. 6,34 – **3.** pour, en faveur de : *loquetur pacem in plebem suam*, Ps. 84,9 – **4.** à, en : *credere in Filium Dei*, Jo. 9,35 ; *non*

crediderunt in vestram misericordiam, Rom. 11,31 – **5.** en (après verbe indiquant la transformation) : *posuit desertum in stagna aquarum*, Ps. 106,15.
II av. abl., **1.** en (temps) : *in diebus illis*, Mat. 3,1 – **2.** en ce qui concerne : *inique non egimus in testamento tuo*, Ps. 43,18 – **3.** (compl. de nombreux verbes) *gloriari in*, Ps. 51,3 ; *sitire in*, Ps. 62,2 ; *repleri in*, Ps. 64,5 – **4.** (compl. d'agent) par : *protegar in velamento alarum tuarum*, Ps. 60,5 – **5.** avec : *homo in spiritu immundo*, Marc. 1,23 – **6.** (instrument) par, au moyen de, grâce à : *disperge illos in virtute tua*, Ps. 58,12 – **7.** (manière) *cibaria misit eis in abundantia*, Ps. 77,25 – **8.** (cause) grâce à : *putant quod in multiloquio exaudiantur*, Mat. 6,7 – **9.** (but) pour : *baptizari in Christo, in morte ipsius*, Rom. 6,3, pour participer à sa mort – **10.** par rapport à : *sacramentum hoc magnum est, ego dico in Christo et in ecclesia*, Ephes. 5,32 – **11.** c. *inter*, dans, parmi (expression du superlatif) : *benedicta tu in mulieribus*, Luc. 1,28.

inaccessibilis, *-e*, inaccessible (en parl. de Dieu) : *i. lux* 126.

inæstimabilis, *-e*, qu'on ne peut apprécier, mesurer (amour de Dieu pour nous) 127.

inardesco, *-ere*, s'enflammer (de charité) 48.

incardino, *-are*, installer comme titulaire (prêtre, évêque) 369, note 37.

incarnatio, *-onis*, Incarnation : *Unigeniti tui i.* 185.

incarno, *-are*, (pass.) s'incarner, prendre chair 185 ; *incarnatum Verbum* 185.

incedo, *-ere*, marcher (fig.), se conduire 427 ; 484.

incendium, *-ii*, feu (de l'enfer) 318 – *incendia tormentorum* (de S. Laurent) 105.

incendo, *-ere*, allumer, brûler (les cœurs) 48 – (un cierge) *super hunc incensum cereum* 88 ; 235.

incensum, *-i*, fumée des sacrifices, holocauste 235 – = *tus*, encens 235 ; *hora incensi*, 2 note 9 – cierge allumé 235 ; 245, note 3.

incentivum, *-i*, excitant, attrait : *incentiva libidinum, vitiorum* 424.

incessabilis, *-e*, incessant : *i. devotio* 21 ; *incessabili voce* 31.

incessanter, sans cesse 443.

incessus, *-us*, démarche 339.

inchoo, *-are*, commencer, inaugurer : *sine Deo nihil boni inchoatur* 147.

incido, *-ere,* tomber sur, dans : v. ex. à *manus.*

incipio, *-ere,* commencer : *cuncta nostra operatio a te incipiat* 436.

incircumcisus, *-a,* incirconcis (fig.), impur : *i. corda* 422.

inclino, *-are,* incliner (en s'adressant à Dieu) : *inclina aurem tuam* 52 – (dans l'adoration) *se i.* 83.

inclytus, *-a,* glorieux : *inclyto Paraclito* 38 ; (le Christ) *salutis... auctor inclyte* 205 ; *sanctorum meritis inclyta gaudia* 28 ; *inclyte confessor* 97.

incolatus, *-us,* habitation (terrestre), exil (sur terre) 304 ; 400 ; *hujus incolatus domus* 408.

incolumis, *-e,* sain et sauf : *incolumem custodire* 74 ; 385.

incolumitas, *-atis,* salut (matériel et spir.) 284 et note 1.

incommutabilis, *-e,* immuable (Dieu) 126.

incomprehensibilis, *-e,* insaisissable, incompréhensible (Dieu, les voies de Dieu) 129 ; *i. judicia* 129.

incomprehensus, *-a,* insondable : *i. bonitas* 129.

incorporo, *-are,* (pass.) s'incarner, prendre un corps 185.

incorruptibilis, *-e,* incorruptible (Dieu) : *gloriam incorruptibilis Dei,* Rom. 1,23 ; (en parl. du ciel) *in hereditatem incorruptibilem,* 1 Petr. 1,4.

incorruptibilitas, *-atis,* c. *incorruptio* (Tert. ; Aug.) – (moral.) incorruptibilité (de l'âme), innocence, 1 Petr. 3, 4.

incorruptio, *-onis,* incorruptibilité (des corps glorifiés) 410 – chasteté, virginité 492, note 2.

incorruptus, *-a,* incorruptible : *i. æternitas (Dei)* 126 – immaculé : *i. nativitas (Christi)* 174 ; (en parl. de Marie) *i. Virginitas* 211.

incrasso, *-are,* p.p., *incrassatus,* épaissi (spir.) : *i. cor* 422.

increatus, *-a,* incréé : *i. Sapientia* 118.

incredulitas, *-atis,* incrédulité 392.

incredulus, *-a,* adj. et subst., incrédule 392 ; 467.

incrementum, *-i,* accroissement (de piété) 47 ; 457 ; *incrementa virtutum* 273.

incombustus, *-a,* non brûlé : *rubus i.* 211.

incursio, *-onis,* attaque : *diabolica i.* 321 ; 358.

incursus, *-us,* attaque, atteinte : *a totius perditionis incursu* 317 ; (ordin. en parl. du démon) 72 ; 251 ; *diabolici incursus* 321.

indefessus, *-a,* inlassable, continuel : *i. gratiæ* 85 ; *i. laudes* 26.

indeficiens, *-entis,* qui ne s'arrête jamais : (en parl. de Dieu) *lumen i.* 126.

indesinenter, sans cesse 283 ; 435.

indifferens, *-entis,* qu'on ne peut séparer, différencier (puissance des personnes de la sainte Trinité) 215, note 8.

indignatio, *-onis,* indignation, colère (de Dieu) 59 ; 158.

indigne, indignement, avec les dispositions qui ne conviennent pas 262.

indignus, *-a,* indigne, qui n'a pas les dispositions voulues (terme d'humilité) 8 ; *i. sumere ; i. famulus* 262 ; *i. servus* 496.

indiscretus, *-a,* c. *indifferens* 215, note 8.

individuus, *-a,* indivisible : *i. Trinitas ; i. unitas (Trinitatis)* 214.

indivisus, *-a,* indivisible (Trinité) : *i. unitas* 214.

induco, *-ere,* laisser aller dans ; *i. in tentationem,* Mat. 6,13 (,,*Pater*'') – conduire (à la vérité) : (*Paraclitus*) *inducat in omnem... veritatem* (or. 1 fer. 4 Quat. T. Pent., Greg. 115,1).

indulgens, *-entis,* indulgent : *indulgentissime Domine* 131.

indulgentia, *-æ,* indulgence (de Dieu), abandon de sa sévérité 9 ; *i. tuæ propitiationis* 61 – clémence qui pardonne, pardon 56 ; 63 ; 66 ; 96 ; *Domine indulgentiarum* 151 ; *i. delictorum, peccatorum* 277 ; *indulgentiam delictorum percipere* 279 – indulgence (sens mod.) 279, note 8.

indulgentialis, *-e,* plein d'indulgence : *i. favor* 151.

indulgeo, *-ere,* accorder par grâce (en parl. de Dieu) 66 ; 94 ; 423 ; etc.

indultor, *-oris,* celui qui accorde (Dieu) 151 – celui qui pardonne : *i. criminum* 151.

indumentum, *-i,* habit : *i. sacerdotale* 373 ; (symb.) *i. lætitiæ* 373 ; *i. jucunditatis* (au ciel) 300 et 373.

induo, *-ere,* revêtir : *nuptiali veste induti* 310 – (fig.) *induti loricam justitiæ* 441 – (en parl. de l'Incarnation) revêtir (l'humanité) 186.

induro, *-are,* s'endurcir (spir.) 422 – (tr.) *i. cor,* Is. 63,17 ; *i. cervicem suam,* Jer. 7,26 – (pass.) s'endurcir 422.

inebrior, *-ari,* être enivré (spir.) : *cruce i.* 49.

ineffabilis, *-e,* ineffable, inexprimable : *i. providentia* 115 ; *i. sacramenta* 129 ; *i. misericordia* 151.

ineffabiliter, d'une manière inexprimable, mystérieusement 180, note 1.

inenarrabilis, -e, ineffable, indicible 219.

inexstinguibilis, -e, inextinguible (feu de l'enfer) 305.

infamis, -e, infâme, déshonorant : *i. lignum* (de la croix) 195.

infans, -antis, enfant : *sicut* ou *quasi modo geniti infantes* 336 – nouvel enfant de l'Église (celui qui sort du bain baptismal) 336 – l'Enfant (Jésus) 50.

infantia, -æ, enfance (spir., du nouveau baptisé) : *nova i.* 336.

inferi, -orum, les enfers, l'outre-tombe 314 – le séjour des justes de l'ancienne Loi : *descendit ad inferos* 314 – l'enfer (des démons) *subactis inferis* 314.

inferior, -ius, inférieur : *in inferiore mundi parte* 402 ; *ex inferno inferiori* 402, note 4.

infernum, -i, l'outre-tombe (des anciens), la mort 166 ; 314 ; *ex inferno inferiori* 166 ; 314 – séjour des justes de l'ancienne Loi 314, note 2 – enfer (de la damnation) 315 ; *portæ inferni* ; *pœnæ inferni* 315 ; 96 ; *inferni dolores* 316 – purgatoire : *inferni tenebris detineri* 286 ; *transire portas infernorum* 315.

I infernus, -a, de l'enfer : *infernæ portæ* 315 ; *in carcerem infernum* 315, note 6 (subst. pl.) ceux de l'enfer : *omne genu... terrestrium et infernorum* 196.

II infernus, -i, l'enfer 315, note 5 ; *Mors et Infernus* 315, note 5.

inferus, -i, l'outre-tombe, la mort 166 ; *de manu inferi* 314 – l'enfer (de la damnation, des démons) : *portæ inferi* ; *a porta inferi erue animam ejus* 315.

inficio, -ere, souiller (en parl. du démon) : *i. aquam fontis* (bapt.) 327.

infidelis, -e, adj. et subst., incroyant 392 ; 467 – infidèle à la loi de Dieu, incrédule, païen, juif, non chrétien 392, note 1.

infidelitas, -atis, manque de foi 392 – incroyance : *tenebræ infidelitatis* ; *caligo infidelitatis* 392.

infinitus, -a, infini (en parl. de Dieu ou de sa bonté) 127 ; *i. thesaurus bonitatis* 127 ; *infinitos dilectionis thesauros* 51 – sans fin : *i. gaudium* 300 ; *i. præmia* 303.

infirmitas, -atis, faiblesse (humaine) : *i. nostra* 55 ; 68, note 8 ; 431 ; *i. mortalis* 401 ; (par l'Incarnation) *carnis infirmitatem assumere* ; *infirmitates nostras accipere* 187 – maladie : *i. corporis* 443.

infirmor, -ari, être faible, malade 361 ; *infirmantes*, les malades 75 – être faible (spir.) 349.

infirmus, -a, faible, (subst. pl. n.)

infirma virium 401 ; *infirma mundi* 495 – (adj. et subst.) malade 75 ; 271 – (subst. pl.) les faibles (moral.) 454.

inflammo, -are, enflammer (d'amour, de charité) 48 ; (d'un feu sacré) 220.

informo, -are, c. *formo* (postc. or. div. 14).

infula, -æ, mitre (et ornement sacerdotal en gén.) 382, note 3.

infulatus, -a, revêtu des ornements sacrés (pontife) 382.

infulgeo, -ere, resplendir (lumière de la Rédemption) 182.

infundo, -ere, verser dans, répandre, accorder (grâce, etc.) 34 ; 46 ; 66 ; 267 ; etc. : (en parl. du S. Esprit répandant ses lumières) 219 – pénétrer (les âmes) : *penetralia nostri cordis i.* 395.

infusio, -onis, action de verser, de répandre (dans les âmes) : *i. gratiæ tuæ* 347 ; *Sancti Spiritus i.* 219 ; 395 ; *tuæ benedictionis i.* 88.

ingemisco, -ere, gémir (de repentir) 423.

ingenitus, -i, inengendré, non engendré (en parl. du Père) 25 ; 38 ; 216.

ingredior, -i, c. *gradior*, marcher, se conduire 427 – (fig.) entrer dans : *i. dies mysticos* 8 – entrer (dans une église, en parl. des reliques) 108.

inhabitatio, -onis, inhabitation (de Dieu en nous) 153 ; (dans une église) 346.

inhabito, -are, habiter (en parl. de Dieu en nous) 153 ; (du S. Esprit) 221 – (de la demeure de Dieu) *lumen inhabitat inaccessibilem* 126.

inhæreo, -ere, s'attacher à : *i. vestigiis* (sancti) 106 ; *i. vestigiis* (Christi) 500 ; *i. mandatis tuis* 430 ; 433.

inimicus, -i, l'Ennemi, le démon 74 ; 325 ; *tradere in manus inimici* 316.

iniquitas, -atis, transgression, péché (sing. et pl.) 411 ; 414 – état de pécheur : *iniquitatem meam cognosco* 90.

iniquus, -a, adj. et subst., pécheur, impie, méchant 414 et passim.

initio, -are, commencer : (subst. pl. n.) *initiata,* ce qui a été commencé 13 – inaugurer (une église) 347.

initium, -ii, commencement, principe : *initium sapientiæ, timor Domini,* Ps. 110,10 ; Eccli. 1,16 – *initio* = *in principio* 135 ; *ab initio* 118.

injungo, -ere, enjoindre, ordonner : *injunctum officium* (secr. or. div. 8).

injuria, -æ, injustice, violence : *i. crucis* 192.

injustitia, -æ, état d'injustice, de pécheur, péché 414.

injustus, *-a,* adj. et subst., injuste, méchant, pécheur 414 et passim.

innitor, *-i,* s'appuyer sur (spir.) : *spe gratiæ cælestis i.* 44.

innocens, *-entis,* innocent, qui n'a pas commis le mal : *Christus i.* 230 – Innocentes (*martyres*), les SS. Innocents 109.

innocenter, dans l'innocence, sans pécher : *i. vivere* 425.

innocentia, *-æ,* état de non-pécheur, innocence (de vie) 421 ; 425 ; 427 ; *innocentiæ restitutor* 425 – pureté 492.

innocuus, *-a,* innocent : *i. vita* (all. 1 mai, S. Jos. opif.).

innovo, *-are,* renouveler (spir.) 462 ; (par le baptême) *innovandis gentibus* 335.

innoxius, *-a,* qui ne nuit pas : *sine tuo numine (Sancti Spiritus)... nihil est innoxium* (seq. Pent.).

innuptus, *-a,* non marié 211 ; *mulier innupta* 493.

inobœdientia, *-æ,* désobéissance (d'Adam) : *i. unius hominis* 223.

inordinate, sans discipline morale : *i. ambulare* 389, note 4.

inquinamentum, *-i,* souillure (en gén.) 347 ; (du péché) 419 ; 422.

inquinatio, *-onis,* souillure : *animarum i.* 160.

inquino, *-are,* souiller : *inquinatæ sunt viæ illius* 426 ; *nullis inquinata est (Maria) affectibus* 212.

inquiro, *-ere,* rechercher : *cælestia i.* 405 ; *i. pacem* 497.

inscriptio, *-onis,* ce qui a été inscrit : *divinæ inscriptionis character* 329.

inscrutabilis, *-e,* insondable (le mystère de Dieu) 129.

inseparabilis, *-e,* inséparable, indivisible : *i. Trinitas* 214.

insero, *-ere,* mettre, faire entrer (dans les cœurs) 46 ; 66 – joindre (les mains dans la prière) 24.

insidiæ, *-arum,* embûches (du démon) 321 ; 325 ; (des ennemis) 73.

insidior, *-ari,* (en parl. du démon) tendre des embûches (ben. aq. vig. Pasch., Gel. I, 44,445).

insignis, *-e,* remarquable, (subst. pl. n.) hauts faits (postc. comm. abb., Gel. Cagin 1124).

insipiens, *-entis,* insensé 486.

insipientia, *-æ,* folie (du pécheur) 412.

insisto, *-ere,* s'attacher à, suivre : *i. vestigiis (sancti)* 106.

insono, *-are,* retentir : *tuba insonet* 11.

inspector, *-oris,* celui qui scrute (Dieu) : *i. cordis* 142.

inspiratio, *-onis,* inspiration (de Dieu, de la grâce) 273 ; *tua inspiratione ; cælesti inspiratione* 273.

inspirator, *-oris,* celui qui inspire (Dieu) 273.

inspiro, *-are,* souffler sur, dans 217, note 1 – inspirer (en parl. de Dieu) 147 ; etc. ; *te inspirante* 273.

instans, *-antis,* subst. n., instant : *in primo instanti* 212.

instaurator, *-oris,* celui qui inaugure, crée (en parl. de Dieu) : *omnipotens i.* 138.

instauro, *-are,* renouveler (spir., par le Christ, par l'eucharistie) 14 ; 57 ; 231 ; 255 ; = *recapitulo* 231, note 7 ; *in hoc verbo instauratur* 430 – racheter (Rédemption) 269.

instituo, *-ere,* établir : *in soliditate tuæ dilectionis i.* 46 ; 273 – instruire (spir.) 172.

institutio, *-onis,* institution (de l'eucharistie) 14 – enseignement : *divina i.* 172 ; 432.

institutor, *-oris,* celui qui institue, créateur (Dieu) : *cunctorum bonorum i.* 147 – instructeur (Dieu) : *i. et rector* 32 ; 139 – fondateur (d'ordre) 380.

institutrix, *-tricis,* fondatrice (fig., en parl. de la Sainte Vierge qui a inspiré un nouvel ordre religieux) 380, note 12.

institutum, *-i,* (pl.) institution : *sacri mysterii i.* 5 ; *instituta legalia* 429 – (pl.) ce qui a été institué (par la Providence) 63 ; 70 ; 139 ; 141 ; 265 – (sing.) règle, ordre (monastique ou religieux) 380.

instrumentum, *-i,* ce qui nous munit, nous instruit, = *Testamentum* 168.

instruo, *-ere,* équiper (spir.) 455 – fortifier (par l'eucharistie) 255 – munir, instruire 168 ; 172 ; (en parl. de l'Écriture) 168, note 2 – (pass.) être instruit (par l'exemple d'un saint) 106.

insufflatio, *-onis,* insufflation (au baptême) 218 ; 329 ; 343.

insufflo, *-are,* souffler sur (Jésus, en donnant le S. Esprit) 218.

Insulanus, *-a,* des îles (de Lérins) 379.

intactus, *-a,* vierge : *i. Mater Numinis* 119, note 4 ; 208.

integer, *-gra,* intact : *fidei donum integrum* 464 – vierge (en parl. de Marie) 119 – entier, complet : *i. accipitur* 263.

integritas, *-atis,* innocence (du Christ sans péché) 206 – virginité (de Marie) 211 – virginité (physique) 492, note 2 – intégrité (de la foi) 464 ; *religionis i.* 350.

intellectus, *-us,* action de comprendre

(la volonté de Dieu) : *auge fidem et intellectum* 486 – intelligence (dans la conduite de sa vie) 486.

intelligentia, *-æ,* façon de comprendre (l'Écriture) : *i. spiritalis ; intelligentiæ sensum* 344.

intelligo, *-ere,* comprendre (intr.) : *i. super egenum et pauperem* 482 – comprendre (la volonté de Dieu) 486 – comprendre, entendre (en s'adressant à Dieu) : *intellige clamorem meum* 53.

intemeratus, *-a,* pur : *i. Virgo* 211 – inviolé : *sanctuarium i.* 207.

intendo, *-ere,* (en parl. de Dieu) tourner son attention vers, entendre, remarquer (nos prières, nos offrandes) : *i. vota, preces, sacrificium,* etc. 52 ; *oblationes nostras i.* 248 ; (av. dat.) *i. voci* 52 ; *his sacrificiis i.* 248 – (s. ent. *animum, oculos*) *intendens in cælum,* les regards tournés vers le ciel 201 – (pass.) s'appliquer à : *bonis operibus intentus* 435 – être tendu vers (spir.) : *ad superna semper intenti* (or. 15 aug.) – se hâter : *in adjutorium nostrum intende* 70.

intentator, *-oris,* celui qui ne tente pas (en parl. de Dieu) 325.

intentio, *-onis,* action de tendre, élan, disposition, intention (morale) : *mentis i.* 79 ; *i. cordis* 78, note 3 – intention : *intentiones cordis* 394 ; *pravæ intentiones* 450 ; *in unione illius divinæ intentionis* 505.

intentus, *-a,* p.p. de *intendo,* instant : *intenta prece* 79.

inter, parmi : (dans l'expression du superlatif) *inter mulieres* 118, note 1.

intercedo, *-ere,* intercéder (en parl. des mérites de la Passion) 99, note 2 – (ordin., en parl. d'un saint ou des mérites d'un saint) 98 ; 99 ; etc. ; (de la Sainte Vierge) 116.

intercessio, *-onis,* intercession (en parl. des mérites de la Passion) 99, note 2 ; (d'un saint) 48 ; 99 ; (de la Sainte Vierge) 116 ; 122 ; (des anges) 115.

intercessor, *-oris,* intercesseur (saint) 99 ; 103.

interim, en attendant, sur cette terre 201 ; 395 et note 4.

interior, *-ius,* intérieur, moral 281 ; *homo i.,* l'homme intérieur, l'âme 394 ; (subst. pl. n.) *interiora,* les biens spirituels 394 – l'intérieur, l'âme : *interiora ejus et exteriora* 72.

interitus, *-us,* mort (due au péché originel) 117 – mort éternelle 317.

interius, intérieurement, spirituelle-

ment 394 ; 433 ; etc. ; *i. exteriusque custodi* 398.

intermissio, *-onis,* interruption, arrêt : *sine intermissione gratias agere* 85.

interpello, *-are,* intercéder 205.

interpono, *-ere,* (pass.) intervenir (intercession) : *interposito suffragio* (secr. 1 mai, S. Jos. opif.).

intersum, *-esse,* participer (à une fête) 6.

intervenio, *-ire,* intercéder (en parl. d'un saint) 100 ; (d'un ange) 115 ; (de Marie) *interveni pro clero* 116.

interventio, *-onis,* intercession (d'un saint) 100 ; (d'un ange) 115.

interventor, *-oris,* intercesseur (saint) 100.

interventus, *-us,* intercession (d'un saint) 100.

intimus, *-a,* intérieur, profond : *i. aspersio* 273.

intinctio, *-onis,* baptême 331, note 15.

intingo, *-ere,* baptiser (par immersion) 331 et note 15.

intono, *-are,* c. *insono* 11.

intrinsecus, intérieurement (présence de Dieu) : *i. ambire* 127.

intro, *-are,* entrer (fig.) : *non intres in judicium...* 96.

introeo, *-ire,* entrer, franchir : *paradisi januas i.* 305.

intueor, *-eri,* (en parl. de Dieu) regarder : *dona propitius intuere* 55 ; 248.

intuitus, *-us,* regard (de Dieu sur nos offrandes) : *tua pietatis intuitu* 148 – regard intérieur, vue, considération : *mysterium puro intuitu cernere* 273.

intus, intérieurement, spirituellement 394.

invenio, *-ire,* trouver, (pass.) être trouvé, se montrer, se révéler 435.

inventio, *-onis,* découverte (de reliques), „Invention" : *I. sancti Stephani* 109 ; *I. salutiferæ Crucis* 192.

investigabilis, *-e,* insondable (les voies de Dieu) 129 ; *i. divitiæ Cordis tui* 150.

investigo, *-are,* pénétrer à fond (les mystères) 263, note 3.

inveterator, *-oris,* (en parl. du démon) celui qui rend invétéré, qui implante : *i. malitia* 323 – le fourbe 323, note 6.

invetero, *-are,* (pl. n.) *inveterata,* ce qui était tombé de vieillesse, enraciné dans le mal (par le péché originel) 231.

invicem, mutuellement (charité réciproque) : *supportare i. ; diligere i. ; caritas in i. ; pro i.* 478.

invictus, *-a,* invaincu, invincible (martyr) 98 ; 110.

inviolabilis, *-e,* inviolable, intangible,

inaltérable : *i. natura (Dei)* 126 –
inébranlable : *i. affectus caritatis* 46 ;
i. fidei firmitas 415.

inviolatus, *-a,* intact, pur : (Marie)
inviolata et casta es (seq. „*Inviolata*") ;
119.

invisibilis, *-e,* invisible (Dieu) 128 ;
invisibili potentia sacramentorum 249,
note 1 ; *i. ignis* 406 ; *i. effectus* 249 ;
406 – (subst. pl. n.) les choses invisibles 135 ; 182 ; 406.

invisibiliter, d'une manière invisible
128.

invocatio, *-onis,* invocation : *invoca-
tiones nostræ* 78 ; *i. nominis tui* 78 ;
346 et passim.

invoco, *-are,* appeler, invoquer : *i. Dominum* 56 ; *i. nomen Dei* 78 ; (abs.)
98 et passim ; (intr.) *in nomine Domini
Dei i.* 78.

involvo, *-ere,* envelopper (de langes)
50 ; *in sancta sindone i.* 195.

ipse, *-a,* lui-même : *ipsissima verba* 118,
note 3 – *is ipse = idem* (v. Dict.) ;
in idipsum, a) au même instant – b) d'un
commun accord (Ps.) 350, note 7

– *id ipsum dicere,* être unis de pensée
352.

ira, *-æ,* la colère (de Dieu) 59 ; 146 ;
i. indignationis 59 ; (au jugement dernier) *ventura i.* 203 ; 442 (Soph.).

iracundia, *-æ,* la colère (de Dieu) 59 ;
73 ; 146.

irascor, *-i,* s'irriter (en parl. de Dieu)
59 ; 155 – (pers.) *i. fratri* 476.

irradio, *-are,* illuminer (de la lumière
du S. Esprit) 219.

irreprehensibilis, *-e,* irréprochable,
parfait : *lex Domini i.* 429.

irritus, *-a,* sans effet, non réalisé :
i. votum 82.

irruo, *-ere,* se précipiter dans, envahir :
a vitiis irruentibus (or. 4, sabb. Quat.
T. Sept).

is, *ea, id,* v. *is ipse* à *ipse.*

ischyros (ἰσχυρός), fort : *agios, i.*
(improp. Parasc.).

iter, *itineris,* c. *via,* la route (fig.), la
conduite : *i. impiorum* 426 – (sens pr.)
voyage : *iter agentes,* les voyageurs 75.

iteratio, *-onis,* répétition, promulgation
nouvelle : *legis i.* 432.

J

jaceo, *-ere,* être gisant (fig., sous le
coup du péché originel) : *jacentem
mundum* 187.

jacto, *-are,* rejeter (ses pensées, ses
soucis) sur, confier à, abandonner :
j. in, super 49 et note 10.

jaculum, *-i,* trait (fig.) : *jacula ignita
(Inimici)* 325.

janitor, *-oris,* portier (ordre eccl.) 368,
note 36 – (S. Pierre) *j. cæli* 104.

janua, *-æ,* porte (fig.) : *januam misericordiæ adaperire* ; *j. pietatis* 277 ; (du
ciel) *paradisi januas* 305 ; (appellation
du Christ) 233 ; (de Marie) *Regis alti j.*
118 ; 210 ; *cælestis aulæ j.* 120.

jejunium, *-ii,* jeûne : *jejuniorum munera*
67 ; *tibi accepta jejunia* 69 ; *corporale j.* ;
jejunii devotio 450.

jejuno, *-are,* jeûner 76 ; 450 – (fig.)
j. a culpa, a vitiis 282 ; 413 ; 448.

jejunus, *-a,* à jeun, (fig.) qui s'abstient :
j. a vitiis 413, note 3.

Jesus, *-u, Jesus Christus, Dominus Jesus
Christus* (passim) ; *admirabile nomen
Jesu* 204 ; *puerum Jesum praesentavit*
184 ; v. *Infans* ; *Jesu* ; *pie Jesu* ; *dulcissime Domine Jesu* 34 ; 38 ; 49 ; 51.

jubar, *-aris,* éclat, lumière (du S. Esprit) 219.

jubeo, *-ere,* ordonner (parole créatrice) 133 – *jube, jubeas,* veuillez 62 et
note 1 – v. *jussum.*

jubilatio, *-onis,* chant de joie, cri de
joie 38 ; *laus et j.* 12.

jubilo, *-are,* pousser des cris de joie 12 ;
jubilemus ei (Domino) 27.

jubilus, *-i,* chant de joie 12 ; 50.

jucunditas, *-atis,* joie : *castis jucunditatibus celebrare* ; *sanctæ jucunditatis affectus* 9 ; (de la venue future du Messie)
vide jucunditatem 175 ; (du ciel) *indumenta jucunditatis* 300 – (myst., en parl.
de l'habit ecclés.) *tunica jucunditatis*
373 ; (du martyr) *stola jucunditatis* 373.

jucundor, *-ari,* être dans la joie (spir.) 9
– se réjouir (Vulg. passim).

jucundus, *-a,* joyeux : *nos... jucundos
interesse festivitati* 9 ; *j. habitaculum* (de
Dieu chez les saints) 153 ; (le nom de
Jésus) 50.

Judaicus, *-a,* juif : *J. perfidia* 392.

judex, *-icis,* juge (Dieu) : *j. vivorum et
mortuorum* 143 ; (le Christ au jugement
dernier) *j. venturus* ; *ultimæ diei j.* ;

▼ L

5

sæculi j. 202 ; (S. Pierre) *j. sæculi* 98.

judicialis, *-e,* qui juge, condamne :
j. sententia (Dei) 96.

judicium, *-ii,* disposition juste, loi (de
Dieu, Ps.) : *in judiciis ambulare* 427 ;
430 – jugement (de Dieu) 96 ; 143 ;
(qui appartient au Fils) 202 – jugement (dernier) : *dies judicii ; ultimum
j. ; novissimum j.* 202 ; 203 – jugement
qui condamne, condamnation : *j. ultionis ; intrare in judicium cum servo tuo*
96 ; *ad judicium provenire ; provenire in
judicium et condemnationem* 278.

judico, *-are,* juger (en parl. de Dieu)
143 ; (au jugement dernier) 96.

jugis, *-e,* ininterrompu, sans fin :
j. honor 38.

jugiter, sans cesse 21 ; 47 ; 49 ; 244 ;
etc.

jugo, *-are, jugata,* (l'Église) épouse
(du Christ) 51 ; (la Jérusalem céleste)
313.

jugum, *-i,* joug (fig.), esclavage
(du péché originel) : *peccati j.* 223 ;
224.

jumentum, *-i,* animal : *pia jumenta*
50, note 15.

jungo, *-ere,* joindre : *j. manus* (dans la
prière) 84 – joindre (au nombre des
élus) 62 – unir (par le mariage) 340,
note 2.

juramentum, *-i,* jurement (fait par
Dieu) : *complere j.* 164.

juro, *-are,* (en parl. de Dieu) jurer,
promettre (abs.) 164 ; *j. si, nisi* 164 et

note 2 – (en parl. de pers.) *j. in cælo* 291.

jus, *juris,* droit : *jura æternæ legis* 429 ;
apostolicæ sedis jura (or. 13 mai.).

juste, justement, avec justice, d'une
manière méritée : *j. affligi* 443.

justificatio, *-onis,* (pl.) commandements justes (de Dieu, Ps.) 430 –
actions saintes, bonnes œuvres 373 ;
434 – le fait d'être justifié (par la
grâce, les bonnes œuvres) 276 – justification (de l'homme par la grâce, la
Rédemption) 198 ; 232.

justifico, *-are,* déclarer juste, innocent,
absoudre, justifier : *quos vocavit, hos
et justificavit* 275 ; *j. ex fide* 44 ; *ex
operibus justificatus homo* 276 ; *justificati
gratia ipsius* 274 ; (par la Rédemption)
justificatarum gentium plenitudo 232 ;
(en parl. du Messie, du Serviteur
de Yahvé) *justificabit... multos* 187,
note 9.

justitia, *-æ,* justice (de Dieu) : *judicare
in justitia* 143 – action salvifique (de
Dieu) 276, note 1 – (concr.) justice,
hommes justifiés 230 – vie juste,
perfection morale, sainteté 484 –
justice (sens ordin.) : *regnum justitiæ*
484.

justus, *-a,* adj. et subst., juste, saint,
vertueux, qui suit la loi de Dieu 99 ;
276 ; 484 ; et passim – (nom du
Messie) 204.

juventus, *-utis,* jeunesse (spir.) : *animæ j.* 422 (cf. Ps. 42,4).

K

Kyrie, (voc.) Seigneur, v. *Dominus.*

L

labes, *-is,* tache, souillure (du péché) :
culparum l. 419 ; (du péché originel)
ab omni labe immunis (Maria) 42 ;
sine labe concepta 212 ; *ab originali labe
præservasti* 223.

I **labor,** *-ari,* chanceler (moral.), être
tenté 34.

II **labor,** *-i,* glisser, tomber (dans le
péché) : *lapsi ; lingua* ou *in lingua labi*
421 ; *sine te labitur* 401.

III **labor,** *-oris,* travail : *Deus, qui legem
laboris humano generi statuisti* (or. 1 mai.
S. Jos. opif.) – (pl.) fruit de son travail, salaire 362, note 13 – souffrance :
in labore et ærumna 443 ; (de la Passion)
194.

laboriosus, *-a,* pénible (le combat de
ce monde) 405.

laboro, *-are,* souffrir (maladies, tribulations) 443.

lac, *lactis,* lait (fig., de la doctrine) 334
et note 25 – *lac et mel* 175, note 8 ;
(la terre promise) *terram fluentem lacte
et melle,* Ex. 13,5 ;

lacrima (lacryma), *-æ,* larmes (du
repentir) 92.

lacrimabilis, *-e,* c. *lacrimosus ; dolorosa et l.* (grad. Sept. Dol. B.M.V.).

lacrimabiliter, avec des larmes : *l.
quæsumus* 62.

lacrimosus, *-a,* de larmes, en pleurs :
l. dies illa („*Dies iræ*") ; *mater l.* (seq.
„*Stabat Mater*").

lacto, *-are,* allaiter : *lacta, mater, cibum
nostrum* 50, note 15 – pour *lactans* et
lactens, v. le Dict.

lacus, *-us,* fosse, tombe, mort : *descendere in lacum* 166 – l'outre-tombe
et l'enfer 314 ; 315 et note 7 – l'enfer 96.

lædo, *-ere,* blesser, offenser (Dieu) 420.

lætifico, *-are,* réjouir (par la célébration
d'une fête) 9 ; 110 ; (par l'attente du
Messie) 177.

lætitia, *-æ,* joie (des fêtes, de leur
célébration) 9 – (en parl. de Judith,
de Marie) *l. Israel* 118 – bonheur (du
ciel) : *æterna l. ; perpetua l. ; infinita l.*
300.

lætor, *-ari,* se réjouir, être dans l'allégresse : *lætetur ecclesia* 12 ; (au ciel)
298 – célébrer dans la joie : *cujus passione lætamur* 109 – se réjouir de (av.
prop. inf.) 61 – se réjouir de, jouir de
75 et note 14.

lætus, *-a,* joyeux (fête) 9 ; *Redemptorem
læti suscipimus* 178 ; (au ciel) *læti suscipi* 62.

laicus, *-a,* adj. et subst., laïc, laïque 386.

lamenta, *-orum,* lamentations : *l. pænitentiæ* 91.

lamentabilis, *-e,* gémissant : *l. prex* 62.

lancea, *-æ,* lance (de la Passion) :
clavis et lancea vulnerari 195.

languor, *-oris,* maladie : *vere languores
nostros ipse tulit* 187 – maladie (de
l'âme) 282.

lapideus, *-a,* de pierre : *simulacra l.* 159.

lapis, *-idis,* pierre : *primarius l.,* première pierre (d'une église) 88 ; *lapidem collocare* 88 – (myst., en parl. des
élus, de la Jérusalem céleste) *vivis
ex lapidibus* 304 ; 313 et note 36 –
(en parl. du Christ) pierre (angulaire) :
l. angularis 88 ; 206 – *l. offensionis,*
pierre d'achoppement 454.

lapsus, *-us,* chute, faute, écart : *l. linguæ* 421 ; (pl.) *lapsus criminum* 421.

laqueator, *-oris,* celui qui tend des
pièges (le démon) 323.

laqueus, *-i,* lacet, piège 226 ; *a diaboli
laqueis* 321 ; *l. satanæ* 326 ; *l. peccati* 411.

largior, *-iri,* (en parl. de Dieu) accorder avec profusion, accorder (grâce,
faveur) 51 ; 62 ; 66 ; etc.

largitas, *-atis,* libéralité, générosité
(de Dieu) 82 ; 88 ; 151 – (concr.) don
prodigué 256.

largitor, *-oris,* (en parl. de Dieu) celui
qui accorde : *l. bonorum* 152 ; *l. veniæ*
272.

largus, *-a,* abondant : *l. benedictio* 88.

lascivia, *-æ,* laisser-aller 9.

lateo, *-ere,* (intr.) être caché (mystère)
129 ; *latens deitas* (dans l'eucharistie)
19 ; 263 – (tr.) échapper aux regards
de : *l. Deum* 142.

latito, *-are,* être caché, voilé (présence
réelle) 263.

latitudo, *-inis,* largeur (myst.) 507.

latro, *-onis,* le (bon) larron 90.

latus, *-eris,* côté, flanc (du Crucifié) 35 ;
perforatum latus 195 – (symb.) *latus
templi* 221.

laudabilis, *-e,* digne de louange : *l. nomen Domini* 26 – vénérable : *prophetarum l. numerus* 26, note 7 ; *l. virginitas*
(*Mariæ*) 211.

laudabiliter, d'une manière louable,
honorable : *digne et l. servire* (*Deo*) 2 ;
l. vivere 425.

laudatio, *-onis,* louange : *l. Domini ;
digna l.* 26 ; 38 ; 239 ; *l. Dei* 27 ;
(au ciel) *ad perpetuam tuæ majestatis
laudationem perducere* 312.

laudo, *-are,* louer (Dieu) : *digne l.* 24 ;
*majestatem tuam laudant angeli, adorant
Dominationes* 19 ; *laudare atque benedicere* 25 ; *laudemus inter cælites* 312
– louer (la Vierge) 62.

laurea, *-æ,* laurier (du martyre) 110 ;
(de la Passion triomphante) 193.

laureatus, *-a,* ceint de laurier (martyr)
110.

laus, *laudis,* louange (à Dieu) 10 et passim ; *laudes referre, persolvere ; nunquam laude cessare* 26 ; *laus et perennis
gloria ; laus Deo Patri...* 38 ; *ad laudem
nominis tui* 108 ; *hostia laudis ; sacrificium laudis* 26 ; 235 ; *l. perennis* 31 ; (en
parl. de la messe) 239 ; (au ciel) 312
– *laudes,* office de laudes 26.

lavacrum, *-i,* bain (sacré du baptême) :
l. aquæ 331 et note 14 ; *l. regenerationis ;
l. salutiferum* 331 – (du Jourdain) 206
– *l. sanguinis* 335, note 24.

I **lavo,** *-are,* laver, purifier : *l. aliquem ;
l. peccata* 281 ; (par la Rédemption)
culpas l. 232 – (pass.) être baptisé 331
et note 14.

II **lavo,** *-ere*, p.p., *loti*, c. *lauti* 331, note 14.

laxo, *-are*, relâcher : *tensa laxa viscera* 51.

lectio, *-onis*, lecture, leçon, texte, passage (de l'Écriture) 168.

lector, *-oris*, lecteur (ordre eccl.) 368.

lentesco, *-ere*, (fig.) adoucir 51.

legalis, *-e*, légal, de la Loi ancienne : *legalia instituta* ; *legales hostiæ* 234 ; 429 ; *agnus l.* 234.

legifer, *-eri*, législateur (le Seigneur, le Christ) : *l. noster* 177.

legitime, selon les règles : *l. certare* 440.

legitimus, *-a*, subst. pl. n., les rites de l'ancienne Loi 429.

lego, *-ere*, (abs.) lire (dans l'Écriture) 168.

lenitas, *-atis*, douceur : *gravis l.* 487.

letania, c. *litania*.

leo, *-onis*, le lion, le démon : *de ore leonis liberare* 316 ; *l. rugiens* 325.

levamen, *-inis*, soulagement : *l. indulgentiæ* 277.

levita, *-æ*, membre de la tribu de Lévi, lévite, diacre 109 ; 363.

leviticus, *-a*, lévitique, de diacre : *l. ordo* 363.

levo, *-are*, lever : *l. oculos in montes* 207, note 13 ; *l. manus* (dans la prière) 84 – (pass.) s'élever : *in aera levari* 506 – (fig.) élever (son âme vers Dieu) 43.

lex, *legis*, la loi mosaïque, l'ancienne Loi : *l. vetus* ; *dare legem* ; *solvere legem* 168 – le Pentateuque : *lex et prophetæ* 168 ; 428 – la loi chrétienne : *lex* ou *lex fidei* 429 ; la loi de Dieu (en gén.) : *l. non scripta* ; *divina l.* ; *l. tua* ; *l. æterna* ; *sacra l. connubii* 429.

libamen, *-inis*, action de goûter (à l'eucharistie) 194 ; 256 – (pl.) offrandes (euchar.) 244.

Libanus, *-i*, le Liban (blancheur) 355 ; *venire de Libano, a Libano* (en parl. de l'épouse, de l'Église) 355.

libatio, *-onis*, action de goûter, de participer (à l'eucharistie) 256 ; 395.

I **liber,** *-era*, libre, sans entraves : *l. servitus* 1 – (en parl. de l'âme) libre, dégagé (du mal) : *liberis mentibus* ; *libera mente* 283 ; etc.

II **liber,** *-bri*, livre (où tout est inscrit, où sont inscrits les élus) 167 ; *l. vitæ* ; *l. viventium* 275 et note 2 ; *prædestinationis l.* 275.

liberalitas, *-atis*, générosité (de Dieu, qui a donné son Fils) 269.

liberatio, *-onis*, libération, rédemption : *dies liberationis nostræ* 182.

liberator, *-oris*, (en parl. de Dieu) libérateur : *l. meus* 43 – le Rédempteur 327.

libero, *-are*, libérer, délivrer, sauver : (en parl. de la Rédemption) 79 ; 180 ; *l. omnes* ; *l. a lege peccati* 227 ; *liberandis omnibus venit* 275 – délivrer (du mal, des liens du péché) : *a peccatorum nexibus l.* 279 ; 283 ; *l. a malo, ab omnibus adversis, a peccato*, etc. 73 ; (de la mort éternelle) 96 ; 285.

libertas, *-atis*, liberté acquise, rachat (par le Christ) 227 – le fait d'être dégagé (du péché) 283 – absence de contrainte : *casta l.* (chez l'épouse) 487 – liberté (de l'Église) : *secura tibi serviat libertate* 351 – (au ciel) *l. perpetua* 302 – liberté politique : *l. Romani nominis* 75.

libido, *-inis*, passion, concupiscence 418 ; *incentiva libidinum* 424.

libo, *-are*, goûter à, participer à (l'eucharistie) 256.

licentia, *-æ*, licence, ce qui est permis : *l. conjugalis* 341.

ligneus, *-a*, de bois : *simulacra l.* 159.

lignum, *-i*, arbre : *l. scientiæ boni et mali* ; *l. vetitum* 223 – le fruit défendu : *comedere de ligno* 223 – l'arbre, le bois (de la croix) : *lignum* (seul) ou *l. crucis* ; *suspendere in ligno, super lignum* ; *l. vitæ* ; *in ligno vincere* ; *vitalis ligni pretio* 192 et note 8 ; *l. sanctæ crucis* 441.

ligo, *-are*, lier, interdire (en parl. du pouvoir des clefs) : *quodcumque ligaveris...* 280.

limbus, *-i*, bordure (de l'enfer), limbes 314, note 1.

lineo, *-ere*, c. *linio* 330.

lingua, *-æ*, langue, parole : *labi lingua* ou *in lingua* 421 ; (opp. à *vita*, la conduite, les actes) 425 – langues (de feu, à la Pentecôte) : *linguæ tanquam ignis* 218.

linio, *-ire*, oindre : *l. chrismate salutis* ; *l. oleo salutis* 330.

linteamen, *-inis*, (pl.) linges sacrés, linges d'église 88 ; 347.

lis, litis, procès, contestations 419.

litania, *-æ*, litanie, supplication 33.

litatio, *-onis*, action d'offrir : *l. sacrificii* 239.

litigo, *-are*, être querelleur 497.

lito, *-are*, offrir (le saint sacrifice) 239 ; 245.

littera, *-æ*, la lettre (opp. à l'esprit) 171 – *litteræ cælestes*, c. *liber vitæ* 94 et 275.

liturgia, *-æ*, liturgie 1.

liturgicus, *-a*, liturgique 1.

loco, *-are,* placer : *in superna felicitate l.* 275 ; 299.

locus, *-i,* lieu (en parl. d'une église) : *super hunc locum ; terribilis est locus iste* 345 ; *loca nomini tuo dicanda* 346 – place : *locum pastoris tenere* 371 – (locut., dans l'exorcisme) *dare locum,* céder la place : *da locum Christo, Spiritui Sancto* 327.

locutio, *-onis,* parole : *criminosa l.* 339.

longanimitas, *-atis,* longanimité 497.

longe, *de longe,* de loin : *non Deus de longe* 142 (opp. *Deus e vicino*).

longitudo, *-inis,* longueur (en parl. des dimensions mystérieuses du salut) 507.

loquor, *-i,* (en parl. de Dieu dans l'A.T.) dire solennellement : *l. ad domum Israel ; l. ad patres nostros ; l. justitiam* 170 – dire, promettre : *loquens locutus sum* 164 – parler, professer, annoncer : *credidi, propter quod locutus sum* 40 ; *l. verbum tuum* 170 ; *quod lingua loquitur* 425.

lorica, *-æ,* cuirasse (symb.) : *l. justitiæ* 441.

lubricus, *-a,* qui fait chanceler, tomber (dans le péché) 73 ; 421.

luceo, *-ere,* luire : *lux æterna luceat eis* 308.

lucerna, *-æ,* lampe, lumière (en parl. de la parole de Dieu) 154 – (sens pr.) 308 ; (symb.) 452.

lucidus, *-a,* clair, non équivoque (loi de Dieu) 430.

lucifer, *-eri,* étoile du matin, Porte-lumière (appellation du Christ) 207 ; *ante luciferum,* avant l'étoile (avant les astres) 183 – (nom appliqué à Satan) 324.

lucror, *-ari,* gagner (une âme), convertir : *l. fratrem suum ; l. animas* 453.

lucrum, *-i,* gain (spir.) : *lucra animarum quærere* 371 ; *mihi... vivere Christus est, et mori lucrum,* Philipp. 1,21.

lucta, *-æ,* c. *colluctatio* 440, note 1.

luctor, *-ari,* lutter (dans l'agonie) 407.

lugeo, *-ere,* pleurer (les souffrances du Christ) 121.

lumbus, *-i,* (pl.) les reins : *lumbos præcincti, succincti* 441 – reins (siège de la vie affective) 432, note 2 ; (siège de la concupiscence et du pouvoir générateur, Vulg.) *præcinge... virtute castitatis lumbos meos* (præp. ad miss. episc., ad cing.).

lumen, *-inis,* lumière (de Dieu) : *in lumine vultus tui ; in lumine tuo ; l. claritatis ; l. animarum* 154 ; *l. æternum ; l. indeficiens ; Pater luminum* 126 – (appellation du Christ) 207 ; (en parl. du Fils) *lumen Patris de lumine* 34 ; *lumen de lumine* 216 – lumière (dans la nuit de l'Incarnation) 182 – (de la grâce) 88 ; 273 ; (du ciel) 94 ; *beato collocari lumine* 308 ; (du S. Esprit) 219.

luminaria, *-ium,* luminaire, cierges 219 – lumières (astres) 406.

lutum, *-i,* argile (du potier) 137, note 10 ; limon (pétri par le Créateur) 400.

lux, *lucis,* lumière (de Dieu) : *l. credentium* 34 ; *lux inaccessibilis ; l. suæ immortalitatis* 126 ; *l. hominum* 154 ; *l. perpetua, æterna, indeficiens, perfecta* 308 – (du S. Esprit) 219 – (en parl. du Fils) *l. ipse lucis* 216 ; (appellation du Christ) 207 – lumière (du Verbe à la Nativité) *Verbi tui luce* 182 – lumière (de la grâce) 273 ; (du ciel) *l. æterna ; l. perpetua ; locus lucis ; regio lucis* 94 ; *l. perfecta* 308 – lumière (des chrétiens) : *luceat lux vestra ; l. mundi* 453.

luxus, *-us,* excès 9.

M

machina, *-æ,* ensemble construit, construction (en parl. de la création) : *trina m.,* les trois mondes (terre, mer, astres ou terre, ciel, enfers) 138 et note 1.

machinamentum, *-i,* ruse, machination (du démon) 325.

maceratio, *-onis,* mortification : *carnis m. ; jejunii m.* 447.

macero, *-are,* mortifier, (pass.) se mortifier, souffrir (volontairement) 316 ; 447.

macula, *-æ,* tache (fig.) : *ecclesiam non habentem maculam aut rugam* 355 – (spir.) tache (du péché) 281 ; 282 ; 334 ; 419 ; *absque macula* 185.

mæreo, *-ere,* s'affliger : *mærentes oculi* 204 – (subst. pl.) *mærentes,* les affligés 152.

mæstus, *-a,* affligé : (subst.) *Deus, mæstorum consolatio* 152.

Magi, *-orum,* les Mages 20.

magister, *-tri,* le Maître (en parl. du Christ) 205 ; *pacis m.* 50, note 15

– maître (en parl. de S. Paul) : *mundi m. ; m. gentium* 104 et note 4.

magisterium, *-ii,* magistère, enseignement (de S. Pierre et de S. Paul) 104 – (pl.) leçons (d'un saint) 106.

magistra, *-æ,* celle qui enseigne : *m. omnium credentium fides* 464.

magnalia, *-ium,* hauts faits (de Dieu), miracles 132 ; 155.

magnificentia, *-æ,* la grandeur, la majesté (de Dieu) : *elevata est m. tua super cælos ; magnificentiam tuam prædicare* 130 – action de magnifier : *in tui nominis magnificentiam* 29.

magnifico, *-are,* magnifier, glorifier (Dieu) 22 ; 26 ; 29 ; 66 – montrer magnifiquement : *m. misericordiam suam* 151.

magnificus, *-a,* magnifique, grandiose : *m. sacramenta* 261.

magnus, *-a,* grand (en parl. de Dieu, de sa puissance) 130 – *magnum efficere,* faire grand (un saint) 107.

majestas, *-atis,* majesté, grandeur (de Dieu) : *divina m.* 17 ; *M. tua* 22 ; 23 et passim ; *sempiterna deitatis majestate servata* 186 – majesté, puissance (égale dans les trois Personnes) 215.

maledictio, *-onis,* promesse de malheur, malédiction 164.

maledictus, *-a,* p.p. de *maledico,* maudit (en s'adressant au démon dans l'exorcisme) : *maledicte* ou *maledicte diabole* 321 ; *maledicte satana* 326 – (subst. n.) malédiction : *nos redemit de maledicto legis* 192 ; 230.

malignus, *-a,* mauvais, malin : *spiritus maligni* 114 ; 326 ; *hostis m.* 192 – (subst.) le Malin 323.

malus, *-a,* mauvais : *mali spiritus ;* (ou subst.) *Malus* 323 – (subst. n.) le mal : *malum pro malo reddere* 472 ; *ab omni malo liberare* 73 – (pl.) maux, calamités 443 – ou le mal moral ou les deux à la fois 417 ; *mala præsentia ; vitiorum mala ; mala quæ fecimus* 417.

mandatum, *-i,* commandement (de Dieu) 426 ; 430 ; 433.

mando, *-are,* ordonner (parole créatrice) 135.

manducatio, *-onis,* action de manger (le pain eucharistique) : *in manducatione carnis suæ* 263.

manduco, *-are,* manger (le pain euchar.) 262 ; 263.

mane, le matin : *in mane* 57.

maneo, *-ere,* demeurer (Dieu en nous, avec nous, ou nous en Dieu) 60 ; 153 – demeurer, être éternel (parole de Dieu) 170 ; *manens civitas* 404.

manifestatio, *-onis,* manifestation, apparition 203 note 2 – (du S. Esprit) 218.

manifeste, d'une manière manifeste 182.

manifesto, *-are,* (en parl. de Dieu) manifester, faire voir (sa puissance) 130 ; 277 ; *m. gloriam suam* 196 – *se m.,* se manifester (Dieu à nous) 153, note 1 ; apparaître (en parl. du Christ ressuscité) 200 – faire voir au grand jour, révéler (les consciences) : *m. consilia* 202.

manifestus, *-a,* clairement manifesté (le Christ ressuscité) *m. apparuit* 200 ; *manifestissima veritas* (au ciel) 298.

manipulus, *-i,* gerbe, (et symb.) manipule 342 – (autre symb.) *portare manipulum fletus et doloris* (præpar. ad miss.).

manna, *-æ,* ou indéc., manne 255.

mansio, *-onis,* demeure (de Dieu en nous) 153 – demeure (au ciel) : *æterna m. ; multæ mansiones* 304 et note 22 – lieu où reposent (des reliques) 108.

mansuetudo, *-inis,* douceur, mansuétude (de Dieu) 151 – douceur (vertu) : *m. et humilitas* 497 – clémence : *judicum m.* 482.

mansuetus, *-a,* doux (en parl. de Dieu) 15 ; modeste 151, note 15 – (chez les hommes) 497.

manufactus, *-a,* fait de main d'homme ; (pl. n., en parl. des temples) *in manufactis* 125.

manus, *-us,* la main, le bras (protecteur de Dieu) 57 ; (qui punit) *incidere in manus Dei viventis,* Hebr. 10, 31 ; cf. 2 Reg. 24, 14 ; Eccli. 2, 22 ; *in manus tuas commendo spiritum meum,* Ps. 30, 6 – (locut.) *jungere manus ; levare manus ; tollere manus ; expandere manus* (dans la prière) 84 – *imponere manus ; impositio manuum* (pour donner le S. Esprit) 338 ; (dans l'ordination) 368.

mare, *-is,* mer (fig.) : *m. sæculi* 442.

margarita, *-æ,* perle (myst.) 49 ; (fig., en parl. des larmes, secr. 21 jun.).

Maria, *-æ,* Marie : *beata Maria, sancta Maria, Beata Maria Virgo,* ou *B. M. semper Virgo* 116 et passim.

martyr, *-yris,* témoin (du Christ), martyr 109 ; *primus m.* = *protomartyr* 109 – (en parl. du Christ) *rex martyrum ; caput martyrum* 109.

martyra, *-æ,* une martyre 109.

martyrium,, *-ii,* le martyre 109.

mater, *-tris,* mère (en parl. de la Sainte Vierge) : *Mater Dei ; M. Domini ; M. tua ; Redemptoris M. ; M. Virgo ; M.*

Numinis 116 ; 208 et passim ; *M. Christi* 120 ; *m. misericordiæ* 120 ; 208 ; *m. divinæ gratiæ* 120 ; (notre mère) 122 - (en parl. de l'Église) *m. ecclesia ; sancta m. ecclesia* 354.

materia, *-æ,* matière (d'un sacrement) 368 et note 33.

maternitas, *-atis,* maternité (de la Sainte Vierge) : *m. divina ;* (fête) *M. Beatæ Mariæ Virginis* 208.

maternus, *-a,* maternel (en parl. de Marie) : *maternam ejus opem implorare* 122.

matutinus, *-a,* du matin : *matutinis sacrificiis* 2, note 9 - (subst. n.) *matutinum, ad matutinum,* le matin, à matines 2, note 9.

medela, *-æ,* remède, guérison (spir.) 45 ; 450 ; (en parl. de la Rédemption) 228 ; (de l'eucharistie) 253 ; (du ciel) *æternitatis m.* 310.

medeor, *-eri,* guérir : *animarum nostrarum medere languoribus* 282.

Mediator, *-oris,* le Médiateur (le Rédempteur) : *m. Dei et hominum ; m. noster* 205, 230 ; 210, note 1 ; *novi testamenti m.* 78 ; 205 ; *m. Jesus ; mediatoris adventus* 230 ; *homo m.* (*Jesus*) 269.

mediatrix, *-tricis,* médiatrice (Marie) 116 ; 210 ; (en parl. de la nature humaine du Christ) 210.

medicamentum, *-i,* remède (spir.) 207.

medicatio, *-onis,* remède, guérison (en parl. de l'eucharistie) 253.

medicina, *-æ,* remède (en parl. de l'eucharistie) : *cælestis m. ; m. sacramenti* 253 - (le ciel) *m. post mortem* 310.

medicinalis, *-e,* qui guérit, salutaire (spir.) 74 ; (eucharistie) *m. operatio* 253.

medicus, *-i,* médecin : (appellation du Christ) *cælestis M. ; M. salutaris* 207.

meditatio, *-onis,* méditation, contemplation 506, note 1.

meditor, *-ari,* méditer 395, ou s'exercer à (Ps) 506 note 1 ; *rationabilia meditantes* 439.

medulla, *-æ,* moelle (fig.), l'intimité de l'âme 49.

mel, *mellis,* miel : v. *lac* - (fig.) *m. in ore* (en parl. du nom de Jésus) 50.

mellifluus, *-a,* qui distille le miel (myst.) : *cæli melliflui* 175.

melodus, *-a,* mélodieux, qui chante : *melodis vocibus* 11.

melos, *-odis,* mélodie, chant (fig.) 50.

membrum, *-i,* membre (du corps mystique) 348.

memini, *-isse,* se souvenir (en parl. de Dieu) : *ignorantias meas ne memineris* 58 ; *memento* 58 et note 6 ; 95.

memor, *-oris,* qui se souvient : *tuorum m. vulnerum* 51 - (en s'adressant à Dieu) *m. esto,* souviens-toi 58 - *memores,* nous souvenant de, faisant mémoire de 238 ; 191.

memoria, *-æ,* souvenir : *in memoria æterna erit justus* 94, note 1 ; *in omni memoria vestri* 77 ; *recolere memoriam* (*sancti, sanctorum*) 14 ; *memoriam celebrare* 15 ; *ecclesiam in honorem et memoriam sancti consecrare* 346 - (d'un défunt) *bonæ* ou *sanctæ memoriæ* 94 - (au saint sacrifice, mémorial de la Passion) *in memoriam mei facietis ; passionis tuæ m. ; ob memoriam passionis, resurrectionis et ascensionis* 236 ; (des témoins de Jésus) *memoriam venerantes* 236.

memoriale, *-is,* (en parl. de l'eucharistie) mémorial, souvenir : *caritatis tuæ m. ; passionis tuæ m.* 236.

mens, *mentis,* l'âme, l'esprit (opp. au corps) : *salutem mentis et corporis* 398 - (pl.) les âmes, les cœurs : *mentes illuminare, purificare,* etc. 396 - dispositions intérieures : *puris mentibus* 2 ; 47 ; (sing.) *pura mente ; fideli mente* 262 ; 396 ; etc. ; *libera mente ; secura mente,* etc. 396 ; *devota mente* 21.

mensa, *-æ,* table sainte : *mensæ Domini participes* 254 et note 2 ; *cælestis m. ; sacra m. ; m. cælestis convivii* 254 ; 256 - *m. dæmoniorum* (en parl. des sacrifices aux idoles) 254.

mensura, *-æ,* mesure (juste, équitable) : *m. bona* 485.

mensurabilis, *-e,* mesuré, fini : *mensurabiles dies meos* 400.

merces, *-edis,* salaire, récompense (du ciel) : *copiosa m.* 303 - aumône, pitié, merci (rachat des captifs) 481 ; 122.

mereo, *-ere* et **mereor,** *-eri,* mériter de, avoir le mérite de 62 - (sens affaibli) mériter de, obtenir de, avoir la faveur de (av. acc. ou av. inf.) 61 ; 96 ; et passim ; *mereri vitam æternam ; accipere mereamur ; adorare meruimus* 288 - mériter (péjor.) : *pro peccatis nostris m.* 286 ; 73 ; 146.

mergo, *-ere,* plonger (dans l'eau baptismale) 333 - (pass.) faire naufrage (spir.) 421 - (fig.) *sopore mersos* 73.

meritum, i, mérite (d'un saint) : *merito castitatis, fidei* 288 ; (ordin. pl.) *merita sanctorum* 97 ; 288 - nos mérites, ce que nous méritons (en bonne ou mauvaise part) ; *merita nostra ; nostris meritis non valemus* 287 ; 68 ; *ex merito*

nostræ actionis 286 ; *m. peccatorum* 286 –
chance, grâce : *fidei christianæ m.* 65 ;
464 – rang (de prêtre) : *sacerdotale m.*
65 et note 3 ; *secundi meriti munus* 360.

Messias, *-æ,* le Messie 204.

messis, *-is,* la moisson, le champ de
l'apostolat 172.

-met, (sens réfléchi) *mutuam in vobismet
ipsis caritatem* 478.

metuo, *-ere,* craindre (Dieu) 473 –
craindre (sa responsabilité) 68 – *metuendus locus* 345.

metus, *-us,* crainte (de Dieu) 473.

migro, *-are,* partir (de ce monde) : *m.
de hoc sæculo* 94 ; 408 ; *de corpore m.*
408 ; *ex hac vita m.* 213.

miles, *-itis,* soldat (du Christ), apôtre :
m. Christi 374 ; (le martyr) 110 ; (le
chrétien) *tuorum militum virtus* 358.

militia, *-æ,* la milice (céleste, les anges) : *m. cælestis exercitus* 113 ; *princeps
militiæ cælestis* 114 ; *m. angelorum* 114 ;
(en parl. des astres) *m. cæli* 289 – la
milice (chrétienne), le service, le combat spirituel : *arma militiæ nostræ ;
præsidia militiæ christianæ* 440 ; 358 –
(en parl. des prêtres) *m. cælestis ; sacra
m.* 374 – service militaire ou civil 374,
note 44.

milito, *-are,* (ordin. en parl. du clergé)
combattre (pour Dieu), servir : *militans Deo ; tibi militando ; nomini tuo m.*
374 ; *sub Christi Regis vexillis m.* 358 ;
ecclesia militans 358 – combattre contre,
effrayer : *terrores Domini militant
contra me* 155.

minister, *-tri,* serviteur, ministre (de
Dieu, en parl. des anges, des éléments) 115 – ministre (de Dieu, du
culte) : *Dei ministri ; ministri Christi ;
sacramentorum tuorum ministri ; sacris
altaribus m.* 364 – diacre 363 –
fonctionnaire 364 note 16.

ministerium, *-ii,* service, ministère
(des anges) 114 – fonction (des hommes ou des anges) 139 – le culte juif
362, note 11 – ministère (du clergé,
des prêtres) : *ministerium exsequi* 220 ;
*adimplere ministerium ; ad exsequendum
injuncti officii m. ; ecclesiastica ministeria*
362 ; *ministeria sacramentorum* 363 ;
summa ministerii, la plénitude du
sacerdoce (chez l'évêque) 382 – vase
ministériel, vase sacré 263, note 4 –
instrument, moyen : *vocis m.* 28.

ministro, *-are,* servir (Dieu, en parl.
des anges) : *m. Deo* 113 ; 115 – servir
(dans le clergé), accomplir, administrer : *quod nostro ministratur officio* 362 ;
m. Domino ; m. mysteriis tuis 362 et

note 13 – servir (comme diacre) 363,
note 15.

minuo, *-ere,* diminuer, limiter : *matris
integritatem non minuit* 211.

mirabilis, *-e,* (en parl. de Dieu) admirable (dans ses saints) 28 ; 50, note 15 ;
107 ; (en parl. d'un saint) *mirabilem
efficere (sanctum)* 107 – (subst. pl. n.)
les merveilles (de Dieu), les miracles
108 ; 132 ; 155.

mirabiliter, d'une manière admirable,
miraculeuse 132.

miraculum, *-i,* chose étonnante, prodige, miracle 57 ; 107 ; 132 ; 271.

mirifico, *-are,* rendre admirable, magnifier (un saint) 107.

mirificus, *-a,* merveilleux : *mirifica tuæ
majestatis gratia* (postc. p. elig. summ.
pont.).

mirus, *-a,* merveilleux (en parl. de
l'action de Dieu, de la Providence)
139 ; *miro ordine* 225 et passim – (en
parl. des saints) *m. innocentia* (or. 21
jun.).

miseratio, *-onis,* miséricorde (de Dieu)
151 ; (pl.) 55.

miserator, *-oris,* miséricordieux (Dieu)
64.

misereor, *-eri,* (en parl. de Dieu) avoir
pitié : *miserere mei* 33, note 8 ; (abs.)
cui proprium est misereri 151 ; (av. dat.
ou gén.) 64 ; 141 ; *m. in, super* 64 – (en
parl. des hommes) *m. pauperis* 482.

miseria, *-æ,* misère, malheur : *dies
calamitatis et miseriæ* 158 ; *humanæ miseriæ* 187.

misericordia, *-æ,* miséricorde (de
Dieu) : *fiat m. tua super nos* 45 ; 60 ;
151 ; *pater misericordiarum* 141 ; (en
parl. du ciel) *sempiternam misericordiam
promereri* 309 – pitié (envers le
prochain) 481.

misericorditer, miséricordieusement
64 ; 51 et passim.

misericors, *-cordis,* (en parl. de Dieu)
miséricordieux 64 et passim – pi-
toyable (envers le prochain) 481.

miseror, *-ari,* (en parl. de Dieu) *mise-
rans* ou *miseratus,* plein de miséricorde
64 ; 71 ; etc.

missa, *-æ,* renvoi, congé (des catéchumènes) 239 – office 239, note 1 –
messe : *missas dicere, celebrare* 239.

missio, *-onis,* la mission, l'envoi (du
Fils) 188, note 11.

misterium, p. *ministerium* 219.

mitigo, *-are,* adoucir, modérer : *m.
flammas ignium* (de la fournaise) 419 ;
(moral.) *desideria terrena m.* 450.

mitis, *-e,* doux : *beati mites* 497 ; (en

parl. du Christ) 151 ; (en s'adressant à Dieu) *mitissime Deus* 63.

mitra, *-æ*, mitre épiscopale 383.

mitto, *-ere*, (en parl. de Dieu) envoyer (son Fils) 177 ; 188 ; (le S. Esprit) 218 ; 220 et note 7 ; (un ange) 114 ; 115 – mettre : *m. digitum in* 195.

moderamen, *-inis*, gouvernement (de la Providence) 139 ; (de l'Église) 385.

moderatio, *-onis*, gouvernement (du monde par la Providence) 139.

moderator, *-oris*, celui qui dirige (en parl. de la Providence) 139.

moderor, *-ari*, diriger, régler (en parl. de la Providence) 139 – retenir, modérer : *m. sermones suos* 488.

modestia, *-æ*, retenue 487.

modulatio, *-onis*, chant 10.

moles, *-is*, masse écrasante : *m. delicti, criminum* 416 ; 422.

molestia, *-æ*, (pl.) tracas : *diei molestiæ* 71.

momentum, *-i*, mouvement : *momenta temporum* 139 – moment : *vitæ nostræ momenta* (secr. p. infirm.).

monachus, *-i*, moine 375.

monarcha, *-æ*, (fig.) chef : *monachorum dux et m.* 375.

monasterium, *-ii*, monastère 375 ; 380.

monasticus, *-a*, de moine, monastique : *m. conversatio* 375.

moneo, *-ere*, avertir, instruire : *præceptis salutaribus moniti* (Canon).

monitum, *-i*, (pl.) avertissements (d'un saint) 106.

mons, *montis*, la montagne (sainte), Sion : *m. sanctus* 166 – (appellation symbolique du Christ) 207 – *montes*, (symb.) les saints 207, note 13.

monstro, *-are*, montrer : *exempla m.* 452.

monstrum, *-i*, (pl.) prodiges, miracles 133 – monstruosités : *vitiorum monstra* 424.

morbus, *-i*, maladie : *morbos auferre* 73.

mordeo, *-ere*, (fig.) mordre (en parl. du remords) 413.

morior, *mori*, mourir (à cause du péché) : *morte morieris* 224 – (spir.) mourir (au péché) : *m. peccato* 462 – v. *mortuus*.

mors, *mortis*, mort : *in hora mortis nostræ* 407 ; (en parl. de la Sainte Vierge) *temporalis m.* 213 – mort (spirituelle, entraînée par le péché originel) : *m. intravit* ou *introivit* 224 ; *de corpore mortis hujus* 400 – mort (éternelle des damnés) : *m. æterna, perpetua* 317 ; 407 ; *m. animæ* 317 – mort,

cessation : *m. criminum* 317 – (après la résurrection) *secunda m.* 317, note 10.

mortalis, *-e*, mortel, qui cause la mort de l'âme : *actus m.* 411 – des mortels, des hommes : *m. infirmitas* 401 – (subst. pl.) les mortels : *mortalium corda* (or. div. 15) ; *conditio mortalium* 379.

mortalitas, *-atis*, nature mortelle, condition mortelle, notre chair mortelle 126 ; *in substantia nostræ mortalitatis* 126 ; 183 ; *humana m.* 401 ; *contagia mortalitatis* 405 ; *in hujus mortalitatis stadio* 405 – épidémie 75 ; 405, note 9.

mortificatio, *-onis*, mise à mort, mort : *m. crucis* 447 ; *m. Jesu* 498 – mortification 447 – suppression : *m. vitiorum* 462.

mortifico, *-are*, mettre à mort, tuer 447, note 2 – mortifier 447 ; 500 – faire mourir (fig.), supprimer : *vitiorum mala m.* 447 ; *m. vitia* 438 ; 462.

mortuus, *-a*, part. et subst., *mortui, fideles mortui* 93 ; 94 et note 6 ; *resurrectio mortuorum* 410.

mos, *moris*, (pl.) les mœurs, la conduite : *angelicis moribus* 425 ; *mores boni, digni* ; *moribus et vita* ; *moribus* (opp. à *verbis* ou *vocibus*) 437 – (locut.) *unius moris*, d'un seul cœur 437, note 2.

moveo, *-ere*, (abs., en parl. des saints, avec leurs reliques) se déplacer : *movete* 108 – (pass.) se mouvoir (en parl. des vivants) : *in ipso enim vivimus, et movemur et sumus* 138.

mulier, *-eris*, femme : *benedicta in mulieribus, inter mulieres, præ omnibus mulieribus* 118 – (différence entre *femina, mulier, virgo*) 211, note 2.

multiformis, *-e*, aux multiples ruses (démon) 324.

multiplex, *-icis*, qui se multiplie, aux nombreuses manifestations, abondant : *m. misericordia tua* 60 ; *m. pietas tua* 135 ; *m. victoria* 493.

multiplico, *-are*, multiplier, accorder avec profusion (grâce, faveur, miséricorde) 67 ; 267 – *multiplicati = multi* 99.

multitudo, *-inis*, multitude, grand nombre : *m. miserationum tuarum* 55 ; *m. credentium* 349.

mundanus, *-a*, du monde, de la terre : *m. conversatio* ; *mundanæ varietates* ; *m. sapientia* 405.

mundialis, *-e*, du monde : *m. curæ* 405.

munditia, *-æ*, pureté 433 ; *m. castitatis* 492.

mundo, *-are*, purifier (spir.) : *mundari a nostris occultis* ; *mundet et muniat* (en

parl. de l'eucharistie) 73 ; 250 ; 281 ;
m. corda (en parl. du S. Esprit) ; purifier (par la Rédemption) *m. populum*
232 – guérir (les lépreux), Mat.
10, 8.

I **mundus**, *-a*, pur : *mundo corde* 283 ;
mundus corde 492 ; *nemo mundus a sorde*
223 ; 224.

II **mundus**, *-i*, le monde : *mundi
creator* 134 ; *creatura mundi* 135 ; (non
péjor.) 405, note 6 – (péjor.) le monde
404 ; *mundus* ou *hic mundus ; mundi
oblectamenta, illecebræ, blandimenta* 405.

munerator, *-oris*, (en parl. de Dieu)
celui qui accorde 144.

munia, *-ium* (pl. n.), devoirs : *m. laudis* 26.

munimen, *-inis*, protection (de Dieu)
72 ; 250.

munio, *-ire*, fortifier (en parl. de
l'eucharistie) 250 – (pass.) être pourvu
(des secours spirituels de Dieu) :
spiritualibus muniatur auxiliis 72 ; *muniri ab, contra* 72 ; *adversus impugnationes diaboli muniri* 327.

munus, *-eris*, don, faveur (de Dieu),
grâce 66 ; 268 et passim ; *m. patientiæ*
66 – (pl.) dons (du S. Esprit) 221 ;
(sing.) *septiformis munere* 220 – dons
reçus (dans l'eucharistie) : *divino munere satiati ; salutare m.* 249 ; 256 –
dons offerts (par Abel) 55 ; (au saint
sacrifice) *munera deferre, offerre ; sit
tibi m. acceptum* 246 ; *nosmetipsos ... m.
æternum* 246 – charge (ecclés.) : *sacris
muneribus decorare ; secundi meriti m.*
366 – liturgie, office 366, note 28.

muto, *-are*, changer : *vita mutatur, non
tollitur* 408.

mutus, *-a*, muet : *simulacra m.* 159.

mutuus, *-a*, réciproque : *m. caritas ;
m. dilectio* 478.

myrrha, *-æ*, myrrhe (symb. de sépulture) 183 ; 237 ; (des vertus de la
Sainte Vierge) *m. electa* 118.

mysterium, *-ii*, mystère, chose mystérieuse 310 – signe mystique, symbole
183 ; 344 – mystère, signification
mystique (d'une fête) 8 – mystère
réalisé 176 ; 180 ; *incarnationis tuæ m.*
179 – mystère du plan divin, plan du
salut : *revelatio mysterii* 225 – mystère,
secret (de Dieu) : *latent divina mysteria*
129 – (pl.) mystères, sacrement eucharistique 58 ; 259 ; *sumpta mysteria* 251 ;
mysteria (seul ou) *mysteria tua, sancta,
divina ; sacra m.* 20 ; (sing.) *corporis et
sanguinis m. ; cæleste m. ; divinum,
sacrum, sacrosanctum m.* 241 – saintes
espèces 241, note 7 – consécration
241, note 7 – *mysteria = ministeria* 9,
note 1 ; cf. *summa mysterii* 382 –
(pl.) les mystères (de la foi, révélés aux
catéchumènes, en parl. du Credo)
171.

mystice, symboliquement, allégori-
quement, d'une manière mystique :
m. designare 246 ; 342 ; *m. intelligere*
344.

mysticus, *-a*, chargé d'une signification mystique : *dies m.* 8 – mystique,
symbolique 183 ; 344 – relatif aux
mystères, sacramentel : *m. oblatio*
241.

N

N. = *Nomen* (pour remplacer un nom
propre).

nascor, *-i*, naître (en parl. de la naissance du Christ) : *puer natus est nobis*
180 ; *de Virgine n. ; Virgine nascendo*
58 ; 180 – v. *Natus – natus*, le nouveau-
né (de la Crèche) 112 – *nati*, les enfants
(d'une église) 353.

natale, *-is*, anniversaire (d'un saint),
jour de sa mort, de sa naissance au
ciel) 108 – c. *Nativitas : N. Domini* 180
anniversaire (en gén.) : *n. genuinum*
(Gel. III, 53, 1456) – anniversaire (de
la consécration) (ibid. 1457) ; *n. papæ*
(Greg. 198 tit.).

natalicia (*-tia*), *-orum*, fête, anniversaire (d'un saint) 13 ; 15 ; 101 ; 108 –
c. *Nativitas : adoranda Filii tui natalicia*
180 ; 19.

natalicius, *-a*, d'anniversaire (d'un
saint) : *nataliciis intercessionibus* 108.

natalis, *-e*, anniversaire, natal : (en parl.
du Christ) *novitas n.* 180 ; (subst. m.)
temporalem Regis nostri natalem 180 –
(d'un saint) *dies n.* 108 ; (subst. m.)
natalem celebrare 108 – (subst.) dédicace : *n. templi* 347 – natal : *n. solum*, la
patrie 98.

nativitas, *-atis*, naissance : *ab ortu
nativitatis* 115 – naissance (du Christ) :

nova n. 180 ; 73, note 10 – fête de la
Nativité du Christ, Noël : *N. Domini*
180 ; *solemnitas Nativitatis Christi* 183
– Nativité (de la Sainte Vierge, de
S. Jean-Baptiste) 99 ; 108 – *prima n.*
(des assujettis au péché, opp. à celle
du baptême) 224 ; *secunda n.* (baptême)
336 – nature (sens pr.) 51.

natura, *-æ,* nature : *divinæ naturæ consortes* 97 ; *naturam generis assumpsit
humani* 185 ; *naturæ nostræ veritas* 189.

Natus, *-i,* c. *Filius,* le Fils 34 ; 38 ; 216 ;
204.

naufragus, *-a,* qui a fait naufrage,
(fig.) perdu (par le péché) : *mundo
naufrago* („*Pange, lingua*").

navigo, *-are, navigantes,* les navigateurs
75.

necessitas, *-atis,* le besoin : *necessitatem habere* 476 – (pl.) dangers, besoins :
in necessitatibus suis 61 ; 73.

nefas, indéc., le mal (spirituel), méfaits
(du diable) 74.

negator, *-oris,* celui qui renie (le Christ)
468.

nego, *-are,* nier ou renier (le Christ)
468.

neophytus, *-a,* adj. et subst., nouvelle
plantation, néophyte, nouveau-baptisé
336.

nequam, (superl.) *nequissimus,* le Mauvais 322.

nequitia, *-æ,* le mal moral (sing.) 74 ;
347 ; (ordin. pl., en parl. des démons)
spiritales nequitiæ 74 ; 322 ; 347 ; *nequitiæ diaboli* 321 ; 322.

nescio, *-ire,* ne pas savoir : *quid oremus
nescimus* 68, note 8 – *nesciens,* c. *nescius :
n. virum* 211.

nescius, *-a,* qui ignore : *nescia viri,*
vierge 211 ; cf. *cognosco.*

nex, *necis,* mort : *corporalis necis passione* 213.

nexus, *-us,* (fig. pl.) liens, esclavage (du
péché) 149 ; 283 ; *n. criminis* 416 –
liens, nécessité : *mortis n.* 213 ; *mortalitatis n.* 408.

nihilum, *-i,* le néant, le rien : *de nihilo*
ou *ex nihilo creare* 134 ; *ex nihilo facere*
135 – (fig.) *tanquam n. ante te* 400.

nimis, beaucoup : *peccavi nimis* („*Confiteor*" – Lact. ; Cypr. ; Ambr. ; Aug.).

nitor, *-i,* s'appuyer sur : *sanctorum
suffragiis n.* 102.

nobilis, *-e,* noble (en parl. de la croix) :
arbor una n. („*Pange, lingua*", Fort.).

noceo, *-ere,* nuire : *nocentes,* les mal-
faisants, les méchants 72.

nocivus, *-a,* fautif, coupable 339.

nocturnus, *-a,* nocturne : *n. splendor*

(ben. cer. vig. Pasch.) – (subst. n.)
office de la nuit, nocturne.

nomen, *-inis,* le nom (de Dieu, souvent
pris au sens biblique de l'être, la
personne, l'essence) 155 ; *n. Domini*
155 ; *n. terribile et sanctum* 155 ; 157 ;
n. tuum 22 et note 6 ; *invocare nomen
tuum* 155 ; *in nomine tuo* ; *in nomine
Patris* 155 ; *omnipotens n. ejus* 156 ; *in
nomine Filii* 155, note 1 ; cf. formule
baptismale 155 ; 215 – le nom (du
Christ) 153 ; le nom (de Seigneur
donné à Jésus) *n. super omne nomen*
196 ; le nom (de Jésus) 204 – le nom
(des élus) *nomina scripta in cælis* 275, v.
liber II – *Romanum n.,* le nom romain,
l'État romain 75 – le nom (des offrants) 245, note 5.

nominatim, chacun par son nom 89.

nomino, *-are,* nommer, appeler : *quo
filii tui nominamur* 233.

nosco, *-ere,* (parf. *novi,* ou sens présent), connaître : *quem (Deum) nosse
vivere est* 466 ; *noscamus atque Filium* 42
– reconnaître : *te, Christum, solum
novimus* 42 – savoir à l'avance, savoir :
novit in area sua triticum 275 ; *Deus ...
novit omnia* 130.

noto, *-are,* désigner à l'avance, préfigurer 192 – marquer (du signe de la
croix) 327.

novitas, *-atis,* nouveauté : *n. natalis*
180 – nouveauté de vie, l'homme
nouveau : *n. vitæ* 462 et 427 ; *capaces
sanctæ novitatis* 462 – renouveau (du
baptisé) : *n. vitæ* 335.

novus, *-a,* nouveau : *nova Nativitas*
180 ; *nova luce incarnati Verbi* ; *nova
lux tuæ claritatis* 182 – (en parl. du
Seigneur) *primus et novissimus* 124 –
(superl.) tout dernier : *novissimo die*
162 ; *novissima hora* 203 ; *novissima tua,*
tes fins dernières 409 – *novus homo,*
l'homme nouveau, converti, régénéré
462.

nox, *noctis,* nuit (de Noël ou de la
veillée pascale) : *sacratissima nox* 13 ;
182 – (au ciel) *et nox ultra non erit*
308 – (sens fig.) *n. hujus sæculi* 405 ; *n.
sæculi* 74 ; *n. cordium* 74 ; *n. infidelitatis* 392.

noxa, *-æ,* faute, péché 418 ; *n. originalis*
223.

noxialis, *-e,* du péché : *pomum n.*
(„*Pange, lingua*", Fort.) ; cf. *noxia =
noxa.*

noxius, *-a,* nuisible (moral.), coupable
413 ; *n. opus* 339 ; *noxiæ delectationes ;
actus noxii* 418 – (subst. pl. n.) tout ce
qui est nuisible, le mal 73 ; 74 ; *a*

noxiis abstrahi 418 ; (sing.) *vitare, tollere omne noxium* 418.

nubes, *-is,* nuée (au jugement dernier) *venientem in nubibus cæli ; clarere nube judicis* 202 – la colonne (de feu) 337 – (fig.) ce qui obscurcit : *n. peccatorum* 422 – nuée, multitude (des saints) : *n. testium* 107.

nubo, *-ere,* se marier : *melius est n. quam uri ; fidelis et casta nubat in Christo ; neque nubent neque nubentur* 340 ; *nupti,* les gens mariés 493 – (myst.) *sorte nupta prospera* 313.

numen, *-inis,* la divinité, Dieu 123 ; *N. amabile* 34 ; 204 ; *mater Numinis* 208 ; (en parl. du S. Esprit) *sine tuo numine* (seq. Pent.) – protection surnaturelle : *Matris sub almæ numine* (hymn. vesp. 12 febr.).

numero, *-are,* compter (au nombre des élus) 62 ; 297.

numerus, *-i,* nombre : *in electorum tuorum numero* 297 – mesure 127.

nuntio, *-are,* annoncer (l'Incarnation) : *angelo nuntiante* 112 ; 179 – annocer, proclamer : *sanctum Evangelium tuum digne valeam nuntiare* (or. ante ev. lect.).

nuntius, *-ii,* messager, ange : *cælestis aulæ n. ; summus n.* (l'archange Gabriel) 112.

nuptiæ, *-arum,* noces, mariage : *sacramentum nuptiarum* 340 ; 341 – noces spirituelles : *cælestis Agni nuptias* 378 ; (au ciel) *ad supernas nuptias admitti* 310.

nuptialis, *-e,* nuptial, de noces : *vestis n.* 310 ; 254 ; *actio n.,* messe de mariage 340.

nuto, *-are,* chanceler, hésiter : *nutantia corda tu dirigas* 274.

nutrio, *-ire,* nourrir (en parl. de la manne) 255 ; (de l'eucharistie) *salutari pabulo nutriri* 256.

nutritius, *-a,* nourricier (S. Joseph) 103.

nutus, *-us,* geste, signe (fig.), volonté (de Dieu) 65, note 1.

O

obcæcatio, *-onis,* aveuglement (spir.) 422.

obcæco, *-are,* aveugler (spir.) 422.

obduro, *-are,* endurcir : *o. corda ; o. cervicem suam* 422.

obed-, v. *obæd-*

obf-, v. *off-*

obitus, *-us,* mort 407.

oblatio, *-onis,* offrande : (le Christ sur la croix) *oblationem et hostiam Deo* 193 ; offrande : (du Calvaire et de la messe) *una corporis et sanguinis tui o.* 234 ; (du saint sacrifice) 238 ; *o. sacrificii* 95 – nos offrandes (au saint sacrifice) 247 ; 248 ; (célébration et offrandes du saint sacrifice) 244.

oblectamentum, *-i,* (pl.) agréments, séductions (du monde) 405.

obliviscor, *-i,* (en parl. de Dieu) oublier : *neque obliviscaris in finem* 58.

obnixe, de toutes ses forces : *o. flagitare* 62.

obœdientia, *-æ,* obéissance : *obædientiæ exempla ; in obædientia caritatis* 433.

obœdio, *-ire,* obéir : *obædiens usque ad mortem* 187 – obéir (aux commandements) 433.

obœditio, *-onis,* obéissance 433.

obscurus, *-a,* (subst. n.) ténèbres de l'enfer 318.

obsecratio, *-onis,* supplication 80 ; 81.

obsecro, *-are,* supplier 80.

obsequium, *-ii,* empressement (au service de Dieu) 1 ; 2 – devoir de respect, culte 247, note 1 – hommage (à Dieu) 2 ; 86.

observantia, *-æ,* observance 274 ; *o. nostra ; o. quadragesimalis* 433 ; *o. legis* 429.

observatio, *-onis,* observation (des commandements), observance (du Carême) 433.

observo, *-are,* observer (les commandements) 433.

obsisto, *-ere,* s'opposer à : *vitiorum æstibus o.* 419.

obstaculum, *-i,* (pl.) obstacles (moraux) : *conscientiæ nostræ o.* 401.

obstinatus, *-a,* obstiné : *obstinatis cordibus* 422.

obstringo, *-ere,* lier : *conditione mortalium obstrictus* 379.

obstrusus, *-a,* obscur, caché : *ventris o. cubili* 181.

obtentus, *-us,* action d'obtenir (par nos prières) : *o. veniæ* 277 – intercession 77.

obtineo, *-ere,* obtenir (par ses prières) 287.

obumbratio, *-onis,* ombre, apparence

de : *nec vicissitudinis o.* (en Dieu) 126 –
ombre, préfiguration 176, note 12 –
action de couvrir de son ombre :
Sancti Spiritus obumbratione 218.

obumbro, *-are,* couvrir de son ombre :
virtus Altissimi obumbrabit tibi 218.

obvio, *-are,* aller au devant de : *obviave-*
runt Domino (ant. „*Pueri Hebræorum*",
dom. palm.).

occasus, *-us,* déclin : *lucifer qui nescit*
occasum (præc. Pasch., Miss. Gall. 25,
134).

occido, *-ere,* tuer, (pass.) être immolé :
verus ille Agnus occiditur (præc. Pasch.,
Miss. Gall. 25, 134).

occulto, *-are,* (pass.) se cacher (aux
regards de Dieu) 142.

occultus, *-a,* (subst. pl. n.) les choses
cachées (de la conscience) 96, note 12
– vices ou fautes cachées 73.

occumbo, *-ere,* succomber, mourir
(martyr) 393.

occurro, *-ere,* venir au devant de : *in*
hora mortis nostræ occurrente gloriosa
Virgine 116.

occursus, *-us,* rencontre : *currere in*
occursum alicujus 19.

octavum, *-i,* l'octave, le dimanche
éternel 307.

oculus, -i, œil : v. *elevo* – (fig.) *mentis o.*
(or. 3, ben. cand. 2 febr.) ; (pl.) *o.*
cordis 395 – (pl.) les yeux, le regard
(de Dieu) : *oculis tuæ majestatis* 55 ;
247.

odi, *-isse,* haïr : *odi malum* 400 ; *odit vos*
mundus 405.

odio, *-ire* (au lieu de *odi, odisse*) *odiant*
superbiam 485.

odor, *-oris,* odeur (du sacrifice agréable
à Dieu) : *o. suavitatis* 193 – (bonne)
odeur (des vertus, de l'édification) :
Christi bonus o. sumus ; spiritualium
aromatum odore 453 ; (des préceptes)
ad suavem odorem præceptorum tuorum
430.

offendiculum, *-i,* ce qui fait trébucher,
occasion de chute, scandale 454.

offendo, *-ere,* heurter : *o. ad lapidem*
pedem tuum 454, note 5 – heurter,
offenser (Dieu) 59 ; 91 ; 412 ; *majesta-*
tem tuam o. ; qui culpa offenderis 415.

offensa, *-æ,* offense (à Dieu), péché :
ab omnibus offensis mundare 415 ; *totius*
mundi o. 193.

offensio, *-onis,* heurt, action de trébucher (fig.) 44 – scandale 454 ; *lapis*
offensionis 454, note 5 ; *remoto lapide*
offensionis 454 – offense (à Dieu) : *sine*
offensione, sans trébucher, sans offenser
Dieu 415 ; (pl.) *nostræ offensiones* 415.

offero, *-ferre,* offrir (à Dieu) 86 ; *munus*
o. 55 ; 245 ; *o. sacrificium* 244 ; *o. obla-*
tionem, hostiam, munus, donum, victimam
245 et passim ; *offerentum nomina* 245,
note 5 ; *offerre* (seul) 95.

officium, *-ii,* ministère, service (de
Dieu) 1 ; 362 ; *o. episcopi, presbyteri,*
diaconatus, subdiaconatus 366 et notes
27, 29 ; *presbyteratus o.* 369 ; *o. eccle-*
siasticum 1 – office, service solennel 1 –
office divin : *o. recitare* 1 – empressement, dévouement (au service de
Dieu) 1 ; *piæ devotionis officia* 245.

offusco, *-are,* blesser, ternir (la pureté)
9.

oikonomia, *-æ,* économie (du mystère
de la Trinité) 215.

oleum, *-i,* huile : *o. infirmorum* 339 ; (du
baptême) 330, note 9 ; *o. unctionis ; o.*
salutis ; o. sanctum ; o. catechumenorum
330 (cf. *chrisma,* note 11) ; 302 ; 333 –
(symb. de joie) *o. lætitiæ* 10 ; 166 ; *oleo*
exultationis ungere 205.

oliva, *-æ,* olivier : *olivarum ramos* 88 ;
342.

Olympus, *-i,* le ciel 290.

omega, v. *alpha.*

omitto, *-ere,* (en part. de Dieu) oublier,
pardonner 277.

omnipotens, *-entis,* (Dieu) tout-puissant : *o. æterne Deus ; o. Deus ; Pater*
o. 32 ; 126 ; 130 et passim.

omnipotentia, *-æ,* toute-puissance (de
Dieu) 130.

omnis, *-e,* tout : *in omnibus et super*
omnia diligere 46.

onus, *-eris,* charge (ecclés.) : *oneris* (opp.
à *honoris*) ; *o. episcopatus* 366 – fardeau
(fig.) 478 ; *o. peccatorum* 279 ; 422.

opera, *-æ,* œuvre : *ejus opera,* grâce à
lui (un saint) 108.

operarius, *-ii,* (pl.) les ouvriers (de
l'apostolat, les missionnaires) 170 ;
172 – (fig.) *operarii iniquitatis* 414.

operatio, *-onis,* œuvre (créatrice) : *o.*
divina 137, note 12 – miracles 137 –
action, opération (de Dieu) : *medicina-*
lis o. 74 – action, effet (du sacrement
eucharistique) : *o. mysterii* 249 ; *o. doni*
cælestis ; tuæ virtutis o. 272 ; 251 –
action (de la grâce) 272 ; (d'un saint)
sancta o. (or. 7 mart.) – action d'accomplir : *o. immunditiæ* 436 – actes,
conduite : *nostra o.* 436.

operator, *-oris,* le Créateur 137.

operor, *-ari,* agir (en parl. de Dieu, de
la grâce, du sacrement) 59 ; *te operan-*
te ; gratiæ tuæ operante virtute 272 ;
(abs.) 433 – faire, travailler à : *o.*
suam salutem 496.

operositas, *-atis,* labeur : *terrena o.* (præc. Pasch. fin.).

opifex, *-icis,* ouvrier (S. Joseph) 103.

opitulatio, *-onis,* assistance, le don d'assister (charisme) 271.

opprobrium, *-ii,* insulte : *o. servorum tuorum* (faite à tes serviteurs) 58.

ops, *opis,* aide, secours (de Dieu) : *opem tuam* 61 et passim ; *opem ferre, conferre, largiri, præstare, implorare* 71 ; *ope misericordiæ tuæ* 71 – *maternam opem (Mariæ) implorare* 116.

opus, *-eris,* œuvre (de Dieu), création 137 – œuvre, opération (de la grâce, des sacrements) : *divini operis fructus* (or. d. 24 p. Pent.) – œuvre, action (de Dieu dans le monde) *operis tui vicarios ... pastores* (præf. de Apost.) – œuvre (de note rédemption) *o. nostræ redemptionis* 259 – (pl.) œuvres, prodiges, miracles 133 – *o. Dei* ou *divinum,* service divin, office 1 ; *sacrum opus* (la messe) 1 – œuvre, conduite : *bonum o.* 435 ; *pravum o.* 395 ; *opere exercere quod docuit ; in fide ... in opere ; verbo et opere* 435 – (pl.) œuvres, actes, conduite : 435 ; *opera carnis ; opera maligna ; opera bona* (opp. à *fides*) ; *opera justitiæ ; bonis operibus ; piis operibus* 452 – œuvres (du démon) : *abrenuntiare satanæ et operibus ejus* 435, note 1 – travail, fruit du travail : *quas tibi, Domine, de operibus manuum nostrarum offerimus hostias* (secr. 1 mai., S. Jos. opif.) ; *de operibus apum* (præc. vig. Pasch, Miss. Gall. 25, 134).

oraculum, *-i,* parole solennelle, oracle (des prophètes) 168.

oramen, *-inis,* prière 77.

oratio, *-onis,* prière 54 ; 77 ; *orationem suscipere,* accueillir notre prière 77 – intercession 65 ; 100 ; (de Marie) 116.

oratus, *-us,* prière 77.

orbis, *-is,* la terre : *ecclesia tua, toto orbe diffusa* 349 ; *toto orbe terrarum* 62.

ordinatio, *-onis,* disposition (providentielle) 139, note 5 – ordination, installation : *o. presbyteri* 361 ; *o. clericorum* 369.

ordino, *-are,* (en parl. de la Providence) régler, organiser 139 ; prévoir : *(Maria) ab æterno ordinata* 118 – ordonner (un clerc) : *o. presbyterum ; ordinavit et consecravit* 369 ; *ordinandi,* les ordinands 366.

ordo, *-inis,* ordre, organisation (de la Providence) : *miro ordine* 139 ; 342 – ordre (angélique) : *ordines angelorum* 114 – corps, ordre (ecclés.) : *o. ecclesiasticus ; o. presbyterii ; o. episcopo-*

rum 368 ; *secundi ordinis viri* 360 – rang (dans l'Église) : *o. viduarum ; pro universis ordinibus* 368 – rituel, ordo 368, note 34 – ordre religieux 380.

oriens, *-entis,* le soleil levant (appellation symbolique du Christ) 207 ; v. *orior.*

originalis, *-s,* originel : *o. peccatum ; o. culpa* 212 ; 223.

origo, *-inis,* origine, commencement, source : *finis vitiis et o. virtutibus* 344 – (en parl. de Dieu) *o. bonitatis* 144, note 2 ; (de la Trinité) *o. societatis æternæ* 214.

orior, *-iri,* se lever (astre) ; (en parl. du Messie) *visitavit nos oriens ex alto* 181.

ornatus, *-us,* ornement, pompe : *o. sæculi* 405.

orno, *-are,* parer : *mulieres cum sobrietate ornantes se* 491 ; *ornatus,* orné (de vertus) secr. 5 jul.).

oro, *-are,* prier (abs.) 76 ; *o. Deum ; o. clementiam (Dei) ; o. pro aliquo ; o. ad* (bibl.) ; *o. ut* (ou av. subj. sans *ut,* ou av. inf.) 76 – intercéder 100 ; (en parl. de Marie) 116.

orphanus, *-i,* orphelin : (en parl. d'un saint) *orphanis adjutor et pater* 482 – (fig.) orphelin (abandonné de Dieu) : *non relinquam vos orphanos* 141.

orthodoxus, adj. et subst., orthodoxe 386 ; 391.

ortus, *-us,* lever, levant : *a solis ortu usque ad occasum* 26 – début : *ab ortu nativitatis suæ* 115 – enfantement 118.

I **os,** *ossis,* os : *dinumeraverunt omnia ossa mea* 195 ; *misit ignem in ossibus meis* 292.

II **os,** *-oris,* bouche : v. *custodia* 421 ; (opp. aux actes) *ore et opere* 436.

osculor, *-ari,* baiser 50, note 15 – se donner le baiser de paix, (fig.) s'unir, se rencontrer : *justitia et pax osculatæ sunt* 166.

ostendo, *-ere,* (en parl. de Dieu) montrer, révéler : *veritatis tuæ lumen ostendis* 154 ; 342.

ostentum, *-i,* prodige, miracle 133.

ostiarius, *-ii,* portier (ordre ecclés.) 368.

ostium, *-ii,* entrée (de la tente) 19 – la porte (appellation du Christ) 206 – *cæleste o.* 304 ; *(hostia) quæ cæli pandis ostium* ("O salutaris").

ovile, *-is,* bercail (de l'Église) 350 ; 356.

ovis, *-is,* brebis (pl. fig., en parl. du peuple de Dieu) *oves manus ejus* 141 – les brebis, les ouailles 356 – (opp. à *hædi*) les brebis (placées à la droite), les élus 202 ; 297.

P

pabulum, *-i,* aliment (euchar.) : *cæleste p. ; salutare p.* 255 – (péjor.) *p. criminum* 448.

pacabilitas, *-atis,* caractère pacifique, apaisé : *regum p.* 75.

pacifice, pacifiquement, dans la paix 75.

pacifico, *-are,* mettre en paix (l'Église), lui accorder la paix 62 ; 349.

pacificus, *-a,* pacifique, en paix : *pacifico ordine* 75 – (adj. et subst.) artisan de la paix : *beati pacifici* 497.

paco, *-are,* apaiser : *pacatus,* en paix (avec ses semblables) 483.

pænitens, *-entis,* qui se repent : *anima p.* 151 ; 45 – (subst.) celui qui est admis à la pénitence, pénitent 90 ; 91 ; 280.

pænitentia, *-æ,* le fait de se repentir (en parl. de Dieu) : *pænitentiam agere super* 164 – le fait d'être admis à la pénitence : *pænitentiæ munus conferre* 280 ; *sacramentum pænitentiæ* 280 – repentir, conversion : *pænitentiam agere* 91 ; 59 ; 460 ; *fructus pænitentiæ ; lamenta pænitentiæ* 91.

pæniteor, *-eri,* se repentir, faire pénitence, se convertir : *pænitemini* 460 ; v. *pænitens.*

pænitudo, *-inis,* repentir : *lamenta pænitudinis* 91.

paganus, *-a,* adj. et subst., civil, villageois 393, note 3 – païen 159 ; 389 ; 392 ; 393.

pagina, *-æ,* feuille, écrit : *p. sancta,* l'Écriture 168 et note 1 – *paginæ æternales, cælestes* 275 (cf. *liber vitæ*).

palatium, *-ii,* (pl.) palais (du ciel) : *celsa palatia* 305.

palea, *-æ,* (fig.) la paille (destinée au feu), les réprouvés 275 ; 305.

palma, *-æ,* palmier : *palmarum ramos* 88 – palme (du martyre) 110.

palmes, *-itis,* sarment (symb.), les disciples, les fidèles 207 ; *electorum palmitum cultor* 357.

pando, *-ere,* ouvrir largement (les portes du ciel) 305.

pango, *-ere,* chanter, célébrer 28 ; 110.

panis, *-is,* pain (le Christ descendu du ciel) : *p. Dei* 188 ; 255 – le pain (eucharistique) 263 ; *p. angelorum* 92 ; 255 ; *panem sanctum vitæ æternæ* 244 ; *p. vivus ; divinus p. ; p. cælestis* 255 – (la manne) *p. angelorum ; p. de cælo* 255, note 3.

pannus, *-i,* (pl.) les langes (de la Crèche) 50.

papa, *-æ,* le pape : *beatissimus p.* 385 (titre d'abord donné aux évêques).

papatus, *-us,* la papauté 385.

par, *paris,* égal (en parl. des personnes de la Trinité) : *parem paternæ gloriæ* 216 ; *par decus* 38.

parabola, *-æ,* parabole, parole 171.

Paraclitus, *-i,* le Paraclet, le Consolateur, le Défenseur 218 ; 222 ; (seul ou) *Spiritus P. ; sanctus P.* 38.

paradisus, *-i,* jardin, paradis terrestre 192 ; 305, note 23 – paradis, ciel : *in paradisum deducere* 94 ; 305 ; *paradisi janua ; paradisi amænitas, deliciæ* 305.

parasceve, *-es,* jour de la préparation de la Pâque juive, vendredi-saint 190 (*feria VI in Passione et Morte Domini,* Miss. R.).

parce, modérément : *parcius uti verbis, cibis* 450.

parco, *-ere,* (en parl. de Dieu) épargner, avoir pitié de, s'abstenir de punir, pardonner 324 ; *p. populo tuo* 64 ; *p. pænitentibus* 277 ; (abs.) *parcendo se manifestare* 277.

parens, *-entis,* père (en parl. de Dieu) : *unius Dei parentis homines* 476, note 2 – = *Pater* : *summus Parens* 204 – (en parl. d'Adam et Ève) *primi parentes* 223 ; (Adam) *primus parens* 223 – (fém.) *sancta p.* (Marie) 118.

parilis, *-e,* c. *par* ou *æqualis,* égal (en parl. du Fils) 38 ; 216.

pario, *-ere,* enfanter (en parl. de la Vierge) : *Regem paritura* 118 ; 211.

paro, *-are,* préparer (les voies) 178 ; (en parl. du Messie, lumière du salut) *lumen quod parasti...,* Luc. 2, 31.

pars, *partis,* partie, contrée, lieu : *in inferiori mundi parte* 402 ; *in æternæ salvationis partem restitue* 284.

parsimonia, *-æ,* abstinence 450.

particeps, *-cipis,* qui a part à, qui partage : *humanitatis nostræ p.* 187 ; 260 ; *divinitatis participes* 97 ; 233 ; 260 ; 297 ; *sacramentorum tuorum participes ; tanti mysterii participes* 260 ; (au ciel) *divinitatis participes* 296.

participatio, *-onis,* participation à : *p. Spiritus Sancti* 160 ; *Spiritus tui p.* 231 ; *p. mysterii ; p. muneris sacri* 260 ; *p. cælestis convivii* 66 ; *cælestium participatione gaudere* 297 ; (à la joie d'une fête) 9.

parturio, *-ire,* enfanter (en parl. de l'Église au baptême) 333.

partus, *-us,* enfantement : *Beatæ Virginis p.* 210.

parvulus, *-a,* (subst. pl.) les tout petits 336 ; 495 – (sing.) un enfant : *p. nobis natus est* 180 (v. *puer*).

Pascha, *-æ,* f., ou *-atis,* n., ou indéc., Pâques juive 199 – agneau pascal : *p. nostrum* 190 – Pâques de la crucifixion 190 – Pâques de la résurrection, fête de Pâques 190 ; 199 – pâque hebdomadaire, dimanche 199, note 7.

paschalis, *-e,* pascal 6 ; *paschalia mysteria ; p. festa, gaudia* 199 ; *dies p. solemnissimus* 199 ; *paschales dies,* jours de la semaine sainte 199 – du Carême : *p. observantia* 199, note 8 ; 433 – *p. tempus,* temps pascal 199.

pasco, *-ere,* nourrir (par l'aliment euchar.) : *cælesti mysterio pascimur* 255 ; *pasti* 256 – (sens pr.) 50.

pascua, *-æ,* pâturage, bercail (peuple de Dieu) : *populus pascuæ ejus* 141.

pascuum, *-i,* (pl.) c. *pascua* (en parl. du ciel) : *p. salutis ; ad pascua æternæ vitæ ; pascua invenire* 305.

passibilis, *-e,* soumis à la souffrance 180.

passio, *-onis,* la Passion (du Christ) : *Filii tui p.* 73 ; *beata p.* 191 ; 190, note 1 – dimanche de la Passion : *dominica Passionis* ou *de Passione ; hebdomada Passionis* 191 (*dominica I Passionis ; dominica II Passionis seu in palmis ; feria VI in Passione et Morte Domini,* Miss. R.) – (pl.) les souffrances du Christ 174 ; 498 – (de Marie) 120 – martyre 17 ; 97 ; *passiones sustinere ; gloriosa p. ; beata p.* 109 – (pl.) souffrances (en gén.) 447 – action de subir : *corporalis necis p.* 213.

pastor, *-oris,* pasteur (en parl. du Christ) : *Pastor bonus ; P. æterne* 206 – (en parl. de Dieu) *omnium fidelium p. et rector* 139 ; 383 – pasteur (en parl. de S. Pierre) 98 ; *p. ovium* 104 – (du pape) *p. ecclesiæ tuæ* 383 ; (souv. en parl. des évêques) 356 ; 371 ; 383.

pastoralis, *-e,* de pasteur, pastoral 383.

pateo, *-ere,* être ouvert, accessible : *cælum patere* 201 – être connu (de Dieu) 142.

pater, *-tris,* Père (en parl. de Dieu) : *Pater omnipotens ; sancte Pater* 32 et passim ; *Pater luminum* 126 ; (en le distinguant du Fils) 38 (doxol.) ; (idée de Providence) 141 ; (nom du Messie dans Isaïe)*Pater futuri sæculi* 264 – nos pères dans la foi (surtout les patriar-

ches) : *patres nostri* 175 ; *prisci patres* 429 – (en parl. de s. Benoît, patriarche des moines d'Occident) 375 ; cf. les „pères" du désert, etc. – *patres concilii* 382 – aïeul, Gen. 31, 42 – (sens ordin.) or. div. 11 *pro patre et matre*).

patesco, être ouvert : *ut nobis patescat introitus* 195.

patibulum, *-i,* gibet, supplice (de la croix) : *p. crucis subire, ascendere* 191.

patiens, *-entis,* plein de patience, de longanimité (en parl. de Dieu) 64.

patientia, *-æ,* courage à supporter la souffrance : (en parl. de la Passion du Christ) *patientiæ ipsius documenta* 191 ; (des martyrs) *invicta p.* 110 ; 111 – courage, constance, fermeté 444 ; *invicta p. ; patientiæ donum ; in tribulatione p.* 490 – patience (sens affaibli) : *cum patientia supportantes* 497.

patior, *-i,* souffrir : (en parl. de la Passion) 191 ; (du martyre) 110 et note 3 ; (en gén.) *quæ pro peccatis patimur* 70.

patrator, *-oris,* celui qui accomplit, réalise (des miracles) 137, note 13 – le Créateur 137.

patria, *-æ,* patrie (en parl. du ciel) : *p. paradisi* 94 ; *superna p. ; cælestis p. ; æterna p.* 313.

patriarcha, *-æ,* patriarche 234 ; 429.

patrocinium, *-ii,* patronage (de Marie) 65 ; 116 ; (des anges) 115 ; (d'un saint) 101.

patrocinor, *-ari,* c. *suffragor* 101.

patrona, *-æ,* patronne, avocate : *p. Virgo* 116.

patronus, *-i,* patron (saint) 98 ; 101.

pauper, *-eris,* adj. et subst., pauvre : *eximia in pauperes caritate* 482 – les humbles soumis à Dieu : *pauperes spiritu* 496 ; *refugium pauperum* 71 ; (en parl. du S. Esprit) *pater pauperum* 219.

paupertas, *-atis,* pauvreté (vœu de) : *quæ se majestati tuæ in paupertate, castitate, obedientia devovent* (secr. in die prof. religiosarum).

pauso, *-are,* reposer (dans la mort ou dans un cimetière) : *pausantium nomina* 94 ; *pausantium animas* ou *spiritus* 94.

pax, *pacis,* paix (entre les hommes) 65 ; 75 et note 13 ; 483 ; (Deus) *auctor pacis ; vinculum pacis* 476 ; *pacem quam mundus dare non potest* 65 ; *inquirere pacem ; spiritus pacis* 497 ; *regnum amoris et pacis* 484 – (formule de salut) *p. tecum* ou *vobis* 89 – baiser de paix : *collectio ad pacem* (Miss. Gall. 28, 181) – – paix de l'âme 75 – paix (de l'homme justifié, réconcilié avec Dieu par la Rédemption) 44 ; 94 ; *annuntiare pacem* 230 ; *evangelizare pacem*, Rom. 10, 15 ; *p. Dei* 505 – paix (du ciel, de la béatitude éternelle) : *p. æterna* 94 ; *perpetua p. ; locum refrigerii, lucis et pacis* 307 ; *p. sabbati, p. sine vespera* 94, note 8 ; 307, note 26.

peccamen, *-inis*, péché 96 ; 422.

peccator, *-oris*, pécheur 91 ; 411 et passim.

peccatrix, *-tricis*, adj. et subst., pécheresse 411.

peccatum, *-i*, péché : *p. actuale* 411 ; 56 et passim – *p. originale* ou *peccatum* (seul) 223 ; *p. vetus* 223 ; 228.

pecco, *-are*, pécher 90 ; 411 ; etc.

pectus, *-oris*, cœur 66 ; *insere pectoribus nostris amorem* 46 ; *purificatum p.* 250.

pellicanus, *-i*, le Pélican (appellation du Christ) 207.

pellis, *-is*, la peau (du Christ flagellé) 51.

pello, *-ere*, chasser (le mal) 74 et note 12 – repousser (l'Ennemi) 114.

pendeo, *-ere*, être suspendu (à la croix) : *infami ligno p.* 195.

pendo, *-ere*, peser, payer : *pretium pependit sæculi* („*Vexilla Regis*").

penetrabilis, *-e*, pénétrant (en parl. de la parole de Dieu) 170.

penetrale, *-is*, intérieur, sanctuaire (fig.) : *penetralia cordis nostri* 395.

penetro, *-are*, pénétrer (dans les cœurs) 222.

Pentecoste, *-es*, Pentecôte (a désigné d'abord l'espace de temps entre Pâques et la Pentecôte, v. Dict.).

per, (sens grammatical et mystique) 230, note 5.

perago, *-ere*, célébrer (avec ou sans idée de continuation) 5.

perambulo, *-are*, c. *ambulo*, marcher, se conduire 427.

perarmo, *-are*, armer complètement (fig.) : *p. documento justitiæ* 172.

perceptio, *-onis*, action de recevoir : *p. sacramenti* 8 ; 251 ; *corporis et sanguinis tui p.* 261.

percipio, *-ere*, recevoir (l'eucharistie) : *p. cælestia alimenta* 261 – sentir, goûter : (*Cordis Jesu*) *suavitatem p.* 51 – (en parl. de Dieu) percevoir, écouter, exaucer : *auribus p.* 52.

percolo, *-ere*, célébrer 5.

percurro, *-ere*, courir jusqu'au bout (les étapes de notre combat) 110 – pratiquer jusqu'au bout (le jeûne) 434.

percutio, *-ere*, (en parl. de Dieu) frapper (par des épreuves) 416 ; *percutiendo*

sanas 444 – frapper (sa poitrine) 278.

perditio, *-onis*, mort 317, note 11 – perte (de l'âme) 317 ; *filius perditionis ; via perditionis* 317 ; (en parl. du péché originel) *perditionis auctor* 317 et note 12 – péril (en gén.) 321.

perdo, *-ere*, perdre (spir.) : *humanam naturam peccato perditam* 317 ; *perditus*, perdu (le genre humain) 175 – perdre (son âme) et (pass.) être damné : *animam perdere ; animam et corpus p. in gehennam* 317 ; *ne perdar in die judicii* 317 et note 11.

perdoleo, *-ere*, souffrir : *perdolens Virgo* 121.

perduco, *-ere*, conduire jusqu'à (au ciel) : *p. in civitatem sanctam* 94 ; *ad regna æterna p.* 294 ; *ad contemplandam faciem ... perducamur* 298 ; *ad pascua æterna perducamur* 305.

peregrinatio, *-onis*, (notre) exil (sur cette terre) 304, note 22 ; 402 – pèlerinage : *crucem peregrinationis assumere* 451.

peregrinor, *-ari*, être en exil (sur cette terre) 402 – (sens pr.) *peregrinantes*, les voyageurs 75.

perennis, *-e*, éternel (gloire, louange) 37 ; 38 ; (en parl. de Dieu) *lux p.* 126 ; *p. misericordia* 96 ; (de sa grâce) *p. gratia* 34 ; (du ciel) *p. regnum* 294 ; *p. gloria ; vita p.* 301.

perennitas, *-atis*, éternité (bienheureuse) 126 ; 301, note 17 ; *beata p.* 299.

perenniter, éternellement 126 ; 301, note 17.

pereo, *-ire*, se perdre, être perdu, damné 317 ; 412 – *periturus*, destiné à se perdre, caduc : *peritura mundi deliciæ* 404.

perfecte, parfaitement, complètement, sans réserve : *te p. diligere* 46.

perfectio, *-onis*, perfection (morale) : *via perfectionis* 455.

perfectus, *-a*, parfait, complet : *p. Deus, p. homo* 189 – parfait (vertu, sentiment) 46 ; *p. caritas* 46 ; 455 ; (pers.) *p. esse* 455.

perfero, *-ferre*, supporter jusqu'au bout, complètement 50 ; *peccata nostra ipse pertulit* 192 ; 232.

perficio, *-ere*, rendre parfait (pers. ou ch.), réaliser parfaitement 455 – assurer, guider : *p. gressus nostros* 426.

perfidia, *-æ*, refus de la foi, incroyance, fausse croyance 392.

perfidus, *-a*, incrédule : *p. Judæi* 392.

perforo, *-are*, transpercer : *perforatum latus* (de Jésus crucifié) 195 ; (de ses mains) 35.

perfruor, -i, jouir de (nuance de durée) : *aspectu Filii tui p. in cælis* 298 ; *bonis æternis p.* 299 ; *p. æterna solemnitate* 9 – c. *frui* : (*sancti*) *natalicio p.* 108.

perfundo, -ere, répandre (dans les âmes) 453 – répandre sur : *munera hæc tua benedictione perfunde* 247 ; *p. animam rore refrigerii* 94 ; 88 – *perfusus*, pénétré (de tel sentiment) 46.

pergo, -ere, tendre vers, être en route pour le ciel) : *ad patriam p.* 402.

periculum, -i, danger : *perpetuis defende periculis* (ici-bas) 71 ; 73 ; (en parl. de la damnation) *peccatorum nostrorum pericula* 316 – danger, opinion qui peut perdre 189.

permaneo, -ere, (en parl. de Dieu) demeurer immuable 126 – rester, persévérer : *in tua dilectione permanentes* 46 ; *p. ad coronam* 275.

permitto, -ere, (en parl. de Dieu) permettre : *qui neminem ... nimium affligi permittis* 152 ; 443 ; (formule d'humilité) *dicere permittat* 62.

permundo, -are, purifier 305.

perpetuus, -a, perpétuel, éternel : (en parl. du Fils) *Genitoris proles perpetua* 38 ; (de la Providence) *p. dispositio* 140 – ininterrompu, perpétuel : (en parl. de la Sainte Vierge) *p. virginitas* 119 ; 378 ; cf. *semper* ; *tibi perpetua caritate adhærere* 49 ; *p. sanitas* (ici-bas) 65 – *in perpetuum* = *in æternum* 38 – *in perpetuum*, en tout temps 11 – perpétuel, éternel (en parl. du ciel) : v. *felicitas lux*, etc.

perquiro, -ere, rechercher (Dieu) : *te toto corde p.* 466, note 5.

perrumpo, -ere, forcer l'entrée de : *p. infernum chaos* 226.

persecutio, -onis, persécution : *persecutionem pati* 445.

persecutor, -oris, persécuteur : *pro persecutoribus exorare* 445.

persequor, -i, persécuter 445.

perseverantia, -æ, persévérance : *in bono opere p.* 432.

persevero, -are, persévérer : *perseverantem in tua voluntate famulatum* 365 ; 434.

persisto, -ere, demeurer ferme : *in religionis integritate p.* 350.

persolutor, -oris, (en parl. de Dieu) celui qui s'acquitte (de ses promesses) 144.

persolvo, -ere, s'acquitter de, payer le tribut de : *gratias, laudes p.* 26 ; *p. horas* 505.

persona, -æ, masque, face, visage, rôle, personnage 215 et note 4 – Personne

(de la Sainte Trinité) 214 ; *tres personas coæternæ, coæquales* 215.

personaliter, en considérant les personnes (de la Trinité) : (*Deus*) *trinus p.* 214.

persono, -are, faire retentir : *p. hymnos* 11 – faire retentir bien haut, célébrer, chanter : *Dominum Deum nostrum ... p.* 28 ; *gloriam Patri p.* 11 ; *Deum p.* 128.

persto, -are, se maintenir : *p. in custodia* 450.

pertingo, -ere, atteindre, parvenir (au ciel) 308.

pertracto, -are, passer en revue, célébrer : *tua mirabilia p.* 132.

pertranseo, -ire, passer sa vie (en faisant le bien) : (*Jesus*) *qui pertransivit benefaciendo et sanando* 188 – (tr.) transpercer (en parl. du glaive de douleurs) 121 ; 498.

perturbatio, -onis, (pl.) troubles, malheurs 443 – passions 1 ; 74, note 11.

perungo, c. *ungo* 330.

pervenio, -ire, parvenir (au ciel) 298 ; *p. ad coronam, ad gaudia æterna, ad gloriam* 298 – (ici-bas) *p. ad perpetuum auxilium* 71.

perventor, -oris, celui qui est parvenu (au ciel) 298.

perversitas, -atis, (pl.) nos tendances mauvaises, perverses 74 ; 253.

pervigil, -ilis, sans cesse en éveil (providence protectrice) 138.

pervigilantia, -æ, vigilance incessante 432.

pestilentia, -æ, peste, épidémie 75.

pestis, -is, épidémie 75.

petitio, -onis, demande, prière : *pia p.* 65 ; 61 ; 80 et passim.

peto, -ere, demander (dans une prière) 78 ; *p. aliquem aliquid* ; *p. aliquid* ; *p. ut* 80 ; *p. Patrem, Dominum, a Domino* 80 ; *p. pacem* 80.

petra, -æ, roc solide (fig.) : *in apostolicæ confessionis petra* 468 – pierre (de scandale, d'achappement) : *p. scandali* 454 et note 5.

phantasma, -atis, phantasme (diabolique) 347.

phase, indéc. (hébr.), passage (de l'ange), la Pâque, l'agneau pascal (Vulg.) ; *p. vetus* (,,*Lauda, Sion*'') ; cf. *pascha*.

piaculum, -i, (pl.) souillures (du péché) 419 ; (sing.) 223.

pie, pieusement, religieusement, avec des sentiments de charité 47 ; *p. flere* 51.

pietas, -atis, bonté (de Dieu) : *pietas tua* ; *pietatis tuæ clementia* 22 et pas-

sim ; 148 ; *continua, immensa* p. 149 ;
(pléon.) *tuæ bonitatis* p. 148 – piété,
charité (envers Dieu) 46 – bonté (envers le prochain) 478.

pignus, *-eris* ou *-oris,* gage (en parl. du
S. Esprit) : *p. hereditatis nostræ ; p.
Spiritus* 233 ; (en parl. de l'eucharistie)
p. redemptionis æternæ 259 – gage de
l'affection, enfant 341 – reliques 108.

pinguedo, *-inis,* graisse, sève : *p. olivæ,* huile 339 ; (myst.) *p. misericordiæ*
339, note 2.

piscator, *-oris,* pêcheur (fig.) : *piscatores
hominum* 172.

pius, *-a,* bon (en parl. de Dieu) 96 ;
piissime ; Pater piissime 38 ; 34 ; 63 ;
149 ; *pie Jesu* 149 – pieux, fervent,
animé de sentiments de charité 47 –
orthodoxe 16.

placabilis, *-e,* propre à apaiser, propitiatoire : *hostia p.* 248 – de pardon :
annus p. 278 – prompt à s'apaiser, indulgent (en parl. de Dieu) 148.

placatio, *-onis,* action d'apaiser (Dieu),
propitiation 248.

placeo, *-ere,* plaire à, être agréé de
(Dieu) : (en parl. de pers. ou d'offrandes) *tibi p. ; placebo Domino ; Deo
placentes ; Deo placentem (hostiam)* 504 ;
473 ; (offrande euchar.) *majestati tuæ
placere possit* 248 – (impers.) juger bon
(en parl. de Dieu) : *sic placuit ante te*
502 – *placitus,* agréable à (Dieu) 86 ;
p. hostia ; p. sacrificium 248 ; *tibi placitus
populus tuus* 502 ; *placitis moribus* 434 ;
437 ; *placita jejunia* 69 – (pl. n.) ce que
Dieu a jugé bon : *quæ sunt tibi placita*
81 ; 504.

placidus, *-a,* non courroucé, serein,
favorable (en parl. de Dieu) : *placido
et benigno vultu* 62.

placo, *-are,* apaiser (Dieu), le rendre
favorable : *placari precibus et hostiis*
244 ; (par le saint sacrifice) *muneribus
te p. ; immolatione placari* 248 ; (par la
pénitence) *pænitentia placaris* 59 ; 91 ;
(abs.) *placare,* apaise-toi, pardonne 59
– p. p., *placatus,* apaisé, propice 52 ; 61
et passim ; *hostias, dona placatus assume*
(et autres verbes) 248.

plaga, *-æ,* coup, (pl.) les plaies (du
Sauveur) 15.

planctus, *-us,* lamentation de deuil, de
pénitence 461.

plango, *-ere,* pleurer, déplorer (nos
péchés) 92.

planto, *-are,* planter (spir.) 336.

plasma, *-atis,* créature 137.

plasmatio, *-onis,* action de pétrir
(l'homme), création 137, note 9.

plasmator, *-oris,* celui qui a formé
(l'homme), le Créateur 137.

plasmo, *-are,* pétrir, créer (l'homme)
137.

plaudo, *-ere, p. manibus,* frapper des
mains (en signe de joie) 12 ; (tr.) ap-
plaudir : *vitam datam per Virginem ...
plaudite* 12.

plebs, *plebis,* le peuple : *p. tua,* les
fidèles (opp. à *servi,* les clercs) 386 ; 65
et passim – l'ensemble des serviteurs
de Dieu : *p. credentium* 389.

plenitudo, *-inis,* ce qui remplit, le
plein de, l'ensemble : *p. terræ* 131 ; *p.
fontis* 333 – *p. temporis* ou *temporum,* la
plénitude des temps (arrivée des temps
accomplis, marqués pour) 225 – accomplissement parfait : *p. legis* 429 –
plénitude, perfection : *p. divinitatis*
(dans le Fils) 216 – (pour nous,
après la résurrection) *cælestis remedii*
p. 410.

plenus, *-a,* plein, complet : *p. atque
perfecta devotio* 21.

ploro, *-are,* pleurer, être dans la tristesse 445.

pluo, *-ere,* (tr.) pleuvoir, faire pleuvoir
(fig.) : *p. Justum* 175.

poculum, *-i,* coupe (euchar.) ; *p. cæleste ; spiritale p.* 255.

pœna, *-æ,* châtiment, peine (du péché)
223 ; 286 ; (de l'enfer) 96 ; 316 ; *pænas
æternas dare* 317 ; *loca pænarum* 316.

pœnalis, *-e,* du châtiment (de l'enfer) :
p. locus 96 ; *p. flammæ, ignis* 318.

polleo, *-ere,* (p. pr.) *pollens,* riche, fort
de (fig.) : *viduitatis gravitate p.* 492, note
3.

polluo, *-ere* : souiller : *pollutus labiis*
157 ; *ne polluantur corpora* (hymn.
compl.).

polus, *-i,* le ciel : *polorum sedibus* 290 ;
408.

pompa, *-æ,* procession, cortège (païen),
pompe, faste, séduction : *sæculi p.*
405 ; *abrenuntiare diabolo et pompis ejus*
331.

pomum, *-i,* le fruit (défendu) : v.
noxialis.

pondus, *-eris,* poids, lourdeur (spir.) :
peccatorum p. 422 ; *p. propriæ actionis*
401 ; *malorum nostrorum p.* 417.

pono, *-ere,* v. *anima, custodia* – *positus,*
placé, étant 402.

pontifex, *-icis,* pontife (en parl. du
Christ) : *verus æternusque P.* 205 ;
Christus assistens p. futurorum bonorum
234 ; 359 – le souverain pontife : *p.*
ou *p. summus, maximus* 382 ; 350 –
évêque, pontife 382 et note 2 ; *con-*

fessor atque p. ; sanctus, beatus p. ; in-fulatus p. 382.

pontificalis, *-e,* de pontife, pontifical : *p. dignitas* 382.

pontificatus, *-us,* pontificat : *summi pontificatus apex* 382.

pontificium, *-ii,* pouvoir suprême : *p. solvendi* 280.

pontus, *-i,* la mer : *terra, p., æthera* 28 ; 208.

populus, *-i,* le peuple (de Dieu), les croyants : *p. tuus ; p. tibi serviens* 388 ; *munera, :oblationes populi tui* 386 – le peuple, les laïcs (opp. aux clercs) : *clero et populo ; populo tibi commisso* 386 – *p. tuus,* le peuple (de Dieu), les Hébreux (Vulg. passim).

porrigo, *-ere,* (en parl. de Dieu) tendre : *dexteram p.* 57 – servir : *p. epulum* (euchar.) 259.

porta, *-æ,* porte (du ciel) : *paradisi portæ ; p. justitiæ* 305 ; (en parl. d'un lieu sacré) *p. cæli* 155 ; 345 ; *portæ æternales* 314 ; (de l'enfer) *porta* ou *portæ inferi* 285 ; 315 et note 6 ; *portæ mortis ; portæ infernorum* 315 ; (du purgatoire) *transire portas infernorum* 315 – porte (myst., en parl. du Christ) : *una porta Christus* 233 ; (de Marie) *p. lucis* 118 ; 210 ; *cæli p.* 120 ; 210 ; *p. justitiæ* 210 ; *p. clausa* 118 ; 211 ; cf. *janua.*

portentum, *-i,* prodige, miracle 133.

porto, *-are,* porter, supporter (et aussi „emporter" nos faiblesses) : *p. ægrotationes nostras* 187 ; *p. iniquitates nostras* 188 ; cf. *tollo* – porter (dans son sein) : *p. Dominum* 208.

portus, *-us,* port (myst.) : *p. salutis* 311 ; (sens pr.) *p. salutis navigantibus* 66 ; 311, note 31.

posco, *-ere,* demander (dans une prière) : *p. aliquid ; p. aliquem ;* (av. inf. ou prop. inf.) ; *p. ut* 81 ; *te poscimus* 37.

possessio, *-onis,* possession (du ciel) : *p. æterna* 300.

possibilis, *-e,* possible (à Dieu) 130, note 1.

possibilitas, *-atis,* possibilité, capacité, ce que nous pouvons par nous-mêmes : *p. nostra* 287 ; 401.

possideo, *-ere,* posséder : *gaudia æterna p.* 300 ; *hereditatem benedictionis æternæ p.* 372, note 41 – posséder, s'emparer de, pénétrer (en parl. de l'eucharistie) : *mentes nostras et corpora p.* 251.

possum, *posse,* pouvoir : *sine te nihil potest humana infirmitas* 401 ; (inf. subst.) *esse et posse simul habet* 130.

post, adv., après, dans la vie future 355.

postulatio, *-onis,* demande, prière 81 – intercession 100.

postulo, *-are,* demander, prier 61 ; 76 ; 81 et passim ; *postulata,* demandes 81 – intercéder (en parl. du S. Esprit) 219.

potens, *-entis,* capable, qui a la puissance de (en parl. de Dieu) : *p. facere* 68, note 8 ; *p. est ut* 130, note 1 ; (abs.) puissant 130.

potenter, puissamment : (en parl. de Dieu) *p. regere* 130.

potentia, *-æ,* puissance (de Dieu) : *p. tua* 60 ; *magnæ Deus potentiæ* 130 ; *unitas in potentia* 214.

potentialiter, par sa puissance : (*Deus*) *p. unus* (Trinité) 214 ; *p. resurrexit* 314.

potestas, *-atis,* puissance (de Dieu) 130, note 2 ; 248 – (pl.) Puissances (anges) 113 ; 114 – (démons) *principes et potestates* 322 ; (sing.) *p. adversa* 325.

poto, *-are,* (pass.) être abreuvé, boire (en parl. de l'eucharistie) 255 – (act.) abreuver (fig.) : *aqua sapientiæ p.* 486.

potus, *-us,* breuvage (euchar.) 255 ; 263.

præ, 1. à cause de, en raison de : *dormientes præ tristitia,* Luc. 22, 45 ; *præ tædio,* Ps. 118, 28.

2. (dans l'expression du superlatif) en comparaison de, plus que 118, note 1 ; *unxit te Deus præ consortibus tuis,* Ps. 44, 8 ; (après un compar.) *corpulentiores præ omnibus pueris,* Dan. 1, 15.

præbeo, *-ere,* (en parl. de Dieu) accorder : *p. auditum* 53 ; *p. subsidium* 67 ; *veniam p.* (or. 1 fer. 4 p. d. 4 Quadr.).

præcedo, *-ere,* précéder, mourir avant 95 ; *qui nos præcesserunt* 408 – c. *prævenire,* préparer, devancer (une fête) 13 ; *p. solemnia* 178 – (abs.) prévenir, précéder (en parl. d'une grâce, opp. à *subsequi,* accompagner, seconder) 270 – précéder (en parl. d'une préfigure) 176.

præcelsus, *-a,* très-haut : *præcelsa Dei Genitrix* 119.

præceptio, *-onis,* ordre, commandement (de Dieu) 430.

præceptor, *-oris,* Maître (appellation du Christ) 205.

præceptum, *-i,* précepte, commandement (de Dieu) 430.

præcingo, *-ere,* c. *accingo,* ceindre (dans la lutte spirituelle) : *lumbos præcincti* 441.

præcino, *-ere,* chanter, célébrer 11.

præcipio, *-ere,* ordonner, commander (en parl. de Dieu) 47 ; 430 ; *amare quod præcipis* 432.

præclarus, *-a,* glorieux : *Virgo virgi-*

num præclara (seq. Sept. Dol. B. M.
V.) ; *p. oratio* (*sancti*) 65.

præco, *-onis*, héraut, celui qui proclame, annonce (en parl. de S. Jean-
Baptiste ou d'un confesseur en gén.) :
p. Judicis 103 ; *p. verbi tui* 172 – (fig.,
en parl. du coq) *p. diei* 13, note 2.

præcognitio, *-onis*, préscience (voir la
liste des composés en *præ-*) 128.

præconium, *-ii*, louange 27 – *p.
paschale*, proclamation pascale 27 et
note 8 – (pl.) message (des prophètes)
173 ; 429.

præcordia, *-orum*, esprit, cœur : *aures
præcordiorum ipsorum* 395.

præcurro, *-ere*, précéder 395 ; (tr.) *lex
præcurrit gratiam* 103 – devancer, préparer (une fête) : *p. solemnia, festa* 13.

præcursor, *-oris*, le Précurseur (S. Jean-
Baptiste) 103.

prædestinatio, *-onis*, prédestination :
æternæ prædestinationis titulo 275.

prædestino, *-are*, destiner à l'avance
(en parl. de Dieu, de la Providence)
140 ; 176 – prédestiner (l'humanité au
salut, dans le plan divin) 225 ; 233 ;
275 ; 500 ; *p. in adoptionem filiorum* 275.

prædicatio, *-onis*, annonce (de l'Évangile), prédication (de la parole) 172 –
pl.) les enseignements (de l'Évangéliste) 171 – prédication : *prædicatione
et exemplo* 345, note 2.

prædicator, *-oris*, celui qui proclame,
prêche (en parl. d'un évangéliste ou
d'un confesseur) 172 ; 385 – prédicateur 362, note 10.

I **prædico**, *-are*, louer, célébrer hautement (la gloire de Dieu) 26 ; 28 ; *te
(Deum) mirabilem p.* 107 – proclamer,
annoncer hautement devant tous (la
parole de Dieu, l'évangile) 107 ; 160,
172 – prêcher 172, note 1.

II **prædico**, *-ere*, prédire (en parl. d'un
prophète) 174.

præditus, *-a*, en possession de : *Olympo
præditus* 290.

præeligo, *-ere*, choisir d'un amour de
prédilection 378 – *præelecti*, prédestinés 275.

præeo, *-ire*, devancer, préparer (une
fête) 13.

præfatio, *-onis*, invitation à la prière,
formule de prière, préface 32, note 1 ;
82 et note 10 – récitation préliminaire : *p. symboli* 82.

præfero, *-ferre*, porter devant, avant,
montrer, présenter, constituer (un
symbole) 176.

præficio, *-ere*, mettre à la tête (de
l'Église) 386.

præfiguratio, *-onis*, préfiguré, préfiguration 176.

præfiguro, *-are*, préfigurer 176.

præfor, *-ari*, invoquer d'abord 32, note
1.

prægno, *-are*, porter dans son sein
(myst.) 354.

prælargus, *-a*, très abondant, débordant, généreux : *prælargissima clementia* 151.

prælatio, *-onis*, dignité de chef (en
parl. d'un abbé, d'un évêque) 381 –
(en gén.) commandement : *prælationis
honor* 371.

prælatus, *-i*, chef 381.

prælmitto, *-ere*, envoyer à l'avance (les
prophètes) 188, note 10.

præmium, *-ii*, récompense (du ciel) :
præmia repromissa ; *æterna præmia* ;
cæleste p. ; *p. vitæ æternæ* 303 – bienfait
(de la rédemption) *præmia salutis æternæ* 210.

prænosco, *-ere*, connaître à l'avance
(préscience de Dieu) 275.

prænoto, *-are*, symboliser, figurer 342.

prænuntiatio, *-onis*, annonce à l'avance : *prophetica p.* 174, note 5.

prænuntiativus, *-a*, qui annonce à
l'avance 174, note 5.

prænuntiator, *-oris*, prophète 174.

prænuntio, *-are*, annoncer à l'avance :
(en parl. de S. Jean-Baptiste) 103 ; (des
prophètes) 174 ; 204.

prænuntius, *-ii*, celui qui annonce à
l'avance (S. Jean-Bapt.) 103, note 1.

præoccupo, *-are*, accourir devant :
præoccupemus faciem ejus 27 – *præ-
occupatus*, surpris (par la mort) 91 ;
407.

præordinatio, *-onis*, préordination (de
la Providence) 140.

præparo, *-are*, préparer (spir.) : *ad festa
ventura nos p.* 13 ; 250 – préparer (les
voies au Messie) 178 – (les récompenses célestes) *bona invisibilia p.* ; *quæ
præparavit Deus iis qui diligunt illum*
470 – préparer (une place pour les
reliques) 108.

præpedio, *-ire*, empêcher, retarder (le
salut) 69 – entraver (spir.), retarder,
gêner (en parl. de nos péchés) 56 ;
401 ; 411 ; 422.

præpositus, *-a*, part. et subst., chef
d'une communauté chrétienne primitive 381 – celui qui est à la tête de,
préposé à : *ad gubernandas ecclesias p.*
381 ; (S. Michel) *p. paradisi* 114.

præputium, *-ii*, le prépuce, (concr.) les
incirconcis 392 – (fig.) *p. cordis nostri*
282.

prærogativa, -æ, prérogative : *specialis p. castitatis* 492.

præscio, -*ire*, (en parl. de Dieu) savoir à l'avance 233 ; 275, note 5 ; 500.

præsens, -*entis*, présent : *p. vita* 402 ; *p. tempus ; p. sæculum* 403 ; 213 et passim – *p. dies = hodierna dies* 108.

Præsentatio, -*onis*, Présentation (de Jésus au temple) 184.

præsento, -*are*, présenter (Jésus au temple) 184.

præsepe, -*is*, la crèche (de Bethléem) 50.

præsepium, -*ii*, c. *præsepe* : *Dominum natum jacentem in præsepio* 180 ; 50, note 15.

præservo, -*are*, garder d'avance, préserver (Marie du péché originel) 212.

præsidium, -*ii*, protection, aide, secours (de Dieu) (sing. et pl.) 71 et passim – (de la Sainte Vierge) 116 ; (des saints) 102 – la garde : v. *militia*.

præsigno, -*are*, faire comprendre, marquer à l'avance 140 – préfigurer 176.

præstabilis, -*e*, qui se prête volontiers, qui pardonne volontiers, qui aide (en parl. de Dieu) 67, note 7.

præsto, -*are*, (en parl. de Dieu) accorder (faveur, grâce) : *p. aliquid ; p. ut* (ou av. prop. inf.) 61 ; 67 et passim ; (abs.) 67.

præstolor, -*ari*, attendre (le salut de Dieu) 162 ; *p. æternæ gloriam visionis* 298 – préparer (la venue du Sauveur, sa Nativité) 178.

præsul, -*ulis*, chef (en parl. de Dieu) 72 – chef, gardien, souverain pontife, évêque 381.

præsum, -*esse*, être à la tête de : (en parl. du pape) *p. ecclesiæ* 383.

præsumo, -*ere*, présumer à l'avance, oser demander (dans une prière) : *quod oratio non præsumit* 68 – oser : *quod ego indignus sumere præsumo* (or. 3 ante comm.).

prætendo, -*ere*, (en parl. de Dieu) étendre devant (pour protéger) ; *p. dexteram* 57.

præter, sauf, excepté : *non est Deus præter te* 159.

prætereo, -*ire*, passer, être passager, éphémère 403, note 6.

præteritum, -*i*, le passé : *prophetia de præterito* 173.

prætorium, -*ii*, le prétoire (de Pilate) 51.

prævaleo, -*ere*, prendre le dessus, l'emporter 325 ; *portæ inferi non prævalebunt* 315 ; *nullæ peccatorum*

spinæ prævaleant 411 – c. *valere*, pouvoir : *noxias delectationes vitare prævaleam* 418.

prævaricatio, -*onis*, transgression (d'Adam) 176 ; 223 ; (de la loi de Dieu) 420.

prævaricor, -*ari*, transgresser (un ordre) : (en parl. d'Ève) *p. verbum* 223, note 1.

prævenio, -*ire*, devancer (une fête, par la célébration des vigiles) 7 ; 13 ; 212 – prévenir (nos vœux, nos désirs) 54 ; 65 – agir à l'avance (grâce prévenante) : *gratia præveniens* 42 ; 270 – passer avant, l'emporter 496.

pravitas, -*atis*, erreur : *hæretica p.* 352 – disposition au péché, méchanceté naturelle : *nostræ voluntatis p. ; p. nostra* 424 ; 286.

pravus, -*a*, erroné : *pravis opinionibus* 352 – mauvais, pervers : *p. cogitatio* 396.

precatio, -*onis*, prière (d'intercession) 100.

precator, -*oris*, intercesseur 100.

precatus, -*us*, prière 79.

precor, -*ari*, prier : *p. ad Dominum ; p. Deum* 79 – *precantes*, ceux qui prient : *ora precantium* 38.

premo, -*ere*, accabler (condamnation) 96.

presbyter, -*eri*, presbytre, ancien (dans la communauté chrétienne primit.) 360 ; 361 – prêtre : *consecratio presbyteri* 361 ; *cardinalis p.*, prêtre titulaire 361, note 6.

presbyteralis, -*e*, de prêtre : *p. honor* 366, note 27.

presbyterium, -*ii*, dignité de prêtre : *presbyterii munus, honor* 361 – l'ensemble du clergé, lieu où il se tient 361, note 7.

pressura, -*æ*, tribulation : *pressuræ sæculi* 442.

pretiosus, -*a*, précieux (ou : qui assure notre „rançon", *pretium*, en parl. du sang du Christ) : *p. sanguis* 194 – (en parl. des saints) *p. mors sanctorum ; p. martyrium* 109 ; *p. passiones* 28 ; *p. sanguis* 104.

pretium, -*ii*, (notre) rançon (la mort sur la croix) : *sæcli p. ; salutis nostræ p.* 16 ; 192 ; 194 ; 226.

prex, *precis*, prière : *intenta prece ; ad precem meam* 79 ; (ordin. pl.) 52 ; 61 ; et passim ; *preces effundere, offerre, deferre*, etc. ; *exaudire preces* 79 – prière d'intercession 67 ; 100.

primitiæ, -*arum*, prémices (des nouveaux fruits) ; *p. creaturæ tuæ* 88 –

(myst., en parl. du Christ premier ressuscité) *p. quiescentium* 198 ; (de S. Étienne, premier martyr) *p. martyrum* 109.

primogenitus, *-a*, premier-né : (en parl. du Christ) *p. omnis creaturæ* 206 ; 210 ; *p. in multis fratribus* 233 ; (de Marie) *primogenita ante omnem creaturam* 210.

primoplastus, c. *protoplastus* 223.

primordium, *-ii*, début, origine : *inter ipsa mundi primordia* (ben. aq. vig. Pasch., Gel. I, 44, 445).

princeps, *-cipis*, premier, prince : (en parl. de Dieu) *p. luminis* 142 – (en parl. du Christ) *Christus p.* 11 ; *sæculorum p.* 131 ; *principem et salvatorem ; p. regum* 205 ; (nom du Messie dans Is.) *p. pacis* 204 – principaux (anges) : *cœli principes ; angelorum principes* 114 – prince (en parl. de S. Pierre) 104 ; *p. apostolorum* 98 ; (S. Pierre et S. Paul) *apostolorum principes* 104 ; 111 – (en parl. du démon) *p. hujus mundi ; principes potestatis aeris hujus* 322 ; *p. tenebrarum* 322.

principalis, *-e*, fondamental : *beata Trinitas et principalis Unitas* 37 – de prince, magnanime : *spiritus p.* 37, note 11.

principatus, *-us*, primauté (en parl. de S. Étienne) : *p. martyrii* 109 – (pl.) Principautés (anges) 114 – (en parl. des démons) *p. et potestates* 322.

principium, *-ii*, commencement : *in principio* 38 – principe, commencement (en parl. de Dieu) : *p. et finis* 124 – origine : *ad suum principium venire* 250 ; 322.

privilegium, *-ii*, privilège : *p. Israelis* 349.

probo, *-are*, éprouver (par les épreuves) 444 ; (par les tentations) 446 – (p.p.) *probatus*, éprouvé, de mœurs probes : *(uxor) p. et innocens* 341.

probrum, *-i*, honte, action honteuse : *probra nostra* 424.

procedo, *-ere*, s'avancer : *procedens de thalamo* 181 – s'avancer (en procession) : *p. in pace* 83 – venir de, provenir de : *(verbum) quod procedit de ore Dei* 170 ; *(Deus) a quo bona cuncta procedunt* 147 – venir de, sortir de (en parl. du Fils) : *p. a Patre* 181 ; 216, note 3 – procéder (en parl. du S. Esprit) : *ab utroque p.* 38 ; 222 ; *Spiritus veritatis qui a Patre procedit* 218 ; *a Patre et Filio p. ; nec genitus, sed procedens ; ex Patre Filioque procedit* 222.

procella, *-æ*, tempête (fig.) : *p. sæculi* 442.

procellosus, *-a*, orageux (vie) 442.

processio, *-onis*, procession (du Verbe) : *æterna p.* 222, note 9 ; (du S. Esprit) 222, note 9.

procido, *-ere*, tomber à genoux, se jeter aux pieds de, se prosterner 19 ; 83.

proclamo, *-are*, proclamer, célébrer hautement 28 – crier (sa prière) 62.

procreator, *-oris*, le Créateur 134.

procul, loin (en parl. du démon, dans l'exorcisme) : *p. absistat* 327.

procuratio, *-onis*, la charge (des âmes) : *p. animarum* 385.

procuro, *-are*, avoir à cœur de (av. inf.) 501.

prodeo, *-ire*, s'avancer, sortir, paraître : (en parl. de la Sagesse) *ex ore Altissimi prodiisti* 205 ; (de l'Incarnation) *carne amictus prodiit* 186.

prodigium, *-ii*, prodige, miracle 107, note 3 ; 132.

proditor, *-oris*, le traître (le diable) : *p. ou p. angelus* 324 ; v. *fallo, ars*.

prœliator, *-oris*, combattant (fig., en parl. du martyr) 110.

prœlior, *-ari*, combattre (spir.) : *p. prœlia tua* 440.

prœlium, *-ii*, le combat (spirituel) : *defende nos in prœlio* 114 ; 440.

profanitas, *-atis*, paganisme : *mortifera p.* (Leon. 76).

profanus, *-a*, profane, du monde : *p. vanitates* 405.

profectus, *-us*, progrès (spirituel) 106 ; *de profectu sanctarum ovium* 356.

profero, *-ferre*, apporter, présenter (don) 237.

professa, *-æ*, religieuse 380, note 11 ; v. *profiteor*.

professio, *-onis*, action de professer (une croyance) : *christiana p.* 388 ; 469 ; *catholica p.* 469 – profession de foi (en paroles, opp. à *effectus*, effet, réalisation) 438 – profession religieuse 380.

professus, *-us*, profession religieuse 380, note 11.

proficio, *-ere*, profiter, avancer, progresser (spirituellement) 106 ; 457 – être profitable, servir 397 ; 458 ; *p. saluti, ad salutem ; nobis p.* 457.

proficiscor, *-i*, partir (à la mort) : *proficiscere, anima christiana* 94, note 4.

profiteor, *-eri*, proclamer, confesser, professer (une doctrine, une foi) 42 ; 469 ; professer ouvertement (par sa conduite) 433 – déclarer entrer en religion : *professis virginibus* 380 ; *virginitatem p.*, faire vœu de virginité 380.

profundo, *-ere*, répandre (à profusion) : *profusis gaudiis* (præf. Spir. S. ; Leon. 846).

profundum, *-i*, la profondeur (myst.) : v. *longitudo*, *latitudo* – (pl.) profondeurs : *de profundis clamavi ad te*, Ps. 129, 1.

profundus, *-a*, profond (en parl. de l'enfer) : *de profundo lacu* 96.

profusio, *-onis*, action de répandre en abondance : *p. Spiritus* 9.

progenies, *-iei*, race, descendance (spir.) : *in nova familiæ tuæ progenie* 233 ; (locut.) *a progenie in progenies*, de générations en générations, d'âges en âges 126, note 7.

projicio, *-ere*, rejeter : *p. in profundum maris* 228 ; *projectus est satanas* 321.

proles, *-is*, progéniture, enfants : (spir., en parl. des enfants de l'Église) *nova prole ; florentissima p.* 354 – (dans les hymnes) = *Natus, Filius : Genitoris P.* 38 ; *genita P.* 204 – *Virginis p.*, Celui qui est né de la Vierge 216.

promereo, *-ere* (**-eor**, *-eri*), gagner (Dieu ou la faveur de Dieu) : *p. Deum* 482 ; *p. beneficia Dei* 69 ; 267 ; (*sanctorum*) *patrocinio promerere* 101.

promico, *-are*, briller soudain (comme un astre, en parl. de Jésus à sa naissance) 182.

promissio, *-onis*, promesse (de Dieu) 44 ; promesse (de la terre promise ou du Messie) 164 ; (d'une nombreuse postérité, d'un peuple de croyants) *filios promissionis* 175 ; (même expression pour désigner les chrétiens) 175 ; 390 – (concr.) la promesse, ce qui a été promis (en parl. du S. Esprit) : *p. Patris* 175, note 6 – (pl.) les biens promis (le ciel) 303.

promissor, *-oris*, (en parl. de Dieu) celui qui promet : *fidelissime p. ; p. verax* 144 ; *fidelis p.* 164.

promissum, *-i*, c. *promissio*, promesse 164 ; (pl.) *p. æterna* 303 ; *ad tua promissa currentes* 470 ; cf. *ad promissiones tuas currere* 44.

promitto, *-ere*, promettre (en parl. de Dieu) : *quod promittis* 44 ; 61 – promettre (le ciel) 303 – promettre (le Messie) 175.

promoveo, *-ere*, faire avancer, promouvoir : *ad ecclesiastici ordinis decorem p.* 366.

pronuntio, *-are*, déclarer, prononcer (dans un arrêt) 316.

propagatio, *-onis*, propagation : *p. fidei* 172 ; 351.

propagator, *-oris*, celui qui propage (la foi) 105 ; 172.

I **propago**, *-are*, propager (la gloire de Dieu) 358 ; (la foi) 172.

II **propago**, *-inis*, race : *humana p.* 174.

prope, près, proche : *p. est* (*Dominus*) 56.

propense, **propensius**, avec plus d'empressement 458.

propero, *-are*, se hâter (de quitter la vie) 439.

propheta (-tes), *-æ*, prophète, homme inspiré 168 ; 173 – devin 173.

prophetia, *-æ*, prophétie, déclaration, parole de prophète 173 et note 1 – lecture de l'A.T. 173 – don de prophétie, don de parler en homme inspiré 271.

propinquus, *-a*, (subst. pl.) nos proches (or. p. def. passim).

propheto, *-are*, parler en prophète, prophétiser 173.

propitiabilis, *-e*, capable d'apaiser, propitiatoire : *p. victima* 248.

propitiatio, *-onis*, faveur (de Dieu) : *p. cælestis* 69 – action de rendre propice ou d'être propice, favorable, propitiation, pardon 61 ; 69 ; 411 ; *indulgentia tuæ propitiationis* 56 ; *dextera tuæ propitiationis* 57 ; *custodi ... propitiatione perpetua* 72 ; *propitiationem invenire* 278 ; (obtenue par l'offrande eucharistique) 248.

propitiatorium, *-ii*, propitiatoire (des Hébreux) 193, note 13 – sacrifice propitiatoire (la croix) 193.

propitio, *-are*, rendre propice, favorable ; (ordin. pass.) être rendu propice, être favorable 69 ; *propitiare* (impér.) *populo tuo* ; *p. muneribus* 248 – pardonner : *propitiari peccato* 278 – (p. p.) *propitiatus*, rendu propice, favorable (= *propitius*) 52 ; 69 ; 248 ; *p. absolve* 278.

propitius, *-a*, (en parl. de Dieu) propice, favorable 55 ; 69 et passim ; *dona p. intueri* 248 – qui pardonne : *p. fiet peccatis* ; *p. peccatori* 278.

propono, *-ere*, placer devant, sur, apporter, offrir : *munera tuis altaribus proposita* 246.

propositio, *-onis*, *panes propositionis* 234, note 1.

propositum, *-i*, propos, volonté, disposition, dessein (de Dieu) : *secundum propositum voluntatis suæ* 275 – ce qu'on s'est proposé, vœu : *virginitatis p.* 376 ; *p. castitatis* 380.

proprietas, *-atis,* propriété, ce qui est propre à (chacune des personnes de la Trinité) : *in personis* p. 215 – *p. linguæ,* idiotisme 211.

proprius, *-a,* propre à (= adj. poss.) : *propria actio* = *nostra actio* 401 ; *a propriis reatibus* 283 – (opp. à *alienus, externus,* v. ex. à *alienus*).

propter quod, c'est pourquoi 40.

propugnator, *-oris,* celui qui combat, repousse : *p. hæresum* 440, note 3 – défenseur (de l'Église) 105 ; 358 ; 393 ; *p. fidei* 172 ; (abs.) 172 – confesseur, martyr 440 – défenseur, intercesseur 105 (sens double).

prosator, *-oris,* c. *sator* (en parl. du Créateur) 134.

prosequor, *-i,* (en parl. de Dieu) accompagner (fig.), seconder, favoriser 65 ; 69 ; *vota nostra* p. 149 ; 270 ; *populum tuum* p. 65 ; 541 ; *jejunia nostra* p. 69 – favoriser, recommander (en parl. des mérites des saints) : *nos beata merita prosequantur* 97 ; (de Marie) 116 – suivre (les traces d'un saint) 106.

prosper, *-era,* heureux : *o sorte nupta prospera* (hymn. modif. Dedic.) – (subst. pl. n.) le bonheur, la prospérité : *prospera mundi despiciens* 405.

prosperitas, *-atis,* prospérité, succès : *p. mundana* 405 – chance, bonheur : *tuæ salutis* p. 284.

prospicio, *-ere,* (en parl. de Dieu) regarder (du haut du ciel) 55 – surveiller (nos actes) 142.

prosterno, *-ere,* (pass.) se prosterner : *prostratus* 83.

prosum, *prodesse,* être utile (spir.) : *corporibus et mentibus* p. 458 ; 253 ; (en parl. d'une demande) 65.

protectio, *-onis,* protection (de Dieu) 44 ; 274 et passim ; *tua* p. ; *p. assidua, continua, sempiterna, cælestis* 72.

protector, *-oris,* protecteur (en parl. de Dieu) 44 ; 70 ; 72 et passim ; (d'un saint) 103.

protego, *-ere,* protéger (en parl. de Dieu) 57 ; 72 et passim ; (de la Vierge) 65 ; (des anges) 115.

protomartyr, *-yris,* protomartyr, premier martyr (S. Étienne) 109.

protoparens, *-entis,* premier père (Adam) 223.

protoplastus (subst. m. et adj.), premier créé : *parens* p. 223.

provectus, *-us,* progrès, avantage (spir.) 144.

proveho, *-ere,* élever jusqu'à : *ad similitudinem* p. *angelorum* 379.

provenio, *-ire,* servir à : *p. ad salutem,*

ad auxilium 458 ; (péjor.) *p. in condemnationem ; ad judicium* p. 278 – = *fio,* devenir, être : *apta proveniant* 247 ; *remedia nobis* p. 253 ; 458.

proventus, *-us,* profit (spir.) 458 – moyens suffisants (contre la tentation) 466.

providentia, *-æ,* providence (de Dieu) 139 ; (sens affectif et sens intellectuel) 141 et note 7.

provideo, *-ere,* (en parl. de la providence divine) pourvoir à, prévoir pour : *quæ fidelibus tuis ad remedium providisti* 141, note 6 ; *p. aliquem : beatum Hieronymum* p., nous donner providentiellement saint Jérôme (comme interprète de l'Écriture) 168.

provoco, *-are,* inciter à : *ad meliorem vitam* p. 106.

proximitas, *-atis,* approche (d'une fête) 348.

proximus, *-a,* subst., le prochain : *proximi dilectio ; proximos diligere* 475 ; 429.

prudens, *-entis,* sage, prudent (dans sa conduite) : (opp. à *fatuæ*) *prudentes virgines* 487 ; *prudentes, castas, sobrias* 487 ; *p. modestia* 487.

psallo, *-ere,* faire retentir (un chant) 10 ; 11 – célébrer : *angelos custodes* p. 115.

psalmus, *-i,* psaume, chant 10.

pudicitia, *-æ,* pudeur, chasteté 396 ; 492.

pudicus, *-a,* pudique : *p. pectus* (de la Vierge) 209.

puerpera, *-æ,* jeune mère (Marie) 118.

pugillus, *-i,* poing : (en parl. de Dieu) *mundum pugillo continens* 209.

pugno, *-are,* combattre (combat spirituel) : *contra spiritales nequitias* p. 440 ; (combat du martyre) 110.

pulcher, *-chra,* beau : *tota pulchra es, Maria* (all. 8 déc.).

pulso, *-are,* frapper à la porte 153, note 3 ; *cæleste* p. *ostium* 304 – ébranler (en parl. de la tentation) 446.

pulvis, *-eris,* poussière : *in pulverem reverti* 224 ; *in pulverem reducere* 400.

pupilla, *-æ,* pupille : *custodi me ut pupillam oculi* 72.

purgatio, *-onis,* purification : *p. delictorum* 278 ; 281.

purgatorium, *-ii,* purgatoire 93.

purgatorius, *-a,* purificateur (en parl. du purgatoire) : *p. pœnæ ; p. tormenta ; ignis* p. 93.

purgo, *-are,* purifier (spir.) 250 ; 252 et passim ; *p. vitia ; nos* p. *a crimine* 281.

purificatio, *-onis,* purification : (en parl. de l'eucharistie) *purificationem conferre* 62 ; 250 – la Purification (de la Sainte Vierge) 184.

purifico, *-are,* purifier : *nos p.* (en parl. de l'eucharistie) 250 ; *p. cogitationes* 281 ; *purificatis mentibus* 62 ; (en parl. du baptême) *unda purificans* 334.

puritas, *-atis,* pureté : *mentis et corporis p.* 492 – (abs.) la pureté (physique) 9.

purpura, *-æ,* la pourpre : *ornata Regis purpura* 192.

purpuratus, *-a,* empourpré (du sang des martyrs) 104 ; *p. Roma ; purpurati martyres* 111.

purpureus, *-a,* rouge (du sang d'un martyr) 111.

purus, *-a,* pur : *pura mente ; puris mentibus* 2 ; 283 et passim ; *purior venire* 250 ; (en parl. de la Sainte Vierge) *purissima* 119.

pusillanimis, *-e,* sans courage 122.

putativus, *-a,* que l'on croit être, putatif : *p. pater* (S. Joseph) 103.

puteus, *-i,* puits (fig.) : *inferni p.* 318 ; *p. interitus* 314 ; *clavis putei abyssi* 318.

puto, *-are,* croire, penser : *Jesus ... ut putabatur, filius Joseph,* Luc. 3, 23 ; cf. *putativus.*

Q

quadragesima, *-æ,* Carême 433 ; 499 – Quadragésime (Miss. et Br. R.).

quadragesimalis, *-e,* du Carême 433 ; 449.

quadrans, *-antis,* quart d'as (fig.) : *usque ad novissimum quadrantem* 277 et note 4.

quæro, *-ere,* chercher, rechercher : *Jesum ardenter q.* 48 ; *te (Deum) q.* 270 ; *justitiam tuam q.* 484 – gagner (des âmes) : *animas q.* 453 – être à la recherche (des âmes) 453 et note 3 – acquérir : *quæsita fides* 39.

quæsitor, *-oris,* celui qui recherche : (en parl. de Dieu) *q. pacis* 483.

quæso, *quæsumus,* nous vous en

prions (abs. ou av. *ut*) 82 et passim.

queo, *-ere,* pouvoir : *ut queant laxis ...* 98.

querela, *-æ,* reproche : *sine querela,* irréprochable 484 ; 425.

quies, *-etis,* repos (pour les défunts) : *q. sempiterna ; beatitudo quietis* 94 – repos (de la nuit) 71 ; 73 – tranquillité : *q. noxia* 73 ; *q. temporum = quieta tempora* 75.

quiesco, *-ere,* reposer (en parl. du repos éternel) : *in Christo q.* 307 ; (dans un cimetière) 94, note 7 – *quiescentes,* les morts 198.

quietus, *-a,* tranquille : *quieta tempora* 75.

R

Rabbi ou **Rabboni,** c. *Magister* 205.

radico, *-are,* (intr.) s'enraciner (spir.) : *fides radicet* 39 – (pass.) *in caritate radicati* 46 ; *in Christo radicati* 427.

radius, *-ii,* rayon : *lucis tuæ r.* 291.

radix, *-icis,* racine, souche (fig.), race : *r. Jesse* 118 ; 175 – racine (fig.) : *in corde radices agere* 39.

ramus, *-i,* (pl.) rameaux 10 – branches : *flecte ramos, arbor alta* 51.

rapio, *-ere,* (pass.) être ravi, entraîné : *r. usque ad tertium cælum* 506 ; *in invisibilium amorem r.* 182.

rapina, *-æ,* vol (fig.), abus : *non rapinam arbitratus est* 216.

ratio, *-onis,* compte 247, note 1 –

action de rendre des comptes : *ante diem rationis* („Dies iræ").

rationabilis, *-e,* spirituel : *r. obsequium* 86 ; *omnes homines rationabili diligere affectu* 476 ; *rationabilia meditantes* 439 et note 5 ; (en parl. de l'offrande du saint sacrifice) *oblatio r.* 247 et note 1 ; 236, note 1.

rationalis, *-e,* raisonnable : *anima r.* 189 – c. *rationabilis* 247, note 1.

ratus, *-a,* porté en compte (fig.), ratifié, agrée (offrande) 247.

reatus, *-us,* culpabilité, état de pécheur, péché (originel ou personnel) 224 ; *reatus nostri confessio* 90 ; 423 ; *reatus sui pæna* 286 ; *non sit r. ad. pænam* 252 ;

conscientiæ r. ; a reatibus absolvere 423.

rebellis, *-e*, en révolte (contre Dieu ou la grâce) : *r. voluntates* 270.

recedo, *-ere*, se séparer de, quitter : *a paterna gloria non recedens* (par l'Incarnation) 188 – se retirer (en s'adressant au démon dans l'exorcisme) : *recede ab hoc famulo Dei* 327.

recenseo, *-ere*, c. *recolere*, rappeler, célébrer le souvenir de : *Nativitatem, natalicia, solemnia r.* 15 ; *confessionem (martyris) r.* 109.

receptaculum, *-i*, lieu où l'on est reçu : *cælestium r. mansionum ; r. mansionis æternæ* 304.

receptio, *-onis*, action de recevoir (l'eucharistie) 261, note 3.

receptor, *-oris*, (en parl. de Dieu) celui qui reçoit, recueille : *fidelium animarum r.* 96.

recipio, *-ere*, recevoir : *beatitudinem r.* 299 – recevoir, accueillir : *ut ... recipiant vos in æterna tabernacula*, Luc. 16, 9.

recito, *-are*, lire, réciter (son bréviaire) 1.

recogito, *-are*, penser, faire un retour sur : *r. corde* 395.

recolo, *-ere*, repasser le souvenir de, rappeler par une célébration, célébrer 14 ; 110 ; 190 – renouveler, reprendre (telle observance) 15.

reconciliatio, *-onis*, réconciliation (avec Dieu, par la Rédemption) : *r. nostra ; r. humana* 230 ; (avec Dieu et avec nos frères) 483, note 7 ; (du pénitent avec l'Église) 91 ; 280, note 5.

reconciliator, *-oris*, celui qui réconcilie (le Rédempteur) : *r. ad pacem* 230, note 4.

reconcilio, *-are*, réconcilier (à Dieu, par la Rédemption) : *r. nos ; Patri r. peccatores* 230 – réconcilier (les pénitents) 280, note 5 – (pass.) se réconcilier : *r. fratri suo* 483.

recordatio, *-onis*, souvenir, commémoration (d'un défunt) 95 ; (d'un martyr) 14, note 3.

recordor, *-ari*, se souvenir : *recordare, Jesu pie* 58.

recreo, *-are*, renouveler (par l'eucharistie) 255 ; 257 – reformer (par le baptême) : *ad recreandos novos populos* 333.

recte, avec droiture, bien : *r. vivere* 425.

rectitudo, *-inis*, droiture (dans sa conduite) 426 ; *tuorum præceptorum rectitudinem adimplere* 430.

rector, *-oris*, (en parl. de Dieu) celui qui dirige, guide 32 ; *r. siderum ; r.*

populi tui ; r. æternus 139 ; *r. potens* 130 ; *omnium fidelium pastor et r.* 139 ; 383 ; (en parl. du Christ) *r. humani generis* 34 – celui qui gouverne (une église) 172 – (en parl. d'un évangéliste) *prædicator et r.* 385 – (pl.) les chefs d'État 75 – (les démons) *rectores mundi tenebrarum* 322.

rectus, *-a*, droit, non tortueux : *rectas facere semitas* 178 – (moral.) droit : *quæ recta sunt* 439 ; (subst. pl.) *recti*, ceux qui ont le cœur droit 26.

redamo, *-are*, aimer (le Christ) en retour 150.

redditio, *-onis*, action de répéter, de réciter : *r. symboli*, v. *traditio*.

reddo, *-ere*, rendre (ce que nous devons à Dieu) : *sacrificium r.* 245 ; v. *debitum, debeo* – (en parl. de Dieu) rendre (à chacun selon ses actes) 144 ; (au jugement dernier) *r. unicuique secundum opera sua* 202 – (en parl. de ceux qui vont être baptisés) réciter, répéter : *r. symbolum* (Gel. I, 42).

redemptio, *-onis*, rachat, libération, délivrance (d'Israël) 203 ; 226 – Rédemption, salut : *r. nostra* 226 ; 256 ; *habere redemptionem per sanguinem ejus* 232 ; *r. plebis suæ ; redemptionis fructus ; redemptionis participes* 226 – (en parl. du ciel) *æterna r. ; perpetua r. ; sempiterna r.* 311 ; *redemptionis æternæ augmentum* 284.

redemptor, *-oris*, (en parl. de Dieu) celui qui libère, rachète 73 ; 162 ; 205 note 7 – le Rédempteur : *r. noster* 187 et passim ; *r. omnium fidelium* 227 ; *conditor et r. ; mundi r. ; r. æternus* 205 ; (abs.) *Rex Christe Redemptor* 205.

redeo, *-ire*, (en parl. du Christ) retourner, revenir : *in cælum redis* 38 ; (au jugement dernier) *cum redibit Arbiter* 202.

redimo, *-ere*, (en parl. de Dieu) délivrer, racheter 73 ; 162 ; 226 – (en parl. du Rédempteur) : *r. hominem* 227 ; *nos ab omni iniquitate r.* 232 ; *pretioso sanguine redemisti* 194.

reditus, *-us*, retour (des voyageurs) 75.

reduco, *-ere*, ramener, réduire : v. ex. à *pulvis*.

redundo, *-are*, déborder (fig.), être abondant : *conjugii fructibus r.* 492, note 3.

refectio, *-onis*, action de restaurer (par l'aliment eucharistique) 255 ; 257 ; (par l'extrême-onction) *r. mentis et corporis* 339 ; (sens pr., en parl. de l'aumône) *r. pauperum* 450.

refero, *-ferre*, v. *gratia*.

reficio, *-ere*, refaire, restaurer (spir., par l'eucharistie) 255 ; 257.

refloreo, *-ere*, refleurir (fig.), retrouver sa jeunesse (par la chasteté) 492.

reformator, *-oris*, celui qui recrée (le Rédempteur) 231.

reformo, *-are*, restaurer (par la Rédemption) : *humanæ substantiæ dignitatem r.* 136 ; 231 – refaire, reformer (le corps, par la résurrection) 231 ; 410.

refoveo, *-ere*, (en parl. de Dieu) soutenir, réconforter : *benigno r. auxilio* 71 ; 100.

refrenatio, *-onis*, action de réfréner, de restreindre : *r. carnalis alimoniæ* 449.

refrigerium, *-ii*, rafraîchissement (fig.), réconfort (pour les pauvres) 482 et note 6 – consolation (du S. Esprit) 219 ; 482 – lieu de rafraîchissement, de réconfort, soulagement (en parl. du bonheur éternel) : *refrigerii locus, sedes* 94 ; 307 et note 25 ; *r. sempiternum* 307 ; *æterni refrigerii quies* 94.

refrigero, *-are*, réconforter (les âmes des défunts) : *in pace r.* 94.

refrigesco, *-ere*, se refroidir (spir.) : *refrigescet caritas* 48, note 6.

refugium, *-ii*, (en parl. de Dieu) lieu de refuge (fig.), refuge 43 ; 71 ; (en parl. du Christ) 45 ; (de Marie) *peccatorum r.* 122 ; (du ciel) 294.

refulgeo, *-ere*, briller, se manifester avec éclat (par l'Incarnation) : *homo genitus idem refulsit et Deus* 182 ; 207.

regalis, *-e*, royal (fig.) : *r. sacerdotium* 360 ; (de Dieu) *r. sedes* 293 – (subst. pl. n.) régales, droit de percevoir les bénéfices : *r. Sancti Petri* 385.

regeneratio, *-onis*, régénération (par le baptême, la Rédemption) 231 ; *auctor regenerationis* 231 ; *lavacrum regenerationis* 335 et note 2 ; 330 ; *stola regenerationis* 334.

regenerator, *-oris*, (le Christ) auteur de notre régénération 128.

regenero, *-are*, régénérer (par le baptême) 160 ; 220 ; *aqua regenerans* 334 ; *r. ex aqua et Spiritu Sancto* 335 ; (par la Rédemption) *r. nos per resurrectionem Jesu Christi ; Spiritus tui participatione regenerari* 231.

regimen, *-inis*, gouvernement, direction : (en parl. du pape) *r. pastoris* 350 ; *r. ecclesiæ* 385 ; (d'un chef de communauté) *r. animarum* 385 ; (des évêques) *quibus dedisti regimen disciplinæ* 431.

regina, *-æ*, reine (en parl. de la Sainte Vierge) : *regina* (seul) 116 ; ou *r. cælorum* 118 ; *r. cæli* ; *r. angelorum, sancto-*

rum ; r. sacratissimi Rosarii ; solemnitas Mariæ Virginis Reginæ 120 – (en parl. de l'Église) 355 ; (de la Jérusalem céleste) *r. formosissima* 313.

regio, *-onis*, région, lieu : *in pacis ac lucis regione* 94 ; 307 ; *cælestis r.* 307 ; *r. viventium, vivorum* 302.

regnator, *-oris*, celui qui règne (Dieu) 128.

regno, *-are*, régner (en parl. de Dieu) 38 ; 126 ; 131 ; *qui vivit et regnat* 33 – (en parl. des élus au ciel) 294 – vivre royalement (spir.) : *Deus ... quem nosse vivere, cui servire r. est* (postc. p. pace, Gel. III, 56, 1476).

regnum, *-i*, la royauté, le règne (de Dieu) ; *r. ejus r. sempiternum ; regnum tuum ; æternum et universale r. ... r. sanctitatis ...* 131 – (en parl. de l'Église) *r. cælorum* 353 ; (de la prédication de l'Évangile) 353, note 12 – le ciel : *r. cælorum ; r. Dei ; r. cæleste ; r. perenne ; regna ætherea* 294 – (péjor.) les pompes (du siècle) : *r. mundi* 405.

rego, *-ere*, diriger, régner sur (en parl. de la Providence) 138 ; 139 – diriger (l'Église, en parl. de Dieu) : *ecclesiam r. et conservare* 351 ; *custodire, adunare et r.* 62 ; (en parl. du pape) *ad regendum populum sanctum Dei* 385.

regredior, *-i*, revenir : *regressus ab inferis* 314.

relaxatio, *-onis*, délassement : *r. corporum* 9.

relaxo, *-are*, relâcher, remettre (les péchés), délivrer de : *totius mundi relaxari delicta* ; *r. facinora* 228.

religio, *-onis*, piété : *religionis augmentum* 471 – religion : *r. christiana* 469 et note 11 – vie religieuse : *religionem profiteri* 375 ; 376.

religiosus, *-a*, adj. et subst., un religieux 375.

religo, *-are*, c. *ligare* (*peccata*) 280.

relinquo, *-ere*, abandonner, renoncer à : *temporalia r.* 173 ; 451 ; *r. idola* 461 – laisser comme héritage (fig.) : *passionis tuæ memoriam reliquisti* 236.

reliquiæ, *-arum*, reliques : *reliquias colere, venerari* 108.

remedium, *-ii*, remède, guérison (en parl. de la Rédemption) 228 ; (du ciel) *r. futurum* ; *r. æterna* 310 ; (de l'eucharistie) 253 ; *r. sempiternum* 253.

reminiscor, *-i*, (en parl. de Dieu) se souvenir (ne pas pardonner) : *neque reminiscaris delicta mea* 58 ; 278.

remissio, *-onis*, détente 9 – rémission (des péchés) 93 ; 96 ; 219 ; 277 ; *remissionem indulgere, tribuere, percipere* 279 ;

remissionis gratia 268 ; *r. peccatorum* (par la Passion) 194.

remitto, *-ere,* remettre (les péchés) 93 ; 279 ; 280.

remuneratio, *-onis,* salaire, récompense : *æternæ remunerationis merces* (or. ben. abb.).

remunerator, *-oris,* (en parl. de Dieu) celui qui récompense 144.

remunero, *-are,* récompenser (par les dons éternels) 302 ; 303.

renascor, *-i,* renaître (spir., par le baptême): *r. ex aqua et Spiritu* 220 ; *renati fonte baptismatis ; qui per gratiam tuam renati sunt* 336.

renes, *-um,* les reins (siège de la vie affective) : *corda et renes* 48 ; *renum testis est Deus* 130 ; 283.

renovatio, *-onis,* rénovation (par le baptême) : *lavacrum renovationis* 335 ; (par le baptême et la Rédemption) 231.

renovo, *-are,* rénover, renouveler, régénérer (par le baptême) 335 ; (par la Rédemption) 140 ; 231 ; (par l'eucharistie) 256 ; 257.

renuntio *-are,* renoncer (à ses biens, aux pièges diaboliques) 437 ; 451 ; (dans la promesse du baptême) *r. diabolo et pompæ ejus* 331 et note 13 ; (en parl. d'un religieux) *r. sæculo* 379.

reparatio, *-onis,* action de recouvrer, rétablissement, renouvellement, salut (par la Rédemption) : *r. generis humani* 231 ; 140 ; 178 ; 198 ; (par l'eucharistie) *r. mentis et corporis* 257.

reparator, *-oris,* celui qui reconquiert, répare, rédempteur 231.

reparatrix, *-tricis,* rédemptrice (Marie) 210.

reparo, *-are,* restaurer, renouveler (par la Rédemption) 126 ; 231 ; (par le sacrement eucharistique) 255 ; 257 ; (par le sacrement de pénitence) 279 – (en parl. de Dieu) renouveler, faire revenir (tel jour pour une célébration) 15 ; 347.

repausatio, *-onis,* repos : *r. æterna* 94.

repello, *-ere,* repousser (le mal) 74 ; (le démon) 325.

rependo, *-ere,* payer, acquitter : *grates r.* 85.

repertor, *-oris,* inventeur : (en parl. du diable) *mortis r.* 323.

repleo, *-ere,* remplir (du S. Esprit) 72 ; *repleri Spiritu* 218 – rassasier, nourrir (par l'eucharistie) 255 – combler : *repleti votis et gaudiis* 251 ; *sempiterna fruitione repleri* 298.

reporto, *-are,* remporter : *r. victoriam* (or. ben. ram. d. 2 Pass.).

repræsento, *-are,* rendre de nouveau présent, représenter (le corps du Christ) 236.

reprobus, *-a,* (en parl. de pers.) qui est de mauvais aloi (fig.), disqualifié : *r. circa fidem* 391, note 8 ; 452.

repromissio, *-onis,* promesse (en particulier du Messie) 164 ; 175.

repromitto, *-ere,* promettre en retour, promettre (le ciel) 303.

repudium, *-ii,* répudiation : *libellus repudii,* acte de divorce 340, note 1.

requies, *-iei,* repos éternel : (abs. ou) *r. æterna, sempiterna, beata* 94 ; 307 ; *beatorum r.* 307 – le repos (de Dieu : la terre promise, le Christ, le ciel) 94 ; 164 et note 2.

requiesco, *-ere,* (en parl. des défunts) reposer : *r. in pace* (dans la béatitude du ciel) 94 ; (dans un cimetière) 94, note 7 ; *r. in Christo* 94.

requiro, *-ere,* rechercher (les biens spirituels) 270.

resero, *-are,* ouvrir : *æternitatis aditum r. ; paradisum r.* 198 – dévoiler, expliquer (le sens des Écritures) 168.

resideo, *-ere,* c. *sedeo* : *ad dexteram Patris r.* 201.

resipisco, *-ere,* venir à résipiscence, se repentir, se convertir 91 ; 106 ; 226 ; 460.

resisto, *-ere,* résister : *r. diabolo* 220 ; *r. Spiritui Sancto* 422.

resolvo, *-ere,* c. *solvere, absolvere* : *r. vincula peccati* 98 ; *r. peccata* 280.

resono, *-are,* faire retentir : *r. hymnum* 11 – célébrer : *r. aliquem* ou *aliquid* 98.

respectus, *-us,* regard (de Dieu) : *tuæ pietatis r.* 149 – (chez les hommes) la pensée de : *r. Dei* 92, note 8.

respicio, *-ere,* (en parl. de Dieu) regarder : *de cælo r.* 130 – regarder d'un œil favorable (personnes, prières, offrandes) 247 ; *labantes respice* 34 ; *humilia respicit* 55 ; *r. aliquem, aliquid, r. ad, super, in* 55 et passim.

respiro, *-are,* revivre (après la résurrection) 410 ; *pace perpetua r.* 307 – être ranimé (moral.), être soulagé, respirer 71 ; 274 – reprendre haleine (après les tribulations) 402.

resplendeo, *-ere,* resplendir (de la joie d'une fête) 9.

respuo, *-ere,* repousser avec horreur 428 ; *quæ tibi non placent r.* 504.

restauro, *-are,* restaurer (spir., par l'eucharistie) 257.

restituo, *-ere,* (en parl. de Dieu) rendre

(à chacun selon ses actes) 144 – placer
(= *statuo*) : *in æternæ salvationis partem
r.* 284.

restitutor, *-oris,* celui qui rétablit :
Deus, innocentiæ r. et amator 425.

restrictio, *-onis,* action de se restreindre
dans : *epularum r. carnalium* 450.

resulto, *-are,* exulter à son tour :
exsultet cælum ... resultet terra gaudiis
312.

resurgo, *-ere,* se relever (spir.) : *a
nostris iniquitatibus r.* 414 ; 410, note
1 ; 462 – ressusciter (intr.) 197 ; 198 ;
410.

resurrectio, *-onis,* résurrection (du
Christ) : *r. beata* 197 ; *sancta r.* ; *salutifera r.* ; *Dominica r.* ; *resurrectionis
consortia* 198 – (des morts) *r. mortuorum* ; *carnis r.* ; *resurrectionis gloria*
410 ; *beata r.* 410 ; *prima r.* 410.

resuscito, *-are,* ressusciter (tr. et intr.)
197 ; 314 ; 410.

retineo, *-ere,* retenir, ne pas remettre
(les péchés) 280.

retraho, *-ere,* tirer en arrière, retirer (de
la tentation) 413.

retribuo, *-ere,* (en parl. de Dieu) payer
(selon nos mérites, en bien ou en
mal) : *non retribuis quæ meremur* 67 ;
144 ; 145, 286 – accorder en récompense : *coronam r.* 67 ; 144 – accorder : *gratia ... non ex merito retributa*
264, note 2 – (abs.) punir 145.

retributio, *-onis,* récompense (du ciel) :
beata r. 299 ; 303 – punition : *peccatorum r.* 286.

reus, *-a,* pécheur, coupable 414 ; 423 –
passible de : *r. mortis sua* 224 – (subst.
pl.) *rei,* les hommes coupables (par le
péché originel) 228.

revelatio, *-onis,* révélation : *visiones et
revelationes* ; *revelationibus inspiratus*
506 ; (au ciel) *r. sempiternæ gloriæ tuæ*
298 – révélation (du mystère du salut)
225.

revelo, *-are,* lever le voile, révéler :
secreta cælestia r. ; *investigabiles divitias
Cordis tui r.* 506.

reverenter, avec un respect et une
crainte religieuse 17.

reverentia, *-æ,* respect religieux, piété :
tantis mysteriis ... devotio et r. 17 ; *cum
metu et reverentia* 473 – révérence (en
parl. de l'adoration des bergers) : *ad
Dei reverentiam* 17 ; (envers les saints)
17 – respect : *apostolici r. culminis*
17.

revereor, *-eri,* (en parl. du pape)
reverendus, objet de vénération 385.

revertor, *-i,* revenir (à Dieu, par la

pénitence) 461 ; (à l'Église) *ad unum
ovile r.* 357.

revincio, *-ire,* c. *ligare* (*peccata*) : *nexibus r.* 280.

revoco, *-are,* rappeler (le monde), le
rehausser (vers Dieu) 187 – rappeler,
faire revenir (à l'Église) 354.

revolvo, *-ere,* dérouler dans son esprit,
méditer 15.

rex, *regis,* roi (en parl. de Dieu) : *r.
cæli* ; *r. cælestis* ; *r. meus* ; *r. æterne
cunctorum* 131 ; (en parl. du Christ) *r.
Christe* 34 ; *supernus r.* 51 ; *r. bone
cælitum* 63 ; *rex* (seul) 118 ; *r. regum*
131 ; 205 ; *r. gloriæ* 205 ; 233 ; *r. virginum* 492 ; *r. martyrum* 109 ; 205 ; *universus r.* 205 ; *universorum r.* 131 – (en
parl. du démon) *r. tenebrarum* 314 –
(sens pr.) *missa pro regibus* (Gel. III,
62).

rigidus, *-a,* raidi (spir.) : *flecte quod est
rigidum* (seq. Pent.).

rigo, *-are,* arroser (spir.) : *riga quod est
aridum* (seq. Pent.).

rigor, *-oris,* rigueur : *r. abstinentiæ,
continentiæ* 448 – rigidité (du bois de
la croix) 51.

rite, selon les rites, selon les règles
établies pour le culte 14 – par un rite
14, note 1 – pieusement 15.

ritus, *-us,* rite (en parl. du sacrement
euchar.) 234.

roboro, *-are,* fortifier (spir.) 358 ; 456 ;
(par la grâce du S. Esprit) 220 – fortifier (le martyr) 111.

robur, *-oris,* force (donnée par la grâce,
le S. Esprit) 220 ; *r. disciplinæ* 401 ;
431.

rogo, *-are,* demander, prier : *te rogamus*
34 ; *r. Deum, Christum* 82 ; *r. quatenus*
82 – *rogatus,* invoqué, prié 59 ; 60.

Romanus, *-a,* romain : *R. nomen* ; *R.
imperium* 75.

roro, *-are,* répandre la rosée (messianique) : *rorate, cæli* 175.

ros, *roris,* rosée (myst.) : *r. misericordiæ*
96 ; *r. S. Spiritus* 424 ; *r. tuæ benedictionis* 153 ; *r. refrigerii* 94 ; *r. cælestis
gratiæ* 265.

Rosarium, *-ii,* Rosaire 120, note 8 ;
sacratissimum R. 120.

rubus, *-i,* buisson : *r. incombustus* (en
parl. du buisson de Moïse, symb. de la
virginité de Marie) 211.

ruga, *-æ,* ride (fig.), v. *macula.*

rugio, *-ire,* rugir (en parl. du démon) :
inimicus rugiens 328 ; v. *leo.*

ruo, *-ere,* tomber (dans le péché) 421.

rutilo, *-are,* rougeoyer, resplendir :
Christi fides rutilat 193.

S

sabaoth (mot hébreu), = *exercituum* 156.

sabbatismus, *-i*, repos du septième jour (le ciel) 307.

sabbatum, *-i*, sabbat : *una sabbati, prima sabbati*, le dimanche 18 – sabbat, repos éternel : *s. vitæ æternæ ; pax sabbati* 307 ; note 26.

sacer, *-cra*, sacré : v. *mensa, munera, mysteria*, etc. ; *s. opus* 1 ; *sacris solemniis* 7 ; *s. carmen* 10 ; *sacra altaria* 364 ; *observatio s.* (du jeûne) 15 ; *fons s.* (du baptême) 333 ; *s. munus* (du clergé) 366 – consacré : *s. virgines* 377 – (subst. pl. n.) *sacra*, saints mystères, sacrement reçu 242 – saints autels, saint ministère : *tuis sacris servire* 365.

sacerdos, *-otis*, prêtre (hébreu) 360 ; *princeps sacerdotum* ; *s. magnus* 360, note 2 – (en parl. du Christ) 352 ; 359 ; *summus atque æternus S. ; Christus Sacerdos* 205 – évêque 360 – prêtre 360 ; *s. secundi ordinis* ou *meriti, minoris ordinis* 360 – (fig., en parl. des chrétiens) 360.

sacerdotalis, *-e*, du prêtre, propre au sacerdoce, sacerdotal : *s. dona* 220 ; *s. meritum ; s. officium ; s. dignitas* 360 ; 382 ; *gratia s.* 370.

sacerdotium, *-ii*, sacerdoce (du Christ) 359 ; (en parl. des chrétiens) *regale s.* 360 ; (en parl. du pape) *summum s.* 382 – l'épiscopat 382, note 2.

sacramentalis, *-e*, sacramentel 280.

sacramentum, *-i*, signe sacré, rite sacré 8 ; 240 ; 343 ; (*hæc creatura olivæ*) *tuæ gratiæ s.* 266 – symbole mystique 176 ; *Christi et ecclesiæ s.*, union mystique du Christ et de l'Église (symbolisée par le mariage) ; *s. nuptiarum*, caractère sacré du mariage 341 – mystère (lié à la célébration d'une fête) 8 – mystère (de l'Incarnation, du salut) 149 ; 225 ; *pietatis s.* 182 ; *tantæ misericordiæ s. ; s. nativitatis Christi* 180 – rite sacré (de l'eucharistie, Tert.) 240 – mystère, sacrement (eucharistique) 240 ; *sacramenta cælestia, divina, salutaria, votiva, paschalia*, etc. 240 ; *divinum s.* 236 ; *s. redemptionis ; hæc sacramenta nostræ salutis* 240 ; *sub sacramento mirabili* 236 – (pl.) = *sancta*, saintes espèces 240, note 6 ; cf. *fracto sacramento* („*Lauda, Sion*") – le sacrement (de la pénitence) 280 ;

343, note 3 – engagement sacré 379, note 10.

sacrarium, *-ii*, le sanctuaire, le culte : *qui in sacrario operantur* 365 ; note 20 ; *in sacrario tuo sancto* 374 ; (pl.) saints autels : *tuis sacrariis servire* 365 – (myst., en parl. de Marie) *s. Spiritus Sancti* 120.

sacratus, *-a*, consacré, sacré, saint : *sacratissima nox* 13 ; *diem sacratissimum celebrantes* („*Communicantes*", Nat. Dom.) ; *munera s.* (postc. 14 oct.) – (en parl. de Marie) *Virgo s.* 62 ; 58 ; *sacratissima* 119 – (en parl. des fidèles) *s. tibi populus* 388.

sacrificium, *-ii*, sacrifice (de l'ancienne Loi), chose offerte en sacrifice 234 ; 235 ; 245 ; *sacrificium vespertinum* 245 et note 3 – sacrifices idolâtres ; *sacrificia mortuorum* 235 – sacrifice (unique du Calvaire et de la messe) 234 – offrande (spirituelle) : *s. Deo spiritus contribulatus* 235 ; *s. laudis* 86 ; 239, note 3 ; (même expression appliquée à la récitation de l'office et au saint sacrifice) 239 – offrande (du pain et du vin), offrande eucharistique : *sacrificium offerre ; sacrificiis præsentibus ; sancta sacrificia* 245 – le pain consacré 239 – le saint sacrifice de la messe : *s. Dominicum ; celebrare sacrificium ; sacrificium immolare, offerre, litare ; sacrosanctum s.* 239 ; 245.

sacrifico, *-are*, sacrifier, offrir : *s. hostiam laudis* 235.

sacro, *-are*, consacrer : *hostia sacranda ; munera quæ sacramus* 243 ; v. *sacratus* – consacrer, rendre sacré : (*Virginis*) *integritatem non minuit, sed sacravit* 211.

sacrosanctus, *-a*, sacrosaint : v. *mysterium, commercium*, etc. ; *s. altare* 364 ; *s. ecclesia* 350 – consacré : *s. dies* 108.

sæclum, c. *sæculum*.

sæcularis, *-e*, du siècle, du monde : *s. desideria* 405.

sæculum, *-i*, le siècle, le monde : *præsens s.* 213 ; *hoc s.* 403 ; *sæculi pompa ; hujus sæculi nox ; hujus sæculi certamen* 405 – locutions signifiant „à jamais" : *in sæcula, sæcula sæculorum* 24 ; 25 ; 38 ; etc. ; *in sæculum sæculi* 33 ; *in sempiterna sæcula* 38 ; *a sæculo usque in sæculum ; per omne sæculum* 126 ; 33, note 6 – *ante sæcula*, avant les temps, de toute

éternité 118 ; *per immortalia sæcula*, de
toute éternité 126.

sæptum, *-i,* enclos (du bercail myst.)
350.

sagino, *-are,* nourrir (en parl. de
l'eucharistie) 256 ; 259.

sal, *salis,* sel (symb.) : *vos estis sal
terræ* 452 ; *accipe sal sapientiæ* 329,
note 7.

salio, *-ire,* jaillir : *fons aquæ salientis in
vitam æternam* 259 et note 6.

saluber, *-bris,* salutaire (pour l'âme) 49.

salus, *-utis,* santé, salut (matériel et
spirituel) : *s. mentis et corporis* 163 ;
284 ; 398 ; *s. animæ et corporis* 284 –
salut (apporté par le Seigneur, Yahvé)
43 ; 162 ; *Deus salutis meæ* 73 – salut
(apporté par le Christ, par la Rédemption) 58 ; 229 ; 284 ; *salutem conferre, dare* 65 ; 284 et passim – salut
éternel : *s. æterna* 96 ; 284 ; 311 ; *s.
perpetua* 259 ; 311 ; *salutis æternæ præmia* 210 ; *æternæ salutis portus* 311.

salutaris, *-e,* salutaire : v. *auxilium,
dona, hostia, mysterium,* etc. – (subst.
m.) le salut (de Yahvé) : *Deus, salutaris
noster* 162 ; 284 ; 285 – (subst. n.) le
salut (de Yahvé) 162 ; (de Dieu)
ponere in salutari ; *Deus salutarium
nostrorum* 162 ; *s. tuum* 285 ; (en parl.
du Christ) *viderunt oculi mei s. tuum* 163 ;
s. tuum, ton assistance salutaire 284 ;
s. Dei (en parl. de la Rédemption) 229 ;
Le Sauveur : *Deus, s. noster* 285 – (pl.
n.) les choses salutaires 163.

salutifer, *-era,* qui apporte le salut,
salutaire 285 ; *s. Verbum* 28 ; *s. crux*
192 ; *s. resurrectio* 198 et 285 ; *s. intercessio* 185.

salutificator, *-oris,* c. *Salvator* 205,
note 5 ; 229, note 2.

saluto, *-are,* saluer 89.

salvatio, *-onis,* salut (de Yahvé) 162 ;
284 – salut (spirituel) *salvationis augmentum* ; *s. mentis et corporis* 284 – salut
(éternel) : *s. æterna* 284 ; *perpetua s.*
259.

salvator, *-oris,* sauveur (Yahvé) 162 ;
163 ; 284 ; la divinité salutaire 163 –
le Sauveur (le Christ) : *S. noster* 205 ;
229 ; *æterne S.* 205 ; *S. humani generis*
229.

salve, je vous salue (formule de
louange) : *salve, latus Salvatoris* ; *salvete, Christi vulnera* 35 ; *salve, Regina*
118 ; *salvete, flores martyrum* 98.

salvificator, c. *Salvator* 205, note 5.

salvo, *-are,* sauver (en parl. de Dieu,
A. T.) 284 – sauver (matériellement
et spirituellement) : *salvari corpore et*

mente 163 ; 285 – sauver (par la grâce,
par la Rédemption) 229.

salvus, *-a,* sauf, sauvé : *salvum facere*
60 ; 74 ; 162 et passim – sauvé (gardé
sain et sauf en ce monde) 285 ; *salvum
atque incolumem custodire* 74 – sauvé
(par la Rédemption) : *salvum facere* ;
salvos facere 229 – parvenu au salut
285.

sanator, *-oris,* celui qui guérit (en parl.
de Dieu) : *s. ægrotantium* 410.

sancio, *-ire,* consacrer (en parl. de
Dieu) 234.

sancta, *-orum, sancta sanctorum,* le Saint
des saints (A. T. et autel eucharistique) 2 ; 234, note 2 – offrandes
eucharistiques 245 – le sacrement
eucharistique 242 ; 245 ; 250 ; 262 –
saintes espèces 242, note 8.

sanctificatio, *-onis,* action de déclarer
saint (louange) : *nominis tui s.* 22 ;
louange du „*sanctus*" : *trina s.* 31 –
action de rendre saint, justifié ; action
sanctificatrice (de Dieu) : (sens obj.) *s.
vestra* ; (sens subj.) *s. tua* ; *sanctificationibus tuis* 459 ; 258 ; *Spiritus tui s.* 219 ;
458 ; *operari sanctificationem (nostram)*
459 – effet sanctificateur (du sacrement
eucharistique) 255 ; 258 – saint
mystère : *hujus s. noctis* 232 – sanctification, bénédiction (d'une chose) 346.

sanctificator, *-oris,* sanctificateur (en
parl. de Dieu) 32 ; 60 ; *s. et custos* 72.

sanctificium, *-ii,* sanctuaire (Ps.) 235.

sanctifico, *-are,* proclamer saint, glorifier (Dieu) 31 – sanctifier (des offrandes, en parl. de Dieu), les regarder
comme saintes 246 ; 247 – (nous)
sanctifier (par l'eucharistie) 258 ; *animam corpusque s.* ; *s. animas, corda,
mentes* 459 – sanctifier (et bénir, objet,
lieu) 346 ; *altare hoc ... benedictione
sanctifica* ; *hunc ignem sanctifica* 88 (av.
benedicere, consecrare) 88 – (des pers.)
benedicere et sanctificare 370, note 39.

sanctimonialis, adj. et subst. f., religieuse 375.

sanctitas, *-atis,* sainteté (de Dieu) 157 –
sainteté (chez l'homme) : *in sanctitate
et justitia* 459 ; *gratia sanctitatis* 268 ; *s.
corporis,* pureté 398 ; (en parl. de
l'eucharistie) *fons sanctitatis* 258 ; 459.

sanctuarium, *-ii,* sanctuaire (Ps.) 235 ;
(en parl. du Sacré-Cœur) *s. novi fœderis*
207 ; (de l'Église) *s. tuum* 354, note 14.

sanctum, *-i,* sainteté (de Dieu) 235 –
sanctuaire (Ps.) 235 – le ciel, sanctuaire
de Dieu 235 ; *de sancto* ; *de excelso
sancto suo* 293 – *sanctum Domini,* le pain
eucharistique 242, note 8 ; v. *sancta.*

sanctus, *-a,* saint, (en parl. de Dieu) séparé du profane, du péché : *sancti estote, quia ego sanctus sum ; nomen sanctum* (de Yahvé et de Jésus dans le N. T.) ; *sanctus Israel,* le saint d'Israël; *sancte Pater ; sanctissimum nomen ; sanctissima Trinitas* 157 ; (terme de louange répété, pour exprimer le superlatif) 31, 36 ; 156 ; *cæli Deus sanctissime ; sancte Christe* 34 ; (subst. m.) *unctionem habetis a sancto* 397 ; note 6 – saint (en parl. d'une personne) 99 et passim ; *s. Moyses* 10 ; *sancti estote* 157 ; (Marie) *sanctis sanctior* 118 ; *sanctissima* 119 ; *sanctæ preces (Virginis)* 59 ; *sanctus populus* (en parl. des Hébreux et des chrétiens) 388 ; 390 – (pl.) les saints, les élus : *sancti tui* 62.

sanguis, *-inis,* (pl.) sang versé : *libera me de sanguinibus* 73 – sang (des sacrifices anciens) : *sanguinis effusio, aspersio* 234 – sang versé (du Christ) 194 ; (qui nous a rachetés) *per proprium sanguinem* 230 ; *pretiosus s.* 194 – (des martyrs) 104 ; *sanguinem effundere* 109 ; 111 ; *sanguinis lavacrum* 335, note 24.

sanitas, *-atis,* santé : *mentis et corporis s.* 65 ; 398 ; *corporis et animæ s.* 398.

sano, *-are,* guérir (sens pr.) 115 ; (sens fig. et spir.) 92, note 5 ; *castigando sanas* 444.

sapiens, *-entis,* sage : *soli sapienti Deo* 38 ; (pers.) 487 ; (péjor.) *sapientes* 495.

sapientia, *-æ,* la sagesse (de Dieu, de la Providence) 139 ; *s. fundavit terram* 217 ; la sagesse incréée 217 ; *increata Sapientia* (expression appliquée à la Sainte Vierge) note 3 ; (appellation du Christ) 205 – la sagesse (charisme) : *spiritus sapientiæ et revelationis* 486, note 1 – sagesse morale (dans notre conduite) : *in sapientia ambulare* 486 – sagesse philosophique : (non péjor.) *humana s.* 487 ; (péjor.) *s. carnalis, terrena, animalis, diabolica* 486 ; *s. hujus sæculi* 405.

sapio, *-ere,* avoir du goût pour, songer à, penser à : *quæ sursum sunt sapite* 405 ; *recta s.* 439 ; 487.

sarcina, *-æ,* charge, fardeau : *s. peccatorum* 422.

sarcio, *-ire,* réparer (par la Rédemption) : *damna nostra s.* 228.

Satan ou **Satanas,** *-æ,* Satan 114 ; 321 ; 326.

satio, *-are,* rassasier (par l'aliment euchar.) 244 ; 256.

satisfacio, *-ere,* satisfaire, avoir une valeur propitiatoire 95.

satisfactio, *-onis,* satisfaction, réparation, expiation 280 ; 462 – (pl.) mérites satisfactoires 280.

sator, *-oris,* semeur (en parl. de Dieu), celui qui répand : *s. bonorum seminum* 357 ; 137 – auteur (en parl. du Rédempteur) *salutis humanæ s.* 137 ; 205 ; (en parl. du Créateur) *s. mundi ; spirituum s.* 205, note 6.

saucio, *-are,* blesser (par le péché) 419.

saucius, *-a,* blessé (de l'amour divin) 48.

saxum, *-i,* pierre : *de viventibus saxis* (en parl. de la Jérusalem céleste) 313.

scabellum, *-i,* marche-pied (en parl. du vaincu prosterné) 167 – piédestal : *s. pedum ejus* 167.

scandalizo, *-are,* scandaliser 454.

scandalum, *-i,* scandale 454 ; *s. pati ; s. crucis* 434 ; 460 ; *petra scandali,* pierre d'achoppement 454.

scando, *-ere,* s'élancer (vers le ciel) : *s. super sidera* 38.

scelus, *-eris,* crime : (en parl. du péché originel) *mundi s.* 223 ; (du péché en gén.) 232 ; *ablutio scelerum* 416 ; 250 et passim.

sceptrum, *-i,* sceptre, royauté : *non auferetur s. de Juda* 177.

schisma, *-atis,* déchirure, division, schisme 352 et note 8.

schismaticus, *-a,* adj. et subst., schismatique 352.

scientia, *-æ,* connaissance (que Dieu possède) 129 ; 130 – science, connaissance (mystique) 507.

scindo, *-ere,* déchirer, découper (par la Flagellation) 51.

scio, *-ire,* connaître, savoir (en parl. de Dieu) : *Dominus scit cogitationes hominum* 130 – (en parl. des pers.) *qui possit s. vias ejus (Dei)* 129 ; *s. Patrem* 42 ; 219.

scribo, *-ere,* écrire (dans l'Écriture) 173 ; *quod scriptum est* 168 ; (dans le livre de vie) *s. in vita* 167 ; *nomina scribi in æternitate* 94.

scriptura, *-æ,* écrit, registre : *s. populorum* 167 – l'Écriture : *Scripturæ* ou *sacræ S. ; S. sancta* 168 ; 175.

scrutamen, *-inis,* c. *scrutinium* 330, note 5.

scrutator, *-oris,* (en parl. de Dieu) celui qui scrute 130 ; *s. cordium* 142.

scrutinium, *-ii,* scrutin (des candidats au baptême) 330, note 5.

scruto, *-are,* (en parl. de Dieu) scruter, sonder : *s. corda et renes* 142.

scruto, *-are,* (en parl. de Dieu) scruter, sonder : *s. corda et renes* 142.

scrutor, *-ari,* c. *scruto* 142.

sculptilis, -*e*, (subst. n.) idole sculptée 160 ; (pl.) 159.

scutum, -*i*, bouclier protecteur (de Dieu) 72 ; *sumentes scutum fidei* 441.

secretus, -*a*, p. p. de *secerno*, séparé, à part ; (subst. f.) *secreta* (ou adj.) *oratio s.*, secrète 246 ; note 6 ; = *oratio super oblata* (Greg. et Missel actuel).

secretum, -*i*, secret : *quem (Deum) nullum latet secretum* 142 – mystère : *secreta cælestia* 506.

sector, -*ari*, suivre, poursuivre, rechercher : *æterna s.* 404 ; *s. justitiam ; te solum Deum s.* 428 – imiter, écouter : *monita sanctorum s.* 106 ; 172.

securitas, -*atis*, sécurité (de l'Église) (or. 2 comm. summ. pont.) ; (de la patrie) (or. div. 9).

secundum, selon, en „suivant" l'exemple de : *s. te (Deum) vivere* 500.

securus, -*a*, en sécurité, sûr : *tuo munimine s.* 72 ; *secura libertate* 351 – confiant (au jour du jugement) 202.

sedeo, -*ere*, siéger, être assis (à la droite de la Majesté divine) 23 ; 201 ; v. *dextera, dextra ;* (le Christ au jugement dernier) *s. super sedem majestatis suæ* 202.

sedes, -*is*, séjour, demeure (de Dieu) : *a sede Patris* 216 ; *super sedem sanctam suam ; de sede majestatis suæ ; a regalibus sedibus* 293 ; (de Dieu et des élus) *cælestis s.* 304 ; *s. superna* 213 ; *cæli sedibus* 290.

seduco, -*ere*, entraîner, séduire (en parl. du démon) 321.

sedulus, -*a*, empressé (au service de Dieu) : *s. servitus* 5 ; *s. vota* 69.

seges, -*etis*, la moisson (fig., le peuple fidèle) (or. p. lect. 3 vig. Pasch.).

segrego, -*are*, séparer : (en parl. du Christ) *segregatus a peccatoribus* 359.

semen, -*inis*, semence (de la parole de Dieu) 172 – descendance 175.

semino, -*are* (fig.) engendrer 394, note 1.

semita, -*æ*, sentier, chemin (fig.), conduite ; *s. recta ; omnes vitæ semitas ; s. justitiæ* - v. *rectus*.

semper, toujours : (= adj.) *semper regnum* 100 et note 3 ; *s. Virgo* 116 et note 1.

sempiternus, -*a*, éternel 38 ; *s. Deus* 126 et passim ; *munera, dona, præmia sempiterna* 301.

senatus, -*us*, sénat (fig. en parl. du ciel) : *vitæ senatum possident* 110.

senex, *senis*, vieillard, ancien (terme de respect pour un évêque) 361, note

5 ; (pl.) les anciens (du peuple juif) ibid.

senior, -*oris*, ancien, presbytre 361 ; *seniores,* anciens (sénat juif) 361, note 5.

senium, -*ii*, vieillesse, endurcissement (du péché) 419.

sensus, -*us*, sentiment : *non noster sensus* 396 – (ordin. pl.) dispositions intérieures, cœur ou intelligence, désirs, sentiments 39 ; 52 ; *puris sensibus et mentibus* 47 ; 396 ; *dignis, puris, purgatis sensibus* 396 ; *accende lumen sensibus* 396.

sententia, -*æ*, sentence de condamnation 96.

sentio, -*ire*, sentir, éprouver : *s. clementiam tuam, auxilium,* etc. 396 - éprouver au fond du cœur : *salvationis tuæ s. augmentum* 396.

separo, -*are*, séparer, diviser, faire distinction (dans la Trinité) : *substantiam s.* 214 - mettre à part, séparer (les bons des mauvais au jugement dernier) 202.

sepelio, -*ire*, ensevelir : *s. corpora* (or. ben. cœm.) ; *(Christus) sub Pontio Pilato passus et sepultus est* („*Credo*") – (subst. pl.) *sepulti,* les défunts 161.

septenarium, -*ii*, septénaire, les sept dons (du S. Esprit) : *sacrum s.* 220.

septiformis, -*e*, aux sept formes, septuple, aux sept dons : *s. Spiritus* 88 ; *munere septiformi* 220 ; 456 ; *septiformis munere* 221.

septimana, -*æ*, c. *hebdomada*, semaine : *S. major ; S. paschalis,* Semaine Sainte 191, note 4.

sepulcrum, -*i*, sépulcre, tombeau (secr. ben. cœm.) ; *per sepulcra regionum* („*Dies iræ*").

sepultura, -*æ*, sépulture (du Christ) (litan.).

sequela, -*æ*, action de suivre, imitation : *crucis s.* 447.

sequestro, -*are*, séparer, mettre la division entre 350.

sequor, -*i*, suivre, accompagner, favoriser, seconder : *(nos) gratia præveniat et sequatur* 270 – suivre (les traces, l'exemple) 428.

seraphicus, -*a*, séraphique, angélique 114.

Seraphim (pl. hebr.), Séraphins 114.

serenitas, -*atis*, beau temps (or. div. 17 ad postul. seren.) ; *temporum serenitate,* grâce au beau temps (Greg. 138, 4).

serenus, -*a*, serein (en parl. de Dieu) : *serenissima pietas tua* 62 ; 80 ; *sereno vultu respicere* 55.

sermo, *-onis,* la parole (de Dieu) : *s. Dei ; s. divinus, cælestis ; ministri sermonis* 170 – commandement (de Dieu) 170 – *sacer s.,* l'Écriture 170 – parole réalisée, fait (A. T.) 170, note 2 – *Sermo = Verbum* 216, note 5 ; 293, note 6 – la parole (du prédicateur) : *opere et sermone* (cf. *verbo et opere*) 170 – sermon, homélie 170, note 4 – parole, déclaration : *s. sapientiæ, scientiæ ; interpretatio sermonum* 271.

serpens, *-entis,* serpent : *prudentes sicut serpentes* 487 – le serpent, le démon 328 ; *s. antiquus* 321.

servator, *-oris,* c. *Salvator* 229, note 2 ; 205, note 5.

servilis, *-e,* de serviteur, humble (en parl. de l'humanité assumée par le Christ) : *servile cinctorium carnis* 186.

servio, *-ire,* servir (Dieu), lui rendre un culte : *s. Deo* 19 ; (associé à *adorare*) 20 ; (en parl. des fidèles) 2 ; (des prêtres) *tuis mysteriis servientes ; sacris altaribus s.* 365 – (en parl. de la création) être au service de : *s. Deo* 131 – servir (Dieu), se soumettre aux commandements) : *s. Domino ; s. justitiæ ; s. mandatis tuis ; tibi s.* 434.

servitium, *-ii,* liturgie : *s. religionis* 1, note 1 – service de Dieu (chez les prêtres) : *purum s.* 347 ; *dignum s. ; nostrum s. ; sanctum s.* 365 et note 23 – soumission (à Dieu, dans notre conduite) : *devoto servitio* (par le jeûne) 434 ; (pl.) *suis servitiis inhærentes* 433.

servitus, *-utis,* soumission (à Dieu) 1 ; *ut (renati) ... puram tibi exhibeant servitutem* 434 – service (de Dieu, chez les prêtres) 1 ; *nostra s.* 365 ; (concr.) *nostra s. = nos, servi tui* 245 ; 365, note 18 – esclavage (du péché originel) : *vetusta s.* 224 – service, besoins (de l'homme, assurés par la création) 141.

servo, *-are* (en parl. de Dieu, de la Providence) conserver, garder, sauver 72 ; 138 – garder, observer (les commandements) 433 – garder : *s. integram fidem* 465.

servulus, *-i,* humble serviteur (de Dieu) : *placare servulis* 59 ; 389.

servus, *-i,* le Serviteur (de Yahvé, le Messie) 186 ; 204 ; (en parl. de la nature humaine assumée par le Christ) *formam servi accipiens* 187 – serviteur (de Dieu, en parl. des prêtres) : *servi tui ; servi Dei* 365 ; 386 ; *servus servorum Dei* 366, note 26 – serviteur (de Dieu, en parl. des fidèles juifs) 58 ; (des fidèles chrétiens) 65 ; 365 et passim ; *tuorum corda servorum* 389 –

esclaves (du péché originel) : *servi peccati* 224.

sexus, *-us,* sexe : *s. fragilis,* le sexe faible 110.

Sibylla, *-æ,* Sibylle (nom propre et nom commun), prophétesse 174.

sidereus, *-a,* des astres, du ciel : *s. domus* 290 ; *s. mansio* 304.

sidus, *-eris,* (ordin. pl.) les astres : *conditor siderum* 34 – le ciel 38 ; 136 ; *sidera scandere ; arx siderum* 290 ; *humanam conditionem sideribus importare* 201 – (appellation du Christ) *Sidus novum* 207.

signaculum, *-i,* sceau, marque, caractère (imposé par le sacrement) 329 ; (du baptême) *s. fidei ; s. crucis* 329 – sceau, symbole (anneau du baptême) 342 et note 1 ; (de l'évêque) *anulum, fidei s.* 342 ; 384 – signe (de la croix) : *sanctæ crucis s.* 327, note 12.

signator, *-oris,* celui qui désigne à l'avance, prophète 174.

signifer, *-eri,* porte-étendard : *s. sanctus Michæl* (ant. offert. def.).

significantia, *-æ,* signification, sens symbolique 342.

significatio, *-onis,* c. *significantia* 342 – (pl.) préfigurations, symboles 176.

significo, *-are,* signifier, symboliser 176 ; 342.

signo, *-are,* désigner, marquer à l'avance, préfigurer, symboliser 174 ; 176 ; 35 ; 342 – marquer : *signati estis Spiritu promissionis* 233 ; (symb.) *fons signatus* (en parl. de Marie) 211 – marquer du signe de la croix : *signetur ... et consecretur hoc altare* 88 ; (au baptême) *s. aliquem ; s. frontem* 329 ; *crucis Dominicæ impressione signatus* 329 – sceller (la foi) 329, note 4 – (à la confirmation) marquer (de la croix, sceau du S. Esprit) : *s. in frontibus chrismate ; signo te signo crucis ; signo sanctæ crucis s.* 338 – assigner (un ange à notre garde) 115.

signum, *-i,* signe, manifestation (de la puissance de Dieu), miracle 107, note 3 ; 132 – signes (du zodiaque, divinités) : *duodecim signa* 289 – signe, signal, cloche 342 – signe extérieur formant symbole : *s. sapientiæ* (le sel au baptême) 342 – signe (en parl. des espèces du sacrement eucharistique), v. *fractura* – symbole, préfiguration 176 – signal (myst.) : *in signum populorum* 175 – sceau, marque (au baptême ou à la confirmation) : *s. fidei ; s. crucis* 95 ; 329 ; 338 – *signum crucis,* marque, (puis) signe de la croix 329 et note 6.

silentium, *-ii,* silence, le secret (de la confession) : *s. sacramentale* 280.

similis, *-e,* semblable (à nous, en parl. du Christ) 187.

similitudo, *-inis,* ressemblance (en parl. de l'homme créé à l'image de Dieu) : *faciamus hominem ad imaginem et similitudinem nostram* 135 ; 499 ; v. *imago* 135 note 3 ; (en parl. du Christ fait homme) *in similitudinem hominum factus* 186 ; *in similitudinem carnis peccati* 187 ; 399 ; *in similitudinem prævaricationis Adæ* 176.

simplex, *-icis,* simple, sans détours 487 ; *s. et rectus ; simplici ex corde* 496 – pur : *simplices aquas* 88.

simplicitas, *-atis,* simplicité, franchise, innocence : *s. cordis ; s. justorum* 495 ; 496.

simul, ensemble : *s. esse,* se réunir (en parl. des fidèles) 348.

simulacrum, *-i,* statue, idole 159.

simultas, *-atis,* querelle, dissension 483.

sincere, purement, sincèrement : *s. te (Deum) diligere* 46.

sinceritas, *-atis,* sincérité, pureté (de la foi) 465 ; *in azymis sinceritatis* 420.

sincerus, *-a,* pur : *emanatio Dei sincera* 217.

sindon, *-onis,* linceul, suaire : *sancta s.* 195.

sine, sans : (en parl. de la faiblesse humaine) *sine me nihil potestis facere* 287 ; *sine te ; Deus sine quo nihil est validum* 401.

singularis, *-e,* particulier : *istam singularem Nativitatem* 180.

singularitas, *-atis,* particularité, singularité (dans les personnes de la sainte Trinité) : *non in unius singularitate personæ* 214.

sinister, *-tra,* gauche : *statuet ... hædos a sinistris* 202.

sino, *-ere,* laisser, permettre (en parl. de Dieu) : *quos ... humanis non sinas subjacere periculis* (postc. d. 23 p. Pent.).

sinus, *-us,* sein, poitrine, intimité : *recumbens in sinu Jesu* 309, note 28 – (en parl. de la génération du Verbe) *de sinu Patris descendere* 188 ; *e sinu Patris* 216 – (en parl. du ciel) *in sinu Abrahæ* 94 ; 309 ; *in sinibus patriarcharum ; in sinum misericordiæ* 309 ; 62 – le giron (de l'Église) : *s. ecclesiæ* 354.

Sion, Sion ; (en parl. du ciel) *de Sion* 293.

sitio, *-ire,* avoir soif, (spir.) désirer ardemment 76 ; *s. in, ad ; s. ad Deum*

48 ; (tr.) *fontem vitæ s.* 48 ; *s. justitiam* 48, note 5 ; 484.

sitis, *-is,* soif : *in fame et siti* 443.

sobrietas, *-atis,* modération 484 ; 491.

sobrius, *-a,* sobre, modéré : *mens s.* 491 ; (sens pr.) 487.

societas, *-atis,* participation : *s. passionum Christi* 498 – société, compagnie : *angelorum societate gaudere ; sanctorum societate lætari* 297.

socio, *-are,* associer (au bonheur du ciel) 296 - unir (par le mariage) 429.

socius, *-a,* associé : (dans la louange collective) *socia exultatione* 9.

sodalis, *-is,* compagnon : *sodales sanctorum civium* (au ciel) 233.

sol, *solis,* soleil : (appellation du Messie) *Sol justitiæ* 118 ; 181.

solatium (-ium), *-ii,* aide, secours (matériel) 71, note 4 ; 141 – (spir.) aide, réconfort, consolation (de la grâce, de Dieu, du S. Esprit) 71 ; 268, note 1.

solemnis, *-e,* solennel : *solemni celebrare officio* 1 – qui revient tous les ans : *s. jejunium* 450, note 6 – (subst. pl. n.) *solemnia,* mystères solennels (de la messe) 3 – fête solennelle (de la sainte Vierge, des Saints) 3 ; 8.

solemnitas, *-atis,* fête solennelle, solennité 3 ; 7 ; *sanctorum s.* 106 ; 107 ; (au ciel) *æterna perfrui solemnitate* 312.

solemniter, solennellement : *s. celebrare* 3 ; *hostiam s. immolare* 237.

solidator, *-oris,* celui qui fonde, Créateur 136.

soliditas, *-atis,* solidité (spir.), fermeté : *s. tuæ dilectionis* 46 ; (de la foi) 468.

solido, *-are,* établir fermement (dans la foi) 468.

solium, *-ii,* trône (du roi du ciel) 295.

sollicitus, *-a,* qui s'inquiète, qui a le souci de : *s. quæ Domini sunt* 493.

solvo, *-ere,* détruire, supprimer : *s. legem* 168 ; *hereditariam mortem s.* 223 – délier, délivrer : *a peccati servitute solutis* (or. 28 jan.) – délier, pardonner : *solve peccatum vetus* 228 ; *quodcumque solveris* 280 ; *peccatorum onera solvantur* 279 – payer, acquitter : *solvebant munia laudis* ("Gloria, laus", dom. palm.).

somnus, *-i,* sommeil (en parl. de la mort, de la paix du ciel) : *s. pacis* 95.

sono, *-are,* faire retentir la louange de, célébrer 11.

sopor, *-oris,* torpeur (morale) 73.

sordes, *-is,* souillure (du péché) 223 ; 281 ; 419 ; *s. pravi operis* 281, note 2.

sordido, *-are*, souiller : *libido sordidans* 418.

sors, *sortis*, part, héritage (de la bénédiction de Dieu) 372 ; (le Christ, héritage des martyrs) 110 ; (le clergé, héritage du Seigneur) 372 et note 40, 41).

sortior, *-iri*, recevoir par le sort : *s. sortem ministerii* 372, note 40.

spargo, *-ere*, répandre (la parole) 170.

spatium, *-ii*, espace, temps, délai : *s. pænitentiæ* 91 ; *s. corrigendi* 461.

specialis, *-e*, spécial : v. *prærogativa*.

species, *-iei*, aspect extérieur, forme : *corporali specie* 218 – aspect, aspect merveilleux, splendeur (de Dieu) : *ad contemplandam speciem tuæ celsitudinis* 65 ; 125 – vision directe (opp. à *fides*) 298, note 12 ; 466, note 4 – image mystique, symbolique 335 – espèce, objet 263, note 5 ; *munerum species* (des Mages) 183 – espèces (du pain et du vin) : *sub utraque specie* 263.

speculator, *-oris*, (en parl. de Dieu) celui qui regarde, surveille 142.

speculum, *-i*, miroir (fig.) : *per speculum videre* 298.

sperno, *-ere*, mépriser, dédaigner : *mundi oblectamenta s.* 405 ; 451 – (en parl. de Dieu) dédaigner, ne pas écouter (nos prières) 98.

spero, *-are*, espérer (sentiment, vertu d'espérance) ; *s. in te* (*in Deum*) 43 ; 44 ; 45 ; 72 ; 470 ; *s. et credere* 470 ; *fiducia sperandarum rerum* 465.

spes, *spei*, espérance (vertu théologale) 39 ; 43 à 45 ; 94 ; *spem in Deo collocare* 44 – (concr.) *Deus, s. unica mundi* 44 ; *crux ... s. unica* 35 ; 45 ; *Jesu, s. una pænitentium* 45.

spina, *-æ*, épine (fig.) : *peccatorum spinæ* 411.

spiraculum, *-i*, souffle : *s. vitæ* 217, note 1.

spiritalis (-tualis), *-e*, spirituel, de l'âme : *spiritualia auxilia* 72 ; 397 – inspiré par l'Esprit : *cantica spiritalia* 271 – du S. Esprit : *s. unctio* 397 – spirituel, (corps) glorifié (à la résurrection) : *s. corpus* 394 note 1 – qui voit les choses d'un point de vue spirituel (opp. à *animalis*) 394, note 1 – (subst. pl. n.) *spiritalia nequitiæ*, esprits du mal, démons 322 ; (adj.) *spiritales nequitiæ* 322 – symbolique, mystique : *intelligentia s.* 344 ; *esca s.* (en parl. de la manne, figure de l'eucharistie) 344 ; *sacrificia spiritualia* (en parl. de la messe) 234.

spiritaliter (-tualiter), spirituellement (opp. à *corporaliter*) 397 ; 398.

spiritus, *-us*, souffle, vent : *s. procellarum* 165 ; 114, note 2 ; 217, note 1 – haleine vivante, force irrésistible : *s., ubi vult, spirat* 217 ; (à la création) *s. Dei ferebatur super aquas* 217 – souffle qui inspire, esprit de : *s. Domini, s. sapientiæ et intellectus* 217 ; *s. consilii et fortitudinis ; s. scientiæ et pietatis* 220 ; 338 ; *s. sapientiæ et revelationis* 273 et note 2 ; *s. cogitandi quæ recta sunt* 273 ; 66 ; 397 ; *s. pacis* 497 ; *s. tuæ dilectionis* 46 ; 48 ; *s. caritatis ; s. adoptionis* 397 ; 141 – principe de vie spirituelle : *s. qui ex Deo est* (opp. à *s. hujus mundi*) 217 – esprit, cœur : *s. contribulatus* 92 ; *in spiritu*, en extase 18 ; *sacrificium spiritus*, offrande spirituelle 92 ; (opp. à *caro*) 397 – âme (des défunts) : *pro spiritu = pro anima* 95 et note 10 – personne : *cum spiritu tuo* 89 ; *noli omni spiritui credere* 89, note 3 ; *te ... collaudet omnis s.* 37 – pur esprit (Dieu) : *s. est Deus* 128 – le Saint-Esprit : *Spiritus* (seul) 218 ; *adorare in Spiritu* 19 ; *Sanctus Spiritus* 217 à 222 et passim ; *Creator Spiritus* 60 ; *S. veritatis ; effundere, dare, mittere, accipere Spiritum Sanctum* 218 ; *s. Dei* 221 – (en parl. du démon) *s. immundus* 323 ; *s. malignus* 326 – l'esprit (opp. à la lettre) 171.

splendor, *-oris*, reflet éclatant (en parl. du Fils) : *s. gloriæ et figura substantiæ ejus* (*Patris*) 23 ; 186 ; 216 ; *s. Paternæ gloriæ* 207 ; 216 ; *s. Patris ; s. lucis æternæ* 207 – lumière (du Saint-Esprit, de la grâce) : *s. Spiritus Sancti* 154 ; 406 ; *gratiæ tuæ s.* 154 ; 273.

spondeo, *-ere*, promettre (en parl. de Dieu) : 164 ; 390.

sponsa, *-æ*, épouse (myst.) : (Marie) *sponsam amabilem* 119 ; (l'Église) 155 ; (une vierge consacrée) *s. Christi* 378.

sponsus, *-i*, époux : (S. Joseph) *Genitricis tuæ s.* 103 – (myst.) l'Époux (le Christ, époux de l'Église) 355 ; *s. æternus* 207 ; (des vierges consacrées) 207 ; 378 ; (le Christ qui a épousé l'humanité) 118 ; 181.

spontaneus, *-a*, volontaire : *holocaustum s.* 193.

stabilis, *-e*, ferme : *s. fides ; in fide s.* 465 ; 351.

stabilitas, *-atis*, fondement solide (de la terre créée) 136.

stabilio, *-ire*, affermir (les grâces accordées) 270.

stadium, *-ii*, stade (fig., en parl. des

étapes du martyre) : *s. percurrere* 110 ;
(de la lutte de ce monde) 405.

statera, *-æ,* balance (fig., en parl. de la
croix où fut pesée notre rançon) 192.

statio, *-onis,* garde, faction (fig.), veillée
des chrétiens (Tert.) 13 – arrêt de la
procession, procession (à Rome) (Ord.
Rom. I, 26).

status, *-us,* nature 215, note 6 – État
(romain) 75.

stella, *-æ,* étoile (appellation de la
Sainte Vierge) : *s. maris* 118.

stellatus, *-a,* étoilé (trône de Dieu) :
stellato solio 295.

stigma, *-atis,* (pl.) stigmates (de S.
François) (or. 17 sept.).

stillo, *-are,* ruisseler (de sang, à la Flagellation) 51 – distiller (fig.) : *stillabunt montes dulcedinem* 175.

stipendium, *-ii,* salaire (fig.) : *diversa
stipendia meritorum* 286.

stipes, *-itis,* tronc (de l'arbre de la
croix) 51.

sto, *-are,* se tenir : *sto ad ostium* 153 –
se tenir debout (à l'église) 84 – (spir.)
se tenir ferme, ne pas tomber (dans le
péché) 421.

stola, *-æ,* robe, vêtement : (les baptisés) *stolis albis candidi* 334 ; (myst., en
parl. des martyrs au ciel) *s. gloriæ ; s.
jucunditatis* 373 – étole (sens pr. et
sens myst.) : *s. immortalitatis* (præpar.
ad miss.).

strenuus, *-a,* courageux (en parl. d'un
défenseur de la foi) : *s. adsertor* 172.

stringo, *-ere,* c. *retinere* (*peccata*) :
vinclis s. 280 – serrer (les langes de
l'Enfant-Jésus) 50.

studeo, *-ere,* avoir à cœur de : *studeamus confiteri* 41.

studium, *-ii,* zèle : *pastorale s. ; pietatis
s.* 474 – amour de, recherche : *parsi-
moniæ s.* (or. fer. 5 p. d. 1 Pass., Greg.
70, 1).

stultitia, *-æ,* folie (de la croix) : *s. crucis*
192 ; 160.

stultus, *-a,* fou : (subst. pl. n.) *stulta
mundi elegit Deus* 495.

Styx, *Stygis,* l'enfer 319.

suavis, *-e,* doux : (en parl. de Dieu) *s.
Dominus* 152 ; (de l'amour de Dieu)
suavissimo amoris tui vulnere 49 ; (du
service de Dieu) *jugum meum suave est*
152 ; (du nom de Jésus) 50.

suavitas, *-atis,* douceur (de Dieu) 152 ;
(du Cœur de Jésus) 51 – *in odorem
suavitatis,* en odeur agréable (à Dieu)
193 et note 14.

sub, 1. au temps de : *sub Elisæo
propheta,* Luc. 4, 27 – 2. en présence

de : *sub duobus aut tribus testibus,* 1
Tim. 5, 19 – 3. au sujet de : *quæ facta
fuerant sub Stephano,* Act. 11, 19.

subarrho, *-are,* engager, fiancer (myst.)
378.

subdiaconatus, *-us,* sous-diaconat 366.

subdiaconus, *-i,* sous-diacre 366 ; 368.

subdo, *-ere,* p. p. **subditus,** *-a,* soumis :
et erat (*Jesus*) *s. illis,* Luc. 2, 51 ; (épouses) *viris subditæ* 341 – (subst.) *subditorum tibi corpora mentesque* 389.

subeo, *-ire,* subir : *tormentum crucis s.*
192 ; *mortem s. temporalem* 213.

subigo, *-ere,* soumettre : *subactis inferis*
314.

subintro, *-are,* intervenir : *lex subintravit* 412.

subjaceo, *-ere,* être exposé à : *s. periculis* (postc. d. 23 p. Pent., Greg. 163,
3).

subjicio, *-ere,* soumettre : *subjectus tibi
populus* 69 ; *subjecta cui sunt Tartara*
319 ; *humana sapientia divinæ fidei
subjicienda* 487.

subjugo, *-are,* soumettre, dompter :
s. imperium mortis 198.

sublevo, *-are,* élever : *ad onus episcopatus s.* 366 - c. *levo : sublevatis oculis* 84 –
(pass.) être soulagé, soutenu (par le
patronage d'un saint) 101.

sublimis, *-e,* très haut (en parl. de
Dieu) 126 – exalté (en parl. du Messie) : *s. erit valde* 188 – (subst. pl. n.)
sublimia, le ciel 395.

sublimitas, *-atis,* sublimité (de la
grâce) : *ut s. sit virtutis Dei* 287 – la
hauteur (en parl. des dimensions
mystérieuses du salut) 507.

sublimo, *-are,* élever très haut (un
saint) 107 – élever (au souverain
pontificat) : *ad summi pontificatus apicem s.* 382.

subministro, *-are,* distribuer (aux
pauvres) 363, note 13.

submoveo, *-ere,* (en parl. de Dieu)
écarter, détourner (le mal) 73.

subrepo, *-ere,* se glisser, s'insinuer (en
parl. du démon) 325.

subreptio, *-onis,* action de se glisser
insidieusement : *vetustatis s.* 482.

subsequor, *-i,* (en parl. de la grâce)
suivre, accompagner 270 – suivre,
imiter : (*sanctorum*) *vestigia s.* 106.

subrogo, *-are,* (en parl. de la Providence) fournir, mettre à la disposition
(des hommes) 141.

subsidium, *-ii,* secours (de Dieu) :
divina subsidia 13 ; *præsentia s. et futura*
67 ; *cæleste, divinum s.* 71 ; (en parl. du
ciel) *sempiternum, æternum s.* 71 ; 310 ;

(en parl. de l'eucharistie) *s. mentis et
corporis* 250, 251.

subsisto, *-ere,* être substantiellement :
(en parl. du Christ) *ex anima rationali
et humana carne subsistens,* ayant substantiellement une âme... 189 – tenir,
se maintenir : *fragilitas humana non potest s.* 402 ; *ex nulla nostra virtute s.* 287.

substantia, *-æ,* substance, nature (divine) 214 ; *una s. ; unius substantiæ
Trinitas* 214 – nature (humaine) : *s.
nostræ mortalitatis* 183 ; *s. nostræ fragilitatis* 187 - biens, fortune : *s. ecclesiastica* 363.

substerno, *-ere,* étendre, répandre aux
pieds de : *ramos olivarum s.* 342.

subvenio, *-ire,* venir au secours : *Deus,
qui subvenis in periculis ; subveniat nobis
... sacrificii præsentis oblatio* 71 ; (en
parl. de l'intercession d'un saint) *s.
nobis* 98 ; (de la Sainte Vierge) 116.

subversio, *-onis,* prévarication (d'A-
dam) 223.

succendo, *-ere,* allumer, enflammer
(de charité) : *igne caritatis succensi* 48 ;
49 ; *s. corda* 237.

succingo, *-ere,* ceindre, (pass.) s'armer
(spir.) : *succincti lumbos vestros* 441.

succurro, *-ere,* (en parl. de Dieu) secourir : *nobis s. ; tribulatis s.* 71 ; (de la
grâce) 96.

succursus, *-us,* secours : *B. M. V. de
Perpetuo Succursu* 122.

sudarium, *-ii,* suaire 195, note 18.

sufferentia, *-æ,* c. *patientia,* constance
(à supporter l'adversité) 490.

suffero, *-ferre,* supporter : *caritas omnia
suffert* 497.

sufficientia, *-æ,* (notre) capacité : *s.
nostra ex Deo est* 44 ; 496 – ce qu'il faut,
grâce suffisante : *omnem sufficientiam
habentes* 274 et note 5.

sufficio, *-ere,* être capable : *non quod
sufficientes simus* 44 ; 496 – être suffisant
(grâce) : *tibi sufficit gratia mea ; facultas
sufficiens* 274.

suffragatio, *-onis,* suffrage, appui (intercession d'un saint) 102.

suffragator, *-oris,* intercesseur 102.

suffragatrix, *-tricis,* (adj.) qui intercède : *prex s.* 116.

suffragium, *-ii,* suffrage, soutien,
intercession (d'un saint) 102 ; (d'un
ange) 115.

suffragor, *-ari,* intercéder (en parl. d'un
saint) 102 ; (de Marie) *suffragantibus
meritis (Mariæ)* 116.

suffulcio, *-ire,* étayer, (pass.) être ap-
puyé (par l'intercession d'un saint) :
suffultus 115.

suggestio, *-onis,* suggestion (premier
degré de la tentation) 446, note 1.

sum, *esse,* être (en parl. de l'Être absolu) : *ego sum qui sum* 124.

summa, *-æ,* le sommet, la plénitude
(du sacerdoce des évêques) : *s.
ministerii* 382.

summitas, *-atis,* le haut de : *s. cælorum*
291 – le sommet : *s. montis Sinai* 168 ;
429.

summus, *-a,* très haut : *summe Pater*
32 ; *summe Deus* 60 ; 125 ; *s. Deus ;
Pater s. ; s. divinitas* 125 ; *s. Sacerdos,*
v. *sacerdos* – instant : *summæ preces* 64.

sumo, *-ere,* prendre, assumer (notre
chair mortelle) : *s. carnem nostram ;
mortale corpus s. ; nostri corporis formam
s.* 185 – recevoir (le sacrement eucharistique) 237 ; 254 ; *s. sacramenta ;
sumptis muneribus sacris* 261.

sumptio, *-onis,* action de recevoir (l'eucharistie) (,,*Lauda, Sion*'').

super, 1. au-dessus de, plus que : *super
nivem dealbabor* 281 – 2. = *de,* (av. abl.)
au sujet de : *contristatus super cæcitate
cordis eorum,* Marc. 3, 5 ; (av. acc.)
misericordia motus super eam, Luc. 7,
13.

superabundanter, surabondamment :
s. quam, infiniment plus que 68, note
8 ; 130.

superabundo, *-are,* surabonder, se
montrer davantage : *superabundavit
gratia* (opp. à *abundavit*) 412.

superædifico, *-are,* édifier sur (spir.)
427.

superbe, orgueilleusement : *s. sapere*
494.

superbia, *-æ,* orgueil : *antiqui hostis s.*
(or. div. 28).

superbus, *-a,* adj. et subst., orgueilleux : *Deus superbis resistit* 494.

superaffluo, *-ere, superaffluens,* débordante (mesure) 485.

supereminео, *-ere,* (en parl. de la
grandeur de Dieu) être bien au-
dessus, dépasser, surpasser : *s. humanam eloquii facultatem* 127 – *superemi-
nens,* suréminent : *supereminentem Jesu
Christi scientiam ; supereminentem scientiæ caritatem Christi* 507.

superexalto, *-are,* exalter hautement :
superexaltemus eum in sæcula 25.

superfundo, *-ere, superfusus,* inondé
(des douceurs de la contemplation)
506.

supernaturalis, *-e,* surnaturel 406.

supernus, *-a,* d'en haut, du ciel : *s.
patria* 49 ; *s. Rex* 51 ; *sedes s.* 213 ;
271 ; 292 et passim.

supero, -*are*, surmonter : *adversantia s.* 443 ; *tentationum pericula s.* 446.

superpono, -*ere*, placer sur : *sacris altaribus hostias superpositas* 246.

supervenio, -*ire*, venir sur (en parl. du S. Esprit) 218 ; 220.

supervaleo, -*ere*, être bien au-dessus (en parl. de la grandeur de Dieu) 127.

suppeto, -*ere*, être suffisant pour : *nulla suppetunt suffragia meritorum* 286.

suppleo, -*ere*, être suffisant (pour nous recommander) 286.

supplex, -*icis*, suppliant 52 ; *supplices* = *supplicantes* 62 et or. passim ; *merita supplicum* 68.

supplicatio, -*onis*, supplication : *supplicationes nostræ* 61 ; 82 – intercession : *s. sanctorum* 100.

suppliciter, en suppliant 62 et passim.

supplicium, -*ii*, supplice (sing. et pl.) : *s. æternum, sempiternum* 316.

supplico, -*are*, supplier (Dieu) 82 ; *supplicantes* 69 et passim ; (en parl. de l'intercession des saints) 100 – intercéder : *pro persecutoribus s.* 82.

supporto, -*are*, supporter : *s. invicem*, se supporter mutuellement 497.

supra, c. *super* : *ambulans s. mare*, Marc. 6, 48 – plus que : *proficiebam in Judaismo supra multos coætaneos meos*, Gal. 1, 14.

supremus, -*a*, suprême (en parl. de Dieu) : *Pater s.* 216 – le plus grand, suprême : *supremis laudibus* 38.

surgo, -*ere*, se lever, se relever (spir.) : *da dexteram surgentibus* 57 ; 421 ; 462 – (en s'adressant à Dieu) *surge, Deus*, Ps. 81, 8 – (sens pr.) *vanum est vobis ante lucem s.*, Ps. 126, 2 – ressusciter (intr.) 38 ; 197 ; 410.

surdus, -*a*, sourd (moral.) 422.

sursum, en haut, vers le haut : *s. corda* 239, note 4 – d'en haut, du ciel : *quæ s. sunt* 405.

susceptio, -*onis*, réception (de l'eucharistie) : *sacramenti s.* 261.

susceptor, -*oris*, (en parl. de Dieu) celui qui recueille, soutient : *s. meus* 70 – celui qui accueille (les offrandes) 64.

suscipio, -*ere*, prendre dans ses bras 30 – accueillir (un hôte) 188 – accueillir (la venue du Rédempteur) 178 – accueillir (en nous) : *in mente s.* 395 – prendre soin de, accueillir, soutenir (en parl. de Dieu) 70 – accueillir, agréer (nos prières) : *s. orationem* 77 ; (nos désirs) *s. vota* 81 ; (nos offrandes, le sacrifice offert) 55 ; 62 ; 239 ; 247 – accueillir (au ciel) 62 ; 94 ; 96 – se charger (de qqn., pour le recommander à Dieu) : *quos in oratione commendatos suscepimus* 97 ; 77 – recevoir (l'eucharistie) : *cælestia alimenta s.* 261 ; *panem angelorum s.* 92 – prendre, assumer (notre chair mortelle) : *carnem s.* 179 ; 185 ; *s. hominem* 185.

suscito, -*are*, ressusciter (sens tr.) 197 ; 410 et note 3 – pousser à, exciter à : *nos s. ad profectum* 106.

suspendo, -*ere*, suspendre (à la croix) : *s. in ligno* 192.

sustentator, -*oris*, (en parl. de Dieu) celui qui soutient 384.

sustento, -*are*, (en parl. de Dieu) soutenir 71.

sustineo, -*ere*, supporter : *caritas omnia sustinet* 497 – attendre, espérer 43 ; 207 ; 490, note 5.

symbolum, -*i*, symbole (de foi) 40, note 2.

T

tabernaculum, -*i*, tente, demeure : *in sole posuit tabernaculum suum* 118 ; 162 – tente, arche d'alliance, tabernacle (de David) 235 – demeure (de Dieu, du ciel) : *tabernacula tua ; t. æterna* 235 ; 304 ; *t. tuum* 293 – (en parl. de l'Église) *t. nominis tui* 354, note 14 – demeure (que l'on bénit) 88.

tacitus, -*a*, caché, mystérieux : *mysterium t.* 225.

tardo, -*are*, tarder : (attente de Dieu) *ne tardaveris, Domine* 56.

Tartareus, -*a*, de l'enfer 316.

Tartarus, -*i*, l'enfer 319 ; *flamma tartari* 96 ; (pl.) *Tartara* 319.

tectum, -*i*, demeure (pr. et fig.) : *ut intres sub tectum meum*, Mat. 8, 8 (Canon. miss.) – (pl.) terrasses des maisons (où l'on se réunit pour parler) 172.

tegumen, -*inis*, enveloppe (fig.) : *t. nostræ mortalitatis* 186.

tellus, -*uris*, la terre (opp. au ciel) 9.

telum, -*i*, arme, (pl.) les traits (du démon) 265.

tempero, -*are*, (intr.) se modérer,

s'abstenir de : *ab escis corporalibus t.*
448 ; *a noxiis voluptatibus t.* 450 – (réfl.)
se t. a 450 note 7.

tempestas, *-atis,* tempête (sens pr.)
75.

templum, *-i,* le temple (de Jérusalem) :
t. sanctum tuum 235 – le temple (de
Dieu, en parl. du ciel) : *t. gloriæ tuæ*
293 ; (du S. Esprit en nous) *membra
nostra t. sunt Spiritus Sancti* 398 ; 153 ;
221 – (en parl. de la Sainte Vierge) *t.
Domini* 120 ; (du sein de la Vierge) *t.
Dei ; t. pretiosum* 209 – une église : *in
templo tibi ædificato* 346 ; (*imagines
sanctorum*) *in templis colimus* 108 ; *hoc
in templo … adveni* 60.

temporalis, *-e,* qui se passe dans le
temps, sur cette terre, temporel (opp.
à *æternus*) : *t. solemnitas ; t. festa* 5 ;
mors t. 213 ; *t. vita* 403 – (subst. pl. n.)
les biens temporels 173 ; 403.

temporaliter, dans le temps, sur cette
terre (opp. à *æternaliter* ou *spiritualiter*)
242 ; 403.

tempus, *-oris,* temps, moment (=
hora) : *t. meum,* mon temps (celui de
la Passion) 191 – le temps (opp. à
l'éternité) : *t. præsens ; tempore nostræ
mortalitatis* 403 – (locut.) *ante tempora
æterna* ou *sæcularia* 216.

tenax, *-acis,* qui tient fermement (en
parl. de Dieu) : *rerum … t. vigor*
130.

tenebræ, *-arum,* ténèbres : (de ce
monde où règne le démon) *rectores
tenebrarum harum* 322 ; (de l'infidélité,
de l'incroyance) *infidelitatis t.* 392 –
t. exteriores (symb. de) l'enfer 318 ;
314 ; *inferni tenebra* 315 – ténèbres (du
péché) : *peccatorum t. ; t. cordis* 422 ;
t. mentium 73.

teneo, *-ere,* tenir, maintenir (prisonnier) : *quos … vetusta servitus tenet* 224 –
tenir, retenir, garder (dans son cœur)
437 ; *t. catholicam fidem* 465.

tentamentum, *-i,* tentation : *t. diaboli,
hostis* 446.

tentatio, *-onis,* tentation : *tentationes
hujus sæculi* 95 ; 402 ; *resistere tentationibus* 220 ; *malæ tentationes ; tentationibus liberari ; intrare in tentationem*
446.

tentator, *-oris,* le tentateur (le démon) :
callidus t. 325.

tento, *-are,* tenter : *tentari a diabolo* 321 ;
tentari supra id quod potestis 446.

tergo, *-ere,* essuyer, panser (les blessures) 74 – essuyer, laver (les souillures)
281, note 2.

terra, *-æ,* la terre : (en parl. du Créateur)

terram fundasti 136 – la terre, le sol :
(le Christ sur la croix) *exaltatus a terra*
193 – *in terris,* sur la terre (opp. à
in cælis) 103 ; 402 ; (péjor.) *qui de terra
sunt* 405.

terræmotus, *-us,* tremblement de terre
75.

terrenus, *-a,* terrestre (péjor.) : *t. honor ;
t. delectationes ; t. affectus* 405 – (subst.
pl. n.) les choses de la terre 405.

terrestris, *-e,* terrestre : *terrestris hujus
incolatus domo* 304 ; *terrestrium rerum
contemptus* 405.

terribilis, *-e,* terrible (en parl. de
Dieu) : *terribilia opera tua ; t. locus
iste* 155 ; 345 ; *tu es t.* 156 ; *sanctum et
terribile nomen* 157 ; (subst. pl. n.) 155.

terrigena, *-æ,* (pl.) enfants de la terre,
les hommes 137, note 9.

terror, *-oris,* terreur, effroi : *terrores
Domini* 155 ; *infernarum portarum t.*
315.

tessera, *-æ,* tessère, signe de reconnaissance 40.

testamentum, *-i,* promesse attestée
(par Dieu), alliance (entre Dieu et
l'homme) 164 ; *novum t.,* nouvelle
alliance – document qui atteste l'alliance, les deux testaments : *vetus t. ;
novum t. ; utrumque t.* 168.

testificatio, *-onis,* attestation, témoignage, confession : *tuæ t. veritatis*
469 – affirmation (de l'Écriture) 168.

testificor, *-ari,* attester, proclamer (la
parole) 172.

testimonium, *-ii,* témoignage : *t.
patrum* (or. 6 aug.) – témoignage,
confession (du martyr) 109.

testis, *-is,* témoin, prophète 174 –
témoin, martyr 109 – témoins (de
Dieu, les saints) : *nubes testium* 107.

testor, *-ari,* témoigner, attester (la
gloire de Dieu) 107.

teter, *-tra,* affreux : (en parl. du démon)
t. hostis 446.

thalamus, *-i,* chambre nuptiale (le sein
de la Vierge) 118 ; (où le Christ a
épousé l'humanité) *sponsus procedens de
thalamo suo* 181 – (en parl. du ciel)
æthereus t. 213 ; 295 ; *nuptialis t.* 313.

thema, *-atis,* thème : *laudis t.* (,,*Lauda,
Sion*")

Theophania, c. *Epiphania* 183.

Theos (mot grec), Dieu 33.

Theotocos, c. *Dei Genitrix* 208.

thesaurus, *-i,* trésor (myst.) : *dilectionis
thesauros* (dans le Cœur de Jésus) 51 ;
(de Dieu) *bonitatis infinitus t.* 127 ; 150 ;
in thesauris sapientiæ, Eccli. 1, 26.

thorus, c. *torus.*

thronus, *-i,* trône : (le ciel) *t. Dei* 222 ;
291 – les Trônes (anges) 113 ; 114.

thus (tus), *turis,* encens : (symb. de la
divinité) 183.

thymiama, *-atis,* encens 235, note 4.

timeo, *-ere,* craindre (crainte res-
pectueuse) : *t. Deum* 19 ; *timentibns se*
141 ; *t. nomen tuum* 473 – craindre
(pour son salut) ; (le jugement) 96.

timor, *-oris,* crainte (de Dieu) : *t. Dei,
Domini* 46 ; 157 ; 473 ; *spiritus timoris
tui* 338 ; *timorem et amorem ; t. divinus*
473 ; *t. castus* 473, note 5.

timoratus, *-a,* craignant Dieu, pieux
177 ; 473.

tinctio, *-onis,* baptême 331.

tingo, *-ere,* baptiser 331.

titulus, *-i,* titre, appellation (honorifique) 122 – chef, désignation, titre :
æternæ prædestinationis t. 275.

tolerantia, *-æ,* action de supporter
(avec courage) 490.

tolero, *-are,* supporter (avec courage)
490.

tollo, *-ere,* porter : *t. crucem suam* 447 –
emporter : *qui tollit peccata mundi* 206
– *se t.,* s'ôter de, s'en aller (en s'adressant au démon dans l'exorcisme) 327
– élever (vers Dieu, vers le ciel) :
mentes manusque tollimus 84 – (pass.)
être soulevé (par la contemplation)
506.

tonans, *-antis,* tonnant, (appellation de
la divinité) *summus T.* 123.

tono, *-are,* retentir (louange) (ant. 1 d.
2 Pass.).

tormentum, *-i,* tourment, supplice :
(du Christ) *crucis subire tormentum* 192 ;
(pl., en parl. des martyrs) 105 ; 110 ;
(dans les enfers) *in tormentis* 316.

torpeo, *-ere,* s'engourdir (spir.) 413.

torridus, *-a,* brûlé, consumé (sur la
croix) 193.

torus, *-i,* lit nuptial, mariage, union
matrimoniale : *t. immaculatus* 340 –
(méton.) époux 341, note 2.

totus, *-a,* tout entier (Dieu présent
partout) 127.

trabea, *-æ,* vêtement (fig.) : *trabea
carnis indutus* 186.

tracto, *-are,* pratiquer, célébrer (les
mystères) : *t. divina ; t. sancta ; t. tua
mysteria* 5 ; 501.

traditio, *-onis,* action de remettre, de
faire connaître, d'enseigner (opp. à
redditio) : *t. symboli* (Miss. Gall. 18,
81) – enseignement : *hodierna t.* 236.

trado, *-ere,* remettre, transmettre :
solvendi pontificium t. 280 - *se t.,* se
livrer (le Christ entre les mains de

ses bourreaux) 193 – faire connaître
(le symbole aux catéchumènes) 172.

traho, *-ere,* entraîner, attirer (les cœurs
vers le Christ) 29 ; 49 ; 193 – (péjor.)
entraîner : *t. in præceps* 420 – contracter, entraîner (le péché originel)
223.

trames, *-itis,* voie, sentier (sens spir.) :
per salutis tramitem ambulare 427.

tranquillitas, *-atis,* tranquillité : *t.
pacis* 75 ; *t. vitæ præsentis* 66.

tranquillus, *-a,* en paix, tranquille :
tempora t. 75.

transeo, *-ire,* passer, quitter (ce monde) : *ex hoc sæculo t.* 94 ; (au ciel)
ad cælestem gloriam t. 306 ; *t. ad vitam*
408 – passer en, se changer en (transsubstantiation) : *in carnem transit panis*
263 – (dans la conversion) passer à :
ad cælestia desideria t. 461 – passer
dans, s'insinuer dans 73, note 10 –
passer, être éphémère 170 ; 404.

transfero, *-ferre,* faire passer : *t. in
cælum* (assomption de Marie) 213 –
transformer : *t. in novam creaturam*
462 – traduire 502.

transfigo, *-ere,* transpercer (les cœurs)
49.

transfiguratio, *-onis,* transfiguration
(de Notre Seigneur) : *gloriosa t.* 196.

transfiguro, *-are,* transfigurer : *transfiguratus est ante eos* 196.

transfixio, *-onis,* action de transpercer
(de douleur) 110 ; 121.

transformatio, c. *transfiguratio* 196.

transgredior, *-i,* transgresser (la loi)
420 – (dans la contemplation) dépasser : *omnem transgrediens creaturam*
506.

transgressio, *-onis,* transgression (de
la loi divine) 420.

transgressor, *-oris,* transgresseur (de
la loi divine) 420.

transitorius, *-a,* transitoire, éphémère :
t. opera 404 ; (subst. pl. n.) 404.

transitus, *-us,* passage (en parl. de la
mort) : *in transitu suo* 300 ; (après la
mort) *t. ad vitam* 94, note 4 ; (en parl.
de l'assomption de Marie) 213, note 1.

transmutatio, *-onis,* changement (inexistant en Dieu) 126.

tremo, *-ere,* trembler de crainte (devant
le jugement) : *tremens factus sum* 96 ;
tremendus, redoutable : *dies t.* 96 –
tremens, plein de crainte respectueux :
tremente servitio 379.

tremor, *-oris,* crainte révérencielle :
cum metu et tremore 496 – crainte
(devant le jugement) : *quantus tremor
est futurus* („Dies iræ").

trepido, *-are,* trembler (crainte de Dieu) 473, note 4.

Trias, *-adis,* Trinité 37 ; 38 ; 214, note 2.

tribulatio, *-onis,* affliction, tribulation 71 ; 78 ; 158 ; 442.

tribulo, *-are,* affliger, tourmenter 442 ; *tribulati* 71.

tribunal, *-alis,* tribunal : *t. æterni Regis* 305.

tribuo, *-ere,* (en parl. de Dieu) accorder (grâce, faveur) : *t. aliquid* 62 et passim ; *t. ut* (ou av. inf., prop. inf.) 67 et passim – c. *retribuere : t. præmium* 144.

tribus, *-us,* tribu (d'Israël), Apoc. 21, 12 et passim.

tributum, *-i,* tribut, impôt : *t. dare Cæsari,* Luc. 20, 22.

triduum, *-i,* espace de trois jours : *sacratissimum t.* (Pâques) 190.

Trinitas, *-atis,* Trinité 38 ; *sancta T. ; individua T. ; T. æqualis ; T. perfecta, inseparabilis ; Trinitatis unitas ; T. unius substantiæ ; Trinitatem in unitate venerari* 214.

trinus, *-a,* triple (en parl. de la Sainte Trinité) : *Unius Trinique nomen* 38 ; *trinum vocabulum* (opp. à *unicam majestatem*) 214.

tristitia, *-æ,* tristesse (de ce monde) : *a præsenti tristitia liberari* 403 ; 445.

triticus, *-i,* le (bon) grain, les élus 275 ; 305.

triumphalis, *-e,* triomphal : *t. passio* (des martyrs) 110.

triumphator, *-oris,* vainqueur (Dieu) 132 ; (le Christ) *t. mortis* (ant. 2 d. 2 Pass.) ; *t. mirabilis* 50, note 15.

triumpho, *-are,* triompher (en parl. du Christ vainqueur de la mort) : *moriendo triumphaturus* 193 ; *triumphans*

pompa nobili 198 ; (en parl. du martyr) 110 ; 305 ; (du combat de la foi) 441.

triumphus, *-i,* triomphe (du Christ vainqueur de la mort) : *de glorioso victoriæ tuæ triumpho* 193 ; *dic triumphum nobilem* 198 ; (en parl. du martyre) 110.

trophæum, *-i,* trophée (symb. de victoire) 314 ; *t. crucis* 193 ; 198 ; (du martyr) 110 – reliques, tombeau (du martyr) 110, note 5.

tropologia, *-æ,* interprétation morale (de l'Écriture) 171.

trudo, *-ere,* pousser, entraîner (le démon prisonnier) 314.

tuba, *-æ,* trompette de guerre, trompette (du jugement dernier) 13 ; 158 ; *in novissima tuba* 203 – (fig.) proclamation : *evangelica t.* 168.

tueor, *-eri,* (en parl. de Dieu) protéger : *t. contra ; t. populum, familiam tuam* 72 ; (en parl. du sacrement euchar.) 251.

tuitio, *-onis,* protection (de Dieu) 72.

tunica, *-æ,* tunique (vêtement blanc symbolique) : *t. immortalitatis* 330 ; *t. jucunditatis* 373.

turba, *-æ,* foule : *angelica t.* 9.

turbedo, *-inis,* tempête, (pl.) troubles : *turbedines sæculi* 442.

turbo, *-inis,* c. *turbedo : sæculi turbine* 379.

turris, *-is,* tour (myst.) 328.

tus, v. *thus.*

tutamentum, *-i,* protection (de Dieu) 72.

tutela, *-æ,* protection (de Dieu) 71.

tutus, *-a,* en sécurité : *t. esse* (par le secours du sacrement euchar.) 251.

typicus, *-a,* symbolique, figuratif 176.

typus, *-i,* type, figure, préfiguration 176.

tyrannus, *-i,* le tyran (le démon) 314.

U

uber, *-eris,* mamelle, sein (symb.) : *ut repleamini ab ubere consolationis* 175.

ubertas, *-atis,* abondance : *sui roris* (S. *Spiritus) ubertate fecundet* 273.

ulna, *-ae,* (pl.) bras : *in ulnas suas accipere* (en parl. de Siméon), Luc. 2, 28 ; (cf. or. et ant. 2 febr.).

ultio, *-onis,* vengeance, punition (divine) : *Deus ultionum ; u. judicis* 145 ; (au jugement dernier) *judicium ultionis* 96 ; *extrema u.* 203 – châtiment (de l'enfer) 316.

ultrix, *-tricis,* adj., vengeresse : *pœnæ ultrices* 316.

ululo, *-are,* hurler de frayeur 158.

umbra, *-are,* ombre (fig., en parl. du péché originel) *u. mortis* 224 ; 318, note 14 – ombre (protectrice de Dieu) : *sub umbra alarum tuarum* 57 – ombre, préfiguration 176.

unanimis (unian-), *-e,* uni de cœur : *unanimes in domo* 477.

unanimiter, d'un seul cœur 126 ; 477.

unctio, *-onis,* onction (trad. de *chrisma*

204 ; *olei u.* 330, note 9 ; (dans une ordination) 369 ; (des malades) *per istam sanctam unctionem* 339 ; *u. infirmorum = extrema u.* 339, note 1 ; (le S. Esprit) *spiritalis u.* 338.

unda, *-æ,* eau (du baptême) : *u. purificans* (ben. aq. vig. Pasch., Gel. I, 44, 445).

ungeo (-gueo, -go), *-ere,* oindre : *unxit eum Deus Spiritu Sancto* 204 ; *qui unxit nos Deus* 329 ; (les malades) 339 ; 361 ; (au baptême 330).

unguentum, *-i,* baume, parfum, huile des onctions 339 ; huile (des malades) 72.

unian-, v. *unan-.*

unicus, *-i,* unique (adj. ou subst. en parl. du Fils de Dieu, chéri d'un amour unique) 123 ; *compar Unice ; Natoque Patris unico* 38 ; *Filius unicus* 216 – (en parl. de la Trinité une) *u. majestas* 214.

Unigenitus, *-i,* adj. et subst., le Fils unique (de Dieu) : *Unigenitus* ou *unigenitus Filius tuus* 25 ; 34 ; 38 ; 155 et passim.

I **unio,** *-ire,* unir : (par l'Incarnation) *unitum sibi hominem ; unitam sibi fragilitatis nostræ substantiam* 201 – (réfl.) *se u.,* s'unir (spir.) : (*populus tuus) pastori ecclesiæ tuæ se uniens* (or. p. eccl. unit.).

II **unio,** *-onis,* (dans la Trinité) unité (de personne, notion condamnée) 214, note 1 – union (des chrétiens) *unionis gratia ; u. populi christiani* 349 – union (d'intention) : *in unione illius divinæ intentionis* 505.

unitas, *-atis,* unité (de la nature divine dans la Trinité) 19 ; 37 ; 214 ; *indivisa u. ; individua u. ;* (*Trinitatis) in potentia majestatis adorare unitatem* 214 ; unité (qui résume l'union des trois personnes) : *in unitate Spiritus Sancti* 33 ; 222 – unité (du corps mystique de l'Église) : *dona unitatis ; tribuere unitatem* 349 ; 62 ; union (à Dieu et à nos frères) 250 – unité (et paix entre les hommes) 160.

universalis, *-e,* universel : (*Christi) u. regnum* (præf. Chr. Reg.).

universitas, *-atis,* l'univers 38 ; 139 ; *auctor universitatis* 137.

universus, *-a,* tout entier : *u. mundus* (præc. vig. Pasch.) – (pl.) *universi = omnes : universorum Rex* 131.

unus, *-a,* un, unique (unicité de Dieu) : *Deus unus* 159 ; (subst. m.) *Unus,* l'unique 159 – un (en parl. de l'unité de la Trinité) : *trina ... unaque* 37 ; *una divinitas* 159, note 1 ; *Deus unus* 216 ; *Pater et ego unum sumus* 216 – (hébr.) *una,* une seule chose : *unam petii* 80 – unique : *una, sancta ... ecclesia ; u. baptisma* 349 – un, unanime : *una voce* 11 ; *cor unum et anima una* 349 – in unum, en harmonie : *habitare in unum* 477.

uro, *-ere,* brûler (spir.) : *ure igne Spiritus Sancti renes nostros* 283 ; v. *aduro.*

usquequo, jusques à quand 58.

uterus, *-i,* sein (de la Vierge) : *in utero habebit = concipiet* 179 ; *in utero Virginitatis* 185 – le sein (de l'Église) 354.

utor, *-i,* user de : *parcius u.* (et abl.), se restreindre dans 450 – user de, participer à : *tantis u. mysteriis* 241 ; *u. hoc mundo* 403, note 5.

V

vacillo, *-are,* hésiter (dans la foi) : *ne vacilles, sed memento* (,,*Lauda, Sion''*).

vacuus, *-a,* vain, sans effet : *v. postulatio* 82 ; *in vacuum,* en vain 270.

vagio, *-ire,* vagir (l'Enfant de la crèche) 50.

valeo, *-ere,* pouvoir, être capable de (av. inf.) 46 ; 92 ; 287 ; 438.

vallis, *-is,* vallée : *v. lacrymarum* 402 ; *v. terrena* (opp. à *superior terra*) 314.

vanitas, *-atis,* vanité : *sæculi vanitates* 405 ; 451 ; *v. vanitatum* 405, note 7.

vapor, *-oris,* souffle (de l'Esprit) 217.

varietas, *-atis,* divergence : *perversitatis*

v. 350 – (pl.) les incertitudes, les vicissitudes (de cette vie) 402 ; *mundanæ varietates* 405.

vas, *vasis,* (en parl. de pers.) instrument, vase (d'élection) : *v. electionis* 377 ; (religieuses) *vasis nomini tuo consecratis* 377 – objet : *vasa iræ Dei* 224.

vasculum, *-i,* coupe (euchar.) 236, note 1 ; 263, note 4.

vastitas, *-atis,* dévastation : *v. a Domino veniet* 158.

vates, *-is,* prophète 174.

vegetatio, *-onis,* action de donner de la vigueur (spir.) : *v. animarum* 456.

vegeto, *-are,* fortifier (spir., en parl. de l'eucharistie) 251 ; 255 ; (par la Rédemption) 226.

vel = *et* 222, note 9.

velamen, *-inis,* voile (fig.) : *per velamen, id est carnem suam* 186 ; (qui obscurcit) *auferat velamen de cordibus eorum* 422.

velatio, *-onis,* action de voiler (l'épouse) : *v. nuptialis* 341 – prise de voile (de moniale) 378, note 8.

vello, *-ere,* c. *evellere,* arracher : *ab integritate fidei v.* 465.

vellus, *-eris,* toison (de Gédéon) 211.

velo, *-are,* voiler, cacher : (en parl. du Dieu incarné) *velatum sub carne* 186 – voiler (des vierges consacrées) 378.

venenum, *-i,* poison (de l'erreur) 420.

venerabilis, *-e,* vénérable : *v. sacramentum* 16 ; *venerabiles martyres* 16 – respectable : (*uxor*) *pudore v.* 16, note 5 ; 341.

venerandus, *-a,* vénérable : *v. festivitas, solemnitas* ; *v. confessio* 20 et passim ; *v. solemnia* 434 ; (*sancti*) *oratio v.* 100 ; (pers.) *v. Andreas* 100.

veneratio, *-onis,* vénération : *in tui venerationem* ; *v. sancti, Mariæ, angelorum* 16 ; 108.

venerator, *-oris,* celui qui vénère 16.

veneror, *-ari,* vénérer, rendre un culte à, honorer : *venerando celebrare,* célébrer avec vénération 6 ; *solemni cultu v.* 16 ; *venerari et adorare* ; *sacra mysteria v.* ; *sanctum nomen Jesu v.* 20.

venia, *-æ,* pardon 252 ; *veniam consequi* ; *obtentu veniæ* ; *veniam tribuere,* etc. ; *v. delictorum, peccatorum* 277.

venio, *-ire,* venir (en parl. de Dieu, du Messie, du S. Esprit) : *dum prope est ut veniat* 188 ; *veniet et salvabit vos* 178 ; (impér.) *veni* 60 ; 178 ; (parf.) *veni,* je suis venu (mission du Christ) 188 ; *cum autem venerit ille Spiritus veritatis* 218 – venir (comme juge, à la parousie) 202 – se répandre sur : *veniat super nos misericordia tua* 60.

venter, *-tris,* ventre, entrailles : *v. virginalis* („Pange, lingua", Fort.).

ventus, *-i,* vent (fig.) : *omni vento doctrinæ* 352.

venumdo, *-are,* vendre (comme esclave) : *venumdatus sub peccato* 224.

veraciter, vraiment : *v. confiteri* 41 ; *v. vivere* 258 ; *v. agnoscere* (*Deum*) 466.

verax, *-acis,* vrai, véridique (en parl. de Dieu fidèle à ses promesses) 164.

verbera, *-um,* coups (punitions de Dieu) 146.

verbum, *-i,* parole (de la prière) 52 –

parole réalisée, acte, fait (A. T.) 170, note 2 – parole (créatrice) 135 – *per Verbum,* par le Verbe (créateur) 135 – parole (de Dieu) : *verba mea non transibunt* ; *v. Domini* ; *loqui verbum* 170 – le Verbe 216 – parole (du prédicateur) : voir *opus* 435.

vere, vraiment : *v. credere* 40 ; *vere dignum* 172.

verecundia, *-æ,* pudeur 491.

veritas, *-atis,* vérité 420 et passim ; *in veritate,* vraiment 258 ; *adorare in Spiritu et veritate* (vrai culte) 19 – vérité, réalité 176 ; *naturæ nostræ v.* (dans le Christ incarné) 189 ; *in Dei et hominis veritate* 19 – la Verité (personnifiée dans le Christ qui s'exprime) 170 ; 206 – réalité, vérité (contemplée au ciel) 298.

vermis, *-is,* le ver (rongeur) : (en enfer) *v. perpetuus* 318.

verto, *-ere,* tourner, (pass.) se changer en : *tristitia vestra vertetur in gaudium* 445.

verus, *-a,* vrai : *Deus v.* 161 ; *Deus vivus et verus* 161 ; 327 ; *v. fides* 352 ; *v. adoratores* 19 – vrai, réel : *v. deitas et v. humanitas* 189 – véridique, fidèle (en ses promesses) 164.

vespera, *-æ,* soir, chute, déclin : *v. mundi* 245 ; *pax sine vespera* 307, note 26 – (pl.) *vesperæ,* vêpres 2, note 9.

vespertinus, *-a,* du soir : *sacrificium v.* 2, note 9 ; 44 ; 245 et note 3 ; *v. vigilia* 13, note 1.

vestigium, *-ii,* (pl.) traces, pas, exemple (qu'on imite) 428 ; *inhærere vestigiis* (*Christi*) 500 ; *vestigia* (*sancti*) *prosequi, sequi, sectari* ; *vestigiis insistere, inhærere* 106.

vestimentum, *-i,* vêtement (myst.) : *v. lætitiæ* (præpar. ad miss. episc.) ; cf. *tunica, stola, indumentum.*

vestis, *-is,* habit : *v. candida* (au baptême) 334 ; *v. nuptialis* 310.

veterator, *-oris,* dont la ruse est invétérée, fourbe (le démon) 323, note 6.

veternosus, *-a,* vieux (péjor.), invétéré 419.

vetus, *-eris,* vieux, ancien : *v. homo* ; *v. fermentum* 462 – *Vetus Testamentum* 168.

vetustas, *-atis,* l'ancienneté, le culte ancien 176 – le vieil homme 462 ; *vetustatis error* 420.

vetustus, *-a,* ancien : *v. servitus* 224.

vexillum, *-i,* l'étendard (de la croix) : *v. crucis* 31 ; 192 ; *Vexilla Regis* 132.

via, *-æ,* passage (du Christ sur la terre)

58 ; 188 - (pl.) les voies (de Dieu), ses
desseins, ses démarches 167 ; *scire vias
ejus* 129 - la Voie (le Christ) 206 -
route, marche, voie, conduite (des
hommes) 144 ; *viæ hominum* 130 ; *v.
justorum ; v. justitiæ ; v. innocentiæ*, etc. ;
in via redire ; custodire viam Domini 426
- notre route (dans cette vie terrestre) : *omnes viæ et vitæ hujus varietates* ; (en route vers la patrie) *in via
sumus* 402.

viator, *-oris*, celui qui est en route
(voyage de cette vie vers le ciel) 402.

vicarius, *-ii*, celui qui remplace :
operis tui vicarios (præf. de Apost.).

vicinus, *-a*, voisin : (en parl. de Dieu)
de vicino, de près (opp. à *de longe*) 142.

vicis (sans nom.), place, rôle, fonction :
Filii tui vices in terris gerere (or. p. def.
summ. pont.).

vicissitudo, *-inis*, vicissitude, changement (inexistant dans la divinité) 126 -
vicissitudinem reddere, payer de retour
482.

victima, *-æ*, victime immolée : *carnales
victimæ* 176, note 12 ; (en parl. du
Christ) *V. paschalis* 194 ; *vera cæli V.*
205 - offrande : *v. jejunii* 86 ; (en parl.
de religieuses) *tibi gratas pudoris et fidei
victimas ; caritatis v.* 379.

victor, *-oris*, vainqueur (de la mort, en
parl. du Christ) 38 ; 198 - (le martyr)
qui a triomphé (des supplices) 110.

victoria, *-æ*, victoire (du Christ sur la
mort) 193 ; (du martyr) 110.

victrix, *-tricis*, (adj.) victorieuse : *v.
anima (martyris)* 110.

video, *-ere*, voir : *quæ non videntur* 44 ;
quod oculus non vidit 470 ; *Deum nemo
vidit unquam* 128 ; (en parl. du regard
de Dieu) *omnia videt* 130 - *videns*, le
voyant, le prophète 174 - voir, comprendre (son devoir) : *quæ agenda sunt
v.* 273.

vidua, *-æ*, veuve (ordre des) 368.

viduus, *-a*, veuf, veuve : (m. et f.)
nuptis et viduis 493.

vigilia, *-æ*, la vigile (d'une fête) 13 -
(pl.) vigiles 13 - matines 13 - (pl.)
veilles, absence de sommeil 443.

vigilo, *-are*, veiller (pr. et fig.) 13.

vigil, *-ilis*, en éveil : *vigiles nos inveniat*
13.

vigor, *-oris*, force (de Dieu) 130 -
vigueur (spir.) 395 ; 456.

vincio, *-ire*, enchaîner (par le péché
originel) 226.

vinco, *-ere*, vaincre (la mort, par la
Passion, la Résurrection) : *in ligno v.*
198 - surmonter (nos épreuves) 70 ;

cuncta nobis adversantia v. 443 ; 490 -
(pass.) être vaincu (par la tentation)
399.

vinculum, *-i*, lien (du péché, la punition due) 96 ; *vincula nostra iniquitatis
absolvere* 279 ; *resolvere v. culpæ* 416 ;
(des prisonniers) *vincula dissolvere* 75 ;
(du péché originel) 226 ; *mortalitatis,
mortis vincula* 408 ; (de la damnation)
vincula horrendæ mortis 317 - lien (qui
unit) : *v. caritatis, dilectionis, pacis* 476.

vindex, *-icis*, (en parl. de Dieu) celui
qui punit, le justicier 145 ; (adj.) *ira v.*
59.

vindico, *-are*, venger : *vindica ...
sanguinem sanctorum tuorum* (tract. 28
dec.), cf. Ps. 78, 10.

vindicta, *-æ*, vindicte (de Dieu),
punition 59, note 8 ; 145 ; 278.

vinea, *-æ*, la vigne (l'Église, le peuple
choisi) 357.

vinum, *-i*, vin (euchar.) : *aquæ et vini
mysterium* 260.

violator, *-oris*, corrupteur (le démon) :
v. humanæ propaginis 174.

vir, *viri*, homme : *v. justus* (præf. de
S. Joseph) ; *v. Dei*, saint homme 390.

virga, *-æ*, tige, rejeton 175 ; 209 -
sceptre, gouvernement 167 ; *v. æquitatis ; v. directionis* 143 - verge, bâton
(pour punir) : voir *visitare* - crosse
381 - houlette (du berger, métaph.) 57.

virginalis, *-e*, virginal : (en parl. de la
Sainte Vierge) *v. aula* 209.

virgineus, *-a*, c. *virginalis* : *serpentis
caput virgineo pede contrivisti* (tract. 11
febr.).

virginitas, *-atis*, virginité : *Deus, virginitatis amator ; virginitatis flore* 493 ; (en
parl. de la Sainte Vierge) *v. fecunda ;
v. permanens ; v. incorrupta* 211 ; *v.
perpetua* 119 ; *gloria virginitatis* 493 ;
(concr.) *perpetuæ Virginitatis Filius*
378 ; (en parl. de religieuses) *virgini-
tis honore decorare ; virginitatis propositum* 376.

I **virgo,** *-inis*, jeune fille, jeune femme :
virgo pariet 179, note 3 - vierge,
sainte honorée comme vierge 377 et
passim ; *v. casta martyr* 493 ; *sanctæ
virgines* 493 ; voir *prudens* - religieuses :
sacræ ou *sacratæ virgines* 377.

II **Virgo,** *-inis*, la Sainte Vierge : *V.
Maria ; V. immaculata ; Mater V. ;
beatæ Mariæ semper Virginis* 211 et
passim ; *semper virgo* 116 ; (adj.) *v.
permansit* 211 ; *patrona V.* 116 ; *V.
perpetua* 116 ; 119 ; *V. inviolata, intemerata, purissima, beatissima, benigis-
sima* 119 ; (superl.) *Virgo virginum* 120.

virtus, *-utis,* force, puissance (de Dieu) 38 ; 56 ; *Deus noster refugium et virtus* 71 ; *Domine virtutum* 131 ; *v. dexteræ tuæ* ; *v. potentiæ* ; *potentia virtutis* 132 ; *dignus est Agnus ... accipere virtutem et divinitatem* 201 ; *v. Spiritus Sancti* 70 – (pl.) manifestations de puissance, miracles : *operatio virtutum* 132 – (pl.) les forces (du ciel) : *Dominus virtutum* ; *virtutes cælorum* 132 – les anges : *supernæ virtutes* 11 – les Vertus (ordre angélique) 113 – forces armées, armées 158 – (chez les hommes) force morale : *omni virtute nos destitui* 401 – vertu : *virtutes cardinales* 484, note 1.

viscera, *-um,* entrailles, sein (de la Vierge) 127 ; 208 – entrailles, sentiments intimes, intimité de l'âme : *v. animæ* 49 ; 397 ; (ordin. en parl. de la charité) *viscera caritatis, dilectionis* 150 ; *viscera misericordiæ* ; *claudere viscera sua ab aliquo* 480 ; (en parl. de Dieu) *viscera pietatis,* la profondeur de sa bonté 150 ; *tuæ circa nos pietatis viscera* 480, note 5 ; *in visceribus Jesu Christi* 150 – (fig.) fibres (du bois de la croix) 51.

visibilis, *-e,* visible : *visibilia mysteria* (opp. à *invisibilis effectus*) 406 – (subst. pl. n.) les choses visibles (opp. à *invisibilia*) 406.

visibiliter, d'une manière visible : *dum v. Deum cognoscimus* (grâce à l'Incarnation) 182.

visio, *-onis,* vision, prophétie 174 – (pl.) visions : *visiones et revelationes* 506 – vision béatifique : *v. æternæ claritatis* ; *perpetua v.* ; *æterna v.* ; *pacis v.* 298 ; 313.

visitatio, *-onis,* visitation, venue (de Dieu, pour consoler) 153 ; (pour bénir) 153 ; (pour bénir l'offrande) *tuæ visitationis benedictio* 247 ; (pour punir) 153 ; 158 ; (au jugement dernier) *dies visitationis* 202 – visite, venue, passage (du Messie sur terre) 173 ; 188 – (fête de la) Visitation (de la Sainte Vierge) 7.

visito, *-are,* (fréq. de *visere*) voir souvent, fréquenter : *v. templum,* Ps. 26, 4 – visiter (en parl. de Dieu) : *visita habitationem istam* ; *visita familiam tuam* 60 ; *ut locum istum* (église) *visitare digneris* 346 ; *v. conscientias, mentes nostras* 153 ; (pour punir) *visitabo in virga* 146 ; *v. iniquitatem* 158 ; (en parl. du Messie) *visitavit plebem suam* 180 ; 188.

vita, *-æ,* la vie spirituelle (des hommes régénérés) 12 ; *vitam habere* ; *auctor vitæ* 232 ; *fons vitæ* 206 ; (ici-bas, grâce à l'eucharistie) *v. cælestis* 259 ; (appellation du Christ) *Vita* 206 ; (en parl. de Marie) 210 – la vie éternelle : (abs.) *in vitam ingredi* 302 ; (ordin.) *v. æterna, sempiterna, perpetua* ; *v. cælestis* 302 et passim ; *v. beata* 299 ; *liber vitæ* 275 – vie, conduite 425 – la vie présente : *præsens v.* 402.

vitalis, *-e,* de vie (spir.) : *v. lignum* 192 ; 194 ; *panis vivus et v.* (,,Lauda, Sion'').

vitiosus, *-a,* mauvais, vicieux 253.

Vitis, *-is,* la Vigne (appellation du Christ) 207.

vitium, *-ii,* vice : *a vitiis absolvi, emundari,* etc. 424 ; *vitiorum flamma* 105.

vito, *-are,* éviter : *mundi hujus blandimenta v.* 451 ; *diabolica v. contagia* 321 ; *v. noxium* 418.

vitulus, *-i,* veau, jeune taureau (immolé) 230.

vivificatio, *-onis,* action de donner la vie spirituelle : *vivificationis tuæ gratia* 274.

vivificator, *-oris,* celui qui vivifie, qui ressuscite : *v. mortuorum* 410.

vivifico, *-are,* faire naître ou renaître à la vie spirituelle, vivifier 398 ; (par la Rédemption) *per mortem tuam mundum vivificasti* 232 ; *in Christo omnes vivificabuntur* 232 ; (par l'eucharistie) 258 – ressusciter : *v. mortuos* 410.

vivificus, *-a,* qui apporte la vie (spir.) : *v. crux* 192.

vivo, *-ere,* vivre (en parl. du Dieu vivant) : *Deus meus vivit* 162 ; *adorare viventem in sæcula* 83 ; *Deus vivens* 161 ; (formule de serment) *vivit Dominus* 161, note 5 ; (le Fils avec le Père ou le S. Esprit avec le Père) *qui vivit et regnat* 33 ; 161, 222 – (en parl. des hommes) vivre (de la vraie vie, de la vie spirituelle) : *per quæ* (sacrement euchar.) *veraciter vivimus* 258 ; *v. justitiæ,* vivre pour la justice (justifiés par la Rédemption) 232 ; 438 – vivre, exister : *Deus in quo vivimus* 138 – vivre, se conduire : *recte, pie,* etc. *vivere* ; *angelicis moribus v.* 425 – vivre éternellement (au ciel) 302 ; *in terra viventium* 43 ; 167 ; *in regione viventium* 302.

vivus, *-a,* vivant : *Dominus v. ipse* 161 ; *Deus vivus* 40 ; 161 et passim – (en parl. de la Jérusalem céleste) *vivi lapides* 313 ; (des élus) *in regione vivorum* 167 ; 302 et note 20.

vocatio, *-onis,* appel (en parl. des élus de Dieu) : *v. vestra* 390 – appel (à la

foi) : *v. gentium* 390, note 6 – appel, la
mort 408, note 2 – appel (à la récompense céleste) : *bravium supernæ vocationis* 390.

vociferatio, *-onis*, acclamation (louange
à Dieu) 10.

voco, *-are*, appeler, donner un nom :
*Jesum vocari jussisti ; Jesus qui vocatur
Christus ; vocabis nomen ejus Jesum* 204
et note 2 ; *vocabunt nomen ejus Emmanuel* 179 ; 184 – appeler (au salut) :
quos autem prædestinavit, hos et vocavit
275 ; (à une charge ecclésiastique) *ad
subdiaconatus officium v.* (en parl. de
Dieu) 366 – rappeler (de ce monde)
402.

volo, *velle*, vouloir : (au lieu de *nolo,
malo*) *Deus, qui … non vis mortem peccatoris ; magis vis emendare quam perdere*
151 ; (subst.) *da nobis et velle et posse*
401.

voluntas, *-atis*, volonté : *facere voluntatem Patris ; in tua voluntate concordes*
503 ; *devotam gerere voluntatem* 21 ;
503 ; *non mea voluntas, sed tua fiat* 502 ;
qui fidelium mentes unius efficis voluntatis
350 ; *neque ex voluntate carnis* (nati
sunt) 180 ; *hominibus bonæ voluntatis,*
Luc. 2, 14, aux hommes de bonne
volonté (Vulg. ; mais ἐν ἀνθρώποις
εὐδοκίας aux hommes objets de la
bienveillance divine).

voluptas, *-atis*, plaisir (péjor.) : *noxiæ
voluptates* 418.

vomitus, *-us*, vomissement : (prov.)
reverti ad vomitum suum 461, note 3.

vorago, *-inis*, gouffre, abîme (de ce
monde) 442.

votivus, *-a*, votif, consacré à (un saint,
une fête, une intention) : *v. festivitas ;
v. munera,* etc. 7 ; *v. natalicia* 13.

votum, *-i*, vœu, demande, prière : *votis
celebrare* 82 ; (en parl. du tribut de
louanges, de la louange due) *vota
solvere ; reddere votum* 182 ; 161 –
dons voués, offerts, hommage 86 –
offrande : *votum jejunii persolvere ;
præsentis vota jejunii* 86 – (pl.) vœux
(de religion) : *celebrare vota* 379 ;
(sing.) profession religieuse 379 – désir : *vota nostra prosequere* 65 ; (pléon.)
desideriorum vota 82 ; *votis et gaudiis*
251 ; *proficiendi v.* 457.

voveo, *-ere*, vouer, dédier : *voventur
quæ offeruntur* 82, note 10 – vouer (en
parl. de l'offrande de sa virginité)
munus v. ; pudicitiam v. 379 et note 10.

vox, *vocis*, (ordin. pl.) paroles (de la
prière) prières 53 ; 78 ; (sing.) *incessabili
voce proclamare* 28 – la voix, la parole
(des prophètes) 173.

vulnero, *-are*, blesser : *in Corde Filii
tui, nostris vulnerato peccatis* 51 ; *lancea
vulnerari* 195 ; *fac me plagis vulnerari*
(„*Stabat mater*").

vulnus, *-eris*, (pl.) blessures (du Sauveur, dans la Passion) 35 ; 51 ; 195 –
(myst.) blessure (de la charité) : *amoris
tui vulnere* 49 – (spir.) blessure (du
péché originel) 224 – (sens gén.) *terge
nostra vulnera* 74.

vultus, *-us*, visage, face bienveillante
(de Yahvé) : *lumen vultus tui ; illuminet
vultum suum super nos* 167 – visage,
regard (de Dieu) : *vultum convertere ad*
55 ; *propitio, sereno vultu respicere ;
benigno vultu suscipere* 55 ; 62 – visage
(de Dieu contemplé au ciel) : *nos tuo
vultu saties* 298.

vulva, *-æ*, vulve : *a vulva,* dès la naissance 224 ; 160, note 3.

Y

Ypapanti, rencontre (du vieillard Siméon, lors de la Présentation) 184, note 6.

Z

zelor, *-ari*, (tr.) être enflammé de zèle
pour : *z. legem* 474, note 6.

zelus, *-i*, zèle, ferveur 453 ; *z. domus
tuæ* 48 – jalousie 453, note 2 – (sens

mod.) zèle (pour le salut des âmes) :
z. animarum 453 ; 474 et note 6.

zona, *-æ*, ceinture, baudrier (symb.) :
z. castitatis ; z. Domini 373.

LES
PRINCIPAUX
THÈMES
LITURGIQUES

PREMIÈRE PARTIE

LEX ORANDI

LE SERVICE DE DIEU

Le mot liturgie, *liturgia* ([1]), désigne la prière sociale et collective de l'Église : *integer publicus cultus mystici Jesu Christi corporis, Capitis nempe membrorumque ejus* (Med. Dei, 20), culte public intégral du corps mystique de Jésus-Christ, à savoir de sa tête et de ses membres.

i. L'OFFICE ([2])

§ 1 Vers la fin de l'époque patristique, le service divin, l'office, est communément appelé *opus Dei* ou *opus divinum*, l'œuvre de Dieu (Eugipp. ; Greg.-M. ; Ben.) ; et même *sacrum opus*, en parlant de la messe (Greg.-M. Ep. 6, 38). Le terme qui a prévalu est *officium divinum* (Brev. Rom.). Saint Isidore appelle *officia ecclesiastica* ([3]) — car il s'agit d'un « devoir » — le service réservé aux clercs, aux ministres (serviteurs) de Dieu. Tardivement ce mot a désigné les prières et les lectures auxquelles sont astreints les clercs : ainsi, en parlant de la récitation du Bréviaire : *ut digne, attente ac devote hoc officium recitare valeam* (or. ante div. off., Urb. VIII B.R.), pour que je sois en état de lire ([4]) cet office avec tout le sérieux, l'attention et la piété voulue.

Le mot *officium* désigne surtout l'ensemble des cérémonies, des prières, des messes, des offices de tel ou tel jour, de telle ou telle fête, auxquels participent, dans certains cas, les fidèles :

ex. *cujus hodie commemorationem solemni celebramus* **officio** (or. 16 jul.), dont (de N.D. du Mont-Carmel) nous célébrons aujourd'hui la commémoration par un service solennel ; cf. *quae solemni celebramus* **officio** (Sacram. Greg. 17, 5).

Mais ce sens concret du mot ne doit pas nous faire oublier le sens primitif de « ministère ([5]), service » (Tert. ; Leo-M. ; Sacram. Leon. ; Isid.). C'est pourquoi, dans les oraisons, *officium* se retrouve avec la nuance plus abstraite, plus spirituelle de *obsequium* et en concurrence avec lui :

---

1. Du grec λειτουργία, service public. Saint Augustin regarde *liturgia* comme un mot grec : *ministerium vel servitium religionis, quæ Græce liturgia vel latria dicitur* (Enarr. psal. 135, 3). *Liturgia, liturgicus* ne sont pas vraiment latinisés avant les 16e, 17e s. (Martimort, L'Église en prière, p. 4).

2. V. aussi le chp. l'Église, les Ministres (§ 359 et suiv.).

3. *Ea quæ in officiis ecclesiasticis celebrantur* (Isid. Eccl. off. I, praef. ; mais le livre II concerne plutôt le ministère ecclésiastique en général.

4. Il vaudrait mieux réserver le terme « réciter » pour les prières dites sans le secours d'un livre.

5. Cf. *officium* (Luc. 1, 23, λειτουργία), en parlant du service de Zacharie au temple. V. *munus, officium, ministerium* (§ 359 et suiv.).

ex. *quod debitæ* (⁶) **servitutis** *celebramus* **officio** (postc.
14 apr.,Leon. 793), ce que nous célébrons avec l'empressement
dû à votre service ;

et au pl., *per hæc piæ devotionis* **officia** (secr. fer. 3 Oct.
Pasch., Greg. 90, 2), par ces devoirs de fervente dévotion ;

ut... liberam servitutem tuis semper exhibeamus **officiis** (or.
miss. in collat. sacr. ord., Leon. 874), pour que nous puissions
montrer à votre service une soumission exempte d'entraves
(*nullis perturbationibus impediti*) ;

ut acceptum nostræ tibi faciant (dona oblata) **servitutis** (⁷)
obsequium (secr. comm. plur. n. virg., p. al. loc.), pour que
(ces offrandes) rendent acceptables à vos yeux notre déférente
soumission à votre service.

§ 2 Ce dernier mot peut être accompagné des épithètes
devotum, humile :

ex. *illi* **devotum** *pietatis nostræ præstantes* **obsequium** (or.
fer. 6 S.S. Cord. Jes.), en lui offrant l'hommage d'un culte
fervent ;

humilibus obsequiis (or. 6 mart. et passim, Leon. 1204), par
nos humbles hommages ; cf. *divinum obsequium*, hommage à
Dieu (Gel. Cagin 882 ; Moz. L. Sacr. 183 ; etc.).

La même intention est souvent exprimée par l'adverbe
digne ou l'adjectif *dignus : **digne** celebrare, offerre, frequentare*,
etc. :

ex. *ut tibi a fidelibus tuis* **digne** *et laudabiliter serviatur* (or.
dom. 12 p. Pent., Leon. 574), (qui donnez) à vos fidèles de
pouvoir vous servir d'une manière digne et honorable ;

ad cæleste convivium **dignos** *accedere* (secr. 7 jul. p. al. loc.),
nous approcher dignement du festin céleste ; v. le saint sacrifice (§ 239 et suiv.) ;

*et me famulum tuum... **dignum** sacris altaribus fac ministrum*
(or. p. seipso sacerd., Gel. I, 100), accordez à votre serviteur
d'être un ministre digne des autels sacrés ; v. l'Ordre (§ 359
et suiv.); le saint Sacrifice (§ 262).

Nous aurons l'occasion de voir le mot *dignus* ou *congruus*
s'appliquer à des personnes, des offrandes, des sentiments, un
culte.

Cf. *aufer a nobis ...iniquitates nostras, ut ad sancta sanctorum* (⁸)
puris *mereamur* **mentibus** *introire* (or. praep. miss., Gel. I, 17),
écartez de nous tous nos péchés, afin que nous soyons dignes
d'entrer avec un cœur pur au Saint des saints. V. *laudis hostia*,

---

6. Le mot *debeo* revient souvent pour marquer que le culte rendu à Dieu lui est
dû : ex. *debito honore* (§ 17) ; *debitum servitutis* (§ 245) ; *munera quæ debemus* (ibid.)

7. *Servitus* désigne : a) le ministère sacerdotal des « serviteurs » de Dieu - b) (au
sens concret) les ministres eux-mêmes, v. *servitus, servitium* (§ 365).

8. Pour *sancta sanctorum*, v. § 234.

sacrificium laudis, au chp. la Louange (§ 26) et au chp. le saint Sacrifice (§ 239) — *divinus cultus* (⁹) (§ 17) — *missa*, au sens de « office » (§ 239 note 1).

2. LA CÉLÉBRATION

§ 3 Le mot *celebrare* (¹) implique l'idée, mais pas nécessairement, d'une participation nombreuse, d'une assemblée solennelle ; il se disait aussi de la tenue d'un concile :

ex. *missarum solemnia ter hodie **celebraturi** sumus* (Greg.-M. Hom. ev. 8, lect. 7 Nat. Dom.), nous allons célébrer aujourd'hui trois fois les mystères solennels de la messe ;

*cujus (sancti) solemnia **celebramus*** (postc. 14 jan., Greg. 19, 3), en célébrant sa fête ;

*qui solemnitatem beatæ Mariæ Virginis Reginæ nostræ **celebramus*** (or. 31 mai., p. al. loc.), qui célébrons la fête de la bienheureuse Vierge Marie, notre Reine.

En parlant d'un saint, on dit *festa* ou *solemnia beati (beatæ, sancti, sanctæ, sanctorum) celebrare* (et aussi *percolere, agere,* v. § 4) :

ex. *eorum (sanctorum) solemnia digne **celebrare*** (Leon. 704) ;

*quorum festa solemniter **celebramus*** (postc. 16 sept., Greg. 162, 3) ;

cf. *cujus (templi) anniversarium dedicationis diem **celebramus*** (secr. comm. Dedic.), dont nous célébrons l'anniversaire de la dédicace, voir d'autres ex. au § 108.

Les compléments d'objet qui accompagnent le verbe *celebrare* montrent qu'il s'agit tantôt de la célébration d'une fête solennelle, tantôt d'une simple célébration : *celebrare sacrificium, sacramentum, festum, festivitatem, natalem, commemorationem, etc.* (or. passim).

Le substantif correspondant est *celebratio* ; mais, bien que courant en latin chrétien (v. Dict.), il ne figure pas dans les anciens Sacramentaires :

ex. *eorum (munera nostræ 'redemptionis) ... **celebratione*** (postc. p. congreg.; v. *celebritas* au chp. suivant.

§ 4 Un équivalent de *celebrare* est *frequentare*, célébrer

---

9. L'office est né de l'habitude de prier aux différentes heures du jour qui existait déjà chez les Juifs : *invenimus observasse... tres pueros... horam tertiam, sextam, nonam* (Cypr. Or. 34). Saint Ambroise dit de David : *septies in die laudem Domino dicebat, matutinis et vespertinis sacrificiis semper intentus* (In Luc. 7, 11). Cf. *hora incensi* (Luc. 1, 10), office du soir (moment où l'on allume, ou de l'encens). Chez les Chrétiens : *præter psalmorum et orationis ordinem, quod tibi hora tertia, sexta, nona, ad vesperum, media nocte et mane semper est exercendum* (Hier. Ep. 130; 15) ; *orationum canonicas horas implere* (Martin.-Brac. Sent patr. Aegypt. 21). Quant aux termes *matutinum, nocturnum, vesperæ, completorium,* etc., ils appartiennent au latin des rubriques.

1. Sens plus général (classique) : pratiquer ensemble : ex. *celebrare jejunium* (Pont. Rom. - Germ. 7).

fréquemment, et plus souvent, célébrer en grand nombre, ou simplement, célébrer, ou assister à la célébration de :

ex. *concede nobis, Domine, hæc digne* **frequentare** *mysteria* (secr. d. 9 p. Pent.), accordez-nous, Seigneur, de célébrer dignement ces saints mystères ; cf. *frequentare mysteria* (Gel. 1, 25, 170) ;

Nativitatem Domini ... **frequentare** (postc. 25 dec. 1a miss., Greg. 6, 5) ;

(sanctorum) gloriam **frequentare** (Leon. 48) ;

da, quæsumus, Domine, populis christianis ... cæleste munus diligere quod **frequentant** (sup. pop. fer. 5 p. d. 1 Quadr., Greg. 42, 4), accordez aux peuples chrétiens, nous vous en prions, Seigneur, d'aimer le don céleste dont ils célèbrent le mystère.

Le substantif correspondant est *frequentatio* :

ex. *ut cum* **frequentatione** *mysterii crescat nostræ salutis effectus* (postc. d. 4 Adv. et d. 2 p. Pent., Greg. 192, 3), que par la fréquentation du sacrement grandisse la réalisation de notre salut.

§ 5 On verra plus loin les verbes *colere* et *recolere*. Le composé *peragere* s'emploie, s'il s'agit d'une fête qui se déroule sur plusieurs jours : ex. *qui paschalia festa* **peregimus** (or. d. in albis, Greg. 95, 1), qui venons de célébrer les fêtes de Pâques ;

ou pour indiquer une sorte de continuation :

ex. *quæ (hostia) ... sacri* **peragat** *instituta mysterii* (secr. d. 3 Adv., Leon. 884), afin qu'elle continue à réaliser l'institution du mystère sacré ;

soit les deux nuances :

ex. *Dominicæ passionis sacramenta* **peragere** (or. fer. 3 Maj. Hebd., Greg. 75, 1), célébrer les mystères de la Passion du Seigneur ;

sacra mysteria ... **peragendo** (secr. 16 mai. p. al. loc., S. Jo. Nep.), en train de célébrer les saints mystères.

Percolere est quelquefois employé en un sens équivalent à *colere* :

ex. *quorum festa* **percolimus** (postc. 12 febr.), (saints) dont nous célébrons la fête ; cf. *commemorationis ejus (Gregorii) festa* **percolimus** (Greg. 30, 3).

Voir *sancta tua, mysteria tua* **tractare** § 501 fin.

Agere se dit plus spécialement en parlant du saint sacrifice (voir § 242), mais aussi pour la célébration d'une fête :

ex. *Dies enim solemnis* **agitur** (« *Lauda, Sion* »), car voici un jour solennel ;

quorum (sanctorum) solemnia **agimus** (or. 14 jan., Greg. 19, 1), dont nous célébrons la fête ;

per temporalia festa quæ **agimus** (or. fer. 4 Oct. Pasch.,

Greg. 91, 1), grâce à ces fêtes que nous célébrons sur la terre (opp. à «dans l'éternité»), v. **agenda mortuorum**, § 242 ;

sacras **acturi** *vigilias* (Pont. Rom. Germ. 5), pour célébrer les veillées saintes.

L'équivalent de *agere* est *gerere* :

ex. *quod passionis Filii tui ... mysterio* **gerimus** (secr. fer. 4 Major. Hebd.), ce que nous célébrons par ce mystère de la Passion de votre Fils *(quod passionis mysterio* **gerimus**, Gel. I, 37, 346) ;

quæ sedula servitute ... **gerimus** (postc. fer. 4 Quat. T. Sept., Gel. II, 6 ce que nous accomplissons (le saint sacrifice) en serviteurs dévoués ;

quæ temporaliter **gerimus** (postc. 6 mart. et passim, Leon. 108), ce que nous célébrons dans le temps (sur cette terre) ; v. chp. 6, le culte.

3. LA FÊTE

§ 6 *Festum* est le terme le plus fréquent :

ex. *qui* **festa** *paschalia venerando egimus* (or. sabb. in albis), qui avons célébré dans la vénération les fêtes pascales; cf. *qui* **festa** *paschalia agimus* (Greg. 84, 5) ;

cujus (sancti) **festa** *gerimus* (or. 7 aug., Gel. II, 41); cf. *quorum festa gerimus* (Leon. 154) ; v. précéd. *festa peragere, percolere.*

Le singulier est plus rare :

ex. *qui* **festum** *ejus (S. Gabrielis Arch.) celebramus in terris (or.* 24 mart.).

Festivitas : ex. *accepta tibi sit, D. q., hodiernæ* **festivitatis** *oblatio* (secr. 1a miss. 25 dec., Leon. 1249), que notre offrande, en ce jour de fête solennelle, vous soit agréable ;

nos ... corde mundos facias suæ (B. Mariæ V.) interesse **festivitati** (or. 7 dec.), nous faire participer à sa fête d'un cœur pur ;

veneranda **festivitas** (or. 29 aug. Decoll. S. Jo.-Bapt., Gel. II, 52) ; cf. *sancti martyris Agapiti ... veneranda* **festivitas** (Leon. 798) ;

sanctorum **festivitas** (secr. 19 jan. et passim, Leon. 1 et passim). Le mot n'a donc pas nécessairement un sens emphatique.

L'adjectif correspondant est *festivus* :

ex. **festiva** *celebritas* (or. 29 mai.) ; v. plus loin *f. solemnitas* (mais pas d'ex. en Leon. ni Greg.).

§ 7 *Celebritas* hésite entre le sens de « fête » et celui de « célébration » :

ex. *pretiosi* **celebritate** *martyrii* (secr. 9 jun., Leon. 127), par la célébration de leur précieux martyre ; cf. *in hujus* *celebritate mysterii* (Leon. 941) ; *missarum* **celebritas** (Conc. Aurel. an. 538, Conc. Merov., p. 78, 10) ;

mais : *sanctorum tuorum* **celebritatibus** (Leon. 1212).

Au sens de « fête », le mot est accompagné le plus souvent d'une épithète *celebritas annua, festiva, hodierna, votiva* (or. passim).

Le mot *solemnitas (sollemnitas)* s'applique naturellement à des fêtes d'un caractère plus solennel et pratiquées à date fixe (¹) :

ex. *Deus, qui nos resurrectionis Dominicæ annua* **solemnitate** *lætificas* (or. fer. 4 oct. Pasch., Greg. 91, 1), ô Dieu, qui nous donnez la joie de célébrer chaque année la résurrection du Seigneur.

Mais il peut s'appliquer aussi aux fêtes des saints :

ex. *festiva* **solemnitas** (or. 22 sept., Gel. II, 16); *annua* **solemnitas** (or. 18 jan., Greg. 21, 1); **solemnitas** *votiva* (13 jun., Greg. 156, 1).

Il faut noter en passant que l'adjectif *votivus* (de *votum* (²), désir, intention, vœu) s'applique à des offrandes, à des fêtes, à des messes consacrées à une intention particulière ou à la célébration de telle fête : *quorum (sanctorum) festivitate* **votiva** *sunt sacramenta* (postc. 11 nov., Leon. 45), à la fête de qui sont consacrés ces mystères. On trouvera donc dans les oraisons du Missel : *votiva munera, celebritas, jejunia, solemnia, solemnitas, natalicia* :

ex. **votiva**, *Domine, dona percepimus* (postc. 28 dec., Greg. 12, 3), nous avons reçu, Seigneur, les dons à vous consacrés ; cf. **votiva** *oblatio* (Leon. 365).

L'équivalent de *solemnitas* est le substantif pl. n. *solemnia* :

ex. *quorum (sanctorum) prævenimus gloriosa* **solemnia** (or. 31 oct.), dont nous devançons la solennité glorieuse ; cf. *Nativitatis Domini nostri...* **solemnia** *quæ præsentibus officiis prævenimus* (Leon. 1240), la solennité de Noël que nous devançons par ces offices ;

in Visitationis ejus **solemniis** (secr. 2 jul.), en cette fête de sa Visitation ; cf. *in Nativitatis ejus (Mariæ)* **solemniis** (Greg. 156, 2) ;

Sacris **solemniis** *juncta sint gaudia* (hymn. Corp. Chr.), que la joie s'unisse à cette sainte solennité.

Un mot tel que *cærimonia (ceremonia)* appartient plutôt au vocabulaire des rubriques ; à noter toutefois cet ex. *in hoc cerimoniarum veterum plenitudo est* (Leon. 1241), en ce sacrifice réside pleinement ce qui était préfiguré par les anciens. Chez

---

1. D'après Ernout, ce mot ne vient ni de *solus*, ni de *annus* (voir *solemnis* dans le Dictionnaire étymologique de la langue latine).

2. Au sens de « Prière », v. § 55 ; 82 ; 161.

les Pères et dans la Bible, il désigne les cérémonies juives et les cérémonies païennes. Ex. chrétien tardif : *a sacris cæremoniis arceantur* (Conc. Aurel. an. 541, Ma. 9, c. 118).

§ 8 Chez saint Léon, le mot *sacramentum* s'applique à un mystère lié à la célébration d'une fête, par ex. Noël, fête solennelle de la Nativité et de la Rédemption : *ad intelligendum **sacramentum** Nativitatis Christi* (Serm. 27, 1), pour comprendre le mystère de la Nativité du Christ ; *in omnibus, dilectissimi, solemnitatibus christianis, non ignoramus paschale **sacramentum** esse præcipuum* (Serm. 9 Quadr., lect. 4 d. Pass.), nous n'ignorons pas, mes bien-aimés, que le mystère pascal est, parmi les solennités chrétiennes, au premier rang.

Ex. dans les oraisons : *pascalis perceptio **sacramenti*** (postc. fer. 3 oct. Pasch., Greg. 90, 3), la réception du sacrement pascal.

Le mot *mysterium* rappelle aussi le sens mystique de ces fêtes : *magna in eis (diebus) confirmata **sacramenta**, magna sunt revelata **mysteria*** (Leo-M. Serm. lect. 4 d. 2 p. Pasch.), dans ces jours de fête, s'affirment (par leur succession) d'importantes significations mystiques, des mystères importants sont révélés ; cf. *ingressuri igitur dies **mysticos*** (id., lect. 6 d. 1 Quadr.), au seuil de ces jours chargés d'une signification mystique.

Ex. dans les oraisons : *licet nos tantis **mysteriis** exsequendis simus indigni* (præf. Ben. font. vigil. Pasch., Gel. I, 44, 445), bien que nous soyons de bien pauvres ministres pour accomplir de si grands mystères ; cf. *sacris **mysteriis** exsequendis* (Leon. 405) ;

*adesto magnæ pietatis tuæ **mysteriis**, adesto **sacramentis*** (or. ibid.), soyez présent aux mystères de votre grande bonté, soyez présent à ces rites sacrés et symboliques.

On verra d'autres ex. de *mysterium, sacramentum,* au chp. Eucharistie.

4. LA JOIE ET LES CHANTS

§ 9 A. Le sentiment de la joie est souvent associé à l'idée de célébration, principalement la joie pascale : *dignum et congruum est, fratres, ut, post **lætitiam** Paschæ, ... **gaudia** nostra cum sanctis martyribus conferamus* (Ambr. Serm. 22, lect. 4 comm. mart. t. pasch.), il est juste et convenable, mes frères, qu'après l'allégresse pascale nous unissions nos joies à celles des saints martyrs ; *primum nobis agendum est ut, quia paschales dies sunt, id est **indulgentiæ et remissionis**, ita a nobis sanctorum dierum festivitas agatur, ut **relaxatione** corporum puritas non obfuscetur, sed potius abstinentes ab omni luxu, ebrietate, lascivia, demus operam sobriæ **remissioni*** (Aug. Serm. de temp. 157, lect. 4 d. in albis), puisque nous sommes au temps de Pâques, c'est-à-dire au temps de l'indulgence et de

la détente, nous devons faire en sorte de célébrer les fêtes de
ces saintes journées, sans blesser la pureté, tout en délassant
les corps, mais bien plutôt, dans l'abstinence de tout excès,
de toute ivresse ou laisser-aller, nous appliquer à modérer nos
distractions.

Ex. dans les textes liturgiques : *sanctorum martyrum
tuorum ... natalicia nobis votiva* **resplendeant** (or. 12 jun.,
Gel. II, 21), que l'anniversaire de vos saints martyrs soient
pour nous une fête resplendissante ;

concede... semper nos per hæc mysteria paschalia **gratulari**
(secr. sabb. in albis, Greg. 94, 2), accordez-nous de nous réjouir
toujours en ces mystères de Pâques ; (redondance) *gaudio
paschalis* **lætitiæ** (Moz. Lib. sacr. 552) ;

in his paschalibus **gaudiis** (præf. Ben. cer. vigil. Pasch.; *in
his paschalibus*, Miss. Gall. 25, p. 36, 33), en ces joies
pascales; cf. *sacrificia, Domine, paschalibus* **gaudiis** *immolamus*
(Greg. 91, 2); *da populis tuis spiritalium gratiam gaudiorum*
(Leon 251); *exsultemus ... gaudio spiritali* (Leo-M. Serm. 74, 5);

Exsultet *jam angelica turba cælorum ;* **exsultent** *divina
mysteria* (¹) ... **Gaudeat** *et tellus ...* **Lætetur** *et mater Ecclesia
...* (vigil. Pasch., Miss. Gall. 25), que tressaille de joie la troupe
des anges dans le ciel, que les divins mystères soient pleins
d'allégresse ... Que se réjouisse la terre ... Que soit en liesse
aussi notre mère l'Église ;

munera **exsultantis** *ecclesiæ* (secr. d. in albis, Gel. I, 52),
les dons de votre Église en fête ;

Deus, qui nos redemptionis nostræ annua exspectatione
lætificas (or. 24 dec., Greg. 5, 1), ô Dieu, qui nous accordez
chaque année d'attendre dans la joie notre rédemption ;

exsultemus et in ipso **jucundemur** (ant. 8 ad mandatum
« *Ubi caritas »*), soyons en lui dans la joie et l'allégresse ;

ad beneficia recolenda ... venire **gaudentes** (sup. pop. fer.
2 Maj. Hebd., Gel. I, 14), de venir dans la joie célébrer (vos)
bienfaits ;

*praesta ... ut, sicut populus christianus martyrum tuorum ...
temporali solemnitate* **congaudet** *ita perfruatur æterna* (or. 29
jul., Leon. 1170), accordez au peuple chrétien, qui s'unit dans
la joie pour célébrer ici-bas vos martyrs, de pouvoir continuer
à le faire dans l'éternité ;

geminata **lætitia** (or. 26 jun., Leon. 269), double joie (de
célébrer ensemble S. Jean et S. Paul) ;

nos ... **jucundos** *facias suæ interesse festivitati* (or. 14 aug.
Greg. 147, 1), faites-nous participer à sa fête dans la joie ;

tribue ut divina mysteria castis **jucunditatibus** (²) *celebre-*

---

1. Pour l'interprétation *mysteria* = *ministeria* (*angelorum*), voir Mlle Mohrmann,
Ephemerides liturgicæ 1952, p. 204.

2. Même en dehors des fêtes, la joie est considérée comme associée à la sainteté :
ex. *crescat, Domine, semper in nobis sanctæ jucunditatis affectus* (Gel. II, 6 et 64, pour

mus (Leon. 622), accordez-nous de célébrer les divins mystères avec une joie pleine de réserve (c.-à-d. en se prémunissant contre les joies des fêtes païennes : *sacrilegas voluntates, abominationibus abdicatis*) ;

Læti *bibamus sobriam Ebrietatem* (³) *Spiritus* (Ambr. Hymn. 7, 24, fer. 2 laud.), buvons joyeusement la sobre ivresse de l'Esprit (modif. *Profusionem Spiritus*) ;

socia **exultatione** *concelebrant* (præf., Gel. III, 17, 243), (votre Majesté, que les chœurs des anges) s'unissent pour célébrer dans une commune allégresse ; v. d'autres ex. aux chp. : culte des saints, de la Sainte Vierge ;

cf. *celebremus ergo dies cum omni* **alacritate** *mentis et* **gaudio** (Max.-Taur. Serm. C. 569 A) ;

nemo ab hujus **alacritatis** *participatione secernitur* (Leo-M. Serm. 21, 1, lect. 4 Nat. Dom.).

§ 10 B. Les chants sacrés accompagnent ou modulent la prière, suivant les plus anciennes traditions de l'Ancien Testament, et inculquent les vérités de la foi : *Deus ... qui per sanctum Moysen puerum tuum ... erudire populum tuum sacri* **carminis tui decantatione** *voluisti* (or. p. lect. 4 vigil. Pasch.; *erudire populos*, Gel. I, 43, 440), ô Dieu, qui, par votre saint serviteur Moïse avez voulu instruire votre peuple par le chant d'un cantique sacré (Ex. 31, 30); cf. *qui per Moysen famulum tuum nos quoque modulatione sacri carminis erudisti* (or. p. proph. 3 vigil. Pent., Gel. I, 77, 621), qui nous avez instruits nous-mêmes en nous faisant chanter ce cantique sacré ;

laudem tui nominis **decantantes** (or. p. navig.), chantant les louanges de votre nom (en parlant des Hébreux au passage de la Mer Rouge).

Le lyrisme des Psaumes exprime les sentiments de louange et de bénédiction par des mots évoquant la joie et les chants ;

ex. **cantate** (⁴) *Domino et benedicite nomini ejus* (Ps. 95, 2), chantez pour le Seigneur et bénissez son nom ;

cantate *ei* **canticum** (⁵) *novum; bene* **psallite** *ei in vocifera-*

les fêtes de Ste Agnès et de Ste Cécile), que toujours grandisse en nous, Seigneur, les sentiments d'une sainte joie.

3. Image fréquente chez lui et d'autres (Aug. ; P.-Nol.).

4. *Cantare amantis est ; vox hujus cantoris fervor est sancti amoris* (Aug. Serm. lect. 6 oct. Dedic.), l'amant chante : la voix de ce chantre (le psalmiste), c'est la ferveur du saint amour.

5. Pour saint Augustin (Enarr. psal. 67, 1), et Cassiodore (Expos. psal. præf. 6), le « cantique » était un chant religieux libre, le « psaume » un chant religieux accompagné d'instruments. Pour saint Jérôme (Ephes. 3, 5, 19), les hymnes célèbrent spécialement la grandeur et la majesté de Dieu ; le même passage présente le cantique comme un chant spirituel d'un ordre plus élevé ; pratiquement il y avait une certaine confusion entre ces termes. Dans la langue liturgique traditionnelle, psaumes et hymnes ne risquent pas de se confondre ; on réserve le nom de « cantique » à des chants bibliques comme le *Magnificat*, le cantique des trois enfants, etc., sans rapport avec le cantique en langue profane.

tione (Ps. 32, 3), chantez pour lui un chant nouveau ; pour lui accompagnez le psaume de vos acclamations ; cf. *propterea confitebor tibi in gentibus, Domine, et nomini tuo* **cantabo** (Rom. 15, 9), aussi je te louerai, Seigneur, parmi les nations ; et je chanterai ton nom ;

et nomini tuo **psalmum** (v. note 4, p. 35) *dicam* (Ps. 17, 50); cf. *implemini Spiritu Sancto, loquentes vobismetipsis in* **psalmis** *et* **canticis spiritalibus** (Ephes. 5, 19), soyez remplis du Saint Esprit, vous récitant mutuellement des psaumes, des hymnes et des cantiques spirituels.

Dans les oraisons, ces termes ne sont pas habituels : ex. *teque* **cantando** *laudare* (or. 1 Ben. cand. 2 febr.);

laudes ejus sancta voce **cantemus** (Leon. 623) ;

hos ramos gestantes, solemnes laudes **decantavimus** (or. dom. palm.), tenant ces rameaux, nous avons chanté ces louanges solennelles.

A la préface consécratoire de la messe chrismale (fer. 5 Major. Hebd., Greg. 77, 7), *cantare* rappelle seulement les chants du psalmiste : *nam et David ... vultus nostros in oleo exhilarandos esse cantavit*, nos visages doivent être parfumés dans la joie, ainsi que l'a chanté David (cf. *oleo lætitiæ*, Ps. 44, 8 ; *ut exhilaret faciem in oleo*, Ps. 103, 15).

§ 11 Par contre, il est naturel qu'on retrouve ces expressions dans les hymnes : ex. *Ipsi* **canamus** *gloriam* (dom. prim.), (afin que) nous chantions sa gloire ;

Et ore te **canentium** *Lauderis in perpetuum* (fer. 2 mat.), (faites) que vous soyez loué en tout temps par la bouche de ceux qui vous chantent (modif. *Lauderis omni tempore*) ;

Quod **præcinentes psallimus** (fer. 3 mat.), ce que nous chantons dans nos psaumes ;

... quicumque horas noctium Nunc **concinendo** *rumpimus* (mat. sabb.), nous tous qui interrompons par nos chants le silence nocturne ;

Christo **canamus** *Principi* («*Ad cenam Agni providi*» ; modif. «*Ad regias Agni dapes*»), chantons le Christ notre Roi ;

Gloriam Patri **melodis Personemus** *vocibus, Gloriam Christo* **canamus**, *Gloriam Paraclito* («*Tibi, Christe, splendor Patris*», 24 oct.), que nos accents fassent retentir et chantent : gloire au Père, gloire au Christ, gloire au Paraclet ;

Tu, Trinitatis Unitas, ... Attende laudum **cantica**, *Quæ excubantes* **psallimus** (Mat. fer. 6), ô vous, Trinité Une, écoutez les chants de louange qu'avant le jour nous faisons retentir (modif. *laudis canticum quod...*).

On verra d'autres ex. au chp. : louange des saints.

Le style plus lyrique des préfaces emploie naturellement le mot *hymnus* : **hymnum** *gloriæ tuæ* **canimus** (præf. Pasch. Gel. I, 45, 458), nous chantons l'hymne de votre gloire ;

sed et supernæ virtutes atque angelicæ **concinunt** *potestates, hymnum gloriæ tuæ sine fine dicentes : Sanctus ...* (præf. Pent., Contestatio vigil. Pasch., Miss. Gall. 28, 182), et aussi les vertus du ciel comme les puissances angéliques chantent toutes l'hymne de votre gloire en répétant sans fin : Saint...

Ainsi le mot *hymnus*, au sens poétique, désigne ici le *Sanctus* (v. § 31 et 36), de même qu'on a appelé « hymne » le *Gloria*, le *Te Deum* ; quant au sens proprement liturgique de « hymne », on sait qu'il se réfère aux compositions poétiques inaugurées en Occident par Hilaire et Ambroise ; et v. note 5.

Les verbes *sonare, personare, resonare, insonare* dans les hymnes, peuvent s'employer transitivement, comme en poésie classique, au sens de « célébrer, faire retentir les louanges de », ou « faire retentir » (un chant) :

ex. *Te nostra vox primum* **sonet** (Ambr. « *Æterne rerum* »), pour vous d'abord que notre voix fasse retentir la louange ;

Hymnosque dulces **personant** (« *Jesu, corona virginum* »), elles font retentir de doux hymnes (masc. en fr. sens poét.) ;

Quo tibi puri **resonemus** *almum Pectoris hymnum* (21 jan.), afin que pour vous nous fassions retentir le noble cantique d'un cœur pur (modif. *Ut... puro... pectore... carmen*) ;

insonare (intr.) retentir : *pro tanti Regis victoria tuba* **insonet** *salutaris* (« Exultet » ; *intonat*, Miss. Gall. 25, 132).

V. d'autres ex. au chp. : la louange, § 28.

§ 12 Dans les Psaumes, les impératifs *jubilate, exultate, plaudite manibus,* poussez des cris de joie (you, you), bondissez, frappez des mains, évoquent l'exubérance orientale des foules qui crient et miment leur enthousiasme. Si le style plus grave des oraisons les ignorent, ils apparaissent par contre dans quelques hymnes :

ex. *Vitam datam per Virginem, Gentes redemptæ,* **plaudite** (laud. 2 febr.) peuples rachetés, applaudissez la Vie donnée par la Vierge ;

Exultate, *juvenes ;* **jubilate**, *virgines* (chant composé au début de ce siècle par Mgr. Foucauld de St. Dié, pour la fête de Jeanne d'Arc) ;

Genitori Genitoque Laus et **jubilatio** (« *Pange, lingua ... corporis* »), au Père, au Fils, louange et chants de joie ;

Sit Trinitati sempiterna gloria, Honor, potestas atque **jubilatio** (« *Decora lux* », 29 jun.), à la Trinité gloire éternelle, honneur, puissance et ovation.

On avait donné le nom de *jubilus* au poème attribué parfois à saint Bernard ([6]), en l'honneur du Saint nom de Jésus (en partie, dans l'hymne « *Jesu, dulcis memoria* »).

---

6. Il appartient, selon Dom Wilmart, à un cistercien anglais du 12e s. : « *Jubilus, dit de Saint Bernard, étude avec texte* », Rome, 1941.

On a vu précédemment l'*Exsultet* : ce subjonctif est beaucoup plus fréquent dans le Sacramentaire Léonien.

Hosanna est une acclamation hébraïque de joie et de louange : *hosanna filio David* (Matt. 21, 9, ant. dom. palm.) ;

ex. dans les chants liturgiques : *hosanna in excelsis (Sanctus) ;* v. § 204, note 3 ;

cf. *omnipotens sempiterne Deus, qui ... hosanna decantare in laudem ipsius (Christi) docuisti* (or. d. palm., vet. ord.), qui nous avez appris à chanter hosanna en son honneur.

Alleluia « louez Dieu » a le même sens et la même origine ; cf. Apoc. 19, 1 et 5).

5. LA VIGILE

§ 13 Dès les premiers temps du christianisme, la réunion des chrétiens, la synaxe, avait lieu au cours de la nuit qui précédait le dimanche, jour du Seigneur (v. § 18). On veillait dans la prière, suivant le précepte du Christ : *vigilate et orate* (Matth. 26, 41) ; car on croyait que le Seigneur reviendrait la nuit : **vigilate** *ergo, quia nescitis qua hora Dominus vester venturus sit* (ibid. 24, 42), veillez donc, car vous ne savez à quelle heure votre Maître reviendra ([1]). Cf. *ut Jesus Christus... in exitu nostro* **vigiles** *nos ... inveniat* (secr. fer. 3 p. d. Septuag., p. al. loc.), que Jésus nous trouve, à notre départ, en état de veille. Tertullien comparaît cette synaxe à une faction : *die stationis* ([2]) ... *tubam angeli exspectemus orantes* (Or. 29), au jour de la veillée ... attendons dans la prière la trompette de l'ange. *Vigiliæ* était d'ailleurs un terme emprunté à la langue militaire, la nuit étant divisée en 4 veilles. Chez les moines, il désignait l'office nocturne, correspondant à ce qui fut appelé

---

1. Saint Ambroise rappelle qu'il faut veiller pour attendre le Seigneur à tout instant : *non solum media nocte Dominus, sed omnibus prope docet vigilandum esse momentis. Venit enim et vespertina et secunda et tertia vigilia* (In Luc. 7, 11, lect. 3, fer. 2 Rogat.).

2. Le mot *excubantes*, dans la cit. du § 11, évoque aussi l'idée d'une veillée militaire ; v. dans le Dictionnaire le mot *statio*, avec ses sens liturgiques anciens.

Cf. *ad sacram excubiarum solemnitatem collectos* (Miss. Goth. 76, in vig. Epiph.), réunis pour la sainte solennité des vigiles ; v. autres sens de *excubiæ*, § 374 ; v. *sacrificium vespertinum*, § 245.

Dans son hymne (*Æterne rerum Conditor*), saint Ambroise rappelle poétiquement aux chrétiens rassemblés dès l'aurore que le chant du coq marque l'heure de la prière : *Præco diei jam sonat... Gallus jacentes excitat, Et somnolentos increpat, Gallus negantes arguit, Gallo canente spes redit* (Hymn. 2, 5), voici le clairon du héraut du jour... Le coq réveille les dormeurs, et s'en prend aux somnolents. Le coq fait honte à celui qui a renié. Quand le coq chante, l'espoir revient.

Ce moment a été désigné d'ailleurs par le mot *gallicinium : congregantur quotidie in ecclesia... tempore gallicinii* (Can. Hipp., Cabrol et Leclercq, Mon. eccl. lit. I, 2142).

Pour les autres moments de la prière, voir § 2, note 9.

plus tard dans le Brév. Rom. les matines ([3]) (Ben. Reg. 8). Chez saint Léon déjà, il désigne l'office célébré à la veille de certaines fêtes : **vigilias** *celebrare* (Serm. 12, 4) ; ex. dans le Sacram. Léon. *sabbatorum die hic sacras acturi* **vigilias** (860), au moment de célébrer ce samedi la veillée sainte (pour le jeûne du 7e mois).

Dans les rubriques, *vigilia* désigne l'office de la veille d'une fête.

Verbes se référant à la célébration des vigiles ; *prævenire* est le plus fréquent : *p. festa, festivitatem, natalicia* (or. passim) : ex. *cujus natalicia* ([4]) **prævenimus** (secr. vigil. Apost., Leon. passim, Gel. I, 1), dont nous devançons l'anniversaire ;

quorum (sanctorum) **prævenimus** *gloriosa solemnia* (or. 31 oct.).

Autres verbes ([5]) : *sanctorum N.N. festa* **præcedimus** (secr. 27 oct.; cf. *sancti Laurenti martyris tui festa* **præcedimus** (Leon. 778) ;

quorum (sanctorum) solemnia ventura **præcurrimus** (secr. 31 oct.) ; cf. *ejus natalitia votiva præcurrens* (Leon. 771), devançant la fête consacrée à son anniversaire ; *hujus sacrificia (sacrificii ?)* **præcurrere** *solemnia* (Gel. I, 1).

Ni le Grégorien, ni notre Missel n'ont retenu le verbe *præire* en ce sens : *ejus natalitia* **præeuntes** (Leon. 773); *cujus, (S. Jo.-Bapt.) nos tribuis* **præire** *solemnia* (Gel. II, 25), dont vous nous accordez de devancer la fête solennelle.

paschalibus **initiata** (subst. pl. n.) *mysteriis* (secr. vigil. Pasch., Gel. I, 45, 456), ce que nous avons commencé à célébrer du mystère pascal.

Sacratissima nox désigne déjà dans le Sacramentaire Gélasien, aussi bien la nuit de Noël (I, 2), que la nuit de Pâques (I, 45) ;

ex. dans le Missel : *Deus, qui hanc* **sacratissimam noctem** *veri luminis fecisti illustratione clarescere* (or. 1a miss. 25 dec.) ô Dieu, qui avez fait resplendir cette nuit très sainte des lueurs de la vraie lumière ;

Deus, qui hanc **sacratissimam noctem** *gloria Dominicæ resurrectionis illustras* (or. miss. vigil. Pasch.), qui illuminez cette nuit très sainte de la gloire de la résurrection du Seigneur.

Ex. en dehors des vigiles :

ut hæc divina subsidia ... ad festa ventura nos **præparent**

---

3. Au temps de saint Césaire d'Arles (5e-6e s.), *vigiliæ* désigne l'office de matines : il est conseillé vivement aux fidèles de se lever assez tôt pour y assister les jours de fête ou en Carême (Serm. 72, 1 et passim).

4. Voir *natalicium, natale*, etc. § 108 pour les saints ; § 180 pour la Nativité du Christ.

5. Cf. le substantif *exspectatio* (secr. 24 dec., cit. § 9).

(postc. d. 3 Adv., Greg. 188, 3), pour que ces secours divins nous préparent aux fêtes qui viennent.

6. LA COMMÉMORATION, LE CULTE

§ 14 La célébration de ces fêtes doit être un rappel, et nous remettre en mémoire, au cours de l'année, les mystères ou les hautes circonstances de la vie du Christ, auxquelles elles sont consacrées, ainsi que, à un rang moins éminent, les mérites et la gloire de la Sainte Vierge et des saints.

Ainsi en parlant de l'Ascension : *præsentium nobis est materia gaudiorum recolentibus illum diem et rite* ([1]) *venerantibus* (Leo-M. Serm. lect. 4 fer. 6 oct. Ascens.), (l'Ascension du Seigneur) est en ce moment le sujet de notre joie, à nous qui célébrons par le souvenir ce jour mémorable et qui l'honorons par notre culte.

Recolere signifie donc rappeler par une célébration, par un culte :

ex. *In qua (die) mensæ prima* **recolitur** *Hujus institutio* (« *Lauda, Sion* »), « où nous célébrons la première institution du repas eucharistique » ; le souvenir de ce repas est rappelé dans la liturgie par les mots *memores, memoria, memoriale*, v. chp. eucharistie, § 236 et suiv. ; v. aussi *commemoratio (sanctorum)*, § 108 ;

ad beneficia **recolenda**, *quibus nos instaurare dignatus es* (sup. pop. fer. 2 Major. Hebd., Greg. 74, 4), pour célébrer les bienfaits grâce auxquels vous avez daigné opérer notre régénération.

Compléments d'objet les plus fréquents : *recolere* ([2]) *memoriam* ([3]) *(sancti, sanctorum)*, ou *merita* ; *recolere festa, festivitatem, solemnia*, etc. (or. passim) - voir aussi le chp. culte des saints.

§ 15 Autres verbes :

Deus, qui nobis per singulos annos hujus sancti templi tui consecrationis **reparas** *diem* (coll. Dedic., Greg. suppl. Alc. W.

---

1. *Rite*, selon les rites, selon les règles établies par le culte ; ce mot est à rapprocher de *digne* : ex. *fac nos sacrificium mortis tuæ rite recolere* (secr. 27 febr.), faites que nous célébrions dignement le sacrifice qui rappelle votre mort. Ex. d'un sens plus technique et rubrical : *ad cultum Sacrorum Cordium Jesu et Mariæ rite promovendum* (or. 19 aug.), pour faire consacrer par un rite le culte des Sacrés Cœurs de Jésus et de Marie.

2. *Recolere* peut aussi signifier : reprendre, renouveler pieusement telle ou telle pratique ou observance ; ainsi, en parlant du jeûne : *observationes sacras annua devotione recolentes* (or. fer. 2 p. d. 4 Quadr., Greg. 60, 1), en reprenant pieusement chaque année les saintes observances.

3. Cf. *recordatione martyrum tuorum* (Leon. 135), en rappelant le souvenir de vos martyrs.

p. 185), ô Dieu, qui tous les ans renouvelez pour nous le jour de la consécration de votre saint temple.

Unigeniti Filii tui **recensita** *Nativitate* (postc. 24 dec., Greg. 5, 3), au souvenir de la Nativité de votre Fils unique ;

quorum (Innocentium) natalicia **recensemus** (Leon. 1292) ;

beati apostoli tui Bartholomæi solemnia **recensentes** (secr. 24 aug.), en célébrant la fête de votre saint apôtre Barthélemy ; cf. *beatæ Felicitatis ... solemnia* **recensentes** (Greg. 180, 1).

On dit aussi *memoriam celebrare* (ex. postc. 20 jul.) v. § 108 ;

cf. *apostoli tui Petri* **commemoratione** (Leon. 133) ; *commemoratio sanctorum, justorum, martyrum* (Leon. et Greg. passim).

Ex. d'une expression plus libre, évidemment en dehors du latin des oraisons : *Plagasque Jesu Filii (Mariæ) Fac rite nos* **revolvere** (hymn. Sept. Dol. B. M. V.), donnez-nous de vénérer, dans une pieuse méditation, les plaies de votre fils Jésus.

§ 16 Le mot *venerari*, vénérer, rendre un culte à, honorer, se retrouvera au chapitre suivant ; mais il faut remarquer ici que ce verbe est souvent associé ou en équivalence avec *colere* ([4]), qui signifie aussi honorer, rendre un culte à-de même *cultus* et *veneratio* ; cf. infra *venerator* et *cultor*. Toutefois *venerari* a une valeur affective plus marquée (v. § 20 et suiv.) : il exprime un « sentiment » de vénération, alors que *colere* exprime l'« idée » de culte ; v. *Deum colere* (§ 159). Ces mots s'appliquent moins souvent aux grands mystères qu'à des dévotions particulières :

ex. *cujus (mysterii) exsequimur* **cultum** (postc. d. 8 p. Pent., Leon. 230), (le mystère eucharistique) que nous célébrons ; cf. *cujus (mysterii) exsequimur actionem*, Leon. 580) ;

salutis nostræ pretium solemni **cultu venerari** (or. 1 jul. Pretiosi Sang.) honorer d'un culte fervent ce qui fut le prix de notre salut ;

(sancti) **cultum** *exsequi* (or. passim) ;

venerari *quod colimus* (Greg. M. Hom. ev. 5, 4), « vénérer ce que nous honorons d'un culte », expression qui, ainsi que *imitari quod colimus*, est fréquente dans les oraisons et les Sacramentaires, notamment à propos du culte des saints ;

veneratio *sancti, Mariæ, angelorum* (or. passim) ;

ad **cultum** *sacrarum imaginum* (or. 27 mart.), pour promouvoir le culte des saintes images ; cf. *quorum* **colimus** *imagines* (ibid.) ;

quod populus tuus in tui **venerationem** ... *agit* (or. 6 Ben.

---

4. Les premiers écrivains chrétiens avaient hésité à appliquer le verbe *colere* à leur propre culte, à cause de sa résonnance païenne.

ram., vet. ord.), ce que votre peuple fait pour honorer votre personne (notre cérémonie rappelle la vénération manifestée par le peuple juif envers la personne humaine du Christ).

L'adjectif *venerabilis* s'applique généralement aux saints ([5]):

ex. *venerabilium martyrum præconia* (Leon. 166), les louanges aux vénérables martyrs ;

in **venerabilium** *commemoratione sanctorum* (Leon. 106) ; mais : *in tuorum commemoratione sanctorum* (secr. 28 aug. M.R.) ;

Simeon **venerabilis** *senex* (or. 5 Ben. cand. 2 febr.).

A remarquer toutefois cet emploi en parlant du Carême : *venerabilis sacramenti exordium* (secr. fer. 4 Cin., Gel. I, 17, 91), le début de ce vénérable temps sacré ;

et, en parlant du saint sacrifice : *sacri muneris* **venerabile** *sacramentum* (Leon. 354), le vénérable mystère du saint sacrifice.

Dans une homélie, saint Léon a rapproché aussi *venerator* et *cultor* : *festivitatis hodiernæ ... verus* **venerator** *et pius* **cultor** (Serm. lect. 4 Circum.), celui qui vénère en vérité et honore pieusement ([6]) la fête d'aujourd'hui.

§ 17 A remarquer que le mot *cultus* peut désigner le culte, le service divin, l'office en général : *ad* **divinum cultum** *reparandum* (or. 5 mai., S. Pii V), pour renouveler l'office divin.

Chez les Pères, *reverentia* a pu exprimer le respect religieux et même l'adoration : ex. *ad Dei* **reverentiam** (Ambr. Luc. 2, 53), en parlant de l'« adoration » des bergers ; *debebatur quidem tantis mysteriis ... incessabilis devotio et continuata* **reverentia** (Leo-M. Serm. lect. 5 d. 1 Quadr.), on devait sans doute à de si grands mystères une dévotion incessante et une révérence continuelle. Mais dans l'exemple suivant, il signifie simplement le culte de révérence spéciale dû à des apôtres ou à des évangélistes : *apostolici* **reverentia** *culminis offerentes tibi sacra mysteria* (secr. vigil. Apost.), « en vous offrant le saint sacrifice en l'honneur de la dignité apostolique ». Le mot est plus fréquent dans le Sacramentaire Léonien :

ex. *pro* **reverentia** *beatorum apostolorum* (328) ;

ad laudem tui nominis et apostolicæ **reverentiam** *dignitatis* (365).

Par contre, *reverenter* semble avoir conservé son sens plein et étymologique, exprimant en même temps le respect et la

---

5. Cf. en parlant de l'épouse et non d'une sainte : *pudore venerabilis* (or. 2 p. spons., Leon. 1110, p. 140, 20), respectable par sa modestie ; on verra au chp. du mariage, que cette oraison contient beaucoup de termes classiques traditionnels.

6. C'est-à-dire d'une manière orthodoxe : cf. *piis doctrinis* (Aug. Gest. Pelag. 35, 61). Pour saint Léon, il s'agit ici de reconnaître d'une part la réalité de la nature humaine du Christ, et d'autre part les deux natures divine et humaine. Inversement *impius* peut signifier : impie, hérétique : ex. *adversum impiorum calumnias* (secr. 14 apr.), contre les blasphèmes des hérétiques ; *calumniae impiorum* (Leon. 755).

crainte de Dieu, dans l'expression suivante : *dum hæc munera divinæ majestati tuæ* **reverenter** *offerimus* (secr. 26 nov. et miss. p. elig. summ. pont.), par ces offrandes respectueuses que nous présentons à votre divine Majesté.

Honor peut s'appliquer au culte des saints (pour l'honneur rendu à Dieu, v. glorification, § 22, 23, 38) ;

ex. *illius (Jo.-Bapt.) nativitatem* **honore** *debito celebrantes* (secr. 24 jun., Leon. 238), en célébrant sa nativité avec l'honneur qui lui est dû. *Honore sanctorum tuorum* est fréquent dans les oraisons.

Le mot s'emploie aussi au pluriel :

ex., en parlant de la préparation liturgique des fêtes de Noël, *ut reparationis nostræ ventura solemnia congruis* **honoribus** *præcedamus* (postc. d. 1 Adv., Greg. 185, 3), pour devancer par les hommages qui conviennent les prochaines solennités de notre rédemption.

Les verbes *honorare, honorificare*, en parlant de Dieu, ne se rencontrent pas dans les oraisons ; ex. bibliques : *ut omnes* **honorificent** *Filium, sicut* **honorificant** *Patrem* (Jo. 5, 25) ; **honora** *Deum ex tota anima tua, et honorifica sacerdotes* (Eccli. 7, 33). dans le N.T., *honorare* s'emploie en parlant des personnes, par ex. ses parents.

A noter toutefois dans le Sacram. Leon. : *qui in sanctis tuis te* **honorare** *non desinunt* (1187), qui ne cessent de vous honorer dans vos saints ; *potentiam tuam in sanctorum tuorum passionibus* **honorando** (270), en honorant votre puissance dans le martyre de vos saints.

§ 18 La prière liturgique enfin suppose un empressement scrupuleux à observer le calendrier des fêtes : *annua devotione* est une expression fréquente dans le Missel comme dans le Sacramentaire Grégorien. A noter aussi la fréquence du mot *dies : dies anniversarius, dies annua*, et surtout *hodierna dies, hic dies* ou *hæc dies* ([7]), pour exprimer la solennité d'un jour qui n'est pas ordinaire ; notamment le rappel du Ps. 118, 24, dans la joie de Pâques (chant du graduel) : **haec est dies** *quam fecit Dominus ; exultemus et lætemur in ea*, voici le jour qu'a fait le Seigneur ; soyons dans la joie et la jubilation.

Autres ex. *Deus, qui* **hunc diem** *beati Apollinaris sacerdotis tui martyrio consecrasti* (or. 23 jul. ; même expression pour la fête de S. Pierre et S. Paul., Leon. 280), ô Dieu, qui avez rendu ce jour sacré par le martyre du bienheureux Apollinaire ;

Deus, qui **præsentem diem** *honorabilem in beati Joannis nativitate fecisti* (or. 24 jun., Leon. 251), qui avez honoré ce jour par la naissance de saint Jean.

---

7. Cf. *diebus his sanctis resurrectioni Domini dedicatis* (Aug. Serm. lect. 4 d. 3 p. Pasch.), en ces saintes journées, consacrées à la résurrection du Seigneur.

Le dimanche est le « jour » du Seigneur, le jour de la Résurrection : *fui in spiritu in **dominica die*** (Apoc. 1, 10), je tombai en extase le jour du Seigneur; *dies dominicus* (Tert. ; Aug. ; etc.) ; subst. fem. *dominica* (Max-Taur. ; Greg.-M. ; Ben.; etc.) ; subst. n. *dominicum*, la liturgie du dimanche (Cypr. ; Aug.). Autre appellation ancienne : *una sabbati* (⁸) (1 Cor. 16, 2 ; Apoc. 20, 7).

---

8. *Feriæ* a désigné d'abord les jours de la semaine de Pâques, puis les jours de la semaine ordinaire, pour éviter les noms païens : *una sabbati dies dominicus est ; secunda sabbati, secunda feria, quam sæculares diem Lunæ vocant* (Aug. Enarr. psal. 93, 3), le premier du sabbat, c'est le jour du Seigneur, le second la seconde férie, que les profanes nomment le jour de la Lune (lundi).

II

L'ADORATION ET LA LOUANGE

1. L'ADORATION ET LA VÉNÉRATION

§ **19** Un des sens de *adorare* se réfère à la coutume orientale de se prosterner devant les grands personnages, en signe de salut, de vénération ; ainsi Abraham devant les trois messagers de Dieu, en qui il ne voit encore que des hôtes humains : *quos cum vidisset, cucurrit in occursum eorum de ostio tabernaculi et* **adoravit** ([1]) *in terram* (Gen. 18, 2), dès qu'il les vit, de l'entrée de sa tente il s'empressa à leur rencontre et se prosterna jusqu'à terre. De même le centurion Corneille devant Pierre : *et procidens ad pedes ejus* **adoravit** (Act. 10, 25), se jetant à ses pieds, il se prosterna devant lui ; ou le chef de la synagogue devant Jésus : *adorabat eum dicens ...* (Matt. 9, 18). Ainsi l'adoration des Mages : *et procidentes* ([2]) *adoraverunt eum* (Matt. 2, 11).

L'adoration de la croix, devant laquelle on se prosterne le Vendredi-Saint rappelle ce sens : *et venit sacerdos ante altare* **adorans crucem** *Domini et osculans ...* **adorant** *omnes sanctam crucem* (Gel. I, 41, 418), « alors le prêtre vient devant l'autel où il se prosterne devant la croix du Seigneur et la baise... » De même en parlant de l'adoration de la croix à l'occasion de certaines fêtes : *sicut illud (vexillum crucis)* **adorare** *meruimus* (secr. 14 sept. Exalt. S. Crucis, Greg. 159, 2), de même qu'il nous a été donné d'adorer (cet emblème de la croix).

L'adjectif *adorandus* exprime un sentiment de vénération au superlatif : **adoranda** *Filii tui natalicia* (secr. vigil. Nat. Dom., Leon. 1253), la naissance adorable de votre Fils. *Adorare* et *adoratio* s'appliquent normalement aux hommages rendus à Dieu, au culte suprême, intérieur, accompagné ou non de cérémonies et de gestes :

ex. *omnis terra* **adoret** *te* (Ps. 65, 4), que la terre entière soit en adoration devant toi ;

Scriptum est enim : Dominum Deum tuum **adorabis**, *et illi soli* **servies** (Matth. 4, 10), car il est écrit : tu adoreras le Seigneur ton Dieu et ne serviras que lui seul ; cf. Luc. 4, 8 (*servire* étant souvent lié à l'idée d'adoration et de culte : *Dominum Deum tuum timebis et illi soli* **servies** Deut. 6, 13) ;

sed venit hora, et nunc est, quando **veri adoratores adorabunt**

---

1. *Adorare* est aussi transitif en ce sens : *surrexit Abraham et adoravit populum terræ* (Gen. 23, 7) ; employé absolument, il pouvait signifier : prier et sacrifier devant le sanctuaire (1 Reg. 1, 3).

2. Cf. le psaume invitatoire : *venite, adoremus et procidamus...* (94, 6) ; v. les attitudes de la prière, § 83.

Patrem in Spiritu et veritate (Jo. 4, 23), mais voici l'heure, elle est là, où les vrais adorateurs adoreront le Père dans l'Esprit et en vérité (l'Esprit devant inspirer le vrai culte correspondant à la révélation de Jésus ; allusion au vrai sacrifice) ; cf. *adorare* (abs.), prier ou sacrifier, v. § 77.

Adorare exprime la dévotion au Saint Sacrement dans le chant rimé de saint Thomas d'Aquin : **Adoro** *te* **devote,** *latens* **deitas,** je vous adore avec ferveur, ô Dieu caché ; v. *devote, devotio,* § 21.

Ex. (moins fréquents dans les oraisons et les Sacramentaires) *ut unus Christus in Dei atque Hominis veritate ...* **adoretur** (Leon. 1328), afin qu'on adore un seul Christ, vrai Dieu et vrai Homme ;

æternæ Trinitatis gloriam agnoscere et in potentia majestatis **adorare** *unitatem* (or. S. S. Trin.), reconnaître la gloire de l'éternelle Trinité et adorer son unité dans sa puissante majesté.

Par contre, dans le chant du *Gloria*, dans de nombreuses préfaces, l'adoration exprimée par ce verbe est associée à la louange :

adoramus *te,* **glorificamus** *te* ;

majestatem tuam **laudant** *angeli,* **adorant** *Dominationes* (Gel. III, 17, 1243).

§ 20 Chez les Pères, *adorare* est souvent accompagné du verbe *venerari* : *quem (Jesum Judæi)* **venerari** *et* **adorare** *debuerunt* (Aug. Tr. ev. Jo. 31, lect. 3 fer. 2 hebd. Pass.), qu'ils auraient dû vénérer et adorer ; *quem Magi infantem* **venerati sunt** *in cunabulis, nos omnipotentem* **adoremus** *in cælis* (Leo-M. Serm. lect. 4 Epiph.), celui dont les Mages ont vénéré l'enfance dans son berceau, nous, adorons-en la toute-puissance dans les cieux (dans ce dernier exemple, *venerari* est nettement moins solennel que *adorare*) [3].

Dans les oraisons [4], le verbe *venerari* peut s'appliquer aussi bien aux grands mystères qu'au souvenir de la Sainte Vierge ou des saints :

ex. *corporis et sanguinis tui sacra mysteria* **venerari** (or. S. S. Corp. Chr. et passim), vénérer les mystères sacrés de votre corps et de votre sang ;

qui festa paschalia **venerando** *egimus* (or. sabb. in albis, Greg. 94, 1), qui avons célébré dans la ferveur les fêtes pascales ;

et dans l'hymne « *Pange, lingua ... Corporis* » : *tantum ergo sacramentum* **veneremur** *cernui,* vénérons donc en nous

---

3. *Adorare* est rapproché plus rarement de *colere : omnipotens, adorande, colende, tremende, benedico te* (ant. 21 jan. Act. S. Agnet.), ô Tout-puissant, que l'on doit adorer, révérer et craindre, je vous bénis.

4. Et aussi dans cet ex. de saint Ambroise : *Patrem Deum et Filium ejus unigenitum et Spiritum Sanctum veneremur* (Ep. 48, 4).

prosternant un si grand sacrement (le dernier mot rappelant
la prosternation de l'adorateur).

Voir aux chp. VI et VIII des ex. de *venerari*, en ce qui concerne le culte de la Sainte Vierge et des saints.

Quant à l'ex. suivant : *cujus (Jesu) sanctum nomen ve-*
neramur *in terris* (or. S. S. Nom. Jesu), dont ici-bas nous
vénérons le saint nom, il faut se rappeler que le mot *nomen*
n'a pas ici le sens de majesté, tel qu'on le verra au § 22.

Venerandus est fréquent dans le Léonien, comme dans
notre Missel, au sens de *venerabilis* (v. § 16) :

ex. en parlant des saints : *veneranda confessio* (Leon. 72 et
passim) ; cf. *honoranda confessio* (secr. 21 dec.; et v. § 109) :

veneranda festivitas (or. 23 jul., Leon. 798) ;

veneranda passio (postc. 29 nov., Leon. 320 et passim) ;

veneranda solemnitas (or. 13 aug., Leon. 624).

Il est plus rare en parlant des mystères : *veneranda mysteria*
(postc. fer. 4 Maj. Hebd.).

Les mots français « se vouer », « se dévouer » gardent encore
leur force ; quant au mot « dévotion », il s'est affaibli et ne
rend plus très bien le latin *devotio*, qui exprime le sentiment
plus profond de celui qui se voue, se donne à l'amour de Dieu
ou à la vénération de ses saints ; il se traduira donc plus
souvent par : charité, amour, piété, soumission, vénération :

ex. **devotionis** *nostrae tibi, q. D., hostia jugiter immoletur*
(secr. d. 3 Adv., Leon. 884), que vous soit immolé sans cesse
le sacrifice de notre vénération ;

sanctarum virginum et martyrum tuarum ... palmas incessabili
devotione *venerari* (or. comm. plur. virg. mart., Leon. 1204),
vénérer avec une ferveur inaltérable le triomphe de vos saintes
vierges et martyres ;

ut ... plena tibi atque perfecta corporis et animæ **devotione**
placeamus (secr. comm. Dedic. eccl.), afin que nous puissions
vous plaire par une soumission pleine et entière dans nos
corps comme dans nos âmes ; cf. *plena* **devotione** *venerari*
(Leon. 317) ;

v. autres ex. aux § 46 et 47 (quant au mot *religio*, v. § 471).

Les autres épithètes qui renforcent le mot *devotio*, dans les
oraisons, sont : *frequens, fidelissima, sancta*, et surtout *pia*.

L'adjectif correspondant est *devotus* :

ex. *fac nos tibi semper et* **devotam** *gerere voluntatem* (or. d. p.
Ascens., Gel. I, 61), faites que toujours nous vous apportions
une volonté empressée ; et le sens est précisé par le 2e membre : *et majestati tuæ sincero corde servire*, et que nous soyons
soumis à votre Majesté avec un cœur sincère.

Il qualifie le service de Dieu ou l'âme de ses serviteurs :

devotum servitium, obsequium ;

devota familia, plebs ; devoti famuli, etc.

Devota mente ([5]), d'un cœur ardent, est fréquent dès les Sacramentaires :

ex. *devotis mentibus* (Leon. 1125); Greg. 125, 8) ; *devota mente* (Greg. 154 etc., or. passim).

L'adverbe *devote*, avec vénération, pieusement, accompagne des verbes comme *agere, celebrare, colere*.

§ 22 En s'adressant à Dieu, dans les prières et les chants liturgiques, on emploie les pronoms personnels *te, tibi*, etc.; mais aussi, pour plus de solennité et de respect, des noms abstraits, tels que *Majestas tua*, votre Majesté, votre Grandeur, *Nomen* ([6]) *tuum*, votre Nom, *Pietas tua*, votre Bonté, expressions très fréquentes dans les Sacramentaires et le Missel :

ex. *offerimus præclaræ* **Majestati tuæ** (Canon, Gel. III, 17, 1250 et secr. passim), nous présentons à votre glorieuse Majesté ;

in conspectu divinæ **Majestatis tuæ** (ibid. 1252), sous les regards de votre divine Majesté ;

fac nos semper ... **Majestati tuæ** *sincero corde servire* (or. d. p. Ascens., Gel. I, 61), faites que nous servions toujours votre Majesté avec un cœur sincère ;

Majestatem tuam, *Domine, suppliciter deprecamur* (secr. d. 17 p. Pent., Gel. III, 13), nous supplions instamment votre Majesté... ;

ad **Majestatis tuæ** *honorem* (secr. d. 7 p. Pent., Gel. III, 3) ; et v. le mot *majestas* dans toutes les préfaces.

Ad honorem **nominis tui** (secr. d. 6 p. Pent. et passim, Leon., Gelas.) ;

magnificetur **nomen tuum** *in gentibus* (secr. missa p. propag. fid.), que votre nom soit glorifié dans les nations ;

in **tui nominis** *sanctificatione* ([7]) (or. vigil. Pent. p. proph. 6, Gel. I, 77, 623), pour la glorification de votre nom ;

expressions les plus courantes avec *nomen* : *nominis tui honor, amor, agnitio, benedictio, confessio, laus, gloria, sanctificatio* (v. plus loin, la louange) ; et avec le datif : *nomini tuo consecrare, dicare, dedicare, offerre, immolare*.

Pax a **tua pietate** *concessa* (secr. m. p. pace, Gel. III, 56), la paix accordée par votre bonté ;

per hoc sacrificium, quod **tuæ** *obtulimus* **pietati** (postc. ad

---

5. Voilà un ex. de l'origine des adverbes français en -ment : « dévotement ».

6. Dans la Bible, le « nom » exprime l'être, l'essence, la personne : *benedic, anima mea, Domino, et... nomini sancto ejus* (Ps. 102, 1), bénis, ô mon âme, le Seigneur, et son saint nom ; *psallam nomini Domini altissimi* (Ps. 7, 18), je chanterai le nom du Seigneur, du Très-Haut ; *Pater, sanctificetur nomen tuum* (Luc. 11, 2) ; *credere in nomine unigeniti Filii Dei* (Jo. 3, 19) ; *invocare nomen Domini* (Rom. 10, 13) ; c'est un hébraïsme.

7. *Sanctificatio*, action de déclarer saint, de proclamer saint ; v. *trina sanctificatio*, § 31.

postul. cont., Gel. Cagin 2297), par ce sacrifice que nous avons offert à votre amour ;

(sancti) annua solemnitas **pietati tuæ** *nos reddat acceptos* (secr. comm. conf. pont., Gel. II, 3), que cette solennité annuelle nous rende agréables à votre bonté ;

(avec redondance) **pietatis tuæ** *clementia* (or. p. def. et passim), votre bonté indulgente.

2. LA GLORIFICATION ET LA LOUANGE

§ 23 L'objet premier du culte et de l'adoration est de glorifier Dieu, et dans le Christ le Fils de Dieu, et avec lui le Saint-Esprit. Le latin liturgique et biblique dispose d'un riche vocabulaire pour exprimer la glorification et la louange, qui est d'ailleurs étroitement liée avec l'adoration, comme on l'a vu précédemment (voir ex. au § 19).

Il arrive, dans le Nouveau Testament, que les mots *gloria* et *majestas* soient rapprochés, pour désigner la grandeur souveraine de Dieu : *qui (Filius) cum splendor sit* **gloriæ** (δόξης) *et figura substantiæ ejus (Patris) ..., sedet ad dexteram* **majestatis** (μεγαλοσύνης) *in excelsis* (Hebr. 1, 3), « (le Fils) étant la splendeur de sa gloire (du Père) et l'effigie de sa substance... il siège à la droite de la Majesté au plus haut des cieux. » Ils peuvent traduire le même mot grec : *in* **gloria** (ἐν δόξῃ) (1 Tim. 3, 16) ; *cum autem venerit Filius hominis in* **majestate** *sua* (δόξῃ) (Mat. 25, 31), « quand le Fils de l'homme viendra dans toute sa majesté ». Le mot *gloria* est aussi associé avec *imperium* : *ipsi* **gloria et imperium** *in sæcula sæculorum* (1 Petr. 5, 10), à lui la gloire et la souveraineté dans tous les siècles des siècles.

§ 24 Mais le mot *gloria* (¹), seul ou accompagné de *honor*, désigne encore la gloire extérieure de Dieu, la glorification, le témoignage que nous rendons à sa souveraine perfection par nos louanges (voir, plus loin, les doxologies) :

ex. *regi autem sæculorum immortali, invisibili, soli Deo,* **honor et gloria** (τιμὴ καὶ δόξα) *in sæcula sæculorum* (1 Tim. 1, 17), au roi des siècles, immortel, invisible, seul Dieu, honneur et gloire dans les siècles des siècles ;

offerte Domino **gloriam et honorem** (Ps. 95, 7) ;

dignus est Agnus qui occisus est accipere virtutem et divinitatem ... et **honorem et gloriam** *et benedictionem* (Apoc. 5, 12), il est digne l'Agneau qui a été immolé de recevoir la puissance, la divinité (gr. πλοῦτον, la richesse) ... l'honneur, la gloire et la louange ;

---

1. Pour la gloire du ciel, v. § 306.

*per ipsum (Christum) et cum ipso et in ipso, est tibi Deo Patri omnipotenti in unitate Spiritus Sancti omnis **honor et gloria*** (Canon, Gel. III, 16, 1255), par lui, avec lui, en lui, à vous, Dieu Père tout-puissant, tout honneur et toute gloire (honneur total, gloire complète).

Ex. avec d'autres mots que *honor* :

***salus et gloria et virtus** Deo nostro* (Apoc. 15, 21) ;

***Gloria, laus et honor**, tibi sit, Rex Christe et Redemptor* (Theodulfe 8e s., hymn. dom. Palm.), gloire, louange et honneur à toi, Christ Roi Rédempteur.

Ex. de *gloria* seul (voir plus loin des ex. de doxologies) :

*da **gloriam** Deo* (Jo. 9, 24), rends gloire à Dieu ;

***gloria** in altissimis Deo* (Greg. 1, 1; Luc. 2, 14, var. *in excelsis*) ;

***gloria** tibi, Trinitas* (ant. S. S. Trin.) ;

*pro nominis tui **gloria*** (or. 7 jul., Greg. 32, 1) ;

*ad majorem tui nominis **gloriam*** (or. 31 jul.), pour la plus grande gloire de votre nom ; cf. *ad nominis tui gloriam* (Leon. 249) ;

*ad majestatis tuæ **gloriam*** (or. fer. 5 D. N. J. C. summi et æt. Sacerd.).

Autres noms et verbes exprimant la glorification, la louange :

Glorificare, glorifier : ex. ***glorificate** et portate Deum in corpore vestro* (1 Cor. 6, 20), glorifiez et portez Dieu dans votre corps ;

***glorificamus** te* (« *Gloria* ») ([2]) ;

*detque nobis ... **glorificare** Deum Patrem omnipotentem* (or. 1 Parasc., Gel. I, 41), qu'il nous accorde de pouvoir glorifier...

Laudare, louer, particulièrement fréquent dans les Psaumes :

ex. ***laudent** illum cæli et terra* (Ps. 68, 35) ;

*per quem (Christum) majestatem tuam **laudant** angeli* (præf., Greg. 1, 18 ; *per quem te laudant angeli*, Leon. 179) ;

*ut te perfecte diligere et digne **laudare** mereamur* (or. miss. vot. ad postul. grat.), afin que nous méritions de pouvoir vous aimer parfaitement et vous louer comme il convient.

§ 25 Avec d'autres verbes: *Te Deum **laudamus**, te Dominum **confitemur** (« Te Deum »* ([3]), Dieu, nous vous louons, nous vous confessons Seigneur ; v. plus loin *confiteri* ainsi que *benedicere* ;

*te Deum Patrem, ingenitum, te Filium unigenitum, te Spiritum Sanctum Paraclitum ... toto corde et ore **confitemur**,*

---

2. Le texte du *Gloria* se trouve déjà au 7e livre des « Constitutions apostoliques (7, 47, M. gr. I), sauf la mention finale du Saint-Esprit.

3. La rédaction définitive en est attribuée à Nicétas, év. de Remesiana (Dacie, au 5e s.).

laudamus atque benedicimus (ant. S. S. Trin.), ô vous, Dieu Père inengendré, et vous Fils unique, et vous Esprit Saint Paraclet, de tout notre cœur et de toute notre voix, nous vous adorons, nous vous louons, nous vous bénissons ;

benedicamus Patrem et Filium cum Spiritu Sancto-Resp. *laudemus* et *superexaltemus* ([4]) *eum in sæcula* (S. S. Trin.), ... louons-le et exaltons-le hautement dans tous les siècles.

§ 26 La « louange » se dit *laus, laudatio*, et la louange collective *collaudatio* :

ex. *date gloriam laudi ejus* (Ps. 65, 2), chantez sa gloire et ses louanges ;

immensam misericordiæ tuæ gloriam indefessis laudibus prædicare (Moz. Lib. sacr. 441) ;

ut a te nunquam laude cessemus (postc. d. 1 p. Pent., Leon. 618 et passim), que nous ne cessions jamais de vous louer ; cf. *munia laudis* (« *Gloria, laus* »), tributs de louanges ;

laudes ([5]) *Deo referimus* (Ps.-Ambr. Hymn. 44, 36), nous rendons à Dieu son tribut de louanges ; cf. *gratias tibi, Domine, laudesque persolvimus* (Leon. 552) ;

tibi sacrificabo hostiam laudis (Ps. 115, 17), je t'offrirai le sacrifice de louange, d'actions de grâce.

Laudis hostia, de même que *sacrificium laudis* (Ps. 106, 22 et passim), désignent souvent, dans le Missel, le saint sacrifice (v. chp. eucharistie, § 239). Ces expressions sont aussi appliquées à la récitation de l'office. Dans l'épître aux Hébreux, le sens de l'expression est plus général : prière unie ou non au sacrifice : *per ipsum ergo offeramus hostiam laudis semper Deo, id est fructum labiorum confitentium nomini ejus* (13, 15), par lui, offrons sans cesse à Dieu un sacrifice de louange, c'est-à-dire le fruit des lèvres qui confessent son nom.

Laudationem Domini loquetur os meum (Ps. 144, 21), ma bouche dira la louange du Seigneur ;

v. *perpetua laudatio* (au ciel), § 312 ;

tibi digna celebretur laudatio (Leon. suppl. Rot. Rav. 1369), afin que vous soit adressée la louange qui convient.

Exultate, justi, in Domino ; rectos decet collaudatio (Ps. 32, 1), justes, bondissez de joie pour le Seigneur ; aux cœurs droits convient la louange ;

concede ut fideles tui ... sine fine collaudent (postc. 2 aug.), accordez à vos fidèles ... de louer sans fin (les bienfaits du saint sacrifice) ;

cuncti vere fideles tui te cælestem Patrem collaudent ([6]) *atque*

---

4. Cf. *benedicite, angeli Domini, Domino ; laudate et superexaltate eum in sæcula* (Dan. 3, 58).

5. A la fin de l'époque patristique, le mot *laudes* peut désigner un office ecclésiastique ou monastique, d'où le sens de « laudes » dans le Br. R.

6. Le préfixe donne au terme un sens collectif, mais surtout emphatique.

magnificent (Leon. 530), (de sorte que) tous vos vrais fidèles vous louent et vous magnifient comme leur Père céleste.

Adjectifs correspondants :

a solis ortu usque ad occasum, **laudabile** ([7]) *nomen Domini* (Ps. 112, 3), du levant au couchant, qu'on loue le nom du Seigneur (cet adjectif ne se trouve pas dans les oraisons) ; cf. *ut ab ortu solis usque ad occasum* **magnificetur** *nomen tuum in gentibus* (secr. p. propag. fid.).

Mirabilis a lui-même un sens laudatif (v. ex. aux § 28, 107 et 132).

§ 27 Louer Dieu, c'est aussi reconnaître et confesser sa vérité (v. expression de la foi, § 41), sa grandeur : *duplicem in confessione significationem esse : aut peccati nostri aut laudationis Dei* (Hilar. Psal. 137, 3), « le mot *confessio* a deux sens : aveu de notre péché ou louange à Dieu » ; *confessio aut laudantis est aut pænitentis* (Aug. Serm. 29, 2), « *confessio* implique louange ou repentir ». Mais, dans les oraisons du Missel, *confiteri* ne s'emploie qu'aux trois sens suivants : avouer ses péchés, confesser sa foi par le martyre, reconnaître par un acte de foi ; de même *confessio*, action d'avouer ou de confesser sa foi, le Christ (donc v. § 90 et 469). Par contre, dans l'exemple suivant, la présence du mot *præconium* implique une idée de louange dans le verbe *confiteri* : *Deus, cujus hodierna die* **præconium** *Innocentes Martyres non loquendo sed moriendo* **confessi sunt** (or. 28 déc., Gel. I, 8), ô Dieu, dont la louange ([8]) a été publiée en ce jour par les Saints Innocents non par leurs paroles, mais par leur mort. Le *Te Deum* est un acte de foi, mais surtout un chant de louange et de vénération : *Te Deum* **laudamus** *; te Dominum* **confitemur**.

Dans les Psaumes cette fois, c'est bien la louange qui s'exprime dans les mots *confessio* et *confiteri* ([9]) (sans parler des autres sens) :

ex. *in voce exultationis et* **confessionis** (Ps. 41, 5), parmi les cris de joie et de louange ;

præoccupemus faciem ejus in **confessione** *; et in psalmis* ([10]) *jubilemus ei* (Ps. 94, 2), accourons devant lui avec des louanges ; exultons pour lui dans les chants.

Le verbe y est construit avec le datif ou avec l'accusatif : **confitebuntur** *cœli mirabilia tua, Domine* (88, 6), les cieux

---

7. Cf. *laudabilis*, vénérable, en parlant des prophètes (*Te Deum*).

8. Le Dictionnaire donne des ex. montrant que *præconium* ne signifie pas seulement « proclamation » (ainsi le chant de l'*Exsultet* est appelé *præconium paschale*), mais aussi « louange » ; il est toujours loisible de penser ici « à la confession du martyr.

9. Pour traduire ἐξομολογεῖσθαι des Septante correspondant à des mots hébreux signifiant, l'un avouer, déclarer, l'autre louer.

10. Comme il a été dit, l'idée de chant est souvent associée à *confessio*, louange : *in hymnis et confessionibus benedicebant Dominum* (2 Mac. 10, 38).

reconnaîtront tes merveilles ; **confitebor** *tibi, Domine, in toto corde meo* (137, 1), je te louerai, Seigneur, de toute mon âme ; (et avec une nuance d'actions de grâces) [11] **confitemini** *Domino quoniam bonus* ... (135, 1).

§ 28 *Prædicare* de même signifie, dans le langage de la prière, louer, célébrer hautement et devant tous :

ex. *vere dignum et justum est ... te quidem, Domine, omni tempore sed in hac potissimum die gloriosius* **prædicare** (præf. Pasch., Greg. 87, 3), il convient vraiment et il est juste de vous louer en tout temps, mais plus glorieusement en ce jour surtout ; cf. *teque profusis gaudiis* **prædicare** (Leon. 846) ;

sicut in apostolo Petro te mirabilem **prædicamus** (postc. 18 jan.), de même que nous proclamons vos merveilles en votre apôtre Pierre ; cf. *in sanctorum tuorum passionibus pretiosis te, Domine,* **mirabilem prædicantes** (Leon. 1210), en vous proclamant admirable, Seigneur, dans le précieux martyre de vos saints ;

Quem terra, pontus, æthera Colunt, adorant, **prædicant** (hymn. mat. Off. B. M. V. sabb.), celui que la terre, la mer et les cieux honorent, adorent et proclament (modif. *pontus, sidera*) ;

v. *magnificentiam tuam* **prædicare**, § 130.

Toutefois, dans les oraisons, ce verbe signifie plus souvent: annoncer le royaume de Dieu (v. § 172).

Synonymes de *prædicare* :

Proclamare : ex. *incessabili voce* **proclamant** (« Te Deum »).

Eructare (-tuare) apparaît dès les premières traductions latines des Psaumes ; emprunté à la langue familière, il s'est ennobli grâce à cet usage biblique : ex. **eructavit** *cor meum verbum bonum* (Ps. 44, 2), mon cœur a fait jaillir de belles paroles.

Mais il n'a pas été recueilli dans la langue de la prière liturgique ; ex. isolé : *lumen verum, quod ex fonte cordis tui, Domine Deus noster, salutiferum* **eructuare** *dignatus es Verbum* (Rotul. Rav., Leon. supp. 1365), vraie Lumière, que vous avez daigné, Seigneur notre Dieu, faire jaillir de la source de votre cœur, comme un Verbe de salut.

Fari est emprunté à la poésie classique : **fantur** *Dei magnalia* (hymn. mat. Pent.), ils proclament les merveilles de Dieu.

Personare, faire retentir bien haut, célébrer, chanter (Aug. ; Prud.) :

ex. *Dominum Deum nostrum Jesum Christum, toto cordis ac mentis affectu et vocis ministerio* **personare** (« *Exsultet* » vig.

---

11. On verra l'expression *gratias agere* au § 85 (Actions de grâces). Mais il faut remarquer que la formule des préfaces *gratias agamus...* signifie aussi confesser la grandeur de Dieu, l'adorer, le louer à propos de tel ou tel mystère, de telle ou telle fête.

Pasch., Miss. Gall. 25, 134), mettre nos voix ainsi que tout notre cœur et l'ardeur de notre âme à chanter notre Seigneur Jésus-Christ ;

v. autres ex., ainsi que pour *sonare, resonare*, au § 11.

Pangere, chanter, célébrer : cf. hymn. **Pange**, *lingua* ;

Sanctorum meritis inclyta gaudia **Pangamus** *socii* (hymn. comm. plur. mart.), chantons tous ensemble les joies des saints que leurs mérites rendent glorieuses.

V. *concino*, § 11 et 113 ; *concelebro*, § 312 : le préfixe *cum* exprimant la louange collective.

§ 29 Louer Dieu, c'est aussi exalter sa grandeur, le magnifier :

ex. **exaltabo** *te, Deus meus rex, et benedicam nomini tuo in sæculum* (Ps. 147, 1), je t'exalterai, ô mon Dieu et mon roi, et je bénirai ton nom à jamais ;

exaltationes *Dei in gutture eorum, et gladii ancipites in manibus eorum* (Ps. 149, 6), des éloges de Dieu dans leur bouche, des épées à double tranchant dans leurs mains.

Mais dans le Missel, *exaltare, exaltatio* se réfèrent à l'exaltation de la sainte Croix « dressée bien haut » aux yeux des hommes pour notre rédemption, tout en impliquant la vénération à l'égard de ce signe de notre salut : *Deus, qui ad Unigenitum Filium tuum* **exaltatum** *a terra omnia trahere* ([12]) *disposuisti* (or. 18 sept.), qui avez voulu que votre Fils unique élevé de terre ([13]) attirât tout à lui (v. Passion, § 192 et 193).

Magnificare, ex. **magnificabant** *Deum Israël* (Mat. 15, 31), ils glorifiaient le Dieu d'Israël ;

et dicant semper : **magnificetur** *Dominus* (Ps. 69, 5), qu'ils disent sans cesse : gloire au Seigneur.

Le mot éclate dans toute splendeur de louange, lorsque nous répétons le cantique de la Sainte Vierge : **magnificat** *anima mea Dominum* (Luc. 1, 46).

Cf. *in tui nominis* **magnificentiam** (or. 2 ben. cand. 2 febr.), pour magnifier votre nom ; v. *magnus* dans la louange des Psaumes, § 130, ainsi que de nombreuses expressions laudatives dans les chapitres concernant les attributs de Dieu, § 124 à 154.

§ 30 Dans la Bible, un des principaux sens de *benedicere* (dire du bien de), bénir (Dieu), c'est : rendre gloire à, exalter, louer ; en ce sens, il est construit avec le datif ou avec l'accusatif dans les Psaumes :

ex. **benedic**, *anima mea, Domino* (102, 1) ;
benedicite, *gentes, Deum nostrum* (65, 8) ;

---

12. Cf. Jo. 12, 32.
13. *Exaltationem quippe dicit passionis, non glorificationis* (Aug. Tr. ev. Jo. 40, 2), par ce mot, il entend parler de sa passion, non de sa glorification.

cf le cantique de Daniel (3, 57) : *benedicite...*

Nombreux exemples dans le Nouveau Testament : **benedixit** *Deum (Simeon) et dixit : Nunc dimittis* ... (Luc. 2, 28), il bénit Dieu en disant : vous pouvez ... ;

benedictus *Dominus Deus Israël, quia visitavit* ... (Luc. 1, 68) ; cf. *quem (Jesum) Simeon ... agnovit, suscepit et* **benedixit** (or. 5, 2 febr.), que Siméon reconnut, prit dans ses bras et bénit ;

benedictus *qui venit in nomine Domini* (Ps. 117, 26; Mat. 21, 9; Sacram.).

Ex. dans la liturgie : **benedictus** *sit Deus Pater, Unigenitus- que Dei Filius, Sanctus quoque Spiritus* (offert. S. S. Trin.) ;

benedictus *Deus* — **benedictum** *nomen sanctum ejus*, et la suite des louanges divines après le salut du Saint Sacrement, qui rappellent les formules des psaumes.

Le chant du *Gloria* exprime les différents aspects de la prière ; l'adoration y est représentée par ces quatre verbes : *laudamus te*, **benedicimus** *te, adoramus te, glorificamus te*.

Benedictio a le sens de « louange » dans l'ex. cité plus haut (§ 24 ; Apoc. 5, 12). Mais dans les oraisons, *benedictio, benedice- re* s'emploient généralement lorsqu'il s'agit de demander à Dieu de bénir des personnes ou des choses (pour ces formules, de même que pour *sanctificare*, v. § 87 et 88).

§ 31 Un des sens de ce verbe *sanctificare* se rapproche de celui de *benedicere* (louer) : proclamer saint, vénérer comme saint, glorifier [14] :

ex. *sanctificetur nomen tuum* (Mat. 6, 9) ;

Dominum autem Christum sanctificate in cordibus vestris (1 Petr. 3, 15), honorez dans vos cœurs le Christ votre Seigneur.

Dans l'exemple suivant, le verbe *sanctificare* signifie sans doute sanctifier, mais aussi « honorer comme sainte », à cause du mot *honore* qui figure dans le deuxième membre : *Deus, qui ... vivificæ Crucis vexillum* **sanctificare** *voluisti ... eos, qui ejusdem sanctæ Crucis gaudent honore* (or. miss. vot. de s. Cruce), qui avez voulu sanctifier l'emblème de la croix ré- demptrice ... (protégez) ceux qui se font une joie d'honorer cette même croix ; cf. *per quem (Christum) crucis est* **sancti- ficatum** *vexillum* (Greg. 159, 2).

---

14. *Trina sanctificatio* a désigné parfois le *Sanctus* (Vinc.-Lir. 16, 22, 8) ; *et glorifica- bant trinis sanctificationibus* (Ruf. Greg. Epiph. 8), v. § 36.

Autre interprétation du mot *sanctificetur* dans le *Pater* : *non quod Deus nostris sanctificetur orationibus, qui semper est sanctus ; sed petimus, ut nomen ejus sanctificetur in nobis, ut, qui in baptismate ejus sanctificamur, in id quod esse cœpimus persevere- mur* (Miss. Gal. 17, 79), non que Dieu soit sanctifié par nos prières, lui qui est toujours saint ; mais nous demandons que son nom soit sanctifié en nous, afin que, étant sanctifiés par son baptême, nous demeurions ce que nous avons commencé d'être. De toutes façons, l'idée de « louange » est ici dépassée : la prière demande que la sainteté de Dieu apparaisse dans notre conduite et dans toute l'histoire humaine. (V. « Maison-Dieu », Ier trim. 1966, p. 9 et suiv.).

La louange s'exprime surtout par des chants (v. § 9 et suiv.).

Cette louange ne doit jamais cesser : *incessabili devotione* (§ 21) ; *incessabili voce* (§ 28) ; *sine fine dicentes* (præf., Greg. 6, 3). *Laus perennis* désignait le chant de l'office par des moines qui se relayaient sans cesse (dès l'an 515 à Agaune, Mansi 8, c. 531).

3. INVOCATIONS, ADRESSES A LA DIVINITÉ

§ 32 Les préfaces ([1]) et les oraisons traditionnelles s'adressent à Dieu le Père ([2]) : ex. *da, quæsumus, Pater* (Leon. 954) ; *Pater, mundi Creator* (ibid. 1110) ;

nos tibi semper et ubique gratias agere, Domine, sancte Pater, omnipotens æterne Deus (præf., Greg. et Gel.) ; v. autres ex. § 28 ;

Pater noster (Gel. III, 17, 1257 ; cf. Mat. 6, 9).

Dans les oraisons, les adresses suivantes se placent en tête ou après les premiers mots : *Domine* (seul) ; *Deus* (seul) ; *Domine Deus* ; *Domine Deus noster* ; *omnipotens Deus* ; *omnipotens æterne Deus* ; *Deus salutaris noster* ; *misericors Deus* ; *clementissime Deus* ; *omnipotens sempiterne Deus* ; *omnipotens et misericors Deus* ; *miserator Deus* (v. aussi § 63 et 64) ; (plus rare) *omnipotens et mitissime Deus* (or. sepult. inf.) ; *Pater summe* (v. § 125) ; *summe Deus* (v. § 60) ;

Deus Abraham, Deus Isaac et Deus Jacob ([3]) (or. miss. p. spons. ben.) ; cf. même formule dans l'oraison *super electos* (Gel. I, 291) ;

populi tui, Deus, institutor et rector (sup. pop. fer. 5 p. dom. 4 Quadr., Leon. 379), ô Dieu, instructeur et guide de votre peuple ;

veni, sanctificator ([4]), *omnipotens æterne Deus* (offert., Miss. Stowe 9e s.) ;

---

1. *Præfatio* est à rapprocher de *præfari*, vieux terme romain signifiant « invoquer d'abord » (Liv. 22, 1, 16). V. dans le Dict. les autres noms de la préface, *contestatio* (Miss. Gall. 25, 134) ; *immolatio* (ibid. 34, 227) ; *illatio* (Mozar.). Pour *præfatio*, formule de prière, v. § 81 fin.

2. *Ut nemo in precibus vel Patrem pro Filio, vel Filium pro Patre nominet, et, cum altari assistitur, semper ad Patrem oratio dirigatur* (conc. Carth. an. 397, c. 23), « que personne, dans les prières, ne nomme le Père au lieu du Fils, ou le Fils au lieu du Père ; et qu'à l'autel toujours l'oraison s'adresse au Père. » Par réaction contre l'arianisme, certaines liturgies anciennes (Espagne) ont adressé la prière directement au Fils, usage accepté aussi au M.A. et dans le Miss. Rom. (v. ex. § 32 fin). Consulter : J. Jungmann, *Die Stellung Christi im liturgischen Gebet*, Münster 1925.

3. *Exod.* 3, 6. Cf. *Deus cælorum, Deus angelorum, Deus archangelorum, Deus patriarcharum, Deus prophetarum, Deus apostolorum, Deus martyrum, Deus confessorum, Deus virginum, Deus omnium sanctorum, Deus Abraham, Deus Isaac, Deus Jacob...* (exorc. ap. Sacr. Gel. app., Mohlb. p. 249).

4. Cf. *Esto, Domine, plebi tuæ sanctificator et custos* (or. 25 jul., Leon. 363).

Deus, fidelium Pater summe ([5]) (Gel. I, 43, 434 et vet. ord. sabb. sc.).

Plusieurs oraisons de l'Avent s'adressent au Christ (v. note 2) :

ex. *excita, quæsumus, Domine, potentiam tuam et veni* (or. dom. I Adv., Gel. II, 80), nous vous en prions, Seigneur, réveillez votre puissance et venez ; cf. Ps. 79, 3;

ainsi que d'autres plus récentes : *Domine Jesu* (postc. S. S. Cord. Jes.) ; *Domine Jesu Christe, Fili Dei vivi* (postc. m. vot. de Pass. Dom.) ; *Domine Jesu Christe* (passim) ;

ex. plus anciens : *Domine Jesu, omnipotens Deus* (Miss. Goth. 15) ; *Domine Jesu Christe* (ibid. 85) ; *Christe Domine* (129) ; *Domine Christe Jesu* (221).

§ 33 Quand l'oraison s'adresse à Dieu le Père, elle se termine par une conclusion évoquant l'intercession du Fils et son rôle de Médiateur (v. sens de *per*, § 230 note), ainsi que l'unité de vie et de domination qu'il a avec le Père et le Saint-Esprit : *per Dominum nostrum Jesum Christum, Filium tuum, qui tecum vivit et regnat in unitate Spiritus Sancti Deus, per omnia sæcula sæculorum* ([6]), par Jésus-Christ, notre Seigneur, votre Fils qui, étant Dieu, vit et règne avec vous dans l'unité du Saint-Esprit pendant tous les siècles des siècles (le mot *Deus* a été ajouté pour affirmer, contre les Ariens, la divinité du Christ) ;

ou simplement : *per Christum Dominum nostrum.*

On trouve déjà chez saint Fulgence, évêque de Ruspe en Afrique (5e-6e s.), la formule : *per Jesum Christum Filium tuum, Dominum nostrum, qui tecum vivit et regnat in unitate Spiritus Sancti* (Ad Ferrand. 14).

Les Épîtres de saint Paul présentent des formules analogues : *gloriamur in Deo per* ([7]) *Dominum nostrum Jesum Christum* (Rom. 5, 11), nous nous glorifions en Dieu par Jésus-Christ notre Seigneur ;

in Christo Jesu Domino nostro (Rom. 6, 23 et passim) ;

omne quodcumque facitis ... omnia in nomine Domini Jesu Christi facite, gratias agentes Deo et Patri per ipsum (Col. 3, 17), faites tout au nom du Seigneur Jésus, rendant, par lui, grâces à Dieu le Père.

Quand le Christ a été nommé dans le corps de l'oraison, la conclusion est formulée ainsi : *per eumdem Dominum ...*, par le même notre Seigneur ; ou *per eumdem Christum Dominum nostrum.*

---

5. Outre les ex. cités dans ce chapitre, voir d'autres formules d'appellations ou d'adresses à la divinité, dans la IIe partie, § 126 et suiv.

6. Formule hébraïque de superlatif : cf. *in sæculum sæculi* (Ps. 18, 10), à jamais ; *usque in sæculum et sæcula sæculorum* (Dan. 7, 18).

7. Cf. *Deum colimus per Christum* (Tert. *Apol.* 21).

Inversement, s'il s'agit d'une oraison adressée au Christ, la formule est : *qui vivis et regnas cum eodem Deo Patre, in unitate Spiritus Sancti Deus...*

ou simplement : *qui vivis et regnas in sæcula sæculorum.*

La langue grecque aussi se fait entendre dans les invocations :

Hagios, ô Theos (or. Parasc.), ô Dieu saint ; *agios, athanatos* (ibid.), saint, immortel.

Kyrie eleison (⁸) constituait l'acclamation suppliante des premières litanies *(letania,* de λιτή, supplication) : v. Martimort, p. 134-135 ; P. Radó, p. 66-68 ; et le Dict., pour les autres sens du mot *letania* ou *litania.*

§ **34** La liberté et la variété est naturellement plus grande dans les hymnes et les autres chants liturgiques que dans les oraisons :

ex. *Deus piissime* (hymn. laud. Pent.), ô Dieu très bon ; *Pater piissime* (passim) ;

Cæli Deus sanctissime (vesp. fer. 4), très saint Dieu du ciel ;

Infunde nunc, piissime, Donum perennis gratiæ (fer. 2 vesp.), répandez sur nous maintenant, ô Dieu très bon, le don de l'éternelle grâce ;

Audi, benigne Conditor (vesp. Quadr.), écoutez, bienveillant Créateur ;

Lucis Creator optime (dom. vesp.), créateur excellent de la lumière ;

Deus alme (mat. comm. virg.), ô Dieu bon (⁹) ;

Conditor alme siderum, Æterna lux credentium, Christe, Redemptor omnium (vesp. Adv.), auguste Créateur des astres, lumière éternelle des croyants, Rédempteur du monde (modif. *Creator alme ... Jesu ...*) ;

Auctor beate sæculi, Christe Redemptor omnium, Lumen Patris de lumine, Deusque verus de Deo (vesp. S. S. Cord. Jes.), saint Créateur du monde ... ;

Jesu, labentes respice (Ambr. laud. dom.), Jésus, protégez de votre regard ceux qui chancellent (sept hymnes du Brév. Rom. commencent par le vocatif *Jesu*) ;

Christe, sanctorum decus angelorum, Rector humani generis et auctor (laud. 8 mai.), ô Christ, honneur des saints anges, guide et auteur du genre humain (modif. *Gentis humanæ Sator et Redemptor)* ;

sancte Christe (fer. 4 mat.) ; *Christe* (8 mai. et passim) ;

---

8. Κύριε, ἐλέησον des Septante est traduit par *miserere mei, Domine* (Ps. 6, 3 et passim) ; *Domine, miserere mei* (Is. 33, 2).

9. *Almus,* épithète classique, a été souvent employée par les poètes chrétiens, en parlant de Dieu ou du Christ : « très bon, très haut, saint, auguste » ; et aussi en parlant de la sainte Vierge et des saints : « très bonne, sainte, saint, vénérable, sacré » ; le sens est donc très large.

Rex Christe clementissime (laud. comm. apost. t. pasch.) ;
Rex piissime (laud. conf. non pont.) ;

Numen amabile (hymn. « *Maerentes oculi* »), ô divinité digne
d'amour ;

Sit tibi, Nate, decus et imperium (mat. 1 aug.), et à vous le
Fils, l'honneur et l'empire (modif. *Æterne Nate*) ; v. *Natus,
Numen*, au chp. Trinité ;

Pie Jesu, Domine (« *Dies iræ* ») ;

*Domine, Fili Unigenite, Jesu Christe, Domine Deus, Agnus
Dei, Filius Patris* (« *Gloria* ») ; v. § 204 et suiv. les appellations
du Christ.

Et dans les litanies :

Fili Dei, te rogamus, audi nos, Fils de Dieu, nous vous en
prions, entendez-nous ;

Jesu, Fili Dei vivi (litan. S. S. Nom. Jes.) ; cf. *tu es Christus,
Filius Dei vivi* (Mat. 16, 16) ; *Fili David* (ibid. 9, 27 et passim) ;

Cor Jesu (litan. S. S. Cord. Jes.) ; *Cor, arca legem continens*
(hymn. laud. S. S. Cord. Jes.), ô Cœur, arche contenant la
loi ;

cf. les grandes antiennes, appelées *O* de l'Avent ; et v. les
appellations divines, § 123 et suiv.

§ 35 Les salutations commençant par *Ave, Salve* ne se
rencontrent pas seulement dans les prières à la Sainte Vierge :

ex. *Ave verum Corpus natum de Maria Virgine*, Salut à vous,
corps véritable né de la Vierge Marie ; *O crux, **ave**, spes **unica***
(« *Vexilla* ») ;

Manus sanctæ, vos avete, Diris clavis perforatæ (hymn.
« *Jesu, dulcis amor meus* »), je vous salue, mains saintes, trans-
percées par les clous affreux ;

Salve, latus Salvatoris ; *Salve, mitis apertura* (ibid.), je vous
salue, flancs du Sauveur ; je vous salue, brêche miséricordieuse ;

Salvete, Christi vulnera (hymn. laud. Pretios. Sang.), je vous
salue, blessures du Christ.

§ 36 La triple invocation du *Sanctus* a été empruntée à la
vision d'Isaïe et de l'Apocalypse : *et clamabant (Seraphim)
alter ad alterum et dicebant : sanctus, sanctus, sanctus, Dominus
Deus exercituum, plena est omnis terra gloria ejus* (Is. 6, 3), ils
criaient l'un à l'autre en disant : saint, saint, saint, le Seigneur des armées (du ciel), toute la terre est pleine de sa gloire ; *sanctus, sanctus, sanctus* ([10]), *Dominus Deus omnipotens*
(Apoc. 4, 8).

§ 37 Ex. d'invocations au Saint-Esprit ou à la Sainte
Trinité :

---

10. La répétition est encore une forme du superlatif.

Veni, creator Spiritus, venez, Esprit créateur ;

Te, trina Deitas Unaque, poscimus (« *Panis angelicus* »), nous vous prions, Divinité une en trois personnes ;

Te, summa, Deus, Trinitas, Collaudet omnis spiritus (« *Vexilla regis* »), ô Dieu, Trinité suprême, que tout esprit vous glorifie (modif. *Te fons salutis, Trinitas*) ;

O lux, beata Trinitas, Et principalis (11) *Unitas* (hymn. vesp. S. S. Trin.), ô Lumière, bienheureuse Trinité et Unité fondamentale (modif. *Tu, lux perennis Unitas*) ;

Laus sit excelsæ Triadi perennis (hymn. « *Cælitum Joseph* »), louange éternelle à la très-haute Trinité.

§ 38 Nous avons vu précédemment le mot *gloria* et son emploi dans la louange divine ; il correspond au grec δόξα, d'où le nom de doxologie donné à l'invocation et à la glorification des trois Personnes.

Dans les Épîtres du N. T. (12), certaines formules de glorification s'adressent à Dieu : ex. *ipsi (Deo) gloria in sæcula* (Rom. 11, 36), à Lui soit la gloire à jamais ; *Regi autem sæculorum immortali, invisibili, soli Deo honor et gloria in sæcula sæculorum. Amen.* (1 Tim. 1, 17) (v. trad. § 24) ;

d'autres à Dieu par le Christ : ex. *soli sapienti Deo per Jesum Christum, cui honor et gloria in sæcula sæculorum. Amen* (Rom. 16, 27 concl.), à Dieu qui seul est sage, par Jésus-Christ, à lui honneur et gloire dans tous les siècles des siècles. Amen ;

ex. de doxologie adressée au Christ : *Ipsi gloria et nunc et in diem æternitatis* (2 Petr. 3, 18).

La formule doxologique « *Gloria Patri et Filio et Spiritui Sancto, sicut erat* (13) *in principio et nunc et semper et in sæcula sæculorum* » apparaît au 4e siècle, pour protester contre l'interprétation arienne subordonnant le Fils au Père.

Les doxologies qui terminent les hymnes utilisent généralement le mot *gloria*, mais quelques-unes, un équivalent. Elles sont très variées et nous n'en donnons que quelques exemples.

Gloria Patri Domino	Gloire au Seigneur le Père, et
Natoque, qui a mortuis	au Fils, qui est ressuscité d'en-
Surrexit, ac Paraclito	tre les morts, et au Paraclet,
In sempiterna sæcula ;	dans les siècles des siècles.

(hymn. mat. Pent. ; modif. ainsi : *Deo Patri sit gloria Et Filio, qui* ...)

---

11. Autre sens de *principalis*, de prince, magnanime : *spiritu principali confirma me* (Ps. 50, 10), assure en moi un esprit magnanime.

12. Exemple de doxologie dans l'A.T. : *Benedictus Dominus Deus Israël a sæculo et usque in sæculum : fiat, fiat* (Ps. 40, 14), « béni soit le Seigneur, le Dieu d'Israël, depuis toujours et à jamais : amen, amen. » Elle termine le premier livre du Psautier.

13. Le sujet de ce verbe au singulier serait le Fils, éternel comme le Père ; mais le sens liturgique est appliqué à l'éternité des trois Personnes.

Sempiterna sit beatæ
Trinitati gloria :
Æqua Patri Filioque,
Par decus Paraclito ;
Unius Trinique nomen
Laudet universitas.

Gloire éternelle à la bien-heureuse Trinité ; gloire égale au Père et au Fils ; honneur égal au Paraclet ; que l'univers entier célèbre le nom du Dieu unique en trois Personnes.

La doxologie primitive du « *Pange, lingua ... prœlium* » étant :

Gloria et honor Deo
Usquequaque altissimo,
Una Patri, Filioque,
Inclyto Paraclito ;
Cui laus est et potestas
Per æterna sæcula.

Gloire et honneur à Dieu en tous points le très-haut, ainsi qu'au Père, au Fils et au glorieux Paraclet ; à qui revient la louange et la puissance dans l'éternité.

Jesu, tibi sit gloria
Qui victor in cælum redis
Cum Patre et almo Spiritu
In sempiterna sæcula.

A vous la gloire, ô Jésus, qui retournez au ciel en vainqueur ; ainsi qu'au Père et au Saint-Esprit dans les siècles des siècles.

(mat. Ascens. ; la doxol. primitive étant :

Gloria tibi, Domine,
Qui scandis super sidera
Cum Patre et Sancto Spiritu...
Gloria Patri ingenito
Ejusque Unigenito,
Una cum Spiritu Sancto
In sempiterna sæcula.

qui vous élancez plus haut que les astres...

Gloire au Père inengendré et à son Fils unique, ainsi qu'au Saint-Esprit, dans les siècles des siècles.

(« *Christe, Redemptor omnium* », 1 nov.) ; modifiée ainsi :

Deo Patri sit gloria
Natoque Patris unico,
Sancto simul Paraclito,

(« *Placare, Christe, servulis* »).

Præsta, Pater piissime,
Patrique compar Unice,
Cum Spiritu Paraclito
Regnans per omne sæculum.

Assistez-nous, Père très bon, et vous, l'Unique égal au Père, avec l'Esprit Saint régnant dans tous les siècles.

(« *Rerum, Deus, tenax vigor* » ; et doxologie de nombreuses hymnes).

Laus et perennis gloria
Deo Patri et Filio
(modif. : *Patri sit atque Filio*)
Sancto simul Paraclito
In sempiterna sæcula.
(vesp. comm. un. mart.)

Louange et gloire éternelle au Père et au Fils, ainsi

qu'au Saint-Esprit pour les siècles éternels.

Deo Patri sit gloria
Ejusque soli Filio
Cum Spiritu Paraclito
Et nunc et in perpetuum

Gloire à Dieu le Père et à son Fils unique, avec l'Esprit Paraclet, et maintenant et à jamais.

(mod. : *Nunc et per omne sæculum*),

(laud. comm. un. mart.)

Genitori Genitoque
Laus et jubilatio,
Salus, honor, virtus quoque
Sit et benedictio ;
Procedenti ab utroque
Compar sit laudatio.

Au Père et au Fils louange et chants de joie, salut, honneur, puissance et bénédiction; pour Celui qui procède de l'un et de l'autre que la louange soit égale.

("*Pange, lingua... Corporis* ")

Sit rerum Domino jugis honor
Patri
Et Natum (¹⁴) celebrent ora
precantium
Divinumque supremis
Flamen (¹⁴) laudibus efferant.

Honneur sans fin au Père, le Seigneur du monde ; que nos voix suppliantes célèbrent le Fils, qu'elles exaltent par de suprêmes louanges l'Esprit divin.

(laud. 13 apr.)

Cf. *Laus Deo Patri, parilique Proli, et tibi Sancte studio perenni Spiritus, nostro resonet ab ore, omne per ævum* (ant. vesp. S. S. Trin.), pour Dieu le Père, pour le Fils son égal, et pour vous, Esprit Saint, que nos voix fassent retentir la louange dans un amour sans fin, par tous les siècles ;

celsi Genitoris **proles** *perpetua* (Miss. Goth. 11), descendance éternelle du Père tout-puissant.

---

14. On verra, au chap. Trinité, d'autres termes empruntés à la poésie classique, pour désigner les Personnes de la Trinité. En multipliant les citations, on trouverait des exemples plus ou moins heureux, inspirés par le désir de varier ou d'embellir les formules traditionnelles.

III

ACTES DE FOI, D'ESPÉRANCE ET DE CHARITÉ

§ 39 Nous étudierons, dans la IIIe partie, le vocabulaire et les notions concernant les trois vertus théologales. Il sera seulement question ici des formules exprimant ces trois mouvements. La prière les associe souvent ; on demande à Dieu leur accroissement en nous, aussi bien que leur infusion première (v. ex. *infunde*, § 46) :

ex. *da nobis fidei, spei et caritatis **augmentum*** (or. d. 13 p. Pent., Leon. 598), augmentez en nous la foi, l'espérance et la charité ;

*Fac me tibi semper magis **credere**, In te **spem habere**, te **diligere*** (« *Adoro te* »), accordez-moi de croire toujours davantage en vous, de mettre en vous mon espérance et de vous aimer ;

Quæsita jam fides Radicet altis sensibus (modif. *In corde radices agat*) ; *Secunda spes congaudeat, Qua major exstat caritas* (hymn. laud. fer. 6), que la foi, déjà acquise par nous, s'enracine la première au fond des cœurs, qu'ensuite l'espérance y ajoute sa joie, et surtout la charité qui la surpasse encore ;

in tuo amore concrescere (secr. p. grat. act.), vous aimer toujours davantage.

I. EXPRESSION DE LA FOI

§ 40 Dans l'Évangile, certaines déclarations éclatent soudain pour confesser la croyance en Jésus, Fils de Dieu :

ex. *respondens Simon Petrus dixit : Tu es Christus, Filius Dei vivi* (Mat. 16, 16), Simon Pierre répondit : Tu es le Christ, le Fils du Dieu vivant ;

respondit Thomas et dixit ei : Dominus meus et Deus meus (Jo. 20, 28), Thomas répondit : Mon Seigneur et mon Dieu.

Les invocations dont nous avons parlé et les appellations de Dieu ou du Christ, que nous verrons dans la deuxième partie, sont autant d'actes de foi en même temps que de louange ; de même celle-ci : *Tu Patris sempiternus es Filius* (« *Te Deum* »), c'est vous le Fils éternel du Père.

Mais le verbe qui exprime la foi et la croyance est normalement *credere*, employé à la première personne et construit soit avec le complément d'objet à l'accusatif, soit avec la préposition *in*, soit absolument :

ex. *qui ... Redemptorem nostrum ad cælos ascendisse **credimus*** (or. Ascens., Greg. 108, 1), qui croyons que notre Rédempteur est monté au ciel ;

Credo *quidquid dixit Dei Filius* (« *Adoro te* »), je crois tout ce qu'a dit le Fils de Dieu ;

credidi, *propter quod locutus sum* (Ps. 115, 1), j'ai cru, c'est pourquoi j'ai parlé (¹) ;

credo *in unum Deum ... (Credo)*. C'est le verbe utilisé dans les différents symboles (²) : symbole des apôtres (2e s.), symbole de Nicée.

Il peut être renforcé par l'adverbe *vere* : *qui vere eam Genitri-cem Dei* **credimus** (or. 25 mart., Greg. 31, 1), qui croyons vraiment qu'elle est la Mère de Dieu.

Credo peut exprimer une nuance d'espérance, comme le grec πιστεύω :

ex. **credo** *videre bona Dei* (Ps. 26, 13), je crois que je verrai la bonté de Dieu (³) ... Expression analogue avec *scio* : **scio et confido** *in Domino Jesu, quia ...* (Rom. 14, 14), je sais et j'ai confiance dans le Seigneur Jésus que ...

§ 41 Le verbe *confiteri* « reconnaître », que nous avons vu exprimer la louange, peut aussi formuler une profession de foi, témoin la profession de foi baptismale citée par saint Augustin : *te, Domine Jesu,* **confitens** *in remissionem pec-catorum* (Conf. 1, 11, 17), te confessant, Seigneur Jésus, pour la rémission des péchés. Et dans le *Credo* : **confiteor** *unum baptisma in remissionem peccatorum*. Dans le *Te Deum*, malgré la présence de *laudamus*, dans le premier membre de la phrase, on peut considérer les mots *te Dominum* **confitemur** comme un acte de foi, en même temps qu'une reconnaissance de Dieu en qualité de Maître et Seigneur : nous te confessons (comme) Seigneur. Voir des ex. de *confiteri* en ce sens, § 469 ; pour la confession du martyr, v. § 109.

Mais dans les formules liturgiques, ce n'est pas l'habitude d'employer *confiteri*, à la 1e personne du sing., pour exprimer un acte de foi. Exemple autre qu'à la 1e : *ut studeamus* **confiteri** *quod credidit* (postc. 9 oct.), pour que nous ayons à cœur de confesser ce qu'il a cru.

---

1. Le texte hébreu a un autre sens ; il s'agit ici de la traduction de la Vulgate et du sens des Septante, ainsi que le comprend saint Paul : « *credidi propter quod locutus sum* » *et nos credimus, propter quod et loquimur* (2 Cor. 4, 13),... et nous aussi nous croyons, c'est pourquoi nous parlons.

Chez les auteurs chrétiens, le parfait *credidi* exprime le début de la croyance dans laquelle on est resté fixé : ex. *multi autem eorum... crediderunt* (Act. 4, 4), et beaucoup parmi eux crurent ; *credidisse contenti* (Tert. Bapt. 1), s'étant contentés de croire.

2. Rappelons que *symbolum* (σύμβολος) correspond au mot latin *tessera*, signe de reconnaissance ; le 1er ex. de *symbolum* en ce sens se trouve chez Cyprien (Ep. 69, 7) ; cf. *contesserare*, échanger des liens d'hospitalité, (fig.) se reconnaître en communion avec (Tert. Præscr. 36).

3. Cf. *credo in Deum meum quod servum suum quem mihi promisit ostendet* (Hier. Vita Pauli 7), j'ai confiance en mon Dieu : il me montrera son serviteur, comme il me l'a promis.

ex. à la 1e pers. du pluriel : *qui conceptum de Virgine Deum verum et hominem* **confitemur** (secr. 25 mart., Greg. 31, 3), qui confessons que Celui que la Vierge a conçu est vraiment Dieu et homme ;

quem veraciter **confitemur** *Deum et Dominum angelorum* (Rot. Rav., Leon. app. 1349), que nous confessons comme vrai Dieu et Seigneur des anges.

§ 42 Autres verbes exprimant la profession de foi :

sicut illam (Mariam) tua gratia præveniente ab omni labe immunem **profitemur** (secr. 8 dec.), de même que nous proclamons que votre grâce prévenante l'a préservée de toute tache ; v. ex. § 469.

Te, Christe, solum **novimus** (hymn. laud. fer. 4), c'est vous seul, ô Christ, que nous connaissons.

Agnosco est plus fréquent en ce sens (v. ex. § 466) ; ainsi, en demandant la foi : *præsta propitius ut ... te veraciter* **agnoscamus** *et fideliter diligamus* (or. 5 ben. cand. 2 febr.), accordez-nous la grâce de vous connaître vraiment et de vous aimer fidèlement.

Les trois verbes *scire, noscere, credere* se trouvent associés dans la dernière strophe du *Veni, Creator* :

Per te **sciamus** *da Patrem,* **Noscamus** *atque Filium, Teque utriusque Spiritum* **Credamus** *omni tempore*, accordez-nous d'apprendre par vous le Père, de connaître le Fils, et de croire à jamais en vous-même, qui êtes l'Esprit de chacun des deux.

V. § 464 et suiv.

2. EXPRESSION DE L'ESPÉRANCE

§ 43 L'expression des sentiments d'espérance en Dieu est particulièrement fréquente dans les Psaumes :

ex. *in te, Domine,* **speravi** ; *non confundar in æternum* (30, 1 ; 70, 1 ; expression reprise dans le *Te Deum*), en toi, Seigneur, j'ai espéré ; je ne serai pas confondu à jamais ;

clamavi ad te, Domine ; dixi : tu es **spes** *mea in terra viventium* (141, 6), j'ai crié vers toi, Seigneur ; et j'ai dit : tu es mon espoir dans la terre des vivants ([1]) ;

ad te, Domine, levavi animam meam ; Deus meus, in te **confido** (24, 1 et 2), vers toi, Seigneur, j'ai élevé mon âme ; ô mon Dieu, en toi j'ai confiance ;

sustinuit ([2]) *anima mea in verbo ejus* (129, 4), j'ai compté sur sa parole ;

expectans **exspectavi** *Dominum* (39, 1), plein d'espoir, j'ai attendu le Seigneur ;

---

1. C'est-à-dire « ici-bas » ; mais, dans le Psaume 26, l'Église applique cette expression à la vie future.

2. Pour *sustinere*, au sens de « attendre », voir le Dict.

Dominus firmamentum ([3]) *meum et refugium meum et liberator meus ; Deus meus adjutor meus et* **sperabo** *in eum* (17, 3), le Seigneur est ma forteresse et mon refuge et mon libérateur ; c'est mon Dieu et mon soutien, et je placerai en lui mon espoir.

Voir d'autres ex. au chp. IV, et, dans la IIe partie, la bonté divine.

§ 44 Dans les textes liturgiques, suivant l'enseignement du N.T., l'acte d'espérance exprime plus spécialement le désir et l'attente ([4]) des biens spirituels *quæ non videntur* (2 Cor. 4, 18), surtout de la béatitude éternelle, grâce aux mérites de Jésus-Christ et en se fondant sur ses promesses (v. aussi les ex. du § 470).

Les termes utilisés sont, non seulement *spes* et *sperare*, mais aussi *confido, fiducia* ([5]), *fides :*

justificati ergo ex fide pacem habeamus ad Deum per Dominum nostrum Jesum Christum, per quem et habemus accessum per **fidem** *in gratiam istam in qua stamus et gloriamur in* **spe** *gloriæ filiorum Dei* (Rom. 5, 1 et 2), justifiés donc par la foi, soyons en paix avec Dieu par notre Seigneur Jésus-Christ ; grâce à lui nous avons accès par la foi à cette faveur dans laquelle nous sommes fermement établis et nous nous glorifions dans l'espérance de la gloire des fils de Dieu ;

fiduciam *talem habemus per Christum ad Deum, non quod sufficientes simus cogitare aliquid a nobis, quasi ex nobis, sed sufficientia nostra ex Deo est* (2 Cor. 3, 5), telle est l'assurance que nous avons par le Christ à l'égard de Dieu, non que nous soyons capables de revendiquer quelque chose comme venant de nous, mais c'est Dieu qui nous en rend capables.

Exemples tirés des oraisons : *te supplices exoramus, ut* **spem** *nostram in te firmiter collocemus* (secr. m. « *Domine Deus* », comm. sanc. p. al. loc.), nous vous demandons en suppliant de pouvoir placer en vous notre ferme espoir ; cf. *spem suam in tua misericordia collocantes* (Greg. 200, 23) ;

omnipotens sempiterne Deus, **spes** *unica mundi* (or. sabb. sc. p. proph. 12, vet. ord.), ô Dieu éternel et tout-puissant, unique espoir du monde ;

quæ (familia tua) sola **spe** *gratiæ cælestis innititur* (or. d. 5 p. Epiph., Greg. 51, 4), qui place uniquement son appui dans l'espoir de la grâce céleste ;

---

3. Ce terme biblique est employé une fois dans une oraison : *præsta ut hoc sacramentum... sit contra omnia mundi pericula firmamentum* (postc. p. vivis et def.),... soit notre assurance contre tous les périls du monde.

4. Cf. *firma... exspectatio futurorum* (or. sabb. sc. vet. ord., Gel. I, 43, 437).

5. Cf. *fiducialiter*, avec confiance (or. ad pet. pluv., Leon. 1111 ; secr. 14 aug., Greg. 147, 2).

Deus, in te **sperantium** *fortitudo* (or. d. 1 p. Pent., Gel. I, 62), ô Dieu, force de ceux qui espèrent en vous ;

protector in te **sperantium**, *Deus* (or. d. 3 p. Pent., Leon. 534 ; cf. Ps. 17, 31), ô Dieu, protecteur de ceux qui espèrent en vous ;

da populis tuis ... id **desiderare** *quod promittis* (or. d. 4 p. Pasch., Gel. I, 59), accordez à vos peuples de désirer ce que vous promettez (le ciel) ;

tribue, quæsumus, nobis, ut ad promissiones tuas sine offensione **curramus** ([6]) (or. d. 12 p. Pent., Gel. ap. Leon. 574), accordez-nous de courir sans trébucher vers les biens que vous nous avez promis ;

qui ... de tua virtute **confidimus** (or. 21 aug., Greg. 64, 4), qui avons confiance en votre force ;

qui in tua protectione **confidimus** (sup. pop. fer. 6 p. d. 3 Quadr.) ; *de tua protectione* **confidimus** (Greg. 57, 4; mais *confidere in* est aussi fréquent dans ce Sacramentaire) ;

qui in defensione tua **confidimus** (postc. 28 jun.) ; *qui defensione tua* **fidimus** (Gel. III, 56, 1476).

§ 45 Dans les hymnes, l'espérance est personnifiée par le Christ :

O crux, ave, **spes** *unica* (« *Vexilla regis* »), nous vous saluons, ô croix, notre espérance unique ;

Surrexit Christus, **spes** *mea* (« *Victimæ paschali laudes* »), il est ressuscité, le Christ, mon espérance ;

Jesu, dulce refugium, **spes** *una pænitentium* (laud. 22 jul.), Jésus, notre doux refuge, unique espérance des pénitents (modif. *Jesu, medela vulnerum*) ;

Fiat misericordia tua, Domine, super nos, quemadmodum **speravimus** *in te (Te Deum)*, que votre miséricorde descende sur nous, Seigneur, comme en vous nous avons espéré.

Pour l'espérance du Messie, v. § 177 et suiv.

L'abandon à Dieu est une forme de la confiance et de l'espérance : *in manus tuas commendo spiritum meum* (Ps. 30, 6), entre tes mains, je remets mon esprit. C'est aussi la suprême prière du Christ sur la croix (Luc. 23, 46), et elle est répétée à la fin du jour, à Complies de l'office romain.

3. EXPRESSION DE LA CHARITÉ ET DE L'AMOUR ENVERS DIEU

§ 46 En dehors des substantifs *caritas, dilectio, amor, pietas, devotio*, et des verbes *diligere, amare*, de nombreuses expressions figurées traduisent ce sentiment.

---

6. *Currere* est fréquent dans le Sacramentaire Léonien pour exprimer l'aspiration vers les promesses divines (voir Index du No 65 de la Collection « Sources chrétiennes » : Gélase I).

Dans l'Évangile de saint Jean (21, 15-17), la triple inter-rogation de Jésus à Pierre : *diligis me ?* (ἀγαπᾷς) ... *amas me ?* (φιλεῖς) semble donner un sens plus fort à ce dernier verbe. Dans le latin biblique, *diligere* est plus fréquent que *amare* ; dans le latin patristique et liturgique, les deux verbes ont le même sens, de même que *dilectio* et *amor*.

Les oraisons expriment l'amour de Dieu moins comme une affirmation que comme une prière ; car nous ne pouvons l'obte-nir que par la grâce :

ex. *sancti nominis tui, Domine,* **timorem** ([1]) *pariter et* **amorem** *fac nobis habere perpetuum, quia nunquam tua guber-natione destituis, quos in soliditate tuæ* **dilectionis** ([2]) *instituis* (or. d. 2 p. Pent., Gel. I, 65), inspirez-nous, Seigneur, la crainte en même temps qu'un amour sans fin de votre saint nom, puisque jamais votre providence n'abandonne ceux que vous établissez solidement dans votre dilection ;

ut ... te sincere **diligere** *valeamus* (postc. ad repell. mal. cog.), pour que nous soyons capables de vous aimer sincèrement ; cf. *perfecte diligere* (or. m. ad postul. grat.).

Les expressions *tua dilectio, tui nominis amor* sont très fréquentes dans les oraisons :

ex. *insere pectoribus nostris* **amorem tui nominis** (or. d. 6 p. Pent., Gel. III, 2), faites entrer dans nos cœurs l'amour de votre nom ;

spiritum nobis **tuae dilectionis** *infunde* (or. 18 jul.), répan-dez en nous l'esprit de votre amour ;

in tua **dilectione** *permanentes* (Gel. 1, 81), demeurant dans votre amour.

De même que *devotionis affectus, pietatis affectus, caritatis affectus, amoris affectus* :

ex. *tribue nobis ... illum* **pietatis** *et humilitatis* **affectum** (postc. 22 jun.), accordez-nous cet esprit d'amour et d'humilité (celui de s. Paulin) ;

ut ... piæ **devotionis** *erudiamur* **affectu** (or. m. « *Dilexisti* », Leon. 1186), afin qu'elle (cette vierge) nous enseigne les senti-ments d'une ardente piété ;

da cordibus nostris inviolabilem **caritatis affectum** (or. m. ad postul. car., Gel. III, 21), inspirez à nos cœurs un inébranlable sentiment de charité ; *caritatis affectum* (Leon. 602 et 675) ;

infunde cordibus nostris tui **amoris affectum** (or. d. 5 p. Pent., Gel. III, 1), répandez dans nos cœurs le sentiment de votre amour.

---

1. Voir *timor, metus, metuere*, § 473.

2. Il est sans doute inutile de faire remarquer que des expressions comme *caritas tua, dilectio tua, caritas divina* ou *Dei* et similaires présentent tantôt le sens subjectif, tantôt le sens objectif. En ce qui concerne l'amour de Dieu pour nous, v. § 147 et suiv.

Le mot *caritas* est déterminé : **caritate divina** *firmati* (postc. p. sal. viv., Gel. II, 106), fermement établis dans l'amour de Dieu ; cf. *in caritate radicati* (Ephes. 3, 17) ; **caritatis tuæ** *dulcedine perfusi* (or. 29 jun.) pénétrés de la douceur de votre charité ; cf. *nostramque conscientiam caritatis tuæ dulcedine redde purissimam* (Moz. Lib. sacr. 22) ;

ou employé absolument : *te verum Deum perfecta* **caritate** *diligere* (secr. S. Jos. Patron. Eccl.), vous aimer, vous, le vrai Dieu, avec une parfaite charité ; *perfectæ* **caritatis** *sacrificium* (secr. 22 jun.), l'offrande de la charité parfaite.

Cette charité parfaite consiste à aimer Dieu en toutes choses et par-dessus toutes choses : *te in omnibus et super omnia diligentes* (or. d. 5 p. Pent., Gel. III, 1).

§ 47 L'amour de Dieu ne se sépare pas de l'amour de ses commandements : *fac nos amare quod præcipis* (or. d. 13 p. Pent.; *quæ præcipis*, Leon. 598), faites que nous aimions ce que vous ordonnez ; *da populis tuis amare quod præcipis* (or. d. 4 p. Pasch., Gel. I, 59).

Que cet amour croisse dans nos cœurs : *ut ... in tuo* **amore** **crescamus** (postc. Rogat., Greg. 100, 9), que nous grandissions dans votre amour ; cf. *pietatis* **incrementum** (postc. 27 aug.), accroissement de piété ; v. *augmentum, § 39* ;

da ut ... tua in cordibus nostris caritas jugiter **augeatur** (or. 10 jun.), faites que dans nos cœurs votre amour grandisse sans cesse ;

da ... ut ... (hæc solemnitas) devotionem nobis **augeat** (or. 13 aug., Greg. 145, 1), faites que cette solennité augmente notre piété ;

ou qu'il soit affermi : *nos per gratiam tuam in fide et caritate* **confirma** (or. 24 apr.), affermissez par votre grâce nos sentiments de foi et de charité.

Les dispositions intérieures qui nous permettent de nous ouvrir au sentiment de la charité sont exprimées, dans les oraisons du Missel (passim), par des locutions comme *pura mente* (Leon. 1084 ; Greg. 53, 3), d'un cœur pur ; *puris mentibus* (Leon. 76 ; Greg. 194) ; *puris sensibus et mentibus* (Leon. 967) ; *puro corde* (Gel. III, 13) ; *devota mente* (Gel. III, 50) ; *devotis mentibus* (Leon. 1125) ; *devote* (Greg. 91, 5) ; *devotius* (Leon. 1316) ; *pie* (Leon. 103 etc.), religieusement, pieusement ; *dilatato corde* (postc. 26 nov. ; secr. 13 mai.), de grand cœur ; *pura mente ac fervido corde* (secr. comm. plur. conf. non pont. p. al. loc.), d'un cœur pur et d'une âme fervente ; *toto corde* (or. 17 oct., Leon. 4 etc.), de tout cœur ; *perfecta corporis et animæ devotione* (secr. Dedic., Greg. suppl. Alc. 196), en étant, corps et âme, parfaitement à vous; v. *devotio, devotus, affectus, § § 21, 46* et dans tout le cours de cet ouvrage.

Pour traduire l'adjectif *pius* ([3]), notre épithète « pieux » a souvent un sens trop faible : ex. *pia devotione*, ardente charité ; *pia deprecatio, petitio*, demande fervente.

§ **48** Il nous reste à passer en revue les principales expressions figurées qui traduisent l'amour mystique :

quoniam zelus domus tuæ **comedit** *me* (Ps. 68, 10), le zèle de ta maison me dévore ;

sitivit *anima mea ad Deum* (Ps. 41, 3), mon âme a soif de Dieu ; cf. *sitivit in te anima mea* (Ps. 62, 2) (noter la valeur expressive de ces prépositions) ;

concupiscit et deficit *anima mea in atria Domini* (Ps. 83, 3), mon âme languit de désir vers les parvis du Seigneur ;

quemadmodum **desiderat** *cervus* **ad fontes** *aquarum, ita desiderat anima* ([4]) *mea ad te, Deus* (Ps. 41, 2), comme languit le cerf après les fontaines, ainsi mon âme languit vers toi, mon Dieu ;

concede ... ut ... fontem vitæ **sitiamus** (or. ben. font. vig. Pent., Greg. 84, 5), faites que nous ayons soif de la source de vie ([5]).

Les métaphores les plus nombreuses évoquent le « feu » de l'amour divin ([6]) :

præbeant nobis ... divinum tua sancta **fervorem** (postc. fer. 2 Maj. Hebd., Greg. 74, 3), que vos saints mystères nous communiquent une ardeur divine ;

nos ... **flammis adure** *divinæ caritatis* (secr. fer. 5 p. oct. S. S. Cor. Jes. p. al. loc.), brûlez-nous des flammes de votre divine charité ; v. *ure ...* § 283 fin ;

spiritum in nobis tuæ dilectionis **accende** (secr. 22 mart. p. al. loc.), excitez en nous le souffle de votre amour.

Cet impératif *accende*, de même que *accendat, succensus*, est assez fréquent dans les oraisons ([7]) et les hymnes :

ex. *ut corda nostra* **ignis** *ille divinus* **accendat** ... (secr. 22 aug.), que ce feu divin enflamme nos cœurs ;

cælestibus desideriis **accensi** (or. ben. font. vig. Pent. ([8]),

---

3. Autre sens de *pius* : bon, v. Bonté de Dieu, § 149 - orthodoxe, v. § 16.

4. Dans les traductions bibliques, *anima* équivaut souvent au simple pronom personnel : ex. *ut... benedicat tibi anima mea* (Gen. 27, 4), afin que je te bénisse.

5. Cf. *beati qui esuriunt et sitiunt justitiam* (Mat. 5, 6). Mais le ton plus lyrique de cette oraison, comme celle de la vigile pascale, est provoqué par le fait que l'une et l'autre font suite à la récitation du Ps. 41 ; cf. *sicut cervus aquarum tuarum expetit fontem... fidei ipsius sitis* (or. ben. font. vig. Pasch., Gel. I, 43, 442),... son ardente soif de la foi.

6. Image inverse : *frigescente mundo* (or. 17 sept.), dans la froideur du monde. A la fin du monde, la charité se refroidira : *refrigescet caritas multorum* (Mat. 24, 12).

7. Mais non habituel dans les Sacramentaires (v. § 49). Si l'on trouve *accendere* au sens figuré dans le Léonien, c'est au sens class. de « exciter à » : ex. *ad gratiarum actionem a.* (487).

8. Voir note 7.

Greg. 84, 5), enflammés des désirs du ciel ; cf. *cœlestibus desideriis **inflammari*** (or. 1 ben. nov. ign. vig. Pasch.) ;

*sancto igne dulcissimæ caritatis tuæ **succensi*** (or. 2, 2 febr. ben. cand.), enflammés du feu sacré de votre doux amour.

Exemples analogues : *quo (igne amoris) beatæ N. cor vehementer **incendit** et **flammis adussit** æternæ caritatis* (secr. 21 aug.), dont son cœur a brûlé ardemment et qui l'a consumée dans les flammes de l'éternelle charité ;

*divini amoris **igne flagrare*** (or. 22 mart. p. al. loc.), brûler de la flamme de l'amour divin ;

*illo nos **igne**, q. D., Spiritus sanctus **inflammet** quem ...* (or. 2 sabb. Quatr. T. Pent., Greg. 117, 2), que l'Esprit Saint nous enflamme de ce feu qui ... ;

***Flammescat igne** caritas* (hymn. dom. tert.), que brûle la flamme de la charité ;

*Jesum ardenter quærite, Quærendo **inardescite*** (hymn. mat. S. S. Nom. Jes.), cherchez Jésus avec ardeur, enflammez-vous dans cette recherche ;

*nos ejus intercessio in tuo semper faciat amore **ferventes*** (or. 4 nov.), que son intercession réchauffe toujours notre amour pour vous ;

*quo (igne divino) ... beata Margarita Maria **æstuavit*** (secr. 17 oct.), dont brûla la bienheureuse Marguerite-Marie ;

*ut apud te mens nostra **tuo desiderio fulgeat*** (or. fer. 3 p. d. 1 Quadr., Greg. 40, 1), que notre âme, en vous désirant, resplendisse à vos yeux.

La blessure de l'amour divin : *Deique amore **saucius*** (hymn. mat. 18 mai.), blessé de l'amour divin ;

*Christi amore **saucia*** (laud. comm. non virg.) (modif. *sancto amore*).

§ **49** Formules diverses exprimant les aspirations de la charité :

*corda nostra, caritatis igne succensa, ad te jugiter **adspirent*** (secr. 15 aug., oct. 1950), que nos cœurs, enflammés du feu de la charité, aspirent sans cesse vers vous ;

*in **amplexu** tuæ crucis* (or. 16 oct.), en embrassant votre croix ; cf. *amplecti*, § 120 ;

*tibi perpetua caritate **adhærere*** (or. 23 oct. p. al. loc.), nous attacher à vous d'un amour sans fin ; cf. *mihi **adhærere** Deo bonum est* (Ps. 72, 28), m'attacher à Dieu, c'est pour moi le bonheur ; ***adhæsit** anima mea post te* (62, 2) (⁹) ;

*toto desiderio ad supernam patriam **anhelant*** (Greg.-M. Hom. ev. 12, lect. 9, 21 jan.), de tout leur désir, ils aspirent à la patrie céleste ;

---

9. Cf. *anima adhæsione Dei digna creata est* (Ps.-Aug. Serm. app. 5, 4), l'âme a été créée digne de s'attacher à Dieu. *Adhærere* s'emploie aussi en parlant de l'amour profane : Gen. 2, 24 ; 34, 8 ; 1 Cor. 6, 16.

*nos quoque ad te ipsum **trahe*** (Miss. Gall. 22, 117 ; cf. Jo. 12, 32), et nous aussi attirez-nous vers vous ;

*fac me cruce **inebriari*** (« *Stabat Mater* »), faites que je sois enivré de la croix.

Le ton de la mystique médiévale révèle plus d'abandon, une sorte de tendresse lyrique :

ex. *transfige, dulcissime Domine Jesu, medullas et viscera animae meae suavissimo ac saluberrimo amoris tui vulnere* (or. S. Bonav.), transpercez, ô Jésus, mon doux Seigneur, la moelle intime de mon âme de la douce et salutaire blessure de votre amour ;

dabo omnes margaritas, cogitationes et affectiones meas commutabo, et comparabo illam mihi, jactans omne cogitatum meum in Cor Domini Jesu et sine fallacia illud me enutriet (S. Bonav. lect. 4, S. S. Cord. Jes.), je donnerai toutes les perles, j'échangerai toutes mes pensées et toutes mes affections pour acquérir celle-ci (la précieuse perle de son cœur), je confierai tout mon souci au cœur du Seigneur Jésus et sans faute il me nourrira (cf. Ps. 54,25). ([10])

Il s'agit naturellement ici d'effusions personnelles, à la première personne du singulier ([11]), tandis que, dans les oraisons officielles, c'est le « nous » qui est de rigueur. Néanmoins l'on peut remarquer qu'une certaine douceur et familiarité mystique des premiers temps du christianisme ([12]) est devenue moins de mise à l'époque des controverses trinitaires et christologiques : il fallait définir et affirmer d'une manière révérencielle la consubstantialité du Père et du Fils, les deux natures du Christ, vrai Dieu et vrai Homme. Les hymnes de saint Ambroise sont des prières certes, mais aussi des affirmations dogmatiques, ainsi que les Sacramentaires des siècles suivants. N'y avaient pas de place les effusions personnelles, telles que le cri de saint Paul : *desiderium habens dissolvi et esse cum Christo* (Philipp. 1, 23), « désirant la mort pour être avec le Christ », ou les émouvants appels à Dieu ([13]) des Confessions de saint Augustin.

§ 50 A partir du Moyen-Age ([14]), se font entendre des ac-

---

10. Hébraïsme : *jactare in* ou *super*, rejeter sur, abandonner à : ex. *jacta in Dominum curam tuam...* (Ps. 54, 25, ap. Aug. Tr. ev. Jo. 23, 11-Vulg. *super*).

11. Les liturgistes distinguent « prière individuelle » et « prière collective ». A noter toutefois que ce n'est pas le seul emploi de la 1e pers. du sing. qui fait regarder une prière comme individuelle : ainsi le « je » du psalmiste, dans la bouche des chrétiens, formule une prière collective et catholique.

12. παῖς, τέκνον, au lieu de υἱός, *Puer* au lieu de *Filius tuus* — le Bon Pasteur, dans les peintures des catacombes — une expression telle que *fabulari cum Deo* (Pass. Perp. 4), converser avec Dieu.

13. Pas encore à l'humanité du Christ, comme les mystiques du M.-A.

14. A noter aussi, dès le 5e s., l'hymne alphabétique de Sédulius : *A solis ortus cardine*, dont une strophe est citée plus loin.

cents d'un ton plus personnel ou d'une simplicité plus émue ; et ces poèmes ont trouvé place dans la prière publique. En particulier, sans parler du culte de la Sainte Vierge, qui fera l'objet d'un autre chapitre et qui n'est pas sans rapport avec ceci, on a senti davantage l'humanité du Christ ; les cœurs se sont émus devant la merveille de l'Enfant-Dieu, devant le drame du Calvaire. Les théologiens et les mystiques ont compris l'inouï, parmi notre pauvre humanité, de cette Présence que l'on adore dans le Saint Sacrement. Était-ce une nouveauté ? plutôt la compréhension plus vive de ce qui fait la transcendance du christianisme par rapport aux autres religions : « Dieu avec nous ».

Une simple étude de vocabulaire n'a pas pour but de résumer l'évolution du sentiment religieux chrétien ni l'histoire de l'introduction des fêtes nouvelles dans la liturgie jusqu'à nos jours. Je voudrais seulement noter un aspect stylistique de cette évolution : à savoir la familiarité accrue [15] du langage affectif de la prière ; et pour cela, citer quelques-unes des expressions latines qui la traduisent dans les chants liturgiques et quelquefois les oraisons.

Jésus-enfant et l'émerveillement de Noël :

Fœno jacere pertulit,	Il a accepté un lit de foin et
Præsepe non abhorruit ;	n'a pas eu horreur d'une
Parvoque lacte pastus est	simple crèche ; d'un peu de

---

15. Voici dans le Sacramentaire Gélasien (copié en Gaule dans la 1e moitié du 8e s., mais d'origine romaine sauf quelques additions) un exemple qui semble isolé : *lacta, mater, cibum nostrum, lacta panem de caelo venientem, in præsepio positum velut piorum cibaria jumentorum* (I, 9), « allaite, mère, celui qui sera notre nourriture, allaite le pain descendu du ciel, que voilà placé dans une crèche, comme la nourriture des bons animaux ». Cette formule est pourtant d'origine romaine (consulter : A. Chavasse, *Le Sacramentaire Gélasien*, p. 212), mais inspirée par le Sermon 369 de saint Augustin, authentifié par dom Lambot : *lacta, mater, cibum nostrum... velut piorum cibaria jumentorum.* C'est un exemple de ce que les liturgistes appellent « centonisation patristique » (P. Radó, p. 82).
Mais en général les historiens de la liturgie font remarquer le contraste qui existe entre la sobriété des formules romaines et l'exubérance plus lyrique des liturgies gauloises ou wisigothiques. On donne comme exemple l'*Exsultet* avec la longue préface qui le suit, que le Missel Romain a emprunté au Missel Gallican (25, 132-134), avec certaines variantes (entre autres, l'éloge de l'abeille n'a pas été retenu). A rapprocher de la *benedictio cerei* (Ennod. Opusc. 9).
Le même Missel Gallican pourrait fournir un exemple de cet épanchement du langage affectif qui se répand en de longues oraisons, dans l'*oratio ad nonam* du Vendredi-Saint : *O salutaris hora passionis... maxima horarum hora. Hac nunc tu, noster dilecte Sponse, osculare de cruce... Osculare, precamur, salutare tuum impertire nobis, triumphator mirabilis, auriga supreme...* (22, 118), heure salutaire de la Passion, la plus grande de toutes les heures. En celle-ci, maintenant, ô notre Époux bienaimé, embrasse-nous du haut de la croix... Un baiser, nous t'en prions ; accorde-nous ton salut, noble triomphateur, aurige suprême...
Cf. *osculetur nos ab osculo oris sui* (Cant. 1, 1) *pacis magister et conditor* (or. ad pacem, Miss. Goth. 269), qu'il nous donne un baiser de ses lèvres, le maître et fondateur de la paix.

(modif. *Et lacte modico*).
Per quem nec ales esurit.
(Sedul. laud. Nat. Dom.)

lait il s'est nourri, Lui, grâce
à qui l'oiseau même n'a pas
faim

Vagit infans inter arcta
Conditus præsepia ;
Membra pannis involuta
Virgo Mater alligat,
Et manus pedesque et crura
(modif. *Et Dei manus pedes-*
que.)
Stricta cingit fascia.
(Fortunat, "Pange, lingua")

Il vagit, l'enfant, installé sur
une étroite mangeoire ; la
Vierge Mère enserre ses membres enveloppés de langes ;
les mains et les pieds et les
jambes, voilà qu'elle les ceint
de bandelettes serrées.

Le saint nom de Jésus :

Nil canitur suavius,
Nil auditur jucundius,
Nil cogitatur dulcius,
Quam « Jesus » Dei Filius.

On ne peut rien chanter de
plus suave, rien entendre de
plus joyeux, rien imaginer de
plus doux que le nom de Jésus,
le Fils de Dieu.

(hymm. "Jesu, dulcis memoria", 2 vesp. S.S. Nom. Jes.; cf.
hymm. laud. ibid.).

A rapprocher aussi du sermon de saint Bernard, cité le
même jour (lect. 6) : *Jesus, mel in ore, in aure melos, in corde*
jubilus, « Jésus », c'est un miel sur nos lèvres, une mélodie à
nos oreilles, un cri de joie dans nos cœurs.

§ 51 Le drame sanglant de la Passion et la « compassion »
chrétienne :

Flecte ramos, arbor alta,
Tensa laxa viscera
Et rigor lentescat ille,
Quem dedit nativitas,
Et superni membra Regis
Miti tendas stipite.
(modif. *Tende miti stipite*)

Courbe tes branches, ô grand
arbre, détends tes fibres rigi-
des, adoucis la rigueur que t'a
donnée la nature, pour allon-
ger sur un tronc plus doux les
membres du Roi des cieux.

(« *Pange, lingua* », Fort. ; 9e str. ; hymne partagée en deux
parties dans la liturgie de la Psasion : v. *Lustris sex*, mod.
Lustra sex).

Jesu, dulcis amor meus,
Ac si præsens sis, accedo ;
Te complector cum affectu,
Tuorum memor vulnerum.

Jésus, mon doux amour, comme si vous étiez présent, je
m'approche ; je vous serre
affectueusement dans mes
bras, me souvenant de vos
blessures.

(hymn. laud. De S.S. Sindone D.N.J.C.)

Quot Jesus in prætorio
Flagella nudus excipit !

Quot scissa pellis undique
Stillat cruoris guttulas !

Que de coups de fouet Jésus reçoit dans le prétoire sur son corps exposé à nu ! Combien de gouttes de sang ruissellent de partout sur sa peau déchirée !

(hymm. laud. Pretiosi Sang. D.N.J.C.)

Fac me tecum pie flere,
Crucifixo condolere,
Donec ego vixero.

Accordez-moi de mêler aux vôtres mes larmes ferventes, de souffrir avec le Crucifié, jusqu'à mon dernier souffle.

(« *Stabat Mater* », qui pourrait être cité ici en entier).

Les oraisons de la messe du Sacré-Cœur sont d'une expression plus tendrement affective que les oraisons traditionnelles :

ex. *Deus, qui, nobis, in corde Filii tui, nostris vulnerato peccatis, infinitos dilectionis thesauros misericorditer largiri dignaris* (coll.), ô Dieu, qui, dans le cœur de votre Fils blessé par nos péchés, daignez nous accorder avec miséricorde des trésors infinis de charité ;

dulcissimi Cordis tui suavitate percepta (postc.), ayant goûté la douceur de votre Cœur très bon.

Et dans l'hymne des 2es vêpres :

Ex Corde scisso Ecclesia,
Christo jugata, nascitur.

De ce Cœur déchiré naît l'Église, l'épouse du Christ.

(Voir aussi les litanies du Sacré–Cœur.)

IV

DIFFÉRENTS ASPECTS DE LA PRIÈRE

Le mode grammatical de la prière est le subjonctif ou l'impératif, le premier étant plus humble, et le second plus pressant, bien que cette distinction ne se vérifie pas absolument partout.

1. LES EXPRESSIONS ANTHROPOMORPHIQUES

§ **52** Écoute, entends, regarde, étends les bras, souviens-toi, oublie, arrête ta colère, lève-toi, etc.

Un grand nombre de formules anthropomorphiques du psalmiste, implorant le Seigneur, sont devenues, avec beaucoup d'autres, les expressions figurées et symboliques dont notre langage terrestre a besoin pour supplier le Tout-Puissant, invisible et pur Esprit.

a) Écoute :

ex. *verba mea* **auribus percipe**, *Domine* (Ps. 5, 2), entends ma voix, Seigneur ;

aurem *tuam, q., D., precibus nostris* **accommoda** (or. d. 3 Adv., Greg. 188, 1), prêtez l'oreille à nos prières ;

aurem *tuæ pietatis* **inclina** *precibus nostris* (or. 3 ben. cin.) ; **inclina**, *Domine,* **aurem** *tuam ad preces nostras* (or. p. un. def., Gel. III, 104) ; *aurem i.* (Ps. passim) ;

pateant aures *misericordiæ tuæ ... precibus supplicantium* (or. d. 9 p. Pent., Gel. III, 5), que vos oreilles s'ouvrent miséricordieusement à nos prières suppliantes ;

præbe *supplicantibus pium benignus* **auditum** (or. fer. 4 p. d. Pass., Leon. 866), prêtez à nos supplications l'attention bienveillante de votre bonté ;

Aurem *benignam protinus* **Appone** *nostris vocibus* (hymn. laud. comm. pl. mart.), prêtez bien vite à nos paroles une oreille bienveillante (modif. *Intende nostris ...).*

Intendere signifie : tendre, tourner, diriger (son attention, ses yeux, ses oreilles vers) avec *in* ou *ad* chez les classiques, plus souvent avec le datif chez les auteurs chrétiens. Sans les mots *aurem, aures* ou similaires, ce verbe en est venu à signifier (trans.) : regarder avec bienveillance, prêter une oreille bienveillante à, écouter, entendre, avec *benignus* ou épithètes similaires :

ex. **intende deprecationem** *meam* (Ps. 16, 1), entends ma prière ;

devotionem *populi tui ... benignus* **intende** (or. fer. 4 Quat. T. Quadr., Greg. 41, 2), regardez favorablement la piété de votre peuple ; *intende munera, hostias* (secr. passim), regardez favorablement nos dons, nos offrandes ; *ut sacrificia nostra, Domine, propitiatus intendas* (Leon. 787), afin que vous regardiez nos offrandes d'un œil propice ;

intende vota, supplicationes (or. passim) ; *placatus, propitiatus, benignus intende* (Leon. passim).

Le même verbe est intransitif, en sous-entendant *oculos aures, mentem* :

ex. *intende voci orationis meæ* (Ps. 5, 3), écoute la voix de ma prière ; ou *intende in vocem deprecationis meæ* (Ps. 129, 2) ;

Intende votis supplicum (hymn. « *Creator alme siderum* »), écoutez les vœux de ceux qui vous supplient ;

Intende nostris sensibus (laud. fer. 4), prêtez une oreille attentive à nos vœux ;

sacrificiis præsentibus ... placatus intende (secr. d. 2 Quadr. et passim), regardez favorablement les offrandes que nous présentons. *Placatus intende* est très fréquent dès le Sacramentaire Léonien. Pour ces verbes et les suivants, voir le saint sacrifice, § 245-248.

Attendere, moins fréquent, peut avoir le même sens :

ex. *attendit voci deprecationis meæ* (Ps. 65, 19), il a entendu la voix de ma prière ;

ad humilitatis meæ preces placatus attende (Leon. 964), écoutez avec bienveillance mes humbles prières ; cf. *attende, Domine, ad me* (Jer. 18, 19) ; *Domine, ... faciem sanctorum tuorum attende* (Judith 6, 15), tourne un visage favorable vers tes saints ; cet impératif est employé aussi d'une façon absolue dans la Vulgate ; cf. le chant pour le temps du Carême : *attende, Domine et miserere.*

§ 53 *Audire*, écouter, entendre et *exaudire*, écouter à fond, exaucer :

ex. *vocem meam audi secundum misericordiam tuam, Domine* (Ps. 118, 149), entends ma voix, Seigneur, en ta miséricorde ;

audi, Domine, populum tuum (Leon. 302; pas d'ex. de *audi* dans les oraisons de notre Missel) ; cf. *auditi* (var. *adjuti*), exaucés (Greg. 201, 26) ;

Audi, benigne Conditor, Nostras preces cum fletibus (hymn. sabb. 1 Quad., etc.), écoutez, ô bienveillant Créateur, nos prières accompagnées de larmes ;

Christe, audi nos (litan.).

Propterea exaudivit Deus (Ps. 65, 19), aussi Dieu m'a exaucé ;

exaudi orationem meam (Ps. 4, 2) ;

exaudire preces, deprecationes, supplicationem (or. passim) ;

preces populi tui ... clementer exaudi (or. Septuag. et passim), écoutez avec bonté les prières de votre peuple (v. plus loin d'autres verbes signifiant : exaucer accorder) ; expression analogue : *intellige* clamorem meum (Ps. 5, 2), comprends mon appel ;

ex. avec l'accusatif de la personne : *quos* **exaudire** *dignatus es* (secr. p. grat. act.), que vous avez daigné exaucer ; *misericordiam tuam humiliter implorantes clementer* **exaudi** (Leon. 390), dans votre clémence, écoutez ceux qui implorent humblement votre miséricorde.

§ **54** Pour que la prière soit entendue, il faut qu'elle monte et se dirige tout droit vers le ciel : **dirigatur**, *Domine, oratio mea, sicut incensum, in conspectu tuo* (Ps. 140, 2), que ma prière, Seigneur, monte devant toi comme la fumée du sacrifice ;

ascendant *ad te, Domine, preces nostræ* (sup. pop. fer. 3 p. d. 1 Quadr. et passim, Greg. 40, 4), que nos prières montent vers vous, Seigneur.

§ **55** b) Le regard de Dieu

Dieu nous voit : *in conspectu tuo, in conspectu Dei* (Ps. passim) ; *de cælo prospexit* (Ps. 13, 2), du haut du ciel il a jeté un regard sur ... ; *humilia respicit* (Ps. 112, 2), il abaisse son regard vers les humbles choses de la terre. Voir aussi les mots *facies, vultus* dans les Psaumes, § 165.

C'est pourquoi on implore ce regard et l'attention miséricordieuse de Dieu sur nos misères, sur nos prières, sur nos offrandes.

Respicere s'emploie soit avec une préposition :

ex. **respexit** *Dominus* **ad** *Abel et ad munera ejus* (Gen. 4, 4), le Seigneur jeta un regard favorable sur Abel et sur ses présents ;

respice ad *animas diabolica fraude deceptas* (or. 7 Parasc., Gel. I, 41), regardez les âmes trompées par les mensonges du démon ;

secundum multitudinem miserationum tuarum **respice in** *me* (Ps. 68, 18), selon la grandeur de votre miséricorde regardez vers moi ;

respice *propitius* **super** *hanc famulam tuam* (or. 2 miss. p. spons., Greg. 200, 8), jetez un regard favorable sur votre servante ici présente ;

soit avec un complément d'objet ; ex. **respice** *propitius vota nostra* (postc. S. S. Nom. Jes.), regardez favorablement nos prières ;

infirmitatem nostram **respice** (or. 20 jan., Greg. 22, 1), jetez un regard sur notre faiblesse ; **respice** *preces, munera, populum tuum* (Leon. passim).

Aspicere peut s'employer absolument : ex. *protector noster,* **aspice**, *Deus* (secr. p. propag. fid., Leon. 390), ô Dieu, notre protecteur, jetez un regard sur nous.

Le verbe *respicere* suggère, non seulement la demande de

secours, mais aussi la demande de propitiation sur nos offrandes. C'est surtout dans les secrètes (v. aussi § 247) que ce verbe revient le plus souvent : *respice dona, munera, hostiam, hostias.* Ex. dans le Canon de la messe : *supra quæ (oblata) propitio ac sereno **vultu respicere** digneris* (Gel. III, 17, 125), sur ces offrandes daignez jeter un regard propice et favorable.

C'est encore au regard de Dieu que font allusion les expressions suivantes : *placido et benigno **vultu** suscipere* (postc. d. p. Circumc.), accueillir (le sacrifice offert) avec un visage paisible et bienveillant ;

*ut ... hilaritatem **vultus** tui nobis impertire digneris* (postc. ad postul. seren., Greg. 220, 2), de daigner nous montrer le sourire de votre visage :

*convertat Dominus **vultum** suum ad te* (Num. 6, 26; or. Pont. Rom.-Germ. 3, 6), que le Seigneur tourne vers toi son visage (et te donne la paix) ;

*ecclesiæ tuæ, q., D., dona propitius **intuere*** (secr. 6 jan., Greg. 17, 2), regardez favorablement les offrandes de votre Église ;

*munera quæ **oculis** tuæ majestatis offerimus* (secr. 2 febr. et passim, Greg. 27, 3), les dons que nous offrons au regard de votre Majesté ; *oculis tuæ majestatis munus oblatum* (secr. dom. Palm.).

§ 56   c) Autres figures

Le Psalmiste sent la présence de Dieu, proche ou lointaine : *ne elongeris a me* (Ps. 72, 27); *ne elongaveris auxilium tuum a me* (21, 20), n'éloigne pas de moi ton secours ;

quare me dereliquisti (21, 2), pourquoi m'as-tu abandonné ?

prope est ([1]) *Dominus omnibus invocantibus eum* (144, 18), le Seigneur est tout proche de ceux qui l'invoquent.

Cette présence est invoquée aussi dans les oraisons :

ex. ***adesto** nobis, Domine, Deus noster* (postc. d. Pass., Greg. 66, 3), soyez avec nous, Seigneur, notre Dieu ;

*in quocumque loco ... virtus tuæ majestatis **assistat*** (or. vig. Pasch. vet. ord., Gel. I, 42, 429), que soit présente la force de votre Majesté, partout où ... (on verra plus loin d'autres ex. de *adesse*) ;

*ut gregem tuum, Pastor æterne, **non deseras*** (præf. de Apost.), de ne pas abandonner votre troupeau.

Qu'il se hâte de venir :

*ad adjuvandum me **festina*** (Ps. 69, 2), hâte-toi de me secourir ;

***festina**, quæsumus, ne **tardaveris**, Domine* (or. fer. 4 Quat. T. Adv., Leon. 883), hâtez-vous, nous vous en prions, ne tardez pas (v. attente de Noël, § 178) ;

---

1. *Dominus prope est* (Philipp. 4, 5) fait allusion à la Parousie.

ut ... quod nostra peccata præpediunt, indulgentia tuæ propitiationis acceleret (or. d. 4 Adv., Greg. 192, 1), afin que le pardon de votre miséricorde hâte ce que nos péchés retardent ; cf. *accelera ut eruas me* (Ps. 30, 3), hâtez-vous de me délivrer.

§ 57 Dieu étend son bras sur nous :

ex. *fiat manus tua super virum dexteræ tuæ* (Ps. 79, 18), que ta main s'étende sur l'homme de ta droite (celui que tu protèges) ;

esto brachium ([2]) *nostrum in mane* (Is. 33, 2), sois notre bras dès le matin ;

dexteram super nos tuæ propitiationis extende (or. 16 mai., Greg. 151, 1), étendez sur nous votre main bienveillante ; ou dans une expression plus solennelle : *ad defensionem nostram dexteram tuæ majestatis extende* (or. d. 3 Quadr., Greg. 51, 2), pour notre défense étendez sur nous votre bras de majesté ; (*ad defensionem fidelium ...*, Leon. 834) ;

Suamque dextram porrigat (hymn. dom. mat.), et qu'il tende sa main ;

Da dexteram surgentibus (laud. fer. 6), tendez votre main à ceux qui se lèvent ;

prætende ([3]), *Domine, fidelibus tuis dexteram cælestis auxilii* (sup. pop. sabb. p. d. 3 Quadr., Greg. 58, 4), étendez, Seigneur, sur vos fidèles, le bras de votre secours ;

antiqua brachii tui operare miracula (secr. p. imper., Gel. III, 62), renouvelez les anciens miracles de votre bras puissant.

Figure analogue : *sub umbra alarum tuarum protege me* (Ps. 16, 8), à l'ombre de ton aile protège-moi.

La protection de Dieu est comparée à un bâton pastoral :

ex. *virga tua et baculus* ([4]) *tuus, ipsa me consolata sunt* (Ps. 22, 4), ta houlette et ton bâton ont été mon soutien.

Dieu fait un signe d'acquiescement : v. *annuere*, § 65.

§ 58 C'est encore une expression anthropomorphique, celle qui fait appel à la mémoire (ou à l'oubli) de Dieu :

ex. *ignorantias* ([5]) *meas ne memineris* (Ps. 24, 7), de mes égarements ne te souviens plus ;

neque reminiscaris delicta mea (Tob. 3, 3, ant. sabb. 2æ hebd. Sept.) ;

---

2. Cf. en parlant d'une personne : *brachium perdidi* (Aug. Tr. ev. Jo. 53, 3), j'ai perdu mon bras droit, mon aide.

3. *Prætende misericordiam tuam* (Leon. 32 etc. ; or. passim).

4. *Baculus* a désigné plus tard le bâton pastoral, la crosse.

5. Sens biblique : cf. Eccli. 23, 3 ; 1 Mac. 13, 39 ; *post ignorantiam pœnitendo converti desideravit* (Greg.-T. Vit. patr. 10 prol.), après son égarement, il désira se tourner vers la pénitence.

memor esto, *Domine*, *opprobrii servorum tuorum* (Ps. 88, 51), souviens-toi, Seigneur, de l'insulte à tes serviteurs ;

usquequo, *Domine*, **oblivisceris** *me in finem* (Ps. 12, 1), jusques à quand, Seigneur, m'oublieras-tu ? cf. *neque obliviscaris (animæ famuli tui) in finem* (coll. p. def. in die dep.), et ne l'oubliez pas à jamais.

L'impératif *memento* du Canon de la messe ne se retrouve pas dans les oraisons ([6]), mais du moins dans une hymne : **Memento**, *salutis Auctor*, *quod nostri quondam corporis*, *Ex illibata Virgine Nascendo*, *formam sumpseris* (Nat. Dom.), souvenez-vous, Auteur de notre salut, que jadis vous avez pris, du sein immaculé de la Vierge, la forme de notre corps (modif ... *rerum Conditor*, *Nostri quod olim corporis*, *Sacrata ab alvo Virginis Nascendo* ...).

Recordare, *Jesu pie*, *Quod sum causa tuæ viæ* (« *Dies iræ* »), souvenez-vous, miséricordieux Jésus, que c'est pour moi que vous êtes venu.

§ 59 Il est fréquemment question, dans la Bible, de la « colère » ([7]) de Dieu :

ex. *in* **iram** *incitaverunt eum* (Ps. 77, 58), ils ont suscité sa colère ;

ne **irascaris**, *Domine*, *satis* (Is. 64, 9), ne t'irrite pas, Seigneur ; *populus qui ad* **iracundiam** *provocat me* (Is. 65, 3), le peuple qui provoque ma colère.

Exemples liturgiques : *ne in æternum* **irascaris** *nobis* (« *Parce, Domine* »), ne vous irritez pas contre nous à jamais ; cf. *numquid in æternum* **irasceris** *nobis* ? (Ps. 84, 6) ;

averte ab eis **iram** *indignationis tuæ* (postc. p. public. pæn., Greg. 202, 21 ; cf. Ps. 84, 4), détournez d'eux l'ardeur de votre indignation ;

A te rogatus Filius Deponat **iram vindicem** ([8]) (hymn. 11 oct. Matern. B. M. V.), qu'à votre prière votre Fils apaise son courroux justicier.

On demande à Dieu d'apaiser sa colère, sa justice, d'être apaisé par nos offrandes (voir demande de propitiation, § 69 et 248) :

ex. *exaudi*, *Domine* ; **placare**, *Domine* (Dan. 9, 19), écoute, Seigneur, apaise-toi, Seigneur ;

Deus, qui culpa offenderis, pænitentia **placaris** (or. fer. 5 p. Cin., Greg. 36, 1), ô Dieu que le péché offense et que le repentir apaise ;

Placare, *Christe*, *servulis* (hymn. 1 nov.), pardonnez, ô

---

6. Le *memento* de l'imposition des cendres (d'origine biblique : Gen. 3, 19) s'adresse à l'homme.

7. Cf. « *Dies iræ* » ; v. jugement dernier, § 203.

8. *Vindicta* désigne non la vengeance, mais la punition, v. § 145.

Christ, à vos humbles serviteurs (hymn. modifiée ; cf. la fin de la 1e strophe primitive : *Beatæ semper Virginis* **Placatus** *sanctis precibus*, apaisé par les saintes prières de la bienheureuse Marie toujours Vierge) ;

voir ex. dans les secrètes, § 248.

§ 60 Le Psalmiste imagine que Dieu « se lève » pour montrer sa puissance :

ex. **excita** *potentiam tuam et veni* (Ps. 79, 9), réveille ta puissance et viens (or. d. 4 Adv., Gel. II, 80) ;

exsurge, *Domine, salvum me fac* (Ps. 3, 7), lève-toi, Seigneur, sauve-moi.

Dans les Psaumes, comme dans les oraisons et les hymnes, on demande sa venue (*veni*), sa présence, ce qui nous rapproche d'un sens mystique et non plus seulement figuré :

ex. **visita**, *q., D., habitationem istam* (or. compl.), visitez cette maison ;

visita, *q., D., familiam tuam* (Leon. 871), visitez vos serviteurs ;

Mane *nobiscum, Domine* (hymn. laud. S. S. Nom. Jes.), demeurez avec nous, Seigneur ; cf. Luc. 24, 29); v. inhabitation divine, § 153 ;

veniat *super nos multiplex misericordia tua* (or. 1 ben. ram. *vet. ord.*), que l'abondance de votre miséricorde se répande sur nous ;

Hoc in templo, summe Deus, Exoratus **adveni** (hymn. laud. comm. Dedic.), dans ce temple, ô Dieu Très-Haut, à notre prière, venez (modif. *Hæc templa, Rex cælestium, Imple benigno lumine : Huc, o rogatus,* **adveni**) ;

veni, *sanctificator, omnipotens æterne Deus* (Offert.) ; **veni**, *Domine* (Greg. passim) ; v. § 178 et note ; plusieurs hymnes ou proses débutent par cet impératif : **Veni**, *Creator Spiritus* ; **Veni**, *Sancte Spiritus*. Cf. tous les appels de la liturgie de l'Avent.

2. LES EXPRESSIONS PLUS ABSTRAITES
DE LA DEMANDE

§ 61 Dans tout le reste de ce chapitre IV, nous rencontrerons des formules d'un caractère plus abstrait, notamment pour demander à Dieu de faire sentir sa présence, d'entendre nos prières et de nous exaucer :

ex. **adesto**, *Domine, supplicationibus nostris* (or. et Sacram. passim), écoutez, Seigneur, nos supplications ; pour *adesto*, aide, v. § 70 ; présence, § 56 ;

ut omnes sibi in necessitatibus suis misericordiam tuam gaudeant **affuisse** (or. 6 Parasc., Gel. I, 41), que tous aient la joie de sentir la présence de votre miséricorde dans leurs besoins ;

Assiste postulantibus (hymn. mat. fer. 3), soyez attentif à nos prières ;

ecclesiæ tuæ, q., D., preces placatus admitte (or. m. c. persec., Gel. III, 63), écoutez favorablement les prières de votre Église ;

impleat Dominus omnes petitiones tuas (Ps. 19, 7), que le Seigneur accomplisse toutes tes demandes ; *qui ... petitionem justi Simeonis implesti* (or. 2 febr. ben. cand.), vous qui avez exaucé la demande du juste Siméon ;

En laissant à Dieu le soin d'exaucer nos désirs, s'il les trouve justes : *justa desideria compleantur* (postc. d. oct. Nat. Dom., Greg. 135, 3), que soient comblés nos justes désirs.

Voir § 65 et suiv. les verbes signifiant « accorder ».

Être exaucé, obtenir :

præsta ut, quod fideliter petimus, efficaciter consequamur (or. d. 22 p. Pent. et passim, Gel. Cagin 1481), accordez-nous d'obtenir efficacement ce que nous demandons avec foi ; *consequi* (Greg. passim) ;

ut mereamur assequi quod promittis (or. d. 13 p. Pent., Gel. III, 9), pour que nous méritions d'obtenir ce que vous promettez ;

gratia tua ... tuam nobis opem semper acquirat (or. fer. 5 p. d. 2 Quadr., Greg. 49, 3), que votre grâce nous obtienne toujours votre secours ;

indulgentiam nobis (hæc solemnitas) tuæ propitiationis acquirat (postc. 9 jun., Gel. II, 37), nous obtienne le pardon de votre miséricorde ;

cuncta se impetrasse lætetur (or. comm. dedic. eccl., Gel. Cagin 2162), qu'il se réjouisse d'avoir tout obtenu ;

ad impetrandam misericordiam tuam (or. 15 sept., Greg. 160, 1), pour gagner votre miséricorde (par l'intercession d'un saint).

Promereo, promereri, v. § 69 ; 101 ; 447 note.

3. L'HUMILITÉ DE LA SUPPLICATION

§ 62 La demande ne s'exprime pas toujours par un simple verbe, mais aussi à l'aide de circonlocutions plus humbles.

Ex. avec *dignari* : *ut ... illi pro nobis intercedere dignentur in cælis* (Offert. « *Suscipe* »), pour qu'ils daignent intercéder en notre faveur dans les cieux ; les formules avec *dignari* sont très fréquentes dans les Sacramentaires ;

quam (ecclesiam) pacificare, custodire, adunare et regere digneris toto orbe terrarum (Canon, Gel. III, 1244), daignez lui accorder la paix, la garder, la rassembler et la gouverner dans l'univers entier ;

sacrificium ... placido et benigno vultu suscipere digneris (postc. S. S. Nom. Jes.), ce sacrifice, daignez l'accueillir d'un visage serein et bienveillant ;

dignare *me laudare te, Virgo sacrata* (ant. vesp. B. M. V.), daignez accepter mes louanges, ô Vierge sainte ;

Digneris *ut te supplices Laudemus inter cælites* (hymn. S. S. Trin.), faites, nous vous en supplions, que nous puissions vous louer parmi les habitants du ciel.

Avec *jubere* (¹) : *ut ... ab æterna damnatione nos eripi et in electorum tuorum* **jubeas** *grege numerari* (Canon, Gel. III, 17, 1247), de vouloir bien nous arracher à l'éternelle damnation et nous faire admettre au nombre de vos élus ;

(quæsumus ut) in cælesti regno sanctorum tuorum **jubeas** *jungi consortio* (secr. p. def.), de vouloir bien nous faire participer à la communauté de vos saints dans le royaume céleste ; cf. *sanctorum atque electorum tuorum largiri* **digneris** *consortium* (Gel. III, 105).

Avec *merere* et surtout *mereri* : *sicut illud (vexillum crucis) adorare* **meruimus** (secr. 14 sept., Greg. 159, 2), comme nous avons eu la faveur de l'adorer ;

ut ... in sinum misericordiæ tuæ læti suscipi **mereamur** (postc. 18 jul.), (accordez-nous) de mériter d'être accueillis joyeusement au sein de votre miséricorde ; voir d'autres ex. et d'autres nuances de *mereri*, § 288 ;

ut, per ejus adventum, purificatis tibi mentibus servire **mereamur** (or. d. 2 Adv., Greg. 186, 1), afin que, par sa venue, nous puissions vous servir d'un cœur purifié ; un très grand nombre d'oraisons se terminent par ce mot.

La prière solennelle du *Pater*, dans le Canon, est précédée d'une formule d'humilité : **audemus** *dicere* (Gel. III, 17, 1256) ; cf. *orationem, quam nos Dominus noster edocuit, cum fiducia dicere* **permittat** (Miss. Goth. 58). V. *adjicere, non præsumere,* § 68.

La demande est parfois une manière discrète d'exprimer la gratitude : ex. *tui nobis, Domine, communio sacramenti et purificationem conferat et tribuat unitatem* (postc. d. 9 p. Pent., Gel. III, 16, 1268), que la communion à votre sacrement nous purifie et nous accorde l'union.

L'adverbe *dignanter* « avec bonté (condescendante), favorablement » accompagne un grand nombre de verbes, tels que *absolve, accipe, assume, concedas, infunde, suscipe, tribuas,* etc. (or. passim) ;

---

1. Cf. la formule par laquelle le lecteur demande la bénédiction du président : *iube, dòmne, benedicere* (Sacram. greg. M. c. 242 D), veuillez, monseigneur, nous donner la bénédiction ;

Ex. d'une prière présentant les deux sens de *jubere* : *pro anima famuli tui quam hodie de hoc sæculo migrare jussisti... jubeas eam a sanctis angelis suscipi* (or. miss. depos. def.), pour l'âme de votre serviteur que vous avez fait partir aujourd'hui de ce monde... permettez qu'elle soit accueillie par vos saints anges.

de même *humiliter* « humblement », avec *postulare, implorare, deprecari, obsecrari*, etc. (or. passim) ;

et *supplices* ou *suppliciter* « en suppliant », avec *deprecari, exorare, flagitare, implorare, petere, rogare*, etc. (or. passim) :

ex. *serenissimam pietatem tuam* **suppliciter obnixeque** *flagitantibus* (or. 1 ben. Cin.), à ceux qui implorent en suppliant de toutes leurs forces votre sereine bonté.

Expressions évoquant les larmes de la prière :

lacrimabiliter *quæsumus* (Moz. Lib. ord. 149) ; *aspice, Deus, ad fidelis populi* **lamentabilem** *precem* (ibid. 348), ... la prière gémissante de votre peuple fidèle ;

flebilibus *vocibus imploramus* (Gel. III, 91, 1608), nous vous implorons avec des larmes ;

flebili *oratione* (Moz. Lib. sacr. 141).

Gementes ne figure que dans les hymnes : *Preces* **gementes** *fundimus* (mat. fer. 4) ; cf. *gementes et flentes* (« *Salve, Regina* ») ; **cum gemitu** *cordis proclamemus* ... « *Pater noster* » (Moz. Lib. sacr. 1396) *(gemitus cordis*, Ps. 37, 9).

A noter encore, dans les Psaumes, cette expression impersonnelle : **complaceat** *tibi, Domine, ut eruas me* (39, 14), daigne, Seigneur, me délivrer.

§ 63 La supplication fait appel à la pitié de Dieu, *misericordia, miseratio* ; à sa bonté, *pietas, benignitas*, parfois *bonitas* ([2]) ; à sa clémence, *clementia* ; à son indulgence, *indulgentia* ([3]) : on verra ces différents termes dans la IIe partie, attributs de Dieu.

Voici, par contre, des exemples concernant l'emploi des verbes, adverbes et adjectifs correspondant à ces noms :

Pastor **bone** (or. 3 sept., Leon. 291) ; v. *pie, optime,* § 34 ; voir aussi *mitis, misericors*, et les formules d'invocations, § 32 ; **bone** *pastor* (« *Ecce panis angelorum* ») ;

O **Bone** *Jesu, exaudi me* (or. « *Anima Christi* ») ;

Rex Christe **bone** *cælitum* (hymn. 2 vesp. comm. plur. mart.), ô Christ, bon Roi des habitants du ciel (modif. *Jesu, Rex bone cælitum*) ;

Sed tu **bonus** *fac* **benigne** « (*Dies iræ* ») », mais vous, qui êtes bon, accordez-moi, dans votre bienveillance, de (ne pas brûler au feu éternel).

Dans les oraisons, *pius* est plus fréquent que *bonus* pour désigner la bonté de Dieu : ex. *instituta providentiæ tuæ* **pio** *favore comitare* (postc. p. spons., Leon. 1108), secondez de votre bienveillante faveur ce que votre providence a institué ; v. autres ex. § 149 ;

---

2. *Bonitatem fecisti cum servo tuo, Domine* (Ps. 118, 65), tu as été bon avec ton serviteur.

3. Pour *indulgentia*, au sens de pardon, v. § 277 ; pour *indulgere*, accorder, v. § 66.

L'adjectif *benignus* accompagne des impératifs, tels que *assiste, assume, effunde, infunde, protege, suscipe, respice*, etc. (or. passim) : ex. *deprecationem nostram, q., D., **benignus** exaudi* (sup. pop. fer. 2 p. d. 4 Quadr., Greg. 60, 4), écoutez avec bienveillance notre prière ;

et des subjonctifs comme *effundas, perducas, protegas, tribuas* (or. passim).

Clemens s'emploie ordinairement au superlatif : ex. *clementissime Deus* (secr. 2 jan. et passim) ; *clementissime Jesu* (secr. 4 jun.) ; *clementissime Pater* (« *Te igitur* », Greg. 1, 19).

L'adverbe *clementer* « avec bonté, avec clémence » accompagne des impératifs et des subjonctifs, tels que *absterge, averte, emunda, eripe, exaudi, expediat, expurget, impende, indulgeas, infunde, intende, miserere, ostende, suscipe, tuere* (or. passim).

§ 64 Expressions fréquentes dans les Psaumes et reprises dans les oraisons : *Deus, tuorum corda fidelium **miserator** illustra* (or. fer. p. d. Pass., Greg. 69, 1), Dieu de miséricorde, éclairez les cœurs de vos fidèles ;

*et tu, Domine Deus, **miserator et misericors**, patiens et multæ misericordiæ* (Ps. 85, 15), et toi, Seigneur Dieu, plein de pitié et de miséricorde, plein de patience et de pardon ;

*omnipotens et **misericors** Deus* (or. fer. 3 p. d. 3 Quadr., Leon., Greg. passim) ;

... sit ipse (Filius tuus) misericors et susceptor (secr. 13 jan., Gel. I, 12), qu'il les (nos offrandes) accueille de même avec miséricorde.

L'impératif *miserere* ([4]) « aie pitié » est très fréquent dans les Psaumes et se rencontre parfois dans les oraisons : ex. **miserere** *clementer animabus patris et matris meæ* (or. p. def.) ; **miserere**, *Domine, deprecantis ecclesiæ* (Leon. 448), ayez pitié, Seigneur de votre Église en prières ;

ainsi que le subjonctif : *illuminet vultum suum super nos et **misereatur** nostri* (Ps. 66, 1), qu'il fasse luire sur nous son visage et nous prenne en pitié ; cf. **misereatur** *tui ... misereatur vestri omnipotens Deus*.

Te miserante, avec votre miséricorde, est aussi une formule fréquente dans les oraisons.

Le participe *miseratus*, plein de miséricorde, avec miséricorde, accompagne les verbes *absolvere, eripi, illustrare, perficere, refovere* (or. passim).

L'adverbe *misericorditer* accompagne des verbes tels que *largiri, liberare, protegere, restaurare, suscipere, tribuere*, etc. (or. passim).

La supplication de Joël (2, 17) : **parce**, *Domine, parce*

---

4. *Misereri* se construit avec le génitif en latin classique ; avec le génitif ou le datif en latin chrétien.

populo tuo, pitié, Seigneur, pitié pour votre peuple, est reprise par la liturgie pour les temps de pénitence.

L'adjectif *summus* peut exprimer l'instance de la prière : ex. *Dominum ...* **summis** *precibus* |*deprecemur* (Miss. Goth. 66) ; *plebs tua ...* **summis** *te flagitat precibus* (Moz. Lib. sacr. 139).

4. VERBES SIGNIFIANT : ACCORDER, DONNER

§ 65 *Annuere,* faire un signe d'acquiescement ([1]), d'où : exaucer :

ex. **annue**, *misericors Deus, ut ...* (secr. fer. 4 p. d. Pass., Greg. 69, 2), faites, ô Dieu miséricordieux, que ... ; **annue** *nobis ut* (secr. 12 mart., Greg. 225, 3) ;

annue ... *precibus nostris ... ut* (secr. comm. Dedic.), accordez à nos prières de ...

Comitari, accompagner, seconder : ex. *nos ... (beati Joannis Bapt.) præclara* **comitetur** *oratio* (postc. 23 jun., Leon. 240), que sa glorieuse prière se joigne à la nôtre ; *c. aliquid*, v. ex. § 63.

Sens analogue avec *prosequi*, accompagner, d'où, au figuré, seconder, favoriser, donc parfois « exaucer » : ex. *vota nostra, quæ præveniendo aspiras, etiam adjuvando* **prosequere** (or. d. Pasch., Greg. 88, 1), vous qui venez au-devant de nos désirs en les inspirant, secondez-les encore en les aidant ;

le complément d'objet peut être aussi *hostias, munus, jejunia* (or. passim) ; ou un nom de personne : ex. *populum tuum, q., cælesti dono* **prosequere** (or. fer. 2 Oct. Pasch., Greg. 89, 1), comblez votre peuple de vos dons célestes.

Concedere, accorder : ex. **concede** *plebi tuæ piæ petitionis effectum* (or. fer. 2 Oct. Pent., Greg. 113, 1), accordez à votre peuple la réalisation de sa prière fervente ;

(exoramus ut) ... omnia nobis profutura **concedas** (or. d. 7 p. Pent., Gel. III, 3), de nous accorder tout ce qui nous sera utile ;

avec prop. inf., **concede** *nos famulos tuos ... perpetua mentis et corporis sanitate gaudere* (or. passim), accordez à vos serviteurs de jouir toujours de la santé de l'âme et du corps ;

avec *ut*, **concede** *propitius ut* (or. Epiph., Greg. 88, 1), v. cit. § 125.

Conferre, accorder : ex. *quibus fidei christianæ meritum* **contulisti** (secr. 2 nov., Gel. III, 101), à ceux qui ont reçu de vous l'honneur de la foi chrétienne ;

ut (hostiæ) indulgentiam nobis pariter **conferant** *et salutem*

---

1. De la même famille est *nutus*, geste (de la tête, des doigts), d'où volonté, ordre, autorité : ex. *Dei nutibus* (Lact.) ; *nutu divinitatis* (Salv.) ; *Deus, cujus nutibus vitæ nostræ momenta decurrunt* (secr. p. infirm., Gel. III, 70), par la volonté de qui s'écoulent tous les instants de notre vie.

(secr. 29 jul., Leon. 1167), nous fasse obtenir le pardon en même temps que le salut ;

avec *conferre*, les compléments d'objet les plus fréquents sont: *auxilium*, *benedictionem*, *dona*, *gratiam*, *præsidium*, *subsidium*, etc. (or. passim) ;

Confer *salutem corporum* (hymn. dom. sext.), donnez à nos corps la santé.

Dare ([2]), ex. **da** *pacem, Domine, in diebus nostris* (or. p pace), donnez la paix, Seigneur, à notre temps ; **det** ... *fieri. pacem in diebus nostris* (Eccli. 50, 25) ;

da *servis tuis illam, quam mundus* **dare** *non potest, pacem* (or. miss. p. pace, Gel. III, 56), donnez à vos serviteurs cette paix que le monde ne peut leur procurer ; cf. Jo. 14, 27 ;

ex. avec l'infinitif ou la prop. inf. : **da** ... *Beatæ Mariæ semper Virginis patrociniis nos ubique protegi* (postc. comm. fest. B. M. V.), accordez-nous d'être partout protégés grâce au patronage de la Bienheureuse Marie toujours Vierge ;

det *nobis* ... *glorificare Deum Patrem omnipotentem* (or. 1 Parasc., Gel. I, 41, 400), et qu'il nous accorde de glorifier Dieu, le Père tout-puissant ;

avec *ut* : *da ut, da nobis ut* (or. passim).

Donare, ex. **dones** *et præmium* (v. ex. à *conferre*, supra) ;

cui sacerdotale **donasti** *meritum* ([3]) (secr. p. def. sacerd., Gel. III, 92), à qui vous avez accordé la dignité sacerdotale ;

Pacemque **dones** *protinus* (« *Veni, Creator* ») ;

te **donante** (or. passim), grâce à vos dons ;

Deus, qui beatam N. admirabili spiritus fortitudine donasti (or. 21 aug.), qui lui avez fait la grâce d'une admirable force spirituelle (cette tournure classique ne se trouve pas dans les Sacramentaires).

§ **66** *Conciliare*, faire obtenir, ex. *ut redemptionis nostræ sacrosancta commercia ... gaudia sempiterna concilient* (postc. fer. 5 Oct. Pasch., Greg. 92, 3), pour que la participation aux mystères sacrés de notre rédemption nous fasse obtenir les joies de l'éternité ;

conciliare ([4]) *dona, gratiam, veniam* (or. passim).

---

2. Dans le latin biblique, le composé *addere* signifie « donner en plus » : ex. *addat mihi Dominus filium alterum* (Gen. 30, 24), que le Seigneur me donne un autre fils ; et dans l'oraison du Sacram. Léonien sur les époux : *qui Adæ comitem tuis manibus addidisti* (1110), qui avez donné de vos mains à Adam une compagne.

Le même verbe (suivi de l'infinitif ou de *ut* et subj.) signifie : faire en plus, recommencer à (2 Reg. 24, 1 ; 14, 19 ; etc.) ;

de même *adjicere* (1 Reg. 3, 6 ; Is. 52, 1) ; v. aussi § 68 ;

ainsi que *apponere* : *et apposuerunt adhuc peccare ei* (Ps. 77, 17), ils ont continué à pécher contre lui ;

cf. *abundavit ut averteret iram suam* (Ps. 77, 38) ; il a détourné facilement sa colère.

3. Cf. *cui pontificale donasti meritum* (Leon. 1157),... la dignité épiscopale ; v. le clergé, § 360.

4. *Conciliare* signifie aussi : rendre agréables (nos offrandes), v. § 247.

Fac ut ([5]) équivaut à *da ut* : ex. **fac ut** ... *magnificetur nomen tuum in gentibus* (secr. p. propag. fid.), faites que votre nom soit glorifié dans les nations ; ex. avec la prop. inf. **fac nos amare quod præcipis** (cit. § 47).

Effundere, verser sur, répandre : ex. **effunde** *propitius gratiam tuæ benedictionis* (Ben. cin. or. 3), répandez avec bienveillance la grâce de votre bénédiction ; **effundere** *benedictionem, gratiam, misericordiam* (Sacram. et or. Miss. passim).

Infundere, verser dans, répandre, accorder ([6]) : ex. *cordibus nostris ... gratiam tuam benignus* **infunde** (or. fer. 6 p. d. Pass. et passim, Greg. 71, 1), répandez avec bonté votre grâce dans nos cœurs ;

spiritum nobis, Domine, tuæ caritatis **infunde** (postc. fer. 6 p. Cin., Greg. 37, 3), Seigneur, répandez en nous votre esprit d'amour.

Sens analogue (plus rare) : **insere** *pectoribus nostris amorem tui nominis* (or. d. 6 p. Pent., Gel. III, 2 ; cit. § 84).

Impertiri, faire part de, accorder : ex. *famulis tuis, q., D., cælestis gratiæ munus* **impertire** (or. 2 jul., Greg. 156, 1), accordez à vos serviteurs le don de votre grâce céleste.

Et *impertire* : ex. *(mysteria sacrosancta) nobis ... munus patientiæ ...* **impertiant** (postc. ad postul. grat.), nous accordent la grâce de la résignation ; v. **impertire** *digneris*, § 55.

Indulgere, accorder par grâce : ex. *navigantibus portum salutis (Deus)* **indulgeat** (or. 6 Parasc., Gel. I, 41, 410), qu'il accorde aux navigateurs d'aborder au port sains et saufs ;

tranquillitatem vitæ præsentis **indulgeas** (Leon. 221), de nous accorder la tranquillité ici-bas ;

ex. avec l'infinitif : *quæ (benedictio) eos ... tuis semper* **indulgeat** *beneficiis gratulari* (sup. pop. sabb. Quat. T. Quadr., Gel. I, 18, 133), qu'elle leur accorde de se réjouir toujours de vos bienfaits ;

avec *ut* (plus rare) : *tuæ nobis, Domine, abundantia pietatis* **indulgeat** *ut ... gaudeamus* (secr. p. elig. summ. pont.), que votre bonté inépuisable, Seigneur, nous accorde de nous réjouir ... ;

et au participe : *participatio cælestis* **indulta** *convivii* (postc. 27 sept., Leon. 703), la faveur que vous nous avez accordée de participer au banquet céleste.

Largiri, accorder avec profusion, accorder : ex. *nobis indulgentiam* **largiendo** (secr. d. 12 p. Pent., Gel. III, 8 *largiaris ?*), par l'octroi de votre pardon ; *indulgentiam* **largiri**, *te* **largiente**, *tua gratia* **largiente** (or. et Sacram. passim) ;

---

5. *Facere* a aussi normalement, dans les oraisons, le sens de « faire, rendre » ; pour *fiat*, v. § 502.
6. Autre sens : inonder, remplir (les âmes, les cœurs), v. Grâce, Saint-Esprit.

ut animæ famuli tui ... electorum tuorum **largiri** *digneris consortium* (or. in die tertio dep., *largire*(?) *consortium*, Gel. III, 105), de vouloir bien accorder à l'âme de votre serviteur la faveur d'être associé à vos élus ;

largire *nobis, q., D., semper spiritum cogitandi quæ recta sunt* or. d. 8 p. Pent., Gel. III, 4), accordez-nous la grâce de penser oujours avec droiture.

§ **67** *Multiplicare*, multiplier, accorder avec abondance : ex. **multiplica** *super nos misericordiam tuam* (or. d. 10 p. Pent., Gel. III, 6), multipliez sur nous votre miséricorde ; cf. *multiplicasti misericordiam tuam* (Ps. 35, 8) ;

multiplica *super nos gratiam tuam* (or. 31 oct., Gel. II, 79).

Tribuere, accorder : ex. *quos divina* **tribuis** *participatione gaudere* (postc. d. 23 p. Pent., Leon. 513), à qui vous accordez la joie de participer à la vie divine ;

comme l'impératif *da, tribue* se construit soit avec un complément d'objet à l'accusatif, soit avec la prop. infin. ou l'infinitif, soit avec *ut* :

ex. **tribue** *defensionis auxilium* (sup. pop. fer. 2 p. d. 4 Quadr., Greg. 201, 33), accordez-nous votre aide secourable ;

ejus nos **tribue** *meritis adjuvari* (or. 29 nov., Greg. 182, 1), accordez-nous d'être secourus grâce à ses mérites ;

tribue *nobis ... desiderare quæ recta sunt* (postc. d. 5 p. Pasch., Gel. I, 60), accordez-nous de désirer ce qui est bien ;

tribue *nobis, q., famulis tuis, ut ... precibus ejus indulgentiam consequamur* (or. 23 jul. et passim), accordez à vos serviteurs d'obtenir votre pardon grâce à ses prières ; **tribue** *populis tuis ... ut* (Gel. I, 43, 438).

Retribuere, accorder en retour, en récompense : ex. *deprecamur ... ut ... ejus (Mariæ) solemnia celebrantibus æternæ gloriæ coronam* **retribuas** (postc. 31 mai. p. al. loc.), à nous qui célébrons sa fête, accordez, nous vous en supplions, la récompense de la gloire éternelle ;

accorder en échange (récompense ou châtiment) : ex. *qui ... pro peccatis nostris non* **retribuis** *quæ meremur* (Leon. 1099), qui ne punissez pas à la mesure de nos péchés.

Impendere, accorder : ex. *auxilium nobis supernæ virtutis* **impende** (or. 2 fer. 4 Quat. T. Adv., Greg. 189, 2).

Præbere, fournir, accorder : ex. *percepta nobis, Domine,* **præbeant** *sacramenta subsidium* (postc. fer. 4 Cin., Gel. I, 27, 252), que les sacrements reçus nous apportent le secours ;

(exoramus ut) præsentia nobis subsidia **præbeas** *et futura* (Greg. 166, 1 ; *tribuas*, or. 1 Quat. T. Sept. sabb.), de nous accorder votre secours présent et à venir.

Præstare a le même sens et les mêmes constructions que *dare* ou *tribuere* : ex. **præsta** *auxilium gratiæ tuæ* (or. d. 1 p. Pent., Gel. I, 62), accordez-nous le secours de votre grâce ;

præsta ... *nos* ... *facere et docere* (or. 27 aug.), accordez-nous d'agir et d'enseigner ... ; cf. *de omnibus* ... *quæ cœpit Jesus facere et docere* (Act. 1, 1) ;

præsta ut, « accordez-nous de, faites que », apparaît près de 80 fois dans les oraisons du Missel et il est fréquent aussi dans les Sacramentaires ([7]) ;

ex. avec un autre verbe : **Præsta**, *beata Trinitas*, **Concede**, *simplex Unitas Ut fructuosa sint tuis Jejuniorum munera* (hymn. vesp. Quadr.), accordez-nous, ô bienheureuse Trinité, faites, ô simple Unité, que nos jeûnes soient une offrande profitable à vos fidèles.

Ex. d'emploi absolu dans la conclusion d'une prière : *præsta per Dominum* ... (Miss. Goth. 1), accordez-nous cette grâce, par ...

§ 68 Dans son humilité, l'âme a conscience d'ignorer encore ce qu'il faut demander : c'est pourquoi elle supplie Dieu de donner en plus, d'ajouter *adjicere* ce qu'elle n'ose elle-même solliciter ([8]) : *omnipotens sempiterne Deus, qui abundantia pietatis tuæ et merita supplicum excedis et vota, effunde super nos misericordiam tuam, ut dimittas quæ conscientia metuit et* **adjicias** *quod oratio non præsumit* (or. d. 11 p. Pent., Gel. III, 7), Dieu tout-puissant et éternel, qui dans le débordement de votre bonté dépassez les mérites et les vœux de ceux qui vous supplient, répandez sur nous votre miséricorde, jusqu'à pardonner ce qui inquiète notre conscience et ajouter ce que notre prière n'ose demander.

5. OBJETS DE LA DEMANDE

a) PROPITIATION

§ 69 De nombreuses oraisons demandent à Dieu de nous être propice, d'accepter favorablement nos prières, nos sacrifices et nos offrandes ; v. secrètes, § 247 et suiv.

Autres ex. : *ut ... quod nostra peccata præpediunt, indulgentia tuæ* **propitiationis** *acceleret* (or. d. 4 Adv., Greg. 192, 1), afin que votre indulgence miséricordieuse hâte le salut que nos péchés retardent ;

subjectum tibi populum, q., D., **propitiatio** *cælestis amplificet*

---

7. On peut rapprocher de ce verbe l'adjectif *præstabilis* « qui se prête volontiers, qui pardonne volontiers, qui vient en aide, en parlant de Dieu ; ex. *præstabilis super malitia* (Joel 2, 13), qui se prête à arrêter le mal ; *benignus et misericors... et præstabilis* (Hier. Joel ibid.).

8. Cf. *ei autem qui potens est omnia facere superabundanter quam petimus* (Ephes. 3, 20), à celui qui a la puissance de faire en tout infiniment bien plus que nous ne pouvons demander ; *similiter autem et spiritus adjuvat infirmitatem nostram : nam quid oremus, sicut oportet, nescimus* (Rom. 8, 26), et pareillement l'Esprit aide notre faiblesse : car nous ne savons pas demander dans nos prières ce qu'il faudrait.

(sup. pop. fer. 5 p. d. 3 Quadr., Greg. 56, 4), que la faveur céleste fasse grandir votre peuple soumis ;

propitiare supplicantibus (or. 1 ben. Cin.) ; *propitiare supplicationibus nostris* (secr. d. 5 p. Pent. et passim, Leon. passim, Greg. 47, 4), acceptez favorablement nos supplications ;

*nostra tibi ... sint **accepta** jejunia* (or. fer. 3 p. d. Pass., Greg. 68, 1), que nos jeûnes vous soient agréables ;

*si tuæ sint (jejunia) **placita** pietati* (or. sabb. p. d. 4 Quadr., Greg. 65, 1), s'ils sont agréés par votre bonté.

Propitiatus « rendu propice, propice » s'emploie avec des impératifs tels que *absolve, averte, intende, respice*, etc. (or. et Sacram. passim).

L'adjectif *propitius* est plus fréquent :

ex. *esto propitius, q., D., plebi tuæ* (sup. pop. fer. 5 p. d. Pass. et passim, Leon. 52 et passim), soyez favorable à votre peuple ;

emploi absolu : *propitius esto* (litan. sanct.) ;

le plus souvent attribut avec des verbes comme *absolve, adesto, concede, exaudi, intende, largire, præsta, respice, suscipe*, etc. (or. et Sacram. passim).

Benedicere : exaucer, bénir, écouter favorablement :

ex. *tibi nostras exiguas preces **benedicendas** assignet* (postc. 24 oct.), que (l'archange S. Raphaël) vous montre nos humbles prières, afin que vous les bénissiez.

Promereri ou *promerere Deum* « gagner la faveur de Dieu » est fréquent chez les Pères (Tert. ; Cypr. ; Aug.) ; cf. *concede* ... *Sanctum nos Spiritum votis **promereri** sedulis* (postc. ad postul. grat.), accordez-nous de mériter la faveur du Saint-Esprit par nos prières empressées ; *ad tua beneficia **promerenda*** (or. 27 oct., Gel. Cagin 1435), pour gagner vos bienfaits ; ... *promeretur Deus*, v. § 447 note.

Nous avons déjà rencontré *prosequi* au sens de « accompagner avec faveur », dont le sens est parfois « seconder, accepter avec faveur » : ex. *inchoata jejunia, q., D., benigno favore **prosequere*** (or. fer. 6 p. Cin., Gel. I, 17, 89), accompagnez de votre bienveillante faveur le jeûne que nous avons commencé. Dans le Sacramentaire Léonien, ce verbe a souvent le sens de « favoriser, protéger » : *prosequere ecclesiam, familiam, plebem tuam* (41 ; 473 ; 1315 ; etc.).

Pour la demande de pardon, V. § 276 et suiv.

b) LE SECOURS ET LA PROTECTION DE DIEU

§ 70 Cet appel est particulièrement pressant dans les Psaumes, et par suite dans les oraisons et les autres textes liturgiques. Nous en avons vu beaucoup d'exemples au chp. des expressions anthropomorphiques, avec *dextera, brachium*, etc. ; mais il reste un grand nombre de formules à passer en revue :

adesto, *Domine, populo tuo, ut ... **adjuvetur*** (or. 15 sept., Greg. 160, 1), assistez, Seigneur, votre peuple, pour qu'il soit aidé ; v. ex. de *adesto*, § 56 et 61 ;

adsit *nobis, q., D., virtus Spiritus Sancti* (or. fer. 3 Oct. Pent., Greg. 114, 1), que la force du Saint-Esprit nous assiste ;

*institutis tuis ... benignus **assiste*** (or. p. « Pater » m. p. spons., Leon. 1109), accordez votre bienveillante assistance à ce que vous avez institué ;

*Deus, in **adjutorium*** (¹) *meum intende* (Ps. 69, 2), ô Dieu, hâte-toi de me secourir ;

adjuva *me et salvus ero* (Ps. 118, 117), aide-moi et je serai sauvé ;

*Domine, **adjutor** et protector noster, **adjuva** nos* (postc. ad postul. cont., Gel. Cagin 2297), Seigneur, notre aide et notre protecteur, aidez-nous ;

*ut ea quæ pro peccatis nostris patimur, te **adjuvante**, vincamus* (or. d. 4 p. Epiph., Gel. Cagin 195), pour que nous puissions, avec votre aide, surmonter les conséquences de nos péchés ;

adjutor *et susceptor meus es tu* (Ps. 118, 114), tu es mon aide et mon soutien ; cf. *misericordia et veritas tua semper **susceperunt** me* (Ps. 39, 12), ... ont sans cesse pris soin de moi ; v. Dieu salutaire, § 162 et suiv. ;

*Deus **auxilii** mei* (²) (Ps. 61, 8), Dieu de mon secours ;

*divinum **auxilium** maneat semper nobiscum* (dom. mat. et passim), que le secours de Dieu demeure toujours avec nous;

auxilium (³) *cæleste, **auxilium** gratiæ, misericordiæ tuæ* (or. passim) ;

ex. avec génitif objectif : *infirmitatis **auxilium*** (postc. fer. 6 Quat. T. Pent., Greg. 116, 3), secours de notre faiblesse ;

auxilientur *nobis, Domine, sumpta mysteria* (postc. 26 dec., Greg. 10, 3), Seigneur, que les mystères auxquels nous avons participé soient notre secours.

§ 71 *Solatium* et *consolatio* signifient non seulement « consolation », mais aussi « aide, encouragement, secours », par ex. de la grâce et particulièrement du Saint-Esprit (*Consolator*, le Paraclet) :

ex. *concede ... ut ... tuæ gratiæ **consolatione** respiremus* (or. d. 4 Quadr., Greg. 59, 1), daignez nous ranimer par le réconfort de votre grâce ;

---

1. Sauf dans l'invocation avant le *Confiteor*, *adjutorium* n'est pas employé dans les oraisons du Missel, en parlant du secours de Dieu ; *in adjutorium nostrum* (en parl. de S. Raphaël postc. 24 oct.).

Adjumentum (au pl.), synonyme de *auxilium*, est fréquent dans le Sacram. Leon. (ex. 933), mais remplacé par un autre mot dans notre Missel.

2. Dans le latin biblique, le génitif équivaut souvent à un adjectif : ex. *virga directionis* (Ps. 44, 7), sceptre de droiture, gouvernement juste.

3. *Auxilium*, en parlant du secours des saints, § 102 ; de la Sainte Vierge, § 122.

*et de ejus (Spiritus Sancti) semper **consolatione** gaudere* (or. Pent., Greg. 112, 1), et d'avoir toujours la joie de son réconfort ; cf. *(ecclesia) **consolatione** Sancti Spiritus replebatur* (Act. 9, 31), était comblée de l'assistance du S. E. ;

*in extremo agone **solatium** (⁴) et tutela* (secr. 18 jul.), notre aide et notre protection à l'agonie.

Autres formules : *perpetuo, Domine, comitare **præsidio** (⁵) ... quos **fovere** non desinis* (postc. p. prælat., Gel. III, 50, 1435), Seigneur, secondez de votre secours ininterrompu ... ceux que vous ne cessez de réconforter ; *perpetuis fovere præsidiis* (Leon. 1089) ;

*(plebem tuam) benigno **refove** miseratus **auxilio*** (or. fer. 6 Quat. T. Quadr., Greg. 43, 1), soutenez-le en lui accordant le secours de votre bonté compatissante ;

*ope misericordiæ tuæ **adjutæ** (ecclesiæ)* (postc. p. infirm., Gel. III, 50), avec l'aide de votre miséricordieux secours ; les expressions les plus fréquentes avec ce mot sont : *opem conferre, largiri, præstare, implorare* (or. passim) ;

*secundum misericordiæ tuæ **præsidia*** (secr. p. pereg., Gel. III, 24, 245), avec le secours de votre miséricorde ;

*tribuant nobis, q., D., continuum tua sancta **praesidium*** (postc. 25 apr.), que votre sacrement nous procure un secours continuel ;

*tuis nobis **succurre** præsidiis* (secr. d. 2 Adv., Greg. 186, 2), accordez-nous le secours de votre protection ; *nos ... et temporalibus **attolle** praesidiis* (postc. fer. 5 p. d. 1 Quadr., Gel. II, 85), soulagez-nous par votre secours dans les affaires présentes ;

*tribulatis **succurre** placatus* (or. p. quac. trib., Greg., 201, 28), daignez nous secourir dans nos tribulations ;

*et factus est Dominus **refugium** pauperum* (Ps. 9, 10), le Seigneur s'est fait le refuge des pauvres ;

*Deus noster **refugium et virtus, adjutor** in tribulationibus* (Ps. 45, 2), Dieu est (⁶) notre refuge et notre force ; notre aide dans les tribulations ; *Deus, refugium nostrum et virtus* (or. d. 22 p. Pent., Gel. Cagin 1481) ;

*hostias nostras ... ad perpetuum nobis tribue pervenire **subsidium*** (secr. d. 1 p. Pent., Gel. I, 62), faites que nos offrandes nous apportent un secours continuel ;

*(eos) perpetuis **defende** periculis* (postc. d. Pass., Greg. 66, 3), « que votre aide sans cesse les protège » ; dans ces deux exemples, comme souvent, cette épithète s'emploie en parlant du saint sacrifice dont la perpétuité reste notre secours le plus assuré dans le temps ; autres épithètes de *subsidium* : *cæleste,*

---

4. *Solatium*, secours matériel, § 141.
5. On retrouvera ce mot et les suivants dans les prières à la Ste Vierge.
6. Ex. de phrase nominale, fréquente dans le style des Psaumes.

divinum (de Dieu), *sempiternum, æternum* (du ciel) (or. passim) ; cf. § 70 ; 310 ;

nobis ... indulgentiæ præsta **subsidium** (⁷) (or. 5 sabb. Quatr. T. sept., Greg. 166, 5), accordez-nous le secours de votre pardon ;

subveniat *nobis ... sacrificii præsentis oblatio* (secr. p. vit. mortal., Gel. III, 38), que l'offrande de ce sacrifice nous vienne en aide ;

emploi absolu : *Deus, qui* **subvenis** *in periculis* (Greg. 205, 1) ;

dextera tua populum deprecantem ... **sustentet** (Leon. 898), que votre droite soutienne votre peuple en prières ;

diei molestias noctis quiete **sustenta** (Greg. 203, 6), aidez-nous à supporter les tracas du jour grâce au repos de la nuit.

§ 72 La garde de Dieu :

custodi *animam meam et erue me* (Ps. 24, 20), garde ma vie, délivre-moi ;

custodi me ut pupillam oculi (Ps. 16, 8) ;

custodi, *D., q., ecclesiam tuam propitiatione perpetua* (or. d. 14 p. Pent., Gel. III, 10), avec votre bienveillance continuelle gardez votre Église ; et aussi : *tua protectione, sub tua protectione* **custodi** (or. et Sacram. passim) ;

autres compléments d'objet : **custodi** *familiam tuam, famulos, gregem, populos* (or. passim) ;

ex. au sens de *servare* : *quatenus animas nostras ab immundis cogitationibus purges, illæsasque* **custodias** (secr. ad repell. mal. cog.), afin que vous purifiiez nos âmes des pensées impures et les gardiez hors de leurs atteintes ;

esto, Domine, plebi tuæ sanctificator et **custos** (or. 25 jul., Gel. Cagin 1135), Seigneur, sanctifiez et gardez votre peuple ;

custodire ab, defendere ab (or. passim), garder de, défendre contre :

Sis præsul ad **custodiam** (hymn. ord. compl.), soyez notre chef pour nous garder (modif. *et custodia*) ;

tua nos, Domine, **protectione defende** (sup. pop. fer. 3 p. d. 3 Quadr., Greg. 54, 4), prenez-nous, Seigneur, sous votre protection ;

Domine, ... ad **defensionem** *meam conspice* (Ps. 21, 20), Seigneur, veille à ma défense ; v. ex. § 57; et plus loin : libération ;

tribue **defensionis** *auxilium* (sup. pop. fer. 2 p. d. 4 Quadr., Greg. 60, 4), accordez (nous) votre aide et votre secours ;

ut (populus tuus) tuo **munimine** *sit securus* (sup. pop. fer. 5 p. d. 4 Quadr., Leon. 379), afin que, sous votre protection, il soit en sécurité ;

---

7. L'ex. suivant, avec un génitif objectif, ne concerne pas l'aide de Dieu : *ad fragilitatis nostræ subsidium* (secr. fer. 5 p. d. Pass., Greg. 70, 2).

*ut (ecclesia tua) spiritualibus semper **muniatur auxiliis*** (or.
13 jun.), « afin qu'elle soit sans cesse assurée des secours
spirituels » ; ce verbe est souvent accompagné de compléments
exprimant la protection ou la défense : ***muniri** defensione,
præsidio, præsidiis, protectione, **muniri** ab, contra* (or. passim) ;

*famulos tuos a cunctis adversitatibus **protege*** (secr. p. congreg.), protégez vos serviteurs contre toutes les adversités ;
v. Ps. 16, 8, § 57 ;

***protege** plebem, populum, famulos tuos* (Leon. passim) ; *te
protegente* (or. passim) ;

*Tu nos ab hoste **protege*** (hymn. compl. off. parv. B. M. V.),
protégez-nous de l'ennemi ;

*ut (nos) ... perpetua **protectione custodias*** (postc. 17 aug.,
Greg. 142, 3), « de nous garder sans cesse sous votre protection » ; épithètes les plus fréquentes : *assidua, continua, sempiterna, cælestis **protectio*** (or. passim) ;

*tua **protectione** gaudere, custodiri, defendi, muniri* (or.
passim) ;

*has famulas tuas ... tuæ **protectionis** scuto **circumtege*** (or.
ben. virg. Pont. Rom.), que votre protection s'étende, comme
un bouclier, sur vos servantes ; cf. *ut tui Spiritus virtus et
interiora ejus repleat et exteriora **circumtegat*** (ben. episc.
Pont. R., Leon. 947), que la force de votre Esprit le remplisse
intérieurement et le couvre extérieurement ;

*esto mihi in Deum **protectorem*** (Ps. 70, 3), sois pour moi le
Dieu qui protège ;

***protector** in te sperantium* (or. d. 3 p. Pent., Gel. Cagin.
1019 ; cf. Ps. 17, 31), protecteur de ceux qui espèrent en
vous ;

*(Dominus) de Sion **tueatur*** (Ps. 19, 3), de Sion qu'il t'envoie
son secours ;

***tuere**, q., D., familiam tuam* (or. 3 sabb. Quat. T. sept.,
Greg. 166, 3), protégez vos serviteurs ; ***tuere** familiam, populum tuum* (Leon. passim) ;

*tua nos, Domine, sacramenta ... contra diabolicos semper
tueantur incursus* (secr. d. 15 p. Pent., Gel. III, 11), que votre
sacrement, Seigneur, nous protège toujours contre les attaques du démon ;

*sumpti sacrificii, Domine, perpetua nos **tuitio** non derelinquat*
(postc. fer. 6 p. d. Pass., Greg. 71, 3), Seigneur, que la protection due au sacrifice auquel nous avons pris part ne nous
abandonne jamais ;

*ad **tutamentum** mentis et corporis* (postc. 9 aug. p. al. loc.),
pour la protection de notre âme et de notre corps ; *sit omni
unguentum tangenti **tutamentum** mentis et corporis* (Greg.
77, 5), que cette huile (des malades) soit, pour tous ceux qu'elle
aura touchés, une sauvegarde physique et spirituelle ;

tu, Domine, **servabis** *nos et* **custodies** *nos* (Ps. 11, 8), toi,
Seigneur, tu nous sauveras et nous garderas ;

te **servante** (or. d. Pass., Greg. 66, 1), sous votre protection ;

Nos **servet** *a nocentibus* (hymn. dom. prim.), nous garde des
méchants ;

Dominus **conservet** *eum* ... (Ps. 40, 3 et or. p. papa), que le
Seigneur le garde.

c) LIBÉRATION

§ 73 Le Psalmiste demande au Seigneur d'être délivré des
méchants, de ses ennemis ; les oraisons liturgiques de même,
et aussi d'être délivré du mal moral et spirituel, du péché, de
l'enfer ; v. purification, pardon, § 277 ; 281-283 :

ex. **libera** *me de sanguinibus, Deus, Deus salutis meæ* (Ps. 50,
16), délivre-moi du sang (du sang versé, de la mort prématurée,
Bible de Jérus.), ô Dieu, Dieu de mon salut ;

liberari *ab omnibus adversis, adversitate, adversitatibus,
hostibus, periculis, culpis, tentationibus, peccatis,* etc. (or.
passim) ; **liberari** *de, ex* est moins fréquent ;

ab omni malo **libera** *nos, Domine* (litan.) ; *libera nos ab omni
malo* (Leon. 483) ; **libera** *nos a malo* (⁸) (Mat. 6, 13) ;

libera *nos, q., D., ab omnibus malis, præteritis, præsentibus
et futuris* (Gel. III, 17, 1258 et Miss. R.), délivrez-nous de tous
les maux, passés, présents et à venir ; **libera** *nos a malis
præsentibus et futuris* (Miss. Goth. 529) ;

libera *animas,* v. prières pour les morts ;

Nos a quiete noxia Mersos sopore **libera** (hymn. (⁹) mat. fer.
4), sauvez-nous du repos nuisible, qui nous ensevelit dans la
torpeur ;

ut a nostris mundemur occultis et ab hostium **liberemur**
insidiis (postc. d. 5 p. Pent., Gel. III, 1), d'être purifiés de nos
fautes cachées et d'être délivrés des embûches de nos ennemis ; *ab infestis hostibus* **liberemur** (Leon. 862) ; pour *mundet
et muniat,* v. purification, § 250 ;

en parlant de la libération par excellence, la Rédemption :

concede ... ut nos Unigeniti tui nova per carnem Nativitas
liberet (or. 3a miss. 25 dec., Greg. 8, 1), faites que par la
nouveauté de la naissance (¹⁰), selon la chair, de votre Fils
unique, nous soyons délivrés ; v. autre trad. § 180 ; autres ex.
concernant la Rédemption, § 226 et suiv. ;

præsta ... ut ... per unigeniti Filii tui passionem **liberemur**

---

8. Ni le texte grec, ni le texte latin ne précisent s'il s'agit du masculin ou du
neutre, du mal ou du Malin qui le personnifie.

9. « *Rerum Creator optime* », hymne d'origine monastique.

10. Cf. *alienum quippe ab hac nativitate, quod de omnibus legitur... Nihil ergo in istam
singularem nativitatem de carnis concupiscentia transivit* (Leo M. Serm., lect. 5 Nat.
Dom.), étranger à cette naissance ce qu'on lit de toutes les autres... Rien, dans
cette naissance singulière, n'a passé de la concupiscence charnelle.

(or. 1 fer. 4 Hebd. Maj., Greg. 76, 1), accordez-nous d'être délivrés par la Passion de votre Fils unique ; pour *redimere*, délivrer, *redemptor* (Ps. et Job), Dieu libérateur, v. § 162.

Ex. avec d'autres verbes :

*A nobis **abigas** lubrica gaudia* (hymn. mat. 30 jan.), écartez de nous les joies dangereuses ;

***Aufer** tenebras mentium* (hymn. mat. fer. 3), ôtez les ténèbres de nos âmes ;

*morbos **auferat*** (or. 6 Parasc., Gel. I, 41, 410), qu'il écarte les maladies ;

***abstrahatur** a noxiis* (or. d. 14 p. Pent., Gel. III, 10), que (notre humanité mortelle) échappe à tout ce qui lui est nuisible ;

*iracundiæ tuæ flagella ab eo clementer **amoveas*** (or. m. p. vit. mortal., Gel. III, 38), dans votre clémence, détournez (de votre peuple) les fléaux de votre colère ; cf. *ut noxia cuncta **submoveas*** (or. d. 7 p. Pent., Gel. III, 3) ;

*mala omnia, quæ meremur, **averte*** (secr. 1 mai., Greg. 102, 2), écartez tous les maux que nous méritons ;

*convertere, Domine, et **eripe** animam meam* (Ps. 6, 5), reviens, Seigneur, délivre-moi ;

*deprecantes ut ... a cunctis **eripi** mereamur adversis* (postc. p. grat. act.), que nos prières nous méritent d'être arrachés à toute adversité ;

*de necessitatibus meis **erue** me* (Ps. 24, 17), délivre-moi de mes tourments ; ***eruere*** est fréquent dans les Psaumes ;

*ut ... a periculis omnibus **eruamur*** (postc. d. 4 p. Pasch. ; *exuamur*, Gel. I, 59), afin que nous soyons arrachés à tous les dangers ;

*universa a nobis adversantia propitiatus **exclude*** (or. d. 19 p. Pent., Gel. III, 15), avec bienveillance écartez de nous tout ce qui nous est contraire ;

*hæc ... nos ... a malis omnibus **reddet immunes*** (secr. B. M. V. « *Salus infirmorum* », p. al. loc.), que cette offrande nous fasse échapper à tous les maux ;

§ **74** *tua nos, Domine, medicinalis operatio ... a nostris perversitatibus clementer **expediat*** ([11]) (postc. d. 7 p. Pent., Gel. Cagin. 1129), Seigneur, que votre action salutaire nous délivre avec bonté de nos tendances au mal ; pour *expiati, expediti*, et termes analogues, v. purification, pardon, § 276 et suiv.

Chasser : *depellere, expellere, repellere, pellere* :

ex. *et noxia semper a nobis cuncta **depellat*** (postc. fer. 6 p. d. Pass., Greg. 71, 3), (que votre protection) écarte sans cesse de nous tout ce qui est nuisible ;

---

11. Le contraire de *expediti* est *impediti* : ex. *ut nullis perturbationibus impediti...* (miss. vot. coll. ord., Gel. I, 24), dégagés de toute passion.

ab ecclesia tua cunctam **repelle** *nequitiam* (sup. pop. fer. 3 p. d. 1 Quadr., Greg. 40, 4), de votre Église écartez tout mal ;

Noctem **repellat** *sæculi* (hymn. laud. fer. 6), que (la sainte lumière) écarte la nuit du siècle ;

peccata, quibus impugnatur (populus tuus), **expelle** (sup. pop. fer. 5 p. d. 4 Quadr., Leon. 379), repoussez les péchés qui l'assiègent ;

Expelle *noctem cordium* (hymn. vesp. fer. 4), chassez la nuit de nos cœurs (mais l'hymne primitive formule ainsi : *Illumina cor hominum*) ;

a domo tua, q., D., spiritales nequitiæ **repellantur** (or. ad repell. temp., Gel. III, 47), que les esprits du mal soient repoussés loin de votre maison ;

Pellat ([12]) *angorem, tribuat salutem* (hymn. dom. laud.), qu'il chasse toute angoisse, accorde le salut ;

Præterita, præsentia, Futura mala **pellite** (hymn. vesp 1 nov.), écartez, avec les maux passés, les maux présents et à venir (modif. *Antiqua cum præsentibus Futura damna* **pellite**).

L'expression *salvum me fac*, « sauve-moi », est très fréquente dans les Psaumes (3, 7 ; 6, 5; etc.), mais pas dans les oraisons : cf. **salvum atque incolumem** *(papam nostrum)* **custodiat** *ecclesiæ suæ* (or. 2 Parasc., Greg. 79, 3), que (Dieu) le garde pour son Église exempt de tout mal *(salvos et incolumes custodiat,* Gel. I, 41, 402, en parlant de l'évêque et du pape) ;

v. *salus, salvatio, remedium,* au chp. eucharistie, § 259 et 253 ; le salut, § 284 et suiv. ; *solatium, consolatio,* § 71.

Quelques expressions imagées de la consolation :

Tu nostra **terge** *vulnera* (hymn. mat. S. S. Cord. Jes. p. al. loc.), pansez nos blessures ; cf. *et* **absterget** *Deus omnem lacrymam ab oculis eorum* (Apoc. 7, 17), et Dieu essuiera toute larme de leurs yeux ;

Jesu, **medela** *vulnerum,* v. § 45. V. Demande de pardon, § 277.

d) AUTRES OBJETS DE LA DEMANDE

§ 75 Les demandes formulées sont aussi nombreuses que nos besoins ; besoins spirituels d'abord : outre les ex. cités précédemment, on en trouvera d'autres dans les chapitres concernant le pardon, la purification, le salut, la grâce, les dons du Saint-Esprit, la perfection morale, le profit spirituel, les vertus.

Voici quelques exemples concernant les besoins matériels, liés ou non aux besoins spirituels.

---

12. C'est dans la tradition de la poésie classique d'employer le verbe simple, au lieu du composé, ce qui explique qu'on le trouve dans les hymnes, plutôt que dans les oraisons ; cf. toutefois *morbosque pellendos* (Greg. 207, 2).

La paix : *largire, q., D., fidelibus tuis indulgentiam placatus et* **pacem** (or. d. 20 p. Pent., Gel. III, 16), « daignez accorder à vos fidèles le pardon et la paix » ; il s'agit ici de la paix de l'âme pardonnée ([13]) ; mais dans l'oraison *da pacem* (cit. § 65), il s'agit de la paix avec les hommes ; les expressions les plus courantes sont : **pacem** *dare, largiri, concedere, tribuere, consequi* (or. passim).

Autres expressions : **tempora** *sint, tua protectione,* **tranquilla** (or. m. p. pace, Gel. III, 56), que, sous votre protection, notre époque jouisse de la tranquillité ; *tranquillitate pacis* (postc. temp. belli, Gel. III, 57) ; v. *auctor pacis,* § 476 ; *ab hostibus liberari,* § 73 ; cf. *statum Romani nominis ubique defende* (Leon. 950) ; *Romani imperii adesto rectoribus* (Gel. III, 61, 1498) ; *Romani nominis secura libertas* (ibid. 61, 1503) ;

protege ab omnibus impugnationibus supplices tuos (postc. p. pace, Gel. III, 56), protégez contre toute attaque ceux qui vous supplient ;

ut tribuat **temporum quietem,** *regum pacabilitatem* (Miss. Goth. 276), qu'il nous donne une époque tranquille, des rois à l'âme pacifique ;

da nobis ... ut et mundi cursus **pacifice** *nobis tuo ordine dirigatur, et ecclesia tua* **tranquilla** *devotione lætetur* ([14]) (or. d. 4 p. Pent., Gel. Cagin 1054 ; *pacifico ... ordine,* Leon. 633), faites que, sous votre direction, les affaires de ce monde se déroulent dans la paix et que votre Église ait la joie de vous servir dans la tranquillité ;

Et da **quieta tempora** (hymn. laud. Pent.), donnez la tranquillité à notre temps.

Les fléaux publics : il y a des messes votives *pro pace, tempore belli, pro vitanda mortalitate* (épidémie) ; des oraisons *pro fame ac pestilentia repellenda ac sterilitate terræ, tempore terræmotus, ad repellendas tempestates,* etc. Outre la libération du mal et du péché, les litanies des saints demandent à Dieu de nous délivrer de l'épidémie, de la famine, de la guerre : *a peste, fame, et bello, libera nos, Domine ;* de la foudre et de la tempête : *a fulgure et tempestate.*

La réussite dans toutes nos entreprises : ex. *missa pro peregrinantibus et iter agentibus,* pour ceux qui sont en route et voyagent à l'étranger.

Les oraisons du Vendredi-Saint passent en revue tous les besoins des fidèles :

ex. *morbos auferat, famem depellat, aperiat carceres, vincula dissolvat, peregrinantibus reditum, infirmantibus sanitatem,*

---

13. Cf. *pacem meam do vobis* (Jo. 14, 27) ; *pacem tuam* (or. d. 2 p. Epiph., Greg. 202, 47). Pour la paix apportée par le Médiateur, v. § 230.

14. *Lætari* et surtout *gaudere* se rapprochent parfois du sens de *frui,* profiter avec joie de, jouir de : ex. *pace gaudere* (Leon. 8).

navigantibus portum salutis indulgeat (or. 6, Gel. I, 41, 410),
qu'il chasse les maladies, repousse la faim, ouvre les prisons,
délie les entraves, accorde aux voyageurs le retour, aux malades la santé, aux navigateurs le refuge du port. A ces intentions des messes sont dites : *pro infirmo, pro infirmis, pro
parentibus, pro devotis amicis, pro benefactoribus*, etc.

ex. *pro quibus **ægrotantibus** misericordiam tuam imploramus* (secr. p. infirm., Gel. III, 70), (vos serviteurs) malades
pour qui nous implorons votre miséricorde ;

*auxilii tui super **infirmos** famulos tuos ostende virtutem*
(postc. ibid., Gel. ibid.), sur vos serviteurs malades montrez
la puissance de votre secours.

V. prière pour les agonisants, § 94 note, et 407 ;
pour les morts, § 93-96.

6. VERBES ET SUBSTANTIFS DÉSIGNANT LA PRIÈRE

§ 76 Le latin *orare* signifie « prononcer une formule », sans
pour cela que les linguistes modernes rattachent le mot à *os,
oris*, la bouche ; et en particulier « prononcer une formule de
prière, prier ». Ce verbe s'emploie

a) absolument : par le subjonctif *oremus*, le célébrant invite
les fidèles à la prière intérieure qui doit précéder ou accompagner la prière solennelle qu'il formule à voix haute ([1]).

Autres ex. de l'emploi absolu : *doce nos **orare*** (Luc. 11, 1),
apprends-nous à prier ; *oportet **orare** semper et non deficere*
(Luc. 18, 1), il faut prier toujours sans jamais faiblir (cf. *non
cessemus ...*, Col. 1, 9) ;

Domine Jesu Christe, qui in horto (cf. Mat. 26, 41) ... *nos
orare docuisti* (or. fer. 3 p. d. Septuag., p. al. loc.), Seigneur
Jésus, qui, dans le jardin (de Gethsémani), nous avez enseigné
à prier ;

*(martyres) jejunando **orando**que certarunt* (Leon. 387), ont
lutté dans le jeûne et la prière ; *semper **orantes*** (or. 4 jun.).

b) Soit avec un complément d'objet direct, le plus souvent
Deum :

ex. **oremus** *... Deum Patrem omnipotentem* (or. 6 Parasc.,
Gel. I, 41, 410) ;

---

1. Le mot *collecta* désignait une réunion, et en particulier une réunion stationale,
puis l'oraison prononcée à cette occasion : ex. *collecta ad sanctam Anastasiam* (Greg.
35 tit.) ; et adj. : *oratio collecta ad sanctum Hadrianum* (ibid. 27 tit.). Depuis l'époque
mérovingienne, il désigne la collecte ou première oraison de la messe. On peut
aussi rapprocher ce mot de *collectio*, qui désignait en Gaule, dès le 5e s., l'oraison
de l'office ou de la messe : ex. *collectio ad pacem* (Miss. Goth. tit. passim), oraison
pour le baiser de paix. Ce mot se rattache à l'expression *colligere orationem*, rassembler, conclure la prière au nom de tous, après que chacun a prié séparément,
donc : dire la prière (Cassian. Inst. 2, 10 tit. ; Conc. Agath. can. 30, Mansi 8, c.
330). La *collecta* semble donc résumer l'intention du jour. Cf. *præfatio*, note 11.

oramus, Domine, clementiam tuam (or. ante miss. fer. 5), nous supplions votre clémence ; *orare Deum, ut* (or. passim).

c) Soit avec un complément circonstanciel :

ex. *non cessamus **pro vobis orantes** et postulantes* (Col. 1, 9), nous ne cessons de prier pour vous en demandant... ;

orare pro aliquo (or. passim), en parlant de toutes les personnes, vivantes ou mortes, pour lesquelles on prie ; pour *orare*, intercéder, v. culte des saints, § 100 ; on rencontre d'autre part, dans le latin biblique, l'expression *orare ad*, adresser sa prière à (Ps. 31, 6; 4 Reg. 6, 18 ; 2 Mac. 2, 10 ; etc.).

d) Soit avec un subjonctif sans *ut* :

ex. **Oro** *fiat illud quod tam sitio* (« *Adoro te* »), je vous en supplie, qu'il advienne ce que je désire tant.

e) Soit avec un infinitif :

ex. *qui propriis **oramus** absolvi delictis* (secr. sabb. p. d. 2 Quadr., Greg. 51, 2), nous qui vous prions de nous absoudre de nos fautes personnelles.

§ 77 Le substantif *oratio* est fréquent dans le latin biblique, comme dans les oraisons :

ex. *Dominus **orationem** meam suscepit* (Ps. 6, 10), le Seigneur a accueilli ma prière ;

*suscipe propitius **orationem** nostram* (or. 9 Parasc., Gel. I, 41, 417), accueillez favorablement notre prière ; v. autres ex. § 53 ; 54 et passim ;

*gratias ago Deo meo in omni memoria vestri, semper in cunctis **orationibus** meis pro omnibus vobis cum gaudio deprecationem faciens* (Philipp. 1, 3-4) je rends grâces à mon Dieu chaque fois que je fais mémoire de vous, en tout temps dans toutes mes prières, prières que je fais avec joie ; le mot *oratio* traduit ici δέησις, demande instante, mais plus souvent (1 Thess. 1, 2 ; 1 Tim. 2, 1 ; Rom. 1, 9) προσευχή ;

*quos in **oratione** commendatos suscepimus* (secr. p. vivis et def.), que nous nous sommes chargés de recommander dans nos prières.

Oratus,-us est rare et inconnu dans l'ancien style liturgique :

ex. *hujus oratu* (hymn. mat. comm. non virg.), grâce à son intercession (la formule originale étant : *hujus obtentu*).

Oramen apparaît dans quelques hymnes : ex. *vestro sub oramine* (Pont. Rom.-Germ. 99, 446 ; Ord. R. 50).

Composés : *adorare*, déjà étudié § 19-20, étym. « adresser sa prière à » ; le mot semble avoir dans certains psaumes un sens équivalent à *orare* [2] :

ex. **adorabo** *ad templum sanctum tuum* (Ps. 5, 8; 137, 2),

---

2. Cf. *ascendit in montem ut ibi adoraret* (Lact. Inst. 4, 15, 16) ; certains traduisent *ut adorarent in die festo* (Jo. 12, 20), « pour sacrifier durant la fête » (ou assister au sacrifice) ; v. Act. 8, 27.

j'irai prier à ton temple ; **adorabunt** *in conspectu ejus* (Ps. 21, 28 ; *coram te* (85, 9).

Exorare, supplier, prier avec instance, prier :

ex. *pro defunctis* **exorare** (2 Mac. 12, 46), prier pour les morts ;

(Stephanus) qui pro suis etiam persecutoribus **exoravit** *Dominum* (or. 2 jan. ; *supplicavit*, Gel. I, 6), qui pria le Seigneur même pour ses persécuteurs ; *pro persecutoribus exorare* (Greg. 10, 1) ;

majestatem tuam, Domine, supplices **exoramus** (or. 30 aug., Leon. 438 et passim), nous supplions humblement votre Majesté ; *majestatem, misericordiam tuam* **exorare** (or. passim) ; avec *supplices, suppliciter*, v. § 62 ; ce verbe est le plus souvent construit avec *ut* : ex. *te supplices* **exoramus** *ut* ... (or. d. 7 p. Pent., Gel. III, 3) ;

rare : **exorare** *subsidium* (or. 28 jul., Gel. II, 24), implorer le secours.

§ 78 La démarche de la prière est quelquefois exprimée par le verbe *accedere*, « s'approcher », comme on le faisait devant un grand personnage ou devant l'empereur, pour lui présenter oralement ou par écrit une requête ; bien que *accedere* n'ait pas ce sens dans les Sacramentaires :

ex. *Domine Jesu Christe, ... quisquis ad te beneficia petiturus* **accesserit** (or. 31 mai. p. al. loc.), quiconque vous aura abordé pour implorer un bienfait ;

ad novi ... testamenti mediatorem Jesum **accedamus** (secr. 1 jul.), approchons-nous de Jésus, le médiateur de la nouvelle alliance.

L'instance de la prière est comparée à un cri ([3]) :

ex. *intellige* **clamorem** *meum* (Ps. 5, 2), discerne mon appel ; *ad Deum* ou *ad Dominum* **clamare** (Ps. passim) ; cf. *clamor nostræ vocis* (Moz. Lib. sacr. 1067) et *vox nostri clamoris* (id. Lib. ord. 201) ;

qui ... ex quacumque tribulatione ad te **clamaverint** (or. comm. Dedic., Greg. 197, 1), qui, du fond de n'importe quelle tribulation, ont crié vers vous ; cf. Ps. 17, 7 ; *clamare ad* (or. passim) ;

populum tuum in afflictione **clamantem** (or. p. quac. tribul., Greg. 201, 28), votre peuple qui, dans son affliction, vous appelle.

Voces équivaut parfois à *preces* et désigne non seulement les prières, mais tout ce que le peuple pouvait dire dans sa prière :

ex. *plebis tuæ ... exaudias* **voces** *de cælo sancto tuo* ([4]) (Ben.

---

3. *Ut magna intentione cordis, id est interno et incorporeo clamore, auxilium imploremus Dei* (Aug. Enarr. psal. 4, 5), que nous implorions le secours de Dieu avec un grand élan de cœur, c'est-à-dire le cri intérieur et spirituel.

4. Cf. *exaudiet de cælo sancto suo* (Ps. 19, 7).

cand. or. 1, 2 febr.), du haut de votre sanctuaire du ciel,
écoutez la voix de votre peuple ;

Jesum ciamus **vocibus** (Prud. « *Ales diei nuntius* »), appelons
Jésus par nos chants ;

au sing. *Domine, mane exaudies* **vocem** *meam* (Ps. 5, 4), au
matin tu écouteras ma voix, Seigneur ;

quod **voce** *mea depromitur* (or. p. seipso sacerd., Gel. I, 100),
ce que formule ma voix.

Invocare, invoquer, appeler :

ex. *confitemini Domino et* **invocate** *nomen ejus* (Is. 12, 4),
confessez le Seigneur et invoquez son nom ; **invocabimus** *no-*
men tuum (Ps. 74, 2) ;

ab omnibus ... **invocantibus** *nomen tuum* (secr. comm. Dedic., Gel. I, 90), par tous ceux qui invoquent votre nom ;

per **invocationem** *sanctissimi nominis tui* (or. 1 ben. Cin.) ;
même expression dans un exorcisme (Greg. 207, 3) ;

adesto propitius **invocationibus** *nostris* (or. d. 1 p. Pent.,
Gel. I, 62), écoutez favorablement nos invocations ;

in quacumque die **invocavero** *te* (Ps. 55, 10), quel que soit le
jour où je t'appellerai ; *te invocare* (or. passim) ;

ex. d'emploi intrans. *nos autem in nomine Domini Dei nostri*
invocabimus (Ps. 19, 8), à nous d'invoquer le nom du Seigneur
notre Dieu.

§ 79 Le verbe simple *precari*, prier, est beaucoup moins
employé que *orare* ; par contre le substantif pluriel *preces* (⁵)
est un peu plus fréquent que *orationes* :

ex. **precamini**, *vos, pro me ad Dominum* (Act. 8, 24), quant
à vous, priez pour moi le Seigneur ; ce verbe est rare dans le
Missel Romain.

ex. d'emploi trans. *Deum* **precemur** *supplices* (hymn. dom.
prim.), prions Dieu humblement ; *te* **precantes** (hymn. orig.
mat. Ascens.) ; *ideo* **precor** *beatam Mariam* (« *Confiteor* ») ;

Deum **precemur** (renov. prom. bapt. vig. pasch.) ;

precamur *ut ...* (postc. 2 apr.).

Exaudivit **preces** *meas* (Ps. 39, 3), « il a entendu mes prières » ; quelques ex. au sing. dans les Psaumes : *inclina aurem*
tuam ad **precem** *meam* (87, 3), prête l'oreille à ma prière ; cf.
Ps. 101, 1 et 18 ;

pro quibus effundere **preces** *decrevimus* (or. Rogat. et Quadr. ;
p. vivis et def.), pour lesquels nous avons jugé bon de vous
adresser nos prières ;

v. autres ex. § 52 à 54 et passim ; *preces offerre, deferre* (or.
passim) ;

pro animabus famulorum ... **preces** *effundimus* (postc. p.

---

5. Voir *preces, precatio, deprecatio*, en parlant de l'intercession des saints, § 100.

plur. def., Gel. III, 102), pour les âmes de vos serviteurs nous épanchons vers vous nos prières ;

intenta **prece** *rogemus* (Moz. Lib. sacr. 712) ; *intentis* **precibus** (ibid. 1380) ;

(rare) **precatu** *supplici* (hymn. vesp. comm. mart.), en vous priant humblement.

Composés : ex. rare et récent : **adprecamur** *ut* (postc. 9 oct.), nous vous supplions de...

Deprecari (⁶) est employé transitivement ou intransitivement dans les Psaumes : ex. **deprecatus sum** *faciem tuam* (118, 58), j'ai supplié devant toi ;

ad Deum meum **deprecabor** (29, 9), j'adresserai à mon Dieu ma supplication ;

exaudi, Deus, orationem meam, cum **deprecor** (63, 1), écoute, ô Dieu, ma prière, lorsque je te supplie.

Dans les oraisons, *deprecari* est construit avec *ut*, ou, le plus souvent, avec un complément d'objet : *te deprecamur, deprecamur clementiam, misericordiam tuam* (passim) ; *Dei ... misericordiam ... mentis intentione* **deprecemur** *... ut* (Moz. Lib. ord. 429) ... avec toute notre ferveur ; cf. § 505 note.

ex. dans les hymnes : *Te* **deprecantes**, *quæsumus* (« *Æterne Rex altissime* »), en suppliant, nous vous prions... (mais dans l'hymne originale : *te precantes*) ;

Te **deprecamur** (« *Conditor alme siderum* ; modif. « *Creator alme* »).

Le sens étymologique de *deprecatio* « supplication pour détourner, écarter » apparaît dans un ex. comme celui-ci : *pia jejunantium* **deprecatione** *placatus* (or. 1 sabb. Quat. T. Sept., Greg. 166, 1), apaisé par nos jeûnes et nos prières ferventes ; *martyrum* ou *sanctorum* **deprecatione** *placatus* (Leon. passim) ;

mais le plus souvent *deprecatio* signifie « prière, supplication » :

ex. *exaudivit Dominus* **deprecationem** *meam* (Ps. 6, 10) ;

deprecationem *nostram, q., D., benignus exaudi* (sup. pop. fer. 2 p. d. 4 Quadr., Greg. 60, 4), écoutez avec bienveillance notre supplication.

§ 80 *Flagitare* (sens ordinaire « réclamer ») a quelquefois le sens de supplier : ex. *omnibus ... serenissimam pietatem tuam suppliciter obnixeque* **flagitantibus** (or. 1 ben. Cin.), v. cit. § 62.

Implorare : ex. *Omnibus nomen sanctum tuum humiliter* **implorantibus** (ibid.), « à tous ceux qui implorent humblement votre saint nom » ; *implorare* est surtout employé avec des compléments tels que *auxilium, subsidium, indulgentiam, misericordiam, veniam*, etc. (or. passim).

---

6. Comme pour *exorare*, il faut remarquer que le préfixe a perdu son sens étymologique et ne sert plus qu'à renforcer la valeur expressive.

Obsecrare (⁷) signifie aussi « supplier », mais avec une nuance plus solennelle, plus « sacrée » :

ex. *supplices ... preces effundimus,* **obsecrantes** *ut ...* (cit. § 79), ... en vous conjurant de ; *clementiam tuam suppliciter* **obsecrare** (præf. miss. chrism.) ;

auribus percipe **obsecrationem** *meam* (Ps. 142, 1), entends ma supplication.

Verbes et substantifs désignant la demande :

Petere, demander : ex. *si quid* **petieritis** *Patrem in nomine meo, dabit vobis* (Jo. 16, 23), ce que vous demanderez au Père en mon nom, il vous le donnera (double complément d'objet : hellénisme αἰτεῖν τι τινα, cl. *p. aliquid ab aliquo*) ;

unam **petii** *a Domino* (Ps. 26, 4), je n'ai demandé qu'une chose (hébr.) au Seigneur ;

te igitur ... supplices rogamus ac **petimus** *ut ...* (Canon, Gel. III, 17), nous vous prions humblement et vous demandons de... ;

quam suppliciter **petimus,** *pacem* (or. 8 jul.), la paix que nous demandons instamment ; v. autres ex. § 61 ;

et dedit eis **petitionem** *ipsorum* (Ps. 105, 15), et il leur accorda ce qu'ils demandaient ;

petitionis *suæ salutarem consequantur effectum* (Or. 29 dec.), qu'ils obtiennent de leur demande un effet salutaire ;

concede plebi tuæ piæ **petitionis** *effectum* (or. fer. 2 Oct. Pent., Greg. 113, 1), accordez à votre peuple la réalisation de sa fervente prière.

Sens plus intensif du composé : ex. *(famula tua) tua se* **expetit** *protectione muniri* (or. 2 m. p. spons., Greg. 200, 8), elle demande instamment d'être prise sous votre protection ;

qui (populus renascens), sicut cervus, aquarum tuarum **expetit** *fontem* (or. ben. font. vig. Pasch ; *exspectat,* Gel. I, 43, 442), qui, comme le cerf, désire ardemment la source de vos eaux vives ; cf. Ps. 41, 2, cit. § 48.

§ 81 *Poscere,* demander, se construit avec l'infinitif : ex. *cujus (sancti)* **poscimus** *meritis adjuvari* (postc. 16 apr. p. al. loc.), grâce aux mérites duquel nous demandons votre aide ;

ou avec la proposition infinitive : ex. **poscat** *nobis fore placatum Dominum* (postc. 23 jun.), qu'il implore pour nous la miséricorde du Seigneur ; cf. **poscat** *nobis favere placatum*

---

7. Selon Cassien (Coll. 9, 11), *obsecratio* est une prière pour obtenir le pardon ; car le préfixe *ob-,* comme *de-,* exprime l'idée d'écarter (on met sa main « devant » pour écarter). Saint Augustin (Ep. 149, 2, 12), cite un passage du N.T. (1 Tim. 2, 1), où *deprecationes* remplace *obsecrationes* de notre Vulgate ; cf. *jejuniis et obsecrationibus serviens (Anna) die ac nocte* (Luc. 2, 37), servant Dieu nuit et jour dans le jeûne et la prière (pour traduire le même mot grec δεήσεις). Selon Dom Bruylants (ouvr. cit.), dans plusieurs oraisons (secr. 29 jul. ; 27 oct.), *deprecantes ut* a remplacé une formule plus ancienne *obsecrantes ut.*

(Leon. 240), demande pour nous sa miséricordieuse faveur ;

ou plus souvent avec un complément d'objet : ex. *qui tua per eum beneficia* **poscimus** (or. 23 apr., Greg. 99, 1), qui, par son intercession, sollicitons vos bienfaits ; *poscere ut* (Leon. 1024) ;

ou absolument : ex. *perpetuam benignitatem largire* **poscentibus** (sup. pop. fer. 5 p. d. 2 Quadr., Greg. 49, 4), à leur prière, répandez sur eux votre continuelle bonté ; cf. *postula pro nobis ... poscite* ([8]) *pro nobis* (au lieu de *ora, orate*) (litan. Pont. Rom.-Germ. 99, 434 : Ord. R. 50) ;

poscere aliquem est rare : *Te, sancte Christe,* **poscimus** («*Rerum Creator optime*»),ô Christ saint, nous vous en prions.

Sens plus intensif du composé, *deposcere* ([9]), demander instamment, supplier : ex. *supplici, Domine, humilitate* **deposcimus** *ut ...* (or. miss. p. elig. pont.), nous vous demandons, Seigneur, par nos humbles supplications de ... ;

avec la proposition infinitive, en parlant de l'intercession d'un saint : ex. *hostias ... in salutem nobis provenire* **deposcat** (secr. 21 mart., Gel. Cagin 1122), qu'il demande instamment que ces offrandes servent à notre salut.

Postulare, demander : v. ex. § 76 (Col. 1, 9) ;

sed ipse Spiritus **postulat** *pro nobis gemitibus inenarrabilibus* (Rom. 8, 26), mais l'Esprit lui-même intercède pour nous en des gémissements indicibles ;

fac eos, quæ tibi sunt placita **postulare** (sup. pop. fer. 4 p. d. 4 Quadr., Greg. 62, 5), faites qu'ils demandent ce qui vous est agréable ;

postulata *concedas* (secr. d. 13 p. Pent., Gel. Cagin 1275), exaucez nos demandes ;

intret **postulatio** *mea in conspectu tuo* (Ps. 118, 170), que ma prière pénètre en ta présence ;

... fieri obsecrationes, orationes, **postulationes** (I Tim. 2, 1), que l'on fasse des supplications, des demandes (δεήσεις, προσευχάς, ἐντεύξεις) ;

pro **postulationibus** *nostris votisque susceptis gratias agimus* (postc. p. grat. act.), pour nos demandes et nos désirs agréés, nous vous rendons grâce.

§ 82 *Quæsumus*, nous vous en prions ; ou *quæsumus ut,* nous vous prions, nous vous supplions de (or. passim ; v. *quæso,* Dict.) ; *clementiam tuam* **quæsumus** *ut* (Greg. 28, 6).

Rogare, prier, demander à :

ex. *supplices te* **rogamus,** *omnipotens Deus, ut ...* (postc.

---

8. Cf. *pro his (rebus) Deum poscamus* (Aug. Ep. 157, 2, 10).

9. *Nobis... adesse te deposcimus* (Ambr. Hymn. 1, 9, 4), nous vous supplions d'être près de nous.

Sexag. et passim, Leon. 30 etc.), Dieu tout-puissant, nous vous
en supplions ... ;

rogamus, *Domine, clementiam tuam ut* ... (secr. Patron. S.
Jos.), nous supplions votre clémence de ... ;

rogo *ergo immensæ largitatis tuæ abundantiam quatenus* ...
(or. S. Thom. Aq.), je supplie donc votre libéralité sans bornes
de ... ;

Christum rogemus *et Patrem* (Ambr. Hymn. 2, 29), prions
le Christ et le Père.

Supplicare, supplier, ne se rencontre dans le Missel actuel
qu'au participe présent : supplicantes *offerimus* (secr. passim) ; supplicans *ecclesia, familia, famulus populus* (or.
passim) ; subst. *supplicans, supplicantes* (or. passim), celui,
ceux qui supplient ;

pro *persecutoribus* supplicavit (Leon. 676, en parlant de
saint Étienne, *exoravit*, 2 jan. M. R.), pria pour ses persécuteurs ;

supplicationes *populi tui clementer exaudi* (or. d. 2 p. Epiph.,
Greg. 202, 47), exaucez avec bonté les supplications de votre
peuple.

Votum ne signifie pas seulement « désir, souhait, vœu,
aspiration, espoir », mais aussi « vœu fait à Dieu, promesse,
tribut (de louanges) », ainsi que « demande, prière » :

ex. *ut* ... votorum *obtineatur effectus* (postc. comm. dedic.
altar., Greg. 197, 4), pour que soit obtenue la réalisation de
nos vœux ; vota *depromere* (Gel. II, 68) ;

ut nullius sit irritum votum, nullius vacua postulatio (secr.
d. 6 p. Pent., Gel. III, 2), pour que nul ne voie son désir déçu
ni sa demande vaine ;

(pléon.) *ut* (que) *ad* vota desideriorum *suorum* (le ciel)
perveniat (Gel. Cagin. 2169) ; *sancta* desideriorum vota (Moz.
Lib. sacr. 1335) ;

per arduum quotidie in virtutibus proficiendi votum (or. 10
nov.), par sa volonté acharnée de progresser tous les jours
dans la vertu ;

concede ... *Sanctum nos Spiritum* votis *promereri sedulis*
(postc. ad postul. grat. Sp. S.), accordez-nous de mériter par
nos prières empressées la grâce du Saint-Esprit ;

quod votis *celebrat* (or. 29 jul., Gel. II, 37), ce qu'il célèbre
par ses prières ;

Et vota *solvamus tibi* (Ambr. « *Æterne rerum Conditor* »),
acquittons-nous envers vous de notre tribut de prières ;

te decet hymnus in Sion et tibi reddetur votum in Jerusalem
(Ps. 64, 2), à toi est dû un hymne dans Sion et on te paiera un
tribut de louange à Jérusalem ; cf. *apud te* laus *mea in ecclesia
magna ;* vota *mea reddam in conspectu timentium eum* (Ps. 21,
26), devant toi ma louange dans une grande assemblée ; je
paierai mon tribut devant ceux qui le craignent ;

Vota, dons voués ou offerts, hommages ([10]), v. ex. § 86 ;
Votivus, v. § 7.

Præfatio, discours, formule préliminaire (v. note 1 du § 32),
cf. **Præfatio** *symboli ad electos* (Gel. I, 35 tit.), récitation et
explication préliminaire du symbole devant les élus (candidats
admis au baptême) ; d'où : formule de prière, prière : ex.
præfatio *consecrationis altaris* (Miss. Franc. 12, 57) ; **præfatio**
uvæ (Greg. 138, 3 tit.), formule de bénédiction de la grappe
nouvelle (5 août) ;

invitation à la prière ([11]), avant la grande prière eucharistique (Cypr. Dom. orat. 31) ; d'où le nom de « préface » ; v.
autres détails dans le Dict.

7. ATTITUDES ET DÉMARCHES EXTÉRIEURES
DE LA PRIÈRE

§ 83 On fléchit les genoux, attitude considérée, aux premiers
siècles, comme spécifiquement pénitentielle, mais aussi
d'adoration (v. *adorare*, § 19) :

ex. **positis** *autem* **genibus***, clamavit (Stephanus) voce magna*
(Act. 7, 60), fléchissant les genoux, il cria d'une voix forte ;
ponens **genua** (Act. 9, 40) ;

flecto genua *mea ad Patrem* (Ephes. 3, 14), je fléchis les
genoux devant le Père ;

ut in nomine Jesu omne **genu flectatur** (Philipp. 2, 14), qu'au
nom de Jésus tout genou fléchisse ;

flectamus *genua* (invitation du diacre, par ex. le Vendredi-
Saint) ;

quia mihi **curvabitur** *omne genu* (Is. 45, 24), parce que tout
genou fléchira devant moi ;

Cujus forti potentiæ **Genu curvantur** *omnia, Cælestia, ter-
restria* (hymn. vesp. Adv.), devant ta puissance tout genou
fléchit au ciel et sur la terre (modif ... *Et cælites et inferi
Tremente* **curvantur** *genu*) ;

curvari (seul) se courber jusqu'à terre, se prosterner : ex.
festinusque Moyses **curvatus est pronus** *in terram, et adorans
ait* ... (Ex. 34, 8), et aussitôt Moïse tomba à genoux sur le sol
et se prosterna en disant...

---

10. *Si usitatius... in scripturis votum appellatur* εὐχή *proprie intellegenda est oratio
quam facimus ad votum, id est* προσευχήν. *Voventur autem omnia quae offeruntur Deo*
(Aug. Ep. 149, 16), si le plus souvent, dans l'Écriture, *votum* (prière) traduit le
mot εὐχή, au sens propre néanmoins, il s'agit de la prière que nous faisons pour un
vœu. Est « voué » à Dieu tout ce que nous lui offrons.

11. *Præfatio* désigne aussi une invitation préliminaire à la prière dans le Missel
Gothique (passim), avec des formules comme : *precemur*, ou *deprecemur*, ou *oremus,
fratres carissimi* ou *dilectissimi*.

On trouve plus rarement *præfata* : ex. *incipiunt præfatas* (= *præfatæ*) Miss.Goth.
64 tit.

Le passif *prosterni* s'emploie au lieu de *se prosternere* :
ex. au sens figuré : *istam familiam ... toto corde tibi*
prostratam (or. p. congreg. et fam.), cette famille prosternée
de tout cœur devant vous ; *prostratus* se rencontre plusieurs
fois dans le Léonien : ex. *toto corde* **prostrati** *suppliciter exora-*
mus (446).

Cadere et *procidere*, tomber à genoux : ex. **procidebant**
viginti quatuor seniores ante sedentem in throno et adorabant
viventem in sæcula sæculorum (Apoc. 4, 10), les vingt-quatre
vieillards se prosternaient devant Celui qui siège sur le trône
pour adorer Celui qui vit dans les siècles des siècles ;

ceciderunt proni *in terram coram Domino et adoraverunt*
eum (2 Par. 20, 18), ils tombèrent la face contre terre devant
le Seigneur pour l'adorer.

On incline la tête profondément (vers la terre, *humi*) :
ex. **humiliate** ([1]) **capita** *vestra Deo* (sup. pop. fer. omn.
Quadr.), inclinez la tête devant Dieu (formule d'origine
mozarabe, Duchesne, Origines, p. 236) ; cf. **humiliato corpore**
et corde compuncto (Caes.-Arel. Serm. 74, 2), en baissant la tête
avec un sentiment de componction (en recevant la bénédiction
à la fin de la messe) ;

(au fig.) **inclinantes** ([2]) *se, Domine, majestati tuæ propitiatus*
intende (sup. pop. fer. 4 Cin., Greg. 35, 5), écoutez favorablement, Seigneur, ceux qui s'inclinent devant votre Majesté ;

Vultu *precamur* **cernuo** (« *Beata nobis gaudia* »), nous vous
prions, le visage penché vers la terre ; cf. *veneremur* **cernui**
(« *Pange, lingua ... corporis*)».

Invitation à la procession :
procedamus in pace, avançons dans le calme.

§ 84 On élève les mains, les paumes tournées vers le ciel:
ex. **expandi** ([3]) *ad te* **manus** *meas* (Ps. 87, 10), j'ai tendu les
mains vers toi ;

elevatio **manuum** *mearum, sacrificium vespertinum* (Ps.
140, 2), que mes mains s'élèvent comme l'offrande du soir ;

Mentes **manusque tollimus** (« *Rerum Creator optime* »), nous
élevons nos cœurs et nos mains ;

volo orare viros in omni loco, **levantes puras manus** (1 Tim.
2, 8), je veux que les hommes prient en tout lieu, élevant vers
le ciel des mains pures ;

et in nomine tuo **levabo manus** *meas* (Ps. 62, 5), à ton nom,
j'élèverai mes mains ; v. *elevatis manibus* (en signe de bénédiction), § 87.

Jésus lève les yeux au ciel, pour rendre grâces : **elevatis**

---

1. Cf. *Quid te ad falsos deos humilias et inclinas* ? (Cypr. Ad Demetr. 16), pourquoi
te baisser et t'incliner devant de faux dieux ?

2. Cf. *inclinavit se homo et adoravit Dominum* (Gen. 24, 26).

3. Cf. *expansis manibus orare* (Tert. Jud. 11).

sursum **oculis**, *dixit : Pater, gratias ago tibi* (Jo. 11, 41) ; cf.
sublevatis oculis *in cælum* (Jo. 17, 1).

Dans le songe de Perpétue, le Bon Pasteur lui tend une
bouchée : *et ego accepi* **junctis manibus** (Pass. Perp. 4), « et je
l'ai reçue, les mains jointes ». Sainte Scholastique joint aussi
les mains : **insertas digitis manus** *super mensam posuit et
caput in manibus omnipotentem Dominum rogatura declinavit.*
(Greg.-M. Dial. 2, 33, lect. 4, 10 febr.), « joignant les mains,
elle les posa sur la table et sur ses mains inclina la tête pour
prier le Seigneur tout-puissant ». Cette façon de joindre les
mains en insérant les doigts les uns dans les autres n'est usitée
que dans la prière privée ; la prière liturgique admet seulement
les mains appuyées l'une contre l'autre.

Les premiers chrétiens assistaient debout à la célébration
du saint sacrifice : *ad altare Dei* **stare** (Tert. Orat. 19) ; v.
Dict. à *statio, stare.* Dans cette attitude, ils entouraient l'autel,
d'où le mot *circumstantes* (ou *circumadstantes*) du Canon.

Le prêtre célèbre la messe debout : cf. *altaribus tuæ pietatis*
adsistimus *tibique laudum hostias immolamus* (Moz. Lib. ord.
951).

On prie debout, à genoux, ou même assis : *nam et* **stantes**
oramus ... et **fixis genibus** *... et* **sedentes** (Aug. Simpl. 2, 4).

D'ailleurs tout ce qui concerne les nombreux gestes liturgiques n'entre pas dans le cadre de ce travail ; de même ce
qui concerne les diverses signations (v. § 329).

8. FORMULES D'ACTION DE GRACES

§ 85 Après l'adoration et la louange, et avant la demande,
c'est l'action de grâces qui s'exprime dans le chant du *Gloria* :
gratias agimus tibi propter magnam gloriam tuam. A la dernière
Cène, avant la consécration, Jésus commence par rendre
grâces, *gratias egit* (εὐχαριστήσας) (Mat. 26, 27 ; Luc. 22, 17
et 19) ; d'où le mot *eucharistia*, sacrifice d'actions de grâces,
pour désigner la messe ; voir dans la IIe partie, le vocabulaire
concernant l'eucharistie. Le début des préfaces conserve ce
caractère d'actions de grâces, avec la même formule : *gratias
agamus, gratias agere.* C'est aussi la formule des Épîtres de
saint Paul : **gratias agimus** *Deo semper* (1 Thess. 1, 2) ;
gratias agimus *Deo sine intermissione* (1 Thess. 2, 13) ; et celle
des oraisons :

ex. *piissimæ majestati tuæ pro collatis donis* **gratias agimus**
(or. miss. p. grat. act.), nous rendons grâces à votre miséricordieuse Majesté pour tous les dons reçus ; *gratias agere*
(Sacram. passim) ; *agentes indefessas gratias* (Gel. I, 65) ;

da, quæsumus, ut in **gratiarum** *semper* **actione** *maneamus*
(postc. dom. oct. Ascens., Leon. 1025), accordez-nous, nous

vous en prions, de demeurer dans une continuelle action de grâces.

Autres formules : *gratias persolvere*, v. § 26 ;

gratias tibi referimus (postc. d. 18 p. Pent., Gel. III, 14);

*ut ... **gratiarum** tibi in ecclesia tua **referant actiones*** (or. m. p. infirm. Gel. III, 70), pour qu'ils vous rendent grâces dans votre Église ;

Grates rependat *debitas* (hymn. laud. fer. 6), que (l'âme) acquitte sa dette d'actions de grâces.

Le cantique des trois enfants, *Benedicite* .. (Dan. 3, 57-88) est considéré comme un chant de louange (v. *benedicere, benedictio*, § 30), et une prière d'actions de grâces. Quelques exemples montrent que *benedicere* a aussi ce dernier sens :

benedicam *Dominum, qui tribuit mihi intellectum* (Ps. 15, 7), je bénirai le Seigneur, car il m'a donné de comprendre ;

*accepit Jesus panem et **benedixit** ac fregit* ... (Mat. 26, 26), Jésus prit le pain, donna la bénédiction et le rompit ; cf. *accepto pane*, **gratias egit** (Luc. 22, 19).

Le calice eucharistique est appelé par saint Paul *calix benedictionis* (ποτήριον τῆς εὐλογίας) (I Cor. 10, 16), coupe de la bénédiction, selon l'habitude juive par laquelle le président de la table prononçait la prière d'action de grâces (*eulogia*) « Béni sois-tu, Yahvé ([1]) », qui est d'ailleurs aussi une formule de louange. Autrement, il n'existe pas d'exemples où *benedictio* signifierait « action de grâces » ; v. § 239.

L'expression *gratulari* ([2]) *Deo*, remercier Dieu, dans une ancienne version de la Bible (Rom. 14, 6, cod. g), n'a pas été retenue, pas plus que *gratificare* (Jo. 6, 23, cod. d).

9. FORMULES D'OFFRANDE

§ 86 L'offrande par excellence, c'est le saint sacrifice de la messe. Nous verrons donc, au chapitre Eucharistie, le vocabulaire qui concerne cette offrande, notamment dans les secrètes.

Nos prières et nos louanges sont aussi une offrande à Dieu : **immola Deo sacrificium** *laudis et redde Altissimo vota tua* (Ps. 49, 14), offre à Dieu un sacrifice de louange, acquitte-toi de ton hommage envers le Très-Haut. Une offrande préférable aux sacrifices sanglants : *numquid manducabo carnes taurorum* (Ps. 49, 13), est-ce que je mangerai la chair des taureaux ? dit le Seigneur ;

offeramus hostiam *laudis semper Deo, id est fructum labiorum confitentium nomini ejus* (Hebr. 13, 15), v. cit. § 26.

---

1. Cf. *manducaverunt panem, gratias agente Domino* (εὐχαριστήσαντος) (Jo. 6, 23).

2. Au sens ordinaire : *tuis... beneficiis gratulari* (sup. pop. sabb. Quat. T. Quadr., Gel. 1, 18, 133), se réjouir de vos bienfaits.

Plusieurs préfaces associent le mot *preces* à *sacrificium*, *hostia* ; v. *hostia, victima, sacrificium*, offrande, au chp. « Le saint sacrifice ».

En opposition encore au culte judaïque, saint Paul conseille à ses frères l'offrande spirituelle de soi-même : *obsecro itaque vos, fratres ... ut* **exhibeatis** *corpora vestra* **hostiam** *viventem, sanctam, Deo placentem, rationabile obsequium vestrum* (Rom. 12, 1), je vous conjure, frères, de présenter vos personnes comme une offrande vivante, sainte, agréable à Dieu, ce qui constitue votre hommage spirituel. C'est le verbe *offerre* qui est employé normalement pour désigner l'offrande de nos sentiments et de tout ce qui peut être considéré comme un sacrifice : *præsta ... ut ... beneplacitum tibi nostræ mentis* **offeramus** *affectum* (secr. sabb. p. Cin., Gel. I, 17, 101), faites que l'offrande des sentiments de notre cœur vous soit agréable. V. demande de propitiation, § 69 ; sacrifice d'offrande, de propitiation, § 244-248.

Ex. de *victima* au sens figuré : *ut hujus jejunii nostri victimas placatus intendas* (Moz. L. sacr. 411).

Votum au sens de « promesse d'offrir » « offrande » : **votum** *jejunii vestri ante altare suum persolventes* (Moz. L. sacr. 408) ; *præsentis* **vota** *jejunii placita tibi devotione exhibere concede* (Gel. II, 85, 1169).

10. FORMULES DE BÉNÉDICTION

§ 87 La bénédiction donnée par un prêtre ou un évêque appelle la faveur divine sur une personne ou sur une chose, leur donnant un caractère saint et sacré, d'où les mots *sanctificare, consecrare* qui accompagnent souvent *benedicere*.

Voici quelques exemples de ces formules :

a) Sur les personnes.

Les prêtres de l'ancienne Loi bénissaient le peuple en élevant les mains ; ainsi Notre Seigneur : *et* **elevatis manibus** *suis* **benedixit** *illis* ([1]) (Luc. 24, 51), élevant les mains, il les bénit. Dans la liturgie, la formule ordinaire est : **benedicat** *vos Pater, et Filius, et Spiritus Sanctus* ; en sous-entendant *nos* : *jube, domne,* **benedicere**, v. § 62 note. La bénédiction apostolique s'accompagne d'une indulgence plénière : v. *indulgentia, remissio*, § 279 ; en général, les formules de bénédiction contiennent aussi une demande :

ex. *Unigenitus Dei Filius nos* **benedicere** *et* **adjuvare** *dignetur* (ben. mat.), que le Fils unique de Dieu daigne nous bénir et nous aider ;

benedicat *et* **custodiat** *nos omnipotens et misericors Domi-*

---

1. On a déjà vu (§ 30) que *benedicere* se construit avec le datif ou l'accusatif.

nus Pater, et Filius, et Spiritus Sanctus (ben. compl.), ... nous bénisse et nous garde ;

benedictio tua sit super nos semper, que votre bénédiction soit sur nous sans cesse ;

benedictione perpetua benedicat nos Pater æternus, que le Père éternel nous accorde sa perpétuelle bénédiction ;

fideles tuos, Deus, benedictio desiderata confirmet (sup. pop. sabb. Quat. T. Quadr., Leon. 1079), ô Dieu, que votre bénédiction qu'ils désirent fortifie vos fidèles ;

super populum tuum ... benedictio copiosa descendat (Gel. I, 48), que votre large bénédiction descende sur votre peuple ; v. ex. § 247 ;

sur les époux, au cours de la messe de mariage : *Deus Abraham, Deus Isaac et Deus Jacob sit vobiscum et ipse adimpleat benedictionem in vobis, ut videatis filios filiorum vestrorum usque ad tertiam et quartam generationem* (²) ..., que le Dieu d'Abraham, le Dieu d'Isaac et le Dieu de Jacob soit avec vous, que lui-même vous comble de sa bénédiction, afin que vous puissiez voir les enfants de vos enfants, jusqu'à la troisième et même la quatrième génération ;

super hos famulos tuos Spiritum tuæ benedictionis emitte (or. ordin. diac., Pont. R., Greg. 4, 2), répandez sur vos serviteurs ici présents l'Esprit de votre bénédiction ; v. autres ex. au chp. le clergé, § 370.

Le Code de droit canonique distingue bénédictions invocatives et bénédictions constitutives (Can. 1147 et 1148 ; cf. Rit. R. IX, 1, 2), ces dernières se distinguant par l'emploi du saint chrême. Mais dans les anciens Sacramentaires, *consecratio* et *benedictio* sont pris l'un pour l'autre, en désignant des rites constitutifs (Dom B. Darragon, « Les bénédictions », dans Martimort, « L'Église en prière, p. 643) : ex. *benedictio super diaconos* (Leon. 948 tit.) ; *consecratio presbyteri* (ibid. 952 tit.) ; *benedictio fontis* (ibid. 1331 tit.) *benedictio episcoporum* (Greg. 2 tit ; cf. 4, 1).

§ **88** b) Sur les choses.

La prière du Canon demande à Dieu de bénir notre offrande : *supplices rogamus ac petimus, uti accepta habeas et benedicas hæc dona ...* (Gel. III, 17, 1244), nous vous prions et vous demandons humblement d'accepter et de bénir ces dons ; v. ex. dans les secrètes, § 247.

Les bénédictions les plus solennelles sont, au cours de la veillée pascale, celles du feu nouveau : *novum hunc ignem sanctifica* ; *benedic hoc lumen* (Vet. ord.) ;

---

2. Cf. Tob. 9, 10-11 : *et dicatur benedictio super uxorem tuam et super parentes vestros : et videatis filios vestros et filios filiorum vestrorum usque in tertiam et quartam generationem.*

du cierge pascal : *veniat, quæsumus, omnipotens Deus, super hunc incensum cereum larga tuæ **benedictionis infusio** (Gel. I, 42, 429), que votre abondante bénédiction ... descende sur ce cierge allumé ;

de l'eau baptismale : *unde **benedico** te, creatura* ([3]) *aquæ, per Deum vivum, per Deum verum, per Deum sanctum, per Deum, qui te in principio separavit ab arida ... **benedico** te et per Jesum Christum ... qui te in Cana Galilææ signo admirabili sua(e) potentia(e) convertit in vinum ... tu has simplices aquas tuo ore **benedicito** ... **descendat** in hanc plenitudinem fontis virtus Spiritus Sancti* (Gel. I, 44, 446-448), c'est pourquoi je te bénis, créature de l'eau, par le Dieu vivant, par le Dieu saint, par le Dieu, qui, par sa parole, t'a séparée, au commencement, d'avec la terre ferme ... Je te bénis encore par Jésus-Christ, ... qui, à Cana, par un miracle admirable de sa puissance, t'a changée en vin... Bénissez vous-même ces eaux pures par votre souffle... Que descende dans ces fonts remplis d'eau la puissance du Saint-Esprit.

Bénédiction des Rameaux : ***benedic**, q., D., hos palmarum ..., ramos*, bénissez ces rameaux de palmiers (ou d'autres arbres) ;

Bénédiction des cierges à la fête de la Purification : *te humiliter deprecamur, ut has candelas ... **benedicere et sanctificare** digneris* (or. 1), nous vous en prions humblement, daignez bénir et sanctifier ces cierges ;

***effunde benedictionem** super hos cereos et **sanctifica** eos lumine gratiæ tuæ* (or. 3), répandez votre bénédiction sur ces cierges et sanctifiez-les par la lumière de votre grâce.

Le jour de la Dédicace d'une église : ***effunde** super hanc orationis domum **benedictionem** tuam* (secr., Gel. I, 90), répandez sur cette maison de prière votre bénédiction ; cf. ***descendat** quoque in hanc ecclesiam ... Spiritus Sanctus septiformis* (præf. consecr. eccl., Pont. R. II, p. 24), que votre Esprit Saint aux sept dons descende dans cette église qui est vôtre ; v. autres ex. § 346-347.

Le jour de la dédicace de l'autel : *altare hoc nomini tuo dedicatum cælestis virtutis **benedictione sanctifica*** (postc., Greg. 197, 4), sanctifiez, par la bénédiction de la puissance céleste, cet autel dédié à votre nom ;

*ut (Dei misericordia) hoc altare ... præsenti **benedictione sanctificet*** (Gel. I, 88, 693) ;

descendat ... Spiritus tuus Sanctus super hoc altare (secr., Greg. 196) ;

***signetur, sanctificetur** et **consecretur** hoc altare* (Pont. R. II, p. 35), que cet autel soit béni (marqué du signe de la croix),

---

3. Expression fréquente ; toute la nature étant considérée comme une créature de Dieu : ex. *olei creatura* (Cypr. Ep. 70, 2), l'huile ; *creatura ignis* (Ambr. Hex. 2, 3, 12), le feu ; *creatura salis* (Sacram. Gel. 1, 31), le sel ; etc.

sanctifié et consacré ... ; v. autres ex. de ces mots associés, § 347 ; cf. **sanctificare, benedicere consecrare**que *digneris hæc linteamina* (linges d'autel) (Gel. I, 88, 695) ; v. *benedictio* associé à *sanctificatio*, § 247.

Bénédiction de la première pierre d'une église *(primarii lapidis)* :

Domine Jesu Christe ... qui es lapis angularis de monte sine manibus excisus (Dan. 2, 34) *et immutabile fundamentum, hunc lapidem collocandum in tuo nomine confirma ...* (Pont. R. II, p. 6), Seigneur Jésus, qui êtes la pierre angulaire taillée dans la montagne sans le secours d'une main, qui êtes le fondement immuable, affermissez cette pierre que nous allons poser en votre nom.

Bénédiction des nouveaux fruits : *(oremus) ut has primitias creaturæ tuæ ... benedictionis tuæ imbre perfundas* (Gel. III, 88).

Oraison du prêtre entrant dans la maison du malade : *oremus et deprecemur Dominum nostrum Jesum Christum, ut* **benedicendo benedicat** (4) *hoc tabernaculum et omnes habitantes in eo* (Rit. R. VI, 2), prions et supplions Notre Seigneur Jésus-Christ de bénir cette demeure et tous ceux qui l'habitent.

Bénédiction de la table : **benedic**, *Domine, nos et hæc tua dona, quæ de tua largitate sumus sumpturi*, bénissez-nous, Seigneur, ainsi que les mets que nous allons prendre, grâce à la largesse de vos dons.

La bénédiction s'accompagne souvent d'un exorcisme, pour faire échapper les choses que l'on bénit à l'emprise du démon : **exorcizo** *te, creatura salis* (ord. bapt. Rit. R., Gel. III, 77) ; v. ex. § 327 ; *aqua exorcizata* (Greg. 207 tit.) = *aqua benedicta*.

10bis. SALUTATIONS

§ 89 La formule solennelle est : *pax Domini sit semper vobiscum* ; et la formule plus simple : *pax vobis* ou *pax tecum*. C'était déjà la formule de salut usitée chez les Juifs (*Shalom*, Paix), et celle du Christ apparaissant à ses disciples : *pax vobis* (Jo. 20, 19) (1).

Le prêtre, entrant dans la maison du malade à administrer, prononce ces mots : *pax huic domui* (Rit. R. V, 4), paix à cette maison. Cf. Luc 10, 5.

Une autre formule de salut, *Dominus vobiscum* (2), vient

---

4. Ex. du même pléonasme dans la bénédiction du sel : *quam (creaturam salis) sanctificando sanctifices et benedicendo benedicas* (Greg. 80).

1. Cf. la fin de la 3e épître de saint Jean : *Pax tibi. Salutant te amici. Saluta amicos nominatim*, que la paix soit avec toi. Les amis te saluent. Salue les nôtres chacun par son nom.

2. La phrase nominale de la « salutation » angélique, *Dominus tecum* (Luc. 1, 28), est interprétée comme une constatation, plutôt que comme un souhait.

également de l'A. T.: *dixitque messoribus : Dominus vobiscum*
(Ruth 2, 4), et il dit aux moissonneurs : « Que le Seigneur soit
avec vous »;cf. Amos 5, 14;Agg. 1, 13; etc. Elle se retrouve
en 2 Tim. 4, 22:*gratia Domini nostri Jesu Christi cum omnibus vobis* ; et en 2 Thess. 3, 18.

Dans les formules analogues de la liturgie, et notamment
dans les préfaces, *Dominus* désigne le Père tout-puissant et
éternel ; *et cum spiritu tuo* signifie : et avec vous ([3]); cf. *Dominus Jesus Christus cum spiritu tuo. Gratia vobiscum. Amen* (2
Tim. 4 fin).

Pour *ave, salve, salvete*, v. la louange, § 35 ; prière à la Sainte
Vierge, § 118.

Après la consécration du saint-chrême, le Jeudi-Saint,
l'évêque et les prêtres le saluent en disant : *ave, sanctum
chrisma !*

II. L'EXPRESSION DU REPENTIR

Nous retrouverons dans la IIe partie le vocabulaire concernant la pénitence, la rémission des péchés, la purification ; et dans la IIIe celui de la conversion, du péché, etc.

Nous passons en revue ici ce qui exprime plus spécialement
une prière : l'aveu, la douleur du regret, c'est-à-dire la contrition, la demande de pardon.

a) L'AVEU

§ 90 Le terme normal est *confiteri*, se reconnaître coupable
(devant Dieu ou devant un homme), avouer, confesser. Dans
les Psaumes, comme on l'a vu, il exprime la louange, mais
aussi l'aveu : ex. **confitebor** adversum me **injustitiam** meam
Domino (Ps. 31, 5), je confesserai intérieurement ma faute
devant le Seigneur ([1]).

Confitemini *ergo alterutrum peccata vestra* (Jac. 5, 16),
confessez mutuellement vos péchés ([2]) ;

confiteor *Deo omnipotenti ... quia peccavi nimis cogitatione,
verbo et opere* (« *Confiteor* »), je confesse à Dieu tout-puissant (et
à ses saints) ... que j'ai beaucoup péché en pensées, en paroles
et en actions ;

Multum quidem peccavimus, Sed parce **confitentibus** (hymn.

---

3. Cf. *Noli omni spiritui credere* (1 Jo. 4, 1), ne vous fiez pas à n'importe qui.

1. Saint Augustin rappelle l'état d'âme qui était le sien, lorsqu'il fréquentait
la secte des Manichéens, selon lesquels l'homme n'est pas coupable : lorsqu'il
pèche, c'est le démon qui agit en lui : « *Delectabat superbiam meam extra culpam esse
et, cum aliquid mali fecissem, non confiteri me fecisse* (Conf. 5, 10, 18), il plaisait à mon
orgueil d'être en dehors du péché et, quand j'avais fait du mal, de ne pas m'en
reconnaître coupable ».

2. *Confiteantur singuli... delictum suum* (Cypr. Laps. 29), que chacun confesse sa
faute (à l'évêque ou à son représentant) ; *confiteri Deo et sacerdoti* (Caes.-Arel.
Serm. 63, 2), se confesser à Dieu et au prêtre.

Quadr. « *Audi, benigne* »), oui, nous avons beaucoup péché,
mais pardonnez à ceux qui le confessent ;

Deus, qui animam pænitentem et **confitentem** *tibi magis vis
emendare quam perdere* (postc. p. public. pæn.), ô Dieu, qui
aimez mieux corriger que perdre l'âme repentante qui se
reconnaît coupable devant vous ; v. § 62, la supplication ;

confessionis *suæ latro præmium sumpsit* (or. fer. 5 Cen.
Dom., Greg. 77, 1), le bon larron reçut la récompense de son
aveu ;

reatus nostri **confessio** (or. 1 fer. 4 p. d. 4 Quadr., Greg. 62, 1),
l'aveu de notre culpabilité ; v. ex. avec *reus, reatus*, § 423.

Se accusare : **semetipsos** *pro conscientia delictorum suorum*
accusantibus (or. 1 ben. Cin.), pour ceux qui, conscients de
leurs fautes, s'accusent eux-mêmes ; cf. Rom. 2, 15.

Le Psalmiste « reconnaît » sa faute : *quoniam iniquitatem
meam ego* **cognosco** ([3]), *et peccatum meum contra me est semper*
(Ps. 50, 5), car je reconnais mon péché, et ma faute est sans
cesse devant mes yeux ; v. *peccator, indignus*, § 411, 496 etc.

b) LA CONTRITION, LE REPENTIR

§ 91 Nous retrouverons, au chapitre de la conversion § 460
et suiv., *pænitere* et *pænitentiam agere*, qui, dans le N. T. et
quelquefois dans l'A.T., désignent un changement de vie
complet, et par suite le repentir après le péché (μετάνοια,
repentir, pénitence, conversion). Il faut avoir ceci présent à
l'esprit pour comprendre le sens plein du mot *pænitentia* :

ex. *facite fructum dignum* **pænitentiæ** (Mat. 3, 8), produisez
un digne fruit de pénitence ; *fructus dignos* **pænitentiæ** (Luc.
3, 8) ;

concede ut ... dignos **pænitentiæ** *fructus facere ... valeamus*
(or. 23 jan.), accordez-nous d'être en mesure de faire valable-
ment pénitence ;

Deus, qui culpa offenderis, **pænitentia** *placaris* (or. fer. 5 p.
Cin., Greg. 36, 1), ô Dieu, que le péché offense et que la pénitence apaise ;

Deus, qui non mortem, sed **pænitentiam** *desideras peccatorum* (or. 2 ben. Cin., Gel. III, 38), ô Dieu, qui ne désirez pas la
mort, mais le repentir des pécheurs ;

peccator ... qui nunc ad lamenta **pænitentiæ** *non recurrit*
(Greg.-M. Hom. ev. 20, lect. 7, d. 4 Adv.), le pécheur qui ne
recourt pas dès maintenant aux lamentations de la pénitence ;
cf. *acceptet* **pænitudinis** *ejus lamenta* (Moz. L. ord. 355), qu'il
agrée les larmes de son repentir ;

ne subito, præoccupati die mortis, quæramus spatium
pænitentiæ *et invenire non possimus* (resp. fer. 4 Cin.), de

---

3. Cf. *reos nos esse cognoscimus*, cit. § 414 ; *scio peccata mea multa et magna* (or. præp.
ad miss., S. Ambr.), je sais le nombre et la grandeur de mes péchés.

peur que, surpris par le jour de la mort, nous cherchions soudain un délai pour le repentir, sans pouvoir le trouver.

Le participe *pænitens*, *pænitentes*, désigne soit « ceux qui se repentent », soit substantivement « les pénitents » :

ex. *Ninivitis in cinere et cilicio* **pænitentibus** (or. 4 ben. Cin.), aux Ninivites qui faisaient pénitence sous la cendre et le cilice (⁴) ;

reconciliatio **pænitentis** (Gel. I, 39 tit.), réconciliation d'un pénitent à l'article de la mort.

Resipiscere, venir à résipiscence, se repentir, v. § 460.

§ 92 *Contritio*, de *conterere*, broyer, écraser, désigne, dans le latin biblique et patristique, une grande douleur (⁵), l'affliction, l'accablement ; et, dans le latin liturgique et théologique, le repentir, la contrition :

ex. *e cordibus nostris lacrimas* **contritionis** *elicere* (or. 26 nov. p. al. loc.), tirer de nos cœurs les larmes de la contrition;

ut panem angelorum ... suscipiam ... tanta **contritione** *et devotione ...* (or. præp. ad miss., Thom.-Aq.), que je reçoive le pain des anges avec une telle contrition et une telle ferveur ... ;

quanta cordis **contritione**, *sicut et lacrimarum fonte* (or. præp. ad miss. fer. 2), avec quelle contrition de cœur et quelle abondance de larmes ;

cor **contritum** *et humiliatum, Deus, non despicies* (Ps. 50, 19), tu ne mépriseras pas, ô Dieu, un cœur broyé (⁶) et abaissé ;

tibi sacrificium spiritus **contribulatione** *cordis offerre* **contriti** (Moz. L. sacr. 403), vous offrir un sacrifice spirituel avec la douleur d'un cœur contrit ; cf. *sacrificium Deo spiritus* **contribulatus** (Ps. 50, 19), une âme brisée de douleur, voilà un sacrifice digne de Dieu ;

Oro, supplex et acclinis, Cor **contritum** (⁷) *quasi cinis* (« *Dies iræ* »), je vous supplie, humblement prosterné, le cœur broyé comme cendre.

Compunctio, de *compungere*, transpercer, (fig.) saisir de componction, de remords : ex *in cubilibus vestris* **compungimini** (Ps. 4, 5), sur votre couche, méditez dans la douleur ;

educ de cordis nostri duritia **lacrimas compunctionis** (or. p. petit. lacr.), tirez de la dureté de notre cœur les larmes du repentir ;

---

4. *Consperserunt cinere capita sua, accincti sunt ciliciis* (Jer. lam. 2, 10), ils répandirent la cendre sur leurs têtes et revêtirent des cilices ; *aspergite vos cinere* (Jer. 25, 34) ; *quicumque per eos (cineres) aspersi fuerint* (or. I ben. Cin.), tous ceux qui en ont été couverts.

5. Ex. *sana contritiones ejus, quia (terra) commota est* (Ps. 59, 4), guéris ses blessures, car elle a été ébranlée.

6. donc pas tout à fait le sens actuel de « contrit », bien que le *Miserere* soit une psaume de pénitence.

7. Ici encore, il s'agit de l'affliction, mais c'est un pécheur (*reus*) qui demande le pardon.

*ut eos et **spiritu compunctionis** repleas* (or. 3 ben. Cin.), (accordez-leur) d'être remplis de l'esprit de contrition ([8]).

Termes désignant les larmes de la pénitence : v. *lamenta*, § 91 ;

*salutaribus pænitentiæ **lacrimis*** (secr. 7 jul. p. al. loc.), grâce aux larmes salutaires de la pénitence ;

*afflicti populi **lacrimas** respice* (Greg. 201, 4, or. p. peccatis), voyez les larmes de votre peuple affligé ; cf. *exaudi **gemitum** populi tui* (Leon. 522) ;

*gemitibus **lacrimarum*** (postc. p. petit. lacr. ; Miss. Berg. 718), par nos larmes et nos gémissements ; *flumina **lacrimarum*** (secr. ibid.) ;

*da nobis ... peccata nostra **deplorare*** (or. 4 mai.), accordez-nous de pleurer nos péchés ;

*facinora sua **deplorantibus*** (or. 1 ben. Cin.), à ceux qui déplorent leurs crimes ;

*ut peccata nostra **plangere** valeamus* (or. p. petit. lacr.), pour que nous soyons capables de pleurer nos péchés ;

*ut ... debitas reatibus flammas incessanti **fletu** exstinguamus* (postc. 26 febr. p. al. loc.), pour que nos pleurs incessants puissent éteindre les flammes méritées par nos fautes ; *da nobis **digne flere** mala quæ fecimus* (sup. pop. sabb. p. d. 4 Quadr., Greg. 65, 4), accordez-nous de pleurer comme il convient le mal que nous avons fait ; v. demande de pardon, § 69, 277-279.

---

8. Le mot désigne aussi un sentiment soudain de ferveur : ex. *tua inspiratione compuncti* (or. sup. pop. hebd. 12 p. Pent., Greg. 202, 15), saisis de votre inspiration ; *per compunctionem... Dei respectum percipiunt* (Greg.-M. lect. 3 Pent.), la pensée de Dieu leur vient soudain à l'esprit (mais ils l'oublient bientôt).

V

PRIÈRES POUR LES MORTS

§ 93 Dans l'ignorance où nous sommes de leur destin dans le mystère de l'au-delà, nous prions pour tous les morts. On ne pourrait le faire pour ceux que nous saurions fixés éternellement dans l'éloignement de Dieu. On ne prie pas non plus pour les élus qui sont au ciel, puisqu'on leur demande au contraire de prier et d'intercéder pour nous. Prier pour les défunts, *pro animabus defunctorum*, c'est donc prier pour ceux qui ont encore besoin d'une purification. Notre Seigneur fait allusion à une expiation dans l'autre monde, lorsqu'il déclare que le blasphème contre l'Esprit *non remittetur ei neque in hoc sæculo, neque in futuro* (Mat. 12, 32), ne lui (à celui qui le commet) sera pas remis ni dans ce monde, ni dans l'autre.

Si le mot *purgatorium*, au sens de « purgatoire » est relativement récent et n'apparaît qu'aux 12e, 13e siècles (Innocent III, saint Thomas d'Aquin, Pseudo-Augustin Fratr. erem., du 13e s.), l'idée et la croyance en est aussi vieille que le christianisme ; et même les théologiens ne manquent pas d'évoquer le sacrifice de Judas Macchabée pour les morts (2 Mac. 12, 43 et seqq.). Au temps de saint Cyprien et de Tertullien, on prie pour les morts et on offre pour eux le saint sacrifice (Tert. Monog. 10 ; *oblationes pro defunctis reddere*, Exh. cast. 11). Sainte Perpétue (mart. en 203) fait prier ses compagnons pour son jeune frère décédé. En ce qui concerne plus spécialement un purgatoire, saint Augustin emploie des expressions telles que *purgatoriæ pœnæ* (Civ. 20, 25), *purgatoria tormenta* (ibid. 21, 16), peines purificatrices, *ignis purgatorius* (Enchir. 69), feu purificateur. V. *transire portas infernorum*, § 315 fin.

Donc, prier pour « les âmes qui se trouvent en purgatoire », *animarum in purgatorio existentium* (or. præp. ad miss.), équivaut à prier pour les âmes des défunts selon l'antique formule, *pro animabus defunctorum*. Ce mot *defuncti*, ou *fideles defuncti*, est le terme normal. *Mortui* s'emploie aussi : ex. *agenda mortuorum* (Gel. III, 95 tit.; Greg. 225 tit.), office des morts ; mais surtout en parlant de la résurrection des morts, ou lorsqu'il s'agit d'opposer les vivants aux morts : ex. *præsta ut hoc sacramentum ... sit **vivorum atque mortuorum** fidelium remissio omnium delictorum* (postc. p. vivis et mort.; postc. Quadr.), faites que ce sacrement obtienne aux fidèles vivants et morts la rémission de leurs péchés.

D'autre part, en parlant des défunts, les prières liturgiques ne manquent pas de rappeler à Dieu qu'il s'agit de ses serviteurs : *anima famuli tui, famulæ tuæ, famulorum tuorum, famularum tuarum.*

§ **94** La menace de l'enfer a toujours été brandie contre les pécheurs. Mais les chrétiens des premiers âges ne semblent pas concevoir que ceci puisse concerner leurs morts, à eux. Ils sont pleins de confiance, l'idée de la mort ne s'accompagne pas d'un sentiment d'effroi et n'évoque rien de macabre. Pas de tristesse, comme pour ceux qui n'ont plus d'espérance : *nolumus autem vos ignorare, fratres, de dormientibus, ut non contristemini sicut et ceteri, qui spem non habent* (1 Thess. 4, 13), frères, nous ne voulons pas que vous restiez dans l'ignorance concernant les morts, pour que vous ne soyez pas tristes comme les autres qui n'ont pas d'espérance. V. la mort, § 407 et seqq. Ils ont laissé un bon souvenir : *vir bonæ memoriæ* (Cypr. Ep. 71, 4) ; *sanctæ memoriæ, beatæ memoriæ* ([1]) (Inscr. Chr. passim). On vénère leurs restes, leurs reliques, *reliquiæ*, surtout celles des martyrs, v. § 108.

Nous verrons, au chp. le ciel, § 294 et suiv., que les images qui veulent traduire le bonheur du ciel varient à l'infini. Voici celles que l'on trouve surtout dans les prières liturgiques pour les défunts.

Le lieu de rafraîchissement et de réconfort : *ipsis ... locum* **refrigerii** ([2]), *lucis et pacis ut indulgeas deprecamur* (Can. miss., Greg. add. 1, 29 note ; Miss. Fr. 23, 168), à ceux-là nous vous supplions d'accorder le séjour du rafraîchissement, de la lumière et de la paix. **Refrigerii** *sedem* ou *locum* revient dans plusieurs oraisons (postc. p. def. cœm., Gel. III, 103 ; or. 2a miss. 2 nov., Gel. III, 105) ;

ad **refrigerium** *sempiternum pervenire* (postc. p. def. episc., Greg. 224, 6) ;

dare ... locum **refrigerii** *et quietis* (Gel. III, 91, 1617) ;

æterni **refrigerii** *quies* (Moz. L. sacr. 1329) ; **refrigerium** *beatæ quietis* (L. ord. 429) ;

cf. *mortuorum ... fidelium spiritus in pace* **refrigera** (Moz. L. ord. 300), rafraîchissez dans la paix les âmes des fidèles défunts ; *in pace* **refrigerare** (ibid. passim) ; *famuli tui ... animam ...* **refrigerii** *rore perfundas* (ibid. 125), répandez sur l'âme de votre serviteur la rosée de votre réconfort.

La patrie céleste : *jubeas eam (animam) a sanctis angelis suscipi et ad* **patriam** *paradisi perduci* (or. miss. obit.), (nous vous prions) de la faire prendre par vos saints anges pour être conduite dans la patrie du paradis.

Le séjour de la lumière : **lux** *æterna luceat eis* ([3]) (ant. comm.

---

1. Cf. *in memoria aeterna erit justus* (Ps. 111, 7), le souvenir du juste sera éternel (« dans la mémoire de Dieu », selon les exégètes).

2. Certains ont vu ici une allusion au feu du purgatoire ; il s'agit plutôt d'une image née dans les pays de soleil ardent.

3. Cf. *parati estote ad præmia regni, quia lux perpetua lucebit vobis per æternitatem temporis* (4 Esdr. 2, 35), soyez prêts pour les récompenses du royaume, car la lumière éternelle luira pour vous à jamais.

p. def.), que la lumière éternelle resplendisse à leurs yeux ;

da famulis tuis ... refrigerii sedem, quietis beatitudinem, et **luminis** *claritatem* (or. m. anniv., Gel. III, 105), accordez à vos serviteurs le séjour du bonheur, le bienheureux repos et la lumière de la gloire ;

deprecamur ut animam famuli tui N ... in pacis ac **lucis** *regione constituas* (or. p. un. def., Greg. 225, 1), établissez, nous vous en prions, l'âme de votre serviteur ... dans le séjour de la paix et de la lumière.

L'inscription au livre de vie : v. *liber vitæ* et images similaires, § 167 et 275 ; cf. *ut mortalibus segregati cœtibus* **litteris** *mereantur* **conscribi cælestibus** (Miss. Goth. 1), qu'après leur séparation d'avec les vivants, ils méritent d'être inscrits au livre des élus ; *nomina ...* **scribi** *jubeas* **in æternitate** (ibid. 15), faites que leurs noms soient écrits dans l'éternité.

Le départ, le passage (⁴) : *quam (animam) hodie de hoc sæculo migrare jussisti* (or. absol. et passim, Greg. 225, 1), qui aujourd'hui, sur votre ordre, est partie de ce monde ;

qui (quæ) ex hoc sæculo **transierunt** (⁵) (or. 3a miss. 2 nov. et passim) qui ont quitté ce monde ; v. autres ex. § 408.

L'escorte des anges : lorsque le mort est emporté au cimetière, la liturgie évoque le cortège des anges accompagnant et conduisant l'âme du défunt vers le ciel : *a sanctis angelis* **suscipi** (cit. supra) ; *in paradisum* **deducant** *te angeli ; in tuo adventu* **suscipiant** *te martyres et* **perducant** *te in civitatem sanctam Jerusalem* (ord. obseq. Rit. R. VII, 3), à ton arrivée que les martyrs t'accueillent, qu'ils te conduisent dans la cité sainte de Jérusalem ;

animam ... per manus sanctorum angelorum **deducendam** *in sinu amici tui patriarchæ Abrahæ* (Gel. III, 91, 1627), (accueillir) cette âme pour qu'elle soit conduite par les mains des saints anges dans le sein du patriarche Abraham votre ami.

Requies, désignant le repos éternel des morts, se rencontre déjà dans le latin biblique (⁶) : *ingrediemur enim in* **requiem** *qui credidimus* (Hebr. 4, 3), nous qui croyons, nous entrerons en effet dans le repos. C'est une allusion au Ps. 94, 11 : *si introibunt in requiem meam*, ils n'entreront pas dans mon repos (v. Dict. lat. chr., *si* 4º) ; le Psalmiste songe au repos de la terre promise, tandis que l'auteur de l'Épître envisage l'entrée dans le repos divin, c'est-à-dire la béatitude ; pour saint

---

4. De même dans les prières pour les malades et les agonisants : ex. *cum angelis tuis transitum habere mereatur ad vitam* (postc. p. infirm.), qu'avec vos anges il mérite de passer à la vie ; *proficiscere, anima christiana, de hoc mundo* (or. commend. an. Rit. R. ; Sacr. Gellone, comm. an. 4), partez de ce monde, âme chrétienne, v. *ad cælestem gloriam transire*, § 306.

5. *Transire*, passer, mourir (Vit. patr. ; Ennod. ; Fort. ; Greg.-M.).

6. Dans *in requie mortui* (Eccli. 38, 24), il ne s'agit pas du repos éternel des justes, mais de la mort elle-même.

Hilaire (Tr. psal. 91), le repos de Dieu, c'est le Christ. Mais les premiers chrétiens pensaient aussi au repos dans la tombe en attendant la résurrection. C'est à la béatitude du ciel ([7]) que se réfèrent les formules *dona eis (ei) requiem æternam, sempiternam, requiescant (requiescat) in pace* ([8]), donnez-leur le repos éternel, qu'ils reposent en paix ; v. § 307 ;

sempiterna quies (Moz. L. ord. 119 ; L. sacr. 66) ;

requies beata (L. ord. 125) ;

ut ... pausantium animas requies perpetua teneat (L. sacr. 311), pour que le repos éternel garde l'âme de nos morts ;

oramus te ... ut ... spirituum quoque pausantium memor esse digneris (ibid. 613), nous vous en prions, daignez vous souvenir de l'âme de ceux qui reposent ;

æternæ repausationis solatium (ibid. 94) ;

pausantium nomina (Miss. Goth. 294).

§ 95 Dans les prières, on « rappelle » le souvenir des défunts : *(animam famuli tui) cujus anniversarium depositionis diem commemoramus* (postc. anniv., Gel. III, 105) ; *depositio* seul désigne l'anniversaire en Leon. 1161 : *preces nostras, quas in famuli tui Silvestri episcopi depositione deferimus*, les prières que nous vous adressons en l'anniversaire de l'évêque Silvestre votre serviteur.

Commemoratio se dit pour la célébration de la fête d'un saint, mais désigne aussi la « commémoration de tous les fidèles défunts » (2 nov.).

Ex. de *recordatio* : *quorum recordationibus (sacramenta) exhibentur* (postc. 31 Oct., Leon. 702), en souvenir de qui sont célébrés (ces mystères).

Carus noster (ou *cari nostri*) est fréquent dans les anciennes prières pour les morts : ex. *commemorationem faciamus cari nostri N., quem Dominus de tentationibus hujus sæculi adsumpsit* (Gel. III, 91, 1607), faisons mémoire de notre cher défunt N. que le Seigneur a retiré des tentations de ce monde ; v. autres ex. note 10 ; (en les attirant vers lui, *ad-*, ou confusion avec *absumpsit*).

On les « recommande » ([9]) à Dieu : *universorum, quos in*

---

7. Sauf indication contraire ; reposer dans un cimetière se dit aussi *quiescere* ou *requiescere* : ex. *omnium hic quiescentium* (Gel. III, 104) ; *quorum hic corpora requiescunt* (ibid. 103), dont les corps reposent ici ; *quorum corpora hic et ubique in Christo requiescunt* (postc. p. def. in cœm.), dont les corps ici et partout ailleurs reposent dans le Christ (dans la paix, la réconciliation avec le Christ).

8. Dans le N.T. et le latin patristique, *pax* désigne la paix apportée par Dieu, la rédemption (Rom. 5, 1 ; Ephes. 6, 15) ; ou la réconciliation avec l'Église, le pardon ; ou encore la paix du ciel, la béatitude : *pax sabbati, pax sine vespera* (Aug. Conf. 13, 35, 50), la paix du grand sabbat, la paix qui n'aura pas de soir (à la fin des temps). En parlant des morts, *in pace* se rencontre dans Tertullien et les premières inscriptions chrétiennes : *requiescit... in pace æterna* (Rossi 1, 1123) ; *dormi in pace* (Rossi, Bull. 1894, p. 58).

9. On recommande aussi les agonisants : *commendamus tibi, Domine, animam famuli tui* (ord. commend. an.).

oratione **commendatos** *suscepimus* (secr. p. def.), de tous ceux que nous nous sommes chargés de recommander dans notre prière. Cf. *commendatio animæ* (Gel. III, 91, 1626), recommandation d'une âme ; *commendamus tibi animam* ([10]) ... (ibid.).

La recommandation la plus solennelle se fait au canon de la messe : **memento** *etiam, Domine, famulorum famularumque tuorum N. et N., qui nos præcesserunt cum signo fidei et dormiunt in somno pacis,* souvenez-vous aussi, Seigneur, de vos serviteurs et de vos servantes, qui sont partis avant nous avec le sceau de la foi et qui dorment du sommeil de la paix. Ce *Memento* ne figure pas encore dans le Canon du Sacramentaire Grégorien ([11]) ; mais une formule analogue s'y trouve à la messe pour un évêque défunt : **memento** *etiam, Domine, et eorum nomina qui nos præcesserunt et dormiunt in somno pacis* (super dipticia, 224, 4).

Et spécialement on offre pour eux le saint sacrifice : *offerre pro aliquo* (Cypr. ; Ambr. ; Aug.) ; *satisfaciat tibi, Domine, quæsumus, pro anima famuli tui illius sacrificii præsentis* **oblatio** (Leon. 1142), nous vous en prions, Seigneur, que l'offrande de ce sacrifice ait une valeur propitiatoire pour l'âme de votre serviteur un tel ; v. *agenda mortuorum,* § 242.

§ 96 Ce que l'on demande pour les défunts, c'est le salut éternel et le pardon : v. *salus æterna* ou *perpetua* ; *salvatio æterna* ou *perpetua,* § 284, 311 ; *remissio, indulgentia, venia, absolutio,* § 277-280 ;

animabus famulorum famularumque tuorum **remissionem** *cunctorum tribue peccatorum, ut* **indulgentiam,** *quam semper optaverunt, piis supplicationibus consequantur* (or. p. def. passim, Gel. III, 101), accordez aux âmes de vos serviteurs et de vos servantes la rémission de tous leurs péchés, afin qu'elles obtiennent par nos pieuses supplications le pardon qu'elles ont toujours souhaité.

L'oraison nommée absolution ou absoute, c'est la demande de la « délivrance » : **absolve,** *q. D., animam famuli tui ... ab omni* **vinculo** *delictorum* (abs. sup. tumul.), délivrez l'âme de votre serviteur des liens de tous ses péchés ; cf. *animam famuli tui ... ab omnibus* **absolve** *peccatis* (Leon. 1141).

Cf. *absolutor* (Cass.), celui qui absout : *(Deus) criminum* **absolutor** *et indultor peccaminum* (Pont. R.-Germ. 149, 45).

---

10. Dans les anciens Sacramentaires, on trouve tantôt *pro spiritu,* tantôt *pro anima :* ex. *pro spiritu famuli tui* (Gel. III, 91, 1617) ; *pro anima cari nostri* (ibid. 1620) ; *spiritibus quoque carorum nostrorum* (Miss. Goth. 1) ; *pro spiritibus carorum nostrorum offerimus (oblationes)* (ibid. 421) ; *pro spiritibus famulorum tuorum* (Moz. I. ord. 399).

11. Sauf addition du 13e s., cit. § 94.

S'expriment enfin dans ces prières la crainte de la mort éternelle et du jugement (particulier ou général) ([12]) :

ex. *Tremens factus sum ego et **timeo*** (*Libera me*), voilà que je tremble, en proie à la crainte ;

*Libera me, Domine, de morte æterna in die illa **tremenda*** (ibid.), délivrez-moi, Seigneur, de la mort éternelle, en ce jour redoutable ; v. parousie, § 202 et suiv. ;

*non intres in **judicium** cum servo tuo* (Ps. 142, 2) ... *sed, gratia tua illi succurrente, mereatur evadere **judicium ultionis*** (or. absol. ad feretrum), ne mettez pas en jugement votre serviteur ... mais que, par le secours de votre grâce, il mérite d'échapper à la condamnation de votre vindicte ;

*non ergo eum ... tua **judicialis sententia** premat* (ibid.), que le jugement que vous prononcerez sur lui ne l'accable pas ;

libera animas omnium fidelium defunctorum de pœnis inferni et de profundo lacu (offert. p. def.), délivrez les âmes de tous les fidèles défunts des peines de l'enfer et de la fosse profonde (v. *lacus*, § 315) ;

uti locum pœnalem et gehennæ ignem flammamque tartari ... evadat (Gel. III, 91, 1609), pour qu'il échappe aux lieux des supplices, au feu de la géhenne et aux flammes du tartare ; cf. *loca pœnarum* (ibid. 1621).

En définitive, ce n'est qu'en la bonté de Dieu qu'on espère : *quia **pius** es* (ant. comm. p. def.), parce que vous êtes bon ;

Pie Jesu Domine, Dona eis requiem (« *Dies iræ* »), Seigneur Jésus, dans votre bonté, donnez-leur le repos ;

*animæ famuli tui ... rorem **misericordiæ** tuæ perennem infundas* (or. tert. die depos.), répandez sur son âme l'éternelle rosée de votre miséricorde ; *(famulum tuum) rore misericordiæ tuæ perennis infunde* (Gel. III, 105) ;

*Deus, fidelium **receptor** animarum* (Gel. I, 92), ô Dieu, qui accueillez les âmes fidèles ;

*Domine Deus, **receptor** animarum et **indultor** omnium peccatorum* (Moz. L. ord. 429), Seigneur Dieu, qui accueillez les âmes et pardonnez tous leurs péchés ;

suscipe, Domine, animam servi tui (Gel. III, 91, 1010), accueillez, Seigneur, l'âme de votre serviteur ; *suscipiat te Christus* (resp. fun.).

---

12. Cf. *in die, cum judicabit Deus occulta hominum* (Rom. 2, 16), le jour où Dieu jugera les secrets des hommes.

VI

LE CULTE DES SAINTS

1. LA PRIÈRE DIRECTE

§ **97** Les formules des oraisons traditionnelles et « canoniques », en quelque sorte, s'adressent à Dieu, en demandant l'intercession des saints en notre faveur. Mais dans les parties chantées, antiennes et hymnes, dans les litanies et les prières particulières, on s'adresse aux saints directement.

Les premiers chrétiens vénéraient leur mémoire, et surtout celle des martyrs, en recueillant précieusement leurs restes et les procès-verbaux de leur martyre (*acta*, plus tard, *passiones*, *vitæ*), puis en élevant des sanctuaires dans les cimetières ou sur l'emplacement de leur supplice. L'épigraphie (Delehaye, *L'origine du culte des martyrs*, Bruxelles 1933, p. 102 et suiv.) nous montre qu'on avait l'habitude d'adresser des prières aux fidèles morts dans la paix du Seigneur, de demander en particulier l'intercession des martyrs. Dès le 4e siècle, la foule réunie dans leurs cimetières s'est sentie poussée à les implorer directement, pour obtenir par exemple une guérison. Ces invocations ont été tolérées, puis encouragées par l'Église à une époque où il n'y avait plus à craindre une contamination avec le polythéisme. Il est possible que les invocations des litanies des saints aient cette origine. Quant à la prière directe des antiennes et des hymnes, elle dérive aussi de l'apostrophe poétique : *Inclite confessor ... o pater, o domine*, illustre confesseur, ô mon père, ô mon maître, s'écrie saint Paulin de Nole (Carm. 12, 1 et 10), en s'adressant à son saint patron Félix. Beaucoup d'hymnes liturgiques contiennent de ces appels, qu'il ne faut pas considérer comme de simples figures de rhétorique. Il est humain de s'adresser aux êtres chers qui nous ont quittés, car nous avons l'espoir qu'ils existent quelque part en Dieu ; à plus forte raison aux saints que l'Église honore et qui sont encore plus près de Dieu. Sans doute serait-il d'une religion peu avertie de les regarder comme une multitude de puissances surnaturelles indépendantes, capables de nous entendre et de nous exaucer de leur propre pouvoir. Loin d'imaginer cette anarchie dans le royaume de Dieu, reconnaissons que Lui seul est omniprésent, omniscient, omnivoyant, et qu'à Lui seul appartient la toute-puissance. Mais la liturgie, comme le N. T., ne nous enseigne-t-elle pas, ne nous répète-t-elle pas que Jésus-Christ a assumé notre humanité pour nous faire participer à sa divinité :

*ut per hæc efficiamini **divinæ consortes naturæ*** (2 Petr. 1,
4), afin que par elles (sa propre gloire et sa puissance) vous
deveniez participants de la nature divine ;

*elevatus est in cælum, ut nos **divinitatis** suæ tribueret esse
participes* (præf. Ascens., Greg. 108, 3), il s'est élevé au ciel
pour nous permettre de participer à sa divinité ;

*ut **divinæ consortes naturæ** effici mereamur* (postc. 18
mart.), pour que nous méritions de participer à la nature
divine ; cf. *nos ... divinæ naturæ facias esse consortes* (Leon.
525) ; v. aussi la prière de l'offertoire, cit. § 260.

C'est donc dans la mesure où ils participent à la divinité
que les saints nous entendent et peuvent intervenir pour nous
auprès d'elle, grâce aux mérites qu'ils ont acquis et en vertu
de la communion *(communio sanctorum)* établie entre les
membres du corps mystique :

sanctorum ... tuorum nos ... beata merita prosequantur (or. 7
oct., Gel. II, 61), que les bienheureux mérites de vos saints
nous recommandent ; *sanctorum meritis* (passim) ; *meritis et
intercessione* (or. 23 apr.); v., plus loin, intercession.

Prier les saints, c'est une manière humble de s'adresser indirectement à Dieu. Car, ainsi que le disait saint Augustin,
« à aucun martyr nous ne dressons des autels, mais au Dieu
des martyrs lui-même ; ce qu'on offre, on l'offre à Dieu qui
a couronné les martyrs » : *nulli martyrum, sed ipsi Deo martyrum constituimus altaria, et quod offertur, Deo offertur, qui
martyres coronavit* (C. Faust. 20, 21). Sans qu'il soit nécessaire de concevoir clairement le mystère de ces relations, nous
devons, en parlant aux saints, avoir présente à l'esprit leur
ambiance divine.

Ce que nous disons de la prière adressée aux saints s'applique d'une manière suréminente à la Sainte Vierge, plus
près de Dieu que tous les saints. Elle règne au-dessus de
l'humanité, parce qu'il n'y a qu'une Mère de Dieu, une seule
créature conçue sans le péché originel, un seul corps glorifié
en dehors de l'humanité du Christ : v. chp. VIII et, dans la
IIe partie, le chp. V.

§ 98 Exemples de prière directe
a) de louange :

*Te, Joseph, celebrent agmina cælitum, Te cuncti resonent
christiadum chori* (hymn. vesp. 19 mart.), ô Joseph, que les
foules du ciel vous célèbrent, que tous les chrétiens chantent
en chœur vos louanges ;

Ut queant laxis resonare fibris Mira gestorum famuli tuorum
(P.-Diac, 24 jun.), pour que vos serviteurs puissent à pleine
voix célébrer les merveilles de votre vie (de S. Jean-Bapt.) ;

Salvete, flores martyrum (Hymn. S. S. Innoc.), salut à vous,
fleurs des martyrs ;

Invicte martyr (hymn. laud. comm. un. mart.), martyr invincible (l'hymne originale débute plus simplement : *Martyr Dei...*) ;

Doctor egregie, Paule (hymn. laud. 29 jun. ; modif. en *Egregie doctor, Paule)*, Paul, glorieux docteur ;

Bone pastor Petre (ibid. ; modif. *Beate* ...), ô Pierre, bon pasteur ;

en s'adressant encore au même : *In fine mundi judex eris sæculi* (modif. en *judicabis sæculum*, hymn. 18 jan.), à la fin des temps vous jugerez le monde ;

tu es pastor ovium, princeps apostolorum, tibi traditæ sunt claves regni cælorum (ant. 25 jan.), vous êtes le berger, le prince des apôtres, c'est à vous qu'ont été remises les clefs du royaume des cieux.

b) de demande :

Sancte Paule apostole ... intercede pro nobis ad Deum (ant. 18 jan.), saint Paul apôtre ... intercédez pour nous auprès de Dieu ;

o doctor optime ... beate Hilari ... deprecare pro nobis Filium Dei (ant. 14 jan.), « très grand docteur, bienheureux Hilaire, suppliez pour nous le Fils de Dieu » ; mêmes formules pour d'autres docteurs : S. Grégoire le Grand (12 mart.), S. Isidore (4 apr.) ; cf. litanies des saints ;

Tu natale solum protege (hymn. laud. 30 jan.), protégez votre sol natal ;

Ne sperne, Vincenti, tuorum Vota, preces, gemitus clientum (¹) (hymn. mat. 19 jul.), ne dédaignez pas, ô Vincent, les demandes, les prières et les gémissements de vos protégés ;

... poscimus : Responde votis supplicum, et invocatus subveni (hymn. laud. 20 oct.), nous vous en prions, répondez à nos vœux suppliants et venez à notre secours, quand nous vous invoquons ;

Bone pastor Petre ... peccati vincula resolve (hymn. laud. 18 jan. et 29 jun.), ... délivrez-nous des liens du péché (modif. *criminum vincula verbo resolve*).

2. LA PRIÈRE D'INTERCESSION

§ 99 Le mot *sanctus* a de nombreux sens selon qu'il est appliqué à Dieu, à des personnes, à des choses. En ce qui concerne les saints, *sancti* désigne ceux qui, par la qualité de leur vie, ont mérité la vénération officielle de l'Église, et aussi les inconnus englobés dans la foule célébrée à la Toussaint,

---

1. *Clientes* correspond à *patronus* : tel saint patron a ses fidèles protégés, comme le patron, le protecteur, avait à Rome ses clients, v. § 101.

festum omnium sanctorum. On les appelle encore *beati* ([1]) ; on peut donc dire *in **beati Joannis** nativitate* (or. 24 jun., Leon. 251) ou ***sancti Joannis** Baptistæ ... festivitas* (or. 29 aug., Gel. II, 52). Le mot peut s'employer aussi devant un nom commun : ex. *beatorum martyrum festa* (or. 22 apr.). *Beatus* et *sanctus* se trouvent réunis dans quelques ex. *beatæ et sanctæ N. virginis martyrisque* (Gel. Cagin 1656 et 1660). Le superlatif *beatissimus* est plus rare. *Beatissima* est normalement réservé à la Sainte Vierge. *Famulus tuus, famula tua* s'applique soit aux saints, soit aux prêtres, soit aux fidèles vivants ou morts. *Justi* a un sens plus étendu (ex. les justes de l'ancienne Loi, les justes, les hommes justifiés qui sont au ciel) ; mais, dans la liturgie, il équivaut parfois à *sancti* :

ex. *quæ (munera) ... pro tuorum tibi grata sint honore **justorum*** (secr. 22 jan., Greg. 139, 2), qu'ils vous soient agréables pour l'honneur de vos saints ;

*deprecatio **justorum**, preces **justorum**, solemnia **justorum*** (Leon. passim) ; *justorum* est souvent remplacé par *sanctorum* dans les Sacramentaires postérieurs.

De nombreux termes expriment l'idée d'intercession. Le plus fréquent est *intercedere*, ainsi que les mots de la même famille :

ex. *ut illi pro nobis **intercedere** dignentur in cælis* (Offert.), qu'ils daignent intercéder pour nous dans les cieux ;

***intercedente** beato, beata, sancto, sancta ; **intercedentibus** beatis, sanctis* (or. et Sacram. passim), par l'intercession de... ;

*(sanctorum) **intercedentibus** meritis* (or. passim, Greg. 135, 1), grâce à l'intercession de leurs mérites ([2]).

*Intercessor : ut quem doctorem vitæ habuimus in terris, **intercessorem** habere mereamur in cælis* (or. 4 apr., et même formule pour d'autres docteurs), (faites) que nous méritions d'avoir comme intercesseur au ciel celui que nous avons eu sur cette terre comme maître de vie ;

*multiplicatis **intercessoribus*** (or. 1 nov., Leon. 352), grâce à cette multitude d'intercesseurs ;

*ut pro nobis **intercessor** exsistat* (or. 2 jan., Leon. 671), qu'il soit pour nous un intercesseur, qu'il intercède pour nous.

***Intercessio** beati, sancti, beatorum, sanctorum* (or. et Sacram.

---

1. *Beati* désigne aussi, comme *electi*, tous ceux qui jouissent de l'éternelle béatitude (v. IIe partie, chp. le ciel), sans compter le sens canonique de « bienheureux » (béatifié).

Beatus, saint, ne s'applique pas seulement aux personnes : ex. *per hæc beata mysteria* (Leon. 1200 ; Miss. Goth. 412 ; secr. p. plur. virg.) ; v. *beata passio*, § 191.

2. Le mot *intercedere* s'emploie aussi en parlant des mérites de la Passion ou du Christ en général : ex. *intercedente unigeniti Filii tui passione* (or. fer. 2 Maj. Hebd. Greg. 74, 1), en considération de la Passion de votre Fils unique ; *unigeniti Filii tui gloriosis meritis intercedentibus* (secr. 23 oct. p. al. loc.) ; (encore en parlant de la Passion) *intercessione hujus piaculi* (Hilar. Trin. 3, 11), par l'intercession de ce sacrifice expiatoire.

passim). Cette intercession est qualifiée de *beata, gloriosa, pia, saluberrima, salutaria, veneranda* (or. passim) ; v. autres ex., § 102.

§ 100 *Intervenire* : ex. **interveniat** *pro nobis, q., D., sanctus tuus Lucas Evangelista* (or. 18 oct., Gel. Cagin 1419), qu'il intercède pour nous saint Luc, votre Évangéliste ; **interveniente** *beato, sancto ;* **intervenientibus** *beatis, sanctis* (or. passim, Leon. 340 et passim), par l'intercession de...

Substantifs correspondants : ex. *ejus (sanctæ Anastasiæ) ... semper* ([3]) **interventione** *nos refove* (postc. 25 dec., Leon. 746), par son intercession apportez-nous sans cesse votre réconfort ; *utriusque (Augustini et Monicæ)* **interventu** (or. 4 mai.), grâce à leur double intervention ; **interventu** *beati Laurenti* (Leon. 766) ; *pro qua (oblatione) sanctus Gorgonius martyr* **interventor** *exsistat* (secr. 9 sept., Greg. 184, 6), que le saint martyr Gorgon intervienne pour vous la rendre agréable ; *venerandus Andreas apostolus tuus et pius* **interventor** (Gel. II, 70).

Orare : ex. *orare pro me* (« *Confiteor* »), prier, plaider, parler, intercéder pour moi ; cf. litanies des saints : *ora* ou *orate pro nobis* ; *tribue, q., D., sanctos tuos et jugiter* **orare** *pro nobis et semper clementer audiri* (Leon. 710), faites que vos saints intercèdent sans cesse pour nous et, dans votre bonté, accordez-leur d'être toujours exaucés.

Oratio : ex. *nos ... eorum (martyrum) commendet* **oratio** *veneranda* (or. comm. sanct. missa « *Intret* », Gel. II, 57), que leur vénérable intercession nous recommande ; **oratio** *beati, beatorum, sancti, sanctorum* (or. passim) ; **oratio** *(sancti) nos adjuvet ;* **orationibus** *(sanctorum) adjuvemur* (or. passim, Leon. 1199), que leur intercession nous serve de secours ; *beatorum martyrum tuorum ... adsit nobis* **oratio** (or. 25 oct., Gel. II, 67), que la prière de vos bienheureux martyrs nous vienne en aide ; *sanctorum tuorum ... nobis pia non desit* **oratio** (secr. 28 dec., Gel. Cagin 184), que la bienveillante intercession de vos saints ne vous fasse pas défaut ; v. *oratus,* § 77.

Postulatio : ex. *eorum* **postulatione** (Leon. 71) est remplacé par *intercessione* (or. 21 sept.).

Preces, prières (d'intercession) : **preces** *beati, sancti,* **precibus** *sanctorum* (or. passim) ; ex. *ut ... ejus ...* **precibus** *adjuvemur* (or. comm. sanct. missa « *Justus* », Gel. Cagin 1647), que ses prières nous aident.

Mots de la même famille : *sacrificium nostrum tibi ... beati*

---

3. Ou : par sa continuelle intercession ; cf. *semper regnum* (Cypr. Zel. 18), royaume de toujours.

Andreæ apostoli **precatio** *sancta conciliet* (secr. 30 nov., Gel. II, 69), que la sainte prière du bienheureux apôtre André vous rende agréable notre offrande ;

omnium sanctorum tuorum **precatione** (secr. vigil. omn. sanct.), grâce à l'intercession de tous vos saints ;

beatus N... **precator** *accedat* (postc. comm. doct. missa « *In medio* »), se présente comme notre intercesseur ;

deprecatio *collata sanctorum* (postc. 27 sept., Greg. 168, 3), l'intercession de tous les saints réunis.

Supplicare : ex. *ut gratiora fiant (apostoli tui Pauli) patrocinio* **supplicantis** (secr. 25 jan., Gel. Cagin 182), (afin que nos offrandes) vous plaisent davantage grâce à la supplication d'un tel patron ;

supplicatio *sanctorum* (or. passim) ; **supplicationibus** *beati Matthæi apostoli* (secr. 21 sept., Gel. Cagin 1350).

§ **101** Les saints sont nos protecteurs auprès de Dieu. Le mot *patronus* ne se trouve pas dans les oraisons de notre Missel, bien qu'attesté en ce sens chez les auteurs chrétiens : *per* **patronos** *martyres* (Prud. Peri. 2, 579) ; de même que plusieurs fois dans le Léonien : *celebrantes sanctorum natalicia* **patronorum** (1166), célébrant l'anniversaire de ces saints patrons ; *confidimus ... semper nos specialium* **patronorum** *orationibus adjuvandos* (Leo-M. Serm. I Nat. apost., lect. 6, 3 jul. vet. Br.), nous avons confiance que nous serons toujours aidés par les prières de nos patrons particuliers ; cf. *quem patronum rogaturus* (« *Dies iræ* ») ; v. *clientes*, § 98 ; S. Joseph § 103.

Par contre, *patrocinium*, patronage, est fréquent dans les oraisons : **patrocinium** *implorare, sentire* ; **patrocinio** *adjuvari, liberari, protegi,* etc. (or. passim) ex. *exaudi, Domine, populum tuum cum sanctorum tuorum* **patrocinio** *supplicantem* (or. 19 jan., Gel. Cagin 148), écoutez, Seigneur, votre peuple qui vous supplie en se réclamant de vos saints ;

ut ejus semper ... **patrociniis** *sublevemur* (or. 21 dec., Gel. II, 71), que nous soyons soutenus par sa protection ;

B. Joannis **patrocinia** *(nos) circumdent* (postc. 27 mart.) que la protection de saint Jean (Damascène) nous entoure ;

eorum **patrocinio** *promerente* (Leon. 232), grâce à leur patronage.

Patrocinari, comme plus loin *suffragari* : **patrocinantibus** *meritis* (Pont. Rom.-Germ. 99, 227 : Ord. Rom. 50).

§ **102** *Suffragium* est, comme *patronus*, un terme emprunté aux habitudes de la cité romaine et désignant l'approbation, le suffrage du peuple ; d'où, en parlant des saints ou de leurs mérites, soutien, intercession :

ex. **suffragiis** *beati Thomæ apostoli* (secr. 21 dec., Gel. II, 71) ;

quorum **suffragiis** *nitimur* (or. 22 sept., Gel. II, 16), dont l'intercession est notre appui ; **suffragiis** *sanctorum* (or. passim).

Le mot est plus rare au singulier : ex. *quæ (corona martyrum tuorum) ... multiplici nos* **suffragio** *consoletur* (or. 1 aug., Gel. Cagin 1156), qu'elle nous soutienne grâce à ce grand nombre d'intercesseurs.

Termes de la même famille : **suffragantibus** ([4]) *meritis sanctorum* (or. passim, Leon. 13), grâce à l'intercession de leurs mérites ;

suffragator du Sacram. Leon. (1243) et du Gelas. (II, 69) est remplacé dans notre Missel par *intercessor* (30 nov.).

L'intercession des saints peut appuyer notre prière et nous recommander nous-mêmes ainsi que nos offrandes : v. ex. *conciliare, commendare*, § 100 ;

ut ... (nostra) dona tuo sint digna conspectu, beati Joannis et sanctorum pia **suffragatio** *conspiret* (secr. 27 mart.), que la bienveillante intercession du bienheureux Jean et de tous les saints rende nos offrandes dignes de votre regard ;

apud majestatem tuam beatarum virginum N. N. **suffragio commendemur** (Missa « *Virgines laudent* » p. al. loc. comm. virg.), que l'intercession de ces bienheureuses vierges nous recommande auprès de votre Majesté ;

intercessio nos, q., D., beati Benedicti abbatis **commendet** (or. 21 mart.), que l'intercession du saint abbé Benoît nous recommande ;

sanctorum martyrum tuorum ... confessio ... munera nostra **commendet** (secr. 12 mai., Gel. II, 19), que le témoignage de vos saints martyrs recommande nos offrandes ;

preces ... sanctorum tuorum **commendatio** *reddat acceptas* (Leon. 99), que la recommandation de vos saints rende nos prières agréables ;

v. ex avec *assigno*, § 69.

Le secours des saints : *continuis foveamur (sanctorum) auxiliis* (postc. 16 sept., Greg. 162, 3), que leur aide sans cesse nous réconforte.

Præsidium désigne aussi le secours des saints, des martyrs (Leon. et Greg. passim) ; *in sanctis tuis ...* **præsidium collocasti** (or. 25 jun.).

Comme n'importe quelle demande adressée à Dieu peut être faite en se recommandant d'un saint, il est inutile de reprendre ici tout le vocabulaire déjà vu concernant la demande (aide, protection, libération, etc.).

---

4. Dans le Léonien, on trouve *suffragari*, soit au sens passif, soit au sens déponent.

3. PARTICULARITÉS

§ 103 La plupart des saints sont honorés à un titre particulier. Nous ne pouvons donner ici que le vocabulaire concernant les plus importants.

Saint Jean-Baptiste est le précurseur, *præcursor* ([1]), héraut : ex. *beati Joannis **Præcursoris** hortamenta* (or. 23 jun., Greg. 123, 1), les exhortations de saint Jean le Précurseur ;

*sancti Joannis baptistæ **Præcursoris** et Martyris tui* (or. 29 aug.) ; v. *Nativitas*, § 99 et 108 ;

*Joannes **prænuntiavit** Salvatorem, sicut lex gratiam **præcucurrit*** (Ps.-Aug. Serm. 20 de sanct., lect. 4, 24 jun.), Jean a annoncé à l'avance le Sauveur, de même que la Loi précéda la grâce ;

*Johannem ... **praeconem** Judicis, vocem Verbi, amicum Sponsi* ([2]) (Moz. L. sacr. 808), Jean, le héraut du Juge, la voix du Verbe, l'ami de l'Époux ; cf. *servus ante Dominum, amicus ante Sponsum* (Cæs.-Arel. Serm. 216, 3); v. ex. § 172.

Saint Joseph a deux titres principaux :

Époux de la Mère de Dieu : *sanctissimæ Genitricis tuæ **Sponsi**, q., D., meritis adjuvemur* (or. 19 mart.), que l'Époux de votre très sainte Mère nous aide par ses mérites ;

Patron de l'Église : *quem **protectorem** veneramur in terris, intercessorem habere mereamur in cælis* (or. Off. de S. Jos. cath. eccl. patrono), que nous méritions d'avoir comme intercesseur au ciel, celui que nous vénérons comme protecteur sur la terre (formule analogue pour d'autres saints, ex. avec *propugnator*, § 105 ; mais dans les anciens Sacram., *protector* ne s'applique qu'à Dieu).

Il est honoré aussi comme père « putatif » ([3]) ou « nourricier » de l'Enfant Jésus : *in sancto Joseph **putativo** patre D. N. J. Christi* (Bern.-Sen. lect. 4 Patron. S. Jos.) ; *fidelis **nutritius*** (ibid.) ;

comme patron des travailleurs : *(Festum) Sancti Joseph **opificis*** (1 mai.).

§ 104 Il y a 28 personnages honorés du titre de « docteur » de l'Église ; mais c'est spécialement saint Paul qui est appelé *doctor gentium*, comme ayant le plus contribué à dégager le christianisme naissant du judaïsme et à évangéliser les Gentils :

*concede propitius ut contra adversa omnia **Doctoris gentium** protectione muniamur* (or. Sexag., Greg. 33, 1), veuillez nous

---

1. *Prænuntius*, chez Tertullien, Ambroise.

2. Le paranymphe du marié marchait devant lui pour le conduire dans la maison de l'épouse.

3. De *putare*, penser : *et ipse Jesus erat incipiens quasi annorum triginta, ut putabatur, filius Joseph* (Luc. 3, 23), et Jésus, à ses débuts, avait environ trente ans ; on le croyait fils de Joseph.

accorder, contre tout ce qui nous menace, la protection du Docteur des nations païennes ; *doctor Paule*, cit. § 98 ; *doctor orbis* (hymn. 29 jun. ; modif. *mundi magister*) ([4]).

Il est étroitement associé à l'apostolat de saint Pierre : *et* **coapostolum** *ejus (Petri) Paulum* (or. 6 jul., Gel. III, 36), et Paul, son compagnon d'apostolat ;

da ecclesiæ tuæ ... eorum semper **magisterio** *gubernari* (Leon. 280), faites que leur enseignement gouverne toujours votre Église ; v. *Cathedra Petri*, § 383.

L'un et l'autre sont appelés les « Princes des apôtres », *apostolorum principes* (hymn. mod. 29 jun.) : *O felix Roma ! quæ tantorum* **Principum** *Es purpurata pretioso sanguine* (hymn. 29 jun.), bienheureuse Rome, empourprée du sang précieux de pareils Princes ! (modif. *O Roma felix, quæ duorum* **Principum** *Es consecrata glorioso sanguine*).

Et spécialement saint Pierre : *tu es pastor ovium, princeps apostolorum* (ant. Magnif. 29 jun.), tu es le pasteur des brebis, le prince des apôtres, v. § 98.

A cause de ce pouvoir des clefs, il est appelé le portier du ciel : **Janitor** *cæli* (hymn. 29 jun.) ; **Claviger** *æthereus* (hymn. laud. 1 nov. ; mod. *Summi cæli C.*).

Confessor, en latin chrétien, désigne : 1) le confesseur de la foi dans la persécution, même s'il n'a pas été mis à mort (v. plus loin, le martyre) ; 2) les confesseurs de la foi, évêques remarquables pour leur fermeté dans la persécution ou les luttes pour l'orthodoxie (ex. s. Hilaire de Poitiers) ; 3) celui qui fait profession de christianisme ; 4) un ascète ; 5) un confesseur, évêque, abbé, saint important, remarquable par sa prédication et son exemple, non martyr. Le titre de *confessor*, dans la liturgie, concerne ce dernier sens, plus ou moins influencé par le deuxième :

ex. *Iste confessor* (hymn. comm. conf. non pont.) ; *confessor tuus* (or. ibid.) ; cf. *quem* **doctorem vitæ** *habuimus in terris* (ibid. cit. § 99).

Un confesseur, comme saint Louis, est appelé *ecclesiæ tuæ defensor* (postc. 25 aug.).

§ **105** La spécialité des mérites des saints est liée à la spécialité de la demande que l'on adresse à Dieu par leur intercession. Dans cette variété, citons seulement deux exemples, qui montreront en même temps le parallélisme ou la forme antithétique, habituelle dans les oraisons :

ut beatum Stephanum confessorem tuum, quem regnantem **in terris propagatorem** *habuit (ecclesia),* **propugnatorem** *habere mereatur gloriosum* **in cælis** (or. 2 sept.), que saint Étienne (roi de Hongrie), votre confesseur, qui fut dans son règne

---

4. Cf. *magister gentium* (Ambrosiast. c. 57 C ; Leon. 348).

terrestre le propagateur de votre Église, devienne aussi notre défenseur dans la gloire du ciel.

Et d'une manière symbolique : *da nobis ...* **vitiorum nostrorum flammas exstinguere, qui beato Laurentio tribuisti tormentorum suorum incendia** *superare* (or. 10 aug., Greg. 143, 1), accordez-nous de pouvoir éteindre le feu de nos passions, vous qui avez accordé au bienheureux Laurent de pouvoir surmonter les flammes de la torture.

4. L'IMITATION DES SAINTS

§ 106 La spécialité des mérites suggère aussi la spécialité des exemples à imiter : v. imitation du Christ, § 500 et 501. Termes se rapportant à cette imitation :

da nobis, q., D., **imitari** *quod colimus* (or. 26 dec., Greg. 10, 1), accordez-nous d'imiter les exemples de ceux que nous honorons ; *(sancti, sanctæ, sanctorum) exempla, actus, actiones* **imitari** (or. passim) ;

præsta ut, qui ejus merita veneramur, fidei constantiam **imitemur** (or. 18 mai.), à nous qui vénérons ses mérites, accordez-nous d'imiter sa fermeté dans la foi ; cf. *eorum (sanctorum) fidem veraciter* **imitemur** (Leon. 122) ;

in ejus imitatione proficere (or. 4 jun.), faire des progrès en l'imitant ; *ex ejus imitatione, ejus imitatione* (or. passim);

Deus, qui nos sanctorum tuorum et solemnitate lætificas et **imitatione** *suscitas ad profectum* (Leon. 385), ô Dieu, qui nous apportez la joie dans la célébration de vos saints et suscitez nos progrès dans leur imitation ;

ejusdem caritatis **imitatores** *effecti* (postc. 20 oct.), imitant sa charité ;

imitatrixque *sanctarum permaneat feminarum* (Or. 2 p. spons., Leon 1110), qu'elle imite sans cesse l'exemple des saintes femmes.

Ut, quorum gaudemus meritis, instruamur **exemplis** (or. 1 mai., Greg. 103, 1), d'être instruits par les exemples de ceux dont les mérites font notre joie ;

ut ... tantæ fidei proficiamus **exemplo** (or. 18 jan., Greg. 21, 1), de profiter d'un si bel exemple de foi ;

concede ... ut ad meliorem vitam sanctorum tuorum **exempla** *nos provocent* (or. 14 jan., Greg. 19, 1), faites que l'exemple de vos saints nous invite à une vie meilleure.

Ut studeamus **amare quod amavit** (or. 17 aug., Greg. 142, 1), pour que nous ayons à cœur d'aimer ce qu'il a aimé.

On doit suivre leurs traces : **vestigiis** *(sanctorum)* **inhærere,** *insistere,* s'attacher à leurs pas ; **vestigia** *prosequi, sequi, sectari,* suivre leurs traces (or. passim) ; *illorum (martyrum) sunt* **vestigia subsecuti** (Leon. 20) (le préfixe *sub*-suggère qu'il s'agit d'une imitation plus modeste des martyrs, la mortification) ;

da nobis ... ejus magisterii inhærere **vestigiis** (or. 15 nov.), accordez-nous de nous attacher à suivre ses leçons.

On doit écouter leurs avertissements, leurs conseils, leur enseignement : ex. *concede ... ut ejus exemplis et* **monitis** *errantes ad salutem resipiscant* (or. 27 apr.), faites que, par ses exemples et ses avertissements, les égarés songent de nouveau à leur salut ;

monitis (sanctorum) inhærere, **monita** *sectari* (or. passim) ;

ejus salutaribus **monitis** *edocti* (or. 2 aug.), formés par ses enseignements salutaires ;

ejus (Marci evangelistæ) ... **eruditione** *proficere* (or. 25 apr.), profiter de son enseignement.

5. GLORIFICATION DES SAINTS

§ 107 Nous admirons et glorifions (¹) Dieu dans ses saints (²) : *sicut in apostolo tuo Petro te* **mirabilem** *prædicamus* (cit. § 28), comme lui-même les a glorifiés à nos yeux : *sanctum* ou *beatum* **mirabilem** *effecisti* (or. passim), vous l'avez rendu admirable ;

Deus, qui beatum Nicolaum pontificem innumeris **decorasti** *miraculis* (³) (or. 6 dec.), ô Dieu, qui avez glorifié par d'innombrables miracles le saint évêque Nicolas ;

Deus, qui beatum Marcum Evangelistam tuum evangelicæ prædicationis gratia **sublimasti** (or. 25 apr.), ô Dieu, qui avez élevé bien haut votre saint évangéliste Marc pour avoir répandu l'Évangile ;

magnum *effecisti* (or. 15 nov.), vous l'avez fait grand (en faisant allusion au surnom d'*Albertus Magnus*) ;

Deus, qui beatum Gregorium pontificem sanctorum tuorum **meritis** *coæquasti* (postc. 12 mart., Greg. 30, 3), ô Dieu, qui avez donné au pape saint Grégoire d'égaler vos saints en mérites ;

Deus, qui beatum confessorem tuum Ludovicum **mirificasti** *in terris* (postc. 25 aug.), ô Dieu, qui avez magnifié sur la terre votre confesseur saint Louis.

L'offrande de nos sacrifices en l'honneur des saints atteste la gloire de Dieu : *gloriam divinæ potentiæ munera pro sanctis oblata testantur* (secr. 15 jun., Gel. II, 22).

Leur gloire rejaillit sur l'Église : *Deus, qui Ecclesiam tuam beati Bedæ confessoris tui atque doctoris* **eruditione clarificas**

---

1. V. *honorare Deum*, § 17 note.

2. Cf. *mirabilis Deus in sanctis tuis* (Ps. 67, 36) ; *quia tu es mirabilis in omnibus sanctis tuis* (Leon. 387).

3. Autres termes désignant les miracles : (*Stephanus*) *faciebat prodigia et signa magna in populo* (Act. 6, 8) ; pour les miracles de Dieu, v. § 132 et suiv.

(or. 27 mai.), ô Dieu, qui glorifiez votre Église par la science du bienheureux Bède, votre confesseur et votre docteur.

Nous mettons notre gloire à les célébrer : *quorum festivitate gloriamur* (or. 7 jul. et passim) ; v. *gloriosus*, § 109 ;

beati Apostoli tui Thomæ solemnitatibus gloriari (or. 21 dec., Gel. II, 71), célébrer avec fierté la fête de votre saint apôtre Thomas ;

de beatorum Joannis et Pauli glorificatione (or. 26 jun., Leon. 269) ;

cf. *Deus*, *glorificatio fidelium et vita justorum* (or. p. proph. 3 vigil. Pent ; *gloriatio*, Gel. I, 77, 621), ô Dieu, glorification des croyants et vie des justes.

Dans la préface de la Toussaint (pour la France, Miss. paris. de Vintimille, 18e s.), le mot *testis* rappelle que les saints sont des témoins, non seulement par leur exemple, mais aussi parce qu'ils attestent la sainteté de Dieu : *tantam habentes impositam nubem testium* (Hebr. 12, 1), ayant au-dessus de nous une telle nuée de témoins.

Ils font partie de la gloire de Dieu au ciel : *qui gloriaris in conspectu sanctorum tuorum* (Miss. Goth. 29), dont la gloire éclate en présence de vos saints ; cf. *Deus, qui glorificatur in concilio sanctorum* (Ps. 88, 8).

6. LES FETES DES SAINTS

§ 108 Nous avons vu au chp. I le vocabulaire concernant les fêtes : *festa, solemnia, festivitas, celebritas, solemnitas, commemoratio* ; la joie de ces fêtes, § 9 et suiv. ;

les verbes signifiant honorer : *colere, venerari* ;

célébrer : *celebrare, commemorare, recensere, recolere, memoriam agere, cultum exsequi, festa sectari, gerere*, etc. ; v. *commemoratio*, § 15.

Ajoutons quelques expressions concernant l'honneur rendu :

cujus veneratione hæc tuæ obtulimus majestati (postc. 7 dec.), en l'honneur de qui nous avons offert à votre Majesté ce sacrifice ;

Deus, qui hodiernum diem apostolorum tuorum Petri et Pauli martyrio consecrasti (or. 29 jun., Gel. II, 31), ô Dieu, qui avez consacré ce jour par le martyre de vos apôtres Pierre et Paul ;

quem (sanctum) ad laudem nominis tui dicatis muneribus honoramus (secr. 7 aug., Gel. II, 41), que nous honorons par ces offrandes consacrées à la louange de votre nom ;

Deus, qui præsentem diem honorabilem nobis in beati Joannis nativitate fecisti (or. 24 jun., Leon. 251), ô Dieu, qui avez pour nous consacré ce jour en l'honneur de la nativité de saint-Jean-Baptiste.

On sait que le mot *Nativitas* ne s'emploie que pour Noël (*Nativitas* ou *Natale Domini*), la Nativité de la Sainte Vierge, et celle de saint Jean-Baptiste : *post illum sacrosanctum Domini natalis diem, nullius hominum nativitatem legimus celebrari, nisi solius beati Joannis Baptistæ* (Ps.-Aug. lect. 4, 24 jun.), « en dehors de ce jour consacré à la Nativité du Seigneur, nous voyons qu'on ne célèbre le jour de la naissance d'aucune personne humaine, sauf de saint Jean-Baptiste». Pour les autres saints, on les célèbre le jour anniversaire de leur mort, de leur naissance, c'est-à-dire de leur entrée au ciel : *natalicia colere, recensere, celebrare* (or. passim) ; v. ex. de *natalicia*, § 13 ;

ex. au sing. *Deus, qui nos beati Saturnini martyris tui concedis* **natalicio** *perfrui* (or. 29 nov., Greg. 182, 1), ô Dieu qui nous accordez la joie de célébrer l'anniversaire de saint Saturnin, votre martyr.

Dans le Léonien, *natalis* est adjectif ou substantif : ex. **natalem** *celebrare* (249, en parlant de saint Jean) ; **natalem diem** *sancti martyris* (709). Le substantif neutre *natale* y est très fréquent, et habituel dans le Gélasien.

De même *natalicius* : ex. **nataliciis** *intercessionibus* (Leon. 360) ;

ex. du subst. pl. n. *martyris tui* **natalicia** (Leon. 1190). C'est *natalicia* qui est normalement employé dans le Grégorien, ainsi que dans le Missel.

Pour *Natalis, Natale, Natalicia*, en parlant du Christ, v. § 180.

On honore les images des saints : *quorum* **imagines** *colimus* (or. 27 mart.) ;

quos (sanctos) ejus opera **expositos in templis colimus** (secr. ibid.), dont nous honorons les images (peintes ou sculptées) exposées grâce à lui (s. Jean Damascène) dans nos temples.

Et surtout leurs reliques : *quorum* **reliquias** *colimus* (postc. 5 nov.) ; *quorum* **reliquias** *veneramur* (5 nov. p. al. loc.) ;

quorum **reliquias** *pio amore complectimur* (or. consecr. sepulcr. altar. Pont. R., Gel. I, 90), dont nous entourons les reliques d'une pieuse vénération ;

movete, sancti Dei de mansionibus vestris ; ad loca festinate, quæ vobis præparata sunt (ant. 2 depos. reliq., P. R. II, p. 26), quittez vos demeures, saints de Dieu ; hâtez-vous vers celles qui vous ont été préparées ;

ingredimini, sancti Dei, præparata est enim a Domino habitatio sedis vestræ (ant. 8 ibid.) ;

Deus, qui in sanctorum tuorum **reliquiis** *mirabilia operaris* (or. 5 nov. p. al. loc.), ô Dieu, qui opérez des miracles sur les reliques de vos saints ; expression plus moderne et pseudo-classique : *in eorum cineribus* (ibid.) ; on en trouve toutefois un exemple dans Prudence (Peri. 11, 1).

La relique est un gage de salut, d'où le terme *pignus* ou pl.

pignora pour désigner les reliques (P.-Nol. ; Prud. ; Aug. Civ. 22, 8; lect. 6, 3 aug. Brev. Mon.).

7. LE CULTE DES MARTYRS

§ **109** *Martyr* (μάρτυς) signifie « témoin » : **martyres** *seu* **testes** *ideo vocati sunt, quia propter testimonium Christi passiones sustinuerunt* (Isid. Off. 7, 11), les martyrs ou les témoins tirent leur nom du fait qu'ils ont souffert pour avoir confessé le Christ.

Expressions les plus courantes dans les oraisons : *intercedente beato martyre tuo, intercedentibus sanctis martyribus tuis ; martyrum celebritas, solemnitas, natalicia,* etc.

En parlant des Saints Innocents (*Innocentes Martyres*) : *Salvete,* **flores martyrum** (Hilar. hymn. S. S. Inn.), salut, fleurs des martyrs ; cf. *qui jure dicuntur* **flores martyrum** (Aug. Serm. 10 de sanct., lect. 6, 28 dec.).

Le Christ est appelé le Roi ou le Chef des martyrs : **Regem martyrum**, *Dominum, venite, adoremus* (invit. mat. comm. un. mart.), le Roi des martyrs, le Seigneur, venez, adorons-le ;

Rex *gloriose* **martyrum** (hymn. laud. comm. pl. mart.) ; cf. *caput martyrum* (Aug. Enarr. psal. 63, 2).

Martyra se dit en parlant de Félicité, Agathe, Agnès, Cécile, etc., dans la *Passio Perpetuæ* et, dans la liturgie, dès le Sacramentaire Gélasien (II, 9).

Saint Étienne est appelé *protomartyr*, premier martyr (26 dec.) ; *in Inventione S. Stephani* **protomartyris** (3 aug.) ;

ou *primus martyr* (Aug. Serm. 14 de sanct., lect. 6, 25 jan.) ; *(Christus) qui principatum* **martyri** *Stephano* **primo** *contulit martyrii* (Moz. L. ord. 124), qui a accordé la primauté du martyre au premier martyr Étienne ; cf. *Deus, qui* **primitias martyrum** *in beati levitæ Stephani sanguine dedicasti* (or. oct. S. Steph., Gel. I, 6), ô Dieu, qui avez inauguré les prémices du martyre dans le sang du saint diacre Étienne ; cf. *primus cælestis martyrii* **dedicator** (Leon. 701).

Confessor, confesseur de la foi dans la persécution : *usque ad sanguinem nominis tui* **confessor** *eximius* (Leon. 757), magnifique confesseur de votre nom jusqu'à la mort. Mais dans les oraisons, *confessor* a le sens indiqué plus haut, § 104, tandis que *confessio* peut s'y rencontrer au sens de *martyrium* : ainsi, dans le Missel, *beati Felicis martyris tui* (secr. 14 jan.) a remplacé *sancti Felicis tui confessoris* (Gel. II, 2). Noms désignant le martyre :

Martyrium : ex. *Deus ... qui hunc diem beati Apollinaris sacerdotis tui* **martyrio** *consecrasti* (or. 23 jul.), ô Dieu, qui avez sanctifié ce jour par le martyre de votre évêque saint Apollinaire ;

pretiosi celebritate **martyrii** (secr. 9 jan., Leon. 127), en la célébration de ce précieux martyre ; cf. *o quam pretiosa est mors sanctorum, qui assidue assistunt ante Dominum* (ant. 26 jun.), qu'elle est précieuse, la mort des saints, qui se tiennent sans cesse devant le Seigneur (cf. 2 Par. 9, 7).

Confessio (¹), témoignage du martyr, martyre : ex. *sancti Felicis* **confessio** *recensita* (Gel. II, 2), le martyre de saint Félix que nous célébrons ;

qui gloriosos martyres fortes in sua **confessione** *cognovimus* (or. 10 mart. et passim, Greg. 133, 1), qui connaissons le courage des glorieux martyrs au cours de leur confession ;

gloriosis confessionibus (or. 2 jul., Greg. 132, 1) ; *beata confessio* (or. 28 jul., *confessio beata*, Gel. II, 24) ; *pretiosa confessio* (or. 26 apr., Greg. 157, 1) ; *honoranda confessio* (secr. 21 dec., *honorando confessionem*, Gel. II, 71) ;

sanctorum martyrum tuorum ... sit grata **confessio** (secr. 12 mai., Gel. II, 19), agréez le témoignage de vos saints martyrs.

Le verbe correspondant est *confiteri*, confesser (la foi, le nom du Christ) dans le martyre : ex. *non loquendo sed moriendo (præconium Dei)* **confessi sunt** (or. S. S. Inn., Gel. I, 8), ont confessé (la gloire de Dieu), non en paroles, mais par leur mort ;

Rex gloriose martyrum, Corona **confitentium** (hymn. comm. pl. mart. t. pasch.), Roi glorieux des martyrs, couronne de vos confesseurs.

Passio (²), passion, martyre (Tert. ; Cypr. ; Aug.) : ex. *beati Jacobi apostoli* **passio** *beata* (secr. 25 jul. ; S. S. Petri et Pauli, Leon. 286), le bienheureux martyre de l'apôtre saint Jacques ;

beati Marcelli martyris tui ... cujus **passione** *lætamur* (or. 16 jan., Greg. 20, 1), de saint Marcel votre martyr, dont nous célébrons dans la joie le martyre.

Comme pour les autres saints, les fêtes des martyrs sont consacrées à leur glorification : **gloria** *martyrum, martyrii* (or. passim) ;

sanctorum martyrum passionibus **gloriari** (Leon. 400), célébrer glorieusement les souffrances de vos saints martyrs ;

gloriosa *passio* (Leon. 270 et passim), expression remplacée souvent par *beata passio* ;

sicut illos (sanctos) passio **gloriosos** *effecit* (secr. 26 dec., Greg. 6, 2), de même que leur martyre les a rendus glorieux.

§ 110 Le martyre est assimilé à un combat, où les efforts du bourreau ou du juge n'ont pas réussi à faire succomber le confesseur, l'athlète du Christ, le soldat de Dieu : *in cujus*

---

1. *Confessio* désigne aussi le tombeau des martyrs, l'autel, l'église où se trouvent leurs restes ou qui est érigée à l'emplacement de leur martyre.

2. Le mot *passio* associe davantage les martyrs à la Passion du Sauveur ; il se dit aussi en parlant des souffrances de la Sainte Vierge, v. § 121.

glorioso **agone** (Aug. Serm. 44 de sanct. lect. 6, 24 jun.), dans son glorieux combat ;

quam lœtus illic Christus fuit, quam libens in talibus servis suis et **pugnavit** *et vicit* ... **Certamini** *suo adfuit,* **prœliatores** *atque assertores sui nominis erexit, corroboravit, animavit* (Cypr. Ad mart. 2, 6, lect. 4 comm. mart. t. pasch.), avec quelle joie le Christ était là, combien volontiers il a combattu et vaincu dans (³) de pareils serviteurs ... C'est à son propre combat qu'il assistait : les champions et les confesseurs de son nom, il les a redressés, leur a donné sa force et son courage ;

martyrii **congressio** (Moz. L. sacr. 840 et 861), le combat du martyre ;

(pléon.) *de tanti* **agone** *certaminis* (Leon. 743), de l'engagement d'une telle bataille (par s. Laurent) ;

Domine Jesu Christe, da nobis virtutis constantiam, **ut hujus agonis stadium** *intrepida mente percurrere valeamus* (ant. laud. 5 oct. S. Placid., Br. Mon.), Seigneur Jésus, donnez-nous le courage et la fermeté nécessaire pour pouvoir parcourir sans trembler les étapes de ce combat ;

Deus, tuorum **militum** *Sors et corona, prœmium* (hymn. comm. un. mart.), ô Dieu, qui êtes l'héritage, la couronne et la récompense de vos soldats ;

gloriosus Christi **athleta** (Aug. Serm. de sanct. 44, lect. 5 comm. un. mart.) ;

Athleta *Christi nobilis* (hymn. mat. 28 mai.).

Le martyre constitue une satisfaction immédiate (certains même, comme Tertullien, ont cru que les martyrs seuls entraient au ciel avant la résurrection : An. 55, 4) : *Mortis sacrœ compendio Vitam beatam possident* (hymn. mat. comm. pl. mart.), par le raccourci d'une sainte mort, voilà qu'ils possèdent la vie bienheureuse.

On imaginait les martyrs revêtus de blancheur et d'innocence : cf. *Massa* **candida** (Aug. Serm. 306, 2) ; **candidatis** *cohortibus* (Prud. Peri. 1, 67) ;

sanctus Stephanus primitivus tuœ fidei **candidatus** (Leon. 688), s. Étienne, le premier appelé au martyre pour votre foi ;

te martyrum **candidatus** *laudat exercitus* (« *Te Deum* »), la blanche cohorte des martyrs vous loue.

Les expressions les plus fréquentes évoquent une victoire :

ex. *martyris* **invicta** *patientia* (Aug. loc. cit. lect. 4), l'endurance invincible du martyr ;

Victis **triumphas** *hostibus,* **Victor** *fruens cœlestibus* (hymn.

---

3. *In* : le Christ est « en » eux dans ce combat ; cf. les paroles de Félicité : *modo ego patior quod patior ; illic autem alius erit in me qui patietur pro me* (Pass. Perp. 15 et lect. 5, 6 mart.), ce que je souffre maintenant (dans les douleurs de l'enfantement), c'est moi qui le souffre ; mais alors (à l'heure du martyre), il y aura un autre en moi, qui souffrira à ma place ; cf. Mart. Polyc. 15.

laud. 26 dec., l'hymne modifiée intervertit ces deux vers et commence par ces mots **Invicte martyr)**, vainqueur, tu jouis du bonheur du ciel, tu triomphes sur tes ennemis vaincus ;

Deus ... qui beato Laurentio tribuisti tormentorum suorum incendia **superare** (or. 10 aug., Greg. 143, 1), qui avez accordé au bienheureux Laurent de pouvoir surmonter le feu de sa torture ;

quarum (virginum et martyrum) pie veneramur in fidei confessione **victoriam** (postc. comm. sanc. p. al. loc.), dont nous vénérons pieusement la victoire dans la confession de leur foi ;

Deus, qui ... etiam in sexu fragili **victoriam** *martyrii contulisti* (or. comm. sanct. missa « *Loquebar* », Greg. 28, 1), ô Dieu, qui, même à la faiblesse du sexe, avez accordé la victoire du martyre ;

victricem *animam emisit* (Moz. L. sacr. 59), rendit son âme victorieuse ; cf. *privilegio victricis animæ* (Max.-Taur. Serm. c. 680 A) ;

beati Venantii martyris tui **triumpho** (or. 18 mai.) ;

in beatorum **triumphis** *martyrum* (Leon. 696) ;

quorum gloriamur **triumphis** (postc. 22 sept., Greg. 174, 3), dont nous célébrons glorieusement le triomphe ;

hodie celebramus **triumphalem** *militis passionem* (Fulg.-R. Serm. S. Steph., lect. 4, 26 dec.) ;

Lætus **triumphum** *concinit* (hymn. vesp. 18 mai.), dans la joie, il chante son triomphe.

Cette victoire est symbolisée par la couronne, la palme, les lauriers, le trophée, (⁴) images qui s'appliquent aussi, on le verra, à la résurrection du Christ vainqueur de la mort, à son Ascension, de même qu'à la récompense du ciel après les luttes de cette vie :

ex. *Rubri nam fluido sanguine* **laureis** *Ditantur bene fulgidis* (hymn. vesp. pl. mart.), rouges du sang qui ruisselle, les voilà riches de lauriers splendides (modif. *cingunt tempora laureis*) ;

Vitæ senatum **laureati** *possident* (hymn. 1 vesp. 29 jun.), ceints de lauriers, ils sont entrés au sénat de la vie ;

palma *martyrii, martyrum* **palmæ** (or. passim ; Leon. 1291 etc.) ;

Aram ante ipsam simplices **Palma et coronis** *luditis* (« *Salvete, flores martyrum* »), devant l'autel même, naïvement vous jouez avec la palme et les couronnes (modif. *Aram sub ipsam*) ;

fraterna nos, Domine, martyrum tuorum **corona** *lætificet* (or. 1 aug., Gel. Cagin 1156), Seigneur, que la couronne des frères martyrs (SS. Maccabées) nous comble de joie ; **corona** *martyrii* or. 16 mai. p. al. loc., Leon 688) ;

---

4. Et aussi *stola jucunditatis*, v. § 373 note.

Coronati Martyres (8 nov.) ; in natale sanctorum quattuor **Coronatorum** (Leon. XXXV) ;

Trophæa ([5]) sacra pangimus (laud. pl. mart.), nous chantons leurs triomphes sacrés.

§ 111 La pourpre qui rappelle le sang versé est elle-même un titre de gloire ; c'est l'insigne des martyrs et des chefs : **purpurati** martyres (hymn. mod. 1 nov.) ;

O felix Roma, quæ tantorum Principum Es **purpurata** pretioso sanguine (1 vesp. 29 jun.), ô heureuse Rome, qui portes la pourpre du sang précieux de pareils princes (mod. quæ duorum Principum es consecrata glorioso sanguine) ;

niveo candore confestim emicuit martyrii **cruore purpureus** (Miss. Goth. 29), à peine revêtu de la blancheur diaconale, il apparut soudain rouge de la pourpre du martyre ;

(pléon.) (Cæciliam) **cruore sui sanguinis** consecratam (Moz. L. Sacr. 50), sacrée martyre par la rougeur de son sang.

Patientia ([6]), dans son sens plein, de même que constantia, expriment l'endurance et la fermeté du martyr : invicta patientia (cit. § 110) ; mira patientia (or. 9 sept. p. al. loc.) ;

Deus, qui beatum Hermetem martyrem tuum virtute **constantiæ** in passione roborasti (or. 28 aug., Greg. 152, 1), ô Dieu, qui avez fortifié votre martyr saint Hermès d'une vertu inébranlable dans la souffrance ;

ut ... ejus (martyris) ... fidei **constantiam** ([7]) imitemur (or. 18 mai.).

---

5. Tropæum (-phæum) a désigné aussi les reliques ou le tombeau du martyr.
6. Pour patientia, au sens plus faible, v. § 497.
7. En dehors du martyre, fidei constantia (ex. Leon. 242), fermeté dans la foi, v. § 465.

VII

LES ANGES

§ **112** Le mot *angelus* (ἄγγελος) signifie messager, envoyé (entre autres sens). Un messager céleste parle à Abraham (Gen. 22) ; accompagne Tobie : *tunc egressus Tobias, invenit juvenem splendidum ... et ignorans quod **angelus Dei** esset ...* (Tob. 3, 5-6), « Tobie, étant sorti, trouva un jeune homme resplendissant ... ignorant qu'il fût un ange de Dieu... » Un ange détruit l'armée des Assyriens : *factum est igitur in nocte illa venit **angelus Domini** et percussit in castris Assyriorum centum octoginta quinque milia* (4 Reg. 19, 35), il arriva donc cette nuit là que l'ange du Seigneur vint et frappa de mort cent quatrevingt-cinq mille hommes dans le camp des Assyriens.

Dans le N. T., ils sont associés à l'œuvre de la Rédemption : à la Nativité (Luc. 2, 8-13), à la Résurrection (Luc. 24, 4-8), à l'Ascension (Act. 1, 10-11) :

*Natum vidimus et **choros angelorum** collaudantes Dominum* (ant. laud. Nat. Dom.), nous avons vu le nouveau-né et les chœurs des anges qui louaient le Seigneur ;

*hodie in terra canunt **angeli**, lætantur **archangeli*** (ant. Magnif.), aujourd'hui sur la terre, les anges chantent, les archanges sont dans la joie.

L'archange Gabriel est en particulier le messager de l'Annonciation : *missus est **angelus Gabriel** a Deo ...* (Luc. 1, 26), Dieu envoya l'ange Gabriel...

ex. dans les oraisons : ***Angelo** nuntiante* (or. 25 mart., Greg. 31, 1) ;

Gabriele nuntiante (postc. 24 mart.) ;

*Deus, qui, inter ceteros **angelos**, ad annuntiandum Incarnationis tuæ mysterium **Gabrielem archangelum** elegisti* (or. 24 mart.), ô Dieu, qui avez choisi parmi tous les anges l'archange Gabriel pour annoncer le mystère de votre Incarnation.

Les premiers écrivains chrétiens avaient employé le mot latin *nuntius* (Minuc. ; Lact.) ; il se retrouve chez les poètes (Comm. ; Ps.-Cypr. ; Prud. ; Vict.-Petav.), et dans les hymnes : ex. *Cælestis aulæ **nuntii*** (laud. S. Famil.), des messagers de la cour céleste ; en parlant de l'archange Gabriel, *Cælestis aulæ* **nuntius** (S. S. Rosar.) ; cf. *summus nuntius* (Moz. L. sacr. 965).

§ **113** Les visions de l'Apocalypse et les prières liturgiques nous rappellent que les anges ont été créés pour célébrer la gloire de Dieu dans le ciel : v. *ministrare, assistere*, § 114 et 115 ;

*a quibus tibi **ministrantibus** in cælo semper **assistitur*** (or.

8 mai., Greg. 169, 1), qui au ciel sont sans cesse autour de vous pour vous servir ; cf. *angelorum ministeria* (ibid.) ;

quem (Raphaelem archangelum) tuæ majestati semper assistere credimus (postc. 24 oct.), nous croyons qu'il se tient sans cesse aux côtés de votre Majesté ;

cui (tibi, Deo) **assistunt** *Angeli et Archangeli, Throni et Dominationes* (ben. Palm.), qu'assistent les Anges, les Archanges, les Thrônes et les Dominations ; cf. Col. 1, 16 ;

(sans datif) *ubi quos veneramur* **adsistunt** (Leon. 857), (au ciel) où vous assistent ceux que nous vénérons ;

per quem (Jesum Christum) majestatem tuam **laudant** *Angeli,* **adorant** *Dominationes,* **tremunt** *Potestates* (præf., Gel. III, 17, 1243), par qui les Anges louent votre Majesté, les Dominations l'adorent, les Puissances la révèrent ; v. ex. *concinunt,* § 11.

Louange à laquelle nous nous associons : *et ideo cum Angelis et Archangelis, cum Thronis et Dominationibus, cumque omni militia cælestis exercitus, hymnum gloriæ tuæ canimus* (præf. Pasch., Greg. 88, 3), c'est pourquoi, avec les Anges et les Archanges, avec les Trônes et les Dominations, avec tout l'ensemble de l'armée céleste, nous chantons l'hymne de votre gloire.

§ 114 Les mots *militia* et *exercitus* ([1]) évoquent la multitude des puissances célestes ; mais ils nous font penser aussi à la lutte contre les puissances du mal : *hic est Michael Archangelus, princeps* **militiæ** *angelorum* (resp. 4, 8 mai.) ; *sancte Michael Archangele, defende nos in* **prœlio** (et ant. 8 mai.) ... *princeps* **militiæ** *cælestis, Satanam aliosque spiritus malignos ... in infernum detrude* (or. p. missam), « saint Michel archange, défendez-nous dans le combat ... prince de la milice céleste, précipitez dans l'enfer Satan et les autres esprits mauvais ». Le même archange est d'ailleurs appelé aussi ange de la paix : *angelus pacis Michael* (hymn. laud. 8 mai.) ; et aussi *præpositus paradisi* (resp. 4, 8 mai.), gardien du paradis.

Angelus fortis Gabriel, ut **hostem** *Pellat antiquum...* (hymn. ibid.), que l'ange vaillant Gabriel repousse notre vieil ennemi (modif. *hostes ... antiquos*).

Les ordres des anges sont évoqués par saint Paul parlant des créatures invisibles : *sive throni, sive dominationes, sive principatus, sive potestates* (Col. 1, 16) ; à quoi se réfère saint Grégoire le Grand : *novem angelorum ordines dicimus, quia videlicet esse, testante sacro eloquio, scimus, angelos, archangelos, potestates, principatus, dominationes, thronos, cherubim atque seraphim* (Hom. ev. 34, lect. 4, 29 sept.), « nous parlons de

---

1. Pour le langage biblique, les armées célestes désignent aussi bien, dans le monde visible, l'innombrable multitude des astres, que les innombrables armées des anges dans le monde invisible.

neuf ordres angéliques : car nous savons par le témoignage de la sainte Écriture qu'il y a des anges... » A noter que *cherubim* et *seraphim* sont des pluriels hébraïques. Dans des oraisons modernes 24 apr. et 18 sept.), *seraphicus* a pris le sens de « angélique ». Les principaux de ces anges sont salués du titre de « princes du ciel » dans l'hymne de la fête de S. Raphaël (24 oct.) : *omnes cæli principes* ; cf. *angelis angelorumque principibus* (Leon. 177).

Quand le chrétien pense à la patrie céleste, il sait qu'avant les saints, les anges en sont les principaux citoyens : *illæ mentes supernos **cives** aspiciunt* (Greg.-M. Hom. ev. 21, lect. 1 Pasch.), ces âmes (des saintes femmes) voient les citoyens du ciel ; *vestros **concives*** (lect. 3 ibid.).

Les prières liturgiques nous rappellent le double rôle des anges par rapport à Dieu et par rapport aux hommes : *Deus, qui miro ordine angelorum **ministeria** hominumque dispensas, concede propitius ut, a quibus tibi ministrantibus in cælo semper **assistitur**, ab his in terra vita nostra **muniatur*** (or. 29 sept. et 8 mai., Greg. 169, 1), ô Dieu, qui organisez avec un ordre admirable les fonctions des anges et des hommes, accordez-nous avec bienveillance de voir notre vie sur la terre protégée par ceux qui sans cesse vous servent et vous assistent dans le ciel ; cf. *nonne omnes (angeli) sunt **administratorii** spiritus, in ministerium missi* ([2]) *propter eos qui hereditatem capient salutis* (Hebr. 1, 14), « ne sont-ils pas tous des esprits chargés d'un ministère, envoyés en service pour ceux qui recevront l'héritage du salut ? » Par exemple, pour présider à la bénédiction de l'eau : *te supplices deprecamur ut ... super has (aquas) ... angelum sanctitatis emittas* (Gel. I, 74), nous vous en supplions, daignez envoyer sur elles votre ange de sainteté. Dans l'oraison *Supplices te rogamus* du Canon, *per manus sancti angeli tui* fait allusion à un ministère des anges associés au culte divin des hommes ; le *De Sacramentis* de saint Ambroise donne le pluriel : *per manus angelorum tuorum*.

§ 115 Les anges enfin ont pour mission de nous protéger : *mittere digneris sanctum angelum tuum de cælis, qui custodiat...* (or. aspers.), daignez envoyer du haut du ciel votre saint ange, pour qu'il garde... ; cf. *ecce ego mittam angelum meum, qui præcedat te et custodiat in via* (Ex. 23, 20), « voici que j'envoie mon ange, pour qu'il te précède et te garde au cours du voyage ». En ce qui concerne cette protection, les mots *ministrare, ministerium, ministri*, ne doivent pas nous faire illusion. Dieu n'agit pas comme un monarque terrestre, isolé au fond de son palais et déléguant ses pouvoirs à des ministres

---

2. Pour le Psalmiste, même les éléments sont des envoyés de Dieu : *qui facis angelos tuos spiritus et ministros tuos ignem urentem* (103, 4), toi qui fais des vents tes messagers, et du feu dévorant, ton serviteur.

ou à des fonctionnaires. C'est lui qui est présent partout et qui nous protège. Les anges, par une sorte de surabondance et d'exubérance, qui est une des marques de la création, personnifient et concrétisent (si l'on peut employer ce mot dans le domaine spirituel) l'ambiance divine et surnaturelle dans laquelle « nous vivons et nous sommes » (Act. 17, 28) :

Ex. *cui (in itinere proficiscenti) tu, Domine,* **angelum pacis** *mittere digneris* (Gel. III, 24, 1317), daignez lui envoyer l'ange de paix ;

mittas ad eos (inhabitantes in ea domo) **angelum pacis** (Gel. III, 76, 1565) ; *angeli pacis* (Is. 33, 7) désigne « les messagers de paix » ;

angelus pacis *ob defensationem* (Moz. L. ord. 118) ;

in hoc domicilio habitent **angeli salutis et pacis** (ibid. 22), que dans cette demeure habitent les anges de salut et de paix ;

benedic, Domine, hanc domum ... ut in his parietibus **angelus lucis** (³) *inhabitet* (Gel. III, 76, 1565), bénissez, Seigneur, cette maison, pour que, dans ses murs, habite l'ange de lumière ;

det vobis Dominus **angelum** *suum* **lucis** (Gel. Cagin 1868) ;

deputans (Deus) eis **angelum** *pietatis suæ, qui* **custodiret** *eos die ac nocte* (Gel. I, 33, 291), leur envoyant (à la sortie d'Égypte) l'ange de sa bonté, pour les garder nuit et jour ;

concede propitius ut, qui festum ejus celebramus in terris, ipsius **patrocinium** *sentiamus in cælis* (or. 24 mart.), à nous qui célébrons sa fête (de S. Gabriel) sur la terre, accordez-nous, dans votre bonté, de sentir sa protection dans les cieux ;

sit apud te pro nobis **advocatus** *in cælis* (secr. ibid.), qu'il soit auprès de vous notre avocat dans les cieux ;

angelico pro nobis **interveniente suffragio** (secr. 29 sept., Leon. 845), grâce à l'intercession de votre ange ;

beati archangeli tui Michaelis **intercessione** *suffulti* (postc. 8 mai., Leon. 858), nous appuyant sur l'intercession de votre archange saint Michel ;

sancti *angeli* (or. passim) ; *a* **sanctis** *angelis suscipi* (cit. § 94) ;

ejusdem (Raphaeli) semper protegamur **custodia** (or. 24 oct.), qu'il nous protège et nous garde sans cesse ;

Totus et nobis chorus angelorum Semper **assistat** (hymn. laud. 8 mai.), et que le chœur entier des anges nous assiste toujours (mod. *Et sacer nobis*) ;

Sanet ægrotos, pariterque nostros Dirigat actus (ibid.), qu'il guérisse les malades et guide aussi nos pas (modif. *dubiosque vitæ Dirigat...*) ;

Les anges gardiens, *custodes angeli : dico enim vobis, quia*

---

3. Chez saint Paul (2 Cor. 11, 14), *angelus lucis* désigne un bon ange : *Satanas transfigurat se in angelum lucis.*

angeli eorum (pusillorum) in cælis semper vident faciem Patris mei (Mat. 18, 10), en vérité je vous le dis, leur ange voit sans cesse au ciel la face de mon Père (expression biblique pour désigner la présence des courtisans devant le roi) ;

*magna dignitas animarum, ut unaquæque habeat ab ortu nativitatis in **custodiam sui angelum** delegatum* (Hier. In Mat. 3, 18, lect. 9, 29 sept.), elle est grande la dignité d'une âme, pour que chacune ait, dès l'instant de sa naissance, un ange affecté à sa garde ;

*Deus, qui ineffabili providentia sanctos angelos tuos ad **nostram custodiam** mittere dignaris* (or. 2 oct.), ô Dieu, qui, dans votre ineffable providence, daignez envoyer vos saints anges pour nous garder ;

Custodes** hominum psallimus **angelos (hymn. 2 oct.), nous chantons les anges gardiens des hommes ;

*Tuusque nobis angelus, Signatus ad **custodiam*** (hymn. laud. 2 oct.), votre ange qui a été assigné à notre garde (modif. *Electus ad...*).

VIII

LA PRIÈRE A LA SAINTE VIERGE

Nous verrons dans la IIe partie (§ 208-213) le vocabulaire concernant l'aspect théologique du culte de la Sainte Vierge : maternité divine, participation à la Rédemption, Conception immaculée, Assomption. Bien que la distinction soit un peu artificielle, nous ne rappelons ici que les termes concernant la prière et les sentiments qu'elle exprime.

1. L'INTERCESSION

§ 116 Dans les prières adressées à Dieu ou directement à la Sainte Vierge, on demande l'intercession de celle-ci à l'aide des mêmes expressions que celles qui ont été relevées au chapitre VI : *intercessio, intercedere, intervenire, suffragari*, etc., en donnant parfois plus de solennité à la formule :

ex. *gloriosa Beatæ Mariæ semper Virginis* **intercessione** (or. passim) ;

beatæ et gloriosæ semperque Virginis Dei Genetricis Mariæ nos, q., D., **merita prosequantur** (Gel. II, 14), que les mérites de la Mère de Dieu, la bienheureuse et glorieuse Marie toujours vierge, nous recommandent (dans le Léonien, *beata Maria* ou *sancta Maria* seulement) ;

per intercessionem *Beatæ...* (Gel. ibid.) ;

intercedente *beata semper Virgine Maria* (Greg. 27, 4) ;

intercedente *beata et gloriosa semper Virgine Dei Genitricis Maria* (or. passim) ;

Beatæ Mariæ Virginis **suffragantibus meritis** (or. passim) ;

ejusdem (Mariæ) prece **suffragatrice** (Moz. L. sacr. 1316) ;

ora pro populo, **interveni** *pro clero* (ant. Magnif. off. B. M. V.), priez pour le peuple, intercédez en faveur des clercs ;

subveniat, *Domine, plebi tuæ Dei Genitricis* **oratio** (secr. 15 aug. vet. ord., Greg. 149, 2), Seigneur, que la prière de la Mère de Dieu vienne au secours de votre peuple ;

pro nobis Christum **exora** (« *Ave, Regina* »), suppliez pour nous le Christ ;

B. M. semper virginis ac Reginæ apostolorum **patrocinio** (sabb. oct. Ascens.) ; cf. *Patrona Virgo*, dans l'hymne modifiée de la Toussaint ;

in hora mortis nostræ **occurrente** *gloriosa Virgine Matre tua cum beato Joseph* (postc. S. Famil.), la glorieuse Vierge, votre Mère, venant à notre rencontre avec saint Joseph à l'heure de notre mort.

Intercession demandée conjointement avec celle des autres saints : *cum omnibus sanctis* (passim) ; *Sancta Maria et omnes sancti intercedant pro nobis ad Dominum* (passim) ;

precibus et meritis beatæ Mariæ semper Virginis et omnium sanctorum (Off. B. M. V. sabb.).

Termes particuliers (v. aussi § 122) :

Matris tuæ ac **Mediatricis** *nostræ precibus* (secr. 31 mai. p. al. loc., Gall.), grâce aux prières de celle qui est votre Mère et notre Médiatrice.

Advocata (²) *nostra* (« *Salve, Regina* »), notre avocate ; celle dont le rôle propre est d'intercéder pour nous : *nosque ... in cruce pendens Matri Virgini commendasti* (or. 3 sept. p. al. loc., cf. Jo. 19, 27), (vous qui) suspendu à la croix nous avez recommandé à la Vierge votre Mère ;

maternam ejus opem *assidue implorantes* (or. 27 jun. p. al. loc. B. M. V. de Perpetuo Succ.), implorant sans cesse son assistance maternelle ;

Cf. *sub tuum* **præsidium** *confugimus ...* ; *Consolationis Matris ...* **præsidio** (postc. B. M. V. de Consolatione, p. al. loc.).

2. LE CULTE DE LA SAINTE VIERGE

§ 117 Les Pères vénéraient le souvenir de Marie, soit pour l'intégrité et la valeur exemplaire de sa vie de vierge (saint Jérôme, saint Ambroise), soit pour le rôle essentiel qu'elle joue dans l'économie du salut (v. IIe partie). Saint Augustin évoque la même antithèse que saint Irénée : *per feminam mors, per feminam vita : per Hevam interitus, per Mariam salus* (Symb. cat. 3, 4, lect. 3 Off. B. M. V. in sabb. mai.), par une femme, la mort ; par une femme, la vie : par Ève, notre perte ; par Marie, notre salut. Cf. Ps.-Hier. Assumpt., lect. 4 Immac. Conc. Après le concile d'Éphèse de 431, des sanctuaires s'élèveront en l'honneur de la Mère de Dieu. Mais c'est surtout au Moyen-Age que se développera le culte et la piété mariale par une sorte d'attendrissement du sentiment religieux chrétien, dans la contemplation des mystères de l'Incarnation et de la Rédemption. L'antiquité n'avait pas connu cette délicatesse nouvelle, cette fleur de civilisation, qui restera l'honneur d'une époque dont on n'a vu parfois que les duretés.

Notre rôle n'est pas d'esquisser cette histoire, ni de passer en revue toutes les fêtes (Visitation, Purification, etc.) instituées

---

1. L'adverbe *semper* exprime la permanence de la virginité, après comme avant la maternité ; cf. *virgo perpetua* (ant. laud. Off. B.M.V. et passim).

2. Le terme se trouve déjà dans l'ancienne version latine de saint Irénée : *sed hæc (Maria) suasa est obædire Deo, uti virginis Evæ virgo Maria fieret advocata* (Hær. 5, 19, 1), mais celle-ci résolut d'obéir à Dieu, afin que la Vierge Marie devînt l'avocate de la vierge Ève. La figure de l'Ève nouvelle sera reprise souvent par la suite. Comme saint Justin (Dial. c. Tryph.), Tertullien oppose l'obéissance de Marie à la désobéissance d'Ève : *crediderat Eva serpenti, credidit Maria Gabrieli* (Tert. Carn. Chr. 17).

en l'honneur de la Sainte Vierge ; nous avons à présenter, dans les textes liturgiques, le vocabulaire qui exprime les sentiments de cette piété.

3. LA LOUANGE DE VÉNÉRATION ET D'ADMIRATION

§ **118** La salutation angélique, *Ave gratia plena, Dominus tecum, benedicta tu in mulieribus* (Luc. 1, 28) (¹), a été non seulement reprise dans l'*Ave, Maria*, mais paraphrasée et imitée dans des antiennes, des hymnes, des homélies :

ex. *benedicta es tu, Virgo Maria, a Domino Deo excelso, præ omnibus mulieribus super terram* (ant. laud. Immac. Conc.), tu as été bénie, ô Vierge Marie, par le Seigneur, le Dieu très-haut, au-dessus de toutes les femmes de la terre ;

Ave, Maria, gratia plena, sanctis sanctior ... Ave, columba... (S. Germ. lect. 7, Immac. Conc.), je vous salue, Marie, pleine de grâce, plus sainte que tous les saints... Je vous salue, colombe... ; (pour *gratia plena*, v. § 265) ;

Ave, maris stella (hymn. IIe s.), je vous salue, étoile de la mer ;

Ave, præclara maris stella (Herm.-Contract. M. 143, c. 443) ;

Salve, sancta parens, enixa puerpera Regem (Sedul. Intr. 8 sept.), Salut, Mère sainte, vous avez enfanté le Roi ;

et dans les antiennes : *Ave, regina cælorum* ; *Salve, Regina* ; *Salve, Mater misericordiæ* ;

en rapport avec *Sol justitiæ* (v. § 181) : *Stella Solem dedit : Virgo Deum Hominem absque homine* (Eleuth. Serm. M. 65, c. 94), une étoile nous a donné le Soleil : une vierge l'Homme-Dieu, sans intervention humaine (*homine = viro*) (²);

Solem justitiæ Regem paritura supremum Stella maris hodie processit ad ortum (Fulbert. Carn. hymn. M. 141, c. 345), aujourd'hui l'étoile de la mer approche de l'enfantement : elle va mettre au monde le Roi suprême, le Soleil de justice.

Le lyrisme poétique de l'A. T. a été utilisé comme la plus glorieuse des parures qui convenait à la Mère de Dieu. Du livre de Judith (15, 10) : *Tu, gloria Jerusalem, tu, lætitia Israel, tu, honorificentia populi nostri* (ant laud. Immac. Conc.), « ô

---

1. Cf. les paroles d'Élisabeth à la Visitation : *benedicta tu inter mulieres et benedictus fructus ventris tui* (Luc. 1, 42). Outre *in* et *inter*, la préposition *præ* elle aussi peut exprimer une idée superlative, dans le latin biblique : ex. *præ omnibus mulieribus* (cité plus haut) ; *unxit te Deus præ consortibus tuis* (Ps. 44, 8), Dieu t'a donné l'onction, comme à nul autre de tes rivaux.

La première partie de la salutation angélique était en usage à Jérusalem au 4e s. ; puis à Rome, au temps de Grégoire le Grand. Après *ventris tui*, on a ajouté *Jesus Christus. Amen*, au IIe s. La deuxième partie de cette prière est en usage dès la fin du M.-A. ; à noter toutefois que *sancta Maria* est une appellation des premiers siècles ; pour *mater Dei*, v. § 208).

2. Ainsi, à l'époque, en parlant d'un saint homme, on disait indifféremment *vir Dei* ou *homo Dei*, v. Dict.

vous, gloire de Jérusalem, vous, joie d'Israël, vous, honneur de
notre peuple ». Du Cantique des cantiques : les antiennes des
vêpres de la Sainte Vierge, où elle est assimilée à la bien-aimée.
Ce verset des Psaumes (18, 6), *in sole posuit tabernaculum
suum, et ipse tanquam sponsus procedens de thalamo suo* »,
dans le soleil il a fixé sa tente, et lui, comme l'époux qui sort
de son pavillon... », a été souvent appliqué symboliquement
au sein de la Vierge où le Christ a épousé l'humanité : *tanquam
sponsus procedens de thalamo suo, Deus Dominus ... inluxit
nobis* (Leon. 1247), comme l'époux sortant de sa chambre
nuptiale, le Seigneur Dieu ... s'est révélé à nous ; cf. *sicut
myrrha electa ...* (ant. 2, mat. comm. B. M. V. ; *quasi myrrha.*,
Eccli. 24, 20) ; *germinavit radix Jesse ...* (ant. 41 vesp. 2 febr.) ;
cf. § 175.

La virginité de Marie est evoquée par « la porte close »
d'Ézéchiel (44, 2) : *porta hæc clausa erit, non aperietur, et vir
non intrabit per eam ; quoniam Dominus Deus Israel ingressus
est per eam* (capit. sext. Immac. Conc.), cette porte restera
fermée et ne sera pas ouverte ; aucun homme n'y passera, car
le Seigneur Dieu d'Israël est entré par elle ; *Tu Regis alti janua,
et porta lucis fulgida* (hymn. laud. fest. B. M. V.), ô vous, porte
du grand Roi, éclatante entrée de la lumière (modif. *et aula
lucis ...*).

Marie ayant été prévue de toute éternité dans l'économie
providentielle de la Rédemption, l'Église ([3]) peut lui appliquer
les paroles de la Sagesse (Prov. 8, 23) : *ab æterno ordinata sum ...*
(Ép. Immac. Conc.), « de toute éternité j'ai été prévue » ;
ou du livre de l'Ecclésiastique (24, 14) : *ab initio et ante sæcula
creata sum* (Ép. missa « *Salve, sancta parens* »), dès les origines
et avant les temps j'ai été créée.

On pourrait multiplier les exemples et noter aussi que
certaines invocations des litanies de la Sainte Vierge ont une
couleur biblique : *turris, arca, vas.*

§ 119 Dans ces litanies, de même que dans les oraisons et
les chants, la louange est exprimée

a) par de nombreux qualificatifs, dont la plupart concernent
la virginité de Marie ou sa conception immaculée : *(Virgo)
inviolata, intemerata, intacta* ([4]), *integra, purissima, immaculata,
integerrima (virginitas), (Cor) purissimum, (Virgo) sacratissima, sanctissima, beata et gloriosa, beatissima, gloriosissima,
(Mater) benignissima, dulcissima, amabilis, admirabilis ;*

---

3. *Ipsissima verba, quibus divinæ Scripturæ de increata Sapientia loquuntur, consuevit
(Ecclesia)... in sacrosancta liturgia adhibere et ad illius Virginis primordia transferre* (Pii
IX, lect. 4, 10 dec.), l'Église a pris l'habitude, dans la sainte liturgie, d'appliquer
aux origines de la Sainte Vierge exactement les mêmes paroles, dont se sert la
sainte Écriture pour parler de la Sagesse incréée.

4. *Intacta Mater Numinis* (hymn. mat. 8 dec.), virginale Mère de Dieu.

nous avons vu (§ 116) ceux qui se trouvent déjà dans les Sacramentaires Léonien et Gélasien. *Perpetua*, en parlant de la virginité, ex. *perpetuæ Virginitatis Filius* (Leon. 1104), ne se rencontre pas dans les formules actuelles d'oraisons, mais seulement dans les parties chantées : ex. *Maria Virgo perpetua* (ant. comm. 31 mai. ; 21 nov.), « ô Marie, toujours vierge » ([5]) ; de même *præcelsa*, très haute : *præcelsæ Genitricis Dei Mariæ* (ant. 8 sept.). En faisant allusion à son acceptation immédiate : *Te respexit* ([6]) *ancillam humilem, Te quæsivit sponsam amabilem* (« *Salve, Mater misericordiæ* »), Il a jeté son regard vers vous, humble servante ; il vous a recherchée, épouse digne d'amour.

§ **120** b) par les appellations : *Beatæ Mariæ Virginis, Dei Genitrix, sancta Dei Genitrix* (v. précédemment), *Mater Dei* (déjà chez Ambroise, v. § 208, mais toujours *Genitrix* dans les Sacramentaires, sauf des expressions comme *Mater virgo, Mater Domini*) ;

Alma Redemptoris mater (ant.) ;

sanctissimæ Genitrici Unigeniti tui (postc. 9 febr.) ;

Felix cæli porta (« *Ave, maris stella* ») ; cf. *amplectere Mariam, quæ est cælestis porta* (ant. 2 febr.), attache-toi à Marie, qui est la porte du ciel ; v. *porta, janua*, § 118 ; *cælestis aulæ janua* (hymn. mat. 8 dec.), porte de la cour céleste ;

templum Domini (ant. 21 nov.) ;

sacrarium Spiritus Sancti (ibid.), sanctuaire de l'Esprit Saint ;

Spiritus Sancti habitaculum (or. 21 nov.), demeure de l'Esprit Saint ;

Mater Christi, Mater divinæ gratiæ, etc. (litan.) ;

Salve, Regina, mater misericordiæ (ant.) ;

Regina cæli ([7]), *lætare* (ant.) ;

Regina angelorum, etc. (litan.) ;

Regina mundi dignissima (comm. 31 mai.) ;

solemnitas Mariæ Virginis Reginæ (or. 31 mai.) ;

Regina sacratissimi Rosarii ([8]) (vers. 7 oct.) ;

Virgo virginum, la Vierge des vierges, la Vierge par excellence (on a déjà vu cette forme de superlatif).

Sauf naturellement *adorare* et *adoratio*, les verbes et les

---

5. Voir note sur *semper*, § 116.

6. Luc. 1, 38 et 48.

7. *Regina* (dans *Regina angelorum, sanctorum*, etc.) est un terme de vénération : il signifie que Marie est au-dessus de toutes les créatures du ciel et de la terre et que celles-ci lui rendent hommage : *Maria Regina est præclarissima quantum ad gloriam* (S. Bonav. lect. 8, 31 mai.), « Marie est la reine la plus illustre par sa gloire », *Regina cæli* suggère quelque chose de plus : celle qui a le privilège de distribuer les faveurs, *dispensatrix gratiæ* (ibid. lect. 9), celle qui intercède, la Médiatrice, en tant qu'associée à la « royauté » de son Fils ; cf. *cunctis creatis imperat* (Hymn. laud. 7 oct.) ; le style poétique n'a pas la même rigueur théologique que celui des oraisons.

8. Ce mot se rencontre aussi sans épithète : *solemnitatem Rosarii Virginis Mariæ* (Invit. mat. 7 oct.).

noms qui expriment la louange sont les mêmes que ceux que
nous avons passés en revue aux chp. I et II : *venerari* (le plus
fréquent), *laudare, colere, recolere*, etc.

4. LA COMPASSION

§ 121 Les termes qui l'expriment rappellent les douleurs
de Marie participant à la Passion, ou bien formulent notre
désir de prendre part à ses souffrances :

a) *Cujus animam gementem, Contristatam et dolentem, Pertransivit gladius* (« *Stabat Mater dolorosa* »), dont le glaive a
transpercé l'âme gémissante, pleine de tristesse et de douleur ;

*dulcissimam animam gloriosæ Virginis et Matris Mariæ
doloris gladius pertransivit* (or. fer. 6 p. d. Pass.; 15 sept. Sept.
dol. B. M. V.), (dans votre Passion) le glaive de douleur a
transpercé l'âme très tendre de la glorieuse Vierge Marie,
votre Mère ;

qui transfixionem ejus et passionem venerando recolimus
(ibid.), nous qui célébrons avec vénération son cœur transpercé
et ses souffrances ;

perdolens Virgo (secr. 12 et 27 febr.) ; *perdolens Mater* (hymn.
mat. 12 febr.

b) *Eia, mater, fons amoris, Me sentire vim doloris Fac ut
tecum lugeam* « (*Stabat mater* »), de grâce, ô Mère, source
d'amour, faites-moi sentir la force de votre douleur, faites que
je pleure avec vous ; v. § 51.

5. LA SUPPLICATION

§ 122 On implore le secours de la Sainte Vierge,

soit en s'adressant à Dieu : ex. *concede nos famulos tuos,
q. D. Deus, ... gloriosa beatæ Mariæ semper Virginis intercessione, a præsenti liberari tristitia et æterna perfrui lætitia* (or.
fest. B. M. V.), accordez à vos serviteurs, grâce à la glorieuse
intercession de la bienheureuse Vierge Marie toujours vierge,
d'être délivrés dès à présent de la tristesse et de jouir pleinement de la joie éternelle ;

soit par la prière directe : ex. *Sancta Maria, succurre miseris,
juva pusillanimes, refove flebiles* (ant. fest. B. M. V.), sainte
Marie, secourez les malheureux, aidez ceux qui sont sans
courage, consolez ceux qui pleurent. *Protegere, protectio,
intercedere* sont les termes qui reviennent le plus souvent ;
v. § 116 ; *refugium peccatorum* (litan. ; cf. *peccatorum refugium
et auxilium* (or. 13 aug. p. al. loc.)

Frères adoptifs de Notre Seigneur Jésus-Christ, nous l'implorons comme mère : ex. *maternam ejus opem assidue implorantes* (cit. § 116) ;

Deus, qui Genitricem dilecti Filii tui matrem nobis dedist (or. 26 apr. B. M. V. de Bono Consilio), ô Dieu, qui nous avez donné la Mère de votre Fils bien-aimé comme notre propre mère.

Des vocables particuliers se réfèrent à cette protection : ex. *B. M. V. de Bono Consilio* ; *B. M. V. de Mercede* (24 sept.) Notre Dame de la Merci (pour le rachat des captifs) ; *B. M. V. de Perpetuo Succursu* (27 jun.) ; *Auxiliatrix Virgo* (secr. 24 mai. p. al. loc. B. M. V. tit. *Auxilium Christianorum*).

Ex. d'un titre d'ordre dédié à la Sainte Vierge : *Deus, qui in beatissimæ semper Virginis et Genitricis tuæ Mariæ singulari titulo Carmeli ordinem decorasti* (Or. 16 jul.), qui avez honoré l'ordre du Carmel au titre de votre Mère...

DEUXIÈME PARTIE

LEX CREDENDI

L'expression *Lex orandi, Lex credendi* ne signifie pas que la prière liturgique formule ou définit la croyance, mais plutôt qu'elle en porte le témoignage : v. *Med. Dei*, 46-47.

DIEU

§ 123 Le mot latin *Deus* ([1]), comme le grec Θεός, se rattache à une racine indoeuropéenne évoquant l'idée de lumière ([2]) ou du ciel lumineux, tandis que pour les Hébreux, Yahvé « Celui qui est », c'est le Seigneur, le Fort, le Tout-Puissant, le Très-Haut (v. plus loin), ou celui qu'on ne doit pas nommer. Les noms hébreux qui désignent la divinité (Yahvé, Eloim) ne sont pas passés dans le latin chrétien ([3]). *Adonaï* apparaît deux fois dans la Vulgate : *Adonai Domine* (Judith 16, 16) ; cf. *O Adonai, et dux domus Israel* (ant. O Adv.) ; *et nomen meum Adonai non indicavi eis* (Ex. 6, 3), et mon nom Adonaï, je ne le leur ai pas donné (trad. de l'hébreu : « Je me suis manifesté à Abraham ... sous le nom d'El Shaddaï, mais je ne me suis pas fait connaître d'eux sous le nom de Yahvé » (Bible de Jérusalem). A ce dernier nom, Yahvé, correspond toujours *Dominus* ([4]) dans le texte latin des Psaumes. Il est normal d'employer le terme Yahvé dans une traduction française faite sur l'hébreu, comme il est normal de dire toujours le « Seigneur » dans une traduction faite sur le latin. V. *nomen*, § 22.

L'idée évoquée par le mot *Deus* était déjà suffisamment abstraite et élevée dans la pensée philosophique des anciens pour que les premiers chrétiens n'aient pas hésité à l'employer, mais en le précisant : *Deus christianus, Deus noster, verus Deus* (Tert. Nat. 1, 13 ; 11, 14, etc.); *quod colimus Deus unus est* (Cypr. Ep. 73, 21), l'objet de notre adoration, c'est le Dieu unique.

Par imitation du vocabulaire poétique, les auteurs d'hymnes ont quelquefois employé les mots *Tonans, Numen* : ex. *Summi Tonantis Unice* (laud. fer. 6), Fils unique du souverain maître du tonnerre (hymn. primit. *Celsi Tonantis Unice*) ; *Dono superni Numinis* (laud. 26 dec.), par un don de la Puissance d'en haut (mais l'hymne primitive ne comporte pas ce terme : *Amore Filii Dei*) ; v. *Mater Numinis*, § 208. De même *dius* pour *divinus* est emprunté à la poésie classique : ex. *omnia dia et marina et terrea* (Prud. Cath. 12, 90), tout ce qui existe dans le ciel, sur mer et sur la terre; *diæ litandæ Victimæ* (hymn. 1 vesp. 15 aug.), à la divine Victime qui doit être immolée.

---

1. Dans la Vulgate de l'A. T., *deus* signifie aussi : 1) les dieux païens, les idoles (Ps. 95, 5) ; 2) les anges, un grand personnage, un grand dignitaire, un roi (Ps. 81, 1 et 6, etc. ; v. le Dict.).

2. Sans rapport avec la lumière spirituelle dont il sera question plus loin.

3. sauf en Marc. 15, 34 : *Heloi*, terme qui rappelle *Eloim*. A noter que *Eloim* est un pluriel.

4. *Dominus* traduit lui-même le grec Κύριος des Septante.

I

LES ATTRIBUTS DE DIEU

1. LA TRANSCENDANCE

§ 124 Le mode d'existence de Dieu est sans commune mesure avec le nôtre et le vocabulaire qui a essayé de le qualifier se réduit soit à des superlatifs se référant à des qualités humaines (¹) (ex. très bon, chp. 6; tout-puissant, chp. 2), soit à des appellations désignant des fonctions humaines (ex. père, gouverneur, juge, chp. 4 et 5), soit à des qualificatifs qui disent seulement ce qu'Il n'est pas (ex. non contingent ; non temporel, c. à d. éternel ; infini ; immuable ; insaisissable matériellement et moralement ; incompréhensible ; incorporel ; invisible ; etc.). Il existe, dans les textes patristiques, conciliaires, théologiques, plus d'une centaine d'adjectifs ou d'adverbes latins se rapportant à un attribut divin ; un petit nombre seulement figure dans le latin biblique et dans le latin liturgique.

Dieu est par lui-même (²) ; il est celui qui est, l'Être absolu : *dixit Deus ad Moysen : Ego sum qui sum. Ait : sic dices filiis Israel : qui est misit me ad vos* (Ex. 3, 14), Dieu dit à Moïse : « Je suis celui qui suis ; » Il ajouta : « Tu parleras ainsi aux fils d'Israël : Celui qui est m'a envoyé vers vous ». Nous, au contraire, ne sommes que par lui : *quoniam ex ipso et per ipsum et in ipso sunt omnia* (Rom. 11, 36), car tout est de lui et par lui et en lui ; *omnia per ipsum et in ipso creata sunt, et ipse est ante omnes, et omnia in ipso constant* (Col. 1, 17), tout a été créé par lui et pour lui ; il est avant tous et tout subsiste en lui.

Le Christ est associé à cette existence absolue : *tunc cognoscetis quia **ego sum*** (Jo. 8, 28), alors vous saurez que Je suis ; *Amen, amen, dico vobis, antequam Abraham fieret, **ego sum*** (Jo. 8, 58), en vérité, en vérité, je vous le dis, avant qu'Abraham fût, Je suis.

Il est l'alpha et l'oméga, c'est-à-dire le commencement et la fin : *Ego A et Ω, principium et finis, dicit Dominus Deus, qui est et qui erat et qui venturus est, omnipotens* (Apoc. 1, 8), c'est moi l'Alpha et l'Oméga, le commencement et la fin, dit le

---

1. Le langage analogique pourrait faire croire que l'homme invente Dieu en idéalisant sa propre image. Mais la réfléxion philosophique nous montre que ce qu'il y a dans l'esprit de l'homme ne peut s'expliquer que par l'existence de Dieu : si nous pouvons créer Dieu à notre image, c'est que Dieu lui-même nous a créé à la sienne, ainsi que le confirme la Révélation.

2. *Non enim aliud proprium magis Deo quam esse* (Hilar. Trin. 1, 5), rien n'est plus propre à Dieu que l'être.

Seigneur Dieu, Celui qui est, qui était et qui viendra, le Tout-puissant. Cf. *Ego Dominus, primus et novissimus ego sum* (Is. 41, 4), moi, le Seigneur, je suis au commencement et à la fin.

§ **125** Hors de notre portée, Dieu est appelé le Très-Haut, *altissimus* (³), *Excelsus* (⁴) : *qui habitat in adjutorio* **Altissimi** (⁵), *in protectione* **Dei cæli** *commorabitur* (Ps. 90, 1), qui demeure à l'abri du Très-Haut et habite sous la protection du Dieu du ciel; *erit magnus et Filius* **Altissimi** *vocabitur* (Luc. 1, 32), il sera grand et on l'appellera le Fils du Très-Haut.

Intende, precamur, **Altissime,** *vota...* (Leon. 375), ô Dieu Très-Haut, regardez, nous vous en prions, les offrandes... (pas d'ex. dans les or. du Missel).

Dextera **Excelsi** (Ps. 76, 11), la droite du Très-Haut ;

sed non **Excelsus** *in manufactis habitat* (Act. 7, 48), mais le Très-Haut n'habite pas dans des temples faits de main d'homme.

Ex. isolé : **Excelsi** *Filius Dei* (Rotul. Rav. Sacram. Veron., Mohlb. p. 176).

Mais les dérivés *excellentia* et *celsitudo* se rencontrent dans les oraisons : ex. *quod illis contulit* **excellentia** (⁶) *sempiterna* (or. 12 jun., Gel. II, 21), ce que leur a accordé le Dieu Très-Haut et éternel ;

ad contemplandam speciem tuæ **celsitudinis** (or. Epiph., Greg. 17, 1), (parvenir) à vous contempler dans toute la gloire de votre grandeur.

Summus : ex. *in conspectu gloriæ* **summi Dei** (Tob. 3, 24), devant la gloire du Dieu Très-Haut ;

Deus, fidelium **Pater summe** *(*or. sabb. sc. vet. ord., Gel. I, 43, 434) ;

summe *Deus* (Moz. L. ord. 239) ; **summa** *divinitas* (secr. cit. § 159 note ; Leon. 1281; Max.-Taur. Hom. c. 451 B).

§ **126** Dieu est éternel : *Abraham ... invocavit ibi nomen Domini Dei* **æterni** (Gen. 21, 33), Abraham y invoqua le nom du Seigneur, du Dieu éternel ;

secundum præceptum **æterni** *Dei* (Rom. 16, 26), selon l'ordre du Dieu éternel ;

hæc dicit Excelsus et sublimis, habitans **æternitatem** (Is. 57, 15), ainsi parle le Très-Haut, celui qui habite l'éternité ;

ipsi gloria et nunc et in diem **æternitatis** (2 Petr. 3, 18), à lui la gloire et maintenant et à jamais ; cf. *in æternum* (Ps. et passim, v. ex. § 170).

---

3. Voir *in Altissimis*, au chp. le Ciel, § 292.
4. Cf. Ps. 8, 2 (cit. § 130).
5. Dans ce verset, *Altissimus* correspond à l'hébreu Elyôn, Très-Haut ; et *Deus cæli* à Shaddaï, deux noms divins.
6. Cf. *ad excellentiam tuam recurrit et gloriam* (Leon. 850), (le culte des anges) concourt à la grandeur de votre gloire.

Dans les Psaumes, l'éternité de Dieu apparaît comme un temps sans limites : *priusquam montes fierent, aut formaretur terra et orbis,* **a sæculo et usque in sæculum** *tu es Deus* (Ps. 89, 2), avant que les montagnes n'aient été faites, avant que n'aient été formés la terre et le monde, de toujours à toujours tu es Dieu ; *in sæculum sæculi* (Ps. 18, 10), à jamais ; *in sæcula* (Ps. 71, 17) ; cf. *in sæculum* (Judith 13, 21), éternellement ; *usque in sæculum et sæculum sæculorum* (Dan. 7, 18), à jamais et pour l'éternité ([7]). D'où les expressions du latin liturgique pour désigner l'éternité : *regnans* **per omne sæculum** (Ambr. Hymn. 9, 20), dont le règne est éternel ; *regnas in unitate Spiritus Sancti* **in sæcula** (Leon. 1331), à jamais vous régnez en union avec le Saint Esprit ; *per omnia sæcula sæculorum* (ibid. 1351 et or. passim) ; *in sæcula sæculorum* (or. passim) ; *qui regnas a cunctis sæculis et semper et* **per immortalia sæcula** (Moz. L. ord. 11).

Dans les oraisons, *æternus* et *sempiternus* accompagnent fréquemment le mot *Deus* : une cinquantaine d'oraisons du Missel commencent par *Omnipotens sempiterne Deus. Æterne Deus* de même est fréquent dans les oraisons, comme dans les préfaces. Ces deux formules existent dans les Sacramentaires dès le Léonien ; cf. *ad enarrandam laudem tuæ* **divinitatis æternae** (Moz. L. ord. 42), pour célébrer votre divinité éternelle.

A l'éternité est associée l'incommutabilité ([8]) : *omne datum ... descendens a Patre luminum, apud quem* **non est transmutatio,** *nec vicissitudinis obumbratio* (Jac. 1, 17), tout don excellent descend du Père des lumières, chez qui n'existe aucun changement, ni ombre de vicissitude ;

Deus, **incommutabilis** *virtus (et) lumen æternum* (Gel. I, 43, 432), ô Dieu, force immuable et lumière éternelle ;

æterne Deus, qui es, qui eras et qui **permanes** *usque in finem, cujus origo nescitur nec finis comprehendi potest* (ord. bapt. adult. si gentilis, Rit. R.), Dieu éternel, vous qui êtes, qui étiez et demeurez jusqu'à la fin, dont l'origine ne peut se connaître ni la fin se comprendre ;

Domine Deus, Pater omnipotens, lumen **indeficiens** (vet. ord. sabb. sc., Gel. 1, 77), Seigneur Dieu, Père tout-puissant, indéfectible lumière ;

Immotus *in te* **permanens** (hymn. non. dom.), qui demeurez en vous-même immuable ;

incorruptæ *æternitatis Deum et* **inviolabilis** *naturæ Domi-*

---

7. Expression analogue, en parlant de durée à l'échelle humaine : *in progenie et progenie* (Ps. 48, 12) ; *misericordia ejus a progenie in progenies* (Luc. 1, 50), sa miséricorde s'étend d'âge en âges.

8. *Immutabilitas* (Aug. ; Hier. ; Cassian.) ; *incommutabilitas* (plus souvent chez Aug.).

num (Miss. Goth. 234), Dieu inaltérable dans votre éternité, Seigneur incorruptible dans votre nature.

Perennis (⁹) équivaut parfois à *æternus* : *Tu, lux perennis* (hymn. vesp. S. S. Trin.), mais l'épithète ne se trouve pas dans l'hymne primitive.

Dans la préface de l'Épiphanie (Gel. I, 11), *immortalis* s'applique à l'immortalité du Christ : *cum Unigenitus tuus in substantia nostræ mortalitatis apparuit, nova nos immortalitatis suæ luce reparavit*, votre Fils unique, en paraissant sous la forme de notre chair mortelle, nous a renouvelés par l'éclat nouveau de son immortalité. Par contre, le même terme désigne l'éternité divine dans ce passage de saint Paul : *qui solus habet immortalitatem et lucem inhabitat inaccessibilem* (1 Tim. 6, 16), qui seul possède l'immortalité et habite une lumière inaccessible (¹⁰).

Pour *ingenitus*, v. Trinité, § 216.

§ 127 Dieu, étant infini, échappe à nos mesures :

Patrem immensæ majestatis (« *Te Deum* »), Père, dont la majesté est sans limites ;

Immensus Pater, immensus Filius, immensus Spiritus Sanctus (Symb. Athan.).

Mais dans les oraisons, les épithètes *immensus, infinitus* qualifient la bonté ou la miséricorde divine, dès le Sacramentaire Léonien (¹¹) : *immensa caritas, immensa clementia, immensa pietas* (or. passim) ; cf. *o inæstimabilis dilectio* (præc. vig. Pasch.) ;

Deus, cujus misericordiæ non est numerus et bonitatis infinitus thesaurus (or. missa p. grat. act. ; le début est dans la secrète du 2 nov.), ô Dieu, dont la miséricorde est sans mesure et la bonté un trésor inépuisable ; v. Chp. 6.

Dieu est présent partout en sa totalité : *totus ipse in omnibus* (Hilar. Trin. 1, 6) ; *qui, cum ubique sis totus* (Gel. I, 89, 706) ;

Omnipotens sempiterne Deus, qui in omni loco dominationis tuæ totus assistis, totus operaris (or. eccl. dedic., Pont. R. II, p. 12), Dieu tout-puissant et éternel, qui êtes présent tout entier, qui opérez tout entier en tout lieu, comme maître souverain ;

summe Deus, qui summa et media imaque custodis, qui omnem creaturam intrinsecus ambiendo concludis (or. consecr. eccl., Pont. R. II, p. 31), ô Dieu très-haut, qui tenez sous votre garde le haut, le milieu et le bas, qui renfermez toute créature tout en la pénétrant (pour saint Grégoire le Grand, Moral. 2, 8, Dieu est intérieur et extérieur à sa création).

---

9. Cet adjectif, de même que les mots *perennitas, perenniter*, se rapportent ordinairement à l'éternité bienheureuse ; v. chp. le Ciel ; cf. *immortalis gloria* (or. 5 nov. p. al. loc.) ; *immortalis satietas* (Leon. 1303).

10. Mais en 1 Cor. 15, 53, il s'agit de notre immortalité glorieuse.

11. Mais ex. au sens théologique : *tu quam sis immensus* (Leon. 850).

Il ne peut être circonscrit dans des limites : *si enim cælum et cæli cælorum **te capere non possunt**, quanto magis domus hæc quam ædificavi* (3 Reg. 8, 27), si les cieux et les cieux des cieux ne peuvent vous contenir, à plus forte raison cette demeure que j'ai construite ; cf. *in manufactis* (ex. cit. § 125) ;

*Virgo Dei Genitrix, quem **totus non capit orbis**, in tua se clausit viscera factus homo* (ant. miss. Matern. B. M. V., et même allusion dans d'autres antiennes des fêtes de la Sainte Vierge), ô Vierge, Mère de Dieu, celui que l'univers entier ne peut contenir, s'est enfermé dans votre sein, en prenant notre humanité.

Cf. *Magnus est et **non habet finem**, excelsus et immensus* (Bar. 3, 25), qu'elle est grande (la demeure de Dieu)!elle n'a pas de bornes, elle est haute et immense.

Dieu est au-dessus de notre louange : *glorificantes Dominum, quantumque potueritis, **supervalebit** enim adhuc* (Eccli. 43, 32), glorifiez le Seigneur autant que vous le pouvez, il sera encore au-delà ;

et de notre capacité d'expression : ***excedit** quidem, dilectissimi, multumque **supereminet** humani eloquii facultatem divini operis magnitudo* (Leo-M. Serm. lect. 4, oct. Nat. Dom.), elle dépasse, mes bien-aimés, elle déborde immensément notre faculté d'expression, la grandeur de l'œuvre de Dieu.

§ **128** Étant en dehors du temps, Dieu voit d'un même regard ce qui fut, ce qui est et ce qui sera. La préscience divine est une façon de parler à notre point de vue, d'où les nombreux mots en *præ-* : *præcognitio, præcognitor, præcognoscentia, præcognosco, prænosco, prænotio, præscientia, præscio, præscius, prævidentia, prævideo, prævidus, prævisio.* Ces mots n'appartiennent pas au vocabulaire liturgique, sauf ceux que nous verrons aux chp. Prédestination, Rédemption, économie du salut.

Dieu, pur esprit, est invisible : *Spiritus est Deus* (Jo. 4, 24) ; *Deum **nemo vidit** unquam* (Jo. 1, 18), nul n'a jamais vu Dieu ; *quem **nullus** hominum **vidit**, sed nec videre potest* (1 Tim. 6, 16), qu'aucun homme n'a vu et ne peut même pas voir.

ex. dans les oraisons : *et hunc nocturnum splendorem, **invisibilis** regenerator, intende* (or. vigil. Pasch. ; *invisibilis regnator*, Gel. I, 42, 429), invisible auteur de notre régénération, regardez cette flamme nocturne ;

*vere dignum et justum est, **invisibilem** Deum Patrem omnipotentem ... personare* (præf. ibid., Miss. Gall. 25, 134), oui, il est juste et digne de célébrer le Dieu invisible, le Père tout-puissant ;

*omnipotens et **invisibilis** Deus* (Rotul. Rav., Leon. Mohlb. p. 175) ;

*Deus, qui **invisibiliter** omnia contines* (or. Dedic., Greg.

197, 1), ô Dieu, dont la puissance invisible renferme tout.

§ 129 Son essence et ses desseins sont hors des prises de notre intelligence : *non est qui possit scire vias ejus* (Bar. 3, 31), personne ne peut connaître ses voies ; *magnus consilio et* **incomprehensibilis** *cogitatu* (Jer. 32, 19), grand dans tes desseins, incompréhensible dans ta pensée ; *latent quidem divina mysteria, nec facile ... quisquam hominum potest scire consilium Dei* (Ambr. Luc. 2, lect. 1, fer. 4 Quat. T. Adv.), le mystère de Dieu nous est caché et personne ne peut facilement connaître ses desseins.

Saint Paul a proclamé plusieurs fois ce mystère : *quæ Dei sunt, nemo cognovit, nisi Spiritus Dei* (1 Cor. 2, 11), personne ne connaît les secrets de Dieu, sinon l'Esprit de Dieu ; *o altitudo divitiarum sapientiæ et scientiæ Dei, quam* **incomprehensibilia** *sunt judicia ejus, et* **investigabiles** *viæ ejus* (Rom. 11, 33), ô profondeur des trésors de la sagesse et de la science de Dieu ! que ses décrets sont incompréhensibles, et insondables ses voies !

Ces adjectifs *incomprehensibilis, investigabilis, inscrutabilis* ne figurent pas dans les oraisons. Autres ex. *in hoc igitur* **inscrutabilis** *sapientiæ et immensæ caritatis mysterio* (præf. S. S. Corp. Chr., Miss. Paris. de Vintimille), dans ce mystère d'une insondable sagesse et d'une charité infinie ;

incomprehensa *bonitas* (hymn. laud. 6 aug.), insondable bonté (mod. *caritas*).

Dans les oraisons, l'adjectif *ineffabilis*, comme plus haut *immensus, infinitus*, a un sens plus laudatif que métaphysique : *ineffabilis caritas, ineffabilis misericordia* (Leon.), *ineffabilis providentia, ineffabilis gratia* (Leon.; or. passim) ;

sauf dans un ex. comme celui-ci : *Deus, qui* **ineffabilibus** *mundum renovas sacramentis* (or. fer. 6 p. d. 4 Quadr., Greg. 64, 1), ô Dieu, qui renouvelez le monde par d'ineffables mystères ; *ineffabile sacramentum* se rencontre 4 fois dans le Léonien.

Dieu reste pour nous mystérieux et caché : *vere tu es Deus* **absconditus** (Is. 45, 15).

2. LA TOUTE-PUISSANCE

§ 130 Souvent les oraisons ont une considération initiale sur un attribut divin ; c'est alors l'épithète *omnipotens* que l'on rencontre le plus souvent (v. ex. § 32) ; et quelquefois aussi dans le latin biblique :

ex. *Domine* **omnipotens**, *Deus Israel* (Bar. 3, 4) ;

ipse enim **omnipotens** *super omnia opera sua* (Eccli. 43, 30), car il est tout-puissant, au-dessus de toutes ses œuvres.

Mots de la même famille :

fecit mihi magna qui **potens** *est* ([1]) (Luc. 1, 49, *Magnificat*), il a fait pour moi de grandes choses, celui qui est le tout-puissant ;

*ei (Deo) autem, qui **potens** est omnia facere superabundanter quam petimus aut intelligimus* (Ephes. 3, 20), à lui qui peut tout faire, bien au-delà de ce que nous pouvons demander ou concevoir ;

*Deus, qui **omnipotentiam** tuam parcendo manifestas* (or. d. 10 p. Pent., Gel. III, 6), ô Dieu, qui manifestez votre toute-puissance par le pardon ;

potentiæ (²) *tuæ dextera* (or. 4 Parasc., Gel. I, 41, 407), par la puissance de votre droite ;

*excita ... **potentiam** tuam* (or. 1 Adv., Greg. 192, 1; Ps. 79, 3), réveillez votre puissance ;

*Magnæ Deus **potentiæ*** (hymn. vesp. fer. 5), Dieu de grande puissance ;

*Rector **potens**, verax Deus* (hymn. sext.), chef puissant, Dieu de vérité ;

*Orbem **potenter** qui regis* (hymn. mat. fer. 6), qui gouvernez puissamment l'univers ; v. autres ex. au chp. la Providence ;

expression analogue : *Rerum, Deus, **tenax vigor*** (hymn. dom. non.), Dieu, qui soutenez puissamment le monde ;

v. *Fortis, fortitudo*, § 156.

En dehors de *omnipotens, omnipotentia*, un certain nombre de composés en *omni-*, dans le latin chrétien, expriment l'idée que Dieu est présent partout, agit partout, voit tout, embrasse tout : *omnitenens, omnividens, omnimedens*, etc. Dans le latin biblique, la même idée est exprimée d'une manière plus concrète : ex. ***omnia*** *quæcumque voluit, Dominus fecit in cælo, in terra, in mari et in **omnibus** abyssis* (Ps. 134, 6), tout ce qu'il a voulu, le Seigneur l'a fait, dans le ciel, sur terre, dans la mer et dans tous les abîmes ;

*quia in manu ejus sunt **omnes** fines terræ, et altitudines montium ipsius sunt* (Ps. 94, 4), car dans sa main sont tous les confins de la terre, et les hauts des montagnes sont à lui ;

si ascendero in cælum, tu illic es ; si descendero in infernum, ades (Ps. 138, 8), si je monte aux cieux, tu es là ; si je descends aux enfers, je t'y trouve encore ;

*de cælo respexit Dominus, vidit **omnes** filios hominum* (Ps. 32, 13), Dieu a jeté un regard du haut du ciel, il a vu ensemble tous les fils des hommes ;

***omnes** videt oculus illius ... oculi Domini circumspicientes **omnes** vias hominum* (Eccli. 23, 27-28), son œil voit tout ... les

---

1. Cf. *potens est ut ipsos salvos faciat* (Aug. Tr. ev. Jo. 7, 2), il a le pouvoir de les sauver ; *esse et posse simul habet* (ibid. 20, 4), il possède en même temps l'être et la puissance ; *ut possibile Deo omne quod ei placuerit adsereret* (Ambr. Luc. 2, 19), pour prouver que tout est possible à Dieu de ce qu'il a jugé bon de faire.

2. *potestas*, puissance (de Dieu) (Tert. Aug.) a été remplacé parfois par *majestas* dans le Brev. R. (secr. fer. 2 p.d. Pass.) ; sauf ex : § 248 ; 278.

yeux du Seigneur promènent leur regard sur toutes les actions des hommes ;

quoniam renum ([3]) *illius testis est Deus et cordis illius scrutator est verus, et linguæ ejus auditor* (cf. Ps. 7, 10) (Sap. 1, 6), car Dieu est le témoin de ses reins (du blasphémateur), il scrute infailliblement son cœur et entend ses paroles ;

mirabilis facta est scientia tua ex me (Ps. 138, 6), étonnante est la connaissance que tu as de moi ;

Dominus scit cogitationes hominum, quoniam vanæ sunt (Ps. 93, 11), le Seigneur connaît les pensées des hommes et leur vanité ;

et non est ulla creatura invisibilis in conspectu ejus (Hebr. 4, 13), aucune créature n'est invisible à ses yeux ;

major est Deus corde nostro et novit omnia (1 Jo. 3, 20), Dieu est plus grand que notre cœur et il connaît tout ; v. autres ex. au chp. 5, § 142 et suiv.

Dans les Psaumes, le mot *magnificentia* désigne souvent la majesté, la grandeur de Dieu : ex. *quoniam elevata est magnificentia tua super cælos* (Ps. 8, 2), car ta majesté est au-dessus des cieux ;

magnificentia *ejus et virtus ejus* (Ps. 67, 35, etc.) ;

ou son œuvre merveilleuse : *multiplicasti* **magnificentiam** *tuam* (Ps. 70, 21), tu as multiplié tes merveilles ; cf. **magnificentiam** *tuam prædicamus* (Leon. 569), nous célébrons votre grandeur.

Dans les Psaumes encore, *magnus* est fréquemment un terme de louange :

ex. *Quis Deus* **magnus** *sicut Deus noster ?* (76, 14) ;

quoniam **magnus** *es tu et faciens mirabilia* (85, 10) ;

Magnus *Dominus et laudabilis nimis* (47, 2), grand est le Seigneur, et louable hautement.

§ 131 La toute-puissance de Dieu est représentée comme une domination, un commandement universel :

ex. *tibi* **serviet** *omnis creatura tua* (Judith 16, 17), toutes tes créatures seront à ton service ;

tibi enim **serviunt** *creaturæ* (præf. ben. palm. vet. ord.), toutes les choses créées sont à votre service ; cf. *creatura mysterii tui tibi* **serviens** (Greg. 207, 2), (l'eau) créée pour vous servir mystiquement ;

Deus, regnorum omnium regumque **dominator** (postc. temp. belli, Gel. III, 57), ô Dieu, maître de tous les royaumes et de tous les rois ;

indulgentissime **dominator** *Domine* (Moz. L. ord. 412) ;

qui vivorum **dominaris** *simul et mortuorum* (or. p. vivis et

---

3. Les reins, les lombes étaient, pour les Hébreux, le siège de la vie affective : ex. *lumbi mei impleti sunt illusionibus* (Ps. 37, 8), mes reins sont pleins d'illusions (texte de la Vulgate ; le sens de l'hébreu est différent) ; v. ex. de *renes*, § 142.

def.) qui êtes le maître des vivants comme des morts ;

ce verbe se construit plus rarement avec le datif (Ambr. ; Aug.) : *tu **dominaris** potestati maris* (Ps. 88, 10), c'est toi qui maîtrises la puissance de la mer ; (mais *dominabitur gentium*, Ps. 21, 29) ;

*in omni loco **dominationis** tuæ* (Leon. 132 ; Gel. I, 43), dans tout votre domaine ;

v. *rector, regere,* § 139.

Dominus, dans le latin de l'A.T., exprime la même idée de maîtrise et de domination souveraine, bien qu'il traduise le mot Yahvé, qui, comme nous l'avons vu, a un autre sens : *Domini est terra, et plenitudo ejus* (Ps. 23, 1), au Seigneur appartient la terre et tout ce qu'elle renferme.

Dans le latin du N. T., et le latin liturgique, ils s'applique aussi bien au Christ en particulier qu'à la divinité en général, v. ex. § 32 et suiv.

De même le mot *Rex* :

ex. *Domine mi, qui **rex** noster es solus* (Esther 14, 3), ô mon Seigneur, qui êtes notre seul roi ; cf. *glorifico **Regem** cæli* (Dan. 4, 34) ;

*altaria tua, Domine virtutum, **rex** meus et Deus meus* (Ps. 83, 4), tes autels, Seigneur, tout-puissant, mon roi et mon Dieu ; cf. 43, 5 ;

***Rex** regum et Dominus dominantium* (Apoc. 19, 16 et 1 Tim 6, 15), Roi des rois, Seigneur des seigneurs ; *Dominus dominorum* (S. S. ibid. ap. Max.-Taur. Serm. c. 651 C); cf. *(Maria) portans Dominum dominorum* (Miss. Goth. 17) ;

*Domine, **Rex** æterne cunctorum* (Gel. I, 26, 206), Seigneur, Roi éternel de l'univers. *Rex cælestis* (« *Gloria* », en s'adressant au Père).

Dans le latin liturgique actuel, le mot *Rex* s'applique au Christ :

ex. ***Regis** regum Jesu Christi Filii tui* (or. 25 aug.), du Roi des rois, Jésus-Christ, votre Fils ;

*in dilecto Filio tuo, universorum **Rege*** (or. d. ult. oct.), en votre Fils bien-aimé, le Roi universel ;

***regnum** ejus regnum sempiternum* est (ant. Chr. Reg.), son règne est un règne éternel ;

*Te sæculorum Principem, Te, Christe, **Regem** gentium* (hymn. D. N. J. C. Regis) vous, Prince des siècles, vous, ô Christ, Roi des nations.

ex. de *regnum, regnare* dans l'A. T. : *regnum tuum regnum omnium sæculorum* (Ps. 144, 13), ton règne est un règne pour les siècles ;

*Dominus **regnavit**, exultet terra* (Ps. 96, 1), le Seigneur a établi son règne, que la terre exulte. Pour *regnum æternum, regnum cæleste,* v. chp. Le ciel.

Dans l'oraison dominicale, comme dans la préface du Christ-

Roi, on demande que la souveraine Maîtrise s'exerce aussi sur le cœur des hommes, désir destiné à ne pas être exaucé pleinement avant la fin des temps :

adveniat **regnum** *tuum* (Mat. 6, 10) ;

æternum et universale **regnum** ... **regnum** *veritatis et vitæ ;* **regnum** *sanctitatis et gratiæ ;* **regnum** *justitiæ, amoris et pacis* (præf. Chr. Reg.).

§ **132** C'est la puissance et la force de Dieu, *virtus*, qui opère les miracles, *virtutes* : ex. *tu confirmasti in virtute tua mare* (Ps. 73, 13), dans ta puissance tu as contenu la mer (hébr. tu as brisé) ;

et eorum (hostium nostrorum) contumaciam dexteræ tuæ **virtute** *prosterne* (or. c. persec. ; *et dexteræ* ..., Gel. III, 58 t. belli), écrasez leur audace intraitable par la force de votre main ;

(redondance) **virtute** *potentiæ tuæ* (Moz. L. sacr. 398), par la force de votre puissance ; **virtutis** *tuæ potentia* (Moz. L. ord. 255) ;

invictæ **virtutis** *auxilio* (Miss. Goth. 65), grâce à votre force invincible ;

Deus, invictæ **virtutis** *triumphator* (Pont. Rom.-Germ. 16, 14), vainqueur à la puissance invincible ;

Deus, refugium nostrum et **virtus** (or. d. 22 p. Pent., Gel. Cagin 1481), ô Dieu, notre refuge et notre force (Ps. 45, 2).

Le pluriel *virtutes* signifie donc manifestations de puissance, miracles : ex. *narrantes laudes Dei et* **virtutes** *ejus et mirabilia ejus quæ fecit* (Ps. 77, 4), racontant les gloires de Dieu et ses hauts faits merveilleux ; mais *Deus virtutum* [4] (Ps. 58, 6 et passim), *Domine virtutum* (Ps. 45, 8), Dieu de puissance, Seigneur des forces du ciel ; sens plus abstrait : *Deus virtutum* (or. d. 6 p. Pent., Gel. III, 2) ; *Domine virtutum* (secr. 1 jul.) ;

et non fecit ibi **virtutes** *multas* (Mat. 13, 58), et il n'y fit pas beaucoup de miracles ;

(en parlant des hommes) *operatio virtutum* (1 Cor. 12, 10), le don de faire des miracles.

Pour désigner les miracles, le terme *miraculum* [5] est le plus fréquent :

ex. *primis temporibus impleta* **miracula** (vigil. Pent. p. proph. 2, Gel. I, 77), les prodiges accomplis dans les premiers temps ;

antiqua brachii tui operare **miracula** (secr. p. imper., Gel. III, 62), réalisez les anciens miracles de votre puissance ;

majus enim **miraculum** *est gubernatio totius mundi quam saturatio quinque milium hominum de quinque panibus* (Aug.

---

4. Cf. *virtutes cælorum movebuntur* (Luc. 21, 26), les puissances des cieux seront ébranlées.

5. Dans les oraisons, il s'agit aussi des miracles opérés par les saints.

Tr. ev. Jo. 24, lect. 8, d. 4 Quadr.), c'est un plus grand miracle, le gouvernement du monde entier, que le fait de rassasier cinq mille hommes avec cinq pains.

Dans ce dernier exemple, comme dans le latin de la Vulgate, *miraculum* est plus près du sens étymologique et signifie « chose étonnante, prodige ». L'adverbe *mirabiliter* exprime l'émerveillement non seulement devant la puissance de Dieu, mais aussi devant sa bonté : *mirabiliter operari, præservare, reformare, recreare*, etc. (or. et Sacram. passim) ; de même l'adjectif *mirabilis* ([6]).

Le substantif pluriel neutre *mirabilia* désigne aussi les miracles :

ex. *faciens **signa et mirabilia** in cælo et in terra* (Dan. 6, 27), accomplissant des miracles et des merveilles au ciel et sur la terre ;

*tua **mirabilia** pertractantes* (secr. 12 jun., Gel. II, 21), célébrant vos miracles ; ***mirabilia** operari* (Leon. 1289) ;

*qui facis **mirabilia** magna solus* (or. p. prælat., cf. Ps. 71, 8), qui opérez seul de grandes merveilles.

Magnalia a le même sens : ex. *quæ fecisti **magnalia*** (Ps. 70, 19) ;

*Fantur Dei **magnalia*** (hymn. mat. Pent.), ils proclament les hauts faits de Dieu.

Signum désigne une manifestation, un signe de la puissance de Dieu, donc un miracle : ex. *sicut posuit in Ægypto **signa** sua, et prodigia sua in campo Taneos* (Ps. 77, 43), en Égypte il fit voir ses miracles, et ses prodiges aux champs de Tanis ;

*hoc fecit initium **signorum** Jesus in Cana Galilææ* (Jo. 2, 11), tel fut le début des miracles de Jésus à Cana de Galilée ;

*Deus, qui ... pro salute generis humani **signa** tuæ potentiæ visibiliter ostendis* (or. in ipsa die Dedic. eccl., Greg. 197, 1), ô Dieu, qui, pour le salut du genre humain, montrez d'une manière visible les signes de votre puissance.

§ 133 Autres termes désignant les miracles :

Prodigia (v. ex. plus haut) ; *nisi **signa et prodigia** videritis, non creditis* (Jo. 4, 48), si vous ne voyez des signes et des prodiges, vous ne croyez pas ; pas d'ex. dans les oraisons du Missel, ni pour les mots suivants, sauf *opera*.

Monstra : *videntes tua **mirabilia et monstra*** (Sap. 19, 8), en contemplant vos admirables prodiges.

Ostenta : *et multiplicabo **signa et ostenta** mea in terra Ægypti* (Ex. 7, 3), je multiplierai mes signes et mes prodiges dans la terre d'Égypte.

---

6. Cet adjectif qualifie plutôt la bonté que la puissance : ex. *Deus, qui dispositione mirabili infirma mundi eligis et fortia quæque confundas* (or. 13 nov., Leon. 1175), ô Dieu, qui, dans votre merveilleuse Providence, choisissez ce qui, pour le monde, est faible, afin de confondre tout ce qui est fort.

Portenta : *signa et portenta* (Marc. 13, 22 ; cf. Deut. 7, 19) ;

contestante Deo **signis et portentis** *et virtutibus* (Hebr. 2, 4), Dieu appuyant leur témoignage par des signes, des prodiges, des miracles.

Opera : *cum audisset Joannes in vinculis* **opera** *Christi* (Mat. 11, 3), « Jean, ayant appris, dans sa prison, les œuvres du Christ » ; dans les oraisons, avec le mot *opus*, il s'agit de l'action de la grâce ou de la providence.

En relatant les miracles du Christ, l'Évangéliste a souvent un mot qui fait ressortir la soudaineté ou la simplicité de la réalisation :

ex. *et* **confestim** *mundata est lepra ejus* (Mat. 8, 3), et aussitôt sa lèpre fut guérie ;

sed tantum dic **verbo** *et sanabitur puer meus* (Mat. 8, 8), mais dis seulement un mot et mon serviteur sera guéri ;

tunc surgens **imperavit** *ventis et mari* **et facta est** *tranquillitas magna* (Mat. 8, 26), alors, se levant, il donna un ordre aux vents et à la mer, et il se fit un grand calme.

Digitus Dei est hic, le doigt de Dieu est là, est une expression biblique pour désigner une manifestation de la puissance de Dieu : cf. Luc. 11, 20 ; Mat. 12, 28 ([7]).

La puissance de Dieu se manifeste avec gloire et majesté :

plena est omnis terra **gloria** *ejus* (Is. 6, 3), toute la terre est pleine de sa gloire ;

et vidimus **gloriam** *ejus* (Jo. 1, 13), et nous avons vu sa gloire (allusion à la transfiguration, aux miracles, à la résurrection) ;

v. *gloria* et *majestas*, § 23 et suiv.

3. LE CRÉATEUR

§ 134 Un certain nombre de termes désignent le Créateur, l'acte créateur, la création ; en premier lieu *creare* et les mots de la même famille.

Creare: *In principio* **creavit** *Deus cælum et terram* (Gen. 1, 1), au commencement (le commencement temporel du monde) Dieu créa le ciel et la terre ;

et **creavit** *Deus hominem ad imaginem suam* (Gen. 1, 27), et Dieu créa l'homme à son image.

L'expression *ex nihilo* indique le passage du néant à l'être, sans matière préexistante : *qui omnia ex nihilo creasti* (or. 1, 2 febr.), qui avez créé tout du néant ; v. plus loin, *de nihilo*, *ex nihilo facere*.

Creator : *Credo in Deum ...* **Creatorem** *cæli et terræ* (Symb. apost.) ;

---

7. *Digitus Dei, id est spiritus Dei* (Aug. Qu. Ex. 25 ; Serm. 156, 14) ; *digitus tamen cum dicitur spiritus, operatoria virtus significatur* (Ambr. Luc. 7, 93), pourtant lorsque le mot doigt désigne l'Esprit, il s'agit de sa vertu opérante.

Deus, **Creator** *omnium* (Ambr. Hymn. I, 2, I) ;

Deus, mundi **Creator** *et rector* (Leon. 964) ;

communi omnium **Creatori** (Moz. L. sacr. 966), au Créateur universel ; cf. *communi Domino et Salvatore nostro* (ibid. 730) ;

procreator est plus rare ([1]) : *creaturarum omnium, Domine,* **procreator** (or. ben. chrism. fer. 5 Maj. Hebd.) ; de même *prosator : Alte Prosator* (Anal. hymn. 51, n° 216), Créateur sublime (cf. *prosatores,* premiers ancêtres (Mercat. Subnot. 9.6).

Creatio s'emploie au sens concret comme au sens abstrait dans le latin patristique, ainsi que dans le Sacram. Léonien (560 ; 1272) ; mais on ne le rencontre pas dans le Grégorien, ni dans les oraisons de notre Missel, qui emploient le mot *creatura.*

Creatura désigne donc soit la création, au sens abstrait : *a* **creatura** *mundi* (Rom. I, 20), depuis la création du monde ;

soit la créature, le monde créé : *servierunt* **creaturae,** *potiusquam Creatori* (Rom. I, 25) ;

ou la créature humaine, l'homme : *prædicate evangelium omni* **creaturae** (Marc. 16, 15), prêchez l'Évangile à toute créature ;

toutes les créatures vivantes : *benedictio tua ... qua omnis viget* **creatura** (secr. S. S. Nom. Jes.), votre bénédiction, qui donne la force à toute créature ; ou enfin une substance créée (vin, huile, eau, sel, encens, etc.) (Cypr. ; Ambr.) ;

creatura *mellis et lactis* (Leon. 205) ;

creatura *aquæ, salis* (Gel. et Greg. passim ; v. ex. § 88) ;

exorcizo te, **creatura** *salis* (ben. sal. ord. bapt. Rit. R., Gel. I, 31), je t'exorcise, sel, créature de Dieu.

§ 135 *Facere : dixitque Deus :* **fiat lux,** *et* **facta est lux** (Gen. I, 3), et Dieu dit « Que la lumière soit », et la lumière fut (le subjonctif *fiat* exprimant un impératif divin) ;

faciamus ([2]) *hominem ad imaginem et similitudinem* ([3]) *nostram* (Gen. I, 26), faisons l'homme à notre image et à notre ressemblance ;

homini ad imaginem Dei **facto** (ben. nupt., Greg. 200, 6), à l'homme fait à l'image de Dieu ;

ex nihilo **fecit** *illa (cælum et terra)* (2 Mac. 7, 28), il les a faits de rien ; *Deus, qui de nihilo cuncta* **fecisti** (loc. cit., Greg. 200, 6) ; même expression chez saint Augustin (Gen. Man. I, 6, 10) ;

invisibilia enim ipsius a creatura mundi, per ea quæ **facta**

---

1. *Deus ... procreator et conditor* (Arn. 2, 45).

2. Ce pluriel peut indiquer une délibération de Dieu avec sa cour céleste... Ou bien ce pluriel exprime la majesté et la richesse intérieure de Dieu, dont le nom commun en hébreu est de forme plurielle, Elohim (Note de la Bible de Jérusalem).

3. *Imago* représente la nature, et *similitudo,* la grâce, l'élévation au-dessus de la nature : v. note du § 499, et d'autres interprétations dans le Dict.

sunt, intellecta conspiciuntur ([4]) (Rom. I, 20), ce qu'il a d'invisible depuis la création du monde se laisse comprendre et voir par les choses (visibles) qu'il a faites ;

quoniam ipse dixit ([5]) *et **facta sunt** ; ipse mandavit et creata sunt* (Ps. 32, 9), car il a parlé et cela fut fait ; il a donné l'ordre et la création fut ;

omnia per ipsum (Verbum) **facta sunt**, *et sine ipso **factum** est nihil, quod **factum** est* (Jo, I, 3), tout a été fait par lui, et rien de ce qui a été fait n'a été fait sans lui ([6]) ;

*quod initio **factus** est mundus* (or. p. proph. 9 sabb. sc. vet. ord., Gel. I, 43, 433), la création du monde à l'origine.

Le mot *factor* s'applique au Père comme au Fils :

*Credo in unum Deum, Patrem omnipotentem, **Factorem** cæli et terræ* (« *Credo* ») ;

*Fraude **Factor** condolens* (« *Pange, lingua* » Fort.), le Créateur, prenant en pitié la tromperie (dont fut victime Adam) ;

*Christus ... omnium Rex atque **Factor** temporum* (hymn. mat. d. I Quadr.), le Christ ... Roi universel et créateur du temps ; cf. *Conditor*, § 136.

*Factura : quia delectasti me, Domine, in **factura** tua* (Ps. 91, 5), car tu m'as réjoui, Seigneur, par tes œuvres ;

*omnis **factura** tua te collaudat* (ben. palm.), toute votre création chante vos louanges ; *teque in omni **factura** tua laudare mirabilem* (Leon. 848), (il est digne) de vous louer et de vous admirer dans toute votre création ;

*ipsius enim sumus **factura*** (Ephes. 2, 10), car nous sommes son ouvrage ;

*Deus, qui **facturae** tuæ pio semper dominaris affectu* (or. sup. infirm., Gel. III, 69),

ô Dieu, qui régnez sur votre créature avec une incessante bonté ;

*Deus, qui ... **facturam** tuam multiplici pietate custodis* (or. extr. unct. Rit. R. VI, 2), ô Dieu, qui veillez sur votre créature par toutes sortes de bontés.

§ 136 *Condere*, fonder, créer : ex. *quoniam in ipso **condita** sunt universa in cælis et in terra, visibilia et invisibilia* (Col. I,

---

4. Cf. *Cæli enarrant gloriam Dei* (Ps. 18, 2), les cieux racontent la gloire de Dieu.

5. Cf. *Verbo Domini cæli firmati sunt* (Ps. 32, 6), par la parole de Dieu les cieux ont été consolidés. Il est souvent fait allusion à la parole créatrice : *Dictu jubentis vivida* (hymn. vesp. fer. 6), (ces grands corps) appelés à la vie par l'impératif de votre parole.

6. *Omnia per ipsum et in ipso creata sunt* (Col. I, 16), c'est par lui (l'image du Dieu invisible) et en lui que tout a été créé. La création est parfois attribuée soit à Dieu par le Fils : *omnia per Verbum a Deo facta sunt* (Hier. Did. Spir. 13), tout a été fait par Dieu grâce au Verbe ; cf. *omnia per ipsum facta sunt* (Jo. I, 3) ; soit au Saint-Esprit : *cujus ... sapientia conditi sumus* (Greg. 117, 1 ; cf. Prov. 8, 22) ; soit à la Trinité tout entière : *Primo die, quo Trinitas Beata mundum condidit* (hymn. mat. dom.), le premier des jours, quand la bienheureuse Trinité créa le monde ; à rapprocher de l'interprétation patristique du pluriel Eloïm.

16), car c'est en lui (le Christ) qu'ont été créées toutes choses, au ciel et sur la terre, les visibles comme les invisibles ;

Deus, qui humanæ substantiæ dignitatem mirabiliter ([7]) **condidisti** *et mirabilius reformasti* (Offert., coll. Leon. 1239), ô Dieu, qui avez créé d'une manière admirable la nature humaine dans sa dignité, et qui l'avez restaurée d'une manière plus admirable encore ;

natura ad imaginem tuam **condita** (ben. font., Gel., I, 44, 448), la nature humaine créée à votre image.

Conditor, le Créateur : ex. *fidelium, Deus,* **conditor** *et redemptor* (or. p. def. ; *fidelium ... animarum conditor et redemptor*, Leon. 1150), ô Dieu, Créateur et Rédempteur de tous vos fidèles ;

qui (Unigenitus tuus) sæculorum est **conditor** (Moz. L. sacr. 1376) ;

Æterne rerum **conditor** (hymn. Ambr. dom. laud.), éternel Créateur du monde ;

Conditor *alme siderum* (hymn. vesp. Adv.), glorieux Créateur du ciel (modif. *Creator alme ...*) ;

Missus est ab arce Patris Natus, orbis **Conditor** (« *Pange, lingua* » Fort.), du haut palais du Père fut envoyé le Fils, Créateur du monde.

Conditio peut signifier : a) création, au sens abstrait : ex. *a die* **conditionis** *tuæ* (Ez. 28, 15), depuis le jour de ta création ;

b) créature, au sens concret : ex. *sine quibus (animalibus) non alitur humana* **conditio** (or. de peste animal., Gel. III, 42), sans lesquels ne peut se nourrir la créature humaine ;

c) état de la créature, condition (humaine), rejoignant ainsi le mot *condicio* : (sens b et c) *fragilitatem* **conditionis** *humanæ benignissime respice* (or. 2 ben. Cin.), regardez avec une très grande bienveillance la fragilité de notre condition humaine ;

(sens c) *pro* **conditione** *carnis migrasse* (secr. 15 aug. vet. ord., Greg. 149, 2), a quitté le monde selon sa condition humaine.

Condere a pour synonymes *constituere* et *fundare*, établir, créer. On trouve *constitutio* dans la Vulgate, mais pas dans les oraisons liturgiques :

ex. *ante mundi* **constitutionem** (Ephes. I, 4), avant la création du monde ;

a **constitutione** *mundi* (Mat. 13, 35), depuis la création du monde ([8]).

Fundare : ex. *orbem terræ et plenitudinem ejus tu* **fundasti** (Ps. 88, 12), la terre et tout ce qu'elle renferme, c'est toi qui l'as fondée ;

---

7. Cf. *miraculum* (§ 132), en parlant du miracle continuel de la création.
8. *Mundi constitutor* (Ambr. Hymn. 42, 13).

manus quoque mea **fundavit** *terram* (Is. 48, 13), c'est aussi ma main qui a posé les fondements de la terre ;

Deus, qui fundasti terram super stabilitatem suam (secr. temp. terraemot. ; Ps. 103, 5), ô Dieu, qui avez posé la terre sur ses fondements solides.

Cf. *Ardua spes mundi,* **solidator** *et inclite cæli, Christe* (hymn. Pont. Rom.-Germ. 99, 430), haute espérance du monde et glorieux créateur du ciel (v. *solidare,* Dict.).

§ 137 *Formare* et *plasmare* ([9]) rappellent le récit populaire de la création de l'homme : **formavit** *igitur Dominus Deus hominem de limo terræ* (Gen. 2, 7), le Seigneur Dieu façonna donc l'homme du limon de la terre ;

hæc dicit Dominus redemptor tuus et **formator** *tuus ex utero* (Is. 44, 24), ainsi parle le Seigneur, celui qui t'a sauvé et qui t'a formé dès le sein de ta mère ;

manus tuæ fecerunt me et **plasmaverunt** *me in circuitu* ([10]) (Job 10, 8), vos mains m'ont façonné et ont formé mes contours ; cf. Ps. 73, 17; 118, 73.

Aucun de ces termes ne se rencontre dans les oraisons ; mais on trouve un ex. de *plasma* dans le Rituel : *ut discedas (spiritus immunde) ab hoc* **plasmate** *Dei* (ord. bapt. exorc.), que tu te retires de cette créature de Dieu *(ut exeas et recedas ab his famulis Dei,* Gel. I, 33, 296) ;

et de *plasmator* ([11]) (hymn. vesp. fer. 6, modif. en *Conditor* ; cf. *Deus, plasmator corporum, afflator animarum* (Pont. Rom.-Germ. 20, 22), qui façonnez les corps et insufflez la vie.

Le Créateur est aussi comparé à un ouvrier ([12]) :

operatorem *meum probabo justum* (Job 36, 3), je justifierai mon Créateur ;

in **operibus** *manuum tuarum exultabo* (Ps. 91, 5), de l'œuvre de tes mains je me réjouirai ; cf. **operum** *tuorum dispensatio* (cit. § 139);

Dans les hymnes, des mots comme *fabrica* (cit. § 139), *artifex* sont empruntés à la poésie classique : *supernus* **artifex** (« *Quem terra, pontus* ... »), le Créateur d'en haut ; cf. *omnipotens* **artifex** (Miss. Goth. 91).

Auctor désigne aussi le Créateur :

---

9. *Plasmatio originem de terræ limo trahit, factura vero juxta similitudinem* (Hier. Ephes. 1, 20, 10), « *plasmatio* fait allusion à notre formation du limon de la terre, tandis que *factura* se rapporte à notre ressemblance divine ». Les hommes sont appelés *terrigena* (Ps. 48, 3), enfants de la terre.

10. Cf. *et figmentum dicat fictori suo* (Is. 29, 16), un pot dirait-il à son potier... ? ; *nos vero lutum et fictor noster es tu* (Is. 64, 8), nous sommes de l'argile et c'est vous notre potier.

11. *Plasmator* (Ambr. Hymn. 35, 1) ; on trouve aussi le mot chez Tertullien, Irénée.

12. *Operatio divina* a pu désigner l'œuvre créatrice (Ambr. Hex. 3, 1, 5), ou les miracles (Eccli. 51, 11) ; mais dans le latin liturgique, ce terme désigne l'œuvre de la rédemption ou l'action de la grâce.

ex. *Deus, qui sacrandorum tibi **auctor** est munerum* (secr. Dedic., Gel. I, 89), ô Dieu, qui êtes le Créateur des dons qui vont vous être consacrés ; cf. *de tuis datis* (Canon) ;

*sicut ipse nostrorum **auctor** est munerum* (secr. 13 jan., Gel. I, 12) ;

***auctor** vitæ* (Leo-M. Serm. 61, 2 ; et cit. § 210) ;

auctor** universitatis* (Moz. L. ord. 49) ; *omnium **auctor (Leon. 880) ;

*Deus, **auctor** omnium et conditor creaturarum* (Moz. L. sacr. 179) ;

(sens gen.) *sanctificationum omnium **auctor*** (ben. ord. presb. Miss. Fr. 32), auteur de toute sanctification ; v. § 476 ;

***Auctor** beate sæculi* (hymn. mat. S. S. Cord. Jes.), bienheureux auteur du monde.

Sator, semeur, en parlant du Dieu créateur, se trouve chez Arnobe, Prudence, Paulin de Nole (v. § 205 note b) ; mais dans le latin liturgique, seulement en parlant du Sauveur et au sens général de « auteur » (hymn. « *Salutis humanæ Sator* »), ou de Dieu, semeur du bon grain : *satorem te bonorum seminum* (or. sabb. sc., Gel. I, 43, 438); cf. Mat. 13, 27.

Exemple isolé : *Orbis **Patrator*** ([13]) *optime* (hymn. laud. 2 oct.), excellent Créateur du monde (modif. *Æterne Rector*, cit. § 139).

A noter encore dans le Léonien (1110), le mot *Genitor*, père : *mundi conditor, nascentium **genitor***, créateur du monde, père de tout ce qui naît.

4. LA PROVIDENCE

§ 138 Nous n'existons pas par nous-mêmes, mais comme des créatures venant de Dieu et continuant à exister par Lui et en Lui (Rom. 11, 36) :

in ipso enim vivimus et movemur et sumus (Act. 17, 28), en lui nous avons le vie, le mouvement et l'être (cette phrase de saint Paul est inspirée du poète Épiménide de Cnossos, 6e s. av. J. C.).

Plusieurs oraisons le rappellent : *Deus, in quo vivimus …* (or. ad pet. pluv., Leon. 1111) ;

qui sine te esse non possumus (or. d. 8 p. Pent., Gel. III, 4), qui sans vous ne pouvons subsister.

La Providence n'a pas créé le monde une fois pour toutes, elle le conserve et continue la création : *quomodo autem posset aliquid permanere, nisi tu voluisses ? aut quod vocatum non esset, **conservaretur** ?* (Sap. 11, 26), comment une chose

---

13. S. Jérôme emploie ce mot pour désigner le Christ « réalisateur » de miracles (Is. prol. c. 18 B).

pourrait-elle subsister, si tu ne l'avais voulu ? comment se
conserverait-elle, si tu ne l'avais appelée ?

*ut, te largiente, familia tua regatur in corpore, et, te servante,
custodiatur in mente* (or. d. Pass., Greg. 66, 1), afin que votre
bienveillance dirige vos serviteurs, dans l'ordre matériel, et
que votre Providence les garde, dans l'ordre spirituel ;

populum tuum ... perpetua defensione **conserva** (postc. 6
jul., Greg. 131, 3), défendez votre peuple et conservez-le sans
cesse ; cf. *gregem tuum ... pervigili protectione custodi* (Leon.
297 et 588) ; *pervigili pietate tuere* (Leon. 871).

Cf. *conservator : omnipotens instaurator et* **conservator**
omnium elementorum (Pont. Rom.-Germ. 183, 25).

§ 139 Termes exprimant l'idée de gouvernement, de disposition providentielle : v. *dominari*, § 131 ; *dirigere*, § 75.

Regere : ex. *Deus, qui sæculorum omnium cursum ac momenta temporum* **regis** (Gel. III, 53, 1457), ô Dieu, qui dirigez
le cours de tous les siècles comme le moindre des instants ;

Mundi **regis** *qui fabricam* (hymn. mat. Ascens.), qui régnez
sur l'universelle création ; v. *rex*, § 131 ;

Trinam **regentem** *machinam* (¹) (« *Quem terra, pontus ...* »),
celui qui dirige les trois mondes ;

aspiciat et benedicat vos Dominus, **rector** *æternus* (Gel. Cagin
1868), qu'il se penche sur vous et vous bénisse, le Seigneur, le
Maître éternel ;

rector *æternus* (Moz. L. ord. 327) ; *Creator et* **rector**, v.
§ 134 ;

Æterne **rector** *siderum* (hymn. modif. laud. 2 oct.), Maître
éternel des astres ;

Deus, omnium fidelium pastor et **rector** (or. p. papa), ô Dieu,
pasteur et guide de tous les croyants ; v. § 383 ;

populi tui, Deus, institutor et **rector** (sup. pop. fer. 5 p. d. 4
Quadr., Leon. 379 etc.), ô Dieu, maître et guide de votre
peuple.

Gubernare : ex. *cujus et sapientia conditi sumus et providentia*
gubernamur (or. sabb. Quat. T. Pent., Greg. 117, 1), (le S.
Esprit) dont la sagesse nous a créés et dont la providence
nous gouverne (²) ; cf. *Providentia* **gubernat** *omnia* (Aug. Perf.
just. 91) ; *te gubernante* (or. d. p. Pasch., Gel. I, 60), guidés par
vous ;

ex. de *gubernatio*, § 132 ;

---

1. *Trina machina* désigne ici, comme l'indique le contexte, la terre, la mer, les
astres ; cf. Prud. Cath. 9, 10. La même expression désigne la terre, le ciel et les
enfers : *Ut trina rerum machina Cælestium, terrestrium Et infernorum condita, flectat
genua...* (« *Æterne Rex* »), que le triple ensemble de la création, dans le ciel, sur
terre et dans les enfers, fléchisse le genou. Cf. *omnem creaturam quæ in cælo est et
super terram et sub terra et quæ sunt in mare* (Apoc. 5, 13).

2. *Tua autem, Pater, providentia gubernat* (Sap. 14, 3), ta providence, ô Père, le
gouverne (le navire) ; même figure du pilote (or. d. 4 p. Pent. § 75 à *cursus*).

iis qui te auctore et **gubernatore** *gloriantur* (sup. pop. fer. 5 p. d. 2 Quadr., Greg. 49, 4), pour ceux qui se glorifient de vous avoir comme auteur et comme guide.

Moderari, diriger, régler, évoque une image analogue :

ex. *qui cælestia simul et terrena* **moderaris** (or. d. 2 p. Epiph., Greg. 202, 47), qui réglez tout, aussi bien au ciel que sur la terre ;

guberna, q. D., tuam ... Ecclesiam, ut potenti **moderatione** *directa ...* (postc. comm. summ. pont., Leon. 1026), gouvernez votre Église, pour que, sous une solide direction ... (il s'agit ici de la direction de Dieu confondue avec celle du pape) ;

tuo semper **moderamine** *dirigamur* (Léon. 1076) ;

Deus, dierum temporumque nostrorum potens et benigne **moderator** (Leon. 997), ô Dieu, puissant et bienveillant gouverneur de nos jours et de nos moments.

Dispensare, peser, régler avec soin, organiser :

ex. *Deus, qui, miro ordine, angelorum ministeria hominumque* **dispensas** (or. 8 mai. et 29 sept., Greg. 169, 1), ô Dieu, qui, avec un ordre admirable, distribuez les fonctions des anges et des hommes ;

pour *dispensatio nostræ salutis*, économie de la Rédemption, v. § 225 ;

Deus, qui in omnium operum tuorum **dispensatione** *mirabilis* ([3]) *es* (or. vigil. Pasch., Gel. I, 43) ; cf. *secreti dispensatione* ([4]) *consilii* (Leo-M. Serm. lect. 5, 25 mart.), par la disposition d'un secret dessein.

Disponere, organiser, disposer :

ex. **dispositis** *universitatis exordiis* (or. 2 p. « *Pater* », missa p. spons., Greg. 200, 6), après avoir organisé à ses débuts l'ensemble de l'univers ;

Deus, cujus providentia in sui **dispositione** *non fallitur* (or. d. 7 p. Pent., Gel. III, 3), dont la Providence dispose tout infailliblement (rien de ce qui est créé ne manque sa fin) ;

dispositione *mirabili* (or. 13 nov.), par un admirable dessein;

miro **dispositionis** *ordine* (ben. Palm. vet. ord.) ;

cujus largitor es operis, esto **dispositor** (secr. m. p. spons., Greg. 200, 2), réglez cette œuvre, dont vous êtes l'auteur ;

cujus creator es operis, esto **dispositor** (Leon. 1106) ; *officiorum* **dispositor** (Pont. R. Germ. 16, 14, præf. ordin. diac.) ; v. § 366.

Ordinare ([5]), organiser, pourvoir à :

---

3. Plus souvent *mirabilis* se rapporte à des choses : *m. dispositio, mysterium, sacramentum.*

4. Dans les manuscrits des Sacramentaires, *dispositio* et *dispensatio* sont souvent interchangeables.

5. Cf. *sacratissima ordinatione dispositus* (Leo-M. Serm. lect. 4 Ascens.), (ce nombre de jours) prévu par une très sainte disposition.

ex. *institutis tuis, quibus propagationem humani generis* **ordinasti**, *benignus assiste* (or. m. p. spons, Leon. 1109), accordez votre bienveillante assistance à cette institution, par laquelle vous avez pourvu à la propagation du genre humain ; cf. *non ... fato urgente ... sed Deo potius* **ordinante** (Aug. Tr. ev. Jo. 17, lect. 2 vigil. Ascens.), non sous la pression du destin, mais plutôt suivant les dispositions de la divinité ;

Qui cuncta solus **ordinans** (hymn. vesp. fer. 6), qui, disposant tout à vous seul.

§ 140 L'action de la Providence est continuelle : **perpetuæ** *dispositionis effectu* (or. sabb. sc. vet. ord., Gel. I, 43, 432), par l'action de votre providence éternelle ; **continua** *nostræ reparationis operatio* (secr. sabb. in albis, Greg. 94, 2), par la réalisation continue de notre rédemption ; cf. *miseratio* **continuata** (or. d. 15 p. Pent., Gel. III, 11).

Le préfixe *præ-* indique la préexistence des vues de la Providence :

ex. *divinis* **præordinationibus** (Leo-M. Serm. lect. 6, 18 jan.), selon les préordinations divines ;

prædestinata *renovandis mortalibus suæ pietatis remedia ...* **præsignavit** (ibid. Lect. 4, 25 mart.), (Dieu) a fait comprendre (dès le début du monde) le remède qu'il destinait à notre régénération ; v. prédestination, rédemption.

Il est souvent question dans l'Écriture des voies, *viæ*, des « conseils », c'est-à-dire des desseins, *consilia*, de la Providence : v. ex. § 129 ;

ex magna gestum est divini pietate **consilii**, *ut ...* (Leo-M. Serm. lect. 6, d. oct. Epiph., vet. Br.), le dessein de Dieu, dans sa grande bonté, a fait en sorte ...

§ 141 C'est le mot *Providentia* ([6]) qui exprime couramment l'idée de providence. Chez les philosophes païens, il avait un sens tout intellectuel ([7]) et désignait le gouvernement universel de la divinité qui « pourvoit » à tout. Les chrétiens y ont ajouté une idée de bonté et de sollicitude bienveillante (Tert. ; Aug.) :

opem nobis ineffabili **providentia** *contulisti* (or. fer. 5 p. d. 3 quadr., Greg. 56, 1), (en ce jour où) votre ineffable Providence nous a apporté son secours ;

instituta **providentiæ** *tuæ pio favore comitare* (postc. m. p. spons., Leon. 1108), que votre bonté favorise et accompagne ce que votre Providence a institué ; *divina providentia* (or. passim).

---

6. Le verbe correspondant est *providere* : ex. *quæ fidelibus tuis ad remedium providisti* (postc. fer. 5 p. d. 4 Quadr., Leon. 567), prévu par votre Providence pour guérir vos fidèles.

7. Dans le Sacramentaire Léonien, les deux sens apparaissent : (sens intellectuel) *cujus et potentia sunt creata et providentia reguntur universa* (880), qui avez tout créé par votre puissance et qui gouvernez tout par votre providence ; (sens affectif) *clementi providentia* (271) ; *tuæ providentiæ clementia* (920) ; *providentiæ tuæ beneficia* (308).

Dans les Psaumes, la sollicitude providentielle est exprimée par des images émouvantes : *quoniam ipse est Dominus Deus noster ; et nos populus pascuæ ejus, et oves manus ejus* ([8]) (Ps. 94, 7), car c'est lui le Seigneur notre Dieu ; nous sommes le peuple de son bercail et les brebis de sa main ;

ou par des exemples concrets : *qui operit cælum nubibus et parat pluviam. Qui producit in montibus fenum et herbam servituti hominum. Qui dat jumentis escam ipsam et pullis corvorum invocantibus eum* (Ps. 146, 8-9), qui couvre le ciel de nuages et amène la pluie. Qui fait pousser sur les collines l'herbe et les plantes pour le service de l'homme. Qui dispense aux bêtes leur nourriture et aux petits des corbeaux qui l'appellent ;

cf. *Deus, qui laboribus hominum etiam de mutis animalibus solatia subrogasti* (or. de peste animal., Gel. III, 42), ô Dieu, qui avez ménagé aux hommes pour leurs travaux même le secours des animaux sans raison.

Enfin le terme qui exprime l'idée de la bonté providentielle, c'est le mot *Pater, Pater noster*, notre Père, selon l'enseignement du Christ (Mat. 6, 9) ;

*ascendo ad Patrem meum et **Patrem vestrum*** (Jo. 20, 17), je remonte vers mon Père, qui est aussi votre Père.

Par rapport à nous, la paternité divine offre deux aspects : Dieu est celui dont nous venons, qui nous a créés, et aussi celui qui veille sur nous avec bonté. Les auteurs de l'A. T. avaient déjà conscience de ce double aspect :

*numquid non ipse (Dominus) est **pater tuus**, qui possedit te, et fecit, et creavit te* (Deut. 32, 6), n'est-il pas lui-même ton père, celui qui a mis la main sur toi, celui qui t'a fait et qui t'a créé ?

quomodo miseretur pater filiorum, misertus est Dominus timentibus se (Ps. 102, 13), comme le père a pitié de son fils, de même le Seigneur a eu pitié de ceux qui le craignent.

Saint Paul nous enseigne d'autre part que, par la Rédemption, nous sommes devenus les fils de Dieu et les frères de Jésus-Christ (v. *adoptio*, § 233) :

*sed accepistis spiritum adoptionis filiorum, in quo clamamus : **Abba Pater*** (Rom. 8, 15), mais vous avez reçu un esprit de fils adoptifs qui nous fait nous écrier : Abba ([9]) ! Père !

*videte qualem caritatem dedit nobis **Pater**, ut filii Dei nominemur et simus !* (1 Jo. 3, 1), voyez quel amour le Père nous a

8. Allusion à la brebis familière nourrie de la main du maître.

9. Mot syrien signifiant « père » et employé lorsqu'on s'adressait à Dieu (Marc. 14, 36). Il est entré dans la langue monastique sous la forme *abbas, -atis*, pour désigner certains moines vénérables par leur sainteté et leur vieillesse (Cassian. Inst. 5, 29, etc.), puis l'abbé, le chef d'une communauté (Sid. ; Ben. ; etc.).

prodigué : nous sommes appelés enfants de Dieu et nous le sommes !

non relinquam vos orphanos (Jo. 14, 18), je ne vous laisserai pas orphelins

Deus, **misericordiarum Pater***,, ... concede, ut spiritum adop-tionis, quo filii nominamur et sumus, fideliter custodiamus* (or. 20 jul.), ô Dieu, Père des miséricordes (*Pater misericordiarum,* 2 Cor. 1, 3), faites que nous gardions fidèlement l'esprit d'adoption ... ; v. bonté divine, § 147, 151.

Il va sans dire que le mot *Pater*, appliqué à Dieu, évoque d'autres aspects : ex. *Pater omnipotens*, v. § 32, 130, etc. Pour Dieu le Père, v. Trinité.

5. LA JUSTICE DIVINE

§ **142** Dieu voit tout (v. aussi ex. § 130) :

scrutans *corda et renes Deus* (Ps. 7, 10), qui scrutes les reins et les cœurs ; *qui autem* **scrutatur** *corda* (Rom. 8, 27) ;

Scrutator *alme cordium* (hymn. vesp. sabb. 1 Quadr.), divin scrutateur des âmes ;

perlingens usque ad divisionem animæ ac spiritus (Hebr. 4, 12), pénétrant jusqu'au point de séparation de l'âme d'avec l'esprit (jusqu'au subconscient, en parlant de la parole de Dieu, de la Révélation qui « oblige les intentions secrètes à se dévoiler, et par là juge l'homme » (note Bible de Jérusalem) ;

putasne Deus e vicino ego sum, dicit Dominus, et non Deus de longe ? Si occultabitur vir in absconditis, et ego non videbo eum ... ? (Jer. 23, 23-24), crois-tu, dit le Seigneur, que je suis un Dieu de près, et que de loin je ne suis plus un Dieu ? Si un homme se cachait dans les profondeurs, je ne le verrais pas ?

Speculator *adstat desuper, Qui nos diebus omnibus Actusque nostros* **prospicit** (Hymn. Ambr. laud. fer. 5), il y a au-dessus de nous un Juge, qui tous les jours nous surveille, ainsi que nos actions ;

Deus, cui omne cor patet ... quem nullum latet secretum (or. præp. ad miss.), ô Dieu, pour qui tous les cœurs sont ouverts, à qui n'échappe aucun secret ;

qui universa **conspicit** *Dominus* (2 Mac. 9, 5), le Seigneur qui voit tout ;

qui solus **inspector** *es cordis* (Lib. or. Goth.-Hisp. 79), qui seul lisez dans les cœurs ;

auctorem lucis, principem luminis, **inspectorem** *cordis* (Miss. Goth. 223).

§ **143** Il nous juge : *Deus* **judex** *justus, fortis et patiens* (Ps. 7, 12), Dieu est un juste juge, il est fort et patient ;

Te, juste **judex** *cordium* (hymn. mat. fer. 5), vous, juste juge de nos cœurs.

Les mots *judex* et *judicium* sont surtout employés en parlant du jugement dernier, de même *Arbiter*, v. Parousie, § 202 ;

en parlant des morts, v. ex. § 96 ;

*utique est Deus **judicans** eos (peccatores) in terra* (Ps. 57, 12), de toutes façons il y a un Dieu qui les juge sur la terre ; v. Ps. 9, 9 ; 42, 1.

Avec équité et justice : ***judicabit** orbem terrarum in justitia, et populos in æquitate* (Ps. 97, 9) ; cf. *diem, in quo **judicaturus** est orbem in æquitate* (Act. 17, 31) ;

virga æquitatis, virga regni tui (Hebr. 1, 8), sceptre de droiture, le sceptre de votre royauté ; cf. *virga directionis* (Ps. 44, 7), sceptre de droiture.

En parlant du Christ : *neque **judicat** Pater quemquam, sed omne **judicium** dedit Filio* (Jo. 5, 22), le Père ne juge personne : tout le jugement, il l'a remis au Fils (¹) ;

*qui constitutus est a Deo **judex** vivorum ac mortuorum* (Act. 10, 42), que Dieu a établi comme juge des vivants et des morts.

§ 144 Dieu récompense et punit :

*juxta vias singulorum **restituet** eis* (Job 34, 11), il paiera chacun selon sa conduite ;

***reddet** unicuique secundum opera ejus* (Mat. 16, 27 ; Rom. 2, 6), il rendra à chacun selon ses œuvres (au jugement dernier) ;

*æternæ gloriæ coronam **retribuas*** (postc. 31 mai. p. al. loc.) ; v. *retributio*, *præmium*, etc. ; au chp. le Ciel, § 303 ;

***retribuet** mihi Dominus secundum justitiam meam* (Ps. 17, 21), le Seigneur me rétribuera selon ma justice ;

... tribuet nobile præmium, Qui cursum Deus adjuvat (hymn. 1 vesp. 1 jul.), Dieu, qui aide notre course, nous attribuera la noble récompense (Dieu ou le Christ est souvent comparé au juge des compétitions sportives : Tert. ; Ambr. ; Hier.) ;

*Deus, fidelium **remunerator** animarum* (or. 23 jul., Gel. II, 3), ô Dieu, qui récompensez les âmes fidèles ;

omnium, Domine, fons bonorum (²), *justorum provectuum **munerator*** (or. ben. abb. auct. apost., Pont. R.), Seigneur, source de tout bien, vous qui accordez les justes promotions ;

*Domine sancte, spei, fidei, gratiæ et profectuum **munerator*** (Miss. Fr. 7, 26), Seigneur saint, vous qui accordez l'espérance, la foi, la grâce et tous les avantages spirituels (ou *provectuum ?*) ;

*Deus, æternorum bonorum fidelissime promissor, certissime **persolutor*** (or. ben. vest. cons. virg., Pont. R.), ô Dieu, fidèle

---

1. Jésus identifie sa propre activité à celle du souverain Juge (Note de la Bible de Jérusalem).

2. Cf. *ad fontem lucis et originem bonitatis* (Moz. L. sacr. 379) ; *ingenite Pater, origo et fons lucis* (ibid. 915) ; v. § 207 en parlant du Christ.

garant des promesses éternelles, dont infailliblement vous vous acquittez ; cf. *verax promissor* (Gel. III, 37, 1373) ;

pour la punition, v. Enfer, § 316 et suiv.

§ 145 Les mots *vindicta* et *ultio*, désignant la punition, rappellent le langage juridique des anciens Romains (cf. fr. vindicte publique) :

ex. *lætabitur justus, cum viderit **vindictam*** (Ps. 57, 11), le juste se réjouira, quand il verra la vengeance ;

*dico vobis quoniam cito faciet **vindictam** illorum* (Luc. 18, 8), je vous dis qu'il leur fera rendre aussitôt justice ;

*mihi **vindicta** ; ego retribuam, dicit Dominus* (Rom. 12, 19), c'est moi qui ferai justice, c'est moi qui rétribuerai, dit le Seigneur ; cf. Deut. 32, 35 ;

*quoniam **vindex** est Dominus de his omnibus (peccatis)* (1 Thess. 4, 6), car c'est le Seigneur qui tirera vengeance de tout cela ;

*Deus **ultionum** Dominus* (Ps. 93, 1), le Seigneur est le Dieu des vengeances ;

*Quando culpis provocamus **Ultionem** Judicis* (hymn. mat. 1 jul.), quand nous provoquons par nos fautes la vengeance du Juge ;

*ut omnium peccatis tua remissione deletis, quod denuntiatum est in **ultionem**, transeat in salutem* (or. sabb. sc. vet. ord., Gel. I, 43, 440), pour que votre pardon remette les péchés de tous et que, ce qui a été annoncé pour le châtiment, se transforme en notre salut ;

*Juste judex **ultionis*** (« *Dies iræ* »), Juge, dont la vindicte est juste.

Dieu ignore la partialité dans ses jugements et ne fait pas acception des personnes : *non enim est **acceptio personarum** apud Deum* (Rom. 2, 11 ; cf. 2 Par. 19, 7 ; etc.

§ 146 Des figures désignent aussi cette intervention divine :

ex. *visitabo in **virga** iniquitates eorum, et in **verberibus** peccata eorum* (Ps. 88, 33), je visiterai avec la verge leurs iniquités, et avec des coups leurs méfaits ;

*propter hæc enim **venit ira Dei** in filios diffidentiæ* (Ephes. 5, 6), c'est à cause de cela que survient la colère de Dieu contre les fils [3] de l'infidélité ;

***flagella tuæ iracundiæ**, quæ pro peccatis nostris meremur, averte* (or. sabb. Quat. T. Quadr., etc., Greg. 36, 1), écartez les fléaux de votre colère, que nos péchés ont mérités ; v. expressions anthropomorphiques, § 59 et suiv.

---

3. De nombreuses expressions bibliques sont formées avec le mot *filius* : *filii maledictionis* (2 Petr. 2, 10) ; *filius pacis* (Luc. 10, 6), fils de la paix (digne de recevoir le message de paix) ; etc. v. le Dict.

6. LA BONTÉ DIVINE

§ 147 Lorsqu'on parle de la bonté de Dieu, il faut distinguer deux notions : d'une part l'excellence de Dieu, source de tout bien ; d'autre part la bonté de Dieu envers les hommes, c'est-à-dire la manifestation de son amour pour nous. Chez Tertullien, *bonitas* a un sens intellectuel, lorsqu'il affirme, contre les Gnostiques, la bonté du Dieu de l'A. T. (Adv. Marc. 1, 25 ; 2, 12 ; etc.). De même dans cette expression biblique : *imago bonitatis illius* (Sap. 7, 26), image de son excellence (la sagesse, image de l'excellence de Dieu). Mais c'est le sens affectif qui est devenu le plus fréquent : ex. *misericordiæ bonitas* (Max-Taur. Hom. c. 497 C), sa bonté miséricordieuse ; *pietatis suæ bonitas* (Moz. L. sacr. 1431), sa bienveillante bonté.

Autres ex. concernant ces deux notions :

a) *omne datum* **optimum** *et omne donum perfectum desursum est, descendens a Patre luminum* (Jac. 1, 17), tout don excellent, toute perfection accordée vient d'en haut et descend du Père des lumières ;

Deus virtutum, cujus est totum quod est **optimum** (or. d. 6 p. Pent., Gel. III, 2), Dieu puissant d'où vient toute perfection ;

Deus, a quo **bona** *cuncta procedunt* (or. d. 5 p. Pasch., Gel. I, 60), Dieu, d'où procède tout bien ;

Deus, a quo omne **bonum** *est* (Leon. 881) ; *a quo inspiratur humanis cordibus omne quod bonum est* (Leon. 1146) ;

Deus misericors ... sine quo nihil **boni** *inchoatur, nihilque* **boni** *perficitur* (or. ben. abb., Pont. R.), Dieu de miséricorde, sans lequel rien de bon ne peut être inauguré ni mené à bien ; *cum omne opus* **bonum** *a te incoari constet et perfici* (Leon. 542), puisqu'indubitablement tout bien commence et s'achève en vous ;

cunctorum **bonorum** *institutor Deus* (or. ben. abb. auct. apost., Pont. R.), Dieu, créateur de tout bien ; cf. **bonum** *innocentiæ* (Moz. L. sacr. 873) ; **bonum** *pacis* (ibid. 13) ; *de* **bono** *patientiæ* (Cypr. tit.).

§ 148 b) **bonitatis** *infinitus thesaurus* (cit. § 127) ;

divitias **bonitatis** *ejus* (Rom. 2, 4) ;

quamvis ... a divitiis **bonitatis et pietatis** *Dei nihil temporis vacet* (Gel. I, 38, 353), bien qu'à tout moment se manifeste la richesse de la bonté et de la bienveillance divine ;

fons **pietatis et bonitatis** (Moz. L. ord. 24) ;

immensitate tuæ **bonitatis** (Gel. Cagin 2304) ;

inter cetera **bonitatis** *tuæ munera* (præf. ben. chrism. fer. 5 Maj. Hebd.) ; *inter cetera* **bonitatis et pietatis** *tuæ munera* (Greg. 77, 6), parmi les autres dons de votre bienveillante bonté ; mais, comme on le verra, *pietas* est plus fréquent dans les oraisons ;

ex. dans les Psaumes : *in* **bonitate** *tua* (118, 68) ; *secundum*

misericordiam tuam memento mei tu, propter **bonitatem** *tuam,
Domine* (24, 7), dans ta miséricorde, souviens-toi de moi ; dans
ta bonté, souviens-toi, Seigneur ;

(redondance) *placabilem semper ac mitem* **clementiae tuae
indulgentissimam bonitatem** *supplices exoramus* (Moz. L.
ord. 98), nous supplions humblement votre très indulgente
bonté et votre douce clémence toujours prête à pardonner ;

tuæ, Deus, flagitamus **bonitatis pietatem** *immensam* (Moz.
L. sacr. 470), nous implorons votre bonté infinie.

Bonus : ex. **bonus** *est Dominus sperantibus in eum* (Jer. lam.
3, 25), le Seigneur est bon pour ceux qui espèrent en lui ;

confitemini Domino, quoniam **bonus** (Ps. 105, 1 et passim),
louez le Seigneur, car il est bon.

On a vu *optime* dans plusieurs hymnes ; dans les oraisons,
l'épithète employée en parlant de la bonté de Dieu est *pius*.

Bonus qualifie le Christ ou le « Bon » Pasteur : v. appellations
du Christ, § 206, et § 63 ; *o* **bone** *Jesu, exaudi me* (or. « *Anima
Christi* »).

§ 149 *Pietas, pius* :

ex. *magnum est* **pietatis** *sacramentum* (1 Tim. 3, 16), il est
grand, le mystère de la bonté (peut-être le seul ex. de la Vulgate, où *pietas* s'applique à la bonté de Dieu, dans le mystère
de la Rédemption) ;

familiam tuam, q. D., continua **pietate** *custodi* (or. d. 21 p.
Pent., Gel. Cagin 1459), protégez vos serviteurs avec une
tendresse vigilante ;

tua immensa **pietas** (or. miss. vot. p. elig. pont.) ; *abundantia*
pietatis (or. d. 11 p. Pent., Gel. III, 7) ;

tuæ **pietatis** *respectu* (Moz. L. ord. 14), en les (offrandes)
regardant avec bonté ; *tuæ* **pietatis** *intuitu* (L. sacr. 1331) ;

vota, q. D., supplicantis populi cælesti **pietate** *prosequere*
(or. d. infra oct. Epiph., Greg. 16, 1), dans votre céleste bonté,
favorisez les vœux de votre peuple suppliant ;

piissimæ *majestati tuæ pro collatis donis gratias agimus* (or.
m. p. grat. act.), nous rendons grâce à votre très bienveillante
Majesté pour tous les dons reçus ; v. *(providentiæ) pio favore*,
§ 141 ;

Deus, qui ... per pænitentiam **pia** *miseratione placaris* (or. p.
remiss. peccat.), ô Dieu, qui, dans votre bonté miséricordieuse,
vous laissez apaiser par le repentir ;

Deus, qui facturæ tuæ **pio** *semper dominaris affectu* (Gel. III,
69), qui gouvernez toujours vos créatures avec bonté et
amour ;

Pie Jesu Domine (« *Dies iræ* »), Seigneur Jésus plein de bonté.

Benignitas est l'équivalent de *bonitas* :

ex. *ut a peccatorum nexibus ... tua* **benignitate** *liberemur* (or.
d. 23 p. Pent., Greg. 163, 1), pour que votre bonté nous délivre
de l'esclavage du péché ;

perpetuam **benignitatem** *largire poscentibu*s (sup. pop. fer. 5 p. d. 2 Quadr., Greg. 49, 4), accordez à leur prière votre continuelle bienveillance ;

v. *benigne, benignus*, § 63.

Dans un passage de la Vulgate, *humanitas* traduit (φιλανθρωπία, amour (du Christ) pour les hommes : **benignitas et humanitas** *Salvatoris* (Tit. 3, 4).

§ 150 Autres termes désignant l'amour de Dieu pour les hommes.

Caritas : ex. *quoniam Deus* **caritas** *est* ([1]) (1 Jo. 4, 8), car Dieu est amour ;

et credidimus **caritati** *quam habet Deus in nobis* (1 Jo. 4, 16), et nous, nous avons cru à l'amour que Dieu a pour nous ;

commendat autem **caritatem** *suam Deus in nobis, quoniam ... Christus pro nobis mortuus est* (Rom. 5, 8), ce qui prouve l'amour de Dieu pour nous, c'est que le Christ est mort pour nous ;

Dominicæ **caritatis** *imitator* (Leon. 676), imitant la charité du Maître (s. Étienne priant pour ses bourreaux) ;

divinum sacramentum, immensæ **caritatis** *tuæ memoriale perpetuum* (postc. 28 apr.), les divins mystères, mémorial perpétuel de votre immense charité ;

Te vulneratum **caritas** *Ictu patenti voluit, Amoris invisibilis Ut veneremur vulnera* (hymn. laud. S. S. Cord. Jes.), votre charité a voulu que d'un coup visible vous fussiez frappé, afin que de l'Amour invisible nous vénérions les blessures ([2]).

Viscera, dans la Vulgate et chez les Pères ([3]), signifie « sentiments intimes, cœur, charité : ex. *testis enim mihi est Deus, quomodo cupiam omnes vos in* **visceribus** *Jesu Christi* (Philipp. 1, 8), Dieu m'est témoin que je vous désire tous dans le cœur de Jésus-Christ ;

tribune... ut... tuæ circa nos **pietatis** *semper* **viscera** *sentiamus* (or. 24 febr.), accordez-nous d'éprouver toujours la profondeur de votre bonté pour nous

Dilectio ([4]) : ex. *in* **dilectione** *sua et indulgentia sua ipse redemit eos* (Is. 63, 9), dans son amour et sa bonté lui-même les a rachetés ;

---

1. Saint Jean pense à l'amour divin qui a sauvé les hommes ; mais cette phrase suggère aussi que l'essence de Dieu est l'amour, l'amour à la mesure de Dieu, c'est-à-dire celui qui lie le Père et le Fils, et qui est personnifié dans le Saint-Esprit.

2. Outre le thème de l'immolation sanglante, l'office du Sacré-Cœur rappelle l'amour de Jésus pour les hommes, ses trésors infinis d'amour, *infinitos dilectionis thesauros* (cit. infra) ; *investigabiles divitias Cordis tui* (or. 17 oct.) ; *divitias amoris tui* (or. fer. 5 Corp. Chr. p. al. loc.).

3. ex. *viscera dilectionis, caritatis* (Aug. Gest. Pelag. 25, 49 ; Conf. 5, 9, 17), sentiments intimes d'affection, de charité.

4. Dans les oraisons du Missel, *tua dilectio*, ton amour, a le sens objectif et s'entend de notre amour de Dieu. Remarque analogue, sauf exception, pour *diligere, amor*.

sicut **dilexit** *me Pater, et ego dilexi vos* (Jo. 15, 9), comme mon Père m'a aimé, moi aussi je vous aime ;

Deus, qui **diligendo** *castigas* (Leon. 1061), ô Dieu qui punissez par amour ; cf. *quem enim diligit Dominus, castigat* (Hebr. 12, 6) ;

infinitos **dilectionis** *thesauros misericorditer largiri dignaris* (or. S. S. Cord. Jes.), (qui) daignez répandre miséricordieusement sur nous les trésors infinis de votre amour ;

(redondance) **pietatis** *ejus in nos* ... **dilectionem** (Moz. L. sacr. 1112) ; *o ineffabilis* **dilectio caritatis** (Miss. Goth. 306).

Amor : ex. *Deus, qui populis tuis indulgentia consulis et* **amore** *dominaris* (or. 3 jul. p. al. loc., Greg. 198, 2), ô Dieu, qui veillez sur vos peuples avec indulgence et les gouvernez avec amour ;

Amor *coegit te tuus Mortale corpus sumere* (hymn. S. S. Cord. Jes.), votre amour vous a contraint à prendre un corps mortel ;

ipse enim Pater **amat** *vos* (Jo. 16, 27), car le Père lui-même vous aime ;

amantissimum *Cor tuum diligere* (or. fer. 5 p. oct. Corp. Chr. p. al. loc.), « aimer votre cœur plein de notre amour » ; mais, dans les oraisons, *amare* se dit normalement en parlant de notre amour pour Dieu ;

Quis non **amantem** *redamet* (hymn. laud. S. S. Cord. Jes.), qui ne rendrait son amour à celui qui nous aime ?

Dieu protecteur : v. § 70-72 ;

cf. *(Christe) humilis et humilitatis* **assumptor** (Pont. Rom.-Germ. 1, 2), humble et protecteur des humbles.

§ 151 La bonté de Dieu se manifeste encore en ce qu'il pardonne, console, protège, répand ses dons de toutes sortes.

Ex. *Deus, qui omnem animam pænitentem ... magis vis emendare quam perdere* (postc. p. public. pæn.), ô Dieu, qui désirez plutôt la conversion que la perte de toute âme qui se repent ; *qui dixisti pænitentiam te malle peccatorum quam mortem* (Gel. 1, 15) ; *qui justificas impium et non vis mortem peccatoris* (or. p. tentatis et tribul., Greg. suppl. Alc. 191 ; cf. Ezech. 33, 11).

Le vocabulaire concernant ces manifestations a déjà été passé en revue, notamment dans le chp. IV de la première partie : différents aspects de la prière. Nous ne rappelons ici que certains de ces termes.

Clementia : ex. *immensa* **clementiæ** *tuæ largitate* (or. p. seipso sacerd.), dans l'infinie générosité de votre clémence ; *immensa largitate* **clementiæ** (Leon. 964) ;

clementia divina, clementia tua (or. passim) ;

clementiam deprecari, implorare, exorare, quæsumus, etc. (or. passim) ;

expressions redondantes : *miserationis tuæ* **clementia** (Moz. L. ord. 311), votre miséricordieuse bonté ;

clementiæ tuæ longinqua miseratio (Gel. I, 15, 80), votre
bonté miséricordieuse et patiente ;

misericordiæ tuæ **clementia** (Gel. III, 94, 1642 ; Miss. Goth.
479) ;

pietatis tuæ **clementia** (Miss. Goth. 489 ; Moz. L. ord. 189,
etc.) ;

prælargissimam tuæ **pietatis clementiam** *implorantes* (Moz.
L. sacr. 325), implorant la débordante clémence de votre
bonté ;

clemens, clementer, v. ex. § 63 et passim.

Indulgentia : ex. *Deus,* **indulgentiarum** *Domine* (or. missa
2, 2 nov., Gel. III, 105), ô Dieu, Maître du pardon ;

indulgentiam consequi, implorare, largiri, obtinere, etc. (or.
passim) ;

v. ex. § 66, 71, 150, 277, etc. ; de *indulgere,* § 66 et passim ;

quo ... **indulgentiali** *favore sepultis omnibus subvenire
digneris* (Moz. L. ord. 388), afin que vous daigniez accorder à
tous les défunts votre indulgente faveur.

Indultor, a) celui qui accorde : ex. *indultor caritatis* (Miss.
Goth. 377) ;

b) celui qui pardonne : *indultor criminum* (Lib. or.
Goth.-Hisp. 45).

Mansuetudo ([5]) : ex. *obsecro vos per* **mansuetudinem** *et
modestiam Christi* (2 Cor. 10, 1), je vous en supplie, au nom de
la douceur et de la bonté du Christ ;

mansuetudinem *et humilitatem Cordis tui induere* (postc.
17 oct.), nous revêtir de la douceur et de l'humilité de votre
Cœur ;

pensate, fratres carissimi, **mansuetudinem** *Dei* (Greg.-M.
Hom. ev., lect. 7 d. Pass.), voyez, frères bien-aimés, la
mansuétude de Dieu.

Misericordia : ex. *quoniam magnificata est usque ad cælos*
misericordia *tua* (Ps. 56, 11), car elle s'est grandie jusqu'aux
cieux ta miséricorde ;

misericordiarum *pater* (cit. § 141) ;

ineffabilem **misericordiam** *tuam ... ostende* (or. m. vot. p.
quacumque necess., Gel. III, 28), montrez votre ineffable
miséricorde ;

*misericordia tua ; misericordiam consequi, deprecari, exorare,
implorare, prætendere,* etc. ; *misericordiæ tuæ largitas, gratia,
munus, auxilium,* etc. (or. et Sacram. passim) ; *consueta
misericordia* (or. 28 aug.) ; (ordin.) *perpetua misericordia* (or.
passim).

Miseratio : ex. *reminiscere* **miserationum** *tuarum, Domine*
(Ps. 24, 6), souviens-toi, Seigneur, de tes miséricordes ;

---

5. Cf. *ecce rex tuus venit mansuetus* (Mat. 21, 5), voici que ton roi vient à toi,
modeste... ; *discite a me quia mitis sum* (ibid. 11, 29).

*ecclesiam tuam, Domine, **miseratio** continuata mundet et muniat* (or. d. 15 p. Pent., Gel. III, 11), que votre bonté miséricordieuse et incessante purifie et garde votre Église ; *continuata **miseratione** nos protegas* (Leon. 446) ;

Deus, qui omnipotentiam ([6]) *tuam parcendo* ([7]) *maxime et **miserando** manifestas* (or. d. 10 p. Pent., Gel. III, 6), ô Dieu, qui manifestez surtout votre toute-puissance par le pardon et la miséricorde.

Pour *miserator, misericors, misereri, miseratus, misericordia*, v. ex. § 64.

Pour *protector, susceptor, adjutor, refugium*, etc., v. § 70-72.

§ 152 La bonté de Dieu accorde largement : v. *largiri* et les verbes signifiant « donner, accorder », § 65 et suiv. ;

*Deus, omnium **largitor** bonorum* (or. 2 dec. ; et ex. § 277) ;
*Deus, bonorum **largitor*** (Leon. 1229).

Elle console les affligés : *non dereliquisti quærentes te, Domine* (Ps. 9, 11), tu n'as pas abandonné ceux qui te cherchent ;

Deus, qui neminem ... nimium affligi permittis (postc. p. grat. act.), ô Dieu, qui ne permettez pas que personne soit affligé à l'excès ;

*Pater misericordiarum et Deus totius **consolationis*** (2 Cor. I, 3), Père des miséricordes et Dieu de toute consolation ; cf. ben. apost., Rit. R. V, 6 ;

*Deus, mæstorum **consolatio*** (or. 6 Parasc., Gel. I, 41, 411), Dieu, consolateur des affligés ; cf. *mærentium consolator* (or. 4 mai.) ; v. ex. § 71 ;

pour *Consolator*, en parlant du Saint-Esprit, v. Trinité.

Il est souvent fait allusion à la douceur de cette bonté :

ex. *gustate et videte quoniam **suavis** est Dominus* (Ps. 33, 9), goûtez et voyez comme le Seigneur est bon ;

***suavis** est Dominus universis* (Ps. 144, 9), le Seigneur est plein de bonté envers tous ; ***suavis** et mitis* (Ps. 85, 5) ;

*jugum enim meum **suave** est* (Mat. 11, 30), mon joug n'est pas dur ;

*memoriam abundantiæ **suavitatis** tuæ eructabunt* (Ps. 144, 7), ils célébreront la mémoire de ta douceur infinie ;

***dulcissimi** Cordis tui **suavitate** percepta* (postc. S. S. Cord. Jes.), après avoir éprouvé la tendresse si délicate de votre Cœur ;

*sacramenta quæ sumpsimus ... **dulcedinem** mentibus nostris tuæ **suavitatis** infundant* (Leon. 1055), que le sacrement reçu verse dans nos âmes la douceur de votre bonté.

---

6. De la part de Dieu, le pardon est une marque de bonté, et aussi de puissance : *misereris omnium, quia omnia potes* (Sap. 11, 24).

7. Cf. *Deus, cui proprium est misereri semper et parcere* (or. p. def., Greg. 201, 12), ô Dieu, à qui il appartient en propre d'accorder toujours miséricorde et pardon.

§ 153 Il sera question ailleurs des manifestations et visitations de Dieu dans l'A. T. — de la grâce — de l'inspiration du Saint-Esprit — de l'habitation divine dans son temple — dans le corps mystique de l'Église — en nous par l'eucharistie.

Nous considérons seulement ici le vocabulaire qui exprime cette sorte de présence en nous par les images d'habitation et de lumière.

a) *Manere* ([1]) : ex. *si diligamus invicem, Deus in nobis* **manet**, *et caritas ejus in nobis perfecta est* ... *Quisquis confessus fuerit quoniam Jesus est Filius Dei, Deus in eo* **manet** *et ipse in Deo* ... *qui manet in caritate, in Deo* **manet** *et Deus in eo* (1 Jo. 4, 12-15-16), si nous nous aimons les uns les autres, Dieu demeure en nous et en nous son amour est parfaitement accompli ... Quiconque a confessé que Jésus est le Fils de Dieu, Dieu demeure en lui et lui en Dieu ... Celui qui demeure dans l'amour, demeure en Dieu et Dieu en lui ;

si quis diligit me ... *et Pater meus diligit eum et ad eum* **veniemus** ([2]) *et* **mansionem** *apud eum faciemus* (Jo. 14, 23), si quelqu'un m'aime, mon Père aussi l'aimera et nous viendrons chez lui et nous y établirons notre demeure ;

conscientias nostras, q. D., **visitando** *purifica, ut* **veniens** *Dominus noster J. Chr.* ... *paratam sibi in nobis inveniat* **mansionem** ([3]) (or. præp. ad missam ; *veniente Filio tuo* ... *paratam* ... **mansionem**, Greg. 193, 2), que votre visite purifie nos consciences, afin que le Seigneur à sa venue trouve en nous une demeure préparée pour lui ; pour *venire*, v. § 60 et passim ;

ut ... *jugem in eodem Corde tuo* **mansionem** *habere mereamur* (or. 17 oct.), pour que nous méritions d'avoir dans votre cœur une demeure permanente.

D'où les mots *hospes, hospitium, visitatio* :

ex. *Dulcis hospes animæ* (« *Veni, Sancte Spiritus* »), doux hôte de l'âme ;

mundi quoque eidem Christo cordis **hospitium** *præparemus* (Moz. L. sacr. 703), pour ce Christ encore préparons en nous la demeure d'un cœur pur ;

pensate, fratres carissimi, quanta sit ista dignitas habere in

---

1. *Manifestare* est un terme plus abstrait : *qui autem diligit me... et ego diligam eum et manifestabo ei meipsum* (Jo. 14, 21), celui qui m'aime, moi aussi je l'aimerai et me manifesterai à lui.

2. Le pluriel exprime la présence, en nous, par la grâce, des trois Personnes de la sainte Trinité ; chez les Pères, des figures analogues ont désigné soit ce qu'on a appelé plus tard la circumincession (v. Dict. à *habitaculum*, Hilar.), soit la présence dans le Christ des deux natures (v. Dict. à *inhabitatio*, Leo-M.).

3. Cf. *ecce sto ad ostium et pulso, si quis audierit vocem meam et aperuerit mihi januam, intrabo ad illum et cenabo cum illo et ipse mecum* (Apoc. 3, 20), voici que je me tiens à la porte et je frappe : si quelqu'un entend ma voix et m'ouvre la porte, j'entrerai chez lui et je dînerai avec lui et lui avec moi.

cordis **hospitio** *adventum Dei* (Greg.-M. Hom. ev. 30, lect. 3
Pent.), imaginez, frères bien-aimés, quel grand honneur :
recevoir Dieu dans la demeure de son cœur ;

Mentes tuorum **visita** (« *Veni, Creator* »), visitez les âmes des
vôtres ;

famulos et famulas tuas, Domine, cælesti **visitatione** *circumda, mentibus eorum atque corporibus rorem tuæ benedictionis
infunde* (Leon. 642), entourez, Seigneur, de votre céleste
présence vos serviteurs et vos servantes ; répandez sur leurs
âmes comme sur leurs corps la rosée de votre bénédiction ;

ut ... pietatis tuæ **visitatione** \consolemur (or. 5 sabb. Quat.
T. Adv., Gel. II, 85, 1173), afin que votre bonté vienne nous
consoler.

Habitare, inhabitare : ex. *ut det vobis ... Christum* **habitare**
per fidem in cordibus vestris (Ephes. 3, 17), pour que le Christ
habite dans vos cœurs par la foi ;

libenter igitur gloriabor in infirmitatibus meis, ut **inhabitet**
in me virtus Christi (2 Cor. 12, 9), volontiers je me vanterai de
mes faiblesses, afin que la force du Christ habite en moi ;

ut Sancti Spiritus digna efficiatur **habitatio** (secr. ad postul.
grat. S. Sp.), pour que (notre cœur) devienne une demeure
digne du Saint-Esprit ;

*quæ (virgines) consonis operibus in sua virginitate jucundum
tibi* **habitaculum** *præpararunt* (alt. secr. m. « *Virgines laudant* », p. al. loc.), qui, par la conformité de leur conduite,
vous ont préparé, dans leur virginité, une demeure agréable;

sanctificata jejunio tuorum corda fidelium, Deus, **habitator**
illustra (Leon. 866), ô Dieu, illuminez de votre présence les
cœurs de vos fidèles sanctifiés par le jeûne ;

castorum corporum benignus **habitator** (præf. ben. et cons.
virg., Pont. R., Leon. 1104), qui daignez des corps chastes
faire votre demeure ;

ut Spiritus Sanctus **adveniens**, *templum nos gloriæ suæ
dignanter* **inhabitando** *perficiat* ([4]) (or. 2 Quat. T. Pent., Greg.
115, 2), que le Saint-Esprit vienne et daigne faire de nous les
temples de sa gloire.

§ 154 b) Pour le Psalmiste, Dieu est sa lumière :

Dominus **illuminatio** *mea et salus mea, quem timebo* ? (Ps.
26, 1), le Seigneur est ma lumière et mon salut, qui pourrais-je
craindre ?

lucerna *pedibus meis verbum tuum, et* **lumen** *semitis meis*
(Ps. 118, 105), ta parole est une lampe sur mes pas, une lumière
sur ma route ;

Domine, in **lumine** *vultus tui ambulabunt* (Ps. 88, 16), Sei-

---

4. Cf. *beata sempiterno inhabitatore te* (Aug. Conf. 12, 11, 12), (l'âme) heureuse que
vous habitiez éternellement en elle.

gneur, à la lumière de ta face ils marcheront ; cf. *et ambulabunt gentes in* **lumine** *tuo* (Is. 60, 1) ;

Deus, qui errantibus ... veritatis tuæ **lumen** *ostendis* (or. d. 3 p. Pasch., Leon. 75), ô Dieu, qui montrez à ceux qui sont perdus la lumière de votre vérité ;

Deus, fidelium **lumen** *animarum* (postc. p. def., Gel. III, 103, 1684) ;

(Deus) qui per Jesum Christum Filium tuum in hunc mundum **lumen** *claritatis misisti* (Gel. Cagin 2069), qui avez envoyé au monde, par Jésus-Christ votre Fils, l'éclat de votre lumière.

Isaïe voit l'aurore messianique comme une grande lumière :

populus qui ambulabat in tenebris, vidit **lucem** *magnam ; habitantibus in regione umbræ mortis* **lux** *orta est eis* (Is. 9, 2), le peuple qui marchait dans les ténèbres a vu une grande lumière ; devant ceux qui habitaient dans la région de l'ombre de la mort, une lumière s'est levée pour eux ; cf. 46, 2 ;

surge, illuminare, Jerusalem, quia venit **lumen** *tuum, et gloria Domini super te orta est* (Is. 60, 11), lève-toi, resplendis, Jérusalem, car ta lumière est venue et la gloire du Seigneur s'est levée sur toi.

L'évangile de saint Jean débute en célébrant son épiphanie : *in ipso vita erat, et vita erat* **lux** *hominum ... erat* **lux** *vera, quæ* **illuminat** *omnem hominem venientem in hunc mundum* (Jo. 1, 4-9), en lui était la vie, et la vie était la lumière des hommes ... (le Verbe) était la lumière véritable qui éclaire tout homme venant en ce monde ; v. Incarnation, Épiphanie, § 183.

Le mot *gloria* (⁵) désigne la glorieuse majesté de Dieu, il est souvent associé à l'idée de lumière :

ex. **illuminatio** *evangelii* **gloriæ** *Christi* (2 Cor. 4, 4), le resplendissement de l'évangile de la gloire du Christ ;

ipse **illuxit** *in cordibus nostris ad* **illuminationem** *scientiæ* **claritatis** *Dei in facie Christi Jesu* (ibid. 4, 6), il a brillé dans nos cœurs pour faire resplendir la connaissance de la gloire de Dieu sur la face de Jésus-Christ.

Ces différents termes de lumière évoquent donc la gloire de Dieu et en même temps l'illumination de notre intelligence, comme on le voit dans les oraisons : *concede propitius, ut ... corda nostra ..., Sancti Spiritus* **splendore illustrata**, *omnium vitiorum cæcitate careant* (or. 3 ben. cand. 2 febr.), faites que nos cœurs, illuminés par la splendeur de l'Esprit Saint, soient délivrés de tous les vices qui les aveuglent ;

cordis nostri tenebras **lumine tuæ visitationis illustra** (Gel. II, 83), éclairez les ténèbres de notre cœur par la lumière de votre présence ;

---

5. Cf. *gloria Domini apparuit in nube* (Ex. 16, 10), la gloire du Seigneur apparut dans la nuée ; *et vidimus gloriam ejus* (Jo. 1, 14), et nous avons vu sa gloire ; v. *gloria et majestas*, § 23 et suiv.

mentes nostras, q. D., **lumine tuæ claritatis illustra** (sup. pop. fer. 4 Quat. T. Quadr., Greg. 41, 5), illuminez nos âmes par la lumière de votre clarté ;

illumina ... *corda nostra gratiæ tuæ* **splendore** (postc. ad repell. mal. cog.), illuminez nos cœurs de la lumière de votre grâce ; v. illumination bapt. § 337.

La lumière de Dieu, symbolisée par le cierge pascal :

arcana **luminis** *tui admixtione* (ben. cer. vig. Pasch., Gel. I, 42, 429), en y mêlant votre mystérieuse lumière.

II

DIEU DANS L'ANCIEN TESTAMENT

Sans passer en revue tout le latin biblique de l'A. T., nous nous proposons de citer ici les expressions que l'on retrouve plus souvent dans le latin liturgique.

1. LE NOM SAINT ET REDOUTABLE
(terrible et sanctum, Ps. 98, 3).

§ 155 *Dominus*, dans la Vulgate de l'A.T., correspond presque toujours, comme nous l'avons dit, au mot Yahvé du texte hébreu :

Dominus Deus (Gen. 2 et 3 passim), Yahvé Dieu ; v. ex. dans les oraisons, § 32 ;

Deus deorum Dominus (Ps. 49, 1), le Dieu des dieux, Yahvé.

Dieu ne se nomme pas à Moïse, car il est au-dessus de tous les noms (v. § 123) ; mais il se déclare Dieu de ses pères :

ego Deus patris tui, Deus Abraham, Deus Isaac et Deus Jacob (Ex. 3, 6) ; v. ex. dans les oraisons, § 32 ;

ego Dominus ... Deus Israel (Is. 45, 3) ; *Deus Israel conjungat vos* (Intr. miss. spons.), que le Dieu d'Israël vous unisse ; cf. Tob. 7, 15 ;

ego Dominus qui apparui Abraham, Isaac et Jacob, in Deo omnipotente (Ex. 6, 3), c'est moi le Seigneur, qui suis apparu à Abraham, Isaac et Jacob, comme un Dieu tout-puissant (v. trad. de l'hébreu, § 123) ; on a vu *Deus omnipotens*, formule courante dans les oraisons.

Le nom de Dieu est redoutable, on ne doit pas en faire un usage abusif : *non assumes nomen Domini Dei tui in vanum* (Ex. 20, 7), « tu n'emploieras pas le nom du Seigneur ton Dieu en vain » (dans un parjure ou un faux témoignage). On a déjà signalé (§ 22 note) l'hébraïsme qui consiste à considérer le mot *Nomen* comme exprimant, non seulement le nom, mais aussi la personne même de Dieu (¹) :

invocabimus nomen tuum (Ps. 74, 2 et passim), nous invoquerons ton nom ;

*Deus, **in nomine** tuo salvum me fac* (Ps. 53, 1), ô Dieu, par ton nom, sauve-moi ;

ex. dans les oraisons : *invocantibus **nomen** tuum* (or. in ipsa die Dedic., Greg. 197, 2), pour ceux qui invoquent votre nom ;

---

1. et du Christ, dans le N. T. : ex. *credere in nomine Unigeniti Filii Dei* (Jo. 3, 18) ; cf. *ut in nomine dilecti Filii tui mereamur bonis operibus abundare* (or. d. oct. Nat. Dom., Greg. 15, 1), pour que nous méritions d'être féconds en bonnes œuvres, au nom de votre Fils bien-aimé.

v. ex. § 22, 78, etc., et la formule solennelle **in nomine** Patris et Filii et Spiritus Sancti.

Il est fait allusion à la bonté de Dieu (v. Providence, Bonté divine), mais aussi à la crainte qu'il inspire : *commota est et contremuit terra ; fundamenta montium conturbata sunt et commota sunt, quoniam iratus est eis* (Ps. 17, 8), « la terre ébranlée a tremblé ; les fondements des montagnes ont été bouleversés, parce que (le Seigneur) est irrité contre eux ». Le mot *terribilis* est fréquent, et les miracles eux-mêmes sont appelés *terribilia*, aussi bien que *mirabilia* ou *magnalia* (§ 132) : **terribilia** *sunt opera tua, Domine* (Ps. 65, 3), terribles sont tes œuvres, ô Seigneur ;

qui fecit **magnalia** in Ægypto, **mirabilia** in terra Cham, **terribilia** in Mari Rubro (Ps. 105, 21), lui qui a accompli de grandes choses en Égypte, des merveilles dans la terre de Cham, des choses effrayantes dans la Mer Rouge ; cf. Ps. 144, 6 ; Ex. 15, 11 ;

pavensque : quam **terribilis** est, inquit, locus iste! non est hic aliud, nisi domus Dei et porta cæli (Gen. 28, 17), (Jacob en s'éveillant) plein d'effroi : que ce lieu est terrible ! dit-il ; ce n'est autre que la demeure de Dieu et la porte du ciel (exclamation reprise dans l'introït de la messe de la Dédicace) ;

terrores Domini militant contra me (Job 6, 4), les terreurs de Dieu combattent contre moi.

§ 156 Le Tout-puissant est appelé le « Fort » ([2]) : *Deus,* **Fortis** meus, sperabo in eum (2 Reg. 22, 3), Dieu est ma force, j'espérerai en lui ; **Fortis** Israel (ibid. 23, 3) ;

sitivit anima mea ad **Deum fortem** vivum (Ps. 41, 3), mon âme a soif de Dieu, le Dieu fort, le Dieu vivant ;

ego sum Dominus, Deus tuus **fortis** (Ex. 20, 5).

D'où *fortitudo*, la toute-puissance : *ego autem cantabo* **fortitudinem** *tuam* (Ps. 58, 17), je chanterai ta force ; cf. *virtus, Deus virtutum*, § 132 ; mais dans les oraisons, *fortitudo* désigne toujours la force morale, v. ex. § 488 et 489.

Dieu est comparé à un guerrier ([3]) redoutable :

Dominus quasi **vir pugnator**, omnipotens nomen ejus (Ex. 15, 3), le Seigneur est comme un guerrier, tout-puissant est son nom ;

tu **terribilis** es, et quis resistet tibi ? (Ps. 75, 8), tu es terrible, qui pourra te résister (en évoquant la défaite des Assyriens ; cf. Ps. 47, 7-9).

Il ne faut pas oublier pourtant que *Dominus Sabaoth* (Jer. 11, 20 ; etc.), *Deus exercituum* (Is. 1, 9 ; etc.), désigne le Dieu des armées du ciel, du ciel étoilé, et que *exercitus cæli* (3 Reg.

---

2. Chez les auteurs chrétiens, *fortis* peut signifier « fort, puissant » : *forti ac sublimi voce* (Cypr. Hab. virg. 6), d'une voix haute et forte.

3. Cf. les expressions anthropomorphiques, § 59.

22, 19) désigne aussi les anges, la milice céleste (cf. Luc. 2, 13). Le chant du *Sanctus* est ainsi une louange à la majesté du Dieu du ciel : *et clamabant alter ad alterum et dicebant (Seraphim) : sanctus, sanctus, sanctus* ([4]), *Dominus, Deus exercituum, plena est omnis terra gloria ejus* (Is. 6, 3), ils criaient l'un à l'autre et disaient : saint, saint, saint, le Seigneur, Dieu des armées ; toute la terre est pleine de sa gloire.

§ 157 La confession du Dieu trois fois saint, dans cette vision, s'accompagne de crainte : les Séraphins se voilent la face (6, 2) ; le prophète lui-même a conscience de son indignité : *pollutus labiis ego sum* (6, 5), « mes lèvres, à moi, sont souillées. » C'est que le mot *sanctus*, dans les traductions latines de l'A. T., évoque un sentiment de crainte, en même temps que de vénération, lorsqu'il s'applique à Dieu :

ex. **sanctum et terribile nomen** *ejus ; initium sapientiæ* **timor** *Domini* (Ps. 110, 9-10), saint et redoutable est son nom ; la crainte du Seigneur est le premier pas dans la sagesse ; cf. **sancti nominis tui**, *Domine,* **timorem** *pariter et amorem fac nos habere perpetuum* (or. d. 2 p. Pent., Gel. I, 65), accordeznous, Seigneur, d'éprouver sans cesse la crainte, unie à l'amour, de votre saint nom ; pour le sentiment de la crainte de Dieu uni à la charité, v. § 473.

Yahvé se nomme le Saint d'Israël, *Sanctus Israel* (Ps. 88, 19 ; Is. 1, 4), et *sanctus* est l'épithète qui lui convient en propre :

ex. *sancti estote* ([5]), *quia ego* **sanctus** *sum* (Lev. 11, 44), soyez saints, car moi-même je suis saint ; cf. 20, 26 ;

fidelis Dominus in omnibus verbis suis, et **sanctus** *in omnibus operibus suis* (Ps. 144, 13), le Seigneur est vrai en toutes ses paroles, et saint dans toutes ses œuvres ;

non propter vos ego faciam, domus Israel, sed propter **nomen sanctum** *meum* (Ez. 36, 22), ce n'est pas à cause de vous que je le ferai, maison d'Israël, mais c'est pour mon saint nom ;

et s'applique naturellement au Christ : *ideoque id quod nascetur ex te* **sanctum** *vocabitur Filius Dei* (Luc. 1, 35), c'est pourquoi ce qui naîtra de toi sera saint : on l'appellera Fils de Dieu (litt., la sainteté, l'être saint qui naîtra de toi ...) ;

ex. dans les oraisons : *suscipe,* **sancte Pater**, *omnipotens Deus* (Offert.) ;

Domine sancte, *Pater omnipotens* (præf. et or. passim, Greg. 1, 18) ; *Domine,* **sancte Pater** (Leon. 403 et passim) ; *per invocationem tui* **sanctissimi nominis** (or. 1 ben. cand., 2 febr.), en faisant appel à votre nom très saint ;

---

4. La répétition est un hébraïsme, c'est une forme du superlatif ; mais la prière liturgique envisage aussi les trois Personnes divines.

5. La sainteté de Dieu exige que l'homme lui-même soit sanctifié, c'est-à-dire « séparé du profane », séparé du péché.

sanctum nomen tuum ([6]) (or. passim) ;

sancta Trinitas, *sanctissima Trinitas* (passim) ;

in nomine *sanctæ et individuæ Trinitatis* (Moz. L. ord. 15 et passim).

A *sanctus* correspond le substantif abstrait *sanctitas* :

ex. *psallite Domino, sancti ejus ; et confitemini memoriæ sanctitatis ejus* (Ps. 29, 5), chantez le Seigneur, vous, ses saints ; louez sa mémoire de sainteté ;

magnificentiam gloriæ *sanctitatis tuæ loquentur* (Ps. 144, 5), ils vanteront la glorieuse magnificence de ta sainteté.

La « gloire » est un attribut de Yahvé, qui exprime sa puissance :

ex. *et habitavit* *gloria* *Domini super Sinai* (Ex. 24, 16), et la gloire du Seigneur habita sur le Sinaï.

En qualifiant Jésus de « Seigneur de gloire » (1 Cor. 2, 8), saint Paul le met au même rang que Dieu.

2. LES VISITES ET
MANIFESTATIONS DIVINES

§ 158 Les mots *visitare* et *visitatio* sont fréquents, dans la Vulgate de l'A. T., pour désigner les interventions de Dieu, qu'il s'agisse de sauver (v. aussi § 162) ou surtout de punir :

ex. *quid est homo, quod memor es ejus, aut filius hominis, quoniam* *visitas eum ?* (Ps. 8, 5), qu'est-ce que l'homme, pour que tu te souviennes de lui ; qu'est le fils de l'homme, pour que tu le visites ? ;

sic *visitabo* *oves meas et liberabo eas* (Ez. 34, 12), je visiterai mes brebis et les délivrerai ;

visitans iniquitatem patrum in filios (Ex. 20, 5), (je suis le Dieu jaloux) qui vient punir la faute des pères sur les enfants ;

visitabo in virga (cit. § 146) ;

quid facietis in **die visitationis** *et calamitatis de longe venientis ?* (Is. 10, 3), que ferez-vous au jour de la visite et du malheur qui de loin viendra ?

Mais dans le N. T., ces termes ne s'emploient qu'en bonne part, pour désigner soit la venue du Messie, l'Incarnation, soit la parousie (v. ces Chapitres).

Le mot *dies* peut exprimer le jour marqué par Dieu pour le jugement et le châtiment, cf. supra : *dies visitationis* ;

ex. *ululate, quia prope est* **dies Domini***, quasi vastitas a Domino veniet* (Is. 13, 6), hurlez, car il est proche le jour du Seigneur : il arrivera comme une dévastation de Dieu ;

ecce **dies Domini** *veniet, crudelis et indignationis plenus, et iræ furorisque* (ibid. 13, 9), voici venir le jour du Seigneur, cruel et plein d'indignation, de colère et de fureur ;

---

6. *Sanctum nomen* s'applique aussi au saint nom de Jésus (or. S. S. Nom. Jes.).

in die Jerusalem (Ps. 136, 7), au jour du châtiment de Jérusalem ;

*dies iræ, dies illa, dies tribulationis et angustiæ, dies
calamitatis et miseriæ ..., dies tubæ et clangoris* (Soph. 1, 15),
jour de colère, celui-là, jour de tribulation et d'angoisse, jour
de calamité et de malheur, ... jour où éclateront les trompettes
(de guerre).

On sait que ce texte a inspiré l'auteur du *Dies iræ*. Pour
dies, désignant le jour du Jugement, v. Parousie.

Mais le jour de Yahvé, *dies Domini*, peut être aussi un jour
d'espérance et de délivrance, lorsqu'il punira les méchants
(Mal. 4, 1).

Jésus s'applique cette expression, lorsqu'il dit : *Abraham,
pater vester, exsultavit, ut videret **diem meum** : vidit et gavisus
est* (Jo. 8, 56), Abraham, votre père, a tressailli de joie à la
pensée de voir mon jour : il l'a vu et s'est réjoui.

Yahvé « sort », comme un chef d'armée à la tête de ses
troupes, *quasi bellator* (Jer. 20, 11) :

ex. *quia tunc **egredietur** Dominus ante faciem tuam, ut
percutiat castra Philisthiim* (2 Reg. 5, 24), car alors le Seigneur
sortira devant toi, pour frapper le camp des Philistins ;

*et non **egredieris**, Deus, in virtutibus nostris* (Ps. 43, 10), tu
ne sortiras plus, ô Dieu, avec nos armées (nous serons battus) ;
cf. Ps. 67, 8.

On a vu le mot *venire*, avec d'autres expressions anthropomorphiques, dans la Ie partie : supplication, demande.

3. DIEU UNIQUE, DIEU VIVANT

§ 159 Les mots *unus, unitas*, dans le latin liturgique, se
rapportent généralement à l'unité de Dieu en trois personnes ([1]), v. Trinité.

Quant à l'unicité de Dieu, le monothéisme, c'est une notion
qui est, pour les chrétiens, inséparable de l'idée divine. Pour
les Hébreux, c'était une affirmation à défendre sans cesse
contre le polythéisme des nations environnantes :

*audi, Israel, Dominus Deus noster, **Dominus unus** est*
(Deut. 6, 4), écoute, Israël, le Seigneur notre Dieu est le Seigneur unique ;

*quis Deus præter Dominum ? aut quis Deus præter Deum
nostrum ?* (Ps. 17, 32), qui est Dieu, hors le Seigneur ? qui est
Dieu, hors le nôtre ?

---

1. Dans l'ex. suivant, il s'agit de la Trinité tout entière à laquelle nous fait
participer le sacrement : *Deus, qui nos, per hujus sacrificii veneranda commercia, unius
summæ divinitatis participes effecisti* (secr. d. 4 p. Pasch., Gel. I, 59), ô Dieu, qui, par
le vénérable échange opéré dans ce sacrifice, nous avez fait participer à votre unique
et souveraine divinité.

non est Deus præter te (Eccli. 36, 5), il n'y a pas d'autre Dieu que toi ;

recordamini ... quoniam ego sum Deus, et non est vltra Deus, nec est similis mei (Is. 46, 9), souvenez-vous que je suis Dieu, et qu'il n'y en a pas d'autre, ni de pareil à moi ; cf. 44, 6 ;

ecce enim Deus noster quem colimus ... deos tuos non colimus (Dan. 3, 17-18), notre Dieu que nous adorons ... nous n'adorons pas tes dieux ;

ego Dominus, hoc est nomen meum ; gloriam meam alteri non dabo, et laudem meam sculptilibus (Is. 42, 8), moi, le Seigneur, c'est mon nom ; je ne céderai pas ma gloire à un autre, ni mon honneur aux idoles.

Les dieux des nations ne sont en effet que des idoles sans vie : *aures habent et non audient* (Ps. 113, 6), ils ont des oreilles et n'entendront pas ;

des simulacres de métal : **simulacra** *gentium argentum et aurum, opera manuum hominum* (Ps. 113, 4), les idoles des nations, c'est de l'or et de l'argent, une œuvre de main d'homme ;

des objets sculptés ou fondus, *sculptilia, conflatilia* (passim) ; cf. *simulacra aurea et argentea et ærea et lapidea et lignea* (Apoc. 9, 20), idoles d'or, d'argent, de bronze, de pierre ou de bois ;

des idoles, *idola* (passim), c'est-à-dire de simples images (εἴδωλον).

Saint Paul a encore besoin d'affirmer l'unicité de Dieu, en face de l'idolâtrie, *idololatria* (Act. 17, 16 ; etc.) :

unus Deus, *et Pater omnium, qui est super omnes et per omnia et in omnibus nobis* (Ephes. 4, 6), un seul Dieu, et Père de tous, qui est au-dessus de tous, en tout et en nous tous ;

scimus quia nihil est **idolum** *in mundo, et quod nullus est Deus, nisi Unus* (1 Cor. 8, 4), nous savons qu'une idole n'est rien dans le monde, et qu'il n'y a pas d'autre Dieu que l'Unique ;

conversi estis ad Deum a **simulacris**, *servire Deo vivo et vero* (1 Thess. 1, 9), vous avez quitté les idoles pour vous convertir à Dieu, pour servir le Dieu vivant et véritable ; cf. *simulacra muta* (1 Cor. 12, 3), les idoles muettes ; *idolis servientes* (1 Cor. 6, 9), ceux qui sont esclaves des idoles.

Dans les oraisons du Vendredi-Saint, on ne fait allusion aux lointains païens et idolâtres que pour prier en vue de leur conversion :

oremus et pro **paganis**, *ut ... relictis* **idolis** *suis, convertantur ad Deum vivum et verum* (or. 9, Gel. I, 41, 416), prions aussi pour les païens, ... qu'ils abandonnent leurs idoles et se convertissent au Dieu vivant et véritable ; cf. *idolorum cultura* (ibid.).

Anathema, offrande, ex-voto (Judith 16, 23), signifie ordinairement, dans l'A. T., « objet de malédiction » (personne ou chose) pour son contact avec l'idolâtrie (Deut. 7, 26 ; Jos. 6, 17) ; pour *anathema*, victime expiatoire, v. Rom. 9, 3.

§ 160 Être infidèle au vrai Dieu, après l'avoir adoré, et se tourner vers les idoles, c'était pour les Hébreux une infidélité, une fornication ([2]) :

ex. ***fornicabitur*** *post deos alienos* (Deut. 31, 16), il va se prostituer en suivant des dieux étrangers ;

et ***fornicari*** *fecisti Judam et habitatores Jerusalem, imitatus* ***fornicationem*** *domus Achab* (2 Par. 21, 13), à cause de toi, Juda s'est prostitué, ainsi que les habitants de Jérusalem ; tu as imité, dans sa fornication, la maison d'Achab.

Adulter, adulterium et les mots de la même famille désignent aussi, en latin biblique, l'infidélité à Dieu, l'idolâtrie (Jer. 9, 2 ; Ez. 23, 43 ; etc.) ; cf. *generatio mala et* ***adultera*** (Mat. 12, 39).

L'action d'être infidèle à Dieu, de se détourner de lui, se nomme aussi *aversio* (Jer. 2, 19 ; 14, 7).

L'idolâtrie est une « abomination » que Dieu a en horreur : *maledictus homo qui facit sculptile et conflatile,* ***abominationem*** *Domini* (Deut. 27, 15), maudit soit l'homme qui fait une idole sculptée ou fondue, abomination au Seigneur ; cf. *cum videritis abominationem desolationis* (à la fin du monde) (Mat. 24, 15 ; Dan. 9, 27).

Dans le Sacramentaire Léonien, ce mot désigne encore les pratiques païennes : *cunctis* ***abominationibus*** *abdicatis* (623), renonçant à toutes les abominations.

Dans le livre de la Sagesse, il est dit que l'oubli de Dieu, *Dei immemoratio*, pour le culte des idoles, entraîne toutes sortes de péchés contre nature : *animarum inquinatio, nativitatis immutatio* (14, 26), souillure des âmes, crimes contre nature.

Alienigenæ, alieni ([3]), comme *gentes*, ce sont les Gentils, les non-juifs, les païens : ex. ***alienigena*** *conversatio* (2 Mac. 4, 13), vie païenne ;

quoniam omnes dii ***gentium*** *dæmonia* (Ps. 95, 5), car tous les dieux des nations sont des démons.

---

2. En Num. 14, 33, il s'agit de l'infidélité à Dieu, des révoltes et des murmures contre lui. Encore l'éloignement de Dieu : *qui fornicantur abs te* (Ps. 72, 27).

3. Cf. *alienari* et *abalienari*, se détourner de Dieu : ex. *alienati sunt peccatores a vulva* (Ps. 57, 4), dès leur naissance, les pécheurs se sont détournés ; *si alienatus fuerit a me et posuerit idola* (Ez. 14, 7), s'il s'est détourné de moi pour installer des idoles.

Dereliquerunt Dominum, blasphemaverunt Sanctum Israel, abalienati sunt retrorsum (Is. 1, 4), ils ont abandonné le Seigneur, outragé le Saint d'Israël, ils se sont détournés de lui.

Mais *alienatio* (en Job 31, 3) signifie « le fait d'être rejeté par Dieu ».

Apostatrices (⁴) *gentes* (Ez. 2, 3) désigne les Juifs qui se sont détournés de Dieu.

Pour les chrétiens (Tert. ; Cypr. ; Aug. ; Hier. ; etc ;), *gentes* a désigné aussi les païens : *nos autem prædicamus Jesum crucifixum, Judæis quidem scandalum,* **gentibus** *autem stultitiam* (1 Cor. 1, 23), pour nous, nous prêchons un Jésus crucifié, scandale pour les Juifs, folie pour les païens.

Mais dans les oraisons, *gentes* désigne simplement les « nations » à évangéliser ou les nations en général :

ex. *da, ut omnes* **gentes** *... Spiritus Sancti participatione regenerentur* (or. p. proph. 2 vigil. Pent. ; *Spiritus tui*, Gel. I, 77), faites que toutes les nations soient régénérées en participant à votre Saint-Esprit ;

Ipse cunctis **gentibus** *unitatis et pacis dona concedat* (secr. D. N. J. Chr. Regis), que Lui-même accorde à toutes les nations le don de l'unité et de la paix.

§ 161 Comme il n'y a qu'un seul Dieu, il est le seul véritable et vivant ; les épithètes *verus* et *vivus* s'appliquent tout naturellement à Celui qui est l'Unique et dont on affirme la réalité vivante :

est **Dominus vivus** *ipse, in cælo potens, qui jussit* ... (2 Mac. 15, 4), c'est le Seigneur vivant lui-même, souverain des cieux, qui a ordonné ... ;

vivo (⁵) *ego, dicit Dominus* (Ez. 33, 11), par ma vie, dit le Seigneur ; cf. Job 19, 25) ;

et pervertisti verba **Dei viventis** (Jer. 23, 36), vous avez perverti les paroles du Dieu vivant ; cf. Dan. 6, 26 ; etc.

L'expression *Deus verus* est fréquente aussi dans le N. T., ainsi que celles qui sont formées avec *vivens, vivus* :

ex. *tu es Christus, Filius* **Dei vivi** (Mat. 16, 17), tu es le Christ, Fils du Dieu vivant ;

ut cognoscant te, solum **Deum verum** (Jo. 17, 3), qu'ils vous connaissent, vous, le seul vrai Dieu ;

converti ad **Deum vivum**, *qui fecit cælum et terram* (Act. 14, 14), se convertir au Dieu vivant, qui a fait le ciel et la terre (qui s'est montré vivant en créant) ; cf. Ps. 145, 5 ;

et juravit per **viventem** *in sæcula sæculorum* (Apoc. 10, 6), et il jura par Celui qui vit dans les siècles des siècles ;

horrendum est incidere in manus **Dei viventis** (Hebr. 10, 31), il est affreux de tomber entre les mains du Dieu vivant ;

servire **Deo vivo et vero** (1 Thess. 1, 10), servir le Dieu vivant et véritable ;

---

4. Les mots de la même famille, concernant l'apostasie, ne se rencontre pas en ce sens dans le latin biblique, ni dans les Sacramentaires ; v. § 324 note.

5. C'est une formule de serment « aussi vrai que je suis vivant » : autre ex. *vivit Dominus* (1 Reg. 14, 39 ; 17, 1), aussi vrai que vit le Seigneur ; cf. Is. 49, 18 ; Rom. 14, 11.

*ecclesia **Dei vivi*** (1 Tim. 3, 15), l'Église du Dieu vivant.

Ces formules se retrouvent dans les oraisons :

ex. *ad confitendum te **Deum vivum** et Dominum nostrum Jesum Christum* (Leon. 285), (qui avez inspiré à saint Pierre) de vous confesser, vous, le Dieu vivant, ainsi que notre Seigneur Jésus-Christ ;

*Domine Jesu Christe, Fili **Dei vivi*** (postc. m. vot. de Pass.) ; cf. Mat. 16, 17 ;

*hostiam quam ego ... offero tibi **Deo meo vivo et vero*** (Offert.), l'offrande que je vous présente, à vous, mon Dieu vivant et vrai ;

*fiat templum **Dei vivi** in remissionem omnium peccatorum* (Greg. 206, 1), qu'il devienne le temple du Dieu vivant pour la rémission de tous ses péchés ;

tibique reddunt vota sua æterno Deo, vivo et vero (Canon, Gel. III, 17, 1245) et vous adressent leurs prières, à vous, Dieu éternel, vivant et vrai.

4. DIEU QUI SAUVE

§ 162 Les supplications du Psalmiste implorent le salut : *libera me, salva me, salvum me fac* (passim) ; il demande, non seulement à être sauvé de ses ennemis, mais à être purifié et libéré de son péché et de toute la misère humaine (Ps. 50). La confiance de Job va même au-delà de la tombe ([1]) : *scio enim quod **redemptor** meus vivit, et in novissimo die de terra surrecturus sum* (19, 25), je sais que mon rédempteur vit et qu'au dernier jour je ressusciterai de la terre.

Autres ex. de *redimere, redemptor*, en parlant de Dieu :

***redimet** Dominus animas servorum suorum* (Ps. 33, 23), le Seigneur rachètera l'âme de ses serviteurs ;

***redime** me a calumniis hominum* (Ps. 118, 134), délivre-moi des accusateurs ;

*Domine, adjutor meus et **redemptor** meus* (Ps. 18, 15), Seigneur, mon aide et mon libérateur ; cf. Ps. 77, 35 ;

*hæc dicit Dominus, **redemptor** Israel* (Is. 49, 7).

Dans toute l'histoire d'Israël s'affirme la croyance en la protection ([2]) du Dieu qui a déclaré vouloir habiter avec son peuple : *ponam tabernaculum in medio vestri ... ambulabo inter vos et ero Deus vester* (Lev. 26, 11-12), je placerai ma tente au milieu de vous ... je marcherai parmi vous et je serai votre Dieu.

Les termes désignant le salut et le sauveur reviennent à chaque instant dans les Psaumes :

---

1. Du moins selon l'interprétation de la Vulgate ; pour les autres interprétations, voir la note de la Bible de Jérusalem.

2. Pour le mot *protector* et équivalents, voir, dans la Ie partie, la supplication ; dans la IIe partie, la Providence, la bonté divine.

ex. *protector meus et cornu salutis meæ* (Ps. 17, 3), mon protecteur et ma corne de salut ; v. *cornu*, § 165 ;

Domini est salus (3, 9), du Seigneur vient le salut ;

quoniam ipse Deus meus et salvator meus (61, 7) ;

protector salvationum christi sui est (27, 8), rempart de salut pour son oint (le roi).

Ex. dans les écrits prophétiques :

ego sum, ego sum Dominus, et non est absque me salvator (Is. 43, 11), c'est moi, c'est moi qui suis le Seigneur, et il n'y a pas d'autre sauveur que moi ;

salvator non est præter me (Os. 13, 4).

L'adjectif substantivé, *salutaris*, masc. et *salutare*, neutre [3], indique que le Seigneur est le salut lui-même :

ex. *Deus, salutaris noster* (Ps. 84, 5), Dieu, notre salut ;

et super salutare tuum exultabit (rex) vehementer (Ps. 20, 2), le salut qui vient de toi le comblera de joie ;

sacerdotes ejus induam salutari (Ps. 131, 16), ses prêtres, je les revêtirai de salut ;

et videbunt omnes fines terræ salutare Dei nostri (Is. 52, 10), et toutes les nations verront le salut de notre Dieu (nuance messianique) ;

bonum est præstolari cum silentio salutare Dei (Jer. lam. 3, 26), il est bon d'attendre en silence le salut de Dieu ;

ex. de plur. augmentatif : *prosperum iter faciet nobis Deus salutarium nostrorum* (Ps. 67, 20), il nous donnera la chance,]e Dieu de nos saluts (qui nous sauve de toutes manières).

§ 163 Dans le N. T., *Salvator* désigne soit la divinité salutaire, selon les anciennes formules : *quia speramus in Deum vivum, qui est Salvator omnium hominum, maxime fidelium* (1 Tim. 4, 10), car nous espérons dans le Dieu vivant, le Sauveur de tous les hommes, en particulier des croyants ;

soit le Sauveur, le Christ (Luc. 2, 11 ; 2 Petr. 2, 20 ; etc.), v. Rédemption, § 223-233.

Le « *Nunc dimittis* » du vieillard Siméon reprend l'ancienne formule pour l'appliquer au Messie qu'il reconnaît en Jésus : *quia viderunt oculi mei salutare tuum* (Luc. 2, 30), car mes yeux ont vu le salut qui vient de toi. Dans le « *Magnificat* » Marie reprend le thème traditionnel: *et exultavit spiritus meus in Deo salutari meo* (Luc. 1, 47), et mon esprit tressaille de joie en Dieu, mon Sauveur.

Dans les oraisons, l'épithète *salutaris* s'applique à un grand nombre d'objets qui ne concernent pas ce chapitre : secours salutaire ; bonnes œuvres salutaires, dons salutaires, sacrifice, mystères salutaires, etc. Seule, l'expression *Deus salutaris*

---

3. Dans l'ex. suivant, il s'agit du sens purement abstrait de salut, sûreté : *ponere in salutari* (Ps. 11, 6).

noster (or. passim, Greg. 39, 1) « ô Dieu, notre Sauveur » rappelle les formules de l'A. T. ; de même que *salutare tuum* (or. passim, Greg. 188, 2) « le salut qui vient de vous », qui désigne l'eucharistie (v. ce chapitre).

Ex. d'un sens plus général, « ce qui nous sauve » : *(humana mortalitas) abstrahatur a noxiis et ad salutaria dirigatur* (or. d. 14 p. Pent., Gel. III, 10), soit arrachée à ce qui lui est nuisible et dirigée vers ce qui la sauve.

Les mots *salus*, *salvare*, dans le N. T. et les oraisons, désigne ordinairement le salut éternel : v. rédemption, ciel, vie éternelle. Mais il s'agit du sens général dans l'expression *salutem mentis et corporis* (or. passim, Leon. 659, etc.), le salut de l'âme et du corps (les biens spirituels et les biens nécessaires à la vie physique, tels que la santé) ; *salvari corpore et mente* (postc. p. peste animal., Gel. III, 42), avoir la santé du corps et de l'âme.

Salvator, dans le N. T. comme dans les oraisons, désigne le Sauveur, sauf dans l'ex. suivant où il remplace *æterne Deus* : *præsta nobis, æterne Salvator* (postc. p. remiss. peccat., la même oraison, en Gel. I, 56, porte *omnipotens Deus)*, accordez-nous, Sauveur éternel...

5. DIEU FIDÈLE EN SES PROMESSES

§ **164** *Fidelis Dominus in omnibus verbis suis* (Ps. 144, 13), le Seigneur est vrai en toutes ses paroles ;

... *et adorabunt (reges) ... quia fidelis est* (Is. 49, 7), des rois se prosterneront ... car il est fidèle ; cf. *fidelis Deus* (1 Cor. 1, 9) ;

tu autem, Deus noster, suavis et verus es (Sap. 15, 1), mais toi, notre Dieu, tu es bon et fidèle ;

patiens et multæ misericordiæ et verax (Ps. 85, 15), lent à la colère, plein de miséricorde et de fidélité ; cf. Ex. 34, 6.

Deus verax se rencontre aussi dans le N. T. (Jo. 3, 33 ; 8, 26 ; Rom. 3, 4).

Pas d'ex. de ce sens dans le Missel actuel, mais un dans le Sacramentaire Gélasien (III, 37, 1373) : *Domine Deus noster, verax promissor* (¹).

Terra promissionis ou *repromissionis* (Tert. ; Aug. ; etc.), c'est la terre promise. Dans le N. T., *promissio, repromissio, promissum* désignent quelquefois aussi la terre promise (Hebr. 11, 9), les promesses faites à Abraham (Gal. 3, 16 ; cf. Gen. 22, 17) ; surtout la promesse du Messie (v. § 175) ; la promesse du Saint-Esprit (§ 218) ; les promesses éternelles (§ 303).

Les promesses de bonheur, *benedictiones* (Ex. 32, 29 ; Ps. 3, 9 ; etc.), les promesses de malheur, *maledictiones* (Gen. 27, 12 ; Ps. 108, 18 ; etc.), sont souvent formulées par Dieu d'une manière solennelle :

---

1. Cf. *fidelis promissor* (Aug. Conf. 9, 3, 5).

ex. *ut juravi in ira mea : si introibunt in requiem meam* (Ps. 94, 11), comme j'ai juré dans ma colère qu'ils n'entreraient pas dans mon repos (²) ;

sicut juravit patribus nostris (Deut. 19, 8), comme il l'a juré à nos pères ;

vivo ego (v. § 161) ;

loquens locutus sum ut... (1 Reg. 2, 30), j'ai bien dit que... ;

pœnitentiam agam super bono quod locutus sum ut facerem ei (Jer. 18, 10), je me repentirai du bien que j'avais promis de lui faire ;

complens juramentum quod spopondi Abraham, patri tuo (Gen. 26, 3), accomplissant le serment que j'ai fait à Abraham, ton père.

Accomplir une promesse se dit aussi *implere, adimplere.*

Testamentum, promesse (pour les autres sens, v. Écriture sainte, § 168) :

ex. *(Phinees) accepit testamentum sacerdotii æterni* (1 Mac. 2, 54), reçut la promesse d'un sacerdoce éternel ; cf. Judith 9, 18.

Dans les Psaumes, *testamentum* désigne l'alliance, qui est aussi une promesse dont Dieu se souvient (104, 8 ; 110, 5 ; 131, 12 ; etc.).

6. QUELQUES EXEMPLES DE VOCABULAIRE
FIGURÉ OU SYMBOLIQUE DANS LES PSAUMES

§ 165 *Ala, brachium, dextera*, v. expressions anthropomorphiques de la supplication, § 57.

Aqua, plur., les grandes eaux, le malheur qui submerge : *in diluvio aquarum multarum, ad eum non approximabunt* (31, 6), dans un déluge de maux, ceux-ci ne pourront l'atteindre ; *quoniam intraverunt aquæ usque ad animam meam* (68, 2), car les flots du malheur ont submergé mon âme ; cf. Jer. lam. 3, 54 ; en Jer. 9, 18, il s'agit des larmes.

Calceamentum, chaussure, possession, domination (¹) : *in Idumæam extendam calceamentum meum* (107, 10 et 59, 10), sur Edom je jetterai ma sandale (geste de prise de possession).

Calix (²), la coupe, le lot, la portion : *spiritus procellarum, pars calicis eorum* (10, 7), « le souffle des tempêtes, voilà leur lot » ; d'où, la destinée, bonne ou mauvaise, de chacun :

---

2. Inversement, *jurare nisi* a le sens affirmatif : jurer que telle chose se fera (Hebr. **6,** 13).

Pour saint Hilaire (Tr. psal. 91, 8), le repos de Dieu, c'est le Christ et la béatitude éternelle ; cf. *festinemus ergo ingredi in illam requiem* (Hebr. 4, 11) ; v. § 94.

1. *Si quando alter alteri suo juri cedebat ... solvebat homo calceamentum suum et dabat proximo suo* (Ruth 4, 7), si quelqu'un cédait son droit à un autre, il ôtait sa chaussure et la lui passait.

2. Cf. la coupe de la colère divine : *calix iræ, furoris* (Is. 51, 17 ; Jer. 25, 15).

*Dominus, pars hereditatis meæ et **calicis** mei* (15, 5), le Seigneur, ma part d'héritage et mon lot ; cf. 22, 5 ; 74, 9 ; cf. la coupe d'amertume de la Passion (Mat. 20, 22 ; Luc. 22, 42 ; Jo. 18, 11).

Cathedra, siège : *beatus vir qui non abiit in concilio impiorum ... et in **cathedra** pestilentiæ non sedit* (1, 1), « bienheureux l'homme qui n'est pas allé au conseil des impies ... qui ne s'est pas assis sur le siège empesté. » Les théologiens appliquaient volontiers, d'une manière accommodatice, l'expression « chaire empestée » aux enseignements de l'hérésie.

Cornu, corne, symbole de force et de puissance : *protector meus et **cornu** salutis meæ* (17, 3), mon protecteur et ma corne de salut ; cf. 74, 5 ; 88, 18 ; Jer. lam. 2, 3 ; Luc. 1, 69.

Facies, face : le mot a formé de nombreuses locutions dans le latin biblique, v. le Dictionnaire. Voici les principales que l'on trouve dans les Psaumes : a) surface, aspect : *tanquam pulvis, quem projecit ventus a **facie** terræ* (1, 4), comme la poussière, que le vent chasse de sur la terre ; b) la face, la présence, la personne : *usque avertis **faciem** tuam a me ?* (12, 1), jusques à quand vas-tu détourner de moi ta face ? cf. *ne avertas **faciem** tuam a me* ([3]) (26, 9) ; c) sens variés : *a facie*, en face de, devant : ex. *a **facie** iræ tuæ* (37, 4), en face de ta colère ; *fugere a **facie** arcus* (59, 6), s'enfuir devant l'arc ; *ante **faciem** frigoris ejus quis sustinebit ?* (147, 17), devant sa froidure, qui peut résister ?

§ 166 *Filia*, fille, habitante, celle qui habite le mont Sion, Jérusalem : *in portis **filiæ** Sion* (9, 15), aux portes de la fille de Sion ; *filia Chaldæorum* (136, 8), en parlant de Babylone ; V. d'autres locutions bibliques dans le Dictionnaire.

Firmamentum ([4]), forteresse, soutien, raffermissement : *Dominus **firmamentum** meum et refugium meum* (17, 3 ; 70, 3), le Seigneur est ma place-forte et mon lieu de refuge.

Inferus, l'outre-tombe, la mort : *verumtamen Deus redimet animam meam de manu **inferi*** (48, 16), « mais Dieu rachètera mon âme (ma vie) de la mort » ; le mot est ordinairement au plur. dans le latin biblique : *ad inferos, ab inferis*.

Infernum, même sens : *veniat mors super illos, et descendant in **infernum** viventes* (54, 16), « que la mort vienne sur eux, et qu'ils descendent vivants dans le shéol » ; et symboliquement, le malheur : *eruisti animam meam ex **inferno** inferiori* (85, 13), tu m'as arraché au plus profond de l'abîme.

Lacus, fosse tombe, mort : *æstimatus sum cum descendentibus*

---

3. La face de Dieu, c'est aussi le temple, le sanctuaire : *quando veniam et apparebo ante faciem Dei* ? (Ps. 41, 3), quand irai-je et paraîtrai-je devant la face de Dieu ?

4. *Firmamentum*, le firmament, la voûte solide du ciel, selon les anciens : Gen. 1, 8 ; Ps. 18, 2 ; etc.

in lacum (87, 5), j'ai été compté parmi ceux qui descendent dans la tombe ; cf. 27, 1 ; Is. 14, 15 ; Ez. 26, 20.

Liber, v. *scriptura*.

Mons désigne souvent la montagne sainte, le mont Sion où Yahvé a établi sa demeure : *mons in quo beneplacitum est Deo habitare in eo* (67, 17 et passim), « la montagne où il a plu à Dieu de fixer sa demeure ». C'est aussi sa demeure céleste : *exaudivit me de monte sancto suo* (3, 5), il m'a entendu du haut de sa montagne sainte ; cf. 19, 7 ; 120, 7.

Osculari, se donner le baiser de paix, s'unir, se rencontrer : *misericordia et veritas obviaverunt sibi ; justitia et pax osculatæ sunt* (84, 11), « la miséricorde et la vérité se sont rencontrées ; la justice et la paix se sont embrassées » ; ce sont les attributs divins qui sont personnifiés ici : à la venue du Messie, ces deux aspects de la divinité, la justice et la miséricorde, viendront se concilier à nos yeux.

Oleum, huile, symbole de joie ([5]) : *ut exhilaret faciem in oleo* (103, 15), pour que l'huile égaie les visages ; *dilexisti justitiam et odisti iniquitatem ; propterea unxit te Deus, Deus tuus, oleo lætitiæ præ consortibus tuis* (44, 8), tu as aimé la justice et détesté l'iniquité ; c'est pourquoi Dieu, ton Dieu, t'a donné l'onction avec l'huile d'allégresse, plus qu'à aucun de tes semblables (Intr. de la messe « Dilexisti »).

Pascua, pâturage, beau pâturage, lieu de bonheur : *Dominus regit me et nihil mihi deerit : in loco pascuæ, ibi me collocavit* (22, 2 ; cf. 78, 13), « le Seigneur m'a conduit et rien ne me manquera ; dans un bon pâturage, c'est là qu'il m'a placé ; » c'est déjà l'image du Bon Pasteur.

§ 167 *Scabellum*, banc, escabeau ; en Orient, le monarque posait le pied sur le dos du vaincu prosterné à terre : *donec ponam inimicos tuos scabellum pedum tuorum* (109, 1), « jusqu'à ce que je fasse de tes ennemis ton escabeau ». Ce mot désigne aussi l'escabeau du trône de Dieu, la terre (Is. 66, 1) ; et, dans les Psaumes, le sanctuaire de Jérusalem : *adorate scabellum pedum ejus, quoniam sanctum est* (98, 5), prosternez-vous devant son piédestal, car il est saint.

Scriptura, écrit, registre : *Dominus narrabit in scripturis populorum* (86, 6), « le Seigneur inscrira aux registre des peuples». Le Psalmiste faisait allusion aux registres du recensement ; les interprétations mystiques y voient la mémoire de Dieu enregistrant tous les faits de la vie des hommes. Même image à propos du mot *liber* : *imperfectum meum viderunt oculi tui, et in libro tuo omnes scribentur* (138, 16), tes yeux ont vu mon imperfection, et dans ton livre tout sera écrit ; *deleantur de libro viventium* (68, 29), qu'ils soient rayés du

---

5. Chez les Hébreux, l'huile était aussi un symbole de prospérité, de nourriture ; et chez les chrétiens, des bonnes œuvres, de la miséricorde.

livre des vivants (⁶). Dans l'Apocalypse, *non delebo eum de libro vitæ* (3, 5), il s'agit du livre où sont inscrits les élus, et ainsi dans les oraisons, v. ex. § 275.

Via, pl. *viæ*, les voies du Seigneur, les démarches de sa Providence : *prope es tu, Domine ; et omnes viæ tuæ veritas* (118, 151), tu es proche, Seigneur, toutes tes voies sont vérité ; cf. 24, 10 ; etc. ; v. des ex., en dehors des Psaumes, § 129. *Via*, la conduite, v. § 426.

Virga, le sceptre, le bâton de commandement, le gouvernement : *sedes tua, Deus, in sæculum sæculi ; virga directionis, virga regni tui* (44, 7), ton trône, ô Dieu, est pour les siècles des siècles ; sceptre de droiture est le sceptre de ton règne ; *virga*, la verge qui punit, v. § 146.

Viventes, les vivants : *tu es spes mea, portio mea, in terra viventium* (141, 6), tu es mon espoir, ma part, dans la terre des vivants ; cf. *in regione vivorum* (114, 9), Le Psalmiste pense à ici-bas ; les chrétiens pensent, soit à ceux qui composent l'Église (Hier. Ez. 11, 37, 15), soit surtout aux bienheureux dans le ciel (v. § 302) : *ad veram illam regionem viventium* (Hilar. Psal. 118, gimel 6), « à cette vraie contrée des vivants », principalement lorsqu'on chante le Psaume 114 à l'office des morts.

Vultus, le visage, la face bienveillante de Yahvé : *signatum est super nos lumen vultus tui, Domine* (4, 7), la lumière de ta face, Seigneur, est marquée sur nous ; *illuminet vultum suum super nos* (66, 2), qu'il fasse luire sur nous sa face ; cf. *illustra faciem tuam super servum tuum* (30, 17).

---

6. Cf. *omnis qui scriptus est in vita in Jerusalem* (Is. 4, 3), ceux qui sont inscrits pour (sur)vivre à Jérusalem (ceux qui échapperont aux envahisseurs).

III

L'ÉCRITURE SAINTE, LA PAROLE DE DIEU

1. TERMES DÉSIGNANT L'ÉCRITURE

§ 168 Dans le latin biblique, *testamentum* signifie pacte, alliance (attestée devant témoins), et spécialement pacte, alliance entre Dieu et l'homme :

ex. *evertisti* **testamentum** *servi tui* (Ps. 88, 40), tu as supprimé l'alliance de ton serviteur ;

novi **testamenti** *mediator est* (Hebr. 9, 15), il est le médiateur d'une nouvelle alliance ;

Deus, qui et idoneos nos fecit ministros novi **testamenti** (2 Cor. 3, 6), Dieu, qui nous a qualifiés pour être ministres d'une nouvelle alliance.

Puis, le document qui atteste cette alliance, les deux Testaments, l'ancien et le nouveau :

ex. *in lectione* **veteris testamenti** (2 Cor. 3, 14), à la lecture de l'Ancien Testament ;

novi testamenti *luce* (or. p. proph. 2 vigil. Pent., Gel. I, 77), à la lumière du Nouveau Testament ;

Deus, qui nos ... **utriusque testamenti** *paginis* ([1]) *instruis* ([2]) (or. sabb. sc. vet. ord., Greg. 84, 3 ; *paginis imbuisti*, Gel. I, 47, 437), ô Dieu, qui nous apprenez, par la lecture de l'un et l'autre Testament, (à célébrer le mystère pascal).

Lectio, lecture, signifie aussi, au sens concret, lecture, leçon, texte, passage (de l'Écriture) : *lectio sacra, lectio prophetica, lectio evangelica, apostolica* (Aug. ; Ambr. ; Leo-M. ; Greg.-M.). Le mot *legere* lui-même, sans autre détermination, peut désigner une lecture de la Bible : ex. *alienum quippe ab hac nativitate est, quod de omnibus* **legitur** (Leo-M. Serm. lect. 5 Nat. Dom.), est étranger à cette naissance tout ce qu'on lit de toutes les autres (pour introduire une citation de Job 14, 4 sur l'impureté originelle de l'homme).

Scriptura, écrit, puis l'Écrit par excellence, le Livre ([3]) (τὰ βιϐλία, Sept.), l'Écriture :

---

1. *Pagina*, feuille, page, écrit, a désigné aussi l'Écriture sainte : *pagina sancta* (Hier. Ep. 22, 17) ; *pagina divina* (Aug. Ep. ad cath. 8, 22) ; *sanctarum paginarum voces* (id. Parm. 1, 1, 1), les paroles de la sainte Écriture.

2. Allusion aux lectures distribuées dans tout le cours du cycle liturgique. L'Écriture sainte nous « instruit », c.-à-d. nous munit, nous équipe de tout ce que nous devons savoir sur Dieu ; d'où *instrumentum*, employé aux premiers siècles concurremment avec *testamentum* (Tert.) ; *lege evangelium, instrumentum tuum* (Aug. Serm. 36, 8), lis l'Évangile, le document de ta foi.

3. *Biblia, Biblia sacra*, fém. ou pl. n., n'est pas du latin ancien (ex. Imit. J. Chr. 1, 3). Il y a toutefois, dans l'ancienne traduction de saint Clément (Cor. 2, 14, 2) : *biblia et apostoli*, les livres (des prophètes) et les épîtres.

ex. dum loqueretur in via et aperiret nobis scripturas (Luc.
24, 32), tandis qu'il nous parlait et nous expliquait les Écritures ;

quod ante promiserat per prophetas suos in scripturis sanctis,
(Rom. 1, 2), qu'il avait promis d'avance par ses prophètes
dans les saintes Écritures ;

reserante scripturas Domino (Leo-M. Serm. lect. 5, d. 2 p.
Pasch.), tandis que le Seigneur leur découvrait le sens des
Écritures.

Il s'agit, dans les exemples précédents, des écrits prophétiques, de même que dans les expressions *implere, adimplere
scripturas* (Mat. 26, 54 ; Tert. Adv. Marc. 3, 6 ; etc.), accomplir
les Écritures.

Chez les auteurs chrétiens, *scripturæ, scripturæ sanctæ,
scriptura sacra* désignent aussi naturellement les deux Testaments :

*ex. Deus, qui ecclesiæ tuæ in exponendis sacris scripturis
beatum Hieronymum ... providere dignatus es* (or. 30 sept.), ô
Dieu, qui avez daigné pourvoir votre Église, en la personne
de saint Jérôme, (d'un docteur éminent) dans l'explication des
saintes Écritures.

Scriptum est, il est écrit, rappelle ou annonce une citation
de l'Écriture : *scriptum est enim* (Mat. 4, 6 ; etc.), car il est
écrit ; *quæcumque scripta sunt, ad nostram doctrinam scripta
sunt* (Rom. 15, 4), tout ce qui a été écrit, le fut pour notre
instruction ; v. *scriptum est, dictum est*, § 173.

Apex, signe d'écriture, a désigné au figuré « un détail », le
moindre signe de l'Écriture : *unus apex non præteribit a lege*
(Mat. 5, 18), pas un seul signe ne passera de la Loi. Le même
mot au pluriel a désigné parfois la Bible (v. le Dict.).

En parlant de l'A.T., *lex* désigne soit la loi mosaïque, l'ancienne Loi : *qui in lege sunt* (Rom. 3, 19), *qui ex lege sunt* (4,14),
ceux qui appartiennent à la Loi, en parlant des Juifs;

Deus, qui dedisti legem Moysi in summitate montis Sinai
(or. 25 nov.), ô Dieu, qui avez donné la loi à Moïse sur le sommet du mont Sinaï ;

soit le Pentateuque (⁴), pour le distinguer des prophètes :

ex. nolite putare quoniam veni solvere legem aut prophetas
(Mat. 5, 17), ne croyez pas que je suis venu pour supprimer la
Loi et les Prophètes ;

*sive legis testificationi, sive oraculis prophetarum, sive
evangelicæ tubæ interiorem admoveamus auditum* (Leo-M.
Serm. 5 Circumc.), que nous prêtions l'oreille intérieure de
notre âme aux affirmations de la Loi ou aux proclamations
des prophètes ou aux accents de l'Évangile...

---

4. Chez les auteurs chrétiens, *lex vetus* peut désigner l'A. T. en général (Ambr. ;
Hier.).

§ 169 *Evangelium,* 1) Bonne nouvelle (Εὐαγγέλιον), bonne nouvelle du règne du Messie, de sa doctrine : ex. *Jesus ... prædicans* **evangelium** *regni* (Mat. 4, 23), proclamant la bonne nouvelle du royaume ;

en parlant de la révélation faite à saint Paul : *notum enim vobis facio, fratres,* **evangelium** ([5]), *quod* **evangelizatum** *est a me ... per revelationem Jesu Christi* (Gal. 1, 11-12), je vous fais connaître, mes frères, l'évangile que j'ai reçu par une révélation du Christ Jésus ;

quam speciosi pedes **evangelizantium** ([6]) *pacem* (Rom. 10, 15), qu'ils sont beaux les pieds de ceux qui s'en vont répandre le message de paix (de la réconciliation des hommes avec Dieu) ; cf. Is. 52, 7.

2) Évangile, récit des paroles et des actes du Christ : *initium* **evangelii** *Jesu Christi* (Marc. 1, 1).

3) Prédication de l'Évangile : ex. *collabora* **evangelio** (2 Tim. 1, 8), travaille avec moi pour l'Évangile ;

ubicumque praedicatum fuerit hoc **evangelium** *in toto mundo* (Mat. 26, 13), partout où sera proclamée cette Bonne Nouvelle dans le monde entier ;

verbum quod **evangelizatum** *est in vos* (1 Petr. 1, 25), la parole qui vous a été annoncée.

4) Évangile, doctrine du Christ : *loqui ad vos evangelium Dei* (1 Thess. 2, 3), prêcher devant vous l'évangile de Dieu.

Dans l'usage courant, le mot *evangelium* désigne soit le texte de l'Évangile, soit la doctrine de l'Évangile : *ad prædicandum æterni Regis* **evangelium** (postc. p. imper. ; *prædicando ... evangelio,* Gel. III, 62), pour la prédication de l'Évangile du Roi éternel.

2. LA PAROLE

§ 170 Le Christ révèle le Père par sa parole, son enseignement est oral, de même que celui de ses disciples : *qui verbum meum audit* ([1]) (Jo. 5, 24), qui entend ma parole ; *qui vos audit, me audit* (Luc. 10, 16) ; *qui ab initio ipsi viderunt et ministri fuerunt sermonis* (Luc. 1, 2), ceux qui furent, dès le début, les témoins et les serviteurs de la parole.

D'où l'importance des mots désignant la parole :

Verbum, sans parler ici du Verbe, du Fils de Dieu (v. Trinité), a revêtu un sens solennel, en désignant soit la parole de Dieu,

---

5. *Evangelium* signifie « doctrine » en général en Gal. 1, 6 : *transferimini ... in aliud evangelium,* que vous passiez à un autre évangile.

6. Dans le Psaume 67, 12, *evangelizare* signifie : annoncer une bonne nouvelle.

1. Cf. *auditus, -us,* action d'entendre la parole, (et par méton.) la parole de Dieu, sa prédication (Is. 53, 1) ; *fides ex auditu* (Rom. 10, 17), la foi naît de la prédication ; *ex auditu fidei* (Gal. 3, 2), après avoir entendu les paroles de foi ; *verbum auditus Dei* (1 Thess. 2, 13), la parole de Dieu que nous faisons entendre.

soit celle de ses ministres : ex. *non in solo pane vivit homo, sed in omni* **verbo** (ῥῆμα) *quod procedit de ore Dei* (Mat. 4, 4), l'homme ne vit pas seulement de pain, mais de toute parole qui sort de la bouche de Dieu ; cf. Deut. 8, 3 ; Sap. 16, 26 ;

cælum et terra transibunt, **verba** (λόγοι) *autem mea non transibunt* (Marc. 13, 31 ; Mat. 24, 35), le ciel et la terre passeront, mais mes paroles ne passeront point ;

verbum (ῥῆμα) *autem Domini manet in æternum* (1 Petr. 1, 25 ; Is. 40, 8), la parole du Seigneur demeure à jamais ;

Et in mundo conversatus Sparso **verbi** *semine* (« *Pange, lingua ... Corporis* »), passant dans le monde en répandant la semence de sa parole ;

mitte ... operarios ... et da eis cum omni fiducia **loqui verbum** *tuum* (or. miss. vot. p. propag. fid.), envoyez des ouvriers et faites qu'ils annoncent hardiment votre parole.

Le verbe *loqui* est employé pour désigner les manifestations de Dieu dans l'A. T., de Dieu qui, même avant Moïse, a parlé à Abraham et à ses descendants : *sicut* **locutus est** *ad patres nostros* (Luc. 1, 55) ;

non in abscondito **locutus sum** ... *ego Dominus* **loquens** *justitiam* (Is. 45, 19), je n'ai pas parlé en secret ... c'est moi, le Seigneur, qui parle avec justice ;

ecce dies veniunt, dicit Dominus ; et suscitabo **verbum** *bonum, quod* **locutus** *sum ad domum Israel* (Jer. 33, 14), voici venir les jours, dit le Seigneur, où j'accomplirai ([2]) la bonne parole que j'ai prononcée sur la maison d'Israël.

Dicere peut de même avoir ce sens solennel :

ex. **dixit** *Dominus Domino meo* (Ps. 109, 1), le Seigneur a dit à mon Seigneur ;

dixit *et facta sunt* (Ps. 148, 5), il a commandé et ils furent créés ;

v. ex. dans le N. T., § 173.

Sermo ([3]) désigne aussi la parole de Dieu, par ex. chez saint Ambroise : *sermo divinus* (Ep. 7, 5) ; *sermo cælestis* (Ep. 30, 9) ;

dans le Sacramentaire Léonien : *sicut* **sacer sermo** *pronuntiat* (823), comme le déclare la sainte Écriture ;

et dans les Épîtres : ex. *orate pro nobis ut* **sermo** (λόγος) **Dei** *currat et clarificetur* (2 Thess. 3, 1), priez pour nous, afin que la parole du Seigneur accomplisse sa course et soit glorifiée ; cf. *ut sermo tuus currat* (or. cit. p. prop. fid.) ;

---

2. *Verbum*, de même que *sermo* (Hebr. 4, 12), dans la Vulgate de l'A. T. (et quelquefois, par imitation, dans le N.T.), correspond dans certains cas à l'hébreu dâbâr et signifie « parole réalisée, fait, accident, action » : ex. *factus est vobis sermo hic* (Jer. 40, 3), tous ces maux (prédits) vous sont arrivés ; *reliqua ... sermonum Roboam* (3 Reg. 14, 29), les autres actions de R. ; cf. *videamus hoc verbum quod factum est* (Luc. 2, 15), voyons ce qui est arrivé.

3. *Sermo*, au sens de *Verbum*, le Verbe, est fréquent dans Tertullien.

vivus est **sermo Dei** *et efficax et penetrabilior omni gladio ancipiti* (Hebr. 4, 12), vivante est la parole de Dieu ; elle est efficace et plus pénétrante que n'importe quelle épée à double tranchant.

Quand on parle d'un confesseur, *sermo* peut désigner, non la parole de Dieu qu'il prêche, mais sa propre éloquence (⁴), donc sens classique : ex. *opere ac sermone potens* (or. 26 nov. p. al. loc.), puissant par sa parole et ses actes ; cf. *verbo et opere* (or. passim).

Sermo enfin désigne parfois la parole de Dieu, en tant que commandement :

ex. *si quis* **sermonem** *meum servaverit* (Jo. 8, 51), si quelqu'un garde ma parole.

Veritas, la Vérité personnifiée, le Verbe (Aug. Ver. rel. 37, 68), ou simplement le Christ : ex. *in ipso autem lectionis exordio, audistis quid* **Veritas** *dicit* (Greg.-M. Hom. ev. 30, lect. 2 Pent.), dès le début de cette lecture (Jo. 14, 23), vous avez entendu ce que dit la Vérité ;

agnita **veritatis** *tuæ luce, quæ Christus est* (or. 8 Parasc., Gel. I, 41, 415), après avoir reconnu la lumière de votre vérité, qui est le Christ.

§ 171 La parole de Dieu est un enseignement, *doctrina* (⁵) :

ex. *admirabantur turbæ super* **doctrina** *ejus* (Mat. 7, 28), son enseignement plongeait les foules dans l'admiration ; cf. Rom. 15, 4 (cit. § 168) ;

beati Joannis ... evangelistæ illuminata (ecclesia) **doctrinis** (or. 27 dec., Leon. 1283), éclairée par les enseignements de saint Jean, (votre) évangéliste.

Ou *disciplina* : ex. *cælestibus* **disciplinis** *ex omni parte nos instruens* (Gelas. ap. Sacr. Leon. 530), nous dispensant de toutes les manières un enseignement céleste ; v. cit. § 172 fin.

Erudire est synonyme de *instruere* :

ex. **erudire** *populum* (v. cit. § 10) ;

cujus (Matthæi Evangelistæ) magnificis prædicationibus (ecclesia) **eruditur** (secr. 21 sept. ; Gel. I, 7, s. Joan. Ev.), instruite par son enseignement sublime.

Tradere, faire connaître le symbole (aux catéchumènes) : *qui vobis mysteria* **tradimus** *(tradidimus ?)* (Gel. I, 35, 318).

Expliquer la parole de Dieu, les Écritures, se dit, chez les Pères, *exponere, explanare, aperire* (⁶), *disserere*. On distinguait, dans cette explication, la présentation des faits eux-mêmes,

---

4. *Sermo* désigne aussi un sermon, une homélie familière, et non un discours d'apparat.

5. *Doctrinis cælestibus erudita* (or. 2 p. « Pater » m. p. spons., Leon. 1110), instruite de la science qui vient du ciel, se réfère aux enseignements religieux en général. Dans les oraisons, *doctrina*, sing. ou pl., désigne soit l'enseignement, soit la doctrine chrétienne en général.

6. Cf. *dum aperiret nobis scripturas* (Luc. 24, 32).

historia, et l'interprétation allégorique ou mystique, *allegoria*, *tropologia* (v. ces mots dans le Dict., ainsi que *anagoge*) :

*lectio sancti evangelii ... valde in superficie **historica** est aperta ; sed ejus nobis sunt **mysteria** sub brevitate requirenda* (Greg.-M. Hom. ev. 22, lect. 1 sabb. in albis), ce passage du saint Évangile est clair, si l'on s'en tient superficiellement au sens historique ; mais il nous faut brièvement en rechercher le sens mystique.

Car saint Paul avait proclamé : *littera enim occidit, spiritus autem vivificat* (2 Cor. 3, 6), la lettre tue, mais l'esprit vivifie. V. le chp. concernant les préfigures, les signes et les symboles, § 342 et suiv.

Tout le monde connaît le sens de *parabola*, quand il s'agit d'une parabole évangélique ; mais on doit signaler que *parabola* signifie aussi « proverbe, maxime » : ex. *inclinabo in **parabolam** aurem meam* (Ps. 48, 5), je tendrai l'oreille à un proverbe ; et « parole » : *assumens **parabolam** suam* (Job 27, 1), reprenant son discours.

3. LA PRÉDICATION DE LA PAROLE

§ 172 *Prædicare* (¹) signifie : annoncer hautement et devant tous :

ex. *quod in aure auditis, **prædicate** super tecta* (Mat. 10, 27), ce que vous entendez (de moi) confidentiellement, répétez-le sur les toits (les terrasses des maisons où l'on se réunit pour causer) ;

*euntes in omnem mundum, **prædicate** evangelium omni creaturæ* (Marc. 16, 15), allez par le monde, proclamez la Bonne Nouvelle à toute créature ;

*præcepit nobis **prædicare** populo et testificari quia ...* (Act. 10, 42), il nous a commandé d'annoncer au peuple et d'attester que... ;

*si autem Christus **prædicatur** quod resurrexit* (1 Cor. 15, 12), si on prêche que le Christ est ressuscité ; cf. *ego prædicator et apostolus* (1 Tim. 2, 7) ;

*ad **prædicandum** ... evangelium* (or. cit. § 169).

Dans les oraisons, *prædicare*, ainsi que les mots *prædicatio prædicator*, se disent des confesseurs, comme des évangélistes, ou même des saints remarquables par leur parole inspirée :

ex. *Deus, qui ad **prædicandam** gentibus gloriam tuam beatum Patricium ... mittere dignatus es* (or. 17 mart.), ô Dieu, qui avez daigné envoyer saint Patrice pour annoncer votre gloire aux nations ;

---

1. *Prædicare*, employé absolument, au sens moderne de « prêcher », se trouve déjà dans S. Grégoire le Grand (Dial. 3, 31). Les leçons modernes du Bréviaire emploient souvent les mots classiques *concionari*, *concionator*.

quibus ... tuam gloriam **prædicemus** (Leon. 115), (prières) par lesquelles nous puissions proclamer votre gloire ;

sicut illum (s. Marcum) **prædicatio** *evangelica fecit gloriosum* (secr. 25 apr.), de même que l'annonce de l'Évangile a fait sa gloire ;

prædicatio *apostolica* (Leon. 289) ;

apostolorum tuorum **prædicatio** (Leon. 1135) ;

ecclesiæ tuæ **prædicator** *et rector* (or. S. Andreæ 30 nov., Leon. 1234), qui a enseigné et gouverné votre Église.

Adsertor, défenseur (par la parole) : **adsertor** *evangelii et Christi* (Cypr. Ep. 44, 3) ;

dignos altaribus tuis ministros et verbi tui strenuos **assertores** (or. m. ad vocat. eccl. serv.), de dignes ministres pour vos autels et de courageux prédicateurs de votre parole.

Annuntiare, au sens de *evangelizare*, se rencontre dans quelques anciennes versions du N. T., et quelquefois chez les Pères : cf. *quidam autem ex contentione Christum* **annuntiant** *non sincere* (Philipp. 1, 17), « certains, par esprit de dispute, annoncent le Christ, mais leurs intentions ne sont pas pures ». Pour l'Annonciation, v. § 179.

Quelques expressions équivalentes :

nominis tui gloriam verbo et exemplo **diffundere** (or. sabb. oct. Ascens. p. al. loc.), répandre par la parole et l'exemple la gloire de votre nom ;

unde **se** *evangelica veritas ...* **diffunderet** (Leon. 292), pour que la vérité de l'Évangile pût se répandre ;

propugnatores *fidei sub tua protectione custodi* (secr. 29 apr.), gardez sous votre protection les combattants de la foi ;

qui pro ejusdem **fidei dilatatione** *martyrii palmam meruit obtinere* (or. 29 apr.), qui a mérité d'obtenir la palme du martyre pour la propagation de cette foi ;

in veræ **fidei propagatione** (or. 24 apr.), en propageant la vraie foi ;

quem (Stephanum regem) regnantem in terris **propagatorem** *(ecclesia) habuit* (or. 2 sept.), qu'elle a eu comme apôtre pendant qu'il régnait sur la terre ;

ad fidem in gentibus **propagandam** (or. 9 oct.), « pour propager la foi parmi les peuples » ; ces dernières expressions sont modernes.

Præco, le héraut, a désigné saint Jean-Baptiste (ex. Tert. Pud. 10) ; dans une oraison, il s'applique à un confesseur :

verbi tui **præconem** *eximium* (or. 6 jun.), éminent héraut de votre parole ; v. § 103-105.

Le champ de l'apostolat demande de nombreux ouvriers :

messis quidem multa, **operarii** *autem pauci* (Luc. 10, 2 ; Mat. 9, 37), la moisson certes est abondante, mais les ouvriers peu nombreux ;

mitte, quæsumus, **operarios** *in messem tuam* (miss. vot. p. propag. fid.) ; cf. **collabora** *evangelio* (2 Tim. 1, 8).

L'apostolat est comparé à une pêche : *faciam vos fieri* **piscatores** *hominum* (Mat. 4, 19 ; Marc. 1, 17), je vous ferai devenir des pêcheurs d'hommes ;

moriuntur captores piscium et efficiuntur hominum **piscatores** (Leon. 823), les pêcheurs de poissons disparaissent pour devenir pêcheurs d'hommes ;

la parole à une semence : (en expliquant la parabole du semeur) **semen** *est verbum Dei* (Luc. 8, 12), la semence, c'est la parole de Dieu ; cf. *verbi* **semine** (§ 170) ; *sator* (§ 357).

La prédication de l'Évangile et l'apostolat sont, comme on l'a dit, un enseignement : *euntes ergo* **docete** *omnes gentes, baptizantes eos...* (Mat. 28, 19), allez, enseignez toutes les nations... ;

da ecclesiæ tuæ ... et amare quod credidit et prædicare quod **docuit** (or. 24 aug., Leon. 1273), donnez à votre Église d'aimer ce qu'il a cru et de proclamer ce qu'il a enseigné ;

os nostrum perarma **documento** *justitiæ* (Moz. L. sacr. 220), fortifiez notre parole, en nous enseignant la justice ;

ut ... instruas nos **documentis** *justitiæ* (ibid. 325), pour que (dans le combat de cette vie) vous nous munissiez des enseignements de la justice.

Autres termes désignant l'enseignement :

divina **institutione** *formati* (Canon, Gel. III, 17, 1256), instruits par l'enseignement de Dieu ;

beati Joannis Præcursoris **hortamenta** *sectando* (or. 23 jun., Leon. 241), en suivant les exhortations de saint Jean le Précurseur ;

mentes nostras cælestibus **instrue** *disciplinis* (or. fer. 2 p. d. 1 Quadr. ; *institue*, Gel. II, 85, 1170), formez nos âmes grâce à vos enseignements divins ; cf. § 171.

v. *Catechizare*, § 391 ; *Doctrine*, § 432.

IV

JÉSUS-CHRIST

1. PROPHÈTES, PROMESSES, PRÉFIGURES DU MESSIE

§ 173 A) *Propheta* ou *prophetes* (προφήτης) est un mot grec qui avait déjà, chez les classiques, un double sens : 1) interprète des dieux et des oracles; 2) annonciateur de l'avenir. Ce terme, repris par les traductions bibliques, a gardé cette double acception :

1) L'homme inspiré, qui parle au nom de Dieu, rappelle au peuple juif et à ceux qui le gouvernent son origine, sa mission, la loi du Seigneur souvent transgressée (Vulg. passim). Ce premier sens apparaît aussi parfois dans les oraisons : ex. *Deus, qui nobis per* **prophetarum** *ora præcepisti temporalia relinquere* (or. vigil. Pent. p. proph. 5, Greg. 110, 2), ô Dieu, qui nous avez recommandé, par la bouche des prophètes, de dédaigner les biens temporels ; *sanctorum* **prophetarum** *voce* (or. sabb. sc. p. proph. 8, vet. ord., Gel. I, 43, 438). Rappelons que, dans les vigiles de ces fêtes, *prophetia* ([1]) désigne une lecture de l'A. T.

2) Le devin qui prédit l'avenir (Deut. 13, 1 ; 4 Reg. 10, 19) ; et surtout le prophète, l'annonciateur du Messie. C'est ce dernier sens que l'on retrouve souvent dans le N. T., et naturellement dans les textes liturgiques :

ex. *tum* **adimpletum est** *quod* **dictum est** *per Hieremiam* **prophetam** (Mat. 2, 17 ; cf. 21, 4), alors s'accomplit l'oracle du prophète Jérémie ;

tum **impletum est** *quod* **dictum est** ([2]) *per Hieremiam* **prophetam** (Mat. 27, 9) ;

cf. **Impleta sunt**, *quæ concinit David fideli carmine* (« *Vexilla regis* »), voilà accompli ce qu'avait chanté David dans sa prophétie fidèle ;

et **consummabuntur** *omnia quæ* **scripta sunt** *per* **prophetas** *de Filio hominis* (Luc. 18, 31), voilà que s'accomplira tout ce que les prophètes ont écrit sur le Fils de l'homme ;

prophetæ, *qui de futura in vos gratia* ([3]) **prophetaverunt**

---

1. Chez les auteurs chrétiens, *prophetia* signifie : déclaration d'un prophète ou d'un homme inspiré se rapportant aussi bien au passé qu'à l'avenir : *prophetia de præterito* (Greg.-M. Hom. Ez. 1, 1), en faisant allusion à : *in principio creavit Deus...*

2. *Dicere* et *scribere* sont les verbes employés pour désigner ce qu'ont dit ou écrit les prophètes, leurs oracles : *cumque consummasset omnia quæ de eo scripta erant* (Act. 13, 29), après avoir accompli tout ce qui était écrit de lui ; v. § 168.

3. La grâce de la venue du Messie, de la Rédemption : cf. *mentis nostræ tenebras gratia tuæ visitationis illustra* (or. d. 3 Adv., Greg. 188, 1), éclairez les ténèbres de notre âme par la grâce de votre venue ; *ut tua visitatione consolemur* (or. 1 sabb. Quat. T.-Adv., Greg. 191, 1).

(1 Petr. 1, 10), les prophètes, qui ont annoncé la grâce qui vous était destinée ;

Deus ... qui **prophetarum** *tuorum præconio præsentium temporum declarasti mysteria* (or. sabb. sc. vet. ord., Gel. I, 43, 441), ô Dieu, qui, par le message de vos prophètes, nous avez révélé les mystères du présent ;

secundum Simeonis **prophetiam** (or. Sept. Dol. B.M.V.).

§ 174 Comme il a été dit précédemment, les auteurs d'hymnes ont parfois recours au vocabulaire de la poésie profane ; ainsi *vates* est employé dans l'hymne des vêpres de la Toussaint, aussi bien dans la primitive : **Vates æterni Judicis**, que dans la modifiée : *Apostoli cum* **vatibus**. La Sibylle ([4]) du *Dies iræ* symbolise les prophètes profanes, comme David les prophètes sacrés.

En 1 Reg. 9, 9, le mot *videns*, le voyant, désigne un prophète ; mais il s'agit d'une glose. Par contre saint Jérôme, saint Ambroise emploient ce mot dans leurs ouvrages exégétiques. *Visio* désigne parfois une prophétie (Aug. Nat. et or. 4, 21, 34 ; Hier. Jer. 5, 19, 1 ; etc.) ; *non est lex et prophetæ ejus non invenerunt* **visionem** *a Domino* (Jer. lam. 2, 9), il n'y a plus de Loi, ses prophètes n'obtiennent plus de visions du Seigneur. *In visione Isaiæ* (2 Par. 32, 32) désigne les écrits du prophète Isaïe.

Un des sens de *signare* est : marquer à l'avance (et pas seulement « préfigurer »), annoncer (Greg.-M. Hom. ev. 6, 1) ; *Deum hominemque* **signans**, *qui natus ex Virgine violatorem humanæ propaginis incorrupta nativitate damnaret* (Leo-M. Serm., lect. 4, 25 mart.), « désignant l'Homme-Dieu, qui, né de la Vierge, devait condamner, par sa naissance immaculée, le corrupteur de la race humaine .. D'où le mot *signator* employé pour désigner les prophètes : *Prophetis testibus Iisdemque* **signatoribus** (hymn. 6 aug. Transfig.), après les prophètes qui l'ont annoncé et fait connaître.

Prænuntiator désigne aussi un prophète chez saint Irénée (Hær. 4, 25, 1), saint Augustin (Conf. 9, 15, 13 ; etc.) ([5]). Cf. *Spiritus Christi (in prophetis)* **prænuntiavit** *eas quæ in Christo sunt passiones* (1 Petr. 1, 11), l'Esprit du Christ, en eux, a annoncé à l'avance les souffrances du Christ. V. *prænuntiare, præcursor, præcurrere*, à propos de saint Jean-Baptiste, § 103 ; pour *nuntiare, adnuntiare*, v. plus loin.

---

4. Sibylle est un nom propre et un nom commun, nom donné à plusieurs prophétesses, en dehors de celle de Cumes (Lact. Inst. 1, 6, 7) ; selon s. Augustin elle aurait annoncé le jugement dernier (Civ. 18, 23) ; cf. *Sibylla expresse prophetavit de Christo* (Thom.-Aq. Summ. 2, 2, q. 2, 7 ad 3), « la Sibylle a expressément prophétisé au sujet du Christ ». Ces prédictions sibyllines étaient apocryphes.

5. Cf. *prima sacramenta ... prænuntiativa erant Christi venturi* (Aug. C. Faust. 19, 12), les anciens rites (de l'A. T.) annonçaient les mystères du Christ à venir ; *in prophetica prænuntiatione* (ibid. 16, 17).

Prædicere s'emploie aussi, naturellement, en parlant de l'annonce du Messie : *quem venturum esse (Joannes Baptista)* **prædixit** (postc. 23 jun., Leon. 240), dont il annonça la venue ; *sicut* **prædixit** *Esaias* (Rom. 9, 29).

§ 175 B) L'annonce du Messie par les prophètes est appelée une « promesse » : *et nos vobis annuntiamus eam quæ ad patres nostros* **repromissio** *facta est* (Act. 13, 32), et nous, nous vous annonçons ce qui a été promis à nos pères ;

quod (evangelium) ante **promiserat** *per prophetas suos in scripturis sanctis* (Rom. 1, 2), que d'avance il avait promis par ses prophètes dans les saintes Écritures ;

quem (Christum) perdito hominum generi Salvatorem **promisisti** (præf. Adv. p. al. loc.), que vous avez promis comme Sauveur au genre humain perdu.

Dans les oraisons, *promissiones* (⁶) désigne ordinairement les promesses de la vie éternelle, et quelquefois la promesse faite à Abraham (Gen. 22, 17) d'une nombreuse postérité et spirituellement d'être le père des croyants dans tout l'univers : cf. *Abrahæ ...* **promissiones** *et semini ejus* (Gal. 3, 16) :

ex. *Deus ... qui in toto orbe terrarum* **promissionis** *tuæ filios ...* **multiplicas** (or. vet. ord. sabb. sc., Gel. I, 43, 434), ô Dieu, qui, dans tout l'univers, multipliez les fils de votre promesse ;

in hac **promissionum** *tuarum fide* (præf. Adv. p. al. loc.), confiants dans vos promesses.

Les images employées par les prophètes pour annoncer le Messie sont reprises dans la liturgie. Par exemple, la pluie si ardemment désirée par les paysans d'une contrée aride : *rorate, cæli desuper, et nubes pluant Justum ; aperiatur terra et germinet Salvatorem* (Is. 45, 8 ; Introit. d. 4 Adv.), cieux répandez comme une rosée le Juste (⁷), que les nuées le fassent pleuvoir ; que la terre s'ouvre et fasse éclore le Sauveur.

Image analogue : *et erit in die illa : stillabunt montes dulcedinem, et colles fluent lacte* (Joel 3, 18 ; ant. laud. 1 Adv.), ce jour-là, les montagnes distilleront la douceur et les collines ruisselleront de lait et de miel (⁸) ;

hodie per totum mundum mellifui facti sunt cæli (resp. mat. Nat. Dom.), aujourd'hui, dans l'univers entier, les cieux ont distillé le miel.

Image symbolisant la joie de la Jérusalem future: *ut sugatis et repleamini ab ubere consolationis* (Is. 66, 11 ; lect. 2 fer. 6,

---

6. *Promissio*, au sens concret, désigne aussi ce qui a été promis, le baptême de l'Esprit, dans le passage suivant : *convescens (Jesus) præcepit eis ... exspectarent promissionem Patris* (Act. 1, 4), tandis qu'il mangeait avec eux, il leur enjoignit d'attendre ce que le Père avait promis.

7. Pour la traduction de l'hébreu, voir note de la Bible de Jérus. ad loc.

8. *Fluere lacte et melle*, image courante pour désigner l'abondance de la terre promise (ex. Ex. 3, 8).

hebd. 4 Adv.), afin que vous soyez comblés et allaités par son sein de consolation ;

Jerusalem, surge, et sta in excelso, et vide jucunditatem, quæ veniet tibi (Bar. 5, 5 et 4, 36 ; comm. d. 2 Adv.), lève-toi, Jérusalem et dresse-toi sur les hauteurs et regarde la joie qui te viendra de ton Dieu.

La lumière : v. les textes d'Isaïe cités § 154, et dans la liturgie, les ex. cités § 182.

L'arbre de Jessé (popularisé par les arts liturgiques) : *egredietur virga de radice Jesse* (Is. 11, 1), un rejeton sortira de la souche de Jessé ; *o radix Jesse, qui stas in signum populorum* (Is. 11, 10 ; ant. O Adv. 19 dec.), ô tige de Jessé, dressée comme un signal pour les nations.

§ 176 C) Préfigures. Selon l'enseignement de saint Paul, un grand nombre de personnages ou d'événements de l'A.T. sont le symbole ou la figure de ce qui sera réalisé dans le Nouveau ([9]). Les Pères ont multiplié ces rapprochements : par ex., l'arche de Noé symbole de l'Église (Hilar.-P. ; Ambr. ; etc.) ; la manne symbole de l'eucharistie (Cypr. ; Hier. ; Aug. ; etc.), ce dernier rapprochement étant d'ailleurs suggéré par le Christ lui-même (Jo. 6, 31 et seqq.).

Les exemples donnés ici sont destinés à faire connaître les mots latins signifiant : préfigurer, préfigure, symbole, type.

Figura ([10]) : *hæc autem omnia in* **figura** *contingebant illis* (1 Cor. 10, 11), cela leur arrivait pour servir d'exemple typique (figurant à l'avance les réalités de l'ère messianique) ;

In **figuris præsignatur**, *Cum Isaac immolatur* (« *Lauda, Sion* »), des figures l'annoncent à l'avance, le sacrifice d'Isaac (l'Agneau pascal, la manne, etc.) ;

per illud (sacramentum) in **figura** *ante præcessit, nunc autem plenum in veritate mysterium est* (Ambr. Luc. 7, lect. 2 fer. 4 hebd. 1 Quadr.), ce qui a précédé était une figure du mystère pleinement réalisé aujourd'hui ;

præfiguro, præfiguratio sont fréquents chez les Pères ; cf. or. 5 ben. palm. vet. ord. ; v. le Dictionnaire.

Forma : *in similitudinem prævaricationis Adæ, qui est* **forma** *futuri* (Rom. 5, 14), d'une transgression semblable à celle d'Adam, figure de celui qui devait venir ([11]) (le Christ) ;

---

9. 1 Cor. 10, 6 ; etc. Cf. *Deus, qui primis temporibus impleta miracula novi testamenti luce reserasti* (or. p. proph. 2 vig. Pent., Gel. 1, 77), ô Dieu, qui avez révélé, à la lumière du Nouveau Testament, la signification des miracles accomplis dans les premiers temps.

10. Cf. *Joseph a fratribus venditus venditionem Redemptoris figuravit* (Greg.-M. Hom. ev. 29, 6), Joseph vendu par ses frères préfigurait le Rédempteur vendu (par Judas).

11. Cf. *quia Adam terrestris imago est futuri* (Hilar. Myst. 1, 2). *Imago*, au sens de *figura, præfiguratio* se rencontre aussi chez Tertullien, Cyprien.

Mare Rubrum, **forma** *sacri fontis* (or. vigil. Pent.), la Mer Rouge, préfigure du baptême.

Sacramentum, symbole mystique (Tert. ; Cypr. ; Hilar. ; Aug.) : *ut ... liberata plebs ab Ægyptiaca servitute christiani populi* **sacramenta** *præferret* (or. p. proph. 2 vig. Pent., Gel. I, 77), afin que le peuple délivré de la servitude d'Égypte constituât un symbole mystique du peuple chrétien.

Signum, préfiguration, symbole (Cypr. Eccl. un.) ; *significare*, symboliser (Cypr. ; Aug.) ; *signare* ([12]), même sens (Hilar. ; Greg.-M.). Le latin liturgique a aussi le mot *præsignare* (Aug. ; Cassian. ; etc.), symboliser (or. 2 m. p. spons. ; or. Transfig. ; v. ex. aux § 341, 342 et supra ; *prædestinata renovandis mortalibus suæ pietatis remedia, inter ipsa mundi exordia* **præsignavit** (Leo-M. Serm. lect. 4, 25 mart.), (le Tout-Puissant) dès le début du monde, a signifié (par sa menace au serpent) les remèdes qu'il destinait au rachat des mortels ; cf. le plur., **significationum** *figuræ* (Leon. 247), les préfigures symboliques.

Typus, type, figure mystique, préfiguration (très fréquent chez Tert. ; Cypr. ; Aug. ; Ambr. ; Hier.) : *illic autem Salomon* **typus**, *hic autem Christus in suo corpore est* (Ambr. Luc. 7, 11, lect. 2 fer. 4 hebd. 1 Quadr.), alors Salomon constituait une figure, aujourd'hui nous avons le Christ dans son corps (l'Église) ;

Post agnum **typicum** (hymn. mat. S. S. Corp. Chr.*)*, après l'Agneau figuratif (l'agneau pascal symbolisait l'Agneau qui devait être immolé).

Umbra ([13]), ombre, préfiguration (Aug. ; Hier. ; Ambr. ; Hilar.) :

quæ sunt **umbra** *futurorum* (Col. 2, 17), (rites juifs) qui sont l'ombre des choses à venir (la réalité du Christ) ;

Vetustatem novitas, **Umbram** *fugat veritas* (« *Lauda, Sion* »), un culte nouveau chasse l'ancien, la réalité fait disparaître le symbole.

2. L'ATTENTE DU MESSIE
LA PRÉPARATION A SA VENUE

§ 177 A) Outre le mot *dies* (Jo. 8, 56, cit. § 158), cette attente est exprimée par les mots *exspectatio, exspectare, desiderium, desiderare* (revoir aussi le § 175) :

ex. *non auferetur sceptrum de Juda ... donec veniat qui mittendus est, et ipse erit* **exspectatio** *gentium* (Gen. 49, 10 ; resp.

---

12. V. ex. § 335.
13. Cf. *remotis obumbrationibus carnalium victimarum* (Gel. I, 84, 679), maintenant que sont périmées les figuratives victimes de chair.

Adv.), le sceptre ne sera pas ôté de Juda, jusqu'à ce que vienne celui qui doit être envoyé, celui qui sera l'attente des nations ;

O Emmanuel, Rex et legifer noster, **exspectatio** *gentium et Salvator earum* (ant. Magnif. fer. 6 hebd. 4 Adv.), ô Emmanuel, notre Roi et notre législateur, l'attente des nations et leur Sauveur ; cf. *Dominus legifer noster, Dominus rex noster ; ipse salvabit nos* (Is. 33, 22 ; ant. Adv.).

L'exégèse chrétienne a appliqué au Messie les expressions suivantes :

salutare tuum **exspectabo,** *Domine* (Gen. 49, 18), j'attendrai, Seigneur, le salut qui vient de toi ;

donec veniret **desiderium** *collium æternorum* (Gen. 49, 26), jusqu'à ce que vienne le désir des collines éternelles ;

et veniet **desideratus** *cunctis gentibus* (Agg. 2, 8 ; ant. Adv.), et il viendra le désiré de toutes les nations ; *O Rex gentium et* **desideratus** *earum* (ant. O Adv.) ;

et homo iste justus et timoratus **exspectans** *consolationem Israel* (Luc. 2, 25), (Siméon) était un homme juste et pieux qui attendait la consolation d'Israël ;

Deus, qui nos redemptionis nostræ annua **exspectatione** *lætificas* (or. 24 dec., Greg. 5, 1), ô Dieu, qui nous apportez chaque année la joie d'attendre notre rédemption ;

exspectata *unigeniti Filii tui nova nativitate* (or. 2 sabb. Quat. T. Adv., Greg. 191, 2), nous qui attendons la naissance nouvelle de votre Fils unique.

§ 178 B) La préparation à la venue du Messie est réclamée par les prophètes : **parate** *viam Domini, rectas facite in solitudine semitas Dei nostri* (Is. 40, 3; cf. Mat. 3, 3; Luc. 3, 4), préparez la route pour le Seigneur, tracez droit dans la solitude le chemin pour notre Dieu ;

ecce ego mittam angelum meum ante faciem tuam, qui **præparabit** *viam tuam ante te* (Mat. 11, 10 ; cf. Mal. 3, 1), voici que j'envoie mon messager devant tes pas, il préparera la route devant toi ; v. *præcursor,* § 103 ;

pour celui qui a été prévu et « préparé » dans l'économie de la Rédemption : *salutare tuum quod* **parasti** (Luc. 2, 31).

A son tour, la liturgie de l'Avent invite à nous préparer à cette venue spirituelle dans nos âmes, lors de la fête qui célèbre la venue du Messie dans le temps :

excita, Domine, corda nostra ad **præparandas** *Unigeniti tui vias* (or. d. 2 Adv., Greg. 186, 1), stimulez nos cœurs, Seigneur, à préparer la voie à votre Fils unique ;

ut reparationis nostræ ventura solemnia congruis honoribus **præcedamus** (postc. 1 Adv., Greg. 185, 3), pour nous préparer à célébrer comme il convient la prochaine solennité de notre rédemption ;

ut digne **adventum** *Filii tui* **præstolemur** (postc. miss.

« *Virgines* » p. al. loc.), pour préparer dignement la venue de votre Fils.

Adventus, arrivée, venue (d'où le nom de l'Avent (¹) pour désigner ce temps liturgique) : per **adventum** *tuum libera nos, Domine* (litan.), par votre venue, délivrez-nous, Seigneur ;

ad cujus **adventum** *omnem hominem convenit præparari* (Leo-M. Serm., lect. 5 d. 1 Adv.), pour sa venue il convient que tout le monde se prépare ;

per ejus **adventum** (or. d. 2 Adv.) ; v. *apparitio*, § 183 ;

nos ... unigeniti Filii tui **adventu** *lætifica* (or. 3 sabb. Quat. T. Adv., Greg. 191, 3), que la venue de votre Fils unique nous apporte la joie.

Ce terme rappelle le verbe *venire*, sans cesse employé dans les textes prophétiques : ex. *Deus ipse* **veniet** *et salvabit vos* (Is. 35, 4), Dieu lui-même viendra vous sauver ;

et dans les oraisons : *excita potentiam tuam et* **veni** (or. Adv. passim, Greg. 192, 1), réveillez votre puissance et venez.

La pensée de la parousie (²) est présente au temps de l'Avent (ex. l'évangile du premier dimanche) ; v. le jugement dernier, § 202 et 203 :

præsta ut Unigenitum tuum, quem Redemptorem læti suscipimus, **venientem** *quoque judicem securi videamus* (or. 24 dec., Greg. 5, 1), à nous qui accueillons dans la joie le Rédempteur, votre Fils unique, accordez-nous aussi de le voir sans crainte, lorsqu'il viendra en juge.

§ 179 C) L'Annonce à Marie. Dans saint Matthieu (1, 20-24), l'annonce est présentée ainsi à Joseph par un ange : *quod enim in ea natum est de Spiritu Sancto est... Hoc autem totum factum est, ut adimpleretur quod dictum est a Domino per prophetam dicentem* (Is. 7, 14) : « *Ecce autem virgo* (³) *in utero habebit et pariet filium et vocabunt nomen ejus Emmanuel* », *quod est interpretatum Nobiscum Deus*, car ce qui a été engendré en elle vient de l'Esprit Saint... Or ceci est arrivé pour réaliser l'oracle prophétique du Seigneur disant : « Voici qu'une vierge concevra et enfantera un fils, qui sera appelé Emmanuel », ce qui veut dire : Dieu avec nous. C'est le texte de saint Luc qui

---

1. Ex. *orationes de Adventu Domini* (Greg. 185 tit.), oraisons de l'Avent ; *aliæ orationes de Adventu* (193 tit.). L'oraison *Excita, q. D., corda nostra ad præparandas ...* est précédée du titre : *Missa de Adventu D. N. J. Christi* (Miss. Gall. 8, 39).

2. L'impératif *veni* n'est pas inconnu à la prière païenne ; mais combien plus vastes les perspectives chrétiennes ! Quand nous disons *veni*, nous répétons l'espérance des justes de l'ancienne Loi attendant le Libérateur ; nous formulons notre propre prière en demandant à Jésus de venir dans nos cœurs pour cette douce fête de Noël ; mais aussi nous évoquons les espérances des premiers chrétiens attendant une parousie toute proche, la rédemption définitive, le règne de Dieu arrivé.

3. Le mot hébreu désigne une jeune fille ou une jeune femme. La traduction grecque des Septante porte « la Vierge » (παρθένος), constituant ainsi un témoin de l'ancienne interprétation juive.

présente l'annonce à Marie par l'ange Gabriel : *Ave, gratia plena ... ecce concipies in utero et paries filium et vocabis nomen ejus Jesum* (I, 28-31), je te salue, pleine de grâce... voici que tu concevras et enfanteras un fils, et tu lui donneras le nom de Jésus.

Les deux verbes *nuntiare* et *annuntiare* s'emploient également pour désigner cette annonce, dans les textes liturgiques :

ex. *ad* **annuntiandum** *incarnationis tuæ mysterium* (or. 24 mart., s. Gabriel arch.), pour annoncer le mystère de votre incarnation ;

Deus, qui de beatæ Mariæ utero Verbum tuum, Angelo **nuntiante**, *carnem suscipere voluisti* (or. 25 mart., Greg. 31, 1), ô Dieu, vous avez voulu qu'à l'annonce de l'ange votre Verbe prît chair au sein de la bienheureuse Vierge Marie.

Dès le Sacramentaire Gélasien, la fête qui célèbre cette annonce s'appelle Annonciation : *in* **Adnuntiatione** *sanctæ Mariæ Matris Domini nostri Jesu Christi* (II, 14 tit.).

3. L'INCARNATION

§ 180 On verra plus loin des ex. de *nativitas* désignant la « naissance » du Sauveur. La fête elle-même de Noël s'appelle *Nativitas Domini*, et cela dès les anciens Sacramentaires : *Nativitatis Domini ... solemnia* (Gel. I, 3 ; Leon. 1240).

Autres noms. *Natale* : *in* **Natale** *Domini* (Leon. XL tit. ; Gel. I, 4 tit.).

Natalicia, pl. n. ; *adoranda Filii tui* **natalicia** (secr. 24 dec., Gel. I, 4).

Natalis, m., (Aug. Serm. 184, 2) ; *temporalem sempiterni Regis nostri* **natalem** (Fulg.-R. Serm. 3, lect. 4, 26 dec.).

« Un enfant nous est né », *Puer natus est nobis et filius datus est nobis* ... chante l'Introït de la messe du jour à Noël, reprenant l'oracle d'Isaïe (9, 6) : *Parvulus enim natus est nobis* ... Les mots *nasci*, *nativitas* sont ceux qui expriment la naissance charnelle ou temporelle (¹) du Fils de Dieu, dès le Sacramentaire Léonien, comme d'ailleurs chez les Pères :

ex. *hodie nobis cælorum Rex de Virgine* **nasci** *dignatus est* (resp. mat. Nat. Dom.), aujourd'hui, pour nous, le Roi des cieux a daigné naître de la Vierge ;

Christus **natus est** *nobis : venite, adoremus* (Invit.) ;

Ex illibata Virgine **Nascendo** (hymn. vesp. Nat. Dom.),

---

1. Par contre, l'Introït de la messe de Minuit rappelle solennellement la génération éternelle du Verbe : v. Trinité ; en part. § 216.

Natus s'applique aussi à la naissance éternelle : *Ex Patre, Patris Unice, Solus ante principium Natus ineffabiliter* (hymn. vesp. 25 dec.), Fils unique du Père, né mystérieusement de lui avant les temps (modif. *Quem lucis ante originem Parem Paternæ gloriæ Pater supremus edidit*, que le Père suprême engendra avant toute lumière (cf. *ante luciferum*) dans une gloire pareille à la sienne.

en naissant d'une Vierge sans tache (modif. *Sacrata ab alvo Virginis*).

Cette nativité est un mystère : *O magnum* **mysterium** *et admirabile sacramentum, ut animalia viderent Dominum natum, jacentem in præsepio* (resp. mat. Nat. Dom.), ô grand mystère et admirable symbole : des animaux ont vu le Seigneur nouveau-né, couché dans une crèche ;

tantæ misericordiæ **sacramentum** (Leo-M. Serm. Nat. Dom. 9, lect. 5 oct. Nat.), le mystère d'une si grande miséricorde ;

ad intelligendum **sacramentum** *nativitatis Christi* (id. lect. 4 Circumc.), pour comprendre le mystère de la Nativité du Christ (v. la remarque du § 8 sur *sacramentum*).

Elle ne ressemble à aucune autre : *concede ... ut nos unigeniti tui* **nova** *per carnem* **Nativitas** *liberet* (or. miss. in die Nat. Dom., Gel. I, 2), faites que cette nouvelle naissance, selon la chair, de votre Fils unique soit notre libération ;

nova *Unigeniti tui* **Nativitate** (secr. 3a missa Nat. Dom., Greg. 8, 2) ;

hujus nos, Domine, sacramenti semper **novitas natalis** *instauret* (postc. 3a missa Nat. Dom. ; *semper Natalis instauret*, Gel. I, 1), que la nouveauté mystérieuse de cette Nativité nous redonne sans cesse la vie ; cf. *Nativitas singularis* (ibid.) ;

alienum ([2]) *quippe ab hac Nativitate, quod de omnibus legitur « Nemo mundus a sorde »* (cf. Job 14, 4 et 25, 4) *... nihil ergo in istam* **singularem nativitatem** *de carnis concupiscentia transivit* (Leo-M. Serm. lect. 5 Nat. Dom.), rien de commun dans cette naissance avec ce qu'on lit de toutes les autres : « Nul n'est pur de souillure » ... Dans cette naissance toute spéciale, rien n'a passé de la concupiscence charnelle ;

novo ordine, **nova nativitate** *generatus : novo ordine, quia, invisibilis in suis, visibilis factus est in nostris ... impassibilis Deus homo passibilis* (Leo-M. Serm. lect. 6, 25 mart.), engendré suivant un ordre nouveau, une nouvelle naissance : un ordre nouveau, puisqu'invisible au milieu des siens il s'est fait visible parmi nous ... (infini, il a voulu être limité) ... Dieu impassible, (il n'a pas dédaigné de se faire) homme soumis à la souffrance. Ainsi il y a plusieurs manières d'envisager cette « nouveauté ». Pour le sens de *nova nativitas*, dans l'oraison de l'oct. de Noël, voir Quest. lit. et par. 17 (1932), p. 285-293.

§ 181 Expressions figurées.

Le Messie s'est levé comme un astre : **orietur** *... Sol justitiæ* (Mal. 4, 2), il se lèvera, le Soleil de justice ;

---

2. Cf. *in nomine ejus, qui non ex sanguine neque ex voluntate carnis, neque ex voluntate viri, sed ex Deo natus est* (Vet. interp. Jo. 1, 13, ap. Tert. Carn. Chr. 19, 1), au nom de celui qui n'est pas né du sang, ni de la volonté de la chair ou de l'homme, mais qui est né de Dieu.

*visitavit nos **oriens** ex alto* (Luc. 1, 78), s'élevant des profondeurs du ciel, il est venu nous visiter ; cf. *visitare, visitatio* (Luc. 1, 68 ; 7, 16 ; 19, 44) ; v. *sidus*, et les autres appellations du Christ similaires, § 207.

Selon une image des Psaumes, comme le soleil, il apparaît soudain, tel l'époux sortant de la chambre nuptiale : *tanquam sponsus procedens de thalamo suo* (Ps. 18, 6) ; *videbitis Regem regum procedentem a Patre, tanquam sponsum de thalamo suo* (resp. 1 vesp. Nat. Dom.), vous verrez le Roi des rois, procédant du Père, s'avancer comme un époux qui sort de la chambre nuptiale (³) ;

Ventris obstruso recubans cubili, Senseras Regem thalamo manentem (P.-Diac. hymn. 24 jun.), couché dans le lit obscur du sein maternel, (saint Jean-Baptiste) tu avais reconnu le Roi et son séjour nuptial.

§ 182 Les images de lumière abondent dans la liturgie de Noël. En particulier, la collecte de la messe de Minuit rappelle que cette nuit symbolise la nuit spirituelle des hommes déchus, illuminée par Celui qui est venu comme la lumière du monde (Jo. 1, 4-9) : *Deus, qui hanc sacratissimam noctem veri **luminis** fecisti **illustratione** clarescere* (Gel. I, 2), v. § 13 ;

*hodie **illuxit** nobis dies redemptionis novæ* (vers. mat. Nat. Dom.), aujourd'hui a brillé pour nous le jour d'une nouvelle rédemption ;

*nova incarnati Verbi tui **luce*** (or. 2a missa Nat. Dom., Greg. 7, 2), par la lumière nouvelle de votre Verbe incarné ;

*dum ... dies **affulget** liberationis nostræ* (præf. Adv.), maintenant que va briller le jour de notre libération ;

*nova mentis nostræ oculis **lux tuæ claritatis** infulsit* (præf. Nat. Dom., Greg. 6, 3), un nouveau rayon de votre lumière éclatante a resplendi devant les yeux de notre âme ;

*Pellantur eminus somnia ; Ab æthre Christus **promicat*** (hymn. vigil. Nat. Dom. ; modif. *Procul fugentur somnia ; Ab alto Jesus promicat*), chassez bien loin les songes : voici que du haut du ciel scintille l'étincelle du Christ ;

*sicut homo genitus idem **refulsit** et Deus* (secr. 2a miss. Nat. Dom., Greg. 7, 4), de même que, dans l'homme qui vient de naître, brille en même temps la divinité.

Car cette lumière révèle le Père : *ut, dum **visibiliter** Deum cognoscimus, per hunc in invisibilium amorem rapiamur* (præf. Nat. Dom., Greg. 6, 3), afin que, connaissant le Dieu visible,

---

3. *Sicut sponsus processit de thalamo suo, id est de utero virginali, ubi Verbum Dei creaturæ humanæ quodam ineffabili conjugio copulatum est* (Aug. Serm. 192, 3), comme l'époux qui s'avance de la chambre nuptiale, c'est-à-dire du sein de la Vierge, où le Verbe de Dieu s'est uni, en des épousailles indicibles, à la nature humaine ; Leon. 1247 (cit. § 118).

nous soyons entraînés par lui jusqu'à l'amour des réalités invisibles.

L'incarnation, manifestation du mystère de bonté : *et
manifeste magnum est pietatis sacramentum, quod* **manifestatum**
(ἐφανερώθη) *in carne ... **apparuit** angelis ...* (1 Tim. 3, 16 ;
ant. 12 jan.), oui, il est d'une grandeur évidente, le mystère
de la bonté qui s'est manifesté dans la chair...

§ 183 Cette venue lumineuse est donc une manifestation,
une apparition, une « épiphanie » (4) : *in substantia nostræ
mortalitatis **apparuit*** (præf. Epiph. ; *nostræ carnis*, Gel. I, 12),
il apparut, vêtu de notre chair mortelle ;

ante Luciferum genitus (cf. Ps. 109, 3) *et ante sæcula Dominus
Salvator noster hodie mundo **apparuit*** (ant. Epiph.), engendré
avant les astres et avant les siècles, le Seigneur, notre Sauveur,
est apparu aujourd'hui au monde ;

*pro nati Filii tui **apparitione*** (secr. oct. Epiph., Gel. I, 12),
pour la manifestation de votre Fils dans sa naissance charnelle.

Le substantif et le verbe grec correspondant se traduisent
aussi bien, dans le N. T., par *apparitio, apparere*, que par
adventus : ex. **apparuit** (ἐπιφάνη) *enim gratia Dei Salvatoris
nostri omnibus hominibus* (Tit. 2, 11) ; *exspectantes beatam spem
et* **adventum** (ἐπιφάνειαν) *gloriæ magni Dei et Salvatoris
nostri Jesu Christi* (Tit. 2, 13), attendant la bienheureuse
espérance et l'avènement de la gloire de notre grand Dieu et
Sauveur.

Saint Léon dit de même, en parlant de la fête de l'Épiphanie:
*Epiphaniæ festum, ex **apparitione** Domini consecratum* (Serm.
5 de Epiph., lect. 4, d. oct. Epiph. vet. Br.), la fête de l'Épiphanie, consacrée à la manifestation du Seigneur ;

*post solemnitatem Nativitatis Christi, festivitas **declarationis**
ejus illuxit* (Serm. 2 Epiph. lect. 4), après la solennité de la
Nativité du Christ, voici que s'est levée la fête de sa manifestation.

On sait que cette fête, primitivement consacrée à la mémoire de la naissance du Christ, célébrait les trois « manifestations » de sa divinité, à l'adoration des Mages, au baptême du
Jourdain, aux noces de Cana, ainsi que le rappellent l'hymne
de ce jour et l'antienne du *Magnificat* (5).

A propos de l'adoration des Mages, il faut noter que le mot

---

4. Ἐπιφάνεια, manifestation, apparition : *ut ... appellaretur Epiphania dies iste,
quod latine manifestatio dici potest* (Aug. Serm. de temp. 30, lect. 5, 2a die oct.
Epiph. vet. Br.), pour qu'on appelât ce jour-là Épiphanie, ce qu'on peut traduire en
latin par « manifestation ». L'Épiphanie se dit *Theophania* dans le Sacram. Gel. I,
11 et 12 tit.

5. D'où les pluriels *Epiphaniæ, -arum* (C.-Theod. ; Isid. Or. 6, 18, 8) et *Epiphania,
-orum* (Hier. ; Filastr. ; Cassian. ; etc.).

mysterium, comme souvent chez les Pères, signifie aussi symbole :

ex. *habent (munera) in se divina **mysteria*** (resp. 7 jan.),(ces présents) sont en eux-mêmes divinement symboliques ;

*de thesauris suis **mysticas** ei munerum species obtulerunt* (vers.9 jan.), de leurs trésors ils lui offrirent des présents d'un caractère mystique (*aurum, sicut Regi magno; thus, sicut Deo vero ; myrrhum, sepulturæ ejus*, ant. 7 jan.).

§ 184 Autres noms de fêtes, suivant la Nativité.

La Circoncision, ***Circumcisio*** *Domini* (Br. Rom. ; Miss. R. ; Conc. Turon. an. 567, can. 17) ; *Octavæ Nativitatis*, dans le Gélasien, et dans le Nouveau Missel : *in Octava Nat. Dom.*

*postquam consummati sunt dies octo, ut **circumcideretur** puer, vocatum est nomen ejus Jesus* (Luc. 2, 21), quand arriva le huitième jour, où l'on devait circoncire l'enfant, le nom de Jésus lui fut donné.

La Purification, ***Purificatio*** *Beatæ Mariæ Virginis* (Br. R. ; M. R.) rappelle la présentation de Jésus au temple (Luc. 2, 22 et seqq.). Dans le Missel du Latran. (11e, 12e s.), cette fête est appelée ***Præsentatio*** ([6]) *Jesu Christi* ;

*sicut unigenitus Filius tuus hodierna die ... in templo est **præsentatus*** (or. 2 febr., Greg. 27, 2), de même que votre Fils unique a été présenté en ce jour au temple ;

*hodie beata Virgo Maria puerum Jesum **præsentavit** in templo* (ant. Magnif. 2 febr.).

§ 185 Le Verbe s'est fait chair, il a assumé notre humanité : *et Verbum caro factum est* (Jo. 1, 14) ; v. *humanitatis nostræ particeps*, § 187. Les oraisons emploient indifféremment les trois verbes : (*carnem*) *sumere, assumere, suscipere* :

ex. *Deus, qui ... Salvatorem nostrum **carnem sumere** ... fecisti* (or. d. Palm. et passim. Gel I, 37), ô Dieu, qui avez voulu que notre Sauveur prît chair ;

*ex qua (Virgine) carnem illam **assumpsisti*** (postc. 27 febr. et passim), d'elle vous avez pris cette chair ;

*Deus, ... qui Verbum tuum in utero perpetuæ virginitatis **carnem adsumere** voluisti* (Leon. 1362), ô Dieu, qui avez voulu que votre Verbe prît chair au sein de la virginité perpétuelle ;

*naturam generis **assumpsit** humani* (Leo-M. lect. 4 Nat. Dom.), il a assumé la nature humaine ;

*carnem **suscipere** voluisti* (or. 25 mart., Greg. 31, 1), vous avez voulu prendre chair ; cf. *nostram ... dignanter absque macula **suscipe** carnem* (Leon. app. 1357) ;

*ad liberandum **suscepturus** hominem* (« *Te Deum* »), qui deviez prendre la nature humaine pour la délivrer.

---

6. Y*papanti ad sanctam Mariam* (Greg. 27 tit.). Hypapanti, de ὑπαπαντάω rencontrer : il s'agit de la rencontre avec le vieillard Siméon et le peuple juif.

Ex. dans les hymnes : *Amor coegit te tuus Mortale corpus*
sumere (vesp. S. S. Cord. Jes.), votre amour vous a contraint
à assumer notre corps mortel ;

Memento ... Quod nostri quondam corporis ... formam
sumpseris (vesp. Nat. Dom.), souvenez-vous que vous avez
pris jadis notre nature corporelle.

Le Verbe s'est donc incarné : *et* **incarnatus est** ([7]) *de Spiritu
Sancto ex Maria Virgine (Credo)*, et il a pris chair de la Vierge
Marie par l'action du Saint-Esprit ;

per **incarnati** *Verbi mysterium* (præf. Nat. Dom., Greg. 6, 3),
par le mystère du Verbe incarné ;

Unigeniti tui ... **incarnatione** (Leon. 691 et passim) ;
Filii tui **incarnationem** (postc. 25 mart., Greg. 31, 4).

Incorporari est plus rare (Prud. ; Mamert.) : *Major Bethlem,
cui contigit Ducem salutis cælitus* **Incorporatum** *gignere* (Hymn.
laud. Epiph.), plus grande es-tu, Béthléem, qui as eu l'honneur
d'enfanter, revêtu d'un corps, le prince du salut venu du ciel.

§ 186 Quelques expressions figurées.

Le texte de Fortunat *Caro factus prodiit* a été modifié en
Carne **amictus** *prodiit* (« *Pange, lingua* »), (du sein maternel)
il sortit revêtu de chair. C'est une image traditionnelle :

ex. *trabea carnis* **indutus** (Fulg.-R. lect. 4, 26 dec.), revêtu
d'une robe de chair ;

Æterni Patris splendorem æternum, **Velatum** *sub carne videbimus* (« *Adeste, fideles* »), la splendeur éternelle du Père éternel,
nous la verrons sous son voile de chair ; cf. *per* **velamen**, *id
est carnem suam* (Hebr. 10, 20) ;

Domine Jesu Christe, qui **tegumen** *nostræ mortalitatis induere dignatus es* (or. ben. abb., Pont. R.), Jésus-Christ, notre
Seigneur, qui avez daigné revêtir l'enveloppe de notre nature
mortelle ;

ille, sempiternæ deitatis majestate servata, **servile cinctorium**
carnis assumens, in hujus sæculi campum ([8]) *pugnaturus
intravit* (Fulg.-R. Serm. lect. 4, 26 dec.), lui, tout en sauve-
gardant la majesté de son éternelle nature divine, il a endossé
notre humble armature terrestre ; il est entré, pour combattre, dans le champ de ce siècle.

Servile cinctorium rappelle l'expression de saint Paul désignant Jésus comme le « serviteur de Yahvé » (cf. Is. 42, 1) :
qui, cum in forma Dei esset ... semetipsum exinanivit, **formam
servi** *accipiens, in similitudinem hominum factus* (Philipp.
2, 7), lui, de condition divine, il s'est anéanti lui-même, prenant
la condition de serviteur et se rendant semblable aux hommes ;

---

7. Le premier ex. patristique de ce verbe se trouve chez Novatien (Trin. 24).

8. Cf. *in quo conflictu pro nobis inito* (Leo-M. Serm. lect. 5 Nat. Dom.), dans ce
combat engagé pour nous (contre les forces diaboliques).

*nec Dei formam **servi forma** violavit* (Leo-M. Serm. lect. 6 Circumc.), sa nature de serviteur n'a supprimé en rien sa nature divine.

§ 187 Le mot *servus* rappelle aussi la condescendance de Celui qui a non seulement participé à notre nature, mais en a encore assumé les faiblesses :

*formam accipiens servi **contubernium carnis** adsumpsit* (Moz. L. sacr. 671), prenant la condition de serviteur, il a accepté d'habiter avec nous dans la chair ; cf. *te ... per carnis venisse **contubernium*** (Miss. Goth. 16), d'être venu habiter notre chair ; *qui te consortem in carnis **propinquitate** lætantur* (ibid.), (vos serviteurs) qui se réjouissent de vous voir partager notre parenté charnelle ;

*Filium tuum **consortem caducæ carnis** nostræ voluisti* (Moz. L. sacr. 704), vous avez voulu que votre Fils partage le sort de notre chair périssable ;

*qui humanitatis nostræ fieri dignatus est **particeps*** (Offert., Leon, 1239) ;

***humiliavit** semetipsum factus obœdiens usque ad mortem* (Philipp. 2, 8), il s'est abaissé lui-même, se faisant obéissant jusqu'à la mort ;

*Deus, qui in Filii tui **humilitate** ʲjacentem mundum erexisti* (or. d. 2 p. Pasch., Gel. I, 57), ô Dieu, qui, par l'abaissement de votre Fils, avez relevé le monde déchu ;

*ut se **humiliaret** ad nos, et nos revocaret ad te* (or. ben. ram. vet. ord.), pour s'abaisser jusqu'à nous et nous hausser vers vous ;

*Domine Jesu Christe, vere **humilitatis** exemplar et præmium* (or. 10 oct.), Seigneur Jésus, véritable modèle et récompense de l'humilité ;

*in assumptæ carnis **infirmitate*** (or. fer. 6 p. d. 1 Quadr. p. al. loc.), dans la faiblesse de notre chair qu'il avait assumée ;

*ipse **infirmitates** nostras accepit et ægrotationes nostras portavit* (Mat. 8, 17), il a pris sur lui nos faiblesses et s'est chargé de nos maladies ; cf. *vere languores nostros tulit* (Is. 53, 4) (⁹) ; v. *tollo*, § 206 et 228 ; *fero*, § 193 et 228 ; *perfero*, § 232 ;

*non enim habemus pontificem, qui non possit **compati in-firmitatibus** nostris* (Hebr. 4, 15), car nous n'avons pas un grand prêtre qui ne puisse compatir à nos faiblesses ;

*Redemptor noster humanis **condolens miseriis*** (Ben. palm. vet. ord.), notre Rédempteur, en prenant part à nos misères humaines (cf. *condolere*, Hebr. 5, 2).

Jusqu'à ressembler à notre chair de péché : *Deus Filium*

---

9. *Justificabit ipse justus servus meus multos, et iniquitates eorum ipse portabit* (Is. 53, 11 ; cf. 53, 4), le Juste, mon serviteur, justifiera des multitudes, et il portera lui-même leurs fautes. *Portare*, prendre sur soi, est à rapprocher de *tollere, auferre*, emporter, supprimer.

suum mittens in similitudinem carnis peccati (Rom. 8, 3) ; v. Dict. à *similitudo* ; cf. *quem* **similem** *nobis foris agnovimus* (or. comm. Bapt. D. N. J. C.).

Abjectio désigne l'« abaissement » du Christ dans sa vie terrestre (Rustic. ; Greg.-M.) : ex. *quem venisse credimus in carnis* **abjectione** (Lib. Goth.-Hisp. 2), qui, selon notre foi, est venu dans l'abaissement de la chair.

§ 188 *Veni*, je suis venu, est fréquent dans les Évangiles ; cf. *quem* **venturum** *esse prædixit* (postc. 23 jun., Leon. 240), dont (Jean-Baptiste) a prédit la venue ; v. aussi § 178 et 202.

A noter encore *pertransire* : *Jesum ... qui* **pertransivit** *benefaciendo* (Act. 10, 38), qui a passé en faisant le bien.

Via désigne le passage de Jésus sur la terre, dans le *Dies iræ* : *Recordare, Jesu pie, Quod sum causa tuæ* **viæ**, souvenez-vous, ô bon Jésus, que c'est pour moi que vous êtes passé ; cf. *viatores*, § 402.

La « venue » du Fils de Dieu est présentée comme une « descente » ([10]) dans notre humanité : *Panis enim Dei est, qui de cælo* **descendit** (Jo. 6, 33), car le pain de Dieu, c'est celui qui descend du ciel ;

qui propter nos homines et propter nostram salutem **descendit** *de cælis* (Credo), c'est lui qui est descendu du ciel, pour nous, les hommes, et pour notre salut ;

de cælesti sede **descendens** *et a paterna gloria non recedens* (Leo-M. Serm. lect. 6, 25 mart.), descendant de son séjour céleste, sans quitter la gloire paternelle ;

qui de cælis ad terram de sinu Patris **descendisti** (or. miss. vot. de Pass.), qui, du sein du Père, êtes descendu du ciel sur la terre.

Cette venue est une visite : *magnificabant Deum, dicentes quia ... Deus* **visitavit** *plebem suam* (Luc. 7, 16), ils glorifiaient Dieu en disant : ... Dieu a visité son peuple ; *eo quod non cognoveris tempus* **visitationis** *tuæ* (Luc. 19, 44), parce que tu n'as pas reconnu le temps où tu fus visitée.

Et surtout une « mission » ([11]) : Dieu a envoyé son Fils, selon la prédiction d'Isaïe concernant le serviteur de Yahvé : *ecce intelliget servus meus, exaltabitur et elevabitur et sublimis erit valde* (52, 13), voici que mon serviteur comprendra, il sera exalté et élevé bien haut.

ex. de *mittere* : *quicumque me susceperit, non me suscipit, sed eum qui* **misit** *me* (Marc. 9, 37 ; cf. Mat. 10, 40), quiconque m'accueille, ce n'est pas pas moi qu'il accueille, mais Celui qui m'a envoyé ;

sermonem quem audistis non est meus, sed ejus qui **misit** *me,*

---

10. Cf. *qui prophetas ante descensionem suam præmisit* (Aug. Cons. ev. 1), qui envoya des prophètes avant sa propre descente.

11. *Missio Filii Dei* (Aug. Trin. 4, 19).

Patris (Jo. 14, 24), la parole que vous avez entendue n'est pas la mienne, mais celle du Père qui m'a envoyé ;

et quem **misisti** *Jesum Christum* (or. 18 mart. ; Jo, 17, 3), et celui que vous avez envoyé Jésus-Christ ;

dum ergo prope est ut veniat quem **missurus es** (Præf. Adv.), alors qu'il est tout près de venir, celui que vous allez envoyer ;

Missus est *ab arce Patris Natus, orbis Conditor* (« *Pange, lingua ... Prœlium* »), le Fils, créateur du monde, fut envoyé du palais de son Père.

§ 189 Il a fallu affirmer la « vérité » de l'Incarnation, c'est-à-dire la réalité de l'humanité et de la divinité de l'Homme-Dieu, vrai Dieu et vrai homme, soit contre les Ariens contestant sa divinité égale à celle du Père, soit contre les Apollinaristes lui refusant une âme humaine, soit contre les Docètes ([12]) prétendant que l'humanité de Jésus n'était qu'une apparence :

Deus est ex substantia Patris ante sæcula genitus ; et homo est ex substantia matris in sæculo natus (Symb. Athan.), il est Dieu, engendré de la substance du Père, de toute éternité ; il est homme aussi, né, dans le temps, de la substance de sa mère ;

perfectus Deus, perfectus homo, ex anima rationali et humana carne subsistens (ibid.), ... vraiment Dieu, vraiment homme, ayant substantiellement une âme raisonnable et un corps humain ;

paris enim periculi malum est, si illi aut naturæ nostræ veritas aut paternæ gloriæ negatur æqualitas (Leo-M. Serm. lect. 4 Circumc.), c'est une erreur pareillement dangereuse, de lui refuser soit la réalité de notre nature, soit son égalité avec la majesté du Père ;

vera deitas et vera credatur humanitas (id. lect. 5, d. oct. Epiph. vet. Br.), (en Jésus-Christ) on doit croire en la réalité du Dieu, en la réalité de l'homme ;

qui conceptum de Virgine Deum,verum et hominem confitemur (secr. 25 mart. ; Greg. 31, 3), nous qui reconnaissons comme vrai Dieu et vrai homme ([13]), celui que la Vierge a conçu ;

En ce qui concerne l'unité de la personne du Christ, v. Trinité.

L'Incarnation enfin a permis à l'homme d'accéder à la divinité : *O admirabile commercium ! Creator generis humani, animatum corpus sumens, de Virgine nasci dignatus est, et procedens homo sine semine, largitus est nobis suam deitatem* (ant. laud. Circumc.), O admirable échange ! le Créateur du

---

12. De δοκέω, sembler, paraître.

13. L'expression *Filius hominis*, le Fils de l'homme, ne s'applique qu'au Christ, dans le N. T. ; dans les traductions de l'A. T., *filii hominum*, ce sont les hommes en général (Ps. 11, 2), ou les chefs (Ps. 61, 10).

genre humain, prenant un corps et une âme, a daigné naître d'une Vierge : devenant homme sans semence humaine, il nous a accordé sa divinité.

La même affirmation est reprise solennellement à la préface de l'Ascension (déjà citée ; v. aussi § 201, 233).

4. LA PASSION

§ **190** Le mot (d'origine araméenne) *pascha, -æ,* f., ou *pascha, -atis,* n. ou indéc., avant de se fixer au sens de Pâques, fête de la Résurrection (sens prédominant vers le 5e s.), a eu différentes acceptions en rapport avec la Passion : a) l'Agneau pascal, Jésus-Christ : **Pascha** *nostrum immolatus est Christus* (1 Cor. 5, 7), notre pâque, le Christ, a été immolée ; cf. præf. Pasch., et Gel. I, 45 ;

Jam **Pascha** *nostrum Christus est, Qui immolatus Agnus est* (hymn. vesp. t. pasch.), maintenant notre Pâque, c'est le Christ, l'Agneau qui a été immolé (modif ... *Paschalis idem victima*) ; v. *Pascha, Phase,* § 199.

b) la Pâque de la crucifixion, la fête de la Passion, à cause du passage de saint Paul cité plus haut et grâce au rapprochement du substantif *pascha* avec le verbe πάσχειν, souffrir, fait par certains auteurs (Tert. ; Aug. ; etc.) :

quoties **Pascha** *celebratur, numquid totus Christus moritur* ? (Aug. Enarr. psal. 21, 21), quand on célèbre la Pâque, est-ce que le Christ meurt tout entier ?

Paschæ *solemnia ... (diem) passionis ejus* (Moz. L. ord. 257), la solennité de Pâques, le jour de sa passion (en parlant du Vendredi-Saint) ;

in die sexta **Paschæ** (Greg.-T. Hist. 5, 50), le Vendredi-Saint [1].

c) la Pâque de la résurrection, le triduum qui commémore la mort, la sépulture et la résurrection du Christ, par suite de la connexion que la doctrine du N. T., et notamment de saint Paul, établit entre la mort et la résurrection, et à cause de l'équivalence *pascha* = *transitus,* passage de la mort à la vie (Aug. Serm. 103, 5) ; v. *phase,* § 199 ; *sacratissimum triduum crucifixi, sepulti, suscitati* (Aug. Ep. 54, 14, 23), les trois jours sacrés de la crucifixion, de la sépulture et de la résurrection ; **Pascha** ... *dies quibus Christi passionem et resurrectionem ... recolimus* (Aug. Serm. Den., Morin p. 32), Pâques, jours où nous célébrons la Passion et la Résurrection du Christ ; v. plus loin, la Résurrection.

Jésus est mort le jour de la « Préparation » de la Pâque :

---

1. Ce Vendredi-Saint est noté ainsi dans le Gélasien (I, XLI tit.) : *ordo de feria VI Passione Domini.* Missel actuel : *Feria VI in Passione et Morte Domini* (au lieu de *in Parasceve*).

erat autem **parasceve** ([2]) *Paschæ hora quasi sexta* (Jo. 19, 14), c'était le jour de la préparation de la Pâque. D'où le mot *Parasceve* désignant le Vendredi-Saint, venu d'Orient et introduit d'abord dans les liturgies mozarabes et gallicanes. On le nommait auparavant *Sexta feria* (Ord. Rom. XXIII, 9) ; *Oratio in* VI *feria* (Miss. Gall. 20); Feria VI Passione Domini (Gal. I, 41).

§ 191 Dans le latin liturgique, il arrive que le même terme désigne un événement et la fête qui le célèbre, ainsi *Nativitas*, *Ascensio*, etc. Le mot *passio* ([3]) désignera donc soit le dimanche de la Passion, *dominica Passionis* ou *de Passione* ; le dimanche des Rameaux *dominica II Passionis* (Miss. R.) ; la semaine de la Passion, *hebdomada Passionis* ([4]) ; soit la Passion elle-même, c'est-à-dire les souffrances qui ont précédé ou accompagné la mort de Jésus sur la croix ; : *post passionem suam* (Act. I, 3) ; cf. *nonne hæc oportuit* **pati** *Christum* ? (Luc. 24, 26), ne fallait-il pas que le Christ subît cette passion ?

passio *Dominica* (or. passim ; Leon. 692, etc. ; Greg. 75, I), la passion du Seigneur ;

passionem *tuam jugiter recolentes in terris* (or. 28 apr.), faisant revivre sans cesse sur la terre votre passion ;

per crucem et **passionem** *tuam* (litan.), par votre croix et votre passion ;

intercedente unigeniti Filii tui **passione** (or. fer. 2 Maj. Hebd., Greg. 74, I), grâce aux mérites de la passion de votre Fils unique ;

qui, pridie quam **pateretur** (Canon ; Ambr. Sacram. 4, 21 : Gel. III, 1249), qui, la veille de sa passion... ;

unde et memores ... ejusdem Christi Filii tui Domini nostri tam beatæ **passionis** (ibid. ; Gel. III, 1250), c'est pourquoi, nous souvenant aussi de la bienheureuse passion de ce même Christ, votre Fils et notre Seigneur.

Au mot *pati* se rattache *patibulum*, gibet, supplice :

qui hora sexta pro redemptione mundi crucis **patibulum** *ascendisti* (postc. m. vot. Pass.), qui, à la sixième heure, êtes monté sur le gibet de la croix pour la rédemption du monde ;

crucis **patibulum** *subire* (or. 2 fer. 4 Maj. Hebd., Greg. 76, 2), subir le supplice de la croix.

Et *patientia*, endurance dans les souffrances : ex. **patientiæ** *ipsius habere documenta* (or. dom. palm., Gel. I, 37), recueillir

---

2. παρασκευή, « préparation », jour où l'on préparait le repas pascal, pour pouvoir observer le lendemain le repos du sabbat.

3. Le même terme a désigné les souffrances des martyrs, le martyre (§ 109).

4. Quant à la Semaine sainte, elle s'appelle Ἑβδομὰς μεγάλη (Chrysost. M. gr. 55, c. 599) ; *septimana paschalis, quam hic appellant septimana major* (Pereg. 30) ; *Major Hebdomada* (Miss. et Brev. R.) ; *Hebdomada Sancta* (Miss. R.).

Dans la Vulgate, la semaine se dit *hebdomada, -æ* ou *hebdomas, -adis.* Cf. *hac ebdomade* (Leon. 905).

les enseignements des souffrances qu'il a lui-même endurées.

Le moment de la Passion s'exprime solennellement par les mots *tempus, hora* : **tempus meum prope est** (Mat. 26, 18), mon temps est proche ; *ecce appropinquat* **hora** (ibid. 26, 45 ; cf. Jo. 2, 4), voici que l'heure approche.

§ 192 *Crucifigere,* crucifier, s'écrit de bonne heure en un mot, au lieu de *cruci figere,* comme chez les auteurs païens :

ex. *postquam autem* **crucifixerunt** *eum, diviserunt vestimenta ejus* (Mat. 27, 35), après l'avoir crucifié, ils se partagèrent ses vêtements ;

et bajulans sibi crucem, exivit in eum qui dicitur Calvariæ locum, Hebraice Golgotha, ubi **crucifixerunt** *eum* (Jo. 19, 17), et, se chargeant de la croix, il s'en alla jusqu'à l'endroit qu'on nomme Calvaire, en hébreu Golgotha, où ils le crucifièrent ;

si enim cognovissent, nunquam Dominum gloriæ ([5]) **crucifixissent** (I Cor. 2, 8), s'ils l'avaient connu, jamais ils n'auraient crucifié le Seigneur de gloire ;

sicut beatæ Helenæ misericorditer tribuisti ut Filium tuum **crucifixum** *in corde semper gestaret* (secr. 18 aug. p. al. loc.), de même que vous avez bien voulu accorder à sainte Hélène de porter sans cesse dans son cœur votre Fils crucifié.

Le mot *crux* désigne soit le supplice de la croix, soit la croix de Jésus et ce qu'elle représente symboliquement ([6]), soit les représentations de la croix :

ex. *qui ... salvatorem nostrum carnem sumere et* **crucem** *subire fecisti* (or. dom. palm., Gel. I, 37), qui avez voulu que notre Sauveur prît chair et endurât la croix ;

crucis *subire tormentum* (sup. pop. fer. 4 Maj. Hebd. et passim, Greg. 76, 5), subir le supplice de la croix ;

qui pro nobis **crucis** *subisti injuriam* (Lib. or. Goth.-Hisp. 73), qui avez enduré pour nous l'outrage de la croix ; cf. **crucis** *sustinendo injuriam* (Moz. L. ord. 706) ;

crux *sancta* (or. 14 sept. et passim, Gel. II, 56) ;

crux *salutifera* (postc. 18 aug. p. al. loc.), la croix salutaire (v. note 6) ;

qui salutem humani generis in ligno **crucis** *constituisti* (præf. Pass.), qui avez fondé le salut du genre humain sur l'arbre de la croix ;

in præclara salutiferæ **crucis** *Inventione* (or. 3 mai., Gel. II, 18), dans la merveilleuse découverte de la croix du salut.

Le mystère de la croix est une folie pour les incroyants et la sagesse humaine (*sapientia hujus mundi*) : *verbum enim crucis*

---

5. Pour cette expression, v. § 157.

6. Symbole de rédemption : ex. *reconciliare per crucem* (Ephes. 2, 16), réconcilier (les hommes avec Dieu) par la croix ; *ut non evacuetur crux Christi* (I Cor. 1, 17), pour que la croix du Christ ne soit pas rendue vaine ; v. chp. Rédemption.

Et aussi de mortification : v. § 447.

pereuntibus quidem **stultitia** *est* (1 Cor. 1, 18), le langage de la croix est en effet une folie pour ceux qui se perdent ;

Deus, qui per **stultitiam crucis** *eminentem Jesu Christi scientiam beatum Justinum martyrem mirabiliter docuisti* (or. 14 apr.), ô Dieu, qui, par la folie de la croix, avez instruit merveilleusement votre martyr saint Justin dans la science éminente de Jésus-Christ.

La croix est représentée comme un étendard de victoire : *(quæsumus) ut ab hoste maligno defendas, quos per lignum sanctæ crucis Filii tui ...* **triumphare** *jussisti* (postc. 3 mai., Gel. II, 18), de défendre contre l'ennemi malin ([7]) ceux dont vous avez voulu le triomphe, grâce au bois de la sainte croix de votre Fils ; v. plus loin, *vexillum*.

Les mots *lignum*, bois, arbre ([8]), et *arbor*, avec ou sans le génitif *crucis*, désignent souvent la croix :

ex. *quem occiderunt suspendentes in* **ligno** (Act. 10, 39), qu'ils mirent à mort, en le suspendant au bois de la croix.

En même temps que la Rédemption, les mêmes mots évoquent l'arbre du péché originel et le gibet des condamnés de l'ancienne Loi :

ex. *Christus nos redemit de maledicto legis factus pro nobis maledictum, quia scriptum est* (Deut. 21, 23) : «*Maledictus qui pendet in* **ligno** » (Gal. 3, 13), le Christ nous a rachetés de la malédiction de la loi, en se faisant lui-même malédiction pour nous, selon la parole : « Maudit soit qui pend au bois » ;

qui peccata nostra ipse pertulit in corpore suo super **lignum** (1 Petr. 2, 24), lui qui, sur le bois, a pris sur lui ([9]) nos péchés dans son corps ;

ut ... qui in **ligno** *vincebat, in* **ligno** *quoque vinceretur* (præf. Pass.), afin que celui (Satan) qui fut vainqueur par le bois (l'arbre du péché originel), fût vaincu aussi par le bois ;

Ipse **lignum** *tunc notavit, Damna* **ligni** *ut solveret* (« *Pange, lingua* », Fort.), c'est lui qui désigna alors le bois pour effacer la malédiction du bois ;

Regnavit a **ligno** *Deus* (« *Vexilla Regis* »), Dieu a régné par le bois ;

vitalis ligni pretio (or. 3 mai., Gel. II, 18, 869), grâce à la rançon de l'arbre de vie ;

lignum vitæ (Gel. II, 18, 870) ;

(Jesus Christus) qui est corona justitiæ, **arbor** *vitæ, palma victoriæ* (Moz. L. sacr. 1013) ;

Arbor *decora et fulgida, Ornata Regis purpura* (« Vexilla »), bel arbre resplendissant, orné de la pourpre du Roi ;

---

7. A l'époque, un ennemi humain, plutôt que le Malin lui-même ; cf. secr. 3 mai.

8. Cf. *ex omni ligno paradisi comede* (Gen. 2, 16), tu peux manger des fruits de n'importe quel arbre du paradis.

9. Cf. *tollere, portare*, note § 187.

Crux fidelis, inter omnes **Arbor** *una nobilis* (« *Pange, lingua* »,
Fort.), ô croix de notre foi, noble arbre entre tous.

Vexillum désigne aussi l'étendard de la croix (Prud. ;
Sedul. ; Fort. ; Petr.-Chrys. ; etc.) : ex. *per* **vexillum** *sanctæ
crucis Filii tui* (secr. 3 mai., Gel. II, 18), grâce à l'étendard de
la sainte croix de votre Fils ;

vivificæ crucis **vexillum** (or. m. vot. de S. Cruce).

Statera, la croix, balance où a été pesée notre rançon, où le
corps du Christ l'emporte sur la dette de nos péchés : ex. *(crux)
statera facta corporis* (Fort. Carm. 2, 6, 23, hymn. *Vexilla
Regis*), devenue la balance de ce corps ;

in **statera** *appendere crucis* (Mon. Germ. Ep. IV, p. 305,
29) ;

Dominus ... in **statera** *crucis pretium nostræ salutis appendit*
(Moz. L. ord. 200), le Seigneur a payé sur la balance de la croix
la rançon de notre salut ;

cf. *appenderunt mercedem meam* (Zach. 11, 12).

§ **193** La croix est le symbole du triomphe de la vie sur la
mort (v. autres ex. à Rédemption) : *Et super crucis* **trophæum**
Dic **triumphum** *nobilem* « (*Pange, lingua* », Fort.), et sur le
trophée de la croix, célèbre le noble triomphe ([10]) ;

Pange, lingua, gloriosi **lauream** *certaminis* (ibid.), chante,
ô ma langue, le laurier de la lutte glorieuse ;

trophæum *crucis Christi* (Leo-M. Serm. lect. 6, 18 jan.) ;

moriendo **triumphaturus** (or. ben. palm. vet. ord.), dont la
mort devait constituer le triomphe ;

de glorioso victoriæ tuæ **triumpho** (or. fer. 6 p. d. 1 Quadr.
p. al. loc.), du glorieux triomphe de votre victoire.

Le mot *exaltari*, être dressé, haussé, s'applique au serpent
d'airain dressé par Moïse au désert (préfigure), à la croix d'où
Jésus attirera tout à lui, et enfin à la vénération qui l'exalte :

sicut Moyses **exaltavit** *serpentem in deserto* (Num. 21, 8), *ita*
exaltari *oportet Filium hominis* (Jo. 3, 14), comme Moïse éleva
le serpent au désert, ainsi doit être élevé le Fils de l'homme
(dressé bien haut sur la croix ; cf. *exaltabitur* de Is. 52, 13, cité
§ 188) ;

et ego, si **exaltatus fuero** *a terra, omnia traham ad me ipsum*
(Jo. 12, 32), quand j'aurai été élevé de terre ([11]), j'attirerai
tout à moi ;

nobile lignum **exaltatur**, *Christi fides rutilat, dum crux ab
omnibus veneratur* (ant. Exalt. S. Crucis), le noble bois est
exalté, la foi du Christ resplendit, quand la croix est vénérée
par tous ;

Deus, qui nos hodierna die **Exaltationis** *sanctæ crucis annua*

---

10. V. triomphe, trophée, pour la victoire des martyrs, § 110 ; dans les anciens
Sacramentaires, *triumphus, triumphare* ne se disent qu'en parlant des martyrs.

11. Allusion à la croix, comme à l'Ascension ; v. Glorification.

solemnitate lætificas (or. 14 sept., Gel. II, 56), ô Dieu, qui en
ce jour nous donnez la joie de célébrer, comme chaque année,
la solennité de l'Exaltation de la sainte croix ; v. Glorification,
§ 196.

La croix est présentée comme un autel, où est immolée, pour
notre salut, la victime, l'Agneau pascal :

*hæc oblatio ... quæ in **ara** crucis etiam totius mundi tulit
offensam* (secr. m. vot. S. Crucis), cette offrande qui, sur
l'autel de la croix, a même ôté les péchés du monde ;

*super **aram** crucis* (Moz. L. sacr. 1448) ; *in **ara** crucis* (L.
ord. 392) ;

*Cujus corpus sanctissimum In **ara** crucis torridum* (hymn.
vesp. d. Res.) ([12]), dont le très saint corps consumé sur l'autel
de la croix ;

singulare illud propitiatorium ([13]) *in **altari** crucis pro nobis
redimendis oblatum* (or. eccl. dedic., Pont. R. II, p. 21), cette
propitiation unique, offerte sur l'autel de la croix pour notre
rachat ; *singulare per illud **propitiatorium** quod se ... obtulit*
(Pont. Rom.-Germ. 33, 31) ;

*(sacrificium) quod verus Pontifex **altari** crucis per immolationem suæ carnis imposuit* (Leo-M. Serm. 64, 3), que le
véritable Pontife a placé sur l'autel de la croix en immolant sa
chair ;

*pro totius mundi salute ... immolatus est in crucis **altari*** (Miss.
Bobb. 291).

D'autres termes encore expriment la même idée :

*tradidit semetipsum pro nobis oblationem et **hostiam** Deo in
odorem suavitatis* ([14]) (Ephes. 5, 2), il s'est livré pour nous,
comme une offrande à Dieu et une victime d'agréable odeur ;

*Domine Jesu Christe, qui temetipsum in cruce **holocaustum*** ([15]) *immaculatum et spontaneum Deo Patri obtulisti* (postc.
fer. 6 p. d. 1 Quadr., p. al. loc.), Seigneur Jésus, qui vous êtes
offert vous-même à Dieu le Père, sur la croix, en un holocauste
immaculé et volontaire.

Le vocabulaire des secrètes souligne l'identité entre le sacrifice de la messe et le sacrifice du Calvaire : *Majestati tuæ, Domine, Agnum immaculatum offerentes* (secr. 22 aug.), offrant,
Seigneur, à votre Majesté l'Agneau sans tache ; v. autres ex. au
chp. Eucharistie.

---

12. Ne se trouve pas dans l'hymne moderne : v. Anal. hymn. 87, n° 83.

13. *Propitiatorium*, propitiatoire (Ex. 25, 17) et propitiation, v. Dict. Pour le sens
mystique, v. par ex. Ambr. Ep. 4, 4.

14. Cf. en parlant d'un holocauste agréable à Dieu : *odoratus est Dominus odorem
suavitatis* (Gen. 8, 21), le Seigneur respira l'agréable odeur.

15. Dans l'A. T., *holocaustum* (ὅλος, entier ; καίω, brûler), holocauste, sacrifice
où l'on brûle entièrement la victime, sacrifice, victime pour l'holocauste. Le mot
est employé plusieurs fois par Fortunat, au sens spirituel, en parlant du saint
sacrifice (Carm. 3, 6, 53 ; etc.).

§ 194 La victime du Calvaire est préfigurée par l'agneau pascal immolé à la sortie d'Égypte (Ex. 12, 3), par l'agneau qui se tait quand on va l'immoler (Is. 53, 7) ; d'où le mot *Agnus* lié fréquemment au thème de la Passion : *pretioso sanguine quasi* **agni** *immolati Christi (redempti estis)* (1 Petr. 1, 19), par le sang précieux du Christ, comme d'un agneau sans tache. Cf. les proses et les hymnes : *Ad cenam* **Agni** *providi ;* **Victimæ** *paschali laudes* ; et dans l'hymne de matines du 1er juillet : *Mitis* **Agni** *vulnerati*, du doux Agneau blessé.

Il a donné sa vie pour nous : **animam suam** *pro nobis* **posuit** (1 Jo. 3, 16) ; *bonus pastor* **animam suam dat** *pro ovibus suis* (Jo. 10, 11), le bon pasteur donne sa vie pour ses brebis ;

pastor bone, qui pro ovibus tuis **animam dedisti** (or. 3 sept., p. al. loc.) ;

hic est enim sanguis meus novi testamenti, qui pro multis **effundetur** ([16]) *in remissionem peccatorum* (Mat. 26, 27 ; Canon), car ceci est mon sang, le sang de la nouvelle alliance, qui sera répandu pour beaucoup en rémission de leurs péchés.

Le mot *pretium*, rançon, désigne le prix payé par la mort sur la croix, et par métonymie, la croix elle-même que l'on vénère :

ex. *Beata (arbor), cujus brachiis Sæcli pependit* **pretium** (« *Vexilla* »), arbre bienheureux, à tes bras fut suspendue la rançon du monde ;

vitalis ligni **pretio** (cit. § 192) ;

salutis nostræ **pretium** *solemni cultu ... venerari* (or. 1 jul.), honorer d'un culte solennel ce qui fut le prix de notre salut ;

Festum **Pretiosissimi** *sanguinis* (1 jul.).

Pretiosus sanguis se rencontre plusieurs fois dans les anciens Sacramentaires : ex. *oves quas* **pretioso sanguine** *redemisti,* (Leon. 520), les brebis que vous avez rachetées par la rançon de votre sang ; *quos* **pretioso** *Filii tui* **sanguine** *redemisti* (Greg. 100, 3) ;

et dans le Missel, en parlant de l'eucharistie : *corporis sacri et* **pretiosi sanguinis** *repleti libamine* (postc. 2 jul., Leon. 16, cit. § 256 fin), où le sens primitif de *pretiosus* « rédempteur » semble s'être affaibli.

Cf. *pius cruor*, le sang sacré : *Filii tui pio cruore* (Gel. II, 18 ; Miss. Goth. 225).

Le mot *labor* du *Dies iræ* « *Tantus labor non sit cassus*, que tant de peines ne soient pas perdues », évoque non seulement la Passion, mais aussi toutes les souffrances par lesquelles le Christ nous a rachetés.

§ 195 Comme on l'a fait remarquer précédemment (§ 50 et

---

16. *Effundere sanguinem* se dit aussi pour les martyrs : ex. secr. 14 nov. ; ainsi que *vitam ponere* : ex. or. 14 nov.

suiv.), la piété médiévale ou moderne s'est départie de la réserve des premiers siècles. Elle évoque d'une manière plus réaliste et dramatique les scènes de la Passion :

ex. *clavis affigi et lancea vulnerari* ([17]) *pro mundi salute voluisti* (or. fer. 6 p. d. I Quadr., p. al. loc.), vous avez voulu, pour le salut du monde, être attaché par des clous et blessé par la lance ;

unigeniti Filii tui passione et per quinque vulnera ejus sanguinis effusione (or. fer. 6 p. d. 3 Quadr., p. al. loc.), par la passion de votre Fils unique et l'effusion de son sang en cinq blessures ;

misi digitum meum in fixuras clavorum (ant. Magnif. fer. 5 p. Pasch. ; cf. Jo. 20, 25 et seqq.), j'ai mis mon doigt dans l'empreinte des clous ;

ad hoc enim perforatum est latus tuum, ut nobis patescat introitus ; ad hoc vulneratum est Cor tuum, ut in illo et in te ... habitare possimus (s. Bern. lect. 6, S. S. Cord. Jes., vet. Br.), si votre côté a été transpercé, c'est pour nous en ouvrir l'entrée ; si votre Cœur a été blessé, c'est pour que nous puissions y habiter en vous ;

in sancta Sindone ([18]), *qua corpus tuum sacratissimum, e cruce depositum, a Joseph involutum fuit* (or. fer. 6 p. d. 2 Quadr., p. al. loc.), sur le saint Suaire, où Joseph d'Arimathie enveloppa votre corps sacré, après l'avoir descendu de la croix ;

Aspice, infami Deus ipse ligno Pendet, effuso madidus cruore ; Aspice, immiti manus alma clavo Finditur alte (hymn. de Pass. D. N. J. C.), vois, c'est Dieu lui-même qui est suspendu à ce bois infâme, son sang a coulé sur lui ; vois, les clous cruels ont fendu profondément ses adorables mains.

Les impropères ([19]) du Vendredi-Saint rappellent chaque détail de la Passion.

ex. *ego ante te aperui mare : et tu aperuisti lancea latus meum*, moi, j'ai ouvert la mer devant tes pas : toi, tu m'as ouvert le flanc d'un coup de lance. Ils sont inspirés par le IVe livre d'Esdras (non canonique) : ex. *nempe ego vos per mare transmeavi...* (I, 13 - cf. I, 10-25).

Pour la descente aux enfers, v. § 314.

---

17. Ce verbe rappelle Isaïe, parlant du Juste, du Serviteur de Yahvé : *ipse autem vulneratus est propter iniquitates nostras* (53, 5), lui-même a été blessé à cause de nos péchés. On a de même appliqué au Crucifié ces paroles des Psaumes : *super dorsum meum fabricaverunt peccatores* (128, 3), sur mon dos, les pécheurs ont travaillé ; *foderunt manus meas et pedes meos ; dinumeraverunt omnia ossa mea* (21, 18), ils ont troué mes mains et mes pieds ; ils ont compté tous mes os.

18. Le suaire se dit aussi *sudarium* : ex. *Angelicos testes, Sudarium et vestes* (« *Victimæ paschali* »), (j'ai vu) les anges témoins (de la résurrection), le suaire et le linceul.

19. *Improperium*, outrage, affront (en actes ou en paroles) : ex. *memor esto improperiorum tuorum* (Ps. 73, 22), souviens-toi des blasphèmes que l'on t'a adressés. Ici impropère signifie « reproche qui doit couvrir de honte » ; cf. *improperare*, insulter ou faire des reproches à (tr. ou intr., Vulg.).

5. LA GLORIFICATION

§ **196** A) Les trois manifestations rappelées par la fête de l'Épiphanie constituent la première glorification du Christ. Ainsi, en parlant du miracle de Cana, l'Évangéliste déclare : *manifestavit gloriam suam* (Jo. 2, 11), il manifesta sa gloire. Le terme δόξα, signifiant la majesté divine ou la manifestation de cette majesté, a été traduit dans le latin du N. T. par les mots *gloria* ou *majestas* (v. § 23-24) ; les verbes correspondant sont *glorificare* ou *clarificare*, faire éclater au grand jour la gloire (du Christ). Les termes *clarificatio* et *glorificatio* s'équivalent, dans le latin patristique, concernant cette notion. En parlant de la Transfiguration, saint Matthieu s'exprime ainsi : *transfiguratus est ante eos* (17, 2) ; Irénée, Cyprien, Augustin emploient le mot *clarificatio Domini* ou *Christi* ; Filastrius, Hilaire de Poitiers, *Transformatio*. *Transfiguratio* ne se trouve pas dans les Sacramentaires, mais dans le Missel Romain : ex. *in Unigeniti tui gloriosa* **Transfiguratione** (or. 6 aug.).

En proclamant sa divinité, Jésus déclare aux Juifs : *si ego* **glorifico** *me ipsum, gloria mea nihil est ; est Pater meus, qui* **glorificat** (¹) *me* (Jo. 8, 54), si je me glorifie moi-même, ma gloire n'est rien ; c'est mon Père qui me glorifie ; cf. *Christus non semetipsum* **clarificavit** (Hebr. 5, 5), « le Christ ne s'est pas glorifié lui-même ». Dans l'Évangile de saint Jean, le mot *clarificare* (²) revient plusieurs fois lors des paroles que Jésus prononce aux approches de sa passion : *Pater, venit hora*, **clarifica** *Filium tuum, ut Filius tuus* **clarificet** *te* (17, 2), « Père, voici l'heure, glorifie ton Fils, pour que ton Fils te glorifie » ; cf. 17, 5 ; il déclare même : *nunc* **clarificatus** *est Filius hominis* (13, 31), considérant comme achevée la passion qui va commencer, passion qui consacrera son triomphe sur la mort.

Dans les oraisons, l'épithète *gloriosa* ne s'applique pas seulement à la Résurrection, à l'Ascension, à la Transfiguration, mais aussi à la Passion : ex. *Filii tui passio* **gloriosa** (secr. fer. 6 p. d. 3 Quadr. p. al. loc.) ; cf. *nonne hæc oportuit pati Christum et ita intrare in gloriam suam* ? (Luc. 24, 26), ne fallait-il pas que le Christ subît cette passion et ainsi entrât dans sa gloire (³) ?

Autres termes exprimant la glorification du Christ : *propter quod et Deus exaltavit illum et donavit illi nomen, quod est super omne nomen, ut in nomine Jesu omne genu flectatur cælestium,*

---

1. V. le mot *glorificare*, dans la Louange, § 24.

2. Dans les oraisons, *clarificare* ne s'emploie qu'en parlant des saints qui glorifient l'Église : v. ex. § 107.

3. C'est lorsqu'ils l'auront élevé sur la croix, que les Juifs reconnaîtront qu'il est Dieu : *cum exaltaveritis Filium hominis, tunc cognoscetis quia ego sum* (Jo. 8, 28), quand vous aurez élevé le Fils de l'homme, alors vous saurez que « je suis » : cette dernière formule étant une affirmation de sa divinité (cf. Ex. 10, 2).

terrestrium, et infernorum (Philipp. 2, 9-10), aussi Dieu l'a-t-il exalté et lui a donné le nom qui est au-dessus de tout nom (⁴), pour que tout genou fléchisse au nom de Jésus, dans le ciel, sur terre, dans les enfers.

Au baptême du Jourdain : *et ecce vox de cælis dicens : Hic est Filius meus dilectus, in quo mihi complacui* (Mat. 3, 17), et voici qu'une voix venue des cieux disait : Celui-ci est mon Fils bien-aimé, qui a toute ma faveur.

§ 197 B) Termes désignant la Résurrection du Christ.

Verbes transitifs : *quem Deus **suscitavit** a mortuis* (Act. 4, 10), que Dieu ressuscita d'entre les morts ; cf. 10, 40 ; 13, 31 ;

*quoniam hanc (promissionem) Deus adimplevit filiis nostris **resuscitans** Jesum* (Act. 13, 33), car Dieu l'a accomplie, pour nous leurs descendants, en ressuscitant Jésus ;

*ergò resurrexit homo, quoniam homo mortuus est : **resuscitatus** homo, sed **resuscitans** Deus* (Ambr. lect. 4, d. 5 p. Pasch.), c'est donc l'homme qui est ressuscité, puisque c'est l'homme qui était mort : il est homme ressuscité, mais Dieu ressuscitant (⁵).

Verbes intransitifs : ***surrexit**, non est hic* (Marc. 16, 6), il est ressuscité, il n'est plus ici ;

***surrexit** enim, sicut dixit* (Mat. 28, 6), car il est ressuscité, comme il l'avait dit ; ***surrexit** a mortuis* (ibid. 27, 64) ;

Surrexit Christus, spes mea (« *Victimæ paschali* »).

Mais les termes habituels sont *resurgere, resurrectio* :

ex. *donec Filius hominis a mortuis **resurgat*** (Mat. 17, 9), jusqu'à ce que le Fils de l'homme ressuscite d'entre les morts ;

*tertia die **resurgere*** (Mat. 16, 21) ; *post tres dies **resurgere*** (Marc. 8, 31) ;

*eodem **resurgente*** (or. 1 ben. palm. vet. ord., Gel. I, 37), par sa résurrection ;

*Dominica **resurrectio*** (or. fer. 4 oct. Pasch., Gel. I, 46 et passim) ;

*post beatam et gloriosam **resurrectionem** Domini* (Leo-M. Serm. 73, 1) ;

*... ab inferis **resurrectionis*** (Canon, Gel. III, 17, 1250).

§ 198 Cette résurrection a pour nous une vertu libératrice :

***resurrexit** propter justificationem nostram* (Rom. 4, 25), il est ressuscité pour notre justification ;

*vitam **resurgendo** reparavit* (præf. Pasch., Gel. I, 45, 458), par sa résurrection, il nous a rendu la vie ;

*per sanctam **resurrectionem** tuam, libera nos, Domine* (litan.), par votre sainte résurrection, délivrez-nous, Seigneur ;

*per ejus salutiferæ **resurrectionis** potentiam* (secr. 25 mart.,

---

4. Le nom de Seigneur.
5. *Resuscitare* s'emploie aussi au sens intr. (ex. Aug. Symb. cat. 3, 4).

Greg. 31, 3), par la puissance de sa résurrection salutaire ; cf.
*Deus, qui hodierna die per Unigenitum tuum æternitatis nobis
aditum* ([6]), *devicta morte, reserasti* (or. Pasch., Gel. I, 46), ô
Dieu, qui, en ce jour, grâce à votre Fils unique vainqueur de
la mort, nous avez ouvert les portes de l'éternité ;

resurgens *a morte post triduum destruxit mortis imperium*
(Moz. L. ord. 365), en ressuscitant de la mort après trois jours,
il a détruit le pouvoir de cette mort ; cf. *qui mortis imperium
subjugasti* (Arn.-J. Psal. c. 354D).

Cette résurrection est un gage de la nôtre :

resurrectionis *consortia mereamur* (or. d. palm., Gel. I, 37),
que nous méritions d'avoir part à sa résurrection ;

ipsum (Christum) primitias quiescentium (Ambr. Fid. lect.
4, d. 5 p. Pasch.), lui, prémices de ceux qui reposent ; *in ipso
præcessit exemplum* (Aug. Serm. de temp. 147, lect. 4, d. 3 p.
Pasch.), en lui, le modèle en a été donné d'avance.

Cette résurrection glorieuse, *gloria Dominicæ* **resurrectionis**
(or. vigil. Pasch., Gel. I, 45 ; *gloriosæ resurrectionis* (or. 5
Ben. palm.), est chantée en termes de victoire :

ex. *Et super crucis trophæum Dic triumphum nobilem,
Qualiter Redemptor orbis Immolatus vicerit* (« *Pange, lingua,*
Fort.), et sur le trophée de la croix, chante le noble triomphe,
par lequel, en son immolation, le Rédempteur du monde a
remporté la victoire ; cf. *devicta morte* (cit. supra) ;

Triumphans pompa nobili, Victor surgit de funere (hymn.
dom. in albis), triomphant dans sa noble majesté, il se lève
vainqueur du tombeau (modif. *Victor triumphat, et suo Mortem sepulcro funerat,* il triomphe victorieux et ensevelit la mort
dans son propre tombeau) ; v. hymn. dom. Res., cit. § 314.

§ 199 La fête de Pâques, *Dominicæ Resurrectionis.*

Le mot *Pascha,* dans l'A. T., *Paschæ solemnitas* (Ez. 45, 21),
et dans les Évangiles, désigne la Pâque juive, commémorant
le « passage » (*Phase,* Ex. 12, 11 ; Jos. 5, 10) de l'Ange ex-
terminateur et la sortie d'Égypte : *post biduum Pascha fiet*
(Mat. 26, 2), « la Pâque tombe dans deux jours ». Elle se
prolongeait par la fête des Azymes : *appropinquabat autem dies
festus azymorum, qui dicitur Pascha* (Luc. 22, 1), or la fête des
Azymes, appelée la Pâque, approchait (*dies azymorum* désigne
aussi la semaine avant la Pâque juive, v. Dict.).

Jésus célébrait la Pâque juive à la dernière Cène : aussi le
mot *Pascha,* comme il a été dit (§ 190), a-t-il désigné, chez les
premiers chrétiens, la Passion ou les jours de la Passion, avant

---

6. On peut aussi comprendre : *adytum,* l'accès au « mystère » de l'au-delà ; Cf.
adytis patentibus (hymn. Dedic., modif. *patent cunctis ostia*).

de désigner la fête de la Résurrection (⁷), qui comprend aussi la vigile pascale : cf. *sacratissima nox*, § 182.

L'adjectif *paschalis* ne se rapportait pas seulement au dimanche de Pâques, *die paschali solemnissimo* (Aug. Serm. 210, 2), mais aussi au triduum pascal (Leo-M. Serm. 47, 1 ; Sacram. Leon. 1004) et à la semaine de Pâques (⁸) : *paschalis solemnitas hodierna festivitate concluditur* (Aug. Serm. lect. 4 Dom. in albis), les solennités pascales trouvent leur conclusion en la fête de ce jour ; *paschales dies* (ibid.).

Dans l'usage liturgique, l'adjectif se rapporte soit à la fête de Pâques : *paschalis solemnitas* (or. fer. 2 oct. Pasch., Greg. 89, 1) ;

soit au temps pascal : *paschale tempus* (Rubr.) ;

soit à la semaine pascale : *per hæc mysteria **paschalia*** (secr. sabb. in albis, Greg. 94, 2), au cours de la célébration du mystère pascal ;

***paschalibus** initiata mysteriis* (secr. m. in nocte, Gel. I, 45), ce qui a été commencé dans les mystères de Pâques ;

***paschalibus** gaudiis* (secr. fer. 4 oct. Pasch., Gel. I, 47), en ces joies pascales ; *paschalia festa* (or. passim) ;

§ 200 Verbes exprimant les manifestations du Christ après la résurrection :

***venit** Jesus et **stetit** in medio* (Jo. 20, 19), Jésus vint et se trouva au milieu d'eux ; cf. Luc. 24, 36 ;

***manifestavit** iterum Jesus discipulis* (Jo. 21, 1), Jésus se manifesta une deuxième fois devant ses disciples ; v. *manifestari*, § 182 ;

***apparuit** primo Mariæ Magdalene* (Marc. 16, 9), il apparut d'abord à Marie de Magdala ;

*qui post resurrectionem suam omnibus discipulis suis **manifestus apparuit*** (præf. Ascens., Greg. 108, 3), qui, après sa résurrection, se manifesta en apparaissant à tous ses disciples ;

*discipulis suis visu conspicuus tantoque palpabilis usque in quadragesimum diem **manifestus apparuit*** (Leon. 175), il apparut et se manifesta à ses disciples qui purent le voir et même le toucher, pendant quarante jours.

§ 201 C) Vocabulaire concernant l'Ascension.

Assumptus est, elevatus est, tels sont les termes employés dans les Actes des apôtres (1, 2 ; 1, 11 ; 1, 9) ; ***assumptus est** in cælum* (Marc. 16, 19), il fut enlevé au ciel ; ***ferebatur** in cælum* (Luc. 24, 51), il était emporté au ciel ;

---

7. *Pascha* a désigné parfois le dimanche, Pâque hebdomadaire (P.-Nol. Carm. 27, 53 ; Isid. Eccl. dogm. 87).

8. Et aussi au Carême : *jejunia paschalia* (Leon. 984) ; *paschalis observantia* (Gel. I, 17) ; mais *observantia quadragesimalis* (Br. R.).

et ipsis cernentibus **est elevatus** ([9]) *in cælum* (præf. Ascens., Greg. 108, 3), et sous leurs yeux il fut emporté au ciel.

Dans l'Évangile de saint Jean, c'est le mot *ascendere* qui apparaît : **ascendo** (ἀναβαίνω) *ad Patrem meum et Patrem vestrum* (20, 17), je monte vers mon Père et le vôtre. Et c'est le terme qui restera en vigueur ; de même que *Ascensio* ([10]) désignera cette Ascension et la fête qui la célèbre, chez les Pères et dans la liturgie :

ex. *qui hodierna die Unigenitum tuum ... ad cælos* **ascendisse** *credimus* (Or. Ascens., Greg. 108, 1), qui croyons que votre Fils unique, en ce jour, est monté aux cieux ;

et **ascendit** *in cælum* (Credo) ;

pro Filii tui gloriosa **Ascensione** (secr. Ascens., Greg. 108, 2). Cette montée au ciel est le gage de la nôtre :

ascendens Christus in altum captivam duxit captivitatem ([11]) (resp. Ascens.), le Christ, montant dans les hauteurs, a emmené captive la captivité (les âmes des Limbes et aussi toutes les âmes délivrées ; v. Rédemption) ;

dum humanam conditionem sideribus importavit, credentibus cælum patere posse monstravit (Aug. Serm. lect. 5, oct. Ascens.), en emportant aux cieux sa nature humaine, il a montré aux croyants que le ciel pouvait s'ouvrir à eux ;

unitam sibi fragilitatis nostræ substantiam in gloriæ tuæ dextera collocavit (*Communicantes*, Ascens., Greg. 108, 4 ; *unitum sibi hominem* ([12]) *nostræ substantiæ in gloriæ ...*, Leon. 186), il a placé à la droite de votre gloire notre pauvre nature, à laquelle il s'était uni.

Elle nous encourage à élever nos cœurs : *ascendamus cum Christo interim corde* (Aug. Serm. lect. 4, d. oct. Ascens.), en attendant, de cœur, montons avec le Christ.

Son Ascension conduit le Christ au sommet de sa glorification, à la droite du Père, c'est-à-dire au sein de la Trinité :

intendens in cælum vidit gloriam Dei et Jesum **stantem a dextris Dei** (Act. 7, 55), fixant ses yeux vers le ciel, il (Étienne) vit la gloire de Dieu et Jésus debout à la droite de Dieu ;

sursum ... ubi Christus est **in dextera Dei sedens** ([13]) (Col.

---

9. « Fut élevé » ou « s'éleva » ; on sait qu'en latin comme en grec le passif peut avoir le sens réfléchi ; cf. *sua virtute ferebatur* (Greg.-M. Hom. ev. 29, lect. 8, fer. 2 oct. Ascens.), il s'élevait de son propre pouvoir.

10. *Ascensa* a été aussi employé dans les Sacramentaires Léonien, Gélasien, Grégorien ; de même qu'on disait, en latin chrétien, *collecta, defensa*, etc. aussi bien que *collectio, defensio*.

11. La liturgie interprète d'une manière mystique les paroles du Psalmiste : *ascendisti in altum, cepisti captivitatem* (67, 19), tu es monté sur la hauteur, tu as emmené des captifs.

12. Pour affirmer davantage la réalité de la nature humaine du Christ.

13. Ce symbole trinitaire exprimant la puissance égale du Père et du Fils a été formulé d'après les paroles du Psaume 109, 1 : *dixit Dominus Domino meo : sede a dextris meis* (*ad dexteram meam*, vet. interp. ap. Tert. Adv. Marc. 26, 64).

3, 1), en haut, là où se trouve le Christ, assis à la droite de Dieu ; cf. Hebr. 10, 13 ;

*qui est **ad dexteram Dei** (Rom. 8, 34) ;*

sedet ad dexteram *Majestatis in excelsis* (Hebr. 1, 3).

Le *Credo* a repris la formule : *et ascendit in cælum,* **sedet ad dexteram** *Patris* ; qui est aussi celle de la préface du S.-Esprit : *qui ascendens super omnes cælos* **sedensque ad dexteram tuam** (Greg. III, 3 ; *qui ascendit ...,* Leon. 202), monté au plus haut des cieux et assis à la droite du Père ([14]) ;

ex. dans une hymne : *Victor triompho nobili Ad* **dexteram Patris residens** (laud. Ascens.), vainqueur d'un noble triomphe... (modif ... *Patris sedes*).

Autre formule : *omnis lingua confiteatur quia Dominus Jesus Christus* **in gloria est Dei** *Patris* (Philipp. 2, 11), que toute langue professe que le Seigneur Jésus-Christ est dans la gloire de Dieu le Père.

L'Apocalypse présente le Christ recevant les adorations de la cour céleste, en tant qu'Agneau immolé : *dignus est Agnus, qui occisus est, accipere virtutem et divinitatem ...* (5, 12), « il est digne, l'Agneau immolé, de recevoir la puissance, la divinité... » ; conservant dans sa vie glorieuse un rappel de l'immolation par laquelle il est entré dans cette gloire : *hostia clarificata in cælis* (Pii XII, Enc. *Mystici corporis*).

En ce qui concerne la glorification du Christ par l'Église, v. le chp. 7, Appellations du Christ.

6. LA PAROUSIE, LE JUGEMENT DERNIER

§ 202 Le jugement appartient au Fils : *omne judicium dedit Filio* (Jo. 5, 22) ; il a remis tout jugement au Fils.

Il est le Juge qui doit venir :

Judex *crederis esse venturus* (« *Te Deum* »), vous êtes le Juge qui doit venir, nous le croyons ;

Quando **Judex** *est venturus* (« *Dies iræ* »), quand viendra le Juge ;

Te deprecamur, hagie, Venture **Judex** *sæculi* (hymn. vesp. Adv.), nous te supplions, ô Saint, toi qui doit venir pour juger le siècle (modif ... *ultimæ Magnum diei Judicem*, grand Juge du dernier jour) ;

præsta, ut Unigenitum tuum ... venientem ... **judicem** *securi videamus* (or. vigil. Nat. Dom., Greg. 5, 1), faites que nous puissions voir sans trembler venir votre Fils unique pour nous juger ;

pensemus quam districtus **Judex** *veniat* (Greg.-M. lect. 8,

---

14. La suite : *... ad dexteram tuam promissum Spiritum Sanctum ... effudit* montre qu'à l'origine les deux fêtes de l'Ascension et de la Pentecôte étaient liées.

fer. 4 oct. Epiph.), imaginons avec quelle sévérité viendra le
Juge ;

cum redibit **Arbiter** (hymn. comm. Apost.), quand reviendra
le Juge ; v. Justice de Dieu, § 143 et suiv.

Il viendra dans toute sa gloire :

*Filius enim hominis venturus est in gloria Patris sui cum
angelis suis ; et tunc reddet unicuique secundum opera ejus* (Mat.
16, 27), car le Fils de l'homme doit venir dans la gloire de son
Père, avec ses anges ; et alors il rétribuera chacun selon ses
œuvres ;

*itaque nolite ante tempus judicare, quoadusque veniat Do-
minus, qui illuminabit abscondita tenebrarum et manifestabit
consilia* (1 Cor. 4, 5), ne jugez pas avant le temps, jusqu'à ce
que vienne le Seigneur : alors il éclairera les secrets ténébreux
et fera voir au grand jour les desseins de chacun ;

venientem in nubibus cœli (Mat. 26, 64), venant sur les nuées
du ciel ;

venientem in nube cum potestate magna et majestate (Luc. 21,
27), ... dans toute sa puissance et sa gloire ;

cum virtute multa et majestate (Mat. 24, 30) ;

*tunc sedebit super sedem majestatis suæ et congregabuntur
ante eum omnes gentes et separabit eos ab invicem* (Mat. 25,
31-32), alors il siégera sur son trône de gloire et toutes les
nations seront rassemblées devant lui et il séparera les uns
d'avec les autres ;

... *cum repente cœperis Clarere nube* **Judicis** (hymn. mat.
Ascens.), quand soudain sous la nuée vous apparaîtrez en Juge.
Il placera les bons à sa droite :

statuet oves quidem a dextris suis, hædos autem a sinistris
(Mat. 25, 33), il placera les brebis à sa droite et les boucs à sa
gauche ; cf. *Inter oves locum præsta* (« *Dies iræ* ») ;

ut in **die judicii** *ad dexteram tuam audire* (¹) *mereamur :
venite, benedicti* (or. miss. vot. Pass.), qu'au jour du jugement,
placés à votre droite, nous méritions d'entendre cette parole :
venez, les bénis (cf. Mat. 25, 34).

Ici encore le mot *visitatio* apparaît : *humiliamini igitur sub
potenti manu Dei, ut vos exaltet in die* **visitationis** (1 Petr. 5, 6),
humiliez-vous sous la main puissante de Dieu, pour qu'il vous
élève au jour de sa visite.

§ 203 A la fin du monde, ce sera l'« Avent » définitif et la
Rédemption achevée : *dic nobis quando hæc erunt et quod
signum* **adventus** *tui et consummationis sæculi* (Mat. 24, 3),
dis-nous quand cela sera et quels seront les signes de ton
avènement et de la fin du monde ;

---

1. Cf. *auditio mala* (Ps. 111, 7), mauvaise nouvelle (interprété souvent, ainsi que
auditus malus, comme « condamnation). V. *audire*, Dict.

his autem fieri incipientibus, respicite et levate capita vestra, quoniam appropinquat **redemptio** *vestra* (Luc. 21, 28), lorsque ces choses commenceront d'arriver, redressez-vous et levez la tête, car votre libération approchera ;

usque in **adventum** *Domini nostri Jesu Christi* (1 Tim. 6, 14), jusqu'à l'avènement de notre Seigneur Jésus-Christ ;

illustratione (²) **adventus** *sui* (2 Thess. 2, 8), par le resplendissement de sa venue.

Différents termes désignant le jugement dernier.

Dies : *in illis diebus* (Marc. 13, 17) ;

in die adventus Jesu Christi (1 Cor. 1, 8) ;

dies redemptionis (Ephes. 4, 30) ;

in novissimo die (Jo. 6, 39 et passim), au tout dernier jour ;

in novissimis diebus (Jac. 5, 3 ; 2 Tim. 3, 11 ; etc.) ;

in die judicii (cit. supra) ;

novissima hora (1 Jo. 2, 18) ;

in novissima tuba (1 Cor. 15, 52), au son de la trompette finale ;

in die illa tremenda (« *Libera me* »), en ce jour terrible ; cf. *Dies iræ* (v. Soph. 1, 15, cit. § 442).

Le jugement : *in* **judicium** *magni diei* (Juda 6), le jugement du grand jour ;

ultimum **judicium**, *novissimum judicium* (Aug. Civ. 20, 1, 2) ;

dum **discussio** *venerit* (« *Libera me* »), quand viendra l'examen ; cf. *discussurus* (« *Dies iræ* ») ;

ventura enim ira est **animadversio ultionis** *extremæ* (Greg.-M. Hom. ev. 20, 7, lect. 7, d. 4 Adv.), la colère prochaine (Mat. 3, 7), c'est le jugement de la vindicte dernière ;

cum dies illa tui tremendi **examinis** *venerit* (Moz. L. ord. 446), quand viendra le jour de votre terrible examen ; cf. *dies examinationis* (ibid. 440).

7. APPELLATIONS DU CHRIST

§ **204** *Dominus*, le Seigneur, v. § 131 ; 196.

Verbum, v. § 185 ; 216 ; *Sermo*, § 216 note 5.

Christus, Christ, l'« Oint » (¹) par excellence : *Jacob autem genuit Joseph, virum Mariæ, de qua natus est Jesus, qui vocatur* **Christus** (Mat. 1, 16), Jacob engendra Joseph, époux de Marie, de laquelle est né Jésus, qui est appelé Christ ;

Christi *enim nomen a chrismate dictum est : chrisma autem*

---

2. *manifestatione* (ibid. ap. Tycon. 31, 2), ἐπιφανία.

1. Χριστός, oint, de χρίω, oindre ; dans l'A. T., ce nom s'applique à ceux qui ont reçu l'onction : le roi (Ps. 19, 7), les prêtres et en particulier le grand prêtre (Ps. 83, 10). En Ps. 27, 8, sans doute le peuple consacré au service de Dieu (Bible de Jérusalem).

Græce, Latine unctio nominatur (Aug. Tr. ev. Jo. lect. 1 sabb.
hebd. 3 Quadr.), car le nom de Christ vient de chrisma, mot
grec qui signifie en latin onction ; v. plus loin, *sacerdos,
pontifex* ; cf. *unxit eum Deus Spiritu Sancto* (Act. 10, 38), Dieu
l'a oint de l'Esprit Saint.

Dans les Épîtres et les textes liturgiques, le Christ est appelé : *Jesus Christus, Dominus Christus, Dominus Jesus
Christus, Jesus Christus Dominus noster,* v. Invocations, § 32
et suiv.

Jesus : pariet autem filium et vocabis nomen ejus **Jesum** (²)
(Mat. 1, 21), elle enfantera un fils, auquel tu donneras le nom
de Jésus ;

Deus, qui unigenitum Filium tuum ... **Jesum** *vocari jussisti*
(or. S. S. Nom. Jes.), ô Dieu, qui avez fait donner à votre Fils
unique le nom de Jésus ;

admirabile nomen **Jesu,** *quod est super omne nomen* (ant.
ibid.), l'admirable nom de Jésus, qui est au-dessus de tout
nom ; cf. Philipp. 2, 10 (cit. § 196) ;

Pie Jesu et autres appellations concernant sa bonté (§ 34 ;
50).

Emmanuel, v. ex. § 177 ; 179.

Appellations du Messie, dans l'A. T. :

*et vocabitur nomen ejus Admirabilis Consiliarius, Deus For-
tis, Pater futuri sæculi, Princeps pacis* (Is. 9, 6), et il sera appelé Conseiller admirable, Dieu Fort, Père de l'éternité, Prince
de la paix ; cf. *Deus, Fortis, Dominator, Princeps pacis* (ant.
laud. vigil. Nat. Dom.) ;

qui prænuntiabant de adventu **Justi** (Act. 7, 52), qui pré-
disaient la venue du Juste ; cf. *nubes pluant* **Justum** (Is. 45, 8).

Servus, le Serviteur de Yahvé : *ecce* **servus meus,** *suscipiam
eum : electus meus, complacuit sibi in illo anima mea* (Is. 42, 1),
voici mon Serviteur, je le soutiendrai ; c'est mon élu, en lui
mon âme (je) s'est complue ; cf. § 186.

Dans le N. T., *Messias : invenimus* **Messiam,** *quod est interpretatum Christus* (Jo. 1, 41), nous avons trouvé le Messie,
c'est-à-dire le Christ ;

dicit ei mulier : scio quia **Messias** *venit, qui dicitur Christus*
(Jo. 4, 25), la femme lui dit : je sais que le Messie est venu,
celui qu'on nomme le Christ.

Filius David, le Fils de David, le Messie annoncé à la
descendance de David : *Hosanna* (³) *Filio David* (Mat. 21, 9).

Filius hominis, le Fils de l'homme ; Jésus se nomme ainsi
pour affirmer la réalité de sa nature humaine (Luc. 9, 56 et
passim) ; v. § 189.

---

2. En hébreu Yehoshua, « Yahvé sauve ».
3. Terme hébraïque : « sauve donc », devenu une acclamation (Bible de Jérus.).

Filius Dei (⁴), le Fils de Dieu : *et dixit (Jesus) ei : tu credis in **Filium Dei*** ? (Jo. 9, 35), il lui dit : et toi, crois-tu au Fils de Dieu ? (au Fils de l'homme, dans le texte grec) ;

*quid mihi et tibi est, Jesu, **Fili Dei** altissimi* ? (Luc. 8, 28), qu'ai-je à voir avec toi, Jésus, Fils du Dieu Très-Haut ?

*tu es **Filius meus** dilectus, in te complacui mihi* (Luc. 3, 22), (on entendit une voix du haut du ciel :) tu es mon Fils bien-aimé ; tu as toute ma faveur ;

Filius tuus, unigenitus Filius tuus, Unigenitus tuus (or. passim) ; pour *Filius, Unigenitus, Genitus*, v. Trinité.

Autres expressions désignant le Fils dans les hymnes :

Natus (passim ; ex. § 34.38) ; *Natus unicus* ; *Unicus* ; *Unigenitus* ; *Genitus* (ex. § 38) ;

Genitæque Proli (« *Ut queant* »), au Fils engendré ;

Summi ad Parentis dexteram Sedenti (hymn. laud. Pretiosi Sang.), à Celui qui siège à la droite du Père souverain ;

Numen (v. ex. § 34).

§ 205 *Salvator* (⁵), le Sauveur : ex. *natus est vobis hodie **Salvator*** (Luc. 2, 11), aujourd'hui un Sauveur vous est né ;

*hunc principem et **salvatorem** Deus exaltavit dextera sua* (Act. 5, 31), Dieu l'a exalté de sa droite, en le faisant Chef et Sauveur ; cf. 2 Petr. 2, 20 ;

*æterne **Salvator*** (postc. m. vot. p. remiss. pecc.), Sauveur éternel ;

***Salvator** noster* (or. d. palm. et passim, Gel. I, 37) ;

***Salvator** mundi* (postc. 3a miss. Nat. Dom. et passim, Leon. 1271).

Expressions équivalentes : *Salutis humanæ Sator* (⁶) (Hymn. Ascens.), Semeur du salut des hommes (mais l'hymne primit. : *Jesu, nostra Redemptio*) ;

O salutis sempiternæ Dux et auctor inclyte (hymn. mat. 1 jul.), ô Chef et magnifique auteur du salut éternel ; cf. *causa salutis æternæ* (Hebr. 5, 9) ;

salutis auctor (hymn. vesp. Nat. Dom.).

Redemptor, le Rédempteur (Cypr. ; Aug. ; Hier ; pas dans les traductions du N. T.) : ex. *fidelium, Deus, omnium conditor et **redemptor*** (⁷) (or. 2 nov. et p. def. ; *fidelium animarum*

---

4. Au plur. *filii Dei*, les anges (Ps. 88, 7) ; le peuple de Dieu (Deut. 14, 5) ; cf. *filii Excelsi* (Ps. 81, 6), les chefs d'Israël ; et enfin les chrétiens, les fils adoptifs de Dieu (Rom. 8, 14).

5. Chez les Pères et les anciennes traductions bibliques, on trouve aussi : *Salvificator, Salutificator, Servator :* v. le Dictionnaire.

6. Ex. de *sator*, dans la poésie chrétienne, mais en parlant de Dieu : *spirituum sator unus* (Prud. Symm. 2, 190) ; *sator mundi* (P.-Nol. Carm. 10, 50) ; V. § 137.

7. *Redemptor* rappelle ici la nuance A. T., à moins que la Rédemption ne soit alors attribuée à la Trinité tout entière.

Comme on l'a vu, *redemptor*, dans l'A. T., s'applique à Dieu libérateur et défenseur (Job 19, 25 ; Ps. 77, 35 ; 18, 15).

conditor et redemptor, Leon. 1150), ô Dieu, qui avez créé et racheté toutes les âmes fidèles ;

Dominus salvator meus et **redemptor** *æternus* (Moz. L. ord. 279) ;

Deus, qui Unigenitum tuum mundi **Redemptorem** *constituisti* (or. 1 jul.), ô Dieu, qui avez établi votre Fils unique comme Rédempteur du monde ;

Redemptorem *nostrum ad cælos ascendisse* (cit. § 201) ;

Rex Christe **Redemptor** (hymn. « *Gloria, laus*, d. palm.) ; v. aussi *Redemptor, Raparator, Mediator*, à Rédemption, § 231.

Mediator, le Médiateur (Cypr. ; Aug. ; Hier.) : *novi testamenti* **mediator** *est* (μεσίτης) (Hebr. 9, 15), il est le médiateur de la nouvelle alliance ; cf. 12, 24 et Gal. 3, 20 ;

ad novi, quæsumus, testamenti **mediatorem** *Jesum accedamus* (secr. 1 jul.), donnez-nous d'approcher de Jésus, le Médiateur... ;

mediator *noster Jesus Christus* (secr. m. vot. Chr. Sacerd.) ;

mediatoris *Dei et hominum hominis Jesu Christi* (Leon. 176) ; cf. 1 Tim. 2, 5.

Expression équivalente : **advocatum** *habemus apud Patrem, Jesum Christum Justum* (1 Jo. 2, 1), nous avons un avocat auprès du Père, Jésus-Christ, le Juste ; cf. *qui interpellat pro nobis* (Rom. 8, 34).

Pascha nostrum, v. § 190.

Le Prêtre et la Victime du sacrifice rédempteur.

Pontifex : *appellatus est a Deo* **pontifex** *juxta Melchisedech* (Hebr. 5, 9 ; cf. 5, 5), Dieu lui a donné le titre de grand prêtre selon l'ordre de Melchisédech ;

Christus, assistens **pontifex** *futurorum bonorum* (Hebr. 9, 11), grand prêtre des biens à venir : v. § 234 ;

per Christum Dominum nostrum, verum æternumque **Pontificem** (præf. S. S. Sacram. p. Gall.) ;

summe Sacerdos et vere **Pontifex** (or. præp. ad missam).

Sacerdos [8] : **sacerdotem** *magnum super domum Dei* (Hebr. 10, 20), (nous avons accès auprès de Dieu par le Christ) prêtre souverain sur la maison de Dieu ;

Deus, qui ... Unigenitum tuum summum atque æternum constituisti **Sacerdotem** (or. miss. vot. Chr. Sacerd.), ô Dieu, qui avez établi votre Fils unique Prêtre souverain et éternel ;

Amor Sacerdos (dans l'hymne modif. de Pâques) ;

Utrumque sacrificium Christus **Sacerdos** *obtulit* (hymn. laud. S. S. Cord. Jes.), le Christ Prêtre a offert le double sacrifice (de la croix et de la messe).

Victima : la Victime pascale, v. § 194 ; v. *Agnus*, plus loin ;

---

8. Cf. *catholicus Patris Sacerdos* (Tert. Adv. Marc. 1, 9), Prêtre universel du Père.

O vere digna hostia, modif. en *O vera cæli **Victima*** (hymn. vesp. Dom. Res.).

Rex, le Roi : *ecce **rex** tuus venit sedens super pullum asinæ* (Jo. 12, 15 ; Zach. 9, 9), voici venir ton roi, monté sur le petit d'un âne ;

***Rex** regum et Dominus dominantium* (Apoc. 19, 16), Roi des rois et Seigneur des seigneurs (en parlant de Dieu : I Tim. 6, 15) ;

***Regis** regum Jesu Christi ... facias nos esse consortes* (or. 25 aug.), faites que nous ayons part à l'héritage du Roi des rois, Jésus-Christ ;

***Rex** gloriæ Dominusque virtutum* (Leon. 177), le Roi de gloire et le Seigneur des miracles (en parlant du Christ ressuscité) ;

*Deus, qui unigenitum Filium tuum ... Sacerdotem æternum et universum **Regem** oleo exultationis unxisti* (præf. Chr. Reg.), ô Dieu, qui avez consacré avec l'huile d'allégresse votre Fils unique comme Prêtre éternel et Roi universel ;

*Regumque **Rex** altissimus ... Qui jure cunctis imperas* (hymn. mat. Chr. Reg.), Roi des rois suprême ... qui de droit commandez à tous ;

***Rex** gloriose martyrum* ([9]) (hymn. pl. mart. t. pasch.) ; v. autres ex. § 34.

Expressions équivalentes : ***princeps** regum terræ* (Apoc. 1, 5) ;

*sæculorum **principem*** et autres ex. § 131 ;

*Christo canamus **Principi*** (hymn. vesp. dom. Res.), chantons le Christ, notre Chef.

*Sapientia : O **Sapientia**, quæ ex ore Altissimi prodiisti* (ant. Adv. 17 dec.), ô Sagesse, qui êtes sorti de la bouche du Très-Haut ; cf. Eccli. 24, 5 ;

*qui ... cuncta disponis per Verbum, Virtutem **Sapientiam**que tuam Jesum Christum* (Greg. 4, 3), qui organisez tout par votre Verbe, votre Puissance et votre Sagesse, Jésus-Christ.

*Qui est **Imago** Dei invisibilis, **Primogenitus** omnis creaturæ* (Col. 1, 15), Il est l'Image Dieu invisible, le Premier-Né de toute créature ;

*Æterna **imago** Altissimi* (hymn. mat. Chr. Reg.).

Magister, le Maître. Ainsi l'appellent ses disciples : ex. *Magister dicit* (Mat. 26, 18, et passim).

C'est le correspondant du mot *Rabbi* :

ex. *Rabbi, scimus quia a Deo venisti **magister*** (Jo. 3, 2), Rabbi, nous savons que tu es un Maître qui vient de la part de Dieu.

Cf. *Rabboni, quod dicitur **Magister*** (Jo. 20, 16).

---

9. Le Martyr par excellence, celui dont la Passion a servi de modèle.

Præceptor, Maître : ex. *Præceptor, perimus* (Luc. 8, 24 et passim).

§ **206** Expressions figurées ou symboliques.

Le Nouvel Adam ([10]) : v. § 176 ;

Adami *integritas et pietas **novi** Vitam reddidit omnibus* (hymn. vesp. 1 jul.), l'innocence et la bonté du nouvel Adam a rendu la vie à tous (opp. à *Adami veteris crimine*).

La voie : *ego sum **via** et veritas et vita* (Jo. 14, 6), je suis la voie, la vérité et la vie ;

*ad te, qui **via**, veritas et vita es* (or. miss. p. rege).

Veritas : v. § 170.

*Vita : in ipso vita erat, et **vita** erat lux hominum* (Jo. 1, 4), en lui était la vie, et la Vie était la lumière des hommes ;

*et **vita** manifestata est, et vidimus* (1 Jo. 1, 2), et la Vie s'est manifestée, nous l'avons vue ;

*ut ... **fontem vitæ** sentiamus* (or. vigil. Pent., Greg. 110, 5; même expression pour la fête de Pâques, 84, 5), que nous savourions la source de vie ; cf. *apud te est fons vitæ* (Ps. 35, 10) ;

fontem vitæ *toto corde diligendum, id est Christum redemptorem* (Leon. 561 glos.), il faut aimer de tout son cœur la source de vie, c'est-à-dire le Christ rédempteur ; v. Eucharistie, vivification.

La Pierre angulaire : *ecce pono in Sion **lapidem angularem**, electum, pretiosum ; et qui crediderit in me, non confundetur* (1 Petr. 2, 6 ; cf. Is. 28, 16), voici que je pose en Sion une pierre angulaire ; et celui qui croira en moi ne sera pas confondu; *hic factus est in **caput anguli*** (1 Petr. 2, 7) ;

*(estis) superædificati super fundamentum apostolorum et prophetarum, ipso summo **angulari lapide** Christo Jesu* (Ephes. 2, 20), vous avez pour fondations les apôtres et les prophètes, et pour pierre d'angle le Christ Jésus lui-même ;

*per Filium tuum, **angularem** scilicet **lapidem*** (ben. novi ign. vigil. Pasch.) ;

Angularis *fundamentum **Lapis** Christus missus est* (hymn. laud. Dedic.), Pierre angulaire, le Christ a été envoyé comme fondement (hymne primit.).

La Porte : v. *janua, porta*, au chp. Rédemption, § 233 fin ;

*ego sum **ostium**. Per me si quis introierit, salvabitur* (Jo. 10, 9), je suis la porte. Qui entrera par moi sera sauvé ; cf. *O salutaris hostia, Quæ cæli pandis **ostium*** (hymn. laud. Corp. Chr.), ô victime salutaire, qui nous ouvrez la porte du ciel.

Le Berger, le Bon Pasteur : *ego sum **pastor bonus**. Bonus pastor animam suam dat pro ovibus suis* (Jo. 10, 11), je suis le bon pasteur. Le bon pasteur donne sa vie pour ses brebis ;

---

10. L'un, ancêtre de l'humanité ; l'autre, chef de l'humanité qu'il a acquise et rachetée (Rom. 5, 15).

ad **pastorem** *et episcopum animarum vestrarum* (1 Petr. 2, 25), le berger et le surveillant de vos âmes ;

Domine Jesu Christe, **pastor bone** (or. 3 sept. p. al. loc.) ;
pastor *noster* (ibid.) ;

pastor *bone* (Leon. 291 ; 520) ;

pastor *æterne* (or. com. un. aut pl. mart., Leon. 376).

L'Agneau, symbole de la victime immolée pour le salut du monde ; salué ainsi par saint Jean-Baptiste : *ecce* **agnus** *Dei, ecce qui tollit peccatum mundi* (Jo. 1, 29), voici l'agneau de Dieu, voici celui qui ôte le péché du monde ; cf. Is. 53 ;

ipse enim verus est **Agnus,** *qui abstulit peccata mundi* (præf. Pasch., Gel. I, 45, 458), c'est lui, le véritable Agneau qui a ôté les péchés du monde ;

hæc sunt enim festa paschalia, in quibus verus ille **Agnus** *occiditur* (« Exsultet », vig. Pasch., Miss. Gall. 25, 134), car voici les fêtes de Pâques, où l'Agneau véritable [11] est immolé ;

tollentem mundi peccata ... **Agnum ... divinum** (Moz. L. sacr. 679) ;

majestati tuæ, Domine, **Agnum immaculatum** *offerentes* (secr. 22 aug.), offrant à votre Majesté, Seigneur, l'Agneau sans tache ;

Lavacra puri gurgitis **Cælestis Agnus** *attigit* (hymn. vesp. Epiph.), l'Agneau céleste a touché les flots du bain purificateur ; v. autres ex. § 190 ; 201.

§ 207 Le Pélican. Ce symbole chrétien popularisé par l'image (l'oiseau déchirant sa poitrine pour nourrir de son sang ses petits) évoque soit le Christ répandant son sang pour le salut du monde (le pélican du désert : Aug. Psal. 101, 8), soit le Christ nourrissant les hommes de lui-même dans l'eucharistie : *pie Pellicane* (« *Adoro te* »).

La Vigne : *ego sum* **vitis** *vera et Pater meus agricola est* (Jo. 15, 1), je suis la vraie Vigne et mon Père est le vigneron ; cf. *agricola cælestis* (§ 357) ;

iste locus evangelicus, fratres, ubi se dicit Dominus **vitem** *et discipulos suos palmites, secundum hoc dicit, quod est caput* [12] *ecclesiæ nosque membra ejus* (Aug. Tr. ev. Jo. 80, lect. 6 comm. mart. t. pasch.), dans ce passage de l'Évangile, mes frères, où le Seigneur se nomme la vigne et ses disciples les sarments, il veut nous faire entendre qu'il est la Tête de l'Église, et nous, ses membres ;

in eodem Christo tuo, qui vera **vitis** *est* (or. vigil. Pent., Gel. I, 77).

---

11. *Verus*, véritable, opp. à l'agneau « typique », préfiguratif, immolé à la sortie d'Égypte, v. § 176.

12. Pour *Caput*, la Tête, opp. a *membra* ou *corpus*, cf. Ephes. 1, 22 ; 4, 15 ; Col. 5, 30 ; etc. ; v. chp. Église.

Le Médecin, *Medicus* (Hier. ; Aug.) : *qui cælestis **Medici** fulgentem præsentiam sustinemus* (Rotul. Rav. Sacram. Leon. p. 174), qui attendons la rayonnante présence du Médecin céleste ;

*te ... **medicum** cælestem ... imploramus* (Moz. L. ord. 366) ;

*Christe Domine, qui es **medicus** salutaris* (ibid. 374) ;

*cælestis **medicus** singulis quibusque vitiis obviantia adhibet medicamenta* (Greg.-M. Hom. ev. 32, al. lect. 7, comm. un. mart.), le Médecin céleste applique à chaque maladie le remède approprié ; cf. *medela, medicina*, v. Eucharistie, remède.

La Lumière, *Lumen, Lux* (Jo. 1 passim) : *Lumen de Lumine*, v. Trinité ;

*Tu, **lumen**, tu splendor Patris* (hymn. vesp. Nat. Dom.), vous lumière et splendeur du Père.

*Splendor paternæ gloriæ ... **Lux** lucis et fons luminis* (Ambr. Hymn. 2, 1, laud. fer. 2), Splendeur de la gloire du Père ... lumière de lumière et source de lumière ; *verus **Sol*** (ibid.) ; ***Sol** justitiæ*, v. § 181 ;

cf. *auctorem lucis, **principem luminis*** (Miss. Goth. 223) ; ***lucis principem*** (Moz. L. ord. 78) ;

***Sidus** refulget jam novum* (hymn. laud. Adv.), voici que brille un astre nouveau.

Le « Porte-lumière » : *donec dies elucescat et **Lucifer** oriatur in cordibus vestris* (2 Petr. 1, 19), jusqu'à ce que le jour commence à poindre et que l'astre du matin se lève dans vos cœurs ;

*vere **dies** sempiternus, vere **Lucifer**, vere Dominus N. J. Ch.* (Moz. L. sacr. 395), le vrai jour éternel, le vrai porte-lumière ; cf. *esto famulis tuis perpetuus **dies*** (ibid. 391) ;

o ***Oriens**, splendor lucis æternæ* (ant. Adv. 21 dec.), ô Orient, splendeur de lumière.

L'Époux, par allusion à la parabole des vierges sages, *prudentes*, et des vierges étourdies, *fatuæ*, qui devaient veiller en attendant d'escorter l'Époux, *Sponsus* (Mat. 25, 1-13) : symbole des âmes qui veillent et attendent sa venue.

Le langage mystique a désigné aussi le Christ comme l'Époux des vierges consacrées : *Qui pascis inter lilia, Septus choreis virginum, **Sponsus** decora gloria Sponsisque reddens præmia* (hymn. laud. comm. virg., modif. *Qui pergis*), vous qui menez votre troupeau parmi les lys, Époux rayonnant de gloire et récompensant vos épouses ;

*ut nobiscum sit **Sponsus** æternus* (Moz. L. sacr. 686).

L'Époux de l'Église, v. Église, § 355.

L'Époux de l'humanité, v. Incarnation, § 181.

La Montagne ([13]), où il faut parvenir, comme Moïse au Sinaï :

---

13. *Montes*, symbolisant les saints (Aug. Psal. 124, 5 ; Greg.-M. Hom. Ez. c. 938B ; le ciel (P.-Diac. c. 1189) ; cf. *levavi oculos in montes* (Ps. 120, 1).

*ut ... ad **montem**, qui Christus est, pervenire valeamus* (or. 25 nov.).

Voir d'autres appellations dans les litanies du saint nom de Jésus et dans les litanies du Sacré-Cœur.

En dehors de celles-ci, autres appellations concernant le Sacré-Cœur :

*Cor, **Arca** legem continens ... Cor, **sanctuarium** novi Intemeratum fœderis, **Templum** vetusto sanctius* (hymn. laud. S. S. Cord. Jes.), ô Cœur, arche contenant la loi (nouvelle) ... ô Cœur, sanctuaire inviolé de la nouvelle alliance, temple plus saint que l'ancien ;

*jactans omne cogitatum meum in Cor Domini Jesu ... ; ad hoc **templum**, ad hæc **sancta sanctorum**, ad hanc **arcam** testamenti adorabo* (S. Bern. Serm. de Pass. 3, lect. 5, S. S. Cord. Jes., vet. Br.), m'abandonnant entièrement (cf. Ps. 54, 23) au Cœur du Seigneur Jésus ... devant ce temple, devant ce saint des saints, devant cette arche d'alliance, je me prosternerai (cf. Ps. 5, 8).

N.B. Bien que, théologiquement, la place de la Vierge Marie soit au chapitre de l'Église et du Corps mystique (§ 348-358) ou en tête de celui des Saints, nous l'insérons ici autant pour la logique du Vocabulaire qu'en raison des rapports uniques de Marie avec le Verbe incarné. Voir aussi § 116-122.

V

LA VIERGE MARIE

1. LA MATERNITÉ DIVINE

§ 208 Le terme grec *Θεοτόκος* (concile d'Éphèse en 431) a été quelquefois employé en Occident (Cassien, Mercator, Rusticus), sous la forme *theotocos*. Mais, dès le 4e siècle, le terme habituel est *Dei Genitrix* ou *Genetrix* (Prudence, Augustin, etc.), plus fréquent que *Mater Dei*. Il signifie, non pas que Marie, une mortelle, a enfanté la divinité, mais qu'elle a enfanté un homme qui était Dieu : elle a enfanté l'humanité de Jésus, qui était Dieu, et non un homme adopté ou assumé ensuite par la divinité.

Dans le latin liturgique, on rencontre donc les expressions suivantes : *Dei Genitrix, Sancta Dei Genitrix, sanctissima Dei Genitrix, Genitrix tua, Genitrix Filii tui, gloriosa tua Genitrix, immaculata Genitrix, beata et gloriosa Dei Genitrix, purissima Genitrix* (cette dernière épithète étant plus récente, ex. dans les litanies de la Ste. Vierge : *Mater purissima*).

Cette croyance est parfois affirmée solennellement :

ex. *qui vere eam* **Genitricem Dei** *credimus* (or. 25 mart. et 9 febr., Greg. 33, 1), nous qui croyons qu'elle est vraiment la Mère de Dieu ;

Maternitatem *beatæ Virginis celebremus* (Invit. 11 oct.) ;

quicumque celebrant tuam sanctam **Maternitatem** (vers. 11 oct.) ;

Deus, qui beatum Cyrillum ... divinæ **maternitatis** *beatissimæ Virginis Mariæ assertorem invictum effecisti* (or. 9 febr.), ô Dieu, qui avez fait de saint Cyrille un défenseur invincible de la maternité divine de la bienheureuse Vierge Marie ;

beata **Genetrix** (Leon. 1201) ; *veneranda* **Genetrix** (ibid. 398) ;

tu, quæ **genuisti** ... *tuum sanctum Genitorem* (ant. « *Alma Redemptoris* », vous qui avez mis au monde votre saint Créateur.

Mater : *mater Dei* (Ambr. De virginibus 2, 2, 7) ;

Mater Domini (Mamert. ; Leon. 254 ; Gel. II, 14 tit.) ;

natum de **matre** *virgine* (Leon. 1252 ; Greg. 9, 8), né d'une mère qui était vierge ;

Mater tua (or. passim) ; *Mater Jesu* (or. passim) ;

dulcissimæ **Matris** *tuæ dolores* (or. 27 febr.), les douleurs de votre très douce Mère ;

Alma Redemptoris **Mater** (ant.), vénérable Mère du Rédempteur ;

Mater *dei et mater veniæ* (« *Salve, mater misericordiæ* »), Mère de Dieu et mère du pardon.

Expressions plus rares.

Deipara (Mercator) : *per intercessionem* **Deiparæ** *Virginis* (secr. S. Famil.) ;

Intacta **Mater Numinis** (hymn. mat. 8 dec.), virginale Mère de Dieu.

La Vierge Marie a « porté » l'Enfant Jésus :

beata Virgo, cujus viscera meruerunt **portare** *Dominum Christum* (resp. Nat. Dom.), bienheureuse Vierge, dont les entrailles ont mérité de porter le Seigneur Jésus-Christ ; *quem meruisti* **portare** (ant. « *Regina cæli* ») ;

quem cæli et terra capere non poterant (¹), *tuo* **gremio contulisti** (resp. passim), Celui que le ciel et la terre ne pouvaient contenir, vous l'avez tenu sur vos genoux ;

Quem terra, pontus, æthera Colunt, adorant, prædicant, ... Claustrum Mariæ **bajulat** (hymn. mat. fest. B. M. V.), Celui que la terre, la mer et les cieux vénèrent, adorent, proclament, Marie le porte en son sein ;

quæ Deum et hominem sacris castisque visceribus meruit **bajulare** (Rotul. Rav. Leon. app. p. 176), qui a mérité de porter l'Homme-Dieu dans ses entrailles chastes et saintes ;

sacro **gravidanda** *fœtu* (Leo-M. Serm. lect. 5 Nat. Dom.), qui devait porter un fardeau sacré.

§ 209 Expressions figurées.

Thalamus, v. § 181 ;

Deus, qui virginalem **aulam** *beatæ Mariæ, in qua habitares, eligere dignatus es* (or. 14 aug., Greg. 147, 1), ô Dieu, qui avez daigné choisir, pour y demeurer, le palais virginal de la bienheureuse Marie ;

Deus, qui, per immaculatam Virginis conceptionem, dignum Filio tuo **habitaculum** *præparasti* (or. 8 dec.), ô Dieu, qui, par la Conception immaculée de la Vierge, avez préparé pour votre Fils une demeure digne de lui ;

beatam Mariam semper Virginem, Spiritus Sancti **habitaculum** (or. 21 nov. et passim) ;

domus pudici pectoris **templum** *repente fit Dei* (vers. Circumc.), la demeure d'un chaste sein devient soudain le temple de Dieu ;

Maria beata facta est **templum** *pretiosum, portans Dominum dominorum* (Miss. Goth. 17), la bienheureuse Marie est devenue un temple précieux, portant le Seigneur des seigneurs ;

Mundum pugillo continens, ventris sub **arca** *clausus est* (hymn. mat. fest. B. M. V.), Celui qui tient le monde entier dans sa main est enfermé dans l'arche de son sein ; cf. **arca** *Dei viventis* (S. Jo. Damasc. lect. 4 Assumpt.).

Image prophétique : *et egredietur* **virga de radice Jesse**, *et flos de radice ejus ascendit, et requiescit super eum spiritus*

---

1. Cf. 3 Reg. 8, 27 (cit. § 127).

Domini (Is. 11, 1 ; cf. 7, 14), un rejeton sortira de la souche de Jessé, une fleur pousse de ses racines, sur elle repose l'esprit du Seigneur ; cf. § 175 ;

nos autem **virgam de radice Jesse** *sanctam Mariam Virginem intelligamus* (Hier. Is. 4, 11, lect. 5 d. 2 Adv.), pour nous, reconnaissons, en cette tige de la souche de Jessé, la bienheureuse Vierge Marie.

2. LA MÉDIATRICE

§ 210 Marie, mère de l'unique Médiateur (¹), a un rôle privilégié dans notre rédemption : v. *Mediatrix*, § 116 et 122 ; *Advocata*, § 116 ; *Domine J. C., noster apud Patrem* **Mediator**, *qui beatissimam Virginem Matrem tuam, matrem quoque nostram, et apud te* **Mediatricem** *constituere dignatus es* (or. 8 mai. p. al. loc.) ;

quibus (famulis tuis) beatæ Virginis partus exstitit **salutis exordium** (or. 23 jan., 8 sept., Greg. 156, 1), pour lesquels la bienheureuse Vierge, par son enfantement, a été l'aurore du salut ;

per quam *meruimus auctorem vitæ suscipere* (or. passim), Gel. II, 47 ; Greg. 14, 1), elle par qui il nous a été donné de recevoir l'auteur de la vie ;

quæ vitæ portavit auctorem (Miss. Goth. 96) ;

Deus, qui salutis æternæ, beatæ Mariæ virginitate fecunda, humano generi præmia præstitisti (or. 1 jan. et passim ; *qui, spe salutis ...*, Gel. II, 47), ô Dieu, qui avez donné, en fécondant le sein de la bienheureuse Vierge Marie, les trésors du salut éternel au genre humain ;

Intrent ut astra flebiles Cæli **fenestra** *facta es. Tu, regis alti* **janua**. *Et* **porta** *lucis fulgida* (hymn. laud. fest. B. M. V.), pour que les malheureux (²) puissent y entrer, vous leur avez ouvert une fenêtre sur le ciel (modif. *Cæli recludis cardines*, vous leur ouvrez les portes du ciel). Vous, porte du Roi suprême, porche éclatant de la lumière (modif. *aula lucis fulgida*, palais ...) ;

quæ pervia **cæli porta** *manes* (« *Alma Redemptoris* »), qui

---

1. A noter que *Mediator*, que nous avons signalé parmi les appellations du Christ, n'a pas le même sens que « médiateur » humainement parlant : le médiateur, au sens ordinaire, est celui qui, placé entre les deux parties, offre ses bons offices pour les réconcilier. Le Christ, lui, n'essaie pas de réconcilier, il opère cette réconciliation ; de plus il n'est pas en dehors du conflit, étant Dieu et Homme : *inter divinitatem solam et humanitatem solam mediatrix est humana divinitas et divina humanitas* (Aug. Serm. 47, 12, 21), entre la divinité d'une part et l'humanité d'autre part, la médiation est réalisée par la divinité faite homme et l'humanité de l'Homme-Dieu.

Mais appliqué à la Sainte Vierge, le mot *mediatrix* n'a qu'une signification analogique ; ainsi Paul Diacre l'entend au sens de *advocata* : *mediatrix Filii sui et hominum ipsa* (M. 95, c. 1496B).

2. Ou : « les pauvres mortels voués aux larmes » ; ne pas oublier que le mot français « faible » vient de *flebilis*.

demeurez la porte ouverte vers le ciel ; *Felix* **cæli porta**
(« *Ave, maris stella* ») ; **porta** *justitiæ* (Ambr. Ep. 42, 6).

Voir d'autres appellations, § 120 et dans les litanies de la
Sainte Vierge, par ex. *fœderis arca*, arche d'alliance, par la
tendance à reporter sur la Vierge des appellations auparavant
réservées au Christ, la piété la considérant comme son reflet :
ex. *Vita* (« *Salve, Regina* ») ; le Saint Nom de Marie ; **primogenita** *ante omnem creaturam* (vers. 8 dec., en lui appliquant
les paroles de la Sagesse), à côté de **primogenitus** *omnis
creaturæ* (Col. 1, 15) ; *Reparatrix*, à côté de *Reparator* : *Ipsa
Dei Genitrix,* **Reparatrix** *inclita mundi* (hymn. Pont. Rom.-
Germ. 99, 424).

3. LA BIENHEUREUSE MARIE TOUJOURS VIERGE

§ 211 *Virgo* est le terme constamment appliqué à Marie
dans la littérature chrétienne et la liturgie ; par exemple, saint
Ambroise dit *Virgo Maria, Virgo immaculata,* aussi bien que
sancta Maria, beata Maria. Le Sacramentaire Léonien a *beata
Maria* (234), *beatæ Mariæ intemeratæ Virginis* (Rotul. Rav.
ibid. p. 177), et surtout *Mater Virgo* (1252 ; 1270; 1276). Dès
le Sacramentaire Gélasien apparaissent les formules définiti-
ves : *pro nativitate beatæ et gloriosæ semperque Virginis Dei
Genitricis Mariæ* (II, 54) ; *beatæ semper Virginis Mariæ...
solemniis* (II, 14).

Les épithètes communément appliquées à Marie, dans les
oraisons et les chants, sont : *immaculata, purissima, casta,
illibata, inviolata, intacta, integra, integerrima, perpetua,* dont
les dernières se réfèrent à sa virginité (v. § 119). Au lieu de
perpetua, on emploie plus souvent l'adverbe *semper* (v. § 116).

Sa virginité se dit *virginitas* ou *integritas* : *virginitate fecunda, virginitate permanente* ou *integritate permanente* (or. passim) ; cf. *post partum virgo permansit* (ant. Magnif. 2 febr.),
demeura vierge après l'enfantement ;

virginitatis non patieris detrimentum (vers. 25 mart.), votre
virginité ne souffrira pas de dommage ;

*qui natus de Virgine matris integritatem non minuit, sed
sacravit* (secr. 8 sept., Greg. 156, 2), qui, né d'une Vierge, n'a
pas porté atteinte à la virginité de sa mère, mais l'a au contraire consacrée.

Au sens concret, *Virginitas* désigne la Virginité personnifiée,
la Sainte Vierge (cf. *Veritas* désignant le Christ) : *eodem Spiritu,
quo te in carne Virginitas incorrupta concepit* (Moz. L. sacr.
116), par qui la Virginité sans tache vous a conçu ; v. *Virginitas
perpetua* (§ 378).

Marie ne « connaît » pas l'homme, selon l'expression biblique :

quomodo fiet istud, quoniam virum non cognosco (Luc. 1, 34), comment cela se fera-t-il, puisque je ne connais point d'homme ?

et non **cognoscebat** *(Joseph) eam, donec* (¹) *peperit filium suum primogenitum* (Mat. 1, 25), et avant qu'elle eût mis au monde son fils premier-né, Joseph ne la connaissait pas ;

nescia viri (Ps.-Aug. Serm. 128, 3) ;

Intacta nesciens virum (hymn. laud. Nat. Dom.).

Jésus est né d'une femme : *factum ex muliere* (Gal. 4, 4). Habituellement, en latin, *mulier* s'oppose à *virgo* ; mais les Pères (²) constatent que c'est une habitude biblique d'appeler *mulier* (γυνή), soit Ève nouvellement créée, soit la Vierge Marie : ex. *mulier innupta et virgo* (1 Cor. 7, 34), une femme non mariée et vierge.

A propos des « frères » du Seigneur (Mat. 12, 47 ; Marc. 3, 31 ; Luc. 8, 19), il faut noter que le mot *fratres* désigne aussi les parents en général dans le latin biblique (ex. Gen. 13, 8 ; etc.).

Quelques figures symboliques de la virginité de Marie :

rubum, quem viderat Moyses (Gen. 3, 2) *incombustum, conservatam agnovimus tuam laudabilem virginitatem* (ant. 2 febr.), dans le buisson que Moïse avait vu brûler sans se consumer, nous avons reconnu votre merveilleuse virginité ;

hortus conclusus, fons signatus (Cant. 4, 12, resp. 8 dec.), jardin fermé, fontaine scellée ;

porta hæc (sanctuarii) clausa erit, non aperietur et vir non transibit per eam, quoniam Dominus Deus Israël ingressus est per eam (Is. 44, 2-3 ; capitul. 8 dec.), cette porte sera fermée ; elle ne sera pas ouverte et un homme n'y passera point, car le Seigneur Dieu d'Israël est entré par elle ;

descendet Dominus sicut pluvia in vellus (Ps. 71, 6 ; resp. d. 3 Adv.), descendra comme la pluie sur la toison (de Gédéon) ; cf. § 175.

4. L'IMMACULÉE CONCEPTION

§ 212 Marie a été conçue sans péché, *sine labe concepta*, c'est-à-dire exempte, dès le premier instant de sa conception, du péché originel :

beatissimam Virginem Mariam in primo instanti suæ conceptionis fuisse, singulari Dei privilegio, ab omni originalis culpæ labe præservatam immunem (Pii IX, lect. 6 Immac.

---

1. *Donec*, litt. jusqu'au jour où elle enfanta. Saint Jérôme (Helv. 5) explique que, dans ce passage, *donec* (ἕως οὗ) ne marque point un terme définitif : v. mon Dict. et aussi le Thesaurus, p. 2001, ainsi que la note de la Bible de Jérusalem (ad loc.).

2. ex. *mulieres omnes feminas illi appellaverunt proprietate linguæ Hebraicæ* (Aug. Serm. 51, 11, 18), ils ont appelé *mulieres* toutes les femmes, selon une habitude propre à la langue hébraïque.

Conc. B. M. V.), que la bienheureuse Vierge Marie, dès le premier instant de sa conception, a été, par un privilège spécial de Dieu, gardée exempte de toute souillure due au péché originel ;

qui Unigeniti tui Matrem ab originali culpa in sua conceptione mirabiliter præservasti (or. 7 déc.) ;

qui immaculatæ Conceptionis Genitricis unigeniti Filii tui festivitatem prævenimus (postc. 7 déc.), qui nous préparons à célébrer la fête de l'Immaculée Conception de la mère de votre Fils unique ;

per immaculatam Virginis conceptionem (or. 8 déc.) ;

quæ nullis terrenis inquinata est affectibus (S. Jo.-Damasc. lect. 5 Assumpt.), qui ne fut jamais souillée d'aucune passion humaine.

5. L'ASSOMPTION

§ 213 La tradition, puis le dogme catholique, regardent Marie comme exempte du péché originel, et, par suite, de la corruption du tombeau : *nec littera, nec historia docet ex hac vita Mariam corporalis necis passione migrasse* (Ambr. Luc. 22, lect. 8 oct. Nat. Dom.), aucun texte, aucun récit ne mentionne que Marie ait quitté cette vie après avoir subi les conséquences physiques de la mort ;

veneranda nobis, Domine, hujus est diei festivitas, in qua sancta Dei Genitrix mortem subiit temporalem nec tamen mortis nexibus deprimi potuit (Greg. 148, *Assumptio sanctæ Mariæ*), nous allons célébrer aujourd'hui, Seigneur, la fête de ce jour, où la sainte Mère de Dieu a affronté la mort temporelle, mais sans avoir pu pour autant succomber aux lois ordinaires du trépas.

Dès le Missel Gothique ([1]) (*Missa in Adsumptione sanctæ Mariæ Matris Domini nostri*, 94 tit.), le mot *assumptio* désigne l'assomption corporelle de Marie « emportée » au ciel.

Ex. dans la liturgie mozarabe : *Virgo Dei Genitrix Maria, cujus hodie veram adsumptionem celebramus in sede superna* (L. sacr. 899), la Vierge Marie, Mère de Dieu, dont nous célébrons aujourd'hui la véritable assomption au séjour céleste.

Le mot est repris par les Sacramentaires Gélasien : *in adsumptione sanctæ Mariæ* (II, 47 tit.) ; *assumpta est* (ibid. 995) ;

et Grégorien : *Assumptio sanctæ Mariæ* (147 et 148 tit.) ;

in Assumptione beatæ Mariæ semper Virginis (præf. Assumpt.) ;

---

1. Ce passage au ciel y est appelé *transitus* (98, p. 30). V. *transitus* pour les morts ordinaires, § 94 note.

quoniam vero universa Ecclesia fidem in corpoream beatæ Mariæ Virginis Assumptionem per sæculorum decursum manifestavit (Act. Pii XII, lect. 6 Assumpt.), puisque l'Église universelle, pendant tout le cours des siècles, a manifesté sa foi en l'Assomption corporelle de la bienheureuse Vierge Marie.

Le verbe *assumere* a donc remplacé d'anciennes périphrases, telles que *transferre in cælum* ; cf. *quam ... de præsenti sæculo transtulisti* (Greg. 147, 2) :

ex. **assumpta est** *Maria in cælum* (ant. vesp. Assumpt.) ;

Maria Virgo **assumpta est** *ad æthereum thalamum* (ant. ibid.), la Vierge Marie a été emportée jusqu'à la chambre nuptiale du ciel (où siège le Roi des rois sur un trône d'étoiles) ;

ut autem Dei viventis Mater, ad illum ipsum digne **assumitur** (S. Jo. Damasc. lect. 5 Assumpt.), comme mère du Dieu vivant, il est juste qu'elle soit élevée jusqu'à lui ;

Deus, qui immaculatam Virginem Mariam, Filii tui Genitricem, corpore et anima ad cælestem gloriam **assumpsisti** (or. 15 aug.), ô Dieu, qui avez élevé à la gloire céleste, dans son corps comme dans son âme, l'immaculée Vierge Marie, mère de votre Fils.

VI

LA SAINTE TRINITÉ

1. L'UNITÉ DIVINE

§ 214 Il n'y a qu'un seul Dieu (v. Unicité, § 159 et suiv.). D'autre part Jésus s'est affirmé Fils de Dieu et a promis à ses apôtres de leur envoyer le Saint-Esprit. Voilà pourquoi la pensée chrétienne s'est appliquée, non pas à expliquer le mystère, mais à formuler la réalité de l'unique nature divine et de la Trinité des personnes.

Fides autem catholica hæc est, ut unum Deum in Trinitate et Trinitatem in unitate veneremur, neque confundentes personas neque substantiam separantes (Symb. Athan.), or la croyance catholique est celle-ci : nous devons vénérer un Dieu unique dans sa Trinité et la Trinité au sein de cette unité, sans confondre les personnes (comme les modalistes, v. note 1), ni séparer la substance (diviser la nature divine, trithéisme). La formule est reprise dans le Rituel du baptême : ... *Trinitatem in unitate venereris, neque confundendo personas, neque substantiam separando.*

Le texte du Symbole, dit de saint Athanase, est sans doute tardif ; mais les premiers théologiens de la Trinité, tels que Tertullien, ont formellement affirmé les deux termes *unitas* [1] et *trinitas* [2] : *unitas ex semetipsa derivans trinitatem* (Adv. Prax. 3), unité d'où découle d'elle-même sa trinité.

L'unité de nature ou égalité de substance, *consubstantialitas*, a été définie au concile de Nicée contre les ariens (325), par le mot ὁμοούσιος, *consubstantialis* : v. plus loin, chp. 2.

Exemples, dans les textes liturgiques, concernant l'unité divine (*unitas, unus*), et la singularité, la distinction des personnes (*singularitas*) [3] :

ineffabilis **unitas** *Trinitatis* (Rotul. Rav. Leon. app. p. 174) ;

dum trino vocabulo **unicam** *credimus majestatem* (Gel. I, 2

---

1. S. Hilaire de Poitiers distingue les deux mots *unio* et *unitas*. *Unio* ne signifie pas seulement action d'unir, mais aussi « l'unité », le nombre 1 (comme en arithmétique ou au jeu de dés). Il repousse donc l'*unio personæ*, l'unicité de personne (Dieu le Père et Dieu le Fils considérés comme une seule personne, chez les modalistes) ; mais professe l'*unitas substantiæ*, l'unité de la substance divine : *unum sunt, non unione personæ, sed substantiæ unitate* (Trin. 4, 42).

2. Le mot Τριάς apparaît pour la première fois chez Théophile d'Antioche (2e s.). Cf. *sanctæ* Τriadi (hymn. 2 oct. ; *summæ* Τriadi (hymn. 15 sept.)

3. Cf. *in deitate Patris et Filii et Spiritus Sancti nec singularitas est, nec diversitas cogitanda, vera unitas et vera Trinitas* (Leo-M. Serm. 76, 2), dans la divinité du Père et du Fils et du Saint-Esprit, il n'y a pas à imaginer de distinctions ni de différences, il s'agit d'une véritable unité et d'une véritable Trinité.

præf.), dans notre croyance à une unique Majesté sous un triple vocable ;

... *Pater omnipotens, æterne Deus, qui cum unigenito Filio tuo et Spiritu sancto* **unus** *es Deus,* **unus** *es Dominus, non in unius singularitate personæ, sed in Trinitate substantiæ* (præf. Trin., Gel. I, 84, 680), Père tout-puissant, Dieu éternel, qui, avec votre Fils unique et le Saint-Esprit, êtes un seul Dieu, un seul Seigneur, non en une seule personne, mais en une seule nature en trois personnes ;

benedicta sit sancta Trinitas atque **indivisa unitas** (Introit. Trin.), bénie soit la sainte Trinité et son indivisible unité ; **individua** *Trinitas* (ant. laud.) ; **individuæ unitatis** *confessio* (postc.) ;

Pater et Filius et Spiritus Sanctus **una** *substantia est, o beata Trinitas* (ant. mat.) ; cette finale rappelle le refrain de l'hymne 3 de Marius Victorinus Afer : *O beata Trinitas* ;

in confessione veræ fidei, æternæ Trinitatis gloriam agnoscere et in potentia majestatis adorare **unitatem** (or. Trin.), en confessant la vraie foi, reconnaître la gloire de la Trinité éternelle et adorer son unité dans la puissance de sa majesté ;

Tu, Trinitatis **unitas** (hymn. mat. fer. 6), ô vous, Unité de la Trinité ;

Unus *potentialiter, Trinusque personaliter* (hymn. mat. sabb.), unique en sa puissance, triple en ses personnes (modif. **Unius** *et substantiæ, Trinusque personis Deus*) ;

Gloria tibi, Trinitas æqualis, **una** *Deitas* (ant. vesp. Trin.), gloire à vous, Trinité dans l'égalité, divinité une ;

qui in Trinitate perfecta vivis et regnas ... (Miss. Goth. 57) ;

concordator discordiæ et origo societatis æternæ, **indivisa Trinitas**, *Deus* (coll. ad pacem, Miss. Goth. 120), O Dieu, Trinité indivisible, qui apaisez la discorde et êtes la source de l'éternelle union.

De même qu'on a vu le verbe *separare* dans le symbole mentionné plus haut, les mots *inseparabilitas, inseparabilis* interviennent aussi :

ex. **inseparabilitas** *Trinitatis* (Aug. Trin. 15, 23, 43 ; etc. ; Faust. Trin. 1, 8) ;

Trinitas **inseparabilis** (Gel. I, 88, 702) ;

ut credas Trinitatem **inseparabilem** (Miss. Goth. 254).

§ **215** Le mot **persona** a signifié d'abord masque ([4]) (à travers lequel l'acteur se fait entendre, **personare**, puis : visage, face, rôle, personnage, etc. Un peu avant l'ère chrétienne, le mot en vient à exprimer (avec plus de fréquence que ne le faisait πρόσωπον) l'idée d'individualité : personnage, per-

---

4. C'est en jouant sur les mots que Tertullien dit que le Christ est le masque à travers lequel le Père se fait entendre : *persona Paterni Spiritus est* (Prax. 14, ed. Kroymann), il est le porte-parole de l'Esprit du Père.

sonne, individu. Les latins l'ont adopté pour désigner les
« hypostases » grecques ([5]). A propos de la Trinité, le mot
persona signifie que le Père est quelqu'un, le Fils est quelqu'un,
le Saint-Esprit est quelqu'un. L'unité divine est constituée de
trois personnes, non trois abstractions personnifiées, ni des
attributs divins auxquels un artifice de langage métaphysique
accorderait une réalité, selon la tendance néoplatonicienne.

L'égalité des trois Personnes s'affirme dans les formules
liturgiques comme dans les professions de foi :

ex. *totæ tres personæ* **coæternæ** *sibi sunt et* **coæquales**
(Symb. Athan.), toutes les trois personnes sont coéternelles et
égales ;

*credis ... sanctam Trinitatem, Patrem et Filium et Spiritum
Sanctum, unum Deum omnipotentem, totamque in sancta
Trinitate Deitatem,* **coessentialem, consubstantialem, co-
æternam** *et* **coomnipotentem**... ? (Interr. consecr. episc.
Pont. R.), croyez-vous en la sainte Trinité, le Père, le Fils, le
Saint-Esprit, en un seul Dieu tout-puissant, une divinité
résidant tout entière dans la sainte Trinité, dont les personnes
sont égales par l'essence, la substance, l'éternité et la toute-
puissance ([6]) ? v. *par, æqualis,* § 216 ; cf. les interrogations
baptismales : *credis in Deum Patrem ...* (Rit. Rom., Gel. I, 45,
449).

quod enim de tua gloria ([7]), *revelante te, credimus, hoc de Filio
tuo, hoc de Spiritu Sancto,* **sine differentia discretionis** ([8])
sentimus (præf. Trin., Gel. I, 84, 680), ce que nous croyons de
votre majesté, sur la foi de vos révélations, nous le pensons
aussi de votre Fils et du Saint-Esprit, sans faire aucune différence ;

---

5. *Dictum est a nostris Græcis una essentia, tres substantiæ* (ὑποστάσεις), *a Latinis
autem una essentia vel substantia, tres personæ* (Aug. Trin. 7, 4), les catholiques grecs
ont employé les termes suivants : une essence, trois substances ; les latins de leur
côté ont dit : une essence ou substance, trois personnes.

6. Cf. *tres personas ... æquales ... coæternas* (Hier. Ep. 15, 4) ; *et nihilominus custodiatur
oikonomiæ sacramentum, quæ unitatem in trinitatem disponit ... tres ... unius autem substantiæ et unius status et unius potestatis* (Tert. Prax. 2), il faut néanmoins maintenir
le mystère de l'économie (disposition) trinitaire, qui organise (dispose) l'unité en
trinité ... trois personnes ... ayant une seule substance, une seule nature, un seul
pouvoir.
Quant à l'épithète *consubstantialis*, elle exprime non seulement l'égalité de
substance, mais aussi l'unité de substance : *unum sumus* (v. § 216). Le ὁμοούσιος
de Nicée équivaut à *ejusdem substantiæ*, tandis que le ὁμοιούσιος des homéousiens,
équivaut à *similis substantiæ*. Les homéens (formule finale de l'arianisme) pro-
fessaient, eux, que le Fils est semblable non à Dieu, mais au Père, et seulement
par l'unité de volonté et non l'unité de nature.

7. Chez saint Léon, *gloria* est souvent rapproché de *substantia* : *Unigenitum Dei
ejusdem cum Patre gloriæ atque substantiæ* (Serm. 23, 2), égal à son Père par sa gloire
et sa substance ; (*deitas*) *una est in substantia ... æqualis in gloria* (Serm. 76, 2). On a vu
gloria équivalent de *majestas*, § 23.

8. Cf. *nullæ differentiæ cogitentur* (Leo-M. Serm. 75, 3) ; *indiscreta opere, indifferens
potestate* (76, 3), dont on ne peut séparer l'opération, ni différencier la puissance.

in personis proprietas et in essentia **unitas** *et in majestate adoretur* **æqualitas** (ibid.), adorons (en Dieu) trois personnes distinctes, mais une essence unique, une majesté égale.

C'est au nom des trois Personnes que Jésus ordonne à ses disciples de baptiser les nations : *euntes ergo docete omnes gentes, baptizantes eos in nomine Patris et Filii et Spiritus Sancti* (Mat. 28, 19), allez donc enseigner toutes les nations, baptisez-les au nom du Père et du Fils et du Saint-Esprit. De même les trois Personnes sont désignées dans les formules de bénédiction solennelle : *benedicat vos Pater et Filius et Spiritus Sanctus.* C'est la Trinité tout entière qui nous écoute, que nous prions ou glorifions, en particulier dans les formules de conclusion et les doxologies.

2. LA RELATION PÈRE-FILS

§ 216 On a vu précédemment (§ 32 et passim) les termes invoquant ou désignant le Père dans les oraisons : *Pater, Pater omnipotens*, etc., auxquels il faut ajouter l'épithète *ingenitus*, non engendré (Hilar. ; Aug. ; Ambr. ; etc.), dont nous ne connaissons qu'un exemple dans une oraison ancienne : *qui cum* **ingenito** *Patre vivit et regnat* (Rotul. Rav., Leon. app. p. 175) ; et un autre dans un texte chanté : *Te Deum Patrem* **ingenitum** (tract. miss. vot. S. S. Trin.) ;

dans les hymnes : *Genitor, Pater supremus* (hymn. modif., 25 dec.), *Parens* ou *Summus Parens, summus Tonans* (*Numen* s'appliquant à la divinité en général) ;

le Fils dans les oraisons : *Filius tuus, Filius tuus dilectus* ou *dilectissimus, Unigenitus* (¹), *unigenitus Filius tuus, Filius unicus* (plus rare : ex. *et unicum Filium ejus Jesum Christum*, or. 9 Parasc.), *Verbum tuum* (v. Incarnation, § 185 et plus loin) ;

dans les hymnes : *Genitus, Natus, Unicus, Genita Proles, Virginis proles* (v. § 38).

Le Fils est engendré par le Père de toute éternité : à la génération (²) selon la chair s'oppose la génération éternelle du Verbe :

Filius meus es tu, hodie **genui** *te* (Ps. 2, 7 ; Hebr. 1, 5), tu es mon Fils, aujourd'hui (³) je t'ai engendré ;

genitum, *non factum* (*Credo*), engendré, non créé (comme le disaient les ariens) ;

---

1. *Unigenitus* peut avoir une certaine valeur affective : « unique, très aimé ».
2. *Generatio* signifie aussi enfantement, naissance (γένεσις) (Hilar. ; Aug. ; etc.) : *Christi autem generatio sic erat : cum esset desponsata mater...* (Mat. 1, 18).
3. *Hodie*, selon l'interprétation des Actes (13, 33 ; cf. Hilar. Tr. psal. 2, 27), désigne le moment de la résurrection, l'entrée de l'humanité du Christ dans la jouissance des privilèges du Fils de Dieu (Bible de Jérus.).

Filius a Patre solo est, non factus, nec creatus, sed **genitus**
(Symb. Athan.) ;

ante sæcula **genitus** (ibid.), engendré avant les siècles (avant
le temps) ;

Filium ... ante tempora æterna **generatum** (præf. Gel. I, 2,
8) ; cf. *(gratia) quæ data est nobis in Christo Jesu ante tempora
sæcularia* (2 Tim. 1, 9 ; *ante tempora æterna,* ap. Hilar.-P.
Trin. 12, 27) ;

illa superna et æterna **generatio**, *secundum quam Filius Dei
unigenitus est ante omnem creaturam* (Aug. Cons. ev., lect. 7,
oct. Nat. B. M. V., vet. Br.), cette céleste et éternelle génération, selon laquelle le Fils unique de Dieu existe avant toute
création ;

Quod solus a sede Patris Mundi salus adveneris (hymn. 1
vesp. Nat. Dom.), que seul, sortant du séjour de Dieu, vous
êtes venu pour sauver le monde (modif. *e sinu Patris,* du sein
du Père) ; cf. *a Deo exivi* (4) (Jo. 16, 27) ; v. ex. § 180.

Termes exprimant la consubstantialité ou l'égalité de nature
et de puissance :

Pater et ego **unum sumus** (Jo. 10, 30), le Père et moi, nous
sommes un ;

In principio erat Verbum, et Verbum erat apud Deum, et
Deus erat Verbum (5) (Jo. 1, 1), au commencement le Verbe
était, et le Verbe était avec Dieu, et le Verbe était Dieu ;

amen, amen dico vobis : antequam Abraham fieret, **ego sum**
(Jo. 8, 58), en vérité je vous le dis : avant qu'Abraham ne fût, je
suis (même expression de l'existence divine que dans Ex. 3,
14) ;

non rapinam arbitratus est esse se **æqualem Deo** (Philipp. 2,
6), il ne pensait pas à abuser du fait qu'il était égal à Dieu
(à revendiquer une égalité de traitement dans son existence
humaine) ;

(Filius) qui, cum sit **splendor** (6) *gloriæ et* **figura** *substantiæ
ejus (Dei Patris)* (Hebr. 1, 3, v. cit. § 23) ;

lumen de lumine (Credo) ;

Splendor *Paternæ gloriæ* (hymn. laud. fer. 3) ;

Consors Paterni luminis, **Lux ipse lucis** (hymn. mat. fer. 3),
associé à la lumière du Père, vous-même lumière de lumière ;

sedet ad dexteram Majestatis in excelsis (Hebr. 1, 3, cit. §
23) ;

---

4. *processi a Patre* (Vet. interp. Jo. 16, 27, ap. Mar.-Vict. Arr. 1, 14).

5. Le Verbe a été appelé aussi *Sermo* (Tert. Prax. 6 et 7 ; Novat. Trin. 21) ;
Patrisque Sermo Christe (Prud. Cath. 6, 3) ; cf. *omnipotens Sermo tuus, Domine, a regalibus sedibus venit* (ant. laud. d. oct. Nat. Dom., Sap. 18, 15), votre Parole toute-
puissante, Seigneur, est descendue de son séjour royal ; v. § 293.

6. Ces deux métaphores expriment l'identité de nature ainsi que la distinction
des personnes (Bible de Jérus.).

in ipso inhabitat omnis **plenitudo divinitatis** *corporaliter* (Col. 2, 9), en lui habite corporellement toute la plénitude de la divinité ;

æqualis Patri *secundum divinitatem, minor Patre secundum humanitatem* (Symb. Athan.), égal au père, en tant que Dieu, inférieur à lui, en tant qu'homme ;

v. *consubstantialis, æqualitas,* § 215 ;

quem semper Filium ... honore, majestate atque virtute **æqualem** *tibi (Patri) cum Sancto Spiritu confitemur* (præf. Gel. I, 2, 8), que nous confessons égal à vous par l'honneur, la majesté et la puissance ;

laus Deo Patri **parilique** *Proli* (ant. vesp. Trin.), louange à Dieu le Père et au Fils son égal ;

Parem *Paternæ gloriæ* (hymn. vesp. Nat. Dom.), égal à la gloire de son Père (texte de l'hymne modifiée) ;

Unigenitum tuum ... in tua tecum gloria **coæternum** (secr. 9 febr.), votre Fils unique, qui partage avec vous votre gloire éternelle ; **coæterni** *tui Filii* (Leon. 294) ; *Unigenitus tuus in tua tecum gloria* **coaeternus** (Greg. 17, 4).

Le verbe *diligere* exprime l'amour réciproque du Père et du Fils : *ut cognoscat mundus quia* **diligo** *Patrem* (Jo. 14, 31), afin que le monde sache que j'aime le Père ;

Pater **diligit** *Filium* (Jo. 3, 35) ;

cf. *Filius dilectus, dilectissimus* (or. passim ; Leon. 552 ; Greg. 1, 23 ; etc.).

3. LE SAINT-ESPRIT

§ 217 Le mot *spiritus* signifie souffle ([1]), haleine vivante, force irrésistible et mystérieuse. Le vent en est le symbole : **spiritus** *ubi vult spirat, et vocem ejus audis, sed nescis* **unde** *veniat aut quo vadat* (Jo. 3, 8), le vent souffle où il veut ; tu entends sa voix, mais tu ne sais d'où il vient ni où il va. En grec πνεῦμα, comme en hébreu *ruah*, signifie « souffle » et « esprit ». L'esprit de Dieu, *spiritus Dei* (Gen. 1, 2), l'esprit de Yahvé, *spiritus Domini* (Is. 11, 2), agit à travers toute l'histoire du monde, et en particulier du peuple de Dieu. Au début de la création, le souffle de Dieu flottait sur les eaux : **Spiritus Dei** *ferebatur super aquas* (Gen. 1, 2). Il inspire les prophètes : *et nunc Dominus Deus misit me, et* **Spiritus ejus** (Is. 48, 16), et maintenant le Seigneur Dieu m'a envoyé, ainsi que son Esprit. Le même prophète annonce que l'Esprit du Seigneur sera donné au Messie : *et requiescet super eum* **Spiritus Domini**,

---

1. Ex. au sens de vent : *spiritus procellarum* (Ps. 10, 7), vent de tempête. Les mots *flare, flatus* évoquent le souffle créateur de Dieu : ex. *flavit in faciem ejus flatum vitæ* (S. S. Gen. 2, 7, ap. Aug. Gen. litt. 7, 1 ; Vulg. *inspiravit in faciem ejus spiraculum vitæ*). Cf. *Flatus Sanctus* (Juvc. 2, 194), le Saint-Esprit.

spiritus sapientiæ et intellectus (11, 2), sur lui reposera l'Esprit du Seigneur, esprit de sagesse et d'intelligence.

Le livre de la Sagesse fait pressentir la théologie future du Verbe et de l'Esprit : (*sapientia*) **vapor** *est enim virtutis Dei et* **emanatio** *quædam est claritatis omnipotentis Dei sincera* (Sap. 7, 25), elle est un souffle de la puissance divine, une sorte d'émanation toute pure de la gloire du Dieu tout-puissant. Cette Sagesse a présidé à la création : *Dominus* **sapientia** *fundavit terram* (Prov. 3, 19) le Seigneur, par sa Sagesse, a posé les fondements de la terre. Cf. *Spiritum Sanctum ... cujus et* **sapientia** *conditi sumus et providentia gubernamur* (or. sabb. Quat. T. Pent., Gel. I, 84), le Saint-Esprit, qui nous a créés par sa sagesse et qui nous gouverne par sa providence ; *emitte, Domine,* **sapientiam** *de sede magnitudinis tuæ* (resp. d. 1 aug.), envoyez, Seigneur, la Sagesse du séjour de votre grandeur ; *da mihi sedium tuarum assistricem* **sapientiam** (Sap. 9, 4), donnez-moi celle qui partage votre trône, la Sagesse ; *mitte illam de cælis sanctis tuis et a sede magnitudinis tuæ* (ibid. 9, 10).

Dans le N. T., le mot *spiritus* seul signifie esprit, principe de vie spirituelle et surnaturelle inspiré par Dieu : *nos autem non spiritum hujus mundi accepimus, sed* **spiritum qui ex Deo est** (1 Cor. 2, 12), quant à nous, nous n'avons pas reçu l'esprit de ce monde, mais l'esprit qui vient de Dieu ; cf. Rom. 8, 2 et 15 ; v. § 489 ; 497 ; etc. ; *Spiritus autem blasphemia non remittetur* (Mat. 12, 31), mais le blasphème contre l'Esprit ne sera pas remis.

Employé absolument, *Spiritus* désigne aussi la divinité : *Spiritus est Deus* (Jo. 4, 24) ; *Dominus autem* **Spiritus** est (2 Cor. 3, 17).

§ 218 *Spiritus Sanctus.*

Le Saint-Esprit est annoncé comme devant opérer la conception virginale du Fils de Dieu : *Spiritus Sanctus superveniet in te et virtus Altissimi obumbrabit tibi* (Luc. 1, 35), L'Esprit-Saint viendra sur toi et la puissance du Très-Haut te couvrira de son ombre ;

et incarnatus est de **Spiritu Sancto** *ex Maria Virgine* (*Credo*) ;

Afflatu superi **Flaminis** *angelus Conceptum puerum docet* (« *Te Joseph* »), un ange vous apprend que l'enfant est conçu par le souffle du Saint-Esprit ; cf. *Flamen Sanctum* (Anal. hymn. II, 60, N° 69 et passim) ; V. d'autres ex. dans le Dictionnaire.

Il figure au baptême du Jourdain : *et descendit* **Spiritus Sanctus** *corporali specie sicut columba in ipsum* (Luc. 3, 22), et l'Esprit-Saint descendit sur lui sous une forme corporelle comme une colombe ;

super quem videris **Spiritum** *descendentem ... hic est qui* *baptizat in Spiritu Sancto* (Jo. 1, 33), celui sur qui tu verras descendre l'Esprit ... c'est lui qui baptise dans l'Esprit Saint.

A plusieurs reprises, Jésus annonce la venue de l'Esprit à ses disciples :

cum venerit **Paraclitus**, *quem ego mittam vobis a Patre,* **Spiritum veritatis**, *qui a Patre procedit* (Jo. 15, 26), quand viendra le Paraclet, que je vous enverrai d'auprès du Père, Esprit de vérité, qui vient du Père ;

cum autem venerit ille **Spiritus veritatis**, *docebit vos omnem veritatem* (Jo. 15, 13), quand viendra cet Esprit de vérité, il vous enseignera la vérité tout entière.

Ici encore un souffle le symbolise : *hæc cum dixisset,* **insufflavit** *et dixit eis : accipite Spiritum Sanctum* (Jo. 20, 22), en disant cela, il souffla sur eux et leur dit : recevez le Saint-Esprit.

Autres termes indiquant la venue ou le don du Saint-Esprit :

effundam *Spiritum meum super omnem carnem et prophetabunt filii vestri* (Joel. 2, 28), je répandrai mon Esprit sur toute chair et vos fils prophétiseront ;

promissum Spiritum Sanctum ... in filios adoptionis **effudit** (præf. Pent., Leon. 202), il répandit sur ses enfants d'adoption le Saint-Esprit qu'il leur avait promis ; v. *infundere,* § 219 ;

Cum Spiritus Paraclitus **Effulsit** *in discipulos* (hymn. laud. Pent.), quand l'Esprit Consolateur fit jaillir sa lumière sur les disciples (modif. **Illapsus** *est Apostolis*, descendit sur les apôtres) ;

Illapsa *nobis cælitus Largire dona Spiritus* (ibid.), accordez-nous les dons de l'Esprit qui descendent du ciel ;

unicuique autem **datur** *manifestatio Spiritus ad* **utilitatem** (1 Cor. 12, 7), à chacun la manifestation de l'Esprit est donnée en vue de son utilité ;

nondum enim erat Spiritus **datus** (Jo. 7, 39), car l'Esprit ne leur avait pas encore été donné ;

Deus, qui apostolis tuis Sanctum **dedisti** *Spiritum* (or. fer. 2 oct. Pent., Greg. 113, 1) ;

mittam *eum (Paracletum) ad vos* (Jo. 16, 7) ;

Spiritu Sancto **misso** *de cælo* (1 Petr. 1, 12) ;

Deus, qui discipulis tuis Spiritum Sanctum Paraclitum ... **mittere** *dignatus es* (Gel. 1, 81) ;

factus est repente de cælo sonus tanquam **advenientis** *spiritus vehementis* (Act. 2, 2), soudain vint du ciel un bruit comme celui d'un violent coup de vent ;

Spiritus Sanctus **adveniens** (or. 2 fer. 4 Quat. T. Pent., Greg. 115, 2) ;

et apparuerunt illis dispertitæ linguæ tanquam ignis, seditque super singulos eorum (Act. 2, 3), et ils virent apparaître comme des langues de feu ; se séparant, elles se posèrent sur chacun d'eux ;

et repleti sunt omnes *Spiritu Sancto* (Act. 2, 4), et ils furent tous remplis de l'Esprit Saint ;

Spiritum quo repletus beatus Josaphat (or. 14 nov.) ;

eodem (Spiritu) nos replente (Leon. 753) ;

Impleta gaudent viscera Afflata Sancto Spiritu (hymn. mat. Pent.), les cœurs sont en joie, remplis du souffle du Saint-Esprit ;

descendat ([2]) ... *Spiritus tuus Sanctus super hoc altare* (secr. comm. Dedic., Greg. 196), que votre Esprit Saint descende sur cet autel ;

accipite Spiritum Sanctum (Jo. 20, 22) ;

tunc imponebant manus super illos, et accipiebant Spiritum Sanctum (Act. 8, 17), alors ils leur imposaient les mains et ils recevaient le Saint-Esprit ;

accipe Spiritum bonum per istam insufflationem (ord. Bapt. adult., Rit. R.), reçois l'Esprit de bonté par cette insufflation (au catéchumène).

§ 219 Le Saint-Esprit est présenté comme un juge : *cum venerit ille (Paraclitus),* **arguet** *mundum de peccato et de justitia et de judicio* (Jo. 16, 8), quand il viendra, il confondra le monde en matière de péché, en matière de justice et en matière de jugement (Bible de Jérus.).

Comme un Consolateur ([3]), *Paracletus* ou *Paraclitus* (παρά-κλητος, Consolateur, Défenseur, Soutien) : *da nobis ... de ejus (S. Spiritus) semper* **consolatione** *gaudere* (or. Pent., Greg. 112, 1), accordez-nous d'avoir toujours la joie d'éprouver sa consolation ;

Consolator *optime, Dulcis hospes animæ, Dulce refrigerium* (« *Veni, Sancte Spiritus* »), consolateur très bon, doux hôte de l'âme, doux réconfort ;

Veni, pater pauperum (ibid.), venez, père des pauvres ;

sed ipse Spiritus **postulat** *pro nobis gemitibus inenarrabilibus* (Rom. 8, 26), l'Esprit lui-même intercède pour nous en des gémissements ineffables ;

virtus Spiritus Sancti ... ab omnibus **tueatur** *adversis* (or. fer. 3 p. Pent., Gel. 1, 81), que la force de l'Esprit Saint nous protège de tous les dangers ; cf. *hostem repellas* (« *Veni, Creator* »).

Il instruit et éclaire : v. supra, *docebit* (Jo. 16, 13) ;

et nemo potest dicere : Dominus Jesus, nisi in Spiritu Sancto (1 Cor. 12, 3), nul ne peut dire : « Jésus est Seigneur », si ce n'est sous l'inspiration du Saint-Esprit ;

---

2. V. *descendere*, dans les formules de bénédiction.

3. Saint Augustin traduit ce mot : *consolator ergo ille vel advocatus* (Tr. ev. Jo. 94, 2). Cf. en parlant du Saint-Esprit, *advocationis implens officia* (Novat. Trin. 29), tenant le rôle de défenseur. V. *solatium* et *consolatio*, § 71.

Per te sciamus da Patrem Noscamus atque Filium (v. cit. §
42).

De nombreuses expressions traduisent cette illumination :
*corda nostra invisibili igne, id est Sancti Spiritus splendore,
illustrata* (or. 3 ben. cand. 2 febr.), nos cœurs illuminés d'une
flamme invisible, la lumière resplendissante du Saint-Esprit ;
*Deus, qui hodierna die corda fidelium Sancti Spiritus il-
lustratione docuisti* (or. Pent., Greg. 112, 1), ô Dieu, qui en
ce jour avez instruit le cœur de vos fidèles par la lumière du
Saint-Esprit ;
ejusdem Spiritus Sancti gratia illuminati atque edocti (or.
5 ben. cand.), éclairés et instruits par la grâce du Saint-Esprit ;
Sancti Spiritus illuminatione (Leon. 221) ;
mentes nostras, q. D., Paraclitus ... illuminet (or. fer. 4
Quat. T. Pent., Gel. I, 81) ;
(Simeon) lumine Spiritus tui irradiatus (or. 5 ben. cand.),
illuminé par la lumière de votre Esprit ;
O lux beatissima, Reple cordis intima Tuorum fidelium
(« *Veni, Sancte Spiritus* »), ô bienheureuse lumière, pénétrez
jusqu'au fond du cœur de vos fidèles ;
Jubarque (4) *Sancti Spiritus Infunde nostris sensibus* (hymn.
laud. fer. 2), versez dans nos cœurs la lumière du Saint-Esprit.

La lumière des cierges (*luminaria, cerei*, or. 3 et 4 ben. cand.
et passim) symbolisent cette illumination.

Les mots *infusio, infundere* (5) sont les plus fréquents pour
désigner cette infusion du Saint-Esprit :
ex. *mentibus nostris, q. D., Spiritum Sanctum benignus
infunde* (or. 1 sabb. Quat. T. Pent., Gel. I, 84), que votre
bonté répande dans nos cœurs votre Esprit Saint ;
Sancti Spiritus, Domine, corda nostra mundet infusio (postc.
vigil. Pent., Greg. III, 6), que le Saint-Esprit, Seigneur, se
répande dans nos cœurs pour les purifier.

Car le Saint-Esprit a le don de purifier et de pardonner :
ut ... Spiritus Sancti consilio et misterio (= *ministerio*)
mereamur absolvi (Miss. Gall. 124), afin que la volonté et
l'action du Saint-Esprit nous vaillent le pardon ;
*mentes nostras, Q. D., Spiritus Sanctus divinis reparet
sacramentis, quia ipse est remissio omnium peccatorum* (postc.
fer. 3 p. Pent., Greg. 113, 3), que le Saint-Esprit renouvelle
nos âmes par ce divin sacrement, car il est lui-même le
pardon de tous les péchés ;
Sancte Spiritus, ... sicut es omnium peccatorum remissio (or.
ben. abb., Pont. R.) ;
virtus Spiritus Sancti ... corda nostra clementer expurget (or.

---

4. Cf. *Spiritus Sancti splendidissimum jubar* (Cassian. Inst. 8, 12).
5. Cf. *defundere*, verser d'en haut : *Spiritus tui Sancti dona defunde* (Gel. I, 80).

fer. 3 p. Pent., Gel. I, 81), que la force du Saint-Esprit daigne purifier nos cœurs.

La sanctification, opérée par le Saint-Esprit, est considérée comme un enrichissement spirituel :

*ut, Spiritus tui sanctificatione muniti, perpetua fruge **ditentur*** (or. p. proph. 4 vigil. Pent., Gel. I, 77, 622), que, fortifiés et sanctifiés par votre Esprit, ils en soient enrichis à jamais ;

*Sermone **ditans** guttura* (« *Veni, Creator* », enrichissant notre éloquence.

§ 220 Le Saint-Esprit est invoqué dans l'administration des sacrements.

A la confirmation : *Spiritus Sanctus superveniat in te* (or. confirm., Rit. R. III, 2), que le Saint-Esprit vienne sur toi ;

emitte in eum septiformem Spiritum tuum Sanctum Paraclitum de cælis (ibid.), faites descendre sur lui, du haut du ciel, le Paraclet, votre Saint-Esprit aux sept dons. ([6])

Au baptême : *renatus ex aqua et Spiritu Sancto* (ord. bapt.), réné de l'eau et de l'Esprit Saint ; cf. Jo. 3, 5, (cit. § 336, Baptême) ;

qui (Jesus Christus) te regeneravit ex aqua et Spiritu Sancto (ibid. et or. vigil. Pasch.) ; cf. *pro his quos ex aqua et Spiritu Sancto regenerare dignatus es* (Leon. 203).

Dans les ordinations : *in opus ministerii exsequendi munere septiformi tuae gratiæ roborentur* (Leon. 951), dans l'exercice de leur ministère, que le don de votre grâce septiforme les fortifie ;

ut Sancti Spiritus sacerdotalia dona ... obtineant (Gel. I, 20), qu'ils obtiennent les dons du Saint-Esprit propres au sacerdoce ;

accipe Spiritum Sanctum ad robur et ad resistendum diabolo et tentationibus ejus (ord. diac., Pont. R.), reçois le Saint-Esprit pour avoir la force de résister au diable et à ses tentations.

Dans le sacrement eucharistique : v. ex. *remissio* (cit. § 219).

Le Saint-Esprit est la flamme qui éclaire (v. § 219), mais aussi qui embrase les cœurs :

illo nos igne ([7]) *... Spiritus Sanctus **inflammet** quem Dominus noster Jesus Christus misit in terram* (or. 2 sabb. Quat. T. Pent., Greg. 117, 2), que le Saint-Esprit nous enflamme de ce feu que Notre Seigneur Jésus-Christ a apporté sur la terre ;

Accende lumen sensibus, **Infunde** amorem cordibus (« *Veni, Creator* »), allumez la lumière dans nos esprits, versez l'amour dans nos cœurs ;

6. Qui sont la sagesse, l'intelligence, le conseil, la force, la science, la piété, la crainte de Dieu : *spiritus sapientiæ et intellectus, spiritus consilii et fortitudinis, spiritus scientiæ et pietatis ... spiritus timoris Domini* (Is. 11, 2). *Septiformem Spiritum* (Cassian. Coll. 11, 13, 6) ; *septiformis operatio Spiritus Sancti* (Aug. Serm. Dom. mont. I, 4, 11) ; v. autres ex. § 221. L'épithète *septiformis* s'applique donc au Saint-Esprit lui-même ou à ses dons. *Da tuis fidelibus ... Sacrum septenarium* (« *Veni, Sancte Spiritus* »).

7. *Ignem veni mittere in terram* (Luc. 12, 49).

fove quod est *frigidum* («*Veni, Sancte Spiritus*»), réchauffer ce qui est froid.

§ 221 L'eau vive est un des symboles du Saint-Esprit :

qui credit in me, sicut dicit Scriptura, flumina de ventre ejus fluent aquæ vivæ. Hoc autem dixit de Spiritu, quem accepturi erant credentes in eum (Jo. 7, 38-39), celui qui croit en moi, comme dit l'Écriture, de son sein couleront des fleuves d'eau vive. Il parlait de l'Esprit qu'allaient recevoir ceux qui croient en lui ; cf. *aquæ autem descendebant in latus templi dextrum* (Ez. 47, 1), de l'eau sortait du côté droit du temple (texte que la liturgie applique à la blessure du Christ percé par la lance); cf. ant. *Vidi aquam...* ;

et ostendit mihi fluvium aquæ vitæ ... procedentem de sede Dei et Agni (Apoc. 22, 1), et il me montra un fleuve d'eau vive ... qui jaillissait du trône de Dieu et de l'Agneau ;

concede ... ut, qui solemnitatem doni Sancti Spiritus colimus ... fontem vitæ sitiamus (or. ben. font. vigil. Pent., Greg. 110, 5), accordez-nous, en ce jour solennel où nous célébrons le don du Saint-Esprit, de désirer ardemment cette source de vie.

Outre *donum*, les dons du Saint-Esprit sont appelés, au pluriel, *munera* (*dona, munera* désignant les dons de Dieu, v. Grâce) :

ex. *Veni, dator* **munerum** («*Veni, Sancte Spiritus*», venez, vous qui prodiguez vos dons ; (ex. au sing.) *Tu septiformis* **munere** («*Veni, Creator*»), vous, l'Esprit aux sept dons ; v. **munere septiformi**, § 220.

Par la grâce, le Saint-Esprit a établi en nous sa demeure :

nescitis quia **templum** *Dei estis et Spiritus Dei* **habitat** *in vobis* ? (1 Cor. 3, 16), ne savez-vous pas que vous êtes le temple de Dieu et que l'Esprit de Dieu habite en vous ?

ut Sancti Spiritus digna efficiatur (cor nostrum) **habitatio** (secr. ad postul. grat.), pour qu'il devienne une demeure digne du Saint-Esprit ;

ut Sanctus Spiritus adveniens **templum** *nos gloriæ suæ dignanter* **inhabitando** *perficiat* (or. fer. 4 Quat. T. Pent., Greg. 115, 2), que le Saint-Esprit vienne habiter en nos âmes et en fasse des temples dignes de sa gloire ;

ut Sancti Spiritus dignum fieri **habitaculum** *mereamur* (or. ad repell. mal. cogit.), pour que nous méritions d'être une demeure digne du Saint-Esprit.

L'action du Saint-Esprit est présenté comme une coopération avec les autres personnes de la Sainte Trinité :

ex. *Domine Jesu Christe ... qui ex voluntate Patris,* **cooperante** (⁸) *Spiritu Sancto, per mortem tuam mundum vivificasti*

---

8. Ce verbe se dit aussi en parlant du Christ : *cooperante potentia Christi tui* (or. ben. chrism. Greg. 77, 11).

(or. ante comm.), Seigneur Jésus-Christ, qui, selon la volonté du Père et avec la coopération du Saint-Esprit, avez par votre mort donné la vie au monde ;

descendat, Domine, in his sacrificiis tuæ benedictionis co-æternus et **cooperator** *Paraclitus Spiritus* (Miss. Goth. 100), que descende, Seigneur, sur ces offrandes bénies par vous, l'Esprit Consolateur, qui opère éternellement avec vous.

§ 222 Le Saint-Esprit est issu de l'amour réciproque du Père et du Fils, il procède de l'un et de l'autre. Ce que les théologiens appellent procession est un mouvement mystérieux au sein de la divinité, comme un dédoublement de l'être. La révélation affirme souvent la génération du Fils ; elle est moins explicite en ce qui concerne l'origine du Saint-Esprit :

qui a Patre **procedit** (Jo. 15, 26, cit. § 218, indique plutôt la « mission » ([9]) de l'Esprit dans le monde, que la procession, note Bible de Jérus.) ;

Paraclitus, qui a te procedit (or. 1 fer. 4 Quat. T. Pent., Gel. I, 81), le Paraclet que vous avez envoyé ;

Spiritus Sanctus, **procedens** *a throno (Dei), apostolorum pectora invisibiliter penetravit* (resp. fer. 2 Pent.), le Saint-Esprit, procédant du trône (de Dieu), pénétra invisiblement dans le cœur des apôtres ;

Sanctus Spiritus a Patre et Filio (est) : non factus, nec creatus, nec genitus, sed **procedens** (Symb. Athan.), ... il n'a pas été fait, ni créé, ni engendré, mais procède d'eux ; et *in Spiritum Sanctum ... qui ex Patre Filioque* **procedit** (Credo) ;

Te **utriusque Spiritum** *Credamus omni tempore* (« *Veni, Creator* »), (accordez-nous) de croire en tout temps en vous, Esprit de l'un et de l'autre.

Une louange égale lui est due :

Procedenti ab utroque Compar sit laudatio (« *Pange, lingua* », Thom.-Aq.).

Le Saint-Esprit résume en quelque sorte l'unité divine, comme l'expriment les grandes conclusions : *qui tecum vivit et regnat in unitate Spiritus Sancti Deus* (Greg. 1, 32), qui, étant Dieu, vit et règne avec vous dans l'unité du Saint-Esprit. Une formule analogue se trouve déjà dans le Sacramentaire Léonien ([10]) : (en s'adressant à Dieu le Père) *cum quo (Jesu Christo) vivis et regnas in unitate Spiritus Sancti in sæcula* (1331).

---

9. En ce sens, *procedere* et *processio* se sont dits aussi du Fils : *quod vero de Deo processit Verbum, æterna, processio est* (Aug. Tr. ev. Jo. 42, 8), que le Verbe émane de Dieu, il s'agit là d'une émanation éternelle.
En parlant du Saint-Esprit : *Patre Filioque procedere* (Fulg.-R. Trin. 2 ; *a Patre quoque procedentem vel* (= *et*) *Filio* (Boet. Fid. 24).

10. En parlant du Fils avec le Père : *qui cum ingenito Patre vivit et regnat nunc et per omnia sæcula sæculorum* (Rotul. Rav. Leon. app. p. 175).

VII

LA RÉDEMPTION

1. LE PÉCHÉ ORIGINEL

§ 223 Le terme ordinaire, pour le désigner, est *peccatum originale*, que saint Augustin attribue à Célestius (Grat. Chr. 1, 30) et qu'il emploie d'ailleurs lui-même assez souvent (Conf. 5, 9, 16 et passim) : *ut quidquid prolis ex illo ... nasceretur, traheret* **originale peccatum** (Enchir. 25, lect. 4 d. Septuag.), de sorte que toute sa descendance devait contracter le péché originel ;

per **originalis peccati** *pœnam* (or. 2 p. « *Pater* », m. p. spons., Greg. 200, 6), par le châtiment du péché originel ;

ou bien *originalis culpa* (Greg.-M. Moral. 4, præf. 3) :

ab originali culpa (or. 7 dec.), (Marie préservée) du péché originel ;

noxa originalis (Moz. L. ord. 14 etc.) ; v. *noxa*, péché, § 418.

Mais de nombreuses expressions, surtout figurées, se réfèrent, dans le latin chrétien ou liturgique, soit à la prévarication d'Adam (Gen. 3), soit à l'état de péché et d'esclavage dont le Christ a payé la rançon, suivant l'enseignement répété de saint Paul.

A) La Prévarication d'Adam.

La transgression, *prævaricatio* (¹) (Filastr. ; Hier. ; etc.) :

in similitudinem **prævaricationis** *Adæ* (Rom. 5, 14), par une transgression semblable à celle d'Adam ;

ille auctor **prævaricationis** (or. 2 p. « *Pater* », m. p. spons., Leon. 1110), cet instigateur de la transgression (le diable) ;

per **inobœdientiam** *unius hominis* (Rom. 5, 19), par la désobéissance d'un seul homme.

La faute, *culpa* (Aug. Civ. 13, 3) :

illius ... **culpae** *vulnera* (postc. 8 dec.), les blessures de ce péché ;

o felix **culpa**, *quæ talem ac tantum meruit habere redemptorem* (« Exultet » vigil. Pasch., Miss. Gall. 25, 134), ô heureuse faute, qui nous a valu un tel, un si grand Rédempteur.

L'antique péché : *Deus, qui* **peccati veteris** *hereditariam mortem ... Christi tui ... passione solvisti* (or. 1 Parasc., Gel. I, 41), ô Dieu, qui, par la passion de votre Christ, avez détruit l'héritage mortel de l'ancien péché.

Le premier homme se dit *protoparens* : ex. *in* **protoparente** *... multati sumus* (Gel. III, 89), dans notre premier père nous

---

1. Cf. (*Eva*) *prævaricata verbum ejus* (Iren. Hær. 5, 19, 1), ayant transgressé son ordre.

avons été condamnés ; cf. *Primi patres* (P.-Nol. Ep. 29, 1) en parlant d'Adam et Ève ;

ou *protoplastus* (cf. *plasmare*, § 137), adj. ou subst., : ex. *pro subversione **protoplasti*** (Leon. 1180), pour la prévarication du premier homme ;

*in **protoplasti parentis** improba consensione* (Moz. L. sacr. 415), lors du consentement impie de notre premier père ; *homo protoplastus* (ibid. 24) ;

et *primoplastus* : *a **primoplastorum** delicto* (Moz. L. ord. 414), par le péché de nos premiers parents ;

ou *primus parens, primi parentes* (Moz. L. sacr. 67 ; Euseb.-Gall. Hom. c. 638B ; etc.).

Dans les Épîtres de saint Paul, le mot *peccatum* seul désigne souvent le péché originel et l'état de péché qui en résulte :

ex. *per unum hominem **peccatum** in hunc mundum intravit* (Rom. 5, 12), par un seul homme le péché est entré dans le monde.

La perfidie, la tromperie : *De parentis protoplasti **Fraude*** (²) (« *Pange, lingua* », Fort.), par la tromperie dont fut victime notre premier père.

Le crime : *mundi **scelus** auferentem* (hymn. mat. 24 jun.), celui qui enlève le péché du monde (au lieu de *qui tollit peccatum mundi*) ;

*Primi parentis **crimine*** (hymn. laud. 11 oct.).

La souillure : *quam (Mariam) ab omni originali **labe** præservasti* (secr. 7 dec.), que vous avez préservée totalement de la souillure originelle ; v. § 212 ;

*nemo mundus a **sorde*** (Leo-M. Serm. lect. 5 Nat. Dom.), personne n'est exempt de la souillure.

L'arbre, le fruit défendu : *Adæ vero dixit : quia audisti vocem uxoris tuæ et comedisti de ligno, ex quo præceperam tibi, ne comederes, maledicta terra in opere tuo* (Gen. 3, 17), (Dieu) dit à Adam : « Puisque tu as écouté la voix de ton épouse et que tu as mangé du fruit de l'arbre que je t'avais interdit de manger, maudite soit la terre dans ton travail ». *Lignum*, en latin biblique, comme aussi d'ailleurs chez les poètes, signifie arbre : *de ligno* (³) *autem scientiæ boni et mali ne comedas* (Gen. 2, 17), de l'arbre de la connaissance du bien et du mal tu ne mangeras pas. Il désigne aussi le bois de la croix, l'arbre de la croix, et la symbolique chrétienne a fait souvent ce rapprochement (v. § 192).

La dette contractée par Adam : *qui pro nobis æterno Patri Adæ **debitum** solvit* (« *Exultet* »), qui a payé pour nous au

---

2. Les mots *fraus, deceptio* s'appliquent souvent à la fourberie du démon en général, v. § 55 et 446.

3. *Arbor* est plus rare en ce sens : ex. *arbor dignoscentia boni et mali* (Aug. Gen. Man. 2, 9, 12).

Père éternel la dette d'Adam ; *piaculi* **cautionem** *pro cruore detersit* (ibid.), par son sang il a effacé la dette de l'antique souillure ;

debitum *mortis antiquæ ... exsolvens* (Leon. 156) ;

qui sub peccati jugo ex **debito** *depremimur* (Gel. II, 84, 1148), que la dette du péché accable sous son joug.

§ 224 B) La mort et l'esclavage du péché.

Le commandement de Dieu était accompagné d'une menace : *morte morieris* (Gen. 2, 17). Après la faute, la mort est entrée dans le monde :

pulvis es et in pulverem reverteris (Gen. 3, 19), tu es poussière, et tu retourneras en poussière ;

invidia autem diaboli **mors** *introivit in orbem terrarum* (Sap. 2, 24), par la jalousie du diable, la mort a fait son entrée dans le monde ;

per unum hominem peccatum in hunc mundum intravit, et per peccatum **mors** (Rom. 5, 12), « par un seul homme le péché est entré dans ce monde, et, par le péché, la mort ». Ce qui est entré dans le monde, c'est la mort spirituelle, avec son corollaire la mort physique.

Même sans référence précise à la faute originelle, le Psalmiste a conscience de sa condition native de pécheur : *alienati sunt peccatores a vulva* (Ps. 57, 4), ils sont dévoyés, les impies, dès leur entrée dans la vie ; *ecce enim in iniquitatibus conceptus sum, et in peccatis concepit me mater mea* (50, 7), voilà que j'ai été conçu dans le péché, dans le péché ma mère m'a conçu (⁴). De même Job : *quis potest facere mundum de immundo conceptum semine ?* (14, 4), qui peut rendre pur celui qui a été conçu d'une semence impure ? Cf. *nullum a reatu liberum reperit* (Leo-M. Serm. lect. 4 Nat. Dom.), (le Libérateur) n'a trouvé personne exempt du péché. Mais les mots *reus, reatus* ont désigné normalement notre culpabilité personnelle (v. le Péché, § 423) ; à moins que le contexte ne précise : *peccati ... manentis reatus* (Aug. C. Jul. 2, 5, 12), la culpabilité du péché permanent (effacée par le baptême) ; *suæ mortis reus* (Civ. 1, 17), passible de sa propre mort ; *pro ejusdem reatu naturæ* (Leon. 92), en compensation de sa culpabilité de nature.

Pour expliquer la doctrine de la Rédemption, saint Paul précise la nature du péché originel et universel, à l'esclavage duquel personne n'échappe : *sed conclusit Scriptura omnia sub peccato* (Gal. 3, 22), l'Écriture a tout enfermé sous le péché ; *cum enim* **servi** *essetis peccati, liberi fuistis justitiæ* (Rom. 6, 20), quand vous étiez esclaves du péché, vous étiez libres à

---

4. On sait qu'il ne s'agit pas là de la condamnation de l'acte charnel, mais du sentiment que l'homme naît pécheur.

Dans le passage de Job, il s'agit de l'impureté physique contractée dès la conception ; mais l'exégèse chrétienne y voit une allusion au péché originel.

l'égard de la justice ; **venumdatus** *sub peccato* (Rom. 7, 14), vendu au pouvoir du péché ;

quos sub peccati jugo vetusta **servitus** *tenet* (or. 3a missa, 25 dec., *ex debito deprimimur*, Gel. II, 84 cité plus haut), que l'antique servitude tient sous le joug du péché ; v. *captivitas*, § 201 ; et figures similaires, § 226.

Sous cette déchéance, le monde est comme gisant : *jacentem mundum* (cit. § 187) ;

blessé, désuni : *cunctæ familiæ gentium peccati* **vulnere disgregatæ** (or. Chr. Reg.), toutes les races humaines, dés-unies par la blessure du péché ;

et perdu : *peccato perditam* (cit. § 317) ; *perditionis auctor* (cit. ibid.).

Le péché originel est comparé à une nuit : *depulsa veteris delicti* **caligine** (Moz. L. ord. 324), une fois dissipée la nuit de l'antique péché ;

à l'ombre de la mort : *illuminare his qui in tenebris et in* **umbra mortis** *sedent* (Luc. 1, 79), illuminer ceux qui se tien-nent dans les ténèbres et à l'ombre de la mort; cf. *habitantibus in regione umbræ mortis* (Is. 9, 2) ;

ut nos a tenebris et **umbra mortis** *liberaret* (Miss. Goth. 89) ;

de tenebris et **umbra mortis** (Leon. 1247).

Prima nativitas désigne la première naissance, celle qui nous fait naître assujettis au péché originel, tandis que *secunda regeneratio* (Miss. Goth. 8), c'est la régénération par le baptême :

ex. *corruptione* **primæ nativitatis** (Gel. I, 40, 378) ;

qui per **primam nativitatem** *vasa iræ Dei fuimus* (Cæs.-Arel. Serm. 229, 1), qui, par la première naissance, étions des objets de la colère divine.

2. LES DIFFÉRENTS ASPECTS DE LA RÉDEMPTION

§ 225 A) Le plan du salut.

Dans le N. T., les mots *mysterium* et *sacramentum*, qui traduisent tous deux μυστήριον, désignent souvent le secret du plan divin dans le gouvernement du monde, et en particu-lier l'économie, le plan du salut (*dispensatio*, Hilar. ; Aug. ; *dispositio*, Iren. ; Hilar.) préparé par Dieu et réalisé par le Christ : *secundum revelationem* **mysterii** *temporibus æternis taciti* (Rom. 16, 25), selon la révélation d'un mystère caché au sein de l'éternité ;

sed loquimur Dei sapientiam in **mysterio**, *quæ abscondita est, quam* **prædestinavit** *Deus ante sæcula in gloriam nostram* (1 Cor. 2, 7), nous parlons d'une sagesse de Dieu, mystérieuse, cachée, celle que, dès avant les siècles, Dieu a prédestinée à notre gloire ;

sicut elegit nos in ipso (Christo) ante mundi constitutionem

... *qui* **præstinavit** *nos in adoptionem filiorum per Jesum Christum* (Ephes. 1, 4-5), comme il nous a élus en lui, dès avant la création du monde, nous prédestinant à être ses fils adoptifs par Jésus-Christ ;

dispensatio sacramenti *absconditi a sæculis in Deo* (Ephes. 3, 9), l'économie du mystère tenu caché éternellement par Dieu ;

in **dispensatione** *plenitudinis temporum* (ibid. 1, 10), pour la dispensation dans la plénitude des temps ;

ubi venit **plenitudo temporis**, *misit Deus Filium suum* (Gal. 4, 4), quand vint la plénitude des temps (quand les temps messianiques furent accomplis), Dieu envoya son Fils ;

Deus, qui, miro **dispositionis** *ordine, ex rebus etiam insensibilibus,* **dispensationem** *nostræ salutis ostendere voluisti* (or. 5 ben. palm., vet. ord.), ô Dieu, qui, par un ordre merveilleux de votre providence, avez voulu, même à l'aide de choses invisibles, montrer toute l'économie de notre salut ;

opus salutis nostræ, perpetuæ **dispositionis** *effectu, tranquillius operare* (or. p. proph. 2 sabb. sc., vet. ord. ; *salutis humanæ ... tranquillus*, Gel. I, 43, 432), accomplissez en paix l'œuvre de notre salut, grâce à l'action de votre perpétuelle providence.

§ 226 B) Le rachat, la délivrance, le salut.

L'idée du rachat, non seulement de la servitude corporelle, mais aussi de la servitude spirituelle, apparaît souvent dans les Psaumes, où Yahvé est présenté comme le Libérateur : *et ipse* **redimet** *Israel ex omnibus iniquitatibus ejus* (129, 8), et lui-même rachètera Israël de toutes ses iniquités ; *copiosa apud eum redemptio* (129, 7), abondant auprès de lui est le rachat ; *redemptionem misit populo* (110, 9), il a envoyé la délivrance au peuple ; v. *redemptor*, § 162.

Il est donc naturel que la doctrine du salut par Jésus-Christ soit présentée comme un rachat de la captivité spirituelle, où était tombé le genre humain (v. *captivitas*, § 201 ; *servitus*, § 224) : *et resipiscant a diaboli laqueis, a quo* **captivi** *tenentur* (2 Tim. 2, 26), qu'ils reviennent à la raison, dégagés des filets du diable, qui les tient captifs ; *delens quod adversus nos erat* **chirographum** (¹) *decreti* (Col. 2, 14), effaçant la cédule de l'arrêt qui était contre nous ; v. *debitum*, § 223.

La figure de l'esclavage, des chaînes du péché et de la mort, apparaît aussi dans les textes liturgiques :

ex. *hæc nox est, in qua, destructis* **vinculis** *mortis, Christus ab inferis victor ascendit* (« *Exultet* »), voici la nuit où, brisant

---

1. Il compare le péché originel à un acte écrit qui nous condamnait à mort. L'image a été reprise souvent : ex. *donato chirographo mortis* (Tert. Pud. 19), une fois levé l'arrêt de mort ; *universa chirographi veteris peccata deleta sunt* (Hier. Ep. 69, 7), tous les péchés provenant de l'ancien arrêt ont été effacés ; cf. *cautio*, § 223.

les liens de la mort, le Christ est remonté vainqueur des enfers ;

Inferni claustra penetrans, Tuos **captivos redimens** (hymn. vesp. Ascens.), pénétrant dans les prisons infernales, délivrant vos captifs (modification plus emphatique : *Perrumpis infernum chaos,* **Vinctis catenas detrahis**, vous forcez l'infernal chaos, vous ôtez leurs chaînes aux captifs) ; v. § 319.

Aussi est-ce le terme *redemptio*, rachat, rédemption, qui désigne le plus communément le salut apporté par le Christ :

ex. *quia visitavit et fecit* **redemptionem** *plebis suæ* (Luc. I, 68 ; cf. Ps. 110, 9), car il a visité son peuple et lui a envoyé la délivrance ;

Filius hominis ... venit ... dare animam suam **redemptionem** *pro multis* (Mat. 20, 28), le Fils de l'homme est venu donner sa vie pour le rachat de beaucoup ;

justificati ... per **redemptionem**, *quæ est in Christo Jesu* (Rom. 3, 24), justifiés en vertu de la rédemption accomplie par le Christ Jésus ;

in quo (Christo) habemus **redemptionem** *per sanguinem ejus* (Éphes. I, 7), en qui nous avons la rédemption par son sang ;

in **redemptionem** *acquisitionis* (ibid. I, 14), par le rachat du peuple qu'il s'est acquis ;

respice in faciem Christi tui, qui dedit **redemptionem** *semetipsum pro omnibus* (secr. p. propag. fid.), considérez la face de votre Christ, qui s'est donné lui-même en rançon pour nous ;

(animas famulorum tuorum) tuæ **redemptionis** *facias esse participes* (postc. 2 nov., Gel. III, 101), faites-les participer à votre rédemption ;

redemptionis *nostræ munere vegetati* (postc. sabb. in albis, Leon. 417), fortifiés par le don qui nous a rachetés ;

redemptionis *fructus, munus, effectus* (or. passim), le fruit, le don, l'effet de la rédemption.

Pretium, rançon, est un équivalent de *redemptio* : ex. *sæcli pretium* (« *Pange, lingua* », Fort. ; modif. *mundi victimam*), la rançon du monde ; v. autres ex., § 194.

§ 227 Le verbe correspondant est *redimere*, racheter, sauver (Tert. ; Cypr. ; Aug. ; Hier.) : *qui dedit semetipsum pro nobis, ut nos* **redimeret** *ab omni iniquitate* (Tit. 2, 14), qui s'est livré pour nous, afin de nous racheter de toute iniquité ; *ut eos qui sub lege erant* **redimeret** (Gal. 4, 5) ;

Deus, qui mirabiliter creasti hominem et mirabilius **redemisti** (or. p. lect. I vigil. Pasch., Greg. 84, 1), ô Dieu, qui avez admirablement créé l'homme et l'avez racheté d'une manière plus admirable encore ; (v. plus loin, *coudere* et *reformare*) ;

oves, quas pretioso sanguine **redemisti** (Leon. 520) ;

qui creasti et **redemisti** *nos* (postc. S. S. Nom. Jes.) ;

Redemisti *crucem passus* (« *Dies iræ* »), par le supplice de la croix vous m'avez racheté.

Redemptor, le Rédempteur (Cypr. ; Aug. ; Hier.) :

ex. *fidelium, Deus, omnium conditor et* **redemptor** (or. p. def. passim ; *fidelium, Deus, animarum*, Leon. 1150), ô Dieu, Créateur et Sauveur de tous les fidèles ;

Unigenitum tuum **Redemptorem** *nostrum* (or. Ascens., Greg. 108, 1) ;

Christe, **Redemptor** *omnium* (hymn. Nat. Dom. ; modif. *Jesu, Redemptor*) ; v. autres ex., § 205.

Le Libérateur, *Liberator* (Aug.) : **liberavit** *me a lege peccati et mortis* (Rom. 8, 2), (la loi de l'Esprit) m'a affranchi de la loi du péché et de la mort ; *qua libertate Christus nos* **liberavit** (Gal. 5, 1), de la liberté par laquelle le Christ nous a libérés ;

liberandis *omnibus venit* (Leo-M. lect. 4 Nat. Dom.) ;

concede ... ut nos Unigeniti tui nova per carnem nativitas **liberet** (cit. § 180).

§ 228 Expressions équivalentes :

qui **eruit** *nos de potestate tenebrarum* (Col. 1, 13), qui nous a arrachés à la puissance des ténèbres ;

qui **eripuit** *nos ab ira ventura* (1 Thess. 1, 10), qui nous a arrachés à la colère qui doit venir ;

qui ... pro nobis mori dignatus es ... ut nos a dominatu **eriperes** *æternæ mortis* (Moz. L. ord. 137), ... pour nous arracher à la domination de la mort éternelle ; *a dominio mortis ...* **erepti** (ibid. 163) ;

peccati mortisque **destructor** (Leo-M. lect. 4 Nat. Dom.) ;

jacentem mundum **erexisti** (or. cit. § 187) ;

mundo **remedia** *contulisti* (or. fer. 2 p. Pasch. ; *remedia ... operaris*, Gel. I, 48), avez apporté au monde sa guérison ;

Donans reis **remedium** (hymn. vesp. Adv.), apportant le remède à notre condamnation (modif. *Mundi* **medela** *factus es*) ;

quam (oblationem) immolando totius mundi tribuisti **relaxari delicta** (secr. 12 mart., Greg. 30, 2), vous avez bien voulu que cette immolation délivrât le monde entier des liens du péché ;

veni, Domine ... **relaxa facinora** *plebi tuæ* (resp. mat. Adv.), venez, Seigneur, déchargez votre peuple de ses crimes ;

deponet *omnes iniquitates nostras, et projiciet in profundum maris omnia peccata nostra* (vers. mat. 3 Adv., Mich. 7, 19), il ôtera toutes nos iniquités, il précipitera au fond de la mer tous nos péchés ;

Tu (Christe), **solve peccatum** *vetus* (Ambr. hymn. laud. fer. 3), délivrez-nous du vieux péché ;

Ut damna nostra **sarcias** (hymn. vesp. Ascens.), pour réparer notre perte (mais l'hymne primitive : *Vt mala nostra* **superes**) ;

Ut **ferres** *nostra crimina* (modif. *Ut nostra ferres*) (ibid.), pour porter nos crimes (et aussi les emporter, v. *auferre, tollere, perferre*, § 188, 193, 206, 232).

§ 229 Le Sauveur, *Salvator* ([2]) (Tert. ; Cypr. ; Hier. ; Aug. ; etc.) :

quia natus est vobis hodie Salvator (Luc. 2, 11), car un Sauveur vous est né aujourd'hui ;

in cognitione Domini nostri et Salvatoris Jesu Christi (2 Petr. 2, 20), par la connaissance de notre Seigneur et Sauveur Jésus-Christ ;

Salvatorem exspectamus Dominum nostrum Jesum Christum (Philipp. 3, 20), (du ciel) nous attendons comme Sauveur notre Seigneur Jésus-Christ ;

humani generis Salvatorem (or. S. S. Nom. Jes., Leon. 169) ; v. autres ex., § 205.

Expressions désignant le salut opéré par la Rédemption (pour le salut individuel, v. le Ciel, la Vie éternelle) :

ipse enim salvum faciet populum suum a peccatis eorum (Mat. 1, 21), car c'est lui qui sauvera son peuple de ses péchés;

Christus Jesus venit in hunc mundum peccatores salvos facere (Aug. Serm. lect. 4 d. 5 p. Epiph.), Jésus-Christ est venu dans le monde pour sauver les pécheurs ;

Deus, qui omnes homines vis salvos fieri (or. miss. propag. fid. ; *vult salvos* ..., 1 Tim. 2, 4), ô Dieu, qui voulez que tous les hommes soient sauvés (cf. *liberandis omnibus*, § 227) ;

quos dignatus es salvare per gratiam (secr. ad postul. cont., Gel. Cagin 2295), nous que vous avez daigné sauver par la grâce ([3]) ;

cujus gratia estis salvati (Ephes. 2, 5), par la grâce de qui vous êtes sauvés ; v. *gratia*, désignant la Rédemption, § 269 ;

salutis auctor, sator, v. § 205 ;

Deus, qui salutis æternæ ... humano generi præmia præstitisti (or. 1 jan., Greg. 14, 1), ô Dieu, qui avez procuré au genre humain les trésors du salut éternel.

Le Christ lui-même est appelé le salut : *et videbit omnis caro salutare Dei* (Luc. 3, 6), et toute chair verra le salut de Dieu (cf. Is. 40, 5).

§ 230 C) La Médiation, la Réconciliation.

Le Christ a pris sur lui le péché du monde (Jo. 1, 29, v. § 206) ; comme le bouc émissaire de l'ancienne Loi (Lev. 16), il est devenu « malédiction » pour nous, *maledictum* (Deut. 21, 23 ; Gal. 3, 13 ; v. § 192), il s'est fait solidaire de cette malé-

---

2. D'autres termes n'ont pas survécu : *salutificator* (Tert.) ; *servator* (Aug. ; Leo-M.) ; v. appellations du Christ, § 205.

3. La grâce individuelle, mais aussi la grâce de la rédemption (cf. § 269) : *si enim unius delicto multi mortui sunt, multo magis gratia Dei et donum in gratia unius hominis Jesu Christi in plures abundavit* (Rom. 5, 15), ... combien plus la grâce de Dieu et le don conféré par la grâce d'un seul homme, Jésus-Christ, se sont répandus à profusion sur la multitude.

diction : *eum, qui non noverat peccatum, pro nobis* **peccatum
fecit**, *ut nos efficeremur justitia Dei in ipso* (2 Cor. 5, 21), celui
qui ne connaissait pas le péché, (Dieu) l'a fait péché pour nous,
afin qu'en lui nous devenions justice de Dieu ;

*neque per sanguinem hircorum aut vitulorum, sed per pro-
prium sanguinem, introivit semel in sancta, æterna redemptione
inventa* (Hebr. 9, 12), non pas avec le sang des boucs ou des
jeunes taureaux, mais avec son propre sang, il est entré une
fois pour toutes dans le saint des saints, nous ayant acquis
une rédemption éternelle.

Aussi est-il appelé le Médiateur, *Mediator* ([4]) (Gal. 3, 20 ;
Hebr. 12, 24) : *unus enim Deus, unus et* **mediator** *Dei et
hominum homo Christus Jesus* (1 Tim. 2, 5), car il n'y a qu'un
Dieu, un seul Médiateur aussi entre Dieu et les hommes, le
Christ Jésus, homme lui-même ;

in cælos ascensio **mediatoris** *Dei et hominum hominis Jesu
Christi* (Leon. 176) ; *secundo* **mediatoris** *adventu* (ibid. 171) ;

mediator *noster Jesus Christus* (secr. D. N. J. C. summi et
æterni sacerd.) ;

ad novi ... testamenti **mediatorem** *Jesum accedamus* (secr.
1 jul.), d'approcher de Jésus, le Médiateur de la nouvelle
alliance.

Médiateur unique : *nemo venit ad Patrem, nisi per* ([5]) *me*
(Jo. 14, 6), personne ne peut aller au Père que par moi.

Il opère la réconciliation de l'homme avec Dieu : *qui nos*
reconciliavit *sibi per Christum* (2 Cor. 5, 18) ;

Deus, qui paschale sacramentum in **reconciliationis** *humanæ
fœdere contulisti* (or. fer. 6 p. pasch., Greg. 93, 1), ô Dieu, qui
avez scellé dans le mystère pascal le pacte de notre réconciliation avec vous ;

Christus innocens Patri **reconciliavit** *peccatores* (« *Victimæ
paschali* »), le Christ sans péché a réconcilié avec son Père les
pécheurs ;

Cor Jesu, pax et **reconciliatio** *nostra* (litanies du Sacré-
Cœur).

Pax désigne la paix apportée par Dieu, la paix de l'homme
réconcilié avec Dieu par le Médiateur : *annuntians* **pacem** *per
Jesum Christum* (Act. 10, 36), annonçant la bonne nouvelle
de la paix par Jésus-Christ (cf. Nah. 1, 15) ;

speciosi pedes evangelizantium **pacem** (Rom. 10, 15), qu'ils

---

4. Cf. *mediator ... et reconciliator ad pacem* (Dion.-Ex. M. 67, c. 16A) ; v. § 210,
note 1.

5. C'est par lui aussi que passe la prière adressée au Père (conclusion des oraisons). Grammaticalement, la préposition *per* indique soit l'endroit par où l'on
passe, soit la personne par l'intermédiaire de qui l'action est accomplie, soit (surtout dans le latin tardif) la personne par qui l'action est accomplie (= *a* et abl.).
On peut donc dire que le sens mystique de cette préposition, en ce qui concerne
le Christ, indique qu'il est la Voie, le Médiateur, l'Agent (de la Rédemption).

sont beaux les pieds de ceux qui se font les messagers de la paix.

§ 231 D) La Restauration de l'homme, la Régénération.

La Rédemption du genre humain est présentée comme une remise en forme, une restauration de l'homme dans son ancienne nature, une réparation, un renouvellement, une régénération :

qui (Jesus Christus) **reformabit** ([6]) *corpus humilitatis nostræ* (Philipp. 3, 21), qui transformera notre corps de misère (la résurrection étant un aspect de la rédemption) ;

Deus, qui humanæ substantiæ dignitatem mirabiliter condidisti, et mirabilius **reformasti** (Offert., Greg. 9, 6 ; or. Leon. 1239), ô Dieu, qui avez créé d'une manière admirable la nature humaine dans sa dignité et qui l'avez restaurée d'une manière plus admirable encore ;

qui, per ineffabilem potentiam Verbi tui, sicut humani generis es conditor, ita benignissimus **reformator** (Leon. 1134), qui, de même que vous êtes le Créateur du genre humain, avez eu la très grande bonté de le restaurer par la puissance ineffable de votre Verbe ;

creator humanæ **reformatorque** *naturæ* (Gel. I, 5, 28) ;

Deus, qui in dilecto Filio tuo, universorum Rege, omnia **instaurare** ([7]) *voluisti* (or. dom. ult. oct.), ô Dieu, qui avez voulu tout renouveler ([8]) dans votre Fils bien-aimé, Roi universel.

Plus fréquents en ce sens sont les mots *reparatio, reparare* ([9]), *regeneratio, regenerare, renovatio, renovare* :

ex. *post* **reparationem** ([10]) *generis humani* (Leon. 209), après le relèvement du genre humain ;

qui te factore conditus teque est **reparatus** *auctore* (Gel. I, 5 ; *te est reparatus auctore*, Leon. 1257), c'est vous qui avez réalisé sa création, c'est vous aussi qui avez voulu sa rédemption ;

nova nos immortalitatis suæ luce **reparavit** (præf. Epiph. ; *in nova* ..., Greg. 17, 3), il nous a renouvelés par l'éclat nouveau de son immortalité ;

reparationis *nostræ ventura solemnia* (postc. d. 1 Adv., Greg. 185, 3), la fête prochaine de notre rédemption ;

---

6. Cf. *venit reformator, qui erat ante formator* (Aug. Enarr. psal. 32, 2, 16), il est venu nous recréer, celui qui déjà nous avait créés.

7. *Instaurare omnia in Christo* (Ephes. 1, 10), renouveler tout dans le Christ ; mais le verbe ἀνακεφαλαιώσασθαι suggère plutôt : ramener tout au Christ comme à la tête ; anciennes versions : *recapitulare*.

8. *Instaurare* s'emploie aussi en parlant du renouvellement, de la rédemption individuelle à laquelle nous devons atteindre : v. Eucharistie.

9. *Causa reparationis nostræ non est nisi misericordia Dei* (Leo-M. Serm. 12, 1), seule, la miséricorde de Dieu explique notre rédemption ; *ad reparandum humanum genus* (Aug. Civ. 16, 12).

10. V. aussi *reparatio* au chp. Eucharistie.

*audisti ... angelum cum muliere de hominis **reparatione**
tractantem* (Petr.-Chrys. Serm. 142, lect. 7, 12 sept.), vous avez
entendu l'ange s'entretenant avec une femme du salut de
l'homme ;

*Christe Jesu, redemptor et **reparator** omnium in te credentium
animarum* (Moz. L. ord. 414), ô Christ Jésus, rédempteur et
restaurateur de toutes les âmes qui croient en vous ;

*Deus, generis institutor et **reparator** humani* (Leon. 698), ô
Dieu, créateur et restaurateur du genre humain.

La régénération est liée au sacrement du baptême (v. ce
chapitre) ; mais les termes désignant la régénération, la
rénovation s'appliquent aussi à la rédemption en général :

*salvos nos fecit per lavacrum **regenerationis** et **renovationis**
Spiritus Sancti* (Tit. 3, 5), il nous a sauvés par le bain de la
régénération et de la rénovation en l'Esprit Saint ;

*totusque mundus experiatur et videat dejecta erigi, inveterata
renovari* (or. sabb. sc. vet. ord., Gel. I, 43), que le monde
entier sente et voie que ce qui était abattu a été redressé, ce
qui était tombé de vieillesse a été rajeuni ;

*per quem (Joannem Bapt. ecclesia tua) suæ **regenerationis*** [11] *cognovit auctorem* (postc. 24 jun., Gel. II, 26), par qui
elle a connu l'auteur de sa régénération ;

*(Salvator) divinæ nobis **generationis** est auctor* (postc. 3a
m. 25 dec., Leon. 1271), est l'auteur de notre adoption divine
(v. § 233) ;

*(Deus) qui secundum misericordiam suam magnam **regeneravit** nos in spem vivam per resurrectionem Jesu Christi* (1
Petr. 1, 3), qui, dans sa grande miséricorde, nous a régénérés
par la résurrection de Jésus-Christ, pour une vivante espérance ;

*da ut omnes gentes ... Spiritus tui participatione **regenerentur***
(or. vigil. Pent. p. proph. 2, Gel. I, 77), faites que toutes les
nations soient régénérées en participant à votre Saint-Esprit.

§ 232 La Rédemption nous a fait revivre avec le Christ :
*ego veni ut **vitam** habeant* (Jo. 10, 10), je suis venu pour qu'ils
aient la vie ; *ut credentes **vitam** habeatis in nomine ejus* (Jo. 20,
31), pour qu'en croyant vous ayez la vie en son nom ;

*cum essemus mortui peccatis, **convivificavit** nos in Christo*
(Ephes. 2, 5), alors que nous étions morts à cause de nos
péchés, il nous a fait revivre avec le Christ ; *in Christo omnes
vivificabuntur* (1 Cor. 15, 22), tous revivront dans le Christ ;

*per quam (Mariam) meruimus auctorem **vitæ** suscipere* (or.
1 jan. ; *vitæ nostræ*, Gel. II, 47), par qui nous avons eu la grâce
de recevoir l'auteur de la vie ;

---

11. Le plus souvent, dans les oraisons, *renovare, renovatio, regenerare, regeneratio*
ne se rapportent qu'indirectement à la Rédemption, mais plutôt à l'effet réparateur
de l'Eucharistie ou à la rénovation, la régénération par le baptême : v. ces chapitres.

per mortem tuam mundum **vivificasti** (or. ante comm.) ; v. *vivificare*, § 258.

Le sacrifice rédempteur a purifié et justifié les hommes :

quanto magis sanguis Christi, qui per Spiritum Sanctum semetipsum obtulit immaculatum Deo, **emundabit** *conscientiam nostram ab operibus mortuis* (Hebr. 9, 14), combien plus (que les anciens sacrifices) le sang du Christ, qui par l'Esprit Saint s'est offert lui-même sans tache à Dieu, pourra-t-il purifier notre conscience des œuvres de mort ;

hujus igitur sanctificatio noctis **fugat scelera**, **culpas lavat** (« *Exultet* », Miss. Gall. 25, 134), c'est pourquoi le saint mystère de cette nuit met en fuite les crimes, lave les péchés ;

Ut nos **lavaret** *crimine* (« *Vexilla* »), (modif. *lavaret sordibus*) ;

qui peccata nostra ipse pertulit ... ut peccatis mortui **justitiæ** *vivamus* (1 Petr. 2, 24), qui a porté lui-même nos fautes pour que, mourant au péché, nous vivions pour la justice ;

sicut per unius delictum in omnes homines in condemnationem, sic per unius justitiam in omnes homines in **justificationem** *vitæ* (Rom. 5, 18), de même que la faute d'un seul homme a amené sur tous la condamnation, de même la justice d'un seul leur apporte à tous la justification et la vie ;

excita in omnem **justificatarum** *gentium plenitudinem potentiam tuam* (or. p. lect. 4 vig. Pasch., Gel. I, 43, 440), manifestez votre puissance sur l'ensemble des nations justifiées (rachetées par la rédemption) ;

in quo (Christo) habemus redemptionem per sanguinem ejus, **remissionem peccatorum** *secundum divitias gratiæ ejus* (Ephes. 1, 7), en qui nous avons la rédemption par son sang et la rémission des péchés selon les richesses de sa grâce ;

ut nos **redimeret ab omni iniquitate** *et mundaret sibi populum acceptabilem* (Tit. 2, 14), pour nous racheter de toute iniquité et purifier un peuple réconcilié avec lui (pour la justification et le pardon individuel, v. § 276-280).

§ 233 Par la Rédemption, nous sommes redevenus les enfants de Dieu :

quos præscivit et prædestinavit conformes fieri imaginis Filii sui, ut sit ipse primogenitus in multis **fratribus** (Rom. 8, 29), ceux que, dans sa préscience, il a prédestinés à devenir la vraie image de son Fils, afin qu'il soit l'aîné d'une multitude de frères ;

adoptionem filiorum *Dei exspectantes* (ibid. 8, 23), attendant d'être adoptés comme enfants de Dieu ; *adoptionem filiorum per Jesum Christum* (Ephes. 1, 5) ; cf. 2 Petr. 1, 4 ;

concede **spiritum adoptionis**, *quo filii tui nominamur et sumus, fideliter custodiamus* (or. 20 jul.), accordez-nous de garder fidèlement l'esprit d'adoption, qui nous vaut d'être appelés et d'être réellement vos enfants ; cf. *ut filii nominemur* *et simus* (1 Jo. 3, 1) ; *spiritus adoptionis* (Rom. 8, 15, cit. § 141, et or. passim) ;

filii tuæ **adoptionis** *effecti* (Leon. 210) ;

conserva in nova familiæ tuæ progenie **adoptionis spiritum** *quem dedisti* (or. miss. vig. Pasch., Greg. 87, 1), conservez chez les nouveaux enfants de votre famille l'esprit d'adoption que vous leur avez donné ;

Deus ... qui ... promissionis tuæ filios, diffusa **adoptionis** *gratia, multiplicas* (or. vig. Pasch. vet. ord., Gal. I, 42), ô Dieu, qui, en répandant votre grâce d'adoption, multipliez les fils de votre promesse.

Cette adoption nous fait les héritiers du ciel (v. *hereditas*, au chp. le Ciel) : *in quo (Christo) et credentes signati estis Spiritu promissionis sancto, qui est pignus* (¹²) **hereditatis** *nostræ, in redemptionem acquisitionis* (Ephes. 1, 14), ayant cru en lui, vous avez été marqués par l'Esprit de la promesse, cet Esprit saint qui est le gage de notre héritage, en vue de la rédemption du peuple qu'il s'est acquis ;

gentes esse **coheredes** *et concorporales et comparticipes promissionis ejus in Christo Jesu per evangelium* (ibid. 3, 6), les païens sont admis au même héritage, membres du même corps et participants à la même promesse dans le Christ Jésus grâce à l'évangile ;

concede propitius, ut ipsius Regis gloriæ nos **coheredes** *efficias* (or. 6 aug.), accordez-nous, dans votre bonté, de devenir cohéritiers du Roi de gloire lui-même ;

Tuos ibi commensales, **Coheredes** *et sodales Fac sanctorum civium* (« *Lauda, Sion* »), faites que nous partagions votre table, votre héritage, en devenant les compagnons des saints, dans la cité du ciel.

Car la Rédemption nous ouvre les portes du ciel, *æternitatis aditum* (cit. § 198) ; nous fait participer à la vie de Dieu : *ut nos divinitatis suæ tribueret esse participes* (præf. Ascens., Leon. 176) ; v. ex. § 201 ;

per Christum intramus. Ipse est enim janua ... una porta Christus (Aug. Enarr. psal. 86, lect. 4 comm. apost.), c'est par le Christ que nous entrons. C'est lui, la porte, l'unique porte Cf. note 5.

---

12. Cf. *dedit pignus Spiritus in cordibus nostris* (2 Cor. 1, 22), il a mis dans nos cœurs les arrhes de l'Esprit ; *arrha Spiritus Sancti* (Aug. Conf. 7, 21 ; Enarr. psal. 127, 8), le gage de l'Esprit Saint (que nous a laissé le Christ).

VIII

L'EUCHARISTIE

1. LES SACRIFICES DE L'ANCIENNE LOI

§ 234 La liturgie rappelle le sacrifice d'Abel, dont les offrandes furent agréées par Dieu (Gen. 4, 4), ainsi que le sacrifice des patriarches :

et accepta habere, sicuti accepta habere dignatus es munera pueri tui justi Abel, et sacrificium patriarchæ nostri Abrahæ, et quod tibi obtulit summus sacerdos tuus Melchisedech (Canon, Gel. III, 17, 1251), (daignez) les accepter, comme vous avez bien voulu accepter les présents de votre serviteur Abel le Juste, le sacrifice d'Abraham notre père et celui de Melchisédech votre grand prêtre ; cf. *cujus figuram Abel justus instituit, agnus quoque legalis ostendit, celebravit Abraham, Melchisedech sacerdos exhibuit* (Leon. 1250), (le sacrifice du Calvaire et de la messe) dont Abel le Juste a inauguré la figure, que l'agneau légal a préfiguré, qu'Abraham a célébré, que le prêtre Melchisédech a montré.

Ainsi plusieurs faits de l'A. T. (¹) sont regardés comme des figures du sacrifice eucharistique : l'Agneau pascal, la manne, le sacrifice d'Isaac (v. ex. § 176).

Les sacrifices avaient en eux-mêmes une valeur propitiatoire : *omnis namque pontifex ... constituitur ... ut offerat dona et sacrificia pro peccatis* (Hebr. 5, 1), car tout grand prêtre est établi afin d'offrir dons et sacrifices pour les péchés ; *accipiens (Moyses) sanguinem vitulorum et hircorum ... ipsum quoque librum et omnem populum aspersit ... Et omnia pæne in sanguine secundum legem mundantur, et sine sanguinis effusione non fit remissio* (ibid. 9, 19-22), prenant le sang des jeunes taureaux et des boucs, il en aspergea le livre lui-même et tout le peuple... Selon la loi, presque tout est purifié par le sang, et, sans effusion de sang, il n'y a point de rémission.

Ils sont donc considérés comme une préfigure du sacrifice parfait réalisé par le Christ et « re-présenté » dans le saint sacrifice de la messe : *Christus autem adsistens pontifex futurorum bonorum per amplius et perfectius tabernaculum non manufactum, id est, non hujus creationis, neque per sanguinem hircorum aut vitulorum, sed per proprium sanguinem introivit*

---

1. Dans l'A. T., *panes propositionis* (Ex. 25, 30) désigne les pains de proposition, c.-à-d. les 12 pains placés devant le tabernacle. Dans le Missale Francorum (6, 17), la même expression désigne encore les pains apportés sur l'autel par les fidèles, de même dans le Pont. Rom.-Germ. 16, 6.

semel in Sancta ([2]), *æterna redemptione inventa* (Hebr. 9, 11-12),
le Christ, lui, survenu comme grand prêtre des biens à venir,
à travers une tente plus grande et plus parfaite qui n'est pas
construite de main d'homme, c'est-à-dire qui n'est pas de cette
création, entra une fois pour toutes dans le sanctuaire ([3]),
non pas avec le sang des boucs et des jeunes taureaux, mais
avec son propre sang, nous ayant acquis une rédemption éternelle ;

Deus, qui **legalium** *differentiam* **hostiarum** *unius sacrificii
perfectione sanxisti* (secr. d. 7 p. Pent. ; *differentias*, Gel. III, 3),
ô Dieu, qui, par la valeur parfaite d'un sacrifice unique, avez
remplacé définitivement la multiplicité des victimes de l'ancienne loi ;

hoc altare **sacrificiis spiritualibus** *consecrandum* (or. eccl.
cons. 49, Pont. R. II, p. 39, cet autel qui va être consacré en
vue des sacrifices spirituels ;

nunc etiam **carnalium sacrificiorum** *varietate cessante, omnes differentias hostiarum una Corporis et Sanguinis tui implet
oblatio* (Leo-M. Serm. 59, lect. 9, 14 sept.), maintenant qu'a
cessé la multiplicité des sacrifices charnels, l'unique oblation
de votre Corps et de votre Sang remplace pleinement la variété
des offrandes ;

Et antiquum documentum Novo cedat ritui (« *Pange, lingua* »,
Thom.-Aq.), que les prescriptions anciennes cèdent la place
à ce nouveau rite ;

*super altaria tua ... aspersionem sanguinis, melius loquentem
quam Abel, innovemus* (secr. 1 jul. ; cf. Hebr. 12, 24), renouve-
lons sur vos autels l'effusion du sang dont le langage surpasse
celui d'Abel.

Le Christ n'a été immolé qu'une fois, l'effusion de son sang
a suffi pour le rachat du monde ; mais il s'immole sur l'autel
en s'offrant lui-même : « mon corps, mon sang » rappelle la
passion sanglante. D'où les mots *hostia, immolatio* et similaires,
qui représentent l'idée du sacrifice dans les prières de la
messe : v. chp. 2, le Mémorial.

§ 235 Vocabulaire des Psaumes concernant les sacrifices.

Incensum, fumée des sacrifices, matière brûlée en sacrifice,
holocauste : *holocausta medullata offeram tibi cum* **incenso**
arietum (65, 15), je t'offrirai de gras holocaustes avec la fumée
des béliers ;

---

2. Voir dans le *Dict. sancta* et *sancta sanctorum,* le saint des saints, expression
superlative comme *cœli cœlorum.* Ces formules de l'A. T. ont été souvent reprises
pour désigner le saint sacrifice ou même les saintes espèces (v. § 242) ; et aussi
l'autel chrétien (v. ex. § 2) ; les offrandes (Leon. 856) ; le chœur (Conc. Turon. II
cap. 4, Ma. 9, c. 793).

3. De même que le grand prêtre pénétrait une fois l'an derrière le voile, de
même le Seigneur, porteur de son propre sang, pénètre derrière le voile, c'est-à-dire
devant la face de Dieu, en notre faveur (Hebr. 9, 24).

fumée des parfums de l'encens : *dirigatur oratio mea sicut* **incensum** *in conspectu tuo* (140, 2), que ma prière s'élève devant toi comme la fumée des parfums.

Chez les Pères, *incensum* a aussi le même sens que *tus* (⁴), encens (Cypr. ; Hier. ; etc.), ou offrande spirituelle (Aug. ; Greg.-M.) ; et aussi, dans la vigile pascal, cierge allumé :

veniat ergo, omnipotens Deus, super hunc **incensum** *larga tuæ benedictionis infusio* (Gel. I, 42, 429), que votre bénédiction, Dieu tout-puissant, vienne et se répande largement sur cette flamme (office actuel de la vigile pascale : *super hunc incensum cereum*, sur ce cierge allumé) ; cf. *incensi hujus sacrificium vespertinum* (« *Exultet* »), l'offrande nocturne de cette flamme.

Holocaustum (⁵) (ὅλος, entier, καίω, brûler), sacrifice où l'on brûle la victime entière, holocauste : *introibo in domum tuam in* **holocaustis** (65, 13), j'entrerai dans ta maison avec des holocaustes ; (en parl. du saint sacrifice, v. § 245) ;

victime pour l'holocauste (65, 15, cité plus haut).

Sacrificium (⁶), chose offerte à Dieu en sacrifice, et aussi offrande spirituelle : *quoniam si voluisses,* **sacrificium** *dedissem utique ; holocaustis non delectaberis :* **sacrificium** *Deo, spiritus contribulatus* (50, 19-20), car si tu l'avais voulu, je t'aurais offert un sacrifice, mais tu n'aimes pas les holocaustes : le sacrifice qu'on offre à Dieu, c'est un cœur brisé.

Hostia, victime, offrande : *tibi sacrificabo* **hostiam laudis** (117, 17), je t'offrirai le sacrifice d'action de grâces ; même expression en parlant du saint sacrifice (secr. ad postul. cont., Gel. Cagin 2295) ; *hostiam laudis offerre* (Leon. 29 et passim) ; v, § 239.

Sanctum, sainteté de Dieu : *semel juravi in* **sancto** *meo* (88, 36), une fois j'ai juré par ma sainteté ;

sanctuaire (⁷) : *Deus locutus est in* **sancto** *suo* (59, 8), Dieu a parlé dans son sanctuaire (ou sens précédent) ; cf. 21, 4 ;

(en parlant du ciel, demeure de Yahvé) *quia prospexit de excelso* **sancto** *suo* (101, 20), car il s'est penché du haut de son sanctuaire.

Tous les termes précédents ont été repris au sens spirituel dans la liturgie du saint sacrifice.

Sanctificium, sanctuaire (77, 69).

Sanctuarium, sanctuaire, lieu réservé au culte : dans les Psaumes, il désigne le tabernacle (73, 7) ; mais, dans d'autres passages de l'A. T., il désigne le temple (ex. 1 Mac. 5, 1).

Tabernaculum, tente renfermant l'arche d'alliance (ex. Ex.

---

4. *Thymiama*, n., désigne aussi l'encens (Ex. 25, 6 ; etc. ; Hier. ; Ambr.).

5. Une image eucharistique rappelle l'holocauste : v. *absumat* (§ 237).

6. Ce mot désigne aussi des sacrifices idolâtres aux morts : *sacrificia mortuorum* (105, 28).

7. *Sanctum sanctorum* (Ex. 26, 34), le Saint des saints, v. note 2.

26, 16) ; le temple de Jérusalem s'appelle « tente » en souvenir de l'ancien sanctuaire du désert : *quoniam transibo in locum* **tabernaculi** *admirabilis* (41, 5), car j'irai à l'endroit de la tente admirable ; *quam dilecta* **tabernacula** *tua, Domine virtutum* (83, 2), combien chères sont tes demeures ([8]), Seigneur des puissances ;

le mot a désigné aussi par métonymie le service du temple : *qui* **tabernaculo** *deserviunt* (Hebr. 13, 10), les desservants de la Tente, les prêtres juifs.

Domus, la demeure (de Dieu), le sanctuaire de Jérusalem, (puis) le temple : *introibo in* **domum** *tuam* (65, 13) ; *in* **domum** *Domini ibimus* (121, 1) ; *in atriis* **domus** *Domini* (91, 14), dans les parvis de la maison du Seigneur.

Atrium, parvis qui précédait le tabernacle, tabernacle (de David), sanctuaire : *tollite hostias et introite in* **atria** *ejus ; adorate Dominum in* **atrio** *sancto suo* (95, 8-9), apportez des offrandes et entrez dans son sanctuaire ; adorez le Seigneur dans son sanctuaire sacré.

Templum, le temple : *adorabo ad templum sanctum tuum* (137, 2), je me prosternerai vers ton temple sacré.

Altare, autel ; il y avait deux autels chez les Hébreux, l'autel des holocaustes et l'autel des parfums, d'où le pluriel: *altaria tua, Domine* (84, 3) ;

(sing.) introibo ad altare Dei (42, 4).

L'autel chrétien se dit *altare* (Tert. ; Cypr. ; Aug. ; Sacram.) ou *altarium* (Hier. ; Aug. ; Sacram.) : *sacris altaribus servientes* (Leon. 940) ; *ante sanctum altare(m)* (ibid. 283) ; *tua ... muneribus altaria cumulamus* (ibid. 238) ; v. autres ex. § 88 et passim.

2. LE MÉMORIAL, LA « REPRÉSENTATION » DE LA CÈNE

§ 236 La partie essentielle de la messe, la consécration ([1]), rappelle le récit évangélique de l'institution de l'eucharistie et répète les paroles mêmes de Notre Seigneur : *qui pridie*

---

8. Cf. la demeure du ciel, les tabernacles éternels, *tabernacula æterna* (Luc. 16, 9).

1. **Consecratio** *igitur quibus verbis est et cujus sermonibus ? Domini Jesu ... ubi venitur ut* **conficiatur** *venerabile sacramentum, jam non suis sermonibus utitur sacerdos, sed utitur sermonibus Christi* (Ambr. De sacram. 4, 4, 14), par quels mots donc se fait la consécration et avec les paroles de qui ? Du Seigneur Jésus ... quand vient le moment de réaliser le vénérable sacrement, le prêtre alors ne se sert plus de ses propres paroles, mais il emploie les paroles du Christ.

Et dans le chapitre suivant, le même auteur nous montre que les formules des Sacramentaires, pour le Canon, existent déjà de son temps : *Vis scire quia verbis cælestibus* **consecratur** *? Accipe quæ sunt verba. Dicit sacerdos : fac nobis, inquit, hanc oblationem scriptam (adscriptam, ratam, rationabilem, Gel. III, 17), rationabilem, acceptabilem, quod est figura corporis et sanguinis Domini nostri Jesu Christi. Qui pridie quam pateretur ...* (ibid. 4, 5, 21), tu veux savoir que la consécration s'opère au moyen de paroles célestes ? Écoute quelles sont ces paroles. Le prêtre dit : « Accordez-nous que cette offrande soit approuvée, spirituelle, agréable, car elle est la représentation du corps et du sang de Notre Seigneur Jésus-Christ, qui, la veille de sa passion... ». V. § 247.

quam pateretur, accepit panem in sanctas ac venerabiles manus suas ... benedixit, fregit deditque discipulis suis, dicens : « *Accipite et manducate (comedite*, Mat.) *ex hoc omnes : hoc est enim corpus meum* » (Canon ; cf. Mat. 26, 26 ; Marc. 14, 22 ; Luc. 22, 19 ; 1 Cor. 11, 24), celui-ci, la veille de sa passion, prit du pain dans ses mains saintes et vénérables ... le bénit, le rompit et le donna à ses disciples en disant : « Prenez et mangez-en tous : car ceci est mon corps ». Même conformité pour la consécration du vin ([2]) : cf. *hic est enim sanguis meus novi testamenti, qui pro multis effundetur in remissionem peccatorum* (Mat. .26, 28), car ceci est mon sang, le sang de la nouvelle alliance, qui va être répandu pour une multitude en rémission des péchés. Il avait ajouté : *hoc facite in meam* **commemorationem** (Luc. 22, 19), faites ceci en mémoire de moi ; *hæc quotiescumque feceritis, in mei* **memoriam** *facietis* (Canon, Gel. III, 17), toutes les fois que vous ferez cela, vous le ferez en mémoire de moi.

Le saint sacrifice rend donc de nouveau présent ([3]) le mystère de la Cène et de la Passion: *quotiescumque enim manducabitis panem hunc et calicem bibetis, mortem Domini annuntiabitis* (1 Cor. 11, 26), chaque fois en effet que vous mangerez ce pain et boirez cette coupe, vous annoncerez la mort du Seigneur ;

quæ in tui **commemorationem** *nos facere præcepisti* (postc. 22 d. p. Pent., Leon. 596), ce que vous nous avez commandé de faire en souvenir de vous ;

qui discipulis suis in sui **commemorationem** *hoc fieri hodierna traditione monstravit* (secr. fer. 5 Cen. Dom., Greg 77, 2), qui, par l'exemple qu'il a donné en ce jour, montra à ses disciples ce qu'ils devaient faire en souvenir de lui ;

Deus, qui nobis sub sacramento mirabili passionis tuæ **memoriam** *reliquisti* (or. S. S. Corp. Chr. et miss. vot.), ô Dieu, qui nous avez laissé en cet admirable sacrement le souvenir de votre passion ;

divinum sacramentum, immensæ caritatis tuæ **memoriale** *perpetuum* (postc. 28 apr.), (nous venons de recevoir) le sacrement divin, rappel incessant de votre immense amour ;

hoc sacramentum instituit, tanquam passionis suæ **memoriale** *perenne* (Thom.-Aq. lect. 6, S. S. Corp. Chr.), il institua ce sacrement pour rappeler perpétuellement sa passion ;

o **memoriale** *mortis Domini* (« *Adoro te* »).

On demande qu'en nous aussi ce souvenir soit imprimé par cette célébration : *immaculatam hostiam tibi, Domine, offeri-*

---

2. Ex. de la paraphrase habituelle aux hymnes : au lieu de *accipite et bibite*, *Dicens : accipite quod trado vasculum, Omnes ex eo bibite* (« *Sacris solemniis* »).

3. *Panem quo ipsum corpus suum repræsentat* (Tert. Adv. Marc. 1, 14), le pain grâce auquel il rend présent son corps lui-même.

mus, deprecantes ut ... semper in nobis dilecti Filii tui passionis **memoria** *perseveret* (secr. 26 nov. p. al. loc.), nous vous offrons, Seigneur, cette victime sans tache, en demandant que toujours en nous le souvenir demeure de la passion de votre Fils bien-aimé.

La prière du Canon évoque le souvenir des témoins de Jésus : *communicantes* ([4]) *et* **memoriam** *venerantes, in primis gloriosæ semper Virginis Mariæ, Genitricis Dei et Domini nostri Jesu Christi, sed et beatorum apostolorum ac martyrum tuorum ...* (Gel. III, 17, 1246), unis de communion (*communicantes* se rapporte au sujet de *offerimus* non répété) et vénérant en premier lieu le souvenir de la glorieuse Marie toujours Vierge, Mère de notre Dieu et Seigneur Jésus-Christ, et aussi celui de vos bienheureux apôtres et martyrs... Le nouveau Missel ajoute : *sed et beati Joseph ejusdem Virginis Sponsi,* avant la mention des apôtres.

§ 237 De nombreux termes rappellent le sacrifice du Calvaire :

quoties hujus **hostiæ** *commemoratio celebratur* (secr. d. 9 p. Pent., Gel. III, 5), chaque fois qu'on célèbre le souvenir de cette victime ; cf. *quoties hostiæ tibi placatæ (placitæ ?) commemoratio celebratur* (Leon. 93) ;

quibus (donis) non jam aurum, thus et myrrha profertur, sed quod eisdem muneribus declaratur, **immolatur** *et sumitur Jesus Christus* (secr. Epiph., Greg. 17, 2), qui vous offrent, non plus l'or, l'encens et la myrrhe, mais ce qui est symbolisé par ces présents, Jésus-Christ offert en sacrifice et donné en nourriture ;

quem sacrificiis præsentibus **immolamus** (secr. Chr. Reg.), (Jésus-Christ) que nous immolons dans le présent sacrifice ;

immolare *hostiam, hostias* (secr. passim et Sacram.) ;

hostia, quæ ... solemniter **immolatur** (secr. 25 oct., Gel. II, 67) ;

caritatis victima quam **immolantes** *offerimus* (secr. 16 jun. p. al. loc.).

Allusion à l'holocauste spirituel : *sacrificia, Domine, tuis oblata conspectibus* **ignis** *ille divinus* **absumat,** *qui discipulorum Christi Filii tui per Spiritum Sanctum corda succensit* (secr. fer. 4 Quat. T. Pent., Greg. 116, 2), que cette offrande présentée devant vous, Seigneur, soit consumée par le feu divin dont le Saint-Esprit embrasa le cœur des disciples du Christ votre Fils.

§ 238 Le saint sacrifice représente le souvenir, non seule-

---

4. Cf. *communicantes et diem sacratissimam celebrantes ascensionis in cælum Domini nostri Jesu Christi, sed et memoriam venerantes...* (Leon. 178), unis de communion et célébrant ... vénérant aussi le souvenir... (formule analogue pour d'autres fêtes : 186 ; 204 ; etc.).

ment de la Cène et de la Passion, mais aussi de tous les mystères de la vie du Christ :

*suscipe, sancta Trinitas, hanc oblationem quam tibi offerimus
ob memoriam **passionis**, **resurrectionis** et **ascensionis** Jesu
Christi Domini nostri* (Offert.), accueillez, ô Trinité sainte,
cette offrande que nous vous présentons en souvenir de la
passion, de la résurrection et de l'ascension de Jésus-Christ
notre Seigneur ;

*unde et memores, Domine, … ejusdem Christi Filii tui Domini
nostri tam beatæ **passionis**, nec non et ab inferis **resurrectionis**
sed et in cælos gloriosæ **ascensionis*** (Canon ; *unde et memores
sumus…*, Gel. III, 17, 1250).

3. NOMS ET VERBES DÉSIGNANT LE SAINT SACRIFICE ET SA CÉLÉBRATION

§ 239 *Missa*, renvoi, congé, en particulier renvoi des
catéchumènes après les premières prières et le sermon ([1]) ;
puis, la messe elle-même. Le premier exemple de ce sens
semble être celui-ci de saint Ambroise : *dimissis catechumenis…
missam facere cœpi* (Ep. 20, 4), après le renvoi des catéchumènes, j'ai commencé la messe.

Autres ex. *unius tantum missae more servato* (Leo-M. Ep.
9, 2), conservant la coutume d'une seule messe ;

***missas** tenere* (Avell. p. 688, 15) ; ***missas** facere aut tenere*
(Conc. Agath. an. 506, c. 21) ; ***missas** dicere* ([2]) (Conc. Autiss.
an. 573, c. 10) ;

***missas** celebrare* (Avell. p. 672, 9) ; ***missarum** solemnia cele-
brare* (Greg.-M. Dial. 3, 30) ;

V. autres ex. de *celebrare, celebratio, frequentare, frequentatio*,
§ 3 et 4.

Sacrificium peut désigner le saint sacrifice lui-même :
sacrificium Dominicum (Cypr. Ep. 63, 9) ; *celebrare **sacrificia**
divina* (Ep. 74, 3) ; ***sacrificium** offerre* (Ambr. Ep. 51, 13) ;
*obtulit ibi **sacrificium** corporis Christi* (Aug. Civ. 22, 8, 6) ;

*ad **sacrificium** celebrandum* (secr. d. 3 p. Epiph.) ; ***sacrificium** celebrandum* (Greg. 2, 8 et passim ; Leon. 523) ;

***sacrificium** quadragesimalis initii solemniter immolamus*

---

1. Le mot a signifié aussi : office des catéchumènes, renvoi des fidèles après la
messe, oraison de conclusion, oraison, office liturgique (v. le Dict.).

2. Le sens de *dicere* est incertain : ex. *dicere psalmum, psalmos* (Pelag. Vit. patr. 5,
10, 76 ; 6, 3, 11) ; *duo responsoria sine gloria dicantur* (Ben. Reg. 9) ; *cantetur* (ibid.) ;
dicuntur hymni (Pereg. Æth. 24, 1). Inversement au Moyen-Age, en parlant de la
messe de la Sainte Vierge, Pierre le Vénérable (12e s.) écrit : *quotidie secreto decan-
tetur* (Statuta, 54, éd. M. Marrier, Bibliotheca Cluniacensis, Paris 1614, 1368E). *Decantatio* peut avoir le sens de « psalmodie intérieure », témoin cette formule de
Bernard du Cassin (13e s.) : *orationi se dabit vel meditationi aut contemplationi, seu
certe psalmorum silenti decantationi* (In Regulam S. Benedicti, c. 49, éd. Caplet, Mont-
Cassin 1894).

(secr. d. 1 Quadr., Gel. I, 18), nous offrons ce sacrifice solennel au début du Carême ;

sacrosancti **sacrificii** ... *quod hodie* ... *tuæ obtulimus majestati* (postc. 4 jun.), du très saint sacrifice que nous venons d'offrir aujourd'hui à votre Majesté ;

sacrificium *quod hac nocte litatum est* (Gel. I, 42, 429), le sacrifice offert en cette nuit ; cf. *per hujus litationem sacrificii* (Moz. L. ord. 343).

Souvent *sacrificium* signifie « offrande » (v. plus loin, § 245) ; *sacrificium offerre* (passim) peut s'entendre dans l'un ou l'autre sens, suivant le contexte. A noter que **sacrificium** a désigné aussi le pain consacré, l'hostie : *reservant de ipso* **sacrificio** *in crastinum unde communicent* (Gel. I, 40 rubr.), ils mettent de côté du pain consacré pour en communier le lendemain (le vendredi saint).

L'expression *sacrificium laudis* des Psaumes (³), qui peut désigner au figuré la récitation de l'office (v. § 26), est appliquée aussi au saint sacrifice de la messe : ex. *pro quibus tibi offerimus, vel qui tibi offerunt hoc* **sacrificium laudis** (Canon, Gel. 17, 1245), pour lesquels nous vous offrons, ou qui vous offrent ce sacrifice de louange ; **sacrificium laudis** *offerre* (Leon. 106 ; 755) ;

pro quibus (defunctis) hoc **sacrificium laudis** *tuæ offerimus majestati* (postc. 2 nov. 3a missa) ;

ex. avec *hostia* : *sacrificare tibi* **hostiam laudis** (secr. ad postul. cont., Gel. Cagin 2295), vous offrir le sacrifice de louange ;

hostiam laudis *immolare* (or. passim) ; *hostiam laudis offerre* (Leon. 29 ; etc.) ; v. chp. 4, sacrifice d'offrande (§ 244 et suiv.).

Car ce sacrifice de louange contribue à la gloire de Dieu : le sang du Christ étant la vraie louange digne de lui :

laudis hostia ... *ad perpetuam nos majestatis tuæ laudationem perducat* (postc. 31 jul.), que ce sacrifice de louange nous conduise à la louange éternelle (au ciel) de votre Majesté ;

ut, nobis indulgentiam largiendo, tuo nomini dent **honorem** (secr. d. 12 p. Pent., Gel. III, 8), que (ce sacrifice offert, *hostiæ*), en nous obtenant le pardon, rende gloire à votre nom ;

suscipiat Dominus **sacrificium** *de manibus tuis ad* **laudem et gloriam** *nominis sui* ... (resp. « *Orate, fratres* »), que le Seigneur accueille de vos mains ce sacrifice, à la louange et à la gloire de son Nom ;

omnis honor et gloria termine la prière du Canon (v. Ire Partie, l'adoration, la louange).

---

3. *Immola Deo sacrificium laudis* (Ps. 49, 10) ; cf. *per ipsum (Christum) ergo offeramus hostiam laudis semper Deo* (Hebr. 13, 15) ; *tibi sacrificabo hostiam laudis* (Ps. 115, 17).

L'invitatoire de la préface (⁴), *gratias agamus*, indique que la messe est un sacrifice, non seulement de louange, mais aussi d'action de grâces ; *vere dignum et justum est ... nos tibi semper et ubique gratias agere* (præf., Gel. III, 17). *Sacrificium laudis* rappelle *eucharistia*, qui signifie d'abord prière d'action de grâces (Tert. ; Cypr.) ; puis ce qui a été consacré par cette prière (Hipp. Trad. 21, 6) ; et enfin le pain et le vin eucharistique (Tert. ; Cypr. ; Hier. ; Aug.). Au grec εὐχαριστία correspond le latin *benedictio* (⁵) (ex. 1 Cor. 14, 16 ; Tert. ; Cypr.). A la Cène, Jésus rendit grâces : *accepit Jesus panem et benedixit* (εὐλογήσας, Mat. 26, 26) ; *accipiens calicem gratias egit* (εὐχαριστήσας, Mat. 26, 27). A noter que, dans le Missel, *benedictio* a encore parfois un sens eucharistique :

ex. *repleti, Domine, benedictione solemni* (postc. 15 jun., Leon. 349), rassasiés, Seigneur, du pain solennellement consacré ;

cælestis doni benedictione percepta (postc. fer. 5 p. Cin., Leon. 255), ayant reçu le don céleste de l'eucharistie.

Eucharistiæ sacramentum, le sacrement de l'eucharistie, est une expression plus moderne (or. fer. 5 p. oct. Corp. Chr. p. al. loc.).

§ 240 *Sacramentum* est un des mots du latin chrétien les plus riches de significations diverses (v. le Dict.). Il signifie en particulier signe sacré et mystique : *sacrificium ergo visibile, invisibilis sacrificii sacramentum, id est signum sacrum* (Aug. Civ. 10, 5), sacrifice visible, sacrement, c'est-à-dire signe sacré du sacrifice invisible ; *hæc creatura salis ... efficiatur salutare sacramentum* (Gel. 1, 31), que ce sel, votre créature, devienne un signe mystique de salut (pour chasser le démon) ; et spécialement le sacrement de l'eucharistie : *sacramentum eucharistiæ* (Tert. Cor. 3), rite sacré de l'eucharistie, en un sens sans doute moins figé que dans l'exemple moderne cité plus haut.

Mais, de bonne heure, se rencontrent les formules qui seront celles des Sacramentaires : *celebrare sacramenta cælestia* (Cypr. Ep. 74, 4). On retrouve cette expression dès le Léonien : *celebrantes cælestia sacramenta* (108 ; etc.). Autres épithètes fréquentes dans les oraisons : *divina, paschalia, salutaria, votiva,* etc. ; *(sacramentum) mirabile, venerabile,* etc.

Quand il s'agit du saint sacrifice, le mot *sacramentum* se traduit ordinairement par « mystère », surtout au pluriel, et moins souvent par « sacrement » :

ex. *per hæc sacramenta salutis nostræ* (secr. 3ª m. 2 nov.), par ce mystère de notre salut ;

---

4. Les formules *Sursum corda-Habemus ad Dominum* se trouvent déjà en Cypr. Dom. orat. 31 ; Hipp. Trad. 4, p. 30.

5. *Benedictio*, louange, correspond aussi à εὐλογία (1 Cor. 10, 16 ; Apoc. 5, 12) ; v. § 30.

benedictio tua ... munera nostra ... nobis **sacramentum** *re-demptionis efficiat* (secr. 8 nov., Greg. 174, 2), que votre béné-diction fasse de nos offrandes un sacrement de rédemption ; *munera nostræ servitutis ... sacramentum nostræ redemptionis efficias* (Leon. 511) ;

æternitatis **sacramentum** (secr. fer. 5 p. d. Pass., Leon. 901), (que nos offrandes deviennent pour nous) le signe mystérieux de la vie éternelle, un sacrement d'éternité ; *æternæ vitæ* **sacramenta** (postc. 18 mai., Leon. 451).

Nous retrouverons *sacramentum*, dans les chapitres suivants, au sens de sacrement (euchar.) reçu ([6]).

§ 241 Un équivalent de *sacramentum*, dans cet ordre d'idées, est *mysterium*, mystère : ex. *peregit sacerdos divina* **mysteria** (Paulin. Vit. Ambr. 23), le prêtre célébra les divins mystères ; **mysterii** *cælestis alimentum* (Ambr. Luc. 7, 11), l'aliment con-stitué par le céleste mystère ;

per hujus aquæ et vini **mysterium** (Offert.) ;

hæc sancta **mysteria** *quæ celebramus* (Leon. 750) ;

tua celebrantes **mysteria** (secr. fer. 4 p. d. 3 Quadr., Greg. 55, 2) ;

tradidit discipulis suis corporis et sanguinis sui **mysteria** *celebranda* (Greg. 77, 4), il confia à ses disciples la mission de célébrer les mystères de son corps et de son sang *(corporis et sanguinis mysterium* se rencontre dans plusieurs oraisons du Missel) ;

hæc digne frequentare **mysteria** (secr. d. 9 p. Pent, Gel. III, 5), célébrer dignement ces mystères ;

quos tantis, Domine, largiris uti **mysteriis** (postc. d. 3 p. Epiph., Gel. III, 16, 1266), à qui vous permettez de participer à de si grands mystères ;

(en parlant du prêtre) *non sum dignus accedere ad tantum* **mysterium** (or. ante miss. fer. 3) ; cf. *accedere ad altare tuum* (ibid. fer. 4).

Le plus souvent, *mysterium* s'accompagne d'une épithète : *divinum, sacrum, sacrosanctum, cæleste, beatum, æternum, salutare, sanctum, venerandum*, etc.

L'adjectif correspondant est *mysticus*, relatif aux mystères, sacramentel :

ex. **mystica** *oblatio* (secr. 14 oct., Gel. III, 19).

Dans l'oraison de la Fête-Dieu, *Corporis et Sanguinis tui sacra* **mysteria** *venerari*, il s'agit de la vénération des mystères dans le saint sacrifice, et aussi de la vénération du Saint Sacrement.

D'ailleurs *mysterium*, comme *sacramentum*, désigne aussi

---

6. Cf. au sens de « saintes espèces » (comme *sancta*, v. plus loin) : *nec longe portanda sunt sacramenta* (Innoc. I, Ep. 25, 5, 8) ; et fr. « porter les sacrements » à un malade.

le sacrement reçu ([7]) : *corporis et sanguinis tui, Domine,*
***mysterio** satiatis* (postc. 31 jan.), rassasiés par le sacrement de
votre corps et de votre sang ; v. chp. 7.

§ 242 *Hæc sacra* (secr. d. 1 Adv., Greg. 185 ; la même oraison dans Gel. I, 27, 246 a *hæc sacrificia*), et plus souvent *hæc
sancta* désignent les saints mystères ou le sacrement reçu ([8]) :

ex. *hæc **sancta** quæ gerimus* (secr. d. 17 p. Pent., Gel. III,
13), ces saints mystères que nous célébrons ;

***sancta** tractare, **divina** tractare* (v. § 501).

L'ex. cité plus haut montre que d'autres verbes que *celebrare, frequentare* (§ 3-4) désignent l'action du prêtre qui célèbre
la messe :

ex. *quod pia devotione **gerimus*** (postc. 2 jul., Leon. 16), ce
que nous célébrons pieusement ; *quod temporaliter **gerimus***
(cit. § 5) ;

*quæ nunc specie **gerimus*** (postc. sabb. Quat. T. sept., Gel.
II, 60, 1051), le mystère que nous célébrons maintenant sous
des apparences ;

*quæ temporaliter **agimus*** (postc. 6 mart. ; *corporaliter*, Gel.
II, 67) ;

*imitemur quod **agimus*** (secr. 2 sept. ; v. autres ex. de *agere,
gerere*, § 5 et passim) ;

***agere** agenda* (Conc. Carth. an. 390, can. 9, Ma. c. 695),
célébrer le saint sacrifice ; *agenda celebrare* (ibid.) ;

service funèbre : *in **agenda** plurimorum* (Gel. III, 100 tit.) ;
in ejusdem (basilicæ) conditoris agendis (Gel. I, 92 tit.), dans
le service pour son fondateur.

D'où, *actio*, célébration : ex. *quæ temporali celebramus
actione* (postc. 19 jan., Gel. Cagin 150), ce que nous célébrons
en agissant dans le temps ;

*(mysterium) cujus exsequimur **actionem*** (Leon. 580 ; Gel.
III, 4 ; Greg. 29, 3), (le mystère) que nous célébrons (*actionem*
remplacé par *cultum* ([9]), depuis le Missel de S. Pie V, secr. d. 8
p. Pent.).

Actio désignait primitivement le saint sacrifice ([10]) (Gelas.
I, Thiel I, p. 541) ; ***actio** sacrificii* (Lib. pont. Duch. I, p.
128) ; ***actio** missæ* (ibid. p. 239) ;

---

7. Dans un ex. de Grégoire de Tours, il s'agit des saintes espèces : *in qua mysterium Dominici corporis habebatur* (Glor. mart. 85), (tour eucharistique, tabernacle) où
se trouvait le mystère du Seigneur.

Dans le Missel Gothique (ex. 31 tit. : *post mysterium*), ce mot désigne la consécration.

8. *Sanctum Domini* (Cypr. Eccl. un. 8), le pain eucharistique ; *sancta* (Ord. Rom.
I, 95), les saintes espèces.

9. Ailleurs, *cujus exsequimur cultum* se dit en parlant d'un saint dont on célèbre
le « culte ». A *exsequi* correspond *exsecutio* : ex. *purificet nos ... cælestis executio sacramenti* (ad complendum = postc., Pont. Rom.-Germ. 19, 4).

10. Ou : célébration en général : *actio nuptialis* (Gel. III, 52), titre annonçant la
messe de mariage et les oraisons qui l'accompagnent.

puis le canon de la messe, y compris la préface : *incipit canon actionis* (Gel. III, 17), début de la prière canonique de la messe (canon, règle) : *Sursum corda* ... ; enfin *canon* seul a désigné cette partie de la messe : *ad locum canonis* (Greg.-M. Ep. 14, 2, 11), au moment du canon.

§ 243 *Conficere* signifie accomplir le saint sacrifice (en général) : v. ex. de S. Ambroise (cité § 236 note 1) ;

sacramentum corporis et sanguinis ejusdem Filii tui pura mente **conficere** (secr. 27 nov. p. al. loc.), célébrer d'un cœur pur le mystère du corps et du sang de votre Fils ;

decreta fecit ... ut in lineo tantum velo sacrificium altaris **conficeretur** (lect. 5, 31 dec.), (S. Silvestre) décréta ... que le sacrifice de l'autel ne devait s'accomplir que sur un voile de lin ;

et aussi, consacrer, réaliser par la consécration : *Christi corpus sacro ore* **conficiunt** (Hier. Ep. 14, 8), leur parole sacrée réalise le corps du Christ ;

ad **conficiendum** *in ea (patena) corpus Domini* (Miss. Franc. 12, 62) ; pas d'ex. de ce sens dans les oraisons actuelles du Missel.

Cf. *in* **confectione** *divini corporis et sanguinis* (Pont. Rom.-Germ. 99, 301 = Ord.-Rom. 50).

Consacrer se dit normalement *sacrare* ou *consecrare* :

ex. *hostia* **sacranda** ([11]) (secr. 9 jun. et passim, Leon. 127 ; Gel. II, 75, 1103), l'offrande qui va être consacrée ; **sacrandorum** *munerum* (secr. Dedic., Gel. I, 89) ;

munera quæ **sacramus** (secr. fer. 6 p. d. 3 Quadr., Greg. 57, 2), ces offrandes que nous consacrons ;

oblationes quas ... nomini tuo **consecrandas** ([12]) *deferimus* (secr. ad postul. seren., Gel. III, 46), ces offrandes que nous vous apportons pour vous être consacrées (vous être offertes sacramentellement) ;

Panem, vinum in salutis **Consecramus** *hostiam* (« *Lauda, Sion* »), nous consacrons le pain et le vin en une offrande de salut.

4. SACRIFICE D'OFFRANDE

§ 244 Dès les origines, on rencontre le verbe *offerre* et le substantif *oblatio* appliqués à la célébration du saint sacrifice ou aux offrandes apportées en vue de ce sacrifice : ex. *sacrificium offerre* (Cypr. Laps. 54) ; *offerendo oblationes* (Ep. 34, 1) ;

ascendat ad te, Domine, nostræ devotionis **oblatio** (secr. 15 aug.), que monte vers vous, Seigneur, l'offrande que nous vous dévouons ;

---

11. tandis que *sacrata* a à peu près le même sens que *sacra*.

12. Cf. *consecrare* (abs.), célébrer le saint sacrifice (Lib. Pont. Momms. p. 85, 8).

hanc igitur **oblationem** *servitutis nostræ ... quam tibi* **offerimus** (« *Hanc igitur* » Pasch.), cette offrande que nous, vos serviteurs (¹), nous vous offrons ; cf. *hanc igitur oblationem quam tibi offerimus pro his ...* (Leon. 203 et autres Sacramentaires).

Il est inutile de multiplier les exemples pour ces deux termes qui se retrouvent souvent dans d'autres chapitres. Épithètes accompagnant *oblatio* : *nostra, sacra, salutaris, veneranda, pia, munda, mystica, præsens*. Avec *offerre*, les compléments d'objet sont ordinairement : *hostiam, oblationem, oblationes, victimam, sacrificium, munus munera, donum, dona*.

Les formules sont extrêmement variées pour désigner soit l'offrande (soit la demande d'acceptation de cette offrande, v. chp. 5).

Hostia, c'est la « victime » (²) qui s'est offerte et aussi l'« offrande », le sacrifice : *tradidit semetipsum pro nobis* **oblationem et hostiam** *Deo* (Ephes. 5, 2), il s'est offert lui-même comme une victime et une offrande à Dieu.

Nous offrons le pain et le vin qui deviennent le Christ lui-même offert à Dieu :

offerimus *præclaræ majestati tuæ de tuis donis ac datis* **hostiam** *puram,* **hostiam** *sanctam,* **hostiam** *immaculatam, panem sanctum vitæ æternæ et calicem salutis perpetuæ* (Canon, Gel. III, 17, 1250), des biens que vous nous avez donnés nous offrons à votre glorieuse Majesté la victime parfaite, la victime sainte, la victime sans tache, le pain sacré de la vie éternelle et le calice du salut sans fin ;

devotionis nostræ tibi, q. D., **hostia** *jugiter immoletur* (secr. d. 3 Adv. Leon. 884), que notre amour sans cesse vous offre ce sacrifice ;

hanc immaculatam **hostiam**, *quam ego indignus famulus tuus offero tibi Deo meo vivo ac vero* (« *Suscipe* » offert.), cette offrande sans tache, que moi, votre indigne serviteur, je vous présente à vous mon Dieu vivant et vrai.

Offero est ici au singulier, le prêtre étant le sacrificateur, le consécrateur. Mais le pluriel est plus fréquent (cf. *meum ac vestrum sacrificium*, § 245) :

placare, q. D., humilitatis nostræ precibus et hostiis (secr. d. 2 Adv., Gel. II, 80), soyez apaisé par les prières et les offrandes de vos humbles serviteurs.

Avec *hostia*, les épithètes les plus ordinaires sont : *immaculata, sancta, sacratissima, salutaris, spiritalis*.

---

1. En latin chrétien, on emploie souvent l'abstrait pour le concret : ex. *fraternitas vestra = vos fratres* ; *devotio nostra = nos devoti* ; *servitus nostra = nos servi tui* ; etc.

2. La « victime » est représentée par l'« hostie » du Saint Sacrement : *O salutaris hostia*.

Pour *hostia*, offrande spirituelle, v. § 447.

Outre *offerre*, les verbes sont : *deferre*, apporter (avec idée de révérence, de déférence) ; *exhibere*, présenter ; *immolare*, immoler (au sens spirituel) ; *dicare, sacrare, consecrare*, consacrer.

Libamen est plus rare : *sanctifica, Domine, quæsumus, oblata **libamina*** (secr. 16 jul.), consacrez, nous vous en prions, Seigneur, les offrandes que nous vous présentons (*libamen, libatio, libare* se retrouveront au § 256, au sens de « goûter » au sacrement).

§ 245 Dans la Vulgate de l'A.T., le mot *sacrificium* désigne une chose offerte à Dieu en sacrifice (cf. § 234 et 235) : ex. Lev. 2, 4 ; Num. 5, 26 ; Ps. 105, 28 ; *sacrificium vespertinum* [3] (Ps. 140, 2), l'offrande du soir. Chez les premiers chrétiens, ce mot désignait les offrandes de pain et de vin apportées par les fidèles (Cypr. Op. et el. 15). Dans les Sacramentaires et le Missel, il désigne l'offrande eucharistique : ex. *accipe **sacrificium** a devotis tuis famulis* (secr. d. 7 p. Pent., Gel. III, 3), recevez ce sacrifice des mains de vos fidèles serviteurs ;

***sacrificiis** præsentibus, q. D., placatus intende* (secr. d. 4 Adv., Leon. 1326), regardez favorablement le présent sacrifice ;

*hæc dona, hæc munera, hæc sancta **sacrificia** illibata* (Canon) ;

sacrificium** quod hac nocte **litatum est (cit. § 239) ;

*tibi, Domine, **sacrificia dicata reddantur*** [4] (secr. d. 10 p. Pent., Gel. III, 6), que ces offrandes, Seigneur, vous soient consacrées comme un tribut.

Mais le verbe le plus fréquent est *offerre :* ex. *per hæc quæ **offerimus** sacrificia* (secr. ad postul. car., Gel. III, 26) ;

ou *immolare :* ex. *sacrificia, Domine, paschalibus gaudiis **immolamus*** (secr. fer. 4 oct. Pasch., Gel. I, 47), nous vous offrons, Seigneur, en ces joies pascales, le sacrifice... ; cf. *immolatio = oblatio*, ex. *cujus (sacrificii) te voluisti ... immolatione placari* (secr. sabb. p. Cin., Gel. I, 17, 101), par l'offrande duquel vous avez bien voulu être apaisé.

Epithètes ordinaires : *sanctum, sacrosanctum, immaculatum, salutare*.

---

3. Même expression, en parlant de la vigile pascale : *incensi hujus sacrificium vespertinum* (Miss. Goth. ben. cer. 225, p. 60, 29), l'offrande nocturne de ce cierge allumé (cf. *super hunc incensum*, § 235).
Sens mystique : *in vespera mundi vespertino sacrificio per crucem effecto* (Miss. Goth. 222), sacrifice du soir réalisé par la croix au crépuscule du monde.
4. Cf. *vota solvere, reddere*, § 82. Car le sacrifice, comme la prière en général, est une dette que nous devons à Dieu : *munera tibi, Domine, quæ debemus, exsolvimus* (secr. 11 sept., Greg. 157, 2), par ces dons, Seigneur, nous nous acquittons de notre dette envers vous ; *debitum tibi, Domine, nostræ reddimus servitutis* (secr. 21 dec., Gel. II, 71), nous, vos serviteurs, nous vous rendons, Seigneur, ce qui vous est dû ; *per hæc piæ devotionis officia* (secr. fer. 3 Pasch., Greg. 90, 2), grâce à ces devoirs de notre fidèle piété.

Les fidèles y sont associés ([5]) : *meum ac vestrum sacrificium* (« *Orate, fratres* »).

Holocaustum est plus rare : *tua tibi holocausta offerentes* (secr. fer. 5 oct. S. S. Cord. Jes. p. al. loc.) ; cf. § 235.

Le mot *sancta* s'applique parfois aux offrandes eucharistiques : *sanctorum sancta deferimus* (Leon. 856) ; mais dans les postcommunions du Missel, il désigne normalement le sacrement lui-même : ex. *libare sancta* (v. chp. 7).

§ 246 Les mots *donum* et *munus* ([6]), au singulier ou au pluriel, sont les plus employés dans les scrètes :

ex. *qui (Spiritus Sanctus) populi tui* **dona** *sanctificet* (secr. comm. Dedic. altar., Greg. 196), afin qu'il consacre les dons de votre peuple ;

ut, quæ tibi, Domine, offerimus **dona**, *tuo sint digna conspectu* (secr. 27 mart.), pour rendre dignes de votre regard, Seigneur, les dons que nous vous offrons ;

ut, quod offerimus, sit tibi **munus** *acceptum* (secr. d. 11 p. Pent., Leon. 1114), pour que notre offrande vous soit un don acceptable ;

munera, *quæ tibi de tua largitate deferimus* (secr. d. 8 p. Pent., Gel. III, 4), les présents que, grâce à votre largesse, nous vous apportons ;

munera *altaribus* ... **proposita** (secr. 6 mart., Leon. 1200), les dons déposés sur vos autels ; cf. *sacris altaribus* ... **hostias superpositas** (secr. comm. abb., Gel. Cagin 1122) ; *tua, Domine,* **muneribus** *altaria* **cumulamus** (secr. 24 jun., Leon. 238), Seigneur, nous couvrons votre autel de nos offrandes. Ces expressions font songer à l'ancien rite romain de l'offertoire, où tous les fidèles apportaient le pain et le vin.

Ces offrandes sont un symbole mystique d'unité et de paix : *ecclesiæ tuæ q. D., unitatis et pacis* **dona** *concede, quæ sub oblatis* **muneribus** *mystice designantur* (secr. S. S. Corp. Chr.), accordez à votre Église le bienfait de l'unité et de la paix, symbolisé mystiquement par ces dons que nous vous offrons.

---

5. Dans le Missel Gothique, les noms des offrants sont récités : *offerentum nominibus recensitis* (534). La secrète s'appelle *collectio post nomina*.

6. Dans les secrètes, *munus* et *donum* désignent les dons offerts par nous ; dans les postcommunions, les dons de Dieu, les dons reçus (v. chp. 6) ; v. autre sens de *munus* (§ 366, note 28).

Etymologiquement le mot *secreta* s'explique, soit comme : prière que le prêtre récite « à part soi » ; soit comme : oraison sur les offrandes « mises à part », *oratio super secreta* (*super oblata*, Greg.), de *secernere*, mettre à part.

Ex. de l'emploi comme adjectif : *et ponit ipsas (oblationes) super altare et dicit orationem secretam* (Pont. Rom.-Germ. 99, 112).

Dans le Canon, l'expression *de tuis donis ac datis* rappelle que le pain et le vin ne sont pas eux-mêmes qu'un don de Dieu aux hommes ; cf. *sacrandorum tibi auctor munerum* (secr. Dedic., Gel. I, 89), de qui nous viennent les dons que nous allons consacrer ; *quæ de tuis donis tibi nos offerre voluisti* (Gel. ap. Leon. 551), ce que, venant de vous, vous avez voulu que nous vous offrions.

La personne des fidèles eux-mêmes peut se considérer comme une victime offerte : *nosmetipsos tibi perfice munus æternum* (secr. fer. 2 p. Pent., Leon. 201), faites que nous soyons nous-mêmes pour vous une offrande éternelle.

5. DEMANDE D'ACCEPTATION, D'AGRÉMENT, DE PROPITIATION

§ 247 A plusieurs reprises, au cours du saint sacrifice, le prêtre demande que son offrande soit bénie et agréée par Dieu :

*quam oblationem tu, Deus, in omnibus, quæsumus, **benedictam, adscriptam, ratam, rationabilem** (¹), **acceptabilem** facere digneris* (Canon, Gel. III, 17), cette offrande, vous, notre Dieu, daignez, nous vous en prions, la bénir, l'accepter à notre compte, la rendre parfaitement digne de vous plaire.

Acceptum facere, acceptum habere, acceptum reddere sont les expressions les plus courantes : ex. *oblationem nostram tibi **faciat acceptam** Jesus Christus Dominus noster* (secr. 8 sept., Greg. 156, 2), que Notre Seigneur Jésus-Christ vous rende notre offrande agréable ;

*uti **accepta habeas** et benedicas hæc dona* (Canon) ;

*ipse tibi ... sacrificium nostrum **reddat acceptum*** (secr. fer. 5 Cen. Dom., Greg. 77, 2), que (Notre Seigneur) lui-même vous rende agréable notre sacrifice ;

de même *gratus*, agréable, agréé : ex. *populi tui ... tibi **grata** sit hostia* (secr. 25 oct., Gel. II, 67) ; *grata dona* (secr. 2 apr.) ; *grata munera* (Leon. ; Greg. passim).

Formule plus rare : *oblationes populi tui ... beati Jacobo Apostoli passio beata **conciliet*** (secr. 25 jul., Leon. 286), que le bienheureux martyre de votre apôtre saint Jacques vous fasse agréer les offrandes de votre peuple.

Dans les secrètes, d'autres formules variées demandent cette acceptation et le chapitre précédent en a présenté quelques-unes.

Il est fait souvent allusion au « regard » favorable de Dieu (v. § 55) :

ex. *ut tuo sint digna **conspectu*** (secr. 6 jul., Greg. 132, 2), pour que (nos dons) soient dignes de votre regard ;

*sacrificia ... tuis oblata **conspectibus*** (secr. fer. 6 Quat. T.

---

1. Cf. cit. de S. Ambr. (§ 236 note). *Rationabilis*, spirituel : ex. *rationabile* (λογικήν) *obsequium* (Rom. 12, 1), culte spirituel ; *semper rationabilia meditantes* (or. d. 6 p. Epiph., Greg. 202, 36), sans cesse tournés vers le spirituel (cf. *quæ sancta sunt meditantes*, Greg. 203, 5).

Rationalis, même sens : *offerimus tibi, Domine, hanc immaculatam hostiam, rationalem hostiam, incruentam hostiam* (Miss. Goth. 527).

Ratio, compte ; *ratus*, porté définitivement en compte, donc valable (pléonasme avec *adscriptus* : les répétitions marquent l'instance de cette prière du Canon).

Pent., Greg. 116, 2), ce sacrifice offert devant vous ; *in conspectu tuo, ante* **conspectum** *tuum* (or. passim) ;

respice, *Domine, munera supplicantis ecclesiæ* (secr. d. 3 p. Pent. Gel. Cagin 1021), regardez, Seigneur, les dons de l'Église en prières ;

munera, quæ **oculis** *tuæ majestatis offerimus* (secr. 2 febr., Leon. 160), les offrandes que nous présentons aux regards de votre Majesté.

Pour demander l'acceptation, les impératifs les plus fréquents sont : *accipe, assume, suscipe* :

ex. **accipe**, *q. D., hostias quas tibi deferimus* (secr. 12 febr.), recevez le sacrifice que nous vous offrons ; *accipe ... hostias* (Leon. 1196) ;

has oblationes ... benignus **assume** (secr. ad postul. seren., Gel. III, 46), acceptez favorablement ces offrandes ;

suscipe, *Domine, munera ...* (secr. 27 dec., Leon. 717).

On demande à Dieu de les bénir :

ex. *super has hostias, D. q.,* **benedictio** *copiosa descendat* (secr. 5 jun., Greg. 26, 2), que votre abondante bénédiction descende sur ces offrandes ; *benedictio larga descendat* (secr. 8 nov.) ;

munera hæc tua **benedictione** *perfunde* (secr. 14 nov.), répandez sur ces dons votre bénédiction ;

de rendre ces offrandes saintes et sacrées par la consécration :

propitius, D. q., hæc dona **sanctifica** (secr. fer. 2 Pent., Greg. 113, 2), avec bienveillance consacrez ces dons ;

accipe sacrificium ... et pari **benedictione**, *sicut munera Abel,* **sanctifica** (secr. d. 7 p. Pent., Gel. III, 3), recevez ce sacrifice et consacrez-le en le bénissant, comme vous avez béni les offrandes d'Abel.

Ex. de *benedictio* et *sanctificatio* associés (cf. *benedicere et sanctificare,* § 88) : **benedictionem sanctificationis** *his sacrificiis nostris appone* (Moz. L. sacr. 1182), apportez votre bénédiction sur nos offrandes en les consacrant ;

cf. *sanctificatio tuæ benedictionis* (ibid. 89) ; *hoc sacrificium tibi appositum ... tuæ visitationis* **benedictione sanctifica** (ibid. 134) ;

veniat **benedictio tua** *et* **sanctificatio** *in has primitias* (Moz. L. ord. 169).

Que nos offrandes soient à la hauteur du mystère évoqué :

munera nostra, q. D., nativitatis hodiernæ mysteriis apta proveniant (secr. 2a m. Nat. Dom., Gel. I, 2), que nos offrandes soient dignes du mystère de Noël célébré aujourd'hui.

§ **248** Le saint sacrifice demande à la justice de Dieu de s'apaiser : c'est un sacrifice propitiatoire, *sacrificium* **placationis** *et laudis* (Leon. 33) ; d'où la fréquence, dans les secrètes, des adjectifs et participes *benignus, propitius, propitiatus, placatus* :

ex. *has oblationes famulorum famularumque tuarum* **benignus** *assume* (secr. d. 5 p. Pent., Gel. III, 1), accueillez avec bonté ces offrandes de vos serviteurs et de vos servantes ;

ecclesiæ tuæ, q. D., dona **propitius** *intuere* (secr. Epiph., Greg. 17, 2), regardez favorablement les dons de votre Église ;

his sacrificiis ... **propitiatus** *intende* (secr. 22 mart. p. al. loc.), regardez favorablement ce sacrifice ; (trans.) *oblationes nostras ...* **propitiatus** *intende* (Leon. 9) ;

hostias nostras ... **placatus** *assume* (secr. Trin., Gel. I, 62), accueillez favorablement nos offrandes.

Placare, apaiser, rendre favorable, et les mots de la même famille, sont très fréquents dans les secrètes :

ex. *sacrificium, cujus te voluisti dignanter immolatione* **placari** (secr. sabb. p. Cin., Gel. I, 17, 101), ce sacrifice, par l'offrande duquel vous avez bien voulu être apaisé ;

ut his muneribus ... te **placemus** *exhibitis* (secr. 28 jul.), que ces dons offerts vous apaisent ;

oblationibus nostris, q. D., **placare** *susceptis* (secr. d. 4 p. Pent., Greg. 65, 2), laissez-vous fléchir par les dons que nous vous offrons.

Placabilis, propre à apaiser, propitiatoire : ex. *fiat tibi ... hostia sacranda* **placabilis** (secr. 9 jun., Leon. 127), que cette offrande qui va être consacrée vous apaise.

Placatio, action d'apaiser, propitiation :

ex. *hostias tibi, Domine,* **placationis** *offerimus* (secr. d. 5 p. Epiph., Greg. 41, 3), nous vous offrons, Seigneur, ce sacrifice propitiatoire ;

per hæc piæ **placationis** *officia* (secr. p. una def., Leon. 1139), par l'offrande de ce pieux sacrifice de propitiation.

Placere, plaire, être agréé ; *placitus*, agréable, agréé :

ex. *ut (hoc sacrificium) majestati tuæ* **placere** *possit* (secr. 2 jan. S. S. Nom. Jes.), que (ce sacrifice) puisse plaire à votre Majesté ;

quæ (oblationes) ... fiant tibi **placitæ** *ejus (sancti) deprecatione* (secr. 25 jul., Gel. II, 31), que son intercession vous les rende agréables ; cf. *oblationes ... fiant tibi* **placitæ** *tuorum deprecatione justorum* (Leon. 286) ;

placitum sacrificium, placita hostia (passim).

Propitiatio, action de rendre propice, favorable, propitiation, pardon :

ex. *nobis conferant (oblationes) tuæ* **propitiationis** *auxilium* (secr. 19 jan., Leon. 1), nous confèrent le secours de votre miséricorde ;

(concede) ut hæc hostia salutaris ... fiat ... tuæ **propitiatio** *potestatis* (secr. d. 14 p. Pent., Gel. III, 10 ; *majestatis*, Greg.

67, 2), que cette offrande salutaire nous accorde le pardon
de votre puissante Majesté ;

propitiari : ex. **propitiare**, *Domine, populo tuo*, **propitiare**
muneribus (secr. d. 13 p. Pent.), soyez favorable, Seigneur, à
votre peuple, accueillez ses présents ; *populi tui propitiatus
muneribus* (Gel. III, 30) ;

propitiabilis, digne d'attirer la propitiation, capable d'apaiser :

ex. *caritatis victima ... sit nobis ... propitiabilis* (secr. 16 jun.
p. al. loc.).

6. LES DONS REÇUS,
LES EFFETS DU SAINT SACRIFICE

§ 249 On a déjà signalé le double emploi de *donum* et
munus (§ 246 note). Les épithètes ordinaires en ce sens sont :
cæleste, salutare, divinum.

Ex. anciens : *(populis) qui sacra* **donaria** *contigerunt* (Leon.
568), qui ont goûté à vos saints dons ; cf. (mais en parlant de
la récompense du ciel) *donariis sempiternis* (Moz. L. sacr. 37).

Effectus et *operatio* désignent respectivement les effets et
l'action du saint sacrifice à notre égard :

ex. *ut ... sacramentorum, quæ sumpsimus, obtineatur* **effectus**
(postc. 7 oct.), pour ressentir l'influence du sacrement que
nous avons reçu ;

*ut non noster sensus in nobis, sed jugiter ejus (doni cælestis)
præveniat* **effectus** (postc. d. 15 p. Pent., Gel. III, 11), afin que
ce ne soit pas notre sentiment personnel, mais l'influence de
ce don qui prédomine en nous ;

*ut quæ visibilibus mysteriis sumenda percepimus, invisibili
consequamur* **effectu** ([1]) (postc. Ascens., Leon. 172), (faites)
que nous obtenions l'effet invisible du sacrement que nous
avons reçu au cours de cette célébration visible ;

doni cælestis **operatio** (postc. d. 15 p. Pent., Gel. III, 1),
l'action du don céleste ;

per hujus, Domine, **operationem** *mysterii* (postc. d. oct.
Nat. Dom., Gel. Cagin 95), par l'action de ce mystère.

Fructus (or. passim) désigne aussi les fruits, les grâces de-
mandées ou obtenues par le saint sacrifice. Concernant les
grâces particulières, v. par ex. les titres de plusieurs messes
votives (§ 75).

Edere, réaliser : ex. *ut et magnifica sacramenta, quæ sumpsimus, significata veneremur, et in nobis potius* **edita** *gaudeamus*
(postc. 29 aug., Gel. II, 52), de vénérer les admirables mystères

---

1. *Effectus* désigne l'effet de n'importe quel sacrement : *Deus, qui invisibili
potentia sacramentorum tuorum mirabiliter operaris effectum* (or. vigil. Pent.), ô Dieu,
qui, par votre puissance invisible, réalisez merveilleusement l'effet de vos sacrements.

que nous avons reçus dans leurs signes extérieurs, et plus encore de nous réjouir d'en ressentir en nous les effets.

A) Purification.

§ 250 *Hoc sacramentum ... sit **ablutio** scelerum* (postc. p. vivis et def.), que ce sacrement nous purifie de nos péchés ; *sit **abolitio** peccatorum* (Leon. 876) ;

emundet nostra delicta (secr. d. 3 p. Epiph., Greg. 34, 2) ;

*oblatio nos, Domine, tuo nomini dicanda **purificet*** (secr. d. 2 p. Pent., Gel. I, 65), que cette offrande, Seigneur, qui va vous être consacrée, nous purifie ;

*hæc sacra nos ... ad suum faciant **puriores** venire principium* (secr. d. 1 Adv., Gel. I, 27, 246), que ce sacrement nous fasse parvenir plus purs jusqu'à celui qui l'a institué ;

*ut hæc divina subsidia, **a vitiis expiatos**, ad festa ventura nos præparent* (postc. d. 3 Adv., Gel. I, 25, 174), que ce secours divin nous purifie de nos fautes et nous prépare à la fête prochaine ;

*sancta tua nos ... misericordiæ sempiternæ præparent **expiatos*** (postc. d. 3 p. Pent., Gel. III, 40), que votre sacrement nous prépare, en nous purifiant, à paraître devant la miséricorde éternelle.

D'autres intentions sont jointes souvent à cette demande de purification :

ex. ***purificent** semper et **muniant** tua sacramenta nos, Deus* (postc. d. 14 p. Pent., Gel. III, 16, 1271), ... nous purifie et nous fortifie... ; cf. *mundet et muniat* (passim) ;

*nobis **expiationem** tribuat et **munimen*** (postc. d. 12 p. Pent., Leon. 453), nous purifie et nous protège ;

*tui nobis, q. D., communio sacramenti et **purificationem** conferat et tribuat unitatem* (postc. d. 9 p. Pent., Gel. III, 16, 1268), que la participation à votre sacrement nous purifie et nous confère la grâce de l'union (à Dieu et à nos frères) ;

*per hujus, Domine, operationem mysterii, et vitia nostra **purgentur** et justa **desideria compleantur*** (postc. d. Palm., Greg. 43, 3), par l'effet de ce sacrement, Seigneur, faites que nous soyons purifiés de nos défauts et que nos désirs légitimes se réalisent.

§ 251 B) Fortification, soutien, secours, réconfort.

Outre les ex. précédents :

*sentiamus, q. D., tui perceptione sacramenti, **subsidium** mentis et corporis* (postc. d. 11 p. Pent., Leon. 630), que la réception de votre sacrement nous fasse éprouver, dans notre âme et notre corps, votre soutien ;

***auxilientur** nobis, Domine, sumpta mysteria* (postc. 26 dec., Gel. III, 16), que les mystères, Seigneur, auxquels nous avons participé, soient notre secours ;

*mentes nostras et corpora **possideat**, q. D., doni cælestis* *operatio* (postc. d. 15 p. Pent., Gel. III, 11), que l'effet du don céleste pénètre nos âmes et nos corps ;

cælestia sacramenta ... sua nos virtute **communiant** (postc. m. « *Deus meus* » p. al. loc.), que la vertu des célestes mystères nous réconforte ;

lætificet *nos, Domine, munus oblatum* (postc. 18 jan.), que cette offrande, Seigneur, nous apporte la joie ;

mysticis, Domine, repleti sumus **votis et gaudiis** (postc. 25 oct., Gel. II, 67), vos mystères, Seigneur, ont comblé de joie nos désirs ;

sacro munere **vegetati** (postc. d. 18 p. Pent., Gel. III, 14), fortifiés par le don sacré ; *vegetati* est fréquent dans les postcommunions ;

tua nos, Domine, sacramenta **custodiant**, *et contra diabolicos semper* **tueantur** *incursus* (secr. d. 15 p. Pent., Gel. III, 11), que votre sacrement nous garde, Seigneur, et nous protège toujours contre les attaques du démon ;

per quod **tuti** *esse possimus* (postc. 18 oct. ; *per id quod*, Gel. Cagin 1422), qui puisse nous assurer la sécurité ; v. *perficere, firmare, confirmare, roborare* (§ 455 et 456).

§ 252 C) Rémission, Pardon.

Quam (oblationem) immolando, totius mundi tribuisti **relaxari delicta** (secr. 12 mart., Greg. 30, 2), dont vous avez voulu que l'immolation rachetât les péchés du monde entier ;

præsta ut hoc tuum sacramentum non sit nobis reatus ad pænam, sed intercessio salutaris ad **veniam** (postc. p. vivis et def. et Quadr. ; *fiat intercessio*, Leon. 876), faites que votre sacrement n'entraîne pas notre condamnation, mais devienne une intercession salutaire pour notre pardon (v. rémission, pardon, § 279 et suiv.) ;

præsta ... ut anima famuli tui ... his sacrificiis **purgata** *et a* **peccatis expedita** *indulgentiam pariter et requiem capiat sempiternam* (postc. depos. def.), faites que l'âme de votre serviteur, purifiée par ce sacrifice, et dégagée de ses péchés, puisse obtenir le pardon et le repos éternel.

§ 253 D) Remède.

Les mots *remedium, medicina, medela* (et un ex. de *medicatio*), reviennent souvent dans les postcommunions et quelquefois dans les secrètes :

ex. *sanctificationibus tuis ...* **remedia** *nobis æterna proveniant* (postc. d. 17 p. Pent., Greg. 44, 10), que les effets sanctificateurs de votre sacrement nous procurent les remèdes éternels (la guérison définitive de nos vices dans la vie éternelle) ;

de munere temporali fiat nobis **remedium** *sempiternum* (postc. fer. 5 p. d. Pass., Leon. 531), que ce don temporel nous procure le remède éternel ;

cælestem nobis præbeant hæc mysteria, q. D., **medicinam** (secr. d. 20 p. Pent., Gel. III, 16), que ces mystères, Seigneur, nous procurent un remède céleste ;

*ut ... **medicina** sacramenti et corporibus nobis prosit et mentibus* (postc. 15 jun., Gel. II, 22), que le remède de votre sacrement soit profitable à nos corps comme à nos âmes ;

*tua nos, Domine, **medicinalis** operatio ... a nostris perversitatibus expediat* (postc. d. 7 p. Pent., Gel. III, 16, 1270), opérez, Seigneur, notre guérison en nous libérant de nos tendances perverses ;

*ut per hæc sacramenta ... quidquid in nostra mente vitiosum est, ipsorum **medicationis** dono curetur* (postc. d. 24 p. Pent. ; Leon. 1263 : *ipsius doni medicatione*), que ce sacrement guérisse en nous toutes les tendances mauvaises par la grâce de son remède ;

*ut munera quæ deferimus ... **medelam** nobis operentur* (secr. 30 sept., Gel. Cagin 1420) ; *ad **medelam** proficere* (postc. fer. 4 Cin. et passim, Greg. 35, 4).

§ 254 E) Nourriture spirituelle.

Chez les Pères (Aug., Ambr., etc.), *mensa* (²) désigne la sainte table, la table eucharistique, correspondant au grec τράπεζα du N. T. : *non potestis **mensæ** Domini participes esse, et mensæ dæmoniorum* (1 Cor. 10, 21), vous ne pouvez prendre part à la table du Seigneur et à la table des démons (les sacrifices idolâtres).

Nombreux ex. dans les oraisons : *nobis ... cælestis **mensæ** virtute satiatis* (postc. d. 5 p. Pasch., Leon. 543), à nous qui venons d'être rassasiés par ce banquet céleste ; *mensa cælestis* (Greg. 55, 3) ;

*ad sacram ... **mensam** admissi* (postc. 1 jul.) admis par vous à la table sainte ; *mensa tua* (Leon. 585 et passim).

L'eucharistie n'est pas un sacrement solitaire, c'est un repas pris en commun, *convivium* :

ex. *ad mensam cælestis **convivii*** (secr. 5 jul.) ; *participatio cælestis **convivii*** (Leon. 703) ;

*cælesti **convivio** fac nos, Domine, nuptiali veste indutos accumbere* (secr. 21 jun.), faites, Seigneur, que nous prenions part au banquet céleste, revêtus de la robe nuptiale; v. § 310 ;

autres épithètes : *æternum, divinum, salutare* (or. passim) ;

*O sacrum **convivium**, in quo Christus sumitur* (ant. vesp. S. S. Corp. Chr.), ô banquet sacré, où le Christ nous est communiqué.

---

2. Un des premiers noms de l'eucharistie, c'est le « repas du Seigneur » : *Dominicam cenam manducare* (1 Cor. 11, 20) ; et la « fraction du pain » : *erant autem perseverantes in doctrina apostolorum et communicatione fractionis panis* (Act. 2, 42), ils continuaient à être assidus à l'enseignement des apôtres et participer à la fraction du pain (laquelle s'accompagnait déjà, chez les Juifs, d'une prière d'action de grâces, εὐχαριστία).

Synonymes : *daps Christi* (Prud. Cath. 9, 62 ; *dapes mysticæ* (ibid. 5, 8) ;

Ad regias Agni dapes ;

cælesti dape qua pasti sumus (postc. 5 jul.), le festin céleste dont nous avons été rassasiés ; *divina dape* (postc. 26 nov.).

Epulæ (Aug.) : *ad epulas æternæ salutis accedant* (Leon. 76) ; *spiritalibus pasti epulis* (Miss. Goth. 508).

Epulum (ex. isolé) : *cælesti epulo refectis ... nobis* (postc. 26 nov. p. al. loc.) ; cf. autre ex., § 259 (Miss. Goth.).

§ 255 Substantifs évoquant une nourriture : *panis, alimentum, alimonia, esca, pabulum, refectio, cibus, ferculum, poculum, calix.*

Comme il a été dit plus haut, le mot *panis* ([3]) appliqué à la manne désigne, dans l'Évangile de saint Jean, le pain eucharistique, en même temps que le Christ lui-même : *panis enim Dei est, qui de cælo descendit et dat vitam mundo* (Jo. 6, 33), car le pain de Dieu, c'est celui qui descend du ciel et donne la vie au monde ; *qui manducat hunc panem, vivet in æternum* (ibid. 59).

Ex. dans les oraisons : *angelorum pane refecti* (postc. 20 jul.), nourris du pain des anges ; cf. *angelorum esca nutritos* (postc. 21 jun.) ;

refecti, Domine, pane cælesti (postc. 6 mai., Gel. I, 25, 166), restaurés, Seigneur, par ce pain céleste ;

quos uno cælesti pane satiasti (Leon. 1049) ; *divino pane pascentes* (Leon. 832) ;

dans les hymnes : *Panis angelicus fit panis hominum, Dat panis cælicus figuris terminum* (« *Sacris solemniis* »), le pain des anges devient le pain des hommes, le pain céleste met le point final aux anciennes figures ;

Panis vivus, vitam præstans homini (« *Adoro te* »).

Alimentum : *qui cælestia alimenta percepimus* (postc. Quinquag., Greg. 34, 3), nous qui venons de recevoir la nourriture céleste ;

refecti vitalibus alimentis (postc. Cen. Dom., Gel. II, 85, 1167), restaurés par ce pain de vie ;

hoc salutis alimentum (postc. 30 mai., S. J. de Arc) ;

munera tua nos cælestibus semper instaurent alimentis (d. 4 p. Epiph.), que vos dons, grâce à cet aliment céleste, nous

---

3. En parlant de la manne : *panis angelorum* (Ps. 77, 25) ; *angelorum esca nutrivisti populum tuum, et paratum panem de cælo præstitisti eis sine labore, omne delectamentum in se habentem* (Sap. 16, 20), tu as nourri ton peuple d'une nourriture angélique, tu leur as fourni du ciel un pain tout préparé, ayant en soi toutes les saveurs (expressions reprises par la liturgie du Saint Sacrement) ; *patres nostri manducaverunt mannam ... panem de cælo dedisti eis manducare* (Jo. 6, 31).

Panis angelorum, dans le langage liturgique, comme *panis angelicus*, signifie : pain digne des anges, céleste, venu du ciel.

renouvellent sans cesse ; *mensa tua nos ... cælestibus semper instruat alimentis* (Gel. III, 16, 1267), ... nous fortifie.

Alimonia : *immortalitatis alimoniam consecuti* (postc. d. 21 p. Pent., Gel. I, 51), ayant reçu cet aliment d'immortalité (gage de vie éternelle) ;

repleti alimonia cælesti (postc. 3 mai., Gel. II, 18).

Cibus : *repleti cibo spiritualis alimoniæ* (postc. d. 2 Adv., Gel. II, 80), rassasiés de cet aliment qui nourrit notre âme ;

quos spiritali cibo vivificare dignatus es (Leon. 538) ;

refecti cibo potuque cælesti (postc. 27 dec. et passim, Leon. 724 ; Greg. 11, 3) ;

La liturgie applique à l'eucharistie les paroles du psalmiste : *cibavit eos ex adipe frumenti* (Ps. 80, 17 ; ex. vers. mat. S. S. Corp. Chr.), de la graisse du froment il les a nourris.

Refectio : *sacrosancti corporis et sanguinis Domini nostri Jesu Christi refectione vegetati* (Leon. 447), restaurés et fortifiés par le corps et le sang sacré de Notre Seigneur Jésus-Christ ;

refectio sacra (postc. 9 jan. et passim) ;

Pabulum : *cælesti pabulo refecti* (postc. 16 jun. p. al. loc.), nourris de l'aliment céleste ;

hoc salutari pabulo nutriantur (secr. 28 mai., en parlant des brebis perdues) ; cf. *cujus (Filii tui) cælesti mysterio pascimur et potamur* (postc. 24 dec., Leon. 1267), dont les célestes mystères font notre nourriture et notre breuvage.

Ferculum, qui, dans le latin patristique (Petr.-Chrys. ; Ennod. ; Fulg.-R), a pu désigner une nourriture spirituelle (non l'eucharistie), ne se rencontre pas dans les oraisons ni dans les Sacramentaires :

Suis tradendus æmulis Prius in vitæ ferculo Se tradidit discipulis (hymn. laud. S. S. Sacr.), sur le point d'être livré à ses ennemis, il s'est d'abord livré lui-même à ses disciples dans l'aliment de vie.

Les mots suivants évoquent plus spécialement le sang du Christ :

spiritali poculo recreati (postc. 3 mai., Gel. II, 18), ranimés par le breuvage spirituel ; *cælesti poculo reparati* (Miss. Goth. 61) ; *salutare poculum* (ibid. 486) ;

Dedit fragilibus corporis ferculum, Dedit et tristibus sanguinis poculum (« *Sacris solemniis* »), il a donné aux faibles l'aliment de son corps, il a donné aux affligés la coupe de son sang.

Non potestis calicem Domini bibere et calicem dæmoniorum (1 Cor. 10, 21), vous ne pouvez boire à la coupe du Seigneur et à la coupe des démons ; cf. *calix Dominicus* ou *Domini* (Cypr. Ep. 63, 11 ; 13 ; 14) ;

calix sanguinis mei, novi et æterni testamenti (Canon) ; *calicem salutis perpetuæ* (ibid.).

§ 256 Participes les plus fréquents dans les oraisons : *satiati, pasti, refecti, nutriti, repleti*. Outre les ex. cités précédemment :

cœlestibus ... **pasti** *deliciis* (postc. d. 6 p. Epiph., Gel. III, 23), nourris des délices de l'aliment céleste ;

divini muneris largitate **satiati** (postc. sabb. p. Pass., Greg. 72, 3), rassasiés par le don divin que vous prodiguez ; *salutari munere* **satiati** (Gel. I, 17, 97) ; *divino munere* **satiati** (Gel. I, 45) ; cf. *quos cœlesti alimento* **satiasti** (postc. 28 jun., Greg. 128, 4).

Autres termes : *sancta tua quibus incessanter* **explemur** (postc. d. 4 Quadr., Greg. 59, 3), votre eucharistie dont nous sommes sans cesse rassasiés ;

ad vitam, quœsumus, **nutriamur** *æternam* (postc. 6 mai., Gel. I, 25), faites que nous en soyons nourris pour la vie éternelle ;

mensa cœlestis, quœ (sancti) ... vitam ... **aluit** *ad victoriam* (postc. 14 nov.), la table céleste, qui a nourri sa vie pour la victoire ;

ut cujus (muneris) lætemur **gustu**, *renovemur effectu* (postc. fer. 4 Quat. T. Adv. ; *reparemur*, Gel. I, 17, 97), nous l'avons goûté dans la joie, qu'il nous renouvelle par son action ;

cujus (carnis Christi) in hoc salutari convivio meruimus **gustare** *dulcedinem* (postc. 27 febr.), dont il nous a été donné de goûter la douceur dans ce banquet salutaire ;

Jesu Christi Domini nostri corpore et sanguine **saginandi** (secr. 14 sept. ; *saginati*, Greg. 159, 2), qui allons être nourris du corps et du sang de Notre Seigneur Jésus-Christ.

Capere signifie aussi : assimiler spirituellement : ex. *tantis, Domine, repleti muneribus, prœsta, quœsumus, ut ... salutaria dona* **capiamus** (postc. d. 1 p. Pent., Leon. 618), comblés de si grands dons, Seigneur, faites, nous vous en prions, que nous puissions en assimiler la grâce salutaire ; v. ex. § 257 (début).

Dans l'ex. suivant, *imbuere* ne signifie pas « instruire » [4], mais « combler de la grâce de ce sacrement », se rapprochant ainsi des exemples précédents avec *satiasti* : *quem (populum tuum) mysteriis cœlestibus* **imbuisti** (postc. fer. 2 Pent., Leon. 214).

Libare, goûter (un breuvage), s'est employé au sens de : goûter, participer (au sacrement) : ex. *cujus (sacramenti)* **libavimus** *sancta* (postc. p. quac. necess., Gel. Cagin 2224) ; *divina* **libantes** *mysteria* (postc. p. devot. amic.) ;

cf. *sacrœ mensœ* **libatio** (Gel. I, 13) ; *sacramenti tui ... divina* **libatio** (postc. sabb. d. 2 Quadr., Gel. Cagin 408) ;

corporis sacri et pretiosi sanguinis repleti **libamine** (postc.

---

4. Comme, dans saint Augustin : *divinis sacramentis imbuti* (Bapt. 1, 15, 24), instruits des divins mystères.

2 jul., Leon. 16 ; Greg. 132, 3), ayant goûté pleinement au corps sacré et au précieux sang.

§ 257 F) Renouvellement, Réparation.

Renovare, renouveler (l'homme tout entier) :

purifica, q. D., mentes nostras benignus et **renova** *cælestibus sacramentis, ut consequenter et corporum præsens pariter et futurum* **capiamus** *auxilium* (postc. d. 16 p. Pent., Gel. I, 50), dans votre bonté, Seigneur, purifiez et renouvelez nos âmes par vos célestes sacrements, afin que nos corps en conséquence en retirent un secours pour le présent comme pour l'avenir ; *capere*, au sens de *percipere*, est fréquent aussi dans le Léonien : ex. *ut* **capere** *mereatur æterna* (698), de sorte qu'il puisse recueillir les dons éternels ; v. § 262.

renovemur *effectu* (v. § 256) ;

hæc nos oblatio ... **renovet** ... *gubernet* (secr. d. 6 p. Epiph., Gel. III, 23).

Reficere, refectio, dont on a cité précédemment des exemples, n'indiquent pas seulement une réfection, une restauration spirituelle, analogue à celle des aliments matériels, mais ils sont aussi à prendre au sens étymologique de « refaire, re-créer, renouveler » : ex. *quos tuis* **reficis** *sacramentis* (postc. Sexag., Greg. 33, 3 ; etc.).

Reparare, recreare, instaurare, restaurare expriment la même idée :

ex *quos divinis* **reparare** *non desinis sacramentis* (postc. d. 10 p. Pent., Gel. III, 5), ceux que vous ne cessez de restaurer par vos divins sacrements ;

sacrosancta mysteria quæ pro **reparationis** *nostræ munimine contulisti* (postc. dom. in albis, Greg. 191, 8), les mystères sacrés que vous avez donnés pour pourvoir à notre relèvement ;

sit nobis, Domine, **reparatio** *mentis et corporis cæleste mysterium* (pc. d. 18 p. Pent., Gel. III, 4) ;

quos tuis mysteriis **recreasti** (pc. d. Pass., Leon. 548) ;

quos cælesti **recreas** *munere* (pc. p. prælat., Gel. III, 50) ;

(beneficia) quibus nos **instaurare** *dignatus es* (or. sup. pop. fer. 2 Hebd. M., Gel. I, 14) ; v. autres ex., § 180 et 255 ;

tui nos, Domine, sacramenti libatio sancta **restauret** (pc. fer. 6 Quat. T. Adv., Greg. 38, 3), que la réception de votre sacrement nous restaure.

§ 258 G) Vivification, Sanctification.

Vivificare, faire naître à la vie spirituelle, à la vie de la grâce, régénérer (v. Rédemption, ex. du § 232) ; et aussi : entretenir la vie spirituelle, vivifier ; et même : préparer à la vie éternelle :

ex. *sancta tua nos, Domine, sumpta* **vivificent** (pc. d. 3 p. Pent., Gel. III, 40), Seigneur, que votre eucharistie, que nous venons de recevoir, nous donne la vie ;

vivificet *nos, q. D., hujus participatio sancta mysterii* (pc. d. 12 p. Pent., Leon. 453) ; le sujet de *vivificet* peut être *sacrificium, hostia* (secr. passim) ;

cf. *per quæ veraciter* ***vivimus*** (pc. d. 6 p. Epiph., Gel. III, 23), ce qui nous donne la vraie vie.

Sanctificare, sanctifier : ex. ***sanctificati****, Domine, salutari mysterio* (pc. 25 jan., Leon. 355) ;

ut sacrosancta mysteria, in quibus omnis ***sanctitatis fontem*** *constituisti, nos quoque in veritate* ***sanctificent*** (secr. 31 jul.), afin que ces mystères sacrés, où vous avez placé la source de toute sainteté, nous rendent vraiment saints nous-mêmes ;

sanctificet *nos ... mensa cælestis* (pc. fer. 4 p. d. 3 Quadr., Greg. 55, 3) ;

sanctificationibus *tuis* (pc. d. 17 p. Pent., Greg. 44, 10), par l'effet sanctificateur de votre sacrement. V. sanctification, § 459 principalement.

§ 259 H) Gage de la vie éternelle.

En ce qui concerne l'eucharistie, sacrifice rédempteur, v. ex. § 284.

Dès cette vie, ce sacrement nous permet un avant-goût du ciel, une « vie céleste » : *per hæc* ***cælestis vitæ*** *commercia* (Leon. 457), grâce à cette participation à une vie céleste ;

sancta tua nos ... ***cælestis vitæ*** *vigore confirment* (Gel. III, 19), nous assurent la force d'une vie céleste.

Il est du moins une préparation à la vie éternelle. On a vu précédemment cette idée impliquée dans des expressions comme *ad vitam æternam nutriti, remedium sempiternum*, dans une épithète comme *salutaris*, dans le verbe *vivificare*.

Autres ex. *ad sacram, Domine, mensam admissi, hausimus* [5] *aquas in gaudio de fontibus Salvatoris : sanguis ejus fiat nobis, quæsumus, fons aquæ* ***in vitam æternam*** *salientis* [6] (pc. 1 jul.), admis à votre sainte table, Seigneur, nous avons puisé dans la joie aux sources du Sauveur : que son sang devienne pour nous, nous vous en prions, une source d'eau vive jaillissant pour la vie éternelle ;

tua sacramenta nos ... ad ***perpetuæ*** *ducant* ***salvationis*** *effectum* (pc. d. 14 p. Pent., Gel. III, 16, 1271), que votre sacrement ait pour effet de nous conduire au salut éternel ;

quoties hujus hostiæ commemoratio celebratur, opus nostræ ***redemptionis*** *exercetur* (secr. d. 19 p. Pent., Leon. 93), chaque fois qu'on célèbre le souvenir de cette victime, l'œuvre de notre rédemption s'accomplit ;

---

5. *Haurietis aquas in gaudio de fontibus salvatoris* (Is. 12, 3).
6. *Aqua, quam ego dabo ei, fiet in eo fons aquæ salientis in vitam æternam* (Jo. 4, 14), l'eau que je lui donnerai deviendra pour lui une source d'eau jaillissante en vie éternelle.

redemptionis *nostræ munere vegetati* (pc.sabb.in albis,Leon. 417), fortifiés par le don qui nous a rachetés ;

sumpsimus, Domine, **pignus redemptionis** *æternæ* (pc. 11 aug., Greg. 144, 3), nous avons reçu, Seigneur, le gage de la rédemption éternelle ; v. ex. § 311 ;

quem (populum tuum) **æternis** ([7]) *dignatus es renovare* **mysteriis** (pc. fer. 6 p. Pasch., Gel I, 56, 533), que vous avez daigné rénover par le sacrement d'éternité ;

hoc **perpetuæ salutis** *auxilio* (pc. sabb. in albis, Leon. 417), par ce secours destiné à notre salut éternel ;

porrige, pastor, epulum, quo, victa fame sæculi, **cibis æternitatis** *animæ saginentur* (Miss. Goth. 91), servez-nous, ô berger, la nourriture qui, plus forte que la faim de cette terre, puisse nourrir nos âmes d'un aliment d'éternité ; cf. note 7.

7. LA PARTICIPATION AU SAINT SACRIFICE, LA RÉCEPTION DU SACREMENT

§ 260 Le mot *commercium*, surtout au pluriel, signifie ici : échanges mystiques ; ex. *per hæc sacrosancta* **commercia** (secr. 25 déc. in nocte et passim, Leon. 1249). Dans ce dernier Sacramentaire, il s'agit du mystérieux échange opéré par l'Incarnation : Dieu fait homme pour nous communiquer sa divinité. Dans les secrètes ([1]) du Missel, il s'agit en plus de l'échange suivant : nous avons offert à Dieu le pain et le vin, nous recevons en retour le corps et le sang du Christ, par quoi nous participons à la divinité :

per hujus sacrificii veneranda **commercia** *unius summæ divinitatis participes efficis* (secr. d. 18 p. Pent., Gel. I, 59), par l'échange sacré opéré dans ce sacrifice, vous nous faites participer à votre unique et suprême divinité (malgré la multiplicité des offrants, c'est à une seule et même réalité que nous participons) ;

per hæc sancta **commercia** (secr. fer. 4 p. d. 2 Quadr., Greg. 48, 2) ; mais c'est l'épithète *sacrosancta* qui est la plus fréquente ;

ex. au sing. (pas dans les oraisons du Missel), *magnificum nostræ* **commercium** *reparationis* (Leon. 1260), le magnifique échange qui opéra notre rédemption (voir plus haut).

Consortes : da nobis per hujus aquæ et vini mysterium ejus

---

7. Mystères éternels, c.-à-d. dont l'effet s'étend à l'éternité (opp. ici au pardon des fautes temporelles, *temporalibus culpis*). Cf. *æternis mysteriis* opp. à *temporalibus alimentis* (pc. temp. famis ; *temporalibus adjumentis*, Leon. 910).

1. Et quelquefois dans les postcommunions : ex. *redemptionis nostræ sacrosancta commercia* (fer. 5 oct. Pasch., Greg. 92, 3), la participation au mystère sacré de notre rédemption.

divinitatis esse **consortes** (²), *qui humanitatis nostræ fieri
dignatus est particeps Jesus Christus Filius tuus Dominus
noster* (Offert., Greg. 9, 6), accordez-nous, par le mystère de
cette eau et de ce vin, de participer à la divinité de celui qui
a daigné partager notre humanité ... ; *da, quæsumus, nobis
Jesu Christi Filii tui divinitatis esse* **consortes** *qui humanitatis
nostræ fieri dignatus est particeps* (Leon. 1239).

Participatio, participation, communion (aux mystères) :
ex. *hujus* **participatio** *sancta mysterii* (pc. d. 12 p. Pent.,
Leon. 453) ;

refecti **participatione** *muneris sacri* (pc. 20 jan., Greg. 22, 3),
restaurés par la participation au don sacré ;

participatio *cælestis indulta convivii* (pc. 27 sept., Leon.
703), la participation au banquet céleste qui nous a été accordée.

Participes, participant (aux mystères) : ex. *qui nos sacramentorum tuorum et* **participes** *efficis et ministros* (pc. 7 aug.,
Leon. 392), qui nous faites participants et ministres de vos
sacrements ;

quos tanti mysterii tribuis esse **participes** (pc. d. 3 Quadr.,
Greg. 52, 3 ; *consortes*, Gel. I, 27, 231).

Communicare, avoir part à, participer à, communier à :
ex. *cujus corpori* **communicamus** *et sanguini* (pc. sabb. p.
d. 3 Quadr., Leon. 1116) ; *communicare* (abs., sans dat.), communier (Cypr. ; Hier. ; et post.).

Communio : ex. *sacramentorum tuorum, Domine,* **communio**
sumpta nos salvet (pc. 13 aug., Greg. 145, 3), Seigneur, que la
communion à vos sacrements soit notre salut ;

tui ... **communio** *sacramenti* (pc. d. 9 p. Pent., Gel. III, 16) ;

(sans autre détermination) *hæc communio* (pc. fer. 2 p. d. 2.
Quadr., Greg. 46, 3).

§ **261** Recevoir (³) le sacrement se dit *sumere* (souvent),
percipere, suscipere, capere : **sumptis** *muneribus sacris* (pc.
d. 2 p. Pent. ; *sumptis muneribus*, Gel. II, 81) ;

sumptis *sacramentis* (pc. fer. 4 p. d. 2 Quadr. et passim,
Gel. III, 9) ;

sumpto *sacramento* (pc. 27 oct., Leon. 340) ;

sacramenta quæ **sumpsimus** (pc. fer. 4 p. d. 4 Quadr. et
passim, Leon. 267 etc.) ;

magnifica sacramenta quæ **sumpsimus** (pc. 29 aug., Gel. II,
52).

Quod ore **percepimus** (pc. d. 21 p. Pent., Gel. I, 51), ce que
notre bouche a reçu ;

---

2. Cf. *ut per hæc efficiamini divinæ consortes naturæ* (2 Petr. 1, 4), afin que par elles
(sa propre gloire et sa puissance) vous deveniez participants à la nature divine.

3. Un ex. de *receptio* : *supernorum munerum fructuosa receptio* (pc. m. « *Da nobis* »,
comm. sanct. p. al. loc.) ; *recipio* et *receptio* ne se rencontrent pas au sens eucharistique dans les Sacramentaires.

qui cælestia alimenta **percepimus** (pc. Quinquag., Greg. 34, 3) ;
tui **perceptione** *sacramenti* (pc. d. 11 p. Pent., Leon. 630),
en recevant votre sacrement ;

pretiosi corporis et sanguinis tui temporalis **perceptio** (pc.
S. S. Corp. Chr.), la réception, sur cette terre, de votre corps
et de votre sang précieux.

Per hæc cælestia alimenta, quæ ... pia devotione **suscepimus**
(pc. 18 jul.), grâce à cette nourriture céleste que nous avons
reçue avec une fervente piété ;

ut **suscipiendo** *muneri tuo per ipsum munus aptemur* (Leon.
1256), afin que ce don lui-même nous rende plus dignes de le
recevoir ;

hujus sacramenti **susceptio** (pc. S. S. Trin. ; pas d'ex. de ce
substantif dans les Sacramentaires).

§ 262 Recevoir dignement, avec les dispositions qui conviennent :

quod ore sumpsimus, Domine, **pura mente** *capiamus* (postc.
passim ; *mente* seul, Gelas. ap. Leon. 531), ce que notre
bouche a reçu, Seigneur, faites que nous le possédions d'un
cœur pur : *capere* a le sens de : assimiler intimement, cf.
sancta quæ cepimus (Gelas. ap. Leon. 423) ; cf. § 257 ;

pia devotione (or. passim) ; *dignos accedere* (v. § 2) ;

ut sancta tua ... **fideli** *semper* **mente** *sumamus* (pc. d. 4
Quadr., Greg. 59, 3), ... avec un esprit de foi ;

ut mysterium ... **digno** *percipiamus* **affectu** (pc. 13 jan.,
Gel. 1, 12), de recevoir le sacrement dans des dispositions
convenables ;

piis affectibus (secr. fer. 4 Maj. Hebd., Leon. 220), avec des
sentiments d'amour.

En parlant du prêtre qui offre le saint sacrifice : *digne
offerre, pura mente, puris mentibus celebrare* (et expressions
similaires, or. ante missam et passim.).

La réception indigne : *quicumque manducaverit panem hunc,
vel biberit calicem Domini* **indigne** (1 Cor. 11, 27), quiconque
mangera ce pain ou boira la coupe du Seigneur indignement.

Dans les oraisons, le mot *indignus* n'a pas ce sens fort (indigne, sacrilège), mais c'est un terme d'humilité : ex. *quod ego*
indignus *sumere præsumo* (or. ante comm.), que j'ose recevoir
malgré mon indignité ;

ainsi que dans les expressions employées par le célébrant :
indignis famulis (Leon. 1355) ; *indignus famulus* (Greg. 198,
1 ; etc. ; or. passim).

8. LE CORPS ET LE SANG DU CHRIST
LA PRÉSENCE RÉELLE

§ 263 Avant l'institution de l'eucharistie, elle avait été
promise en des termes non équivoques : *qui manducat meam*

carnem et bibit meum sanguinem, in me manet et ego in illo (Jo.
6, 56) (¹), celui qui mange ma chair et boit mon sang, il demeure en moi et moi en lui (v. *maneo*, § 153). Pendant des
siècles, les paroles prononcées à la Cène, *Hoc est enim corpus
meum*, ont suffi à la foi des fidèles : *est*, est ; de même que *fiat*
(Canon), devienne, soit changée en. Ce n'est guère qu'au
IIᵉ s., (²) avec Béranger de Tours, qu'apparaissent des hérésies
caractérisées sur la façon de comprendre comment le corps
du Christ est présent dans l'eucharistie. Étant doués d'une
intelligence, nous devons chercher à approfondir les données
de la Révélation, sans oublier toutefois que, dans ce domaine
aussi, aucune dialectique n'est en mesure d'évacuer le mystère (³) : *Quod non capis, quod non vides, Animosa firmat fides*
(« Lauda, Sion »), ce que tu ne comprends pas, ce que tu ne
vois pas, une foi vive l'affirme. Dans le vocabulaire de l'office
du Saint Sacrement, des hymnes et proses composées par
saint Thomas d'Aquin, se révèlent les préoccupations suscitées
par ces controverses.

La transsubstantiation sous les deux espèces (⁴) :

*Dogma datur christianis, Quod in carnem **transit** panis Et
vinum in sanguinem* (« *Lauda, Sion* »), les chrétiens ont reçu
une croyance : le pain se change en chair et le vin en sang ;

---

1. Dans son commentaire, et suivant une habitude fréquente dans ses exposés,
saint Augustin superpose trois aspects de cette présence divine : en nous, par
l'eucharistie et par la charité, et dans le corps mystique :
*Diximus enim fratres, Dominum commendasse in manducatione carnis suæ et potatione
sanguinis sui, ut in illo maneamus et ipse in nobis. Manemus autem in illo, cum sumus
membra ejus ; manet autem ipse in nobis, cum sumus templum ejus. Ut autem simus
membra ejus, unitas nos compaginat ; ut compaginet unitas, quæ facit nisi caritas ?* (Tr.
ev. Jo. 27, 6 ; lect. 7, sabb. oct. S. S. Corp. Chr.). Comme nous l'avons dit, mes
frères, le Seigneur nous a enseigné qu'en mangeant sa chair et en buvant son sang
(Jo. 6), nous demeurions en lui, et lui en nous (14, 23). Or nous demeurons en lui,
car nous sommes ses membres ; à son tour, il demeure lui-même en nous, car nous
sommes son temple (Ephes. 2, 21). Et pour que nous soyons ses membres, il faut
que l'unité nous lie ; et pour que l'unité nous lie, qui peut le réaliser, sinon la
charité ?
2. Pour des controverses antérieures, v. par ex. P. Radó, Enchiridion, p. 569
et suiv.
3. *Demus Deum aliquid posse, quod nos fateamur investigare non posse* (Aug. Ep. ad
Volus. 8), accordons que Dieu peut quelque chose, que nous, nous avouons être
incapables de pénétrer à fond.
4. L'une et l'autre est considérée comme présentant le corps du Christ : *ut
Deus omnipotens hoc ministerium corporis Filii sui ... gerolum benedictione ... implere
dignetur* (Miss. Fr. 12, 67), que le Dieu tout-puissant daigne combler de sa bénédiction ces vases ministériels qui vont porter le corps de son Fils (cf. *hæc vasa*,
ibid. 66) ; *ut per nostram benedictionem hoc vasculum sanctificetur et corporis Christi novum
sepulchrum Spiritus Sancti gratia perficiatur* (ibid. 68), afin que, par notre bénédiction
ce vase soit consacré et devienne, par la grâce du Saint-Esprit, comme un nouveau
sépulcre du corps du Christ.
La commixtion de même (*hæc commixtio et consecratio Corporis et Sanguinis Domini
nostri Jesu Christi*) symbolise la présence et l'union du Corps et du Sang sous les
deux espèces (pour le sens et l'origine de cette formule, voir N. M. Denis-Boulet,
dans Martimort op. cit., p. 419 et suiv.) ; cf. Ord. Rom. IV, 65.

Manet tamen Christus totus Sub **utraque specie** (ibid.), le Christ reste tout entier présent dans l'une et l'autre apparence; cf. *sub* **bina specie** ([5]) (« *Verbum supernum* »).

Partagée, cette réalité de la présence du Christ reste entière :

A sumente non concisus, Non confractus, non divisus : Integer accipitur (« *Lauda, Sion* »), sans être découpé, brisé ou divisé, son corps est reçu tout entier par celui qui communie.

C'est par analogie que saint Thomas parle d'un Dieu caché :

*... **latens** Deitas, Quæ sub his figuris vere **latitas*** (« *Adoro te* »), ô Dieu caché, réellement voilé sous ces symboles ;

*Sub diversis speciebus, Signis tantum et non rebus, **Latent** res eximiæ* (« *Lauda, Sion* »), sous ces objets différents, qui ne sont que des signes, se cache une réalité extraordinaire.

---

5. Dans le latin postclassique, *species* ne signifie pas seulement « apparence, aspect », mais : « chose, objet » ; d'où le sens théologique : « espèces » du sacrement ; ex., dans saint Augustin, la matière d'un sacrement, comme le sel au baptême (Catech. 26, 50). Cf. en parlant du corporal (et aussi du linceul qui a enveloppé le corps du Christ) : *Domine Deus, qui jam sanctificare dignatus es hoc genus specierum* (Pont. Rom.-Germ. 40, 84, ben. corp.).

IX

LE DOMAINE DE LA GRACE

1. GRATIA ([1])

§ 264 Dans le latin profane, *gratia* exprime, entr'autres sens, la bienveillance, la faveur dont quelqu'un jouit auprès d'un autre ou auprès de ses semblables, dont il est aimé et bien vu (*gratus*). En latin chrétien, le mot peut donc signifier l'amitié de Dieu, l'amour de Dieu pour nous, sa bienveillance, et l'état de l'homme jouissant de la bienveillance de Dieu. Il signifie aussi le don de Dieu, accordé par pure bienveillance et gratuitement (*gratis*) ([2]), c'est-à-dire sans qu'il nous soit dû, qu'il s'agisse d'un simple don non extraordinaire, ou d'un don spécial et individuel, comme un charisme, ou encore, dans le sens le plus vaste, d'un don de la bonté dè Dieu à tous les hommes, tel que la Rédemption. Un troisième sens enfin de *gratia*, c'est la grâce, l'aide de Dieu, principalement pour accomplir le bien. Ces trois sens, bienveillance, don, aide de Dieu, sont souvent impliqués les uns dans les autres, ou exprimés par d'autres mots que *gratia*.

2. LA BIENVEILLANCE DE DIEU

§ 265 Elle se manifeste éminemment en Jésus-Christ, son Fils unique : *in quo mihi complacui* (Mat. 3, 17) ; et par Jésus-Christ qui est la plus haute manifestation de la bienveillance de Dieu envers les hommes : c'est pourquoi il est dit *plenus* **gratiæ** *et veritatis* ([1]) (Jo. 1, 14).

Et, parmi les créatures humaines, en premier lieu, en Marie : *ne timeas, Maria, invenisti* **gratiam** *apud Deum* (Luc. 1, 30), ne crains rien, Marie, car tu as trouvé grâce auprès de Dieu.

---

1. Beaucoup de sens du mot *gratia* n'interviennent pas dans ce chapitre, par ex. *actiones gratiarum, gratias agere* (v. § 85). D'autre part, tout ce que nous demandons à Dieu de nous accorder peut être considéré comme une grâce (ex. messe votive *ad postulandam* **gratiam** *bene moriendi*).

2. Cf. *gratia quæ non ex merito retributa, sed ex donante concessa est* (Hier. Ep. 21, 2, 4), la grâce, qui n'est pas la rétribution d'un mérite, mais une faveur du donateur ; *gratia, quia gratis datur* (Aug. Serm. 144, 1).

Dans l'ex. suivant, *per gratiam* s'oppose à *per naturam*, pour montrer qu'il s'agit d'un don de pure bienveillance et non d'un droit naturel : *quamvis ... Filius Dei ... eumdem Patrem nos voluerit habere per gratiam, qui ejus Pater est per naturam* (Aug. Tr. ev. Jo. 75, lect. 9 vigil. Pent.), bien que le Fils de Dieu ait voulu que nous ayons par la grâce le même Père que celui qui est le sien par nature...

1. Ces deux idées « grâce et vérité » semblent liées : cf. *quia lex per Moysen data est, gratia et veritas per Jesum Christum* (Jo. 1, 16), car la Loi a été donnée par l'intermédiaire de Moïse, la grâce et la vérité par Jésus-Christ. Ce qui rappelle la définition de Dieu *misericors et clemens, patiens et multa misericordiæ et verax* (Ex. 34, 6), Dieu de miséricorde et de clémence, patient, plein de pardon et de vérité (fidélité).

L'expression *invenire gratiam ante Deum, coram Deo, Domino*, est assez fréquente en latin biblique et signifie un peu plus que la locution française correspondante : la faveur de Dieu est sur Marie. D'autre part, la salutation angélique, *Ave, Maria*, **gratia** *plena*, signifie que Marie est comblée non seulement des « faveurs » de Dieu, mais aussi des « dons » qui en font la plus resplendissante des créatures humaines, car le mot *gratia* signifie aussi « beauté » et « lumière » ([2]) (comme le grec χάρις, dont la nuance peut se reporter sur χαρίζεσθαι: χαῖρε, κεχαριτωμένη, Luc. 1, 28).

Dans les autres créatures : *Stephanus autem plenus* **gratia** *et fortitudine* (Act. 6, 8), Étienne, plein de grâce et de puissance. Ici, il s'agit en plus d'un charisme : il faisait des miracles, *faciebat prodigia*.

Ex. dans les oraisons : *dona cælestis* **gratiæ** (Leon. 649 et passim) ;

et adjuva nos contra ignita tela inimici, et illustra **gratia** *cælesti* (vigil. Pasch. vet. ord.), aidez-nous contre les traits enflammés de l'ennemi, et éclairez-nous de la grâce céleste ;

beatam Rosam, cælestis **gratiæ** *rore præventam* (or. 30 aug.), comblée d'avance de la rosée de la faveur céleste.

Pourtant, dans ces exemples, il s'agit moins de la bienveillance de Dieu que de son aide, comme dans les expressions *dona gratiæ tuæ, munus gratiæ tuæ* (or. passim).

Autres ex. au sens plus marqué de faveur :

mirifica tuæ majestatis **gratia** *de illius summi pontificis concessione (nos)lætificet* (pc. p. elig. summ. pont.), que votre Majesté, dans sa merveilleuse bonté, nous donne la joie de posséder ce souverain pontife ;

Deus, qui me nulla præditum fiducia meritorum ineffabilis **gratiæ** *munere familiæ tuæ præsidere tribuisti* (Leon. 991), ô Dieu, qui, sans que je puisse m'assurer de la possession d'aucun mérite, m'avez mis, par un don de bienveillance ineffable, à la tête de vos serviteurs (il s'agit d'un évêque).

Expression équivalente : *instituta providentiæ tuæ pio* **favore** *comitare* (pc. p. spons., Leon. 1108), accompagnez de votre bienveillante faveur ce que votre providence a institué ;

vota nostra pio **favore** *prosequere* (pc. litan. maj. 25 apr. et Rog., Greg. 100, 9), que votre faveur bienveillante seconde nos désirs.

Adjectifs dérivés.

Gratuitus : *impende nobis* **gratuita gratia**, *quæ nostra non exigunt merita* (Gel. Cagin 1119), accordez-nous, par votre bienveillance toute gratuite, ce qui n'est pas exigé par nos mérites ;

benignitate **gratuita** *peccatoribus largiens veniam* (Moz. L.

---

2. Cf. *hujus solis gratiam* (Ambr. Hex. 4, 1, 2).

ord. 396), accordant le pardon aux pécheurs dans votre bienveillance toute gratuite ;

gratuita *bonitas* (ibid. 896) ; **gratuita** *miseratio* (ibid. 255) ;
gratuitum *munus* (ibid. 120).

Gratus, qui a la faveur de Dieu, agréable à Dieu : *grata
munera* (Greg. 57, 2, etc.) ; *grata hostia, grata dona* (v. § 247) ;

(plus rare en parlant des personnes) **gratum** *majestati tuæ
pontificem* (secr. p. elig. summ. pont.) ; (de même que) *gratiosus*
(or. p. rege, Greg. suppl. Alc. 187).

§ 266 La bienveillance et l'amitié de Dieu, c'est aussi la
rentrée en grâce, la réconciliation avec Lui ([3]) :

*hæc est nox, quæ hodie per universum mundum in Christo
credentes ... reddit* **gratiæ** (præf. vig. Pasch., Miss. Gall. 25,
134), voici la nuit qui, à travers le monde entier, rend à la
grâce ceux qui croient dans le Christ ;

fiatque (hæc creatura olivæ) ... tuæ **gratiæ** *sacramentum* (or.
2 ben. ram. vet. ord.), qu'il soit un signe mystique de notre
réconciliation avec vous (comme le rameau d'olivier rapporté
par la colombe à l'arche) ;

peccata nostra deplorare et **gratiæ** *tuæ indulgentiam invenire*
(or. 4 mai.), déplorer nos péchés et trouver grâce et pardon
auprès de vous.

Beneplacitum désigne la volonté de bienveillance, la faveur,
la complaisance de Dieu envers nous, en tant qu'il le veut
bien, que tel est son bon plaisir : *ut notum faceret nobis sacramentum voluntatis suæ secundum* **beneplacitum** *ejus* (Ephes. I,
9), pour nous faire connaître le mystère de sa volonté selon le
dessein bienveillant (du plan du salut) ; cf. *secundum divitias*
gratiæ *ejus* (ibid. I, 7) ;

dirige actus nostros in **beneplacito** ([4]) *tuo* (or. d. oct. Nat.
Dom., Greg. 15, I), dans votre bienveillance dirigez notre
conduite.

3. LE DON DE DIEU

§ 267 A) En général.

Les expressions les plus fréquentes, dans les oraisons, sont
les suivantes : *gratiam, munera, dona conciliare* (concilier, faire
obtenir) ; *conferre* (conférer) ; *consequi, assequi* (obtenir) ;
effundere, infundere (répandre) ; *exhibere* (fournir, accorder) ;
multiplicare (multiplier, accorder en abondance) ; *tribuere,
præstare* (accorder), Il n'est pas nécessaire de multiplier les
exemples, car nous avons déjà rencontré la plupart de ces

---

3. *Gratia*, le fait d'être dans l'amitié du Christ : *crescite vero in gratia et in cognitione
Domini nostri ...* (2 Petr. 3, 18), croissez dans la grâce et la connaissance de Notre
Seigneur.

4. Cf. *in beneplacito populi tui* (Ps. 105, 4), dans votre bienveillance envers votre
peuple.

termes, notamment en parlant de la prière (Ie Partie), ou de l'eucharistie, don céleste, don sacré :

ineffabilis **gratiæ** *tuæ in nobis* **dona multiplica** (or. dom. palm., vet. ord., Gel. I, 37), multipliez en nous les dons de votre grâce ineffable ;

cordibus nostris, q. D., **gratiam** *tuam benignus* **infunde** (or. fer. 6 p. d. Pass., Greg. 71, 1), répandez avec bonté votre grâce dans nos cœurs ;

cælestium donorum **distributor** (or. 21 jun.), (Dieu) dispensateur des dons célestes (il s'agit ici des vertus de ce saint) ;

munus gratiæ (or. 30 jul. et passim, Leon. 704 ; Greg. 135, 1) (les vertus des saints).

La grâce de Dieu est une bénédiction, un bienfait :

benedictionem *nobis, Domine, conferat salutarem sacra semper oblatio* (secr. d. 2 p. Pasch., Gel. I, 57), que cette offrande sacrée, Seigneur, nous procure sans cesse votre bénédiction salutaire ;

capitibus servorum tuorum ... **effunde** *propitius* **gratiam tuæ benedictionis** (or. 3 ben. Cin.), répandez avec bonté sur la tête de vos serviteurs la grâce de votre bénédiction ;

ut ejus (sancti) auxilio tua **beneficia capiamus** (secr. 24 aug., Leon. 1235), que, grâce à son aide, nous puissions recevoir vos bienfaits ;

ad tua **beneficia promerenda** (or. 27 oct., Gel. II, 34), pour nous faire obtenir vos bienfaits.

§ 268 B) Ex. de grâces particulières.

(Deus) **de cujus munere venit** *ut tibi a fidelibus tuis digne et laudabiliter serviatur* (or. d. 12 p. Pent., Leon. 574), c'est par votre grâce que vos fidèles peuvent vous servir d'une manière digne et exemplaire ;

quia sine te non potest (ecclesia tua) salva consistere, **tuo semper munere gubernetur** (or. d. 15 p. Pent., Gel. III, 11), comme elle ne peut être sauvegardée que par vous, que votre grâce sans cesse veuille la diriger ;

continentiæ salutaris propitius nobis **dona** *concede* (or. fer. 3 p. d. 3 Quadr., Gel. III, 19), accordez-nous, dans votre bonté, la grâce d'une abstinence salutaire ;

sanctitatis **gratia** (or. 18 nov. p. al. loc.) ; *humilitatis* **gratia** (secr. ad postul. humil.) ;

consolationis ([1]) *tuæ* **beneficia** (or. Dedic., Greg. 197, 1), le bienfait de votre réconfort ; *tuæ consolationis* **gratiam** (sup. pop. sabb. p. d. 4 Quadr., Greg. 65, 4) ; *protectionis tuæ* **gratiam** (fer. 4 p. d. 3 Quadr., Greg. 55, 4) ;

perducere ou *accedere* ad **gratiam** *baptismi* ou *baptismatis* (ord. bapt. adult. Rit. R.), conduire, accéder à la grâce du

---

1. *Solatium, consolatio,* aide, secours, soutien, soulagement (sens fréquent en latin chrétien) ; v. l'Index.

baptême ; *accedere ad* **gratiam** *baptismi* (Gel. I, 30 ; Greg. 82, 2) ; *quem perducas ad* **gratiam** *baptismi* (Greg. 205, 3) ; *dignus* **gratia** *baptismi effectus* (ord. bapt. parv.), devenu digne de la grâce du baptême ; *qui per gratiam tuam renati sunt* (or. vigil. Pent., Greg. III, 1), que votre grâce a fait renaître ;

Ad te reversis exhibe **Remissionis gratiam** (hymn. vesp. sabb. p. d. 1 Quadr.), à ceux qui sont revenus vers vous accordez la grâce du pardon ; v. chp. 5.

§ 269 C) Le don de Dieu par excellence, c'est le Christ et le rachat qu'il a opéré : *si scires* **donum Dei** (Jo. 4, 10), « si tu connaissais le don de Dieu », dit Jésus à la Samaritaine ;

qui (Deus) nos liberavit et vocavit vocatione sua sancta, non secundum opera nostra, sed secundum propositum suum et **gratiam**, *quæ data est nobis in Christo Jesu ...* (2 Tim. 1, 9), qui nous a libérés et nous a appelés d'un saint appel, non en considération de nos œuvres, mais d'après son propre dessein et sa grâce, qui nous a été donnée dans le Christ Jésus ;

a **gratia** *excidistis* (Gal. 5, 4), vous êtes déchus de la grâce (c.-à-d. de la rédemption, si vous êtes séparés du Christ) ;

gratia *autem Dei vita æterna in Christo* (Rom. 6, 23), le don de Dieu, c'est la vie éternelle dans le Christ.

Nusquam sic apparet benignitas **gratiæ** *et liberalitas omnipotentiæ Dei, quam in homine mediatore Dei et hominum, homine Christo Jesu* (Aug. Serm. lect. 6, d. 5 p. Epiph.), nulle part n'apparaît aussi bien la bienveillance de la grâce de Dieu et la générosité de sa toute-puissance, que dans l'homme qui est le médiateur entre lui et l'humanité, dans l'homme qu'est le Christ Jésus ; cf. *gratiam liberantem* (lect. 5 ibid.) ; v. *gratia adoptionis* (§ 233).

Ex. dans les oraisons : *qui humano generi ...* **reparationis gratiam** *contulisti* (or. 9 jun. p. al. loc.), qui avez accordé au genre humain la grâce de la rédemption ;

ad **beneficia** *recolenda, quibus nos instaurare dignatus es* (sup. pop. fer. 2 Maj. Hebd., Gel. I, 14), pour célébrer les bienfaits par lesquels vous avez bien voulu opérer notre rachat ; rédemption concrétisée dans l'eucharistie, v. *redemptionis munus* (§ 259).

§ 270 D) Les démarches de la grâce (v. aussi chp. 5, action de la grâce).

Elle prévient nos efforts, les accompagne et les seconde (grâce prévenante, concomitante, dans le langage théologique):

ex. **præveniat** *nos ...* **gratia** *tua semper et* **subsequatur** (secr. ad postul. seren., Gel. II, 81), que votre grâce toujours devance nos désirs et les seconde ;

actiones nostras ... aspirando **præveni** *et adjuvando* **prosequere** (or. 5 sabb. Quat. T. Quadr., Greg. 44, 7), par votre inspiration, devancez nos actes, et par votre aide, secondezles ; v. autre ex. (§ 65) ;

concessa perpetuo **stabilita et intacta** *manere decernas* (ben. Cin. or. 3), faites que les grâces accordées demeurent perpétuellement raffermies et intactes ;

tua nos, q. D., **gratia** *semper et* **præveniat** *et* **sequatur** (or. d. 16 p. Pent, Greg. 204, 24), que votre grâce prévienne sans cesse nos actes et en accompagne l'exécution ;

ut viam illorum et **præcedente gratia** *tua dirigas et* **subsequente** *comitari digneris* (secr. p. peregr., Gel. III, 24, 1316), que votre grâce daigne les précéder en dirigeant leurs pas, et les accompagne en cours de route ;

ut salutis æternæ remedia, quæ te **inspirante requirimus**, *te largiente consequamur* (or. 3 sabb. Quat. T. sept., Greg. 166, 3), que nous obtenions de votre largesse les remèdes de salut éternel que votre inspiration nous fait rechercher ;

ut eadem (dona) et **percipiendo requirant**, *et quærendo sine fine percipiant* (pc. Septuag., Greg. 32, 3 ; *ut eadem percipiendo te quærant*, Gel. I, 17, 103), qu'en recevant (ces dons) ils les cherchent encore, et en les recherchant qu'ils les reçoivent à jamais.

De notre côté, nous demandons d'être dignes de cette grâce, que saint Paul avertissait de ne pas recevoir en vain : *exhortamur ne* **in vacuum** *gratiam Dei* **recipiatis** (2 Cor. 6, 1) ;

(jejunia nostra) nos **tua gratia dignos** *efficiant* (secr. fer. 4 Quat. T. Adv., Greg. 189, 3), nous rendent dignes de votre grâce.

Même lorsque l'homme se révolte, Dieu peut l'incliner vers lui :

et ad te nostras **rebelles compelle** *propitius voluntates* (secr. d. 4 p. Pent., Gel. III, 33), et, dans votre bonté, forcez même vers vous nos volontés rebelles.

4. LES DONS EXTRAORDINAIRES, LES CHARISMES

§ 271 Certains ont reçu un don spécial et surnaturel, en vue de l'édification du corps mystique de l'Église. Ainsi les apôtres, les évangélistes, les prophètes ([1]), les docteurs, et ceux qui avaient reçu le don de guérir, de faire des miracles, de parler en langues (glossolalie) : *divisiones vero* **gratiarum** *sunt, idem Spiritus ... Alii quidem per Spiritum datur sermo sapientiæ, alii autem sermo scientiæ ... alii gratia sanitatum ... alii operatio virtutum, alii prophetia, alii discretio spirituum, alii genera linguarum, alii interpretatio sermonum ... Et quosdam quidem posuit Deus in ecclesia primum apostolos, secundo prophetas, tertio doctores, deinde virtutes, exinde* **gratias** *curationum, opitulationes, gubernationes, genera linguarum, interpretatio*

---

1. Qu'il s'agisse des prophètes de l'A. T., ou de ceux que les premiers chrétiens appelaient « prophètes », c.-à-d. inspirés par l'Esprit Saint (Luc. 11, 79 ; Act. 13, 1).

sermonum ... Æmulamini autem **charismata** (²) *meliora* (1 Cor.
12, 4-31), il y a diversité des dons spirituels, mais un même
Esprit ... L'un a reçu de l'Esprit une parole de sagesse, un
autre une parole de science ... un autre le don de guérir ... un
autre le don de faire des miracles, un autre le don de prophétie,
un autre le discernement des esprits (³), un autre les diversités
des langues, un autre le don de les interpréter ... Certains,
Dieu les a placés dans l'Église, premièrement comme apôtres,
deuxièmement comme prophètes (⁴), troisièmement comme
docteurs ; puis ce sont les miracles, puis le don de guérir,
d'assister, de gouverner, les diversités de langues, l'interprétation des paroles ... Aspirez aux dons supérieurs (que sont
la foi, l'espérance et la charité, surtout la charité) ; cf. *infirmos
curate ... dæmones ejicite ;* **gratis accepistis**, *gratis date* (Mat.
10, 8), guérissez les malades, chassez les démons ; donnez
gratuitement ce que vous avez reçu gratuitement ; v. *donatio*,
Index ;

quandocumque **divina gratia** *elegit aliquem ad aliquem*
gratiam singularem *seu ad aliquem sublimem statum, omnia*
charismata *donat, quæ illi personæ sic electæ ... necessaria sunt*
(Bern.-Sen. lect. 4 Patron. S. Joseph), chaque fois que la
grâce de Dieu choisit quelqu'un en vue d'une grâce particulière ou d'un haut état, elle accorde tous les charismes qui sont
nécessaires à la personne ainsi choisie ;

minister Christi Franciscus ... supernarum cœpit **immis-
sionum** *cumulatius* **dona** *sentire* (Bonav. Vit. Fr. lect. 4, 17
sept.), le serviteur du Christ, François, commença à ressentir
avec plus d'abondance les charismes envoyés d'en haut.

Les oraisons font parfois allusion à ces charismes :

ex. *cælestium* **charismatum** *dispensator (Deus)* (Moz. L.
ord. 290) ;

(pleon.) *largiendo credentibus* **charismata** *gratiarum* (Moz.
L. sacr. 825) ;

Deus, qui beatum Petrum, confessorem tuum ... altissimæ
contemplationis munere *illustrare dignatus es* (or. 19 oct.), ô
Dieu, qui avez bien voulu illustrer le bienheureux Pierre
(d'Alcantara), votre confesseur, du don de la contemplation
la plus haute.

Ce sont les collectes en effet de la fête d'un saint qui font

---

2. Comme on le voit, χάρισμα est traduit tantôt par *gratia*, tantôt par *charisma* :
cf. 2 Tim. 1, 6 ; 1 Tim. 4, 14.

3. Don de déterminer l'origine (Dieu, la nature, le Malin) des phénomènes
charismatiques (Note Bible de Jérus.).

4. Exemple d'inspiration et d'improvisations charismatiques au cours d'une
assemblée : *psalmis, hymnis et canticis spiritalibus in gratia cantantes in cordibus vestris
Deo* (Col. 3, 16), chantant à Dieu de tout cœur avec reconnaissance par des psaumes, des hymnes, des chants inspirés.

ordinairement allusion à un charisme particulier dont il a bénéficié :

ex. *Deus, qui Indiarum gentes beati Francisci **praedicatione et miraculis** ecclesiæ tuæ aggregare voluisti* (or. 3 déc.), ô Dieu, qui, par la prédication et les miracles de saint François (Xavier), avez voulu réunir à votre Église les nations des Indes ; v. autres ex. § 107.

5. L'ACTION ET LES EFFETS DE LA GRACE

§ 272 Cette action se dit ordinairement *operatio*, le verbe correspondant étant *operari* :

ex. *Deus est enim qui **operatur** in vobis et velle et perficere pro bona voluntate* (Philipp. 2, 13), c'est Dieu en effet qui opère en vous aussi bien le vouloir que l'acte au profit de ses bienveillants desseins ;

*doni cælestis **operatio*** (pc. d. 15 p. Pent., Gel. III, 11) ;

*tuæ virtutis **operatio*** (pc. d. 2 p. Epiph., Leon. 1121), l'action de votre puissance ;

*gratiæ tuæ **operante** virtute* (secr. d. 8 p. Pent., Gel. III, 4), par l'action puissante de votre grâce ; *te operante* (or. passim Leon. 5 etc.).

§ 273 La grâce inspire et éclaire :

*quia in nullo fidelium, nisi ex tua **inspiratione**, proveniunt quarumlibet incrementa virtutum* (or. p. proph. 12 sabb. sc. vet. ord., Gel. I, 43, 441), car chez aucun fidèle, sans votre inspiration, ne peut se développer et croître n'importe quelle vertu ;

*desideria de tua **inspiratione** concepta* (or. ad postul. car., Gel. III, 26), désirs nés de votre inspiration ;

te inspirante (var. *aspirante*), *tua inspiratione, cælesti inspiratione* (or. passim) ; *divina inspiratione* (Leon. 1197).

Inspirator (en parlant de Dieu, Aug. ; Cassian. ; Greg.-M.) :

*Deus, bonarum actionum et **inspirator et doctor*** (Miss. Goth. 193), qui nous inspire et nous enseigne nos bonnes actions.

V. Illumination, *illuminare, illustrare* (§ 154 et passim) ;

*mentibus nostris **gratiæ lumen** ostende* (sup. pop. fer. 6 p. d. 1 Quadr., Greg. 43, 4), faites luire en nos âmes la lumière de votre grâce ;

gratiæ tuæ luce (or. 2 febr., Greg. 27, 1) ;

ut mysterium, cujus nos participes esse voluisti ... puro cernamus intuitu (pc. 13 jan., Gel. I, 12), pour que nous puissions contempler d'un regard pur les mystères auxquels vous avez voulu que nous participions.

Cette illumination de la grâce est l'œuvre du Saint-Esprit :

(Sanctus Spiritus) corda nostra ... sui roris intima aspersione fecundet pc. vigil. Pent., Greg. III, 6), qu'il féconde nos cœurs

en y répandant profondément sa rosée ; *sui roris ubertate fecundet* (Gel. I, 81, 650), par l'abondance de ... ;

v. autres ex. § 219, le Saint-Esprit.

Il est la grâce qui vient d'en haut, le don du Père : *Altissimi donum Dei* (« *Veni, Creator* »).

La grâce éclaire et donne la force :

ut et quæ agenda sunt **videant** (¹) *et ad implenda quæ viderint* **convalescant** (or. oct. Epiph., Greg. 16, 1), pour qu'ils voient leur devoir et aient la force de l'accomplir, une fois l'avoir vu ;

Deus, qui ... beato Laurentio ... **spiritum consilii** (²) **et fortitudinis** *contulisti* (or. 7 jul. p. al. loc.), ô Dieu, qui avez donné au bienheureux Laurent (de Brindes) un esprit de sagesse et de force ; v. ex. *instituis* (§ 46) ;

ut **caritatis donum** ... *facias veraciter apprehendi* (secr. ad postul. car., Gel. III, 26), pour nous faire posséder réellement le don de charité.

§ 274 Le secours de la grâce nous dirige et nous aide, en particulier dans l'accomplissement des commandements :

dirigat *corda nostra, q. D., tuæ miserationis* **operatio** (or. d. 18 p. Pent., Gel. III, 14), que votre miséricorde exerce son action sur nos cœurs pour les diriger ; *nutantia corda* **dirigas** (secr. d. 5 p. Epiph., Gel. III, 37) ;

te **adjuvante** (or. passim, Greg. 44, 2 ; etc.).

Soutien, secours : ex *protectionis tuæ* **gratiam** (sup. pop. fer. 4 p. d. 3 Quadr., Greg. 55, 4) ; *auxilium* **gratiæ** *tuæ* (or. d. 1 p. Pent. et passim, Gel. I, 62 ; *in exsequendis mandatis tuis* (ibid.), pour observer vos commandements ;

ut ... tuæ **gratiæ consolatione** (³) *respiremus* (or. d. 4 Quadr., Greg. 59, 1), d'être ranimés par le réconfort de votre grâce ; v. autres ex. (§ 268) ;

nos per **gratiam** *tuam in fide et caritate confirma* (or. 24 apr.), que votre grâce nous raffermisse dans le foi et la charité ;

perfice, q. D., benignus in nobis observantiæ sanctæ **subsidium** (or. fer. 3 p. d. 2 Quadr., Gel. I, 17), dans votre bonté, donnez-nous la plénitude de votre secours pour l'observance sainte ;

da nobis et **velle** *et* **posse** *quæ præcipis* (or. sabb. sc. vet.

---

1. Cf. *ut sciamus quid appetere et quid vitare debeamus ... ut quod faciendum cognoverimus etiam facere diligamus atque valeamus* (Conc. Milev. can. 4), pour savoir ce que nous devons désirer et ce que nous devons éviter, de façon à ce que, une fois connu ce qu'il faut faire, nous ayons le désir et la force de le réaliser.

2. Cf. *ut Deus ... det vobis spiritum sapientiæ et revelationis in agnitione ejus* (Ephes. 1, 17), que Dieu vous donne un esprit de sagesse et de révélation pour vous le faire connaître ;

spiritum cogitandi quæ recta sunt (or. d. 8 p. Pent., Gel. III, 4), la grâce de penser avec droiture ; v. IIIe Partie, IV.

3. cf. *qui dilexit vos et dedit consolationem æternam et spem bonam in gratia* (2 Thess. 2, 16), qui vous a aimés et vous a donné, dans sa bienveillance, consolation éternelle et heureuse espérance.

ord., Gel. I, 49), accordez-nous et de vouloir et de pouvoir accomplir vos commandements ;

paschalis ([4]) *observantiæ* **sufficientem** ([5]) *tribuant (sumpta mysteria) facultatem* (Gel. I, 28, 261), nous donne une grâce suffisante pour l'observance pascale (c.-à-d. du Carême).

La grâce continue a entretenir notre vie spirituelle : *vivificationis tuæ* **gratiam** *consequentes* (pc. d. 2 p. Pasch., Gel. I, 57), ayant obtenu la grâce qui nous donne la vie ; v, eucharistie (§ 258).

La grâce enfin nous justifie : *salvos nos fecit per lavacrum regenerationis* ... *ut,* **justificati gratia ipsius,** *heredes simus secundum spem vitæ æternæ* (Tit. 3, 6-7), il nous a sauvés par le bain de la régénération ... afin que, justifiés par sa grâce, nous soyons, en espérance, les héritiers de la vie éternelle ;

in laudem gloriæ **gratiæ** *suæ, in qua* **gratificavit** *nos in dilecto Filio suo* (Ephes. 1, 5-6), à la louange de la gloire de sa grâce, dont il nous a gratifiés dans son Fils bien-aimé ; v. *gratia adoptionis* (§ 233) ; justification (§ 276).

6. LA PRÉDESTINATION

§ **275** Dieu veut que tous les hommes soient sauvés : *qui omnes homines vult salvos fieri et ad agnitionem veritatis venire* (1 Tim. 2, 4), ... et parviennent à la connaissance de la vérité. Le Christ est venu pour sauver tous les hommes : *liberandis omnibus venit* (Leo-M. Serm. lect. 4 Nat. Dom.). Grâce à Lui, Dieu nous a « appelés » au salut ; il s'agit d'une élection et d'une vocation : *sicut* **elegit** *nos (Deus) in ipso (Christo) ante mundi constitutionem ... Qui* **prædestinavit** *nos in adoptionem filiorum per Jesum Christum in ipsum secundum propositum voluntatis suæ...* (Ephes. 1, 4-5), comme il nous a élus en lui dès avant la création du monde ... déterminant d'avance que nous serions pour lui des fils adoptifs par Jésus-Christ ; et cela, selon le bon plaisir de sa volonté... Cf. *quos ante mundi constitutionem* **præelectos** ... *signasti* (Miss. Goth. 29), ceux que, dès avant la création du monde, vous avez marqués et choisis d'avance.

D'autre part, Dieu sait à l'avance (v. prescience, § 128 et 233) ceux qui seront sauvés : *novit enim Dominus qui sunt ejus : novit qui permaneant ad coronam, qui permaneant ad*

---

4. Cf. *jejuniis paschalibus* (Leon. 984).
5. Cf. *sufficit tibi gratia mea* (2 Cor. 12, 9). *Potens est autem Deus omnem gratiam abundare facere in vobis, ut, in omnibus semper omnem sufficientiam habentes, abundetis in omne opus bonum* (2 Cor. 9, 8), Dieu a le pouvoir de vous combler de toute grâce, en sorte que, ayant toujours et en toute chose ce qu'il vous faut, il vous reste du superflu pour toute bonne œuvre.

flammam (¹). *Novit in area sua triticum, novit et paleam* (Aug. Tr. ev. Jo. 12, lect. 2 fer. 2 oct. Pent.), car le Seigneur connaît les siens : il sait ceux qui doivent demeurer jusqu'à la couronne et ceux qui doivent demeurer pour le feu. Dans son aire, il connaît le bon grain, comme il connaît aussi la paille.

Saint Paul affirme de plus une prédestination spéciale, par exemple pour le peuple de Dieu, et pour certaines personnes que sa grâce a bien voulu choisir : *cum enim nondum nati fuissent (Esau et Jacob), aut aliquid boni egissent aut mali, ut secundum* **electionem** *propositum Dei maneret non ex operibus, sed ex vocante, dictum est ei...* (Rom. 9, 11-12), comme ils n'étaient pas encore nés et n'avaient fait ni bien ni mal, pour bien montrer que le dessein de Dieu se réalisait par élection, non pas selon les œuvres, mais d'après celui qui appelle, il lui fut dit... ;

quos **præscivit** *et* **prædestinavit** *conformes fieri imagini Filii sui ... quos autem* **prædestinavit**, *hos et* **vocavit** ; *et quos vocavit, hos et* **justificavit** (Rom. 8, 29-30), ceux que d'avance il a discernés et prédestinés à reproduire l'image de son Fils... ceux qu'il a prédestinés, il les a aussi appelés ; ceux qu'il a appelés, il les a aussi justifiés.

Quelques oraisons font allusion à la prédestination au salut : ex. *ut gratia tua nobis infusa ... æternæ* **prædestinationis** *titulo, gaudeamus nostra nomina scripta esse in cælis* (pc. S. S. Nom. Jes.), afin que, comblés de votre grâce, nous ayons le bonheur de voir nos noms inscrits dans le ciel, au titre de la prédestination éternelle (pas d'ex. de *prædestinatio* dans les Sacramentaires) ;

Deus, cui soli cognitus est numerus electorum in superna felicitate locandus, tribue, quæsumus, ut ... omnium fidelium nomina beatæ **prædestinationis liber** (²) *adscripta retineat* (secr. p. vivis et def.), ô Dieu, qui seul connaissez le nombre des élus qui doivent être placés dans le bonheur éternel, faites, nous vous en prions, que les noms de tous les fidèles (objets de nos prières) soient retenus et inscrits au livre de la bienheureuse prédestination ;

nos ... in **æterna adnotatione** *adscribe* (Moz. L. sacr. 3), inscrivez-nous au registre éternel ;

nomina ... defunctorum ... **æterna** *sint in* **adnotatione** *affixa* (ibid. 221) ;

æternalibus *indita (pausantium nomina)* **paginis** (Miss. Goth. 294), consignés au livre de l'éternité ; **litteris** *conscribi*

---

1. Il sait ceux qui vont à leur perte, mais ne les prédestine pas à leur perte, ce qui contredirait le libre arbitre : *perituros præscivit, sed non ut perirent prædestinavit* (Conc. an. 853, Mansi 14, c. 920D).

2. Cf. *non delebo nomen ejus de libro vitæ* (Apoc. 3, 5), je n'effacerai pas son nom du livre de vie ; v. § 167.

cælestibus (ibid. 1) ; *in cælesti pagina conscribi* (ibid. 172) ;

*omnipotens sempiterne Deus, qui ... omnium misereris quos tuos fide et opere futuros esse **prænoscis*** (or. p. vivis et def.),.. qui avez pitié de tous ceux qui seront vôtres par leur foi et leurs œuvres et qui le savez à l'avance.

7. LA JUSTIFICATION, LE PARDON

§ **276** Voir Sanctification, dans la IIIe Partie.

A) *Justificare* signifie : déclarer juste, innocent, absoudre ; ainsi le publicain est pardonné : *descendit hic **justificatus** in domum suam* (Luc. 18, 14).

Mais le verbe se dit surtout de la grâce divine ou de la Rédemption qui sauve l'homme, le justifie, le rend saint (*justus*, δίκαιος), digne du bonheur céleste : ***justificati*** (δικαιωθέντες) *ergo ex fide pacem habeamus ad Deum per Dominum nostrum Jesum Christum* (Rom. 5, 1), ayant donc reçu notre justification de la foi, soyons en paix avec Dieu par Notre Seigneur Jésus-Christ. D'autre part, la foi seule ne suffit pas : *videtis quoniam ex operibus justificatur homo, et non ex fide tantum* (Jac. 2, 24), vous voyez que c'est par les œuvres que l'homme est justifié, et non par la foi seule ; V. les œuvres (IIIe Partie).

La justification apportée par le Christ s'oppose à la condamnation apportée par le seul Adam : *nam judicium quidem ex uno in condemnationem, gratia autem ex multis delictis in **justificationem**... Igitur sicut per unius delictum in omnes homines in condemnationem, sic et per unius justitiam* ([1]) *in omnes homines in **justificationem** vitæ* (Rom. 5, 16 et 18), car le jugement venant après un seul péché aboutit à une condamnation, l'œuvre de grâce à la suite d'un grand nombre de fautes aboutit à une justification... Donc, comme la faute d'un seul a entraîné sur tous les hommes une condamnation, de même l'action justificatrice d'un seul procure à tous une justification qui donne la vie.

Ex. dans les oraisons : *Deus, qui **justificas** impium* ([2]) *et non vis mortem peccatoris* (or. p. tentat. et tribulatis, Greg. suppl. Alc. 191), ô Dieu, qui justifiez l'impie (en opérant sa conversion), et ne voulez pas la mort du pécheur ;

*qui non solum peccata dimittis, sed ipsos etiam **justificas** peccatores* (Leon. 1327), qui non seulement remettez les péchés, mais justifiez les pécheurs eux-mêmes ; *mentes nostras **justificare*** (ibid. 471) ;

*quia nullus apud te **justificabitur** homo, nisi per te omnium*

---

1. Cf. *justitia Dei* (Rom. 1, 17), l'action salvifique de Dieu.
2. Cf. Prov. 17, 15.

peccatorum ei tribuatur remissio (abs. sup. tum., Greg. suppl.
Alc. 209), car personne devant vous ne sera trouvé juste, si
vous ne lui accordez vous-même le pardon de tous ses péchés.

§ **277** B) Noms et verbes désignant le pardon et la demande
de pardon.

Venia : ex. *concede, Domine, populo tuo **veniam** peccatorum*
(Leon. 57) ;

*præteritorum concedas **veniam** delictorum* (ibid. 446) ;

*Deus, **veniæ** largitor* (or. 2 nov. 3a m.) ;

***veniam** consequi, acquirere* (or. passim), obtenir le pardon ;
***veniam** tribuere, præbere* (or. passim), accorder le pardon ;

*causa ... promerendæ **veniæ*** (or. 2 ben. Cin.), pour obtenir
notre pardon ;

*obtentu **veniæ*** (or. 4 ibid.), en obtenant notre pardon.

Indulgentia : ex. *gratiæ* (³) *tuæ **indulgentiam** invenire* (or.
4 mai.), trouver auprès de vous la grâce de votre pardon ;

***indulgentiam** acquirere* (Leon. 796), obtenir le pardon ;
***indulgentiam** consequi, obtinere* (or. passim), même sens ;
***indulgentiam** conferre* (Leon. 1167), accorder le pardon ;
***indulgentiam** largiri, tribuere* (or. passim), même sens ;

*nobis **indulgentiam** suppliciter imploramus* (Leon. 825) ;
***indulgentiam** implorare* (or. passim) ;

*ut ... tam vivi quam defuncti **levamen** obtineant **indulgentiæ***
(Moz. L. sacr. 48), que les vivants comme les défunts obtien-
nent le soulagement de votre pardon ; cf. *levamen indulgentiæ*
(Prud. Peri. 5, 568).

Le mot s'emploie déterminé subjectivement : ex. *sanctorum
tuorum ... oratio ... **tuam** nobis **indulgentiam** obtineat* (secr.
28 dec., Greg. 12, 2), que l'intercession de vos saints nous
obtienne votre pardon ;

mais le plus souvent avec un génitif objectif : ex. ***indulgentiam** nobis, Domine, tribue **peccatorum*** (Leon. 1123) ;

*cunctarum nobis **indulgentiam** propitius largire **culparum***
(or. fer. 2 p. d. Pass., Gel. I, 18, 109), accordez-nous, dans votre
bonté, le pardon de toutes nos fautes ;

ou encore accompagné d'autres mots, tels que *absolutio,
remissio* :

ex. ***indulgentiam, absolutionem et remissionem** peccatorum nostrorum tribuat nobis omnipotens et misericors Deus* (or.
p. « *Confiteor* » ; *vestrorum, vobis*, dans les formules de bénédiction solennelle), que le Seigneur tout-puissant et miséricordieux nous accorde le pardon, l'absolution et la rémission de
nos péchés.

Expression figurée : *adaperiat (Dominus) ... **januam***

---

3. Ici *gratia* signifie le pardon, et *indulgentia*, la bonté de Dieu qui veut bien
l'accorder.

misericordiæ (or. 5 Parasc., Gel. I, 41, 408), qu'il ouvre la
porte de sa miséricorde (par la rémission des péchés des candidats au baptême) ; *aperi eis (electis), Domine,* **januam pietatis
tuæ** (Gel. I, 30).

Ignoscere, pardonner : ex. *famulorum tuorum, q. D., delictis*
ignosce (or. 15 aug. vet. ord., Greg. 149, 1), pardonnez les
péchés de vos serviteurs ;

Ignosce *tu criminibus* (hymn. mat. fer. 4 ; modif. *ignosce
culpis omnibus*) ;

Ignosce *quod deliquimus* (hymn. laud. plur. mart.) ;

ex. d'emploi absolu : *Deus, qui nos ...* **ignoscendo** *conservas*
(pc. ad repell. temp., Gel. III, 57), ô Dieu, qui, en nous pardonnant, nous conservez l'existence.

Parcere, épargner, s'abstenir de punir, pardonner :

ex. **parce** *pænitentibus* (or. 1 ben. Cin.), pardonnez à ceux
qui font pénitence ;

confitentium tibi **parce** *peccatis* (Greg. 201, 3), pardonnez
leurs péchés à ceux qui se reconnaissent coupables ; *parce
Domine* (v. § 64) ;

ex. d'emploi absolu : *Deus, qui omnipotentiam tuam*
parcendo *maxime et miserando manifestas* (or. d. 10 p. Pent.,
Gel. III, 6), ô Dieu, qui manifestez surtout votre toute-
puissance en accordant votre pardon et votre miséricorde.

Omittere, oublier, laisser, pardonner : **omissis** *criminibus
cunctis* (Moz. L. ord. 260) ; *peccata ... et delicta ejus cuncta*
omittat (ibid. 100).

Dissimulare, fermer les yeux sur : **dissimulas** *peccata hominum propter pænitentiam* (Sap. 11, 24), tu fermes les yeux sur
les péchés des hommes, pour qu'ils se repentent ;

qui, **dissimulatis** *peccatis humanæ fragilitatis, nobis indignis sacerdotalem confers dignitatem* (Greg. 199, 3), vous qui,
sans tenir compte des péchés de l'humaine fragilité, nous conférez, malgré notre indignité, l'honneur du sacerdoce ;

qui peccata hominum miseratus **dissimulas** (Moz. L. sacr.
266).

Donare : ex. **dones** *ei delicta atque peccata usque ad novissimum quadrantem* ([4]) (Gel. III, 91, 1617) ;

Condonare : ex. *dira peccata ... nos deprecantes tu jam*
condona (Moz. L. ord. 114), les terribles péchés (qu'il a commis), pardonnez-lui, maintenant que nous vous en supplions.
V. demande de libération (§ 73 et suiv.).

§ 278 C) Avec *propitiatio* et les mots de la même famille,
on demande à Dieu de nous être favorable (v. § 69, 247, 248) ;

---

4. Cf. *non exies inde, donec reddas novissimum quadrantem* (Mat. 5, 26), tu n'en sortiras
pas que tu n'aies payé le dernier sou (il s'agit de celui qui est traduit en justice ;
les théologiens y voient un symbole de la purification totale qui sera exigée de
nous).

mais il s'agit, dans certains cas, d'une demande de pardon ([5]) ;

ex. *ipse autem est misericors, et* **propitius** *fiet* **peccatis** *eorum* (Ps. 77, 38), il est plein de miséricorde et pardonnera leurs péchés ;

propitiaberis *peccato meo* (Ps. 24, 11) ; cf. 64, 4 ; 102, 3 ;

percutiebat pectus suum dicens : Deus, **propitius** *esto mihi peccatori* (Luc. 18, 14), il se frappait la poitrine en disant : « Mon Dieu, aie pitié du pécheur que je suis » ;

propitius *absolve* (Leon. 459 et passim) ; **propitiatus** *absolve* (Leon. 455 et passim) ;

concede ... ut hæc hostia salutaris et nostrorum fiat purgatio delictorum et tuæ **propitiatio** *potestatis* (secr. d. 14 p. Pent., Gel. III, 10), faites que cette offrande salutaire purifie nos péchés et apaise votre puissance.

Apaiser Dieu (*placare*), principalement par la pénitence (§ 59), par le saint sacrifice (§ 248), c'est aussi lui demander le pardon ; d'où l'adjectif

placabilis, de pardon, de paix : *præbeas nobis hunc annum habere placabilem* (Moz. L. sacr. 186), accordez-nous d'avoir cette année comme une année de pardon.

Ainsi que le pardon, on demande d'éviter la condamnation :

ne **vindictam** ([6]) *sumas de peccatis meis, neque reminiscaris delicta mea* (Tob. 3, 3), ne me punissez pas de mes péchés, ne vous souvenez plus de mes fautes ;

non intres in **judicium** (v. § 96).

On demande en particulier d'éviter la condamnation encourue par ceux qui abusent de la grâce eucharistique (v. *indigne*, § 262) :

perceptio corporis tui ... non mihi **proveniat in judicium et condemnationem** (or. ante comm.), que la réception de votre corps ne me fasse pas encourir le jugement et la condamnation ;

non ad **judicium provenire** *(cælestia dona) patiaris* (pc. fer. 5 p. d. 4 Quadr., Greg. 63, 3), ne permettez pas qu'ils tournent à notre condamnation.

§ 279 D) La rémission des péchés.

V. *solvere, relaxare* et expressions similaires (§ 228).

Le péché est considéré comme un lien, une entrave, une captivité, dont le pardon nous libère ; d'où *absolvere* ([7]), délier (des liens du péché), libérer (de la peine encourue) le complément d'objet de ce verbe est soit la personne, soit le péché, soit le lien du péché :

ex. *a* **vinculis** *peccatorum nostrorum* **absolvat** *nos omni-*

---

5. Cf. *propitiationem invenerunt (Ninivitæ)* (Aug. Serm. 351, 12).
6. Sur *vindicta*, v. note 8 du § 59, et le § 145.
7. Ex. du verbe simple *solvere*, § 228.

potens et misericors Dominus (or. passim) ; *nos* ... **absolvat**
(Greg. 96, 3) ;

   ab omnibus nos **absolve** *peccatis* (or. conf. pont., Gel. II, 3
et passim) ;

   a peccatorum vinculis (nos) **absolutos** (or. d. Quinquag.,
Greg. 34, 1) ;

   absolve, *q. D., animam famuli tui* (pc. p. def., Leon. 1148 et
passim) ;

   absolve, *q. D., tuorum delicta populorum, ut a peccatorum
nexibus ... tua benignitate liberemur* (or. d. 23 p. Pent., Greg.
163, 1), daignez absoudre les péchés de vos peuples, pour que
nous soyons libérés, grâce à votre bonté, des péchés qui nous
lient (v. plus loin, libération) ;

   on ne rencontre pas *absolvere peccata* dans le Missel actuel ;
mais dans le Léonien : *absolvere peccata* (1039) ; *absolvere
peccatores* (1087) ; dans le Grégorien : *peccata absolvere* (204,
31) ;

   absolve, *q. D., nostrorum vincula peccatorum* (sup. pop. fer. 2
p. d. 1 Quadr., Greg. 39, 4), dénouez les liens de nos péchés ;

   dirumpe, *Domine*, **vincula** *peccatorum nostrorum* (secr. ad
postul. cont., Gel. Cagin 2295), brisez, Seigneur, les chaînes
de nos péchés ;

   hæc munera, q. D., **vincula** *nostræ pravitatis* **absolvant** (secr.
d. Pass., Greg. 66, 2), que ces offrandes nous délivrent des
liens de nos vices ; cf. *hæc hostia ... vincula nostræ iniquitatis
absolvat* (Gel. II, 60, 1050).

   La justice exige que nous payions pour nos péchés ; ils
constituent une dette, dont le pardon est la remise, d'où les
mots *remissio, remittere, dimittere* :

   ex. *tribuens eis* **remissionem** *omnium peccatorum* (Leon. 203
et passim) ;

   ut ... perfectam consequi mereamur **remissionem** *peccatorum*
(secr. 16 aug.), pour que nous méritions d'obtenir le pardon
complet de nos péchés.

   Remissio omnium peccatorum se rencontre dans le Rituel de
la confirmation et du baptême, et surtout dans les oraisons
pour les défunts :

   ex. *animabus famulorum famularumque tuarum* **remissionem** *cunctorum tribue peccatorum* (secr. 2 nov. et passim).

   Ex. d'emploi absolu : **remissione** *percepta* (sup. pop. fer. 3
p. d. 2 Quadr., Greg. 47, 4), ayant reçu le pardon ;

   Ad te reversis exhibe **Remissionis** *gratiam* (hymn. « *Audi,
benigne*», *Quadr.*), à ceux qui sont revenus vers vous, accordez
la grâce du pardon.

   Remissio peut s'accompagner de synonymes :

   ex. *omnium ei delictorum suorum* **remissionem et veniam**
clementer indulge (Ben. apost. Rit. R. V, 6), accordez-lui dans
votre bonté la rémission et le pardon de tous ses péchés ; cf.

indulgentiam ([8]) *plenariam et* **remissionem** *omnium peccatorum* (ibid.).

Remittere peccata (v. plus loin) ne se trouve pas dans les oraisons du Missel ni dans les Sacramentaires.

Ex. de *dimittere* : *omnium eorum peccata* **dimitte** (or. p. pl. def., Greg. 201, 12 ; et postc. p. publice pæn.) ;

Dimitte *noxam servulis* (hymn. vesp. comm. un. mart.), pardonnez à vos humbles serviteurs.

Reparare, rétablir, renouveler (par les sacrements qui seront administrés dans cette église, en particulier la pénitence) : *hic peccatorum onera solvantur, fideles lapsi* **reparentur**, *omniumque vincula peccatorum absolvantur* (præf. consecr. eccl. Pont. R. II, p. 25), qu'ici le fardeau des pécheurs soit levé, que les fidèles tombés trouvent la réparation et l'absolution de tous les péchés qui les lient.

Voir plus loin, au chp. purification, les verbes *delere, diluere, expiare, liberare, expedire, purgare, mundare, emundare*, ainsi que les noms correspondants.

§ 280 E) Le pouvoir des clefs accordé

à saint Pierre : *quodcumque* **ligaveris** *super terram, erit* **ligatum** *in cælis ; et quodcumque* **solveris** *super terram, erit* **solutum** *et in cælis* (Mat. 16, 19), tout ce que tu auras lié sur la terre, sera tenu pour lié dans les cieux ; tout ce que tu auras délié sur la terre, le sera aussi dans les cieux ;

Deus, qui beato Petro apostolo tuo, collatis **clavibus** *regni cælestis,* **ligandi atque solvendi** *pontificium tradidisti* (or. 18 jan., Gel. II, 30), ô Dieu, qui avez remis au bienheureux Pierre, votre apôtre, les clefs du royaume des cieux, en lui transmettant le pouvoir suprême de lier et de délier (*ligare = interdicere, vetare, non remittere ; solvere = permittere, remittere*) ;

aux apôtres : *quorum* **remiseritis** *peccata,* **remittuntur** *eis ; et quorum* **retinueritis**, *retenta sunt* (Jo. 20, 23), ceux à qui vous remettrez les péchés, ils leur seront remis ; ceux à qui vous les retiendrez, ils leur seront retenus.

Ex. de paraphrase littéraire : *Quodcumque vinclis super terram strinxeris, Erit in astris religatum fortiter ; Et quod resolvis in terris arbitrio, Erit solutum super cæli radium* (hymn. mat. 1 aug.), tout ce que tu auras lié sur la terre, le sera fermement dans les cieux ; ce que ton jugement aura délié sur la terre, sera délié dans la lumière du ciel (modif. :

---

8. *Indulgentia*, au sens d'indulgence, indulgence plénière, est du latin plus moderne ; mais, dès l'époque patristique, *indulgentia* peut signifier « remise, pardon » (Aug. ; Ambr.) ; de même dans les Sacramentaires : ex. *quibus merita debetur pœna perversis, indulgentia tribuatur ab iniquitate cessantibus* (Leon. 1054), à ceux qui ont mérité le châtiment pour leurs péchés, que le pardon soit accordé, s'ils se convertissent ; et dans le Missel : *indulgentiam percipere delictorum* (or. 1 fer. 4 p. d. 4 Quadr., Gel. I, 27, 239) ; *peccatorum nostrorum indulgentiam percipere* (postc. ad postul. grat.).

*Quodcumque in orbe nexibus revinxeris, Erit revinctum, Petre,
in arce siderum ; et quod resolvit hic potestas tradita, Erit solutum cæli in alto vertice).*

F) Le sacrement du repentir et du pardon :

beatum Raymundum, **pænitentiæ** (⁹) **sacramenti** *insignem
ministrum* (or. 23 jan.), saint Raymond, ministre éminent du
sacrement de pénitence ;

silentium **sacramentale** (or. 16 mai, p. al. loc.), le secret
sacramentel.

Pour le sens de *pænitentia,* v., outre la note 9, les § § 91 et
460.

Satisfactio, au sens de « pénitence imposée », n'entre pas
dans le cadre de ce travail ; par contre, il peut avoir le sens
de « réparation spirituelle » :

ex. *dignæ ...* **satisfactionis** *exhibeamus officium* (or. fer. 6
S. S. Cord. Jes.), de lui témoigner nos devoirs de juste expiation.

Dans le Sacram. Léonien, le mot s'emploie à plusieurs
reprises pour désigner la satisfaction que nous valent l'intercession et les mérites des saints :

ex. *qui merito nostræ iniquitatis adfligimur, apostolicis*
satisfactionibus *protegamur* (362), (accordez-nous) d'être
protégés par les mérites satisfactoires des apôtres, nous qui
sommes justement affligés à cause de nos péchés ; v. § 462 fin.

8. LA PURIFICATION, LA LIBÉRATION

§ 281 De nombreux verbes, ainsi que des expressions figurées, expriment le désir de la pureté, la prière pour être délivré
du mal. Nous en avons déjà rencontré beaucoup dans les
secrètes et les postcommunions (v. aussi § 73-74).

A) Purification.

Lavare, laver :

ex. *amplius* **lava** *me ab iniquitate mea* (Ps. 50, 4), purifie-moi

---

9. Il s'agit ici de latin non patristique : ex. *sacramentum pænitentiæ* (Thom.-Aq.
Summ. I, 11, 102, 5 ad 3). Mais déjà au 5e s., *pænitentia* avait le sens de «remise
des péchés, réconciliation » : ex. *pænitentiæ munus conferre* (Vict.-Vit. 2, 34), accorder
la grâce de la pénitence, ou du moins, la grâce d'être admis à la pénitence. Dès
l'époque de Tertullien et jusque dans le Haut Moyen-Age, le mot désigne les
démarches auxquelles sont astreints les pénitents publics ou privés, pour obtenir
la réconciliation.

Reconciliatio, en latin patristique, désigne la réconciliation avec Dieu (Tert.),
la réconciliation avec l'Église, le pardon (Aug. ; Innoc. I) ; cf. *reconciliatio pænitentis*
(Sacram. Gel. I, 38).

Mais dans le Missel, il s'agit soit de la Rédemption (ex. § 230), soit de la réconciliation entre les hommes : on peut comprendre les deux sens dans la secrète de
la fête du Christ-Roi, puisqu'elle se termine par *cunctis gentibus unitatis et pacis dona
concedat.*

Cf. *pro fidelibus ... Deo reconciliandis* (Conc. Trid. sess. XIV, can. 1, Denz. 913),
en parlant du sacrement de pénitence.

toujours plus de mon iniquité ; *lavabis me et super nivem deal-babor* (50, 9), tu me purifieras et je serai plus blanc que la neige ;

*ut, sicut hic nobis et a nobis exteriora **abluuntur** inquina-menta, sic a te omnium nostrum interiora **laventur** peccata* (or. ad mandatum, Cen. Dom.), de même que nous lavons maintenant nos souillures extérieures, que nos péchés intéri-eurement soient, chez nous tous, purifiés par vous ;

*Ut nos **lavaret** sordibus* (hymn. vesp. S. S. Cord. Jes.), pour nous laver de nos souillures ;

*maculas nostrorum **diluere** peccatorum* (postc. p. petit. lacr.), laver les taches de nos péchés ;

(hoc sacramentum) sit ablutio scelerum ... (postc. p. vivis et def. ; *abolitio* (¹) *peccatorum*, Leon. 876), soit une purification de nos fautes ;

*Nos a peccatis **abluant*** (hymn. laud. 1 nov.), que (l'interces-sion des saints) nous lave de nos péchés ;

diluere peccata (Moz. L. sacr. 627) ;

*ut ... **eluamur** a crimine* (ibid. 776) ;

*nos ... ut ... a cunctis peccatis **elueres*** (Moz. L. ord. 207).

Abolere peccata (Aug. ; Arn. ; Leo-M.), effacer les péchés (cf. supra, *abolitio*) ;

*postulamus ut nostras jubeas **abolere** peccata* (Moz. L. sacr. 562) ;

abolita peccamina (ibid. 901).

Emaculare, ôter les taches de, purifier :

ex. *emaculare a delicto* (Gel. Cagin 1119) ;

emaculare a delictis (Moz. L. ord. 190).

*peccatorum meorum maculas **emaculare*** (secr. p. seipso sa-cerd.) ;

Abstergere (²), essuyer, effacer :

ex. *cordis nostri maculas clementer **absterge*** (or. 16 nov.), que votre bonté efface les souillures de notre cœur ;

*delicta nostra ... **absterge*** (Greg. 204, 19) ;

Absterge sordes mentium (hymn. vesp. fer. 4).

Mundare, purifier :

ex. *asperges me hyssopo et **mundabor*** (Ps. 50, 9), tu répan-dras sur moi l'hysope et je serai pur ;

*cælestibus nos **munda** mysteriis* (secr. Septuag., Greg. 14, 2 et passim), purifiez-nous par ces mystères célestes ; v. d'autres ex., § 73 et 250.

Purificare : ex. ***purifica** per infusionem Sancti Spiritus cogitationes cordis nostri* (or. ad postul. grat.), purifiez les pensées de notre cœur par l'infusion du Saint Esprit ; v. autres ex., § 250.

Purgare : ex. *hæc nos communio, Domine,* **purget** *a crimine* (postc. fer. 2 p. d. 2 Quadr., Greg. 43, 6), que cette communion, Seigneur, nous purifie du péché ;

per hujus, Domine, operationem mysterii ... vitia nostra **purgentur** (postc. oct. Nat. Dom., Gel. Cagin 95), que ce mystère, Seigneur, opère en nous la purification de nos vices ;

(hæc mysteria) vitia nostri cordis **expurgent** (secr. d. 20 p. Pent., Gel. III, 16) ;

quæ (virtus Spiritus S.) et corda nostra clementer **expurget** (or. fer. 3 oct. Pent., Leon. 225) ;

purgatio *delictorum* (secr. d. 14 p. Pent. et passim, Gel. III, 41).

Expiare, expiatio, purifier, purification, v. ex. § 250.

§ 282 La purification de l'âme est parfois comparée à un jeûne :

ex. *ut familia tua ... a culpa* **jejunet** (or. fer. 2 p. d. 2 Quadr., Greg. 46, 1), que vos serviteurs observent l'abstinence du péché ;

a vitiis (³) **jejunemus** (Gel. II, 60) ;

ou à une guérison : ex. *animarum nostrarum* **medere** *languoribus* (sup. pop. fer. 3 p. d. 2 Quadr., Greg. 47, 4), guérissez les maladies de nos âmes ;

præsta.,. ut... vitia nostra **curentur** (postc. sabb. Quat. T. Quadr., Greg. 44, 10) accordez-nous la guérison de nos défauts.

Autres expressions figurées :

Delere, effacer : ex. **dele** *iniquitatem meam* (Ps. 50, 3) ;

si quæ ei maculæ... adhæserunt... **deleantur** (postc. 3⁰ die depos.), si quelques souillures lui restent attachées, qu'elles soient effacées ;

hic omnium peccatorum maculæ **deleantur** (Greg. 85, 10), que soient effacées ici (dans l'eau baptismale) les souillures de tous ses péchés.

Amputare (⁴), retrancher :

ex. **amputa** *opprobrium meum* (Ps. 118, 79), écarte de moi la honte ;

Precamur iidem supplices, Noxas ut omnes **amputes** (hymn. mat. fer. 2), nous vous prions en suppliant de retrancher de nous tout mal.

Figure analogue avec *circumcidere* : *cordis nostri præputia ...* **circumcidat** (Miss. Goth. 51), qu'il opère la circoncision de

---

3. Cf. *a vitiis jejunare* (Cassian. Inst. 6, 2).
4. Figure assez fréquente chez les Pères (Tert. ; Ambr. ; Ben.).
De même avec *circumcidere* : *circumcisus a vitiis* (Hilar.-P. Trin. 1, 13) ; *se circumcidere a peccatis* (Ambr. Abrah. 2, 11, 79) ; cf. *c. cordis* (Rom. 2, 29).

nos cœurs ; (en Col. 2, 11, il s'agit de la circoncision spirituelle
que constitue le baptême).

Auferre, emporter :

ex. *ut Deus omnipotens **auferat** iniquitatem a cordibus eorum*
(or. 9 Parasc., Gel. I, 41, 416), afin que le Dieu tout-puissant
enlève de leurs cœurs toute injustice ; cf. ***aufer** a nobis
iniquitates nostras* (Leon. 985) ; pour cette expression et d'autres analogues, v. aussi § 73 et 74.

Expellere, chasser :

ex. *peccata, quibus impugnatur (populus tuus), **expelle***
(sup. pop. fer. 5 p. d. 4 Quadr., Gel. I, 27, 238), repoussez les
péchés dont ils sont assiégés.

Evacuatio, suppression, s'applique parfois au péché [5] :
ex. *hæc sancta communio … sit vitiorum meorum **evacuatio*** (or.
S. Thom.-Aq.).

Exstinguere, éteindre (non seulement le feu de l'enfer, mais
aussi le feu des passions) : ex. *ut … debitas reatibus flammas …
exstinguamus* (postc. 26 febr. p. al. loc.), pour que nous puissions éteindre le feu mérité par nos fautes ;

*vitiorum nostrorum flammas **exstinguere*** (or. 10 aug., Greg.
143, 1).

§ 283 B) Libération (v. aussi, § 73 et 74).

De nombreuses expressions assimilent la purification à une
délivrance des liens du péché ou des passions dont nous sommes esclaves.

Liberare, délivrer :

ex. *ut a peccatorum nostrorum nexibus* [6] *… tua benignitate
liberemur* (or. d. 23 p. Pent., Greg. 163, 1), que votre bienveillance nous délivre des liens de nos péchés ;

*a culpis omnibus **liberemur*** (secr. 8 dec.) ;

*absoluta **libertate** et pura mente* (secr. ad postul. cont., Gel.
Cagin 2295), avec une liberté entière et une âme pure.

Exuere, dépouiller, débarrasser de :

ex. *a præteritis nos delictis **exuant** et futuris* (secr. d. 17 p.
Pent., Gel. III, 13), nous délivrent de nos fautes passées,
comme de nos fautes à venir ;

*terrenis **exutæ** (animæ) contagiis* (postc. p. pl. def., Leon.
1147 au sing.), délivrées des souillures terrestres ;

*ut eas (animas) … a peccatis omnibus **exuas*** (postc. 2 nov.,
Gel. III, 101).

Abstrahere, arracher à, détacher de, délivrer :

ex. *ut famulos tuos … a peccatis **abstrahas*** (postc. p. navig.,
suppl. Alc. 197).

Expedire, dégager, délivrer de :

ex. *tua nos, Domine, medicinalis operatio … a nostris per-*

---

5. Cf. *evacuatio peccati* (Cassian. 23, 20 tit.).
6. Cf. *Nos solvant nexu criminis* (hymn. laud. 1 nov.).

versitatibus clementer **expediat** (postc. d. 7 p. Pent., Gel. III, 16, 1270), Seigneur, que votre action bienfaisante nous guéris-se et nous délivre de nos tendances mauvaises ;

ut hæc salutaris oblatio ... a propriis nos reatibus indesinenter **expediat** (secr. d. 22 p. Pent., Greg. 63, 4), que cette offrande salutaire ne cesse de nous délivrer de nos fautes personnelles (opp. aux cas indépendants de notre volonté ; cf. *propria actio* (§ 401) ; v. *alienus*, Index.

munera tua nos, Deus, a delectationibus terrenis **expediant** (postc. d. 4 p. Epiph. ; *mensa tua* ..., Gel. III, 16, 1267), que vos dons, ô Dieu, nous détachent des plaisirs terrestres ;

par ces expressions, on demande d'être dégagés, complète-ment libres pour servir Dieu : *ut mente et corpore pariter* **expediti**, *quæ tua sunt*, **liberis** *mentibus exsequamur* (or. d. 19 p. Pent., Gel. III, 15), pour que, dégagés moralement et physiquement, nous puissions vous servir avec un cœur libre ; *libera mente* (secr. 12 febr. et passim, Leon. 66 etc.).

Le feu de la charité lui-même contribuera à cette purifica-tion :

ure *igne Sancti Spiritus renes nostros et cor nostrum, Domine, ut tibi* **casto** *corpore serviamus et* **mundo** *corde placeamus* (or. praep. ad missam, Gel. Cagin 2294), brûlez, Seigneur, par le feu du Saint-Esprit, nos reins et nos cœurs, afin que nous puissions vous servir avec un corps chaste et vous plaire dans la pureté de notre cœur.

9. LE SALUT

§ 284 Le Psalmiste demande à Dieu d'être sauvé, en ce monde, de ses ennemis, des violents, des impies ; c'est de Dieu seul qu'il attend ce salut ; de nombreuses expressions for-mulent cette demande : *Dominus ...* **protector salvationum** *christi sui* (Ps. 27, 8), le Seigneur protège et sauve son christ (le prince ou le peuple de Dieu) ; *ipse est Deus et* **salvator** *meus* (61, 7) ; *libera me ... et* **salva** *me* (70, 2) ; *Domini est* **salus** (3, 9), du Seigneur vient le salut ; **salutare** *tuum* (20, 2 et passim), ton assistance salutaire ; *Deus,* **salutaris** *noster* (84, 5 ; cf. Luc. I, 47) ; les substantifs masculin *salutaris* et neutre *salutare* seront repris dans les Sacramentaires, comme on le verra plus loin ; *salvum facere* (passim), sauver.

Pour les chrétiens, il s'agit surtout du salut de l'âme, opéré par la grâce, par le Christ et la Rédemption, du salut éternel ; v. Rédemption, § 226-230.

Salus, le salut : ex. *ut et ipsi* **salutem** *consequantur* (2 Tim. 2, 10), pour qu'eux aussi obtiennent le salut ;

salus *æterna* (Cypr. Ad Demetr. 23 et or. passim) ; v. la vie, le salut éternel, § 311 ;

quibus (hostiis) ... voluisti ... nobis **salutem** *potenti pietate* *restitui* (secr. d. 21 p. Pent., Gel. Cagin 1460), grâce auxquelles vous avez voulu, dans votre amour tout-puissant, nous rendre le salut ;

salutem *conferre, dare* (or. passim), procurer le salut ;

ad **salutem** ou **saluti** *proficere, ad* **salutem** *provenire* (or. passim), servir à notre salut.

Dans les expressions *salvationis augmentum* (postc. 14 apr., Greg. 98, 3), *redemptionis æternæ augmentum* (postc. d. 13 p. Pent., Gel. III, 9), il s'agit d'un accroissement spirituel et d'un degré plus grand de gloire au ciel obtenu par la grâce eucharistique ; cf. § 259.

Mais le terme de *salus* peut avoir un sens plus général et classique :

ex. *ad obtinendam animæ corporisque* **salutem** (secr. p. rege, Greg. 118, 2), pour obtenir la santé de l'âme et du corps ;

salutem *mentis et corporis* (sup. pop. fer. 6 p. d. 2 Quadr. et passim) ; cf. **salvationem** *mentis et corporis* (Leon. 1305) ;

pro spe **salutis** *et incolumitatis* ([1]) *suæ* (Canon, Gel. III, 17, 1245), pour le salut et la sécurité qu'ils espèrent ;

viam famuli tui N. in **salutis** *tuæ prosperitate dispone* (Gel. III, 24), par votre protection assurez le succès du voyage de votre serviteur.

Salvatio est plus rare dans le Missel :

ex. *(eam animam) in æternæ* **salvationis** *partem restitue* (or. p. una def. ; *restituas,* Gel. III, 106, 1700), donnez-lui part au salut éternel ;

salvatio *æterna* (Moz. L. ord. 403) ;

salvatio *sempiterna* (Leon. 625) ;

salvatio *perpetua* (secr. 14 oct., Gel. III, 19 ; Leon. 1277).

§ 285 *Salutaris,* salutaire, est très fréquent dans les oraisons, avec des noms comme *auxilium, dona, effectus, gratia, hostia, munera, mysterium* ou *mysteria, remedium, sacramentum,* etc. ; et dans les préfaces : *vere dignum et justum est, æquum et* **salutare**.

Ainsi que dans les Psaumes, il s'emploie comme substantif masculin et comme substantif neutre, surtout dans l'expression *Deus, salutaris noster* (or. passim, Leon. 174 etc.), ô Dieu, notre Sauveur ;

autres ex. **salutare** *tuum in nobis mirabiliter operetur* (secr. d. 3 Adv. ; *potenter operetur,* Leon. 884), que se réalise merveilleusement en nous le salut qui vient de vous ;

salutaris *tui ... munere satiati* (postc. fer. 4 Quat. T. Adv., Greg. 189, 4), rassasiés par votre don salutaire.

---

1. *Incolumitas* se dit aussi du salut matériel en ce monde : *ut de actu et incolumitate eorum ... gaudeamus* (secr. p. peregr., Gel. III, 24, 1316), pour que nous puissions voir avec joie leurs démarches se poursuivre sans dommages.

Équivalent de *salutaris, salutifer* (Lact.; Aug.; Leo-M.; etc.):

ex. *in præclara* **salutiferæ** *Crucis Inventione* (or. 3 mai., Gel. II, 18), lors de la glorieuse découverte de la croix qui nous apporta le salut ;

per ejus **salutiferæ** *resurrectionis potentiam* (secr. 25 mart., Greg. 31, 3), par la puissance de sa résurrection salutaire ;

per **salutiferam** *... Filii tui Genitricis intercessionem* (secr. B. M. V. Salus infirm., p. al. loc.), par l'intercession salutaire de la Mère de votre Fils.

Salvator, le Sauveur, v. Rédemption, § 229 ; Appellations du Christ, § 205.

Salvus, sauvé : *qui autem perseveraverit usque in finem, hic* **salvus** *erit* (Mat. 10, 22), mais celui qui persévérera jusqu'à la fin, celui-là sera sauvé ;

salvum facere, salvare, v. § 229 ;

ex., en dehors de la Rédemption : *(benedictio) qua corpore (populus fidelis)* **salvetur** *et mente* (postc. p. pest. animal., Gel. III, 42), qui donne la santé du corps et de l'âme ;

in utroque (mente et corpore) **salvati** (postc. d. 11 p. Pent., Gel. III, 7) ;

quia sine te (ecclesia tua) non potest salva consistere (or. d. 15 p. Pent., Gel. III, 11), car, sans vous, elle ne peut maintenir son intégrité.

Demander le salut, c'est demander la libération de la mort éternelle :

libera *me, Domine, de morte æterna* (cit. § 96) ;

a porta inferi **erue**, *Domine, animam ejus* (abs. sup. tum.), de la porte de l'enfer, Seigneur, délivrez son âme ;

in die judicii, **libera** *me, Domine* (litan.), au jour du jugement, délivrez-moi, Seigneur ; v. autres ex. § 73.

10. MÉRITE ET DÉMÉRITE

§ 286 La punition méritée :

Judas reatus sui **pœnam** *...* **sumpsit** (or. fer. 5 Maj. Hebd., Gel. I, 41, 396), Judas a reçu la punition de son crime ; v. le Péché, § 423 :

Jesus Christus Dominus noster diversa utrisque **intulit** **stipendia meritorum** (ibid.), Notre Seigneur Jésus-Christ a donné à tous deux (le bon et le mauvais larron), ce qu'ils méritaient ;

Domine, non secundum peccata nostra facias nobis, neque secundum iniquitates nostras **retribuas** *nobis* (vers. resp. Rogat.), Seigneur, ne nous traitez pas selon nos péchés, ne nous punissez pas comme le méritent nos iniquités ; cf. Ps. 102, 10 ; on constatera que *retribuere, retributio, merere, mereri, meritum* s'emploient en bonne et en mauvaise part (ex. de *retribuere* en bonne part, § 67, 299, 303) ;

non tantum pro peccatis nostris non **retribuis** *quæ* **meremur**
(Leon. 1099), non seulement vous ne punissez pas selon ce
qu'auraient mérité nos péchés ;

quidquid eorum (peccatorum) **retributione meremur** (Greg.
204, 31), tout ce que nous méritons pour leur châtiment ;

qui ex **merito** *nostræ actionis affligimur* (or. d. 4 Quadr.,
Greg. 59, 1), qui sommes punis comme nos actes le méritent ;

flagella ... quæ pro peccatis nostris **meremur** (or. fer. 5 p.
Cin., Greg. 36, 1), les fléaux que méritent nos péchés ;

si qui peccatorum **meritis** *inferni tenebris ... detinentur* (Miss.
Goth. 479), si certains sont encore retenus, à cause de leurs
péchés, dans les ténèbres inférieures (du purgatoire) ;

ob pravitatis nostræ **demeritum** (or. 2 ben. Cin.), comme
notre méchanceté le mérite ;

§ 287 Nos mérites ne viennent pas de nous-mêmes, mais
de la grâce ou de la miséricorde divine :

ut sublimitas sit virtutis Dei et **non ex nobis** (2 Cor. 4, 7),
pour qu'on voie bien que cette extraordinaire puissance vient
de Dieu et non pas de nous ;

non ex operibus justitiæ **quæ fecimus nos**, *sed secundum
suam misericordiam salvos nos fecit* (Tit. 3, 4-5), non d'après
les œuvres de justice que nous avons accomplies, nous, mais
selon sa propre miséricorde il nous a sauvés ;

quia **sine me nihil** *potestis facere* (Jo. 15, 5) ;

ut, quod **nostris meritis non valemus**, *ejus patrocinio assequamur* (comm., sanct. et passim), que son patronage nous
fasse obtenir ce que nos mérites sont impuissants à atteindre ;

quod **merita** *nostra non supplent* (Leon. 1194) ;

quod **merita** *nostra non valent* (Gel. Cagin 1333) ;

ubi nulla suppetunt suffragia **meritorum** (secr. d. 2 Adv.,
Gel. II, 80), puisqu'aucun de nos mérites n'est suffisant pour
nous recommander ;

quia tibi **sine te** *placere nos possumus* (or. d. 18 p. Pent.,
Gel. III, 14), car sans vous nous ne pouvons vous plaire ;

qui tibi placere de actibus nostris **non valemus** (or. 15 aug.
vet. ord., Greg. 149, 1), qui ne pouvons vous plaire par notre
propre conduite ;

quod **immeritis** *contulisti* (secr. d. 23 p. Pent., Greg. 163,2),
ce que vous nous avez accordé sans mérite de notre part ;

quod **possibilitas** *nostra non obtinet* (or. 21 sept., Gel. Cagin
1349), ce que nous ne pouvons obtenir par nous-mêmes ;

Deus, qui conspicis quia **ex nulla nostra virtute** *subsistimus*
(or. 11 nov., Greg. 138, 1) ; **ex nulla nostra actione** *confidimus*,
177, 1), ô Dieu, qui voyez que nous ne pouvons tenir par nos
propres forces ; v. autres ex., § 496.

§ 288 Ex. de *meritum, merere* (et plus souvent *mereri*) en
bonne part :

eorum coronando **merita** *coronas dona tua* (¹) (præf. Sanct. p. Gall.), en couronnant leurs mérites, vous couronnez vos propres dons ; *meritum, merita sancti, sanctorum* (or. et Sacram. passim, v. § 97).

credulitatis suæ **meritis** (or. 2 Parasc., Gel. I, 41, 403), grâce aux mérites de sa foi ; en ce sens, *meritum* est plus rare au sing. : ex. *merito castitatis* (or. 6 febr. etc., Greg. 28, 4), par le mérite de sa chasteté.

Merere et *mereri* sont complétés soit par un infinitif :

ex. *qui tibi digne* **meruit famulari** (or. 2 mai., Gel. II, 3), qui obtint de vous servir dignement ;

ut ... coronam justitiæ a te **accipere mereamur** (or. 28 mart.), que nous méritions de recevoir de vous la couronne des justes ;

soit par un substantif : ex. *ut ...* **vitam mereantur** *æternam* (secr. p. quiesc. in cœm., Gel. III, 103), pour qu'ils obtiennent la vie éternelle ;

ut ... ejus redemptionis **præmia** *in cælo* **mereamur** (or. 14 sept., Gel. II, 56), pour nous obtenir au ciel les fruits de sa rédemption.

On a vu par certains de ces exemples que *merere* et *mereri* ont assez souvent un sens affaibli : « obtenir », plutôt que « mériter » : cf. *per quam meruimus ...* (cit § 210) ; *sicut illud (vexillum)* **adorare meruimus** (secr. 14 sept.), après avoir reçu la faveur d'adorer cette croix ; *sicut adorare meruimus* (sc. *Christum*) (Greg. 159, 2).

---

1. Cf. *Coronat autem in nobis Deus dona misericordiæ suæ* (Aug. Tr. ev. Jo. 3, 10).

X

LA VIE FUTURE, LES FINS DERNIÈRES

Le jugement dernier, v. § 202-203.

Le purgatoire, v. Prières pour les morts, § 93 ; et certaines expressions des § 315 et 316.

1. LE CIEL

§ 289 A) Le ciel matériel (¹).

Les anciens se figuraient le ciel comme une voûte solide où sont fixées les étoiles. *Firmamentum*, c'est la forteresse rigide du ciel :

ex. *vocavit ... Deus **firmamentum** cælum* (Gen. 1, 8), Dieu appela le firmament « ciel » ; ***firmamentum** cæli* (Gen. 1, 14) ;

*cæli enarrant gloriam Dei, et opera manuum ejus annuntiat **firmamentum*** (Ps. 18, 2), les cieux célèbrent la gloire de Dieu, et l'œuvre de ses mains, le firmament l'annonce.

Cette voûte est imaginée comme entourée d'un océan dont les « cataractes », les écluses, s'ouvrent pour la pluie : *clusum est cælum tribus annis* (Luc. 4, 25), le ciel demeura fermé pendant trois ans. Au déluge, *fontes abyssi ... et **cataractæ** cæli apertæ sunt* (Gen. 7, 11), les sources de l'abîme et les écluses du ciel s'ouvrirent ; cf. Ps. 41, 8.

Les « armées du ciel », *exercitus, militia* (v. le Dict.), ne désignent pas seulement les puissances célestes (²), mais aussi la multitude des étoiles, (v. § 114 et 156) ; et parfois aussi les astres adorés par les païens : *qui adolebant incensum Baal et Soli et Lunæ et duodecim signis et omni **militiæ** cæli* (4 Reg. 23, 5), qui brûlaient de l'encens à Baal, au Soleil, à la Lune, aux douze signes du zodiaque et à toute l'armée du ciel.

On distinguait différents cieux plus ou moins éloignés de la terre : ***cæli** cælorum te capere non possunt* (3 Reg. 8, 27), « les cieux des cieux (le plus haut des cieux) ne peuvent te contenir ». Pour saint Grégoire le Grand, le ciel aérien est celui où volent les oiseaux, où fut élevé Élie pour être transporté ailleurs, tandis que le ciel éthéré est celui où est monté Notre Seigneur : *sed aliud est **cælum aereum**, aliud **æthereum*** (³)

---

1. Pour saint Augustin, le ciel du premier verset de la Genèse est le ciel spirituel : « *In principio fecit cælum et terram* », *non corporeum cælum sed cælum incorporeum* (Gen. litt. 1, 17, 32).

2. Ainsi *multitudo militiæ cælestis* (Luc. 2, 13) désigne les anges. *Agmen* désigne, au sens propre, un troupe en marche : *agmina cælitum* (« *Te Joseph* »), les foules (plutôt que les bataillons) du ciel ; cf. (*Petrus*) *supra cælorum agmina sedens* (Miss. Goth. 157).

3. Saint Augustin oppose *æthereum cælum* au ciel spirituel (Gen. litt. imp. 3 et 8).

(Hom. ev. 29, lect. 7, fer. 2 p. d. oct. Ascenc.). Saint Paul est ravi jusqu'au troisième ciel : *raptus ... usque ad* **tertium cælum** (2 Cor. 12, 2).

§ 290 Dans les hymnes, le ciel spirituel est parfois désigné par des expressions figurées empruntées à la mythologie, suivant les formules de la poésie classique :

ex. l'hymne modifiée de l'Ascension : *Tu dux ad* **astra**, vous qui montrez la route vers le ciel

et celle du 18 janvier : *in arce siderum*, dans la hauteur du ciel (l'hymne primitive portant *super cæli radium*) ; cf. *ætherea* **arx** (Moz. L. sacr. 242 et 315) ; *ex summa cæli* **archæ** (= **arce)** *descendens* (Gel. I, 33, 294) ;

sidera *scandere* (« *Te Joseph* »), escalader les cieux ; *Tu esto nostrum gaudium, Manens* **Olympo** *præditum* (modif. *præmium)* (Hymn. mat. Ascens.), soyez notre joie, vous qui possédez éternellement le ciel ;

En fulgidis recepta cæli sedibus, **Sidereæque domus** *Ditata sanctis gaudiis* (hymn. vesp. 8 jul.), voici que, reçue dans les demeures resplendissantes du ciel et riche des saintes joies de la demeure étoilée ; cf. *siderea benedictione* (or. ben. reg. Pont. Rom.-Germ. 72, 12), au lieu de *cælestis* ;

Reddat **polorum** ([4]) *sedibus* (hymn. mat. dom.), qu'il nous rende aux demeures célestes.

§ 291 B) Le ciel, séjour de Dieu.

Ex. *Pater noster, qui es* **in cælis** (Mat. 6, 9) ; (sing. et plur., or. passim) ;

respice a summitate **cælorum** (Moz. L. ord. 156), regardez-nous du haut du ciel ;

et qui jurat in **cælo**, *jurat in throno Dei et in eo qui sedet super eum* (Mat. 23, 22), celui qui jure par le ciel, jure par le trône de Dieu et par celui qui y siège.

Dérivés.

Cælestis, céleste, qui vient du ciel, divin : ex. *gustaverunt etiam donum* **cæleste** *et participes facti sunt Spiritus Sancti* (Hebr. 6, 4), (ceux qui ont été baptisés) « ont goûté au don céleste et sont devenus participants de l'Esprit Saint » ; dans les prières de la liturgie, le don céleste (ex. § 239), c'est l'eucharistie ; v. plus loin *cælestis*, en parlant du séjour des élus.

Substantif masculin : *Cælestis*, le Dieu du ciel (Ps. 67, 15 et quelquefois dans la poésie chrétienne).

Le substantif pluriel neutre *cælestia* ([5]), comme on le verra plus loin, désigne aussi bien la demeure de Dieu que celle des élus.

---

4. Cf. *Quo me locarit axe communis Pater* (P.-Nol. Carm. 11, 59), en quelque endroit du ciel que me place notre Père commun.

5. *Cælestia* désigne aussi soit le ciel matériel, les airs où sont répandus les mauvais esprits (Ephes. 6, 12), soit les choses célestes, opposées à celles de la terre (Jo. 3, 12 ; or. passim ; v. le chp. le monde, la terre).

A noter aussi l'adverbe *cælitus*, venant du ciel, du haut du ciel (Cypr. ; Lact. ; Hier. ; etc.) : ex. **cælitus** *vocare* (or. 20 nov.), appeler par une inspiration céleste ; **cælitus** *instituere* (or. 8 febr.), « instituer (un ordre religieux) par inspiration divine » ; le mot ne se trouve pas dans les anciens Sacramentaires.

Veni, Sancte Spiritus, Et emitte **cælitus** *Lucis tuæ radium* (pros. Pent.), venez, Esprit Saint, envoyez-nous du haut du ciel le rayon de votre lumière.

§ 292 Comme le ciel matériel est au-dessus de nos têtes et nous domine, il est naturel que les expressions qui désignent le séjour de Dieu, c'est-à-dire le domaine mystérieux de la transcendance divine, évoquent l'idée de hauteur et de sublimité : v. *Altissimus, Excelsus* (§ 125) ; *sedere in excelsis* (§ 23) ; *gloria in altissimis, in excelsis* (§ 24) ; ex. dans les Psaumes : *laudate eum* **in excelsis** (148, 1), louez-le dans les hauteurs (en s'adressant aux anges) ; *et dixerunt : quomodo scit Deus ? et si est scientia* **in excelso** ? (72, 11), ils ont dit : comment Dieu, peut-il savoir ? Y a-t-il connaissance là-haut ? Cf. *de* **excelso** *misit ignem in ossibus meis* (Jer. lam. 1, 13), du haut du ciel il a envoyé le feu jusque dans mes os ;

in **excelsa** *tendamus, quæ in beati archangeli Michael contemplamur affectu* (Leon. 857), tendons nos regards vers le ciel que nous contemplons en célébrant l'archange saint Michel.

L'adjectif *supernus* évoque aussi la hauteur (surtout en parlant du bonheur des élus, v. plus loin) :

ex. *mentibus nostris* **supernæ** *gratiæ dent vigorem* (secr. d. oct. Ascens., Gel. I, 64), (que ce sacrifice) donne à nos âmes la vigueur de la grâce d'en haut ; cf. **superna** *gratia* (« *Veni, Creator* »).

§ 293 Autres images désignant le séjour de Dieu.

Deus sedet super **sedem** *sanctam suam* (Ps. 46, 9), Dieu siège sur son trône de sainteté ;

omnipotens Sermo ([6]) *tuus, Domine, a regalibus* **sedibus** *venit* (Intr. oct. Nat. Dom. ; Sap. 18, 16), votre Verbe tout-puissant est venu, Seigneur, du trône royal ;

exaudias voces de **cælo** *sancto tuo et de* **sede** *majestatis tuæ* (or. 1 ben. cand. 2 febr.), exaucez la voix (de votre peuple) du haut du ciel, votre sanctuaire, où siège votre Majesté ; *Dominus in* **templo sancto** *suo, Dominus in* **cælo sedes** *ejus* (Ps. 10, 5), le Seigneur dans son temple de sainteté, le Seigneur qui trône dans les cieux ; *emitte Spiritum tuum* **de sanctis cælis tuis** (Moz. L. sacr. 360) ;

in **templo** *gloriæ tuæ* (or. 21 nov.) (opp. au temple de Jérusalem où fut présentée la Sainte Vierge) ;

quia prospexit de **excelso** *sancto suo, Dominus de* **cælo** *in*

---

6. *Sermo* = *Verbum* (Tert. Prax. et passim ; Novat. ; Lact. ; Cypr. ; Prud.).

terram aspexit (Ps. 101, 20), car il a regardé du haut de son sanctuaire, le Seigneur, des cieux, a jeté un regard sur la terre ;

mittat tibi auxilium **de sancto**, *et* **de Sion** *tueatur te* (Ps. 19, 3), de son sanctuaire qu'il t'envoie le secours, et qu'il te protège depuis Sion ; *mitte eis, Domine, auxilium* **de sancto**, *et de* **Sion** *tuere eos* (vers. resp. Rogat.) ; cf. *alma Sion* (hymn. laud. Dedic.), et, plus loin, la Jérusalem céleste ;

auxilium nobis **de sancto** *celerius fac adesse* (Leon. 36), faites que nous arrive un prompt secours de votre sanctuaire.

Non accedet ad te malum, et flagellum non appropinquabit **tabernaculo** *tuo* (Ps. 90, 10), le malheur ne pourra t'atteindre, et les fléaux n'approcheront pas de ta tente ; cf. Ps. 17, 12 ; 18, 6 ; etc. ; v. plus loin, *tabernacula æterna*.

§ 294 C) Le ciel, séjour des bienheureux.

Le royaume :

regnum *cælorum* (Mat. 23, 13 et passim) ;

intrare in **regnum** *cælorum* (Mat. 7, 21 ; 18, 3 ; or. 3 oct. ; etc.) ;

intrare in **regnum** *Dei* (Act. 14, 21) ;

(me) salvum faciet in **regnum suum cæleste** (2 Tim. 4, 18) ; *regnum cæleste* (Leon. 287, etc ; or. passim) ; *cælestia regna* (Leon. 1178, etc. ; or. passim) ;

per quem ... fidelibus **regni cælestis atria** *reserantur* (Gel. I, 46, 466), (le Christ) par qui sont ouverts aux fidèles les palais du roi du ciel ; **regni** *cælorum atria* (Moz. L. sacr. 300) ;

regna *ætherea* (ibid. 414) ;

perennis **regni** *præmia* (Moz. L. ord. 40) ;

perpetui **regni** *refugium* (var. *refrigerium*) (Gel. III, 91) ;

regnabunt *in sæcula sæculorum* (Apoc. 25, 5), ils régneront pour les siècles des siècles ;

ut ... cum ipso in cælesti sede jugiter **regnare** *possimus* (postc. Chr. Reg.), de pouvoir régner avec lui à jamais dans le séjour céleste.

§ 295 Le substantif pluriel neutre *cælestia* ([7]) est fréquent :

ex. *ut ... ipsi quoque mente in* **cælestibus** *habitemus* (or. Ascens., Greg. 108, 1), (faites) que nous aussi nous habitions au ciel par le cœur ; cf. *cælestia desideria* (secr. d. 24 p. Pent. et passim, Gel. Cagin 1489) ;

Pervenit ad **cælestia** (hymn. comm. un. mart. vesp.), il est parvenu au bonheur du ciel.

Cæles -*itis*, céleste (Aug. ; P.-Nol. ; etc.). Le substantif pluriel *cælites* désigne les habitants du ciel : ex. *Laudemus inter* **cælites** (hymn. sabb. vesp.). Ce terme ne se rencontre

---

7. On verra d'autres oraisons où *cælestia* s'oppose à *terrena* (note 5).

pas dans les oraisons, où les élus sont appelés *electi* ([8]), *beati*, *sancti, justi* (§ 296, 297 et passim).

Cælebs est plus rare : ex. *simus perennes* **cælibes** (« *Verbum supernum* », texte primit., Brev. O. S. B.).

Cælum et la plupart des expressions qui désignent le ciel se rapportent aussi bien au séjour de Dieu qu'au séjour des élus, associés par adoption à la gloire du Christ (v. Ascension, Rédemption) : *convivificavit nos in Christo ... et* **consedere** *fecit* **in cælestibus** *in Christo Jesu* (Ephes. 2, 5), « il nous a fait revivre avec le Christ ; avec lui il (nous a ressuscités) et fait asseoir aux cieux dans le Christ Jésus » (saint Paul se place en esprit après la résurrection et la Rédemption complètement réalisée). Ce qui est déjà acquis pour la Vierge Marie : *Maria Virgo assumpta est ad* **æthereum thalamum**, *in quo Rex regum stellato* **sedet** *solio* (ant. 1 vesp. 15 aug.), la Vierge Marie a été enlevée jusqu'à la chambre nuptiale du ciel, où le Roi des rois siège sur un trône étoilé.

§ 296 L'héritage céleste et la participation à la divinité, exprimée par les mots *hereditas, consortium, consortes, participes* :

ex. *omnis fornicator aut immundus aut avarus ... non habet* **hereditatem** *in regno Christi et Dei* (Ephes. 5, 5), aucun fornicateur, aucun impudique, aucun cupide ... n'a droit à l'héritage dans le royaume du Christ et de Dieu ; *qui vocati sunt æternæ* **hereditati** (Hebr. 9, 15) ;

ad æternam perveniat **hereditatem** (postc. p. rege, Greg. suppl. Alc. 187), qu'il parvienne à l'héritage éternel ; v. *hereditas, adoptio* (§ 233, 390) ;

ut ... ejusdem (Filii tui) gloriæ tribuas esse **consortes** (or. 6 aug.), de nous donner sa gloire en partage ; cf. *cælestis gloriæ facias esse* **consortes** (Greg. 77, 11) ;

dignis conversationibus ad ejus mereamur pervenire **consortium** (postc. 1a miss. Nat. Dom. ; *pertinere consortium*, Leon. 1242), de mériter par la valeur de notre conduite de parvenir à notre union avec lui ;

tui **consortio** *perfruamur æterno* (or. 26 nov.), de jouir éternellement de votre présence ; cf. *æternum capiant ...* **consortium** (postc. p. def. sacerd., Gel. III, 94) ;

Deus, qui nos ... unius summæ divinitatis **participes** *effecisti* (secr. d. 18 p. Pent., Gel. III, 14), ô Dieu, qui nous avez fait participer à votre unique et souveraine divinité (en parlant de l'eucharistie, mais aussi du ciel ; v. ex. § 233) ;

---

8. Dans les Évangiles (Mat. 24, 22 ; Luc. 18, 7 ; etc.), *electi* ne désigne pas ceux qui sont au ciel, mais ceux de la terre qui sont appelés au royaume. De même *benedicti* : *venite, benedicti Patris mei* (Mat. 25, 34) ; cf. *ut, in die judicii, ad dexteram tuam audire mereamur : venite, benedicti* (or. m. vot. de Pass.), qu'au jour du jugement nous méritions d'entendre : « Venez, les bénis (de mon Père) » ; v. § 390.

da nobis ... ejus divinitatis esse **consortes**, *qui humanitatis nostræ fieri dignatus est particeps* (Offert., Greg. 9, 6), accordez-nous d'être associés à la divinité de celui qui a daigné partager notre humanité.

Le mot *consortium* s'applique aussi à la participation, à l'association au bonheur des élus et des anges :

ex. *perenni ejus (Mariæ)* **consortio** *perfrui* (or. B. M. V. de Consolatione, p. al. loc.), jouir de son éternelle présence ;

ut eas (animas) sanctorum tuorum **consortio** *sociare digneris* (secr. 2a miss. 2 nov. et passim) ; Greg. Alc. 215), afin que vous daigniez leur faire partager la société de vos saints ;

sanctorum tuorum junge **consortiis** (Leon. 1151) ;

sanctorum tuorum **cœtibus consociare** (Gel. III, 96) ;

eorum **consortio** *copulemur* (or. 7 jul.) ;

intra quorum (sanctorum) nos **consortium** ... *largitor admitte* (Canon, Greg. 1, 29 ; *consortia*, Gel. III, 17, 1253), accordez-nous, dans votre largesse, d'être admis en leur compagnie ;

angelorum ([9]) **consortium** *consequi* (or. 9 mart.), obtenir de partager le sort des anges.

§ 297 Expressions équivalentes :

eorum (angelorum) ... æterna **societate** *gaudere* (or. 2 oct.), jouir de leur éternelle société ;

de eorum (martyrum) **societate** *gaudere* (or. comm. plur. mart.) ;

perpetua sanctorum tuorum **societate** *lætetur* (Leon. 1161) ;

cælestium **participatione** *gaudere* (postc. 22 mart. p. al. loc.), jouir ([10]) de la participation aux joies du ciel ;

partem aliquam et **societatem** *donare digneris cum tuis sanctis apostolis et martyribus* (Canon, Greg. I, 29 ; *partem aliquam societatis*, Gel. III, 17, 1253), daignez nous accorder de partager la société de vos saints apôtres et martyrs ;

in electorum ([11]) *tuorum ... grege* **numerari** (« *Hanc igitur* », Gel. III, 17, 1247), être compté au nombre de vos élus ;

in electorum tuorum **numero esse** (postc. 26 nov. p. al. loc.) ;

inter oves ... perpetuo **connumerari** (or. 18 mart. ; cf. Mat. 25, 33, les boucs et les brebis) ; *Inter oves* **locum præsta** *Et ab hædis me sequestra* (« *Dies iræ* »), parmi les brebis donnez-moi une place, et séparez-moi des boucs ;

in congregatione justorum ... esse **consortem** (postc. p. def. sacerd., Gel. III, 93), avoir part à l'assemblée des justes ; v. *habitaculum* (§ 304) ; *sodales sanctorum civium* (§ 233) ; *communio sanctorum* (§ 350).

---

9. Cf. *in illa superna angelorum curia adscribi festinate* (Greg.-M. Hom. ev. 15, lect. 9 Sexag.), empressez-vous d'être inscrits là-haut dans la cour des anges ; v. *liber* (§ 275).

10. *Gaudere* = *frui* : *gaudere lætantes* (§ 298) ; *pace gaudere* (Leon. 8).

11. Pour *electi*, v. note 8.

§ 298 La vision béatifique :

videbimus eum sicuti est (1 Jo. 3, 2), nous le verrons tel qu'il est ;

*videmus nunc per speculum in ænigmate, tunc autem **facie ad faciem*** (1 Cor. 13, 12), maintenant nous voyons dans un miroir, en énigme, mais alors ce sera face à face ;

*ut ... ad **contemplandam speciem*** ([12]) *tuæ celsitudinis perducamur* (or. Epiph., Greg. 17, 1), (faites) que nous parvenions à contempler face à face votre grandeur ; *redemptorem tuum **facie ad faciem** videas, et præsens semper assistens, **manifestissimam** beatis oculis aspicias **veritatem*** (or. commend. an.), puisses-tu voir ton Rédempteur face à face, et, toujours jouissant de sa présence, contempler de tes yeux bienheureux la vérité dans toute son évidence ;

*ad **visionem** æternæ claritatis pervenire* ([13]) (Ben. cand. Miss. Lateran. 184), parvenir à la vision de l'éternelle clarté ;

*perpetua in cælis **visione** gaudere* (postc. miss. « *Virgines* », p. al. loc.) ;

*præsta nobis ut ... æternæ præstolemur gloriam **visionis*** (Moz. L. sacr. 1054), accordez-nous d'espérer la gloire de l'éternelle vision ;

*Urbs Jerusalem beata, Dicta pacis **visio*** (hymn. vesp. comm. Dedic.), Jérusalem, cité bienheureuse, que l'on nomme vision de paix (modif. *Cælestis urbs Jerusalem, Beata pacis visio*) ;

*da nobis famulis tuis in **revelatione** sempiternæ gloriæ tuæ gaudere lætantes* (or. 8 oct.), accordez à vos serviteurs de jouir du bonheur dans la révélation de votre gloire éternelle ;

*fac nos, q. D., divinitatis tuæ sempiterna **fruitione repleri*** (postc. S. S. Corp. Chr.), accordez-nous de jouir pleinement et éternellement de votre divinité ;

*ut ... ejus (Filii tui) quoque **aspectu perfruamur*** ([14]) *in cælis* (or. 2 jan. S. S. Nom. Jes.), d'avoir la joie de le contempler dans le ciel ;

*Nos tuo **vultu** saties* (hymn. vesp. Ascens., rassasiez-nous de votre visage (modif. *Tuique vultus compotes Dites beato lumine*).

---

12. *Species*, « la vision directe » est opposée à la foi, *fides* (2 Cor. 5, 7 ; Aug. Serm. 216, 4 ; Tr. ev. Jo. 124).

13. On remarquera que le verbe *pervenire* est fréquent pour désigner l'arrivée au ciel ; cf. *perventio* (Greg.-M. Hom. ev. 14, 6) ; *perventor* (Aug. Peccat. merit. 2, 13, 20) ; *viator* (§ 402).

Dans les oraisons, les expressions les plus courantes sont : *pervenire ad coronam, ad dona sempiterna, ad gaudia æterna, sempiterna, ad gloriam cælestem, ad cælestia regna, ad portum salutis, ad æternam hereditatem, ad patriam æternam* ; *ad te pervenire* (or. 2 aug.).

14. *Perfrui*, dans ce cas, est plus fréquent que *frui* et implique une nuance de durée et de perfection.

§ 299 La Béatitude, le Bonheur éternel.

Le terme normal est *beatitudo* (Aug. ([15]) ; Hier.), avec les épithètes *sempiterna, perpetua, superna,* et surtout *æterna* (Leon. 81, etc. ; or. passim) :

ex. *ad perpetuæ* **beatitudinis** *consortium pervenire* (or. 3a miss. 2 nov.) ;

lucis perpetuæ ... recipiant **beatitudinem** (postc. ibid.) ;

ut sempiternam **beatitudinem** *consequantur* (secr. fer. 5 oct. Pasch., Gel. I, 46) ;

beata *perennitas* (secr. d. palm., Greg. 73, 2), l'éternité bienheureuse (v. note 17) ;

beata *retributio* (secr. alt. miss. conf. pont., Gel. II, 3), la récompense bienheureuse ; *libro* **beatæ** *vitæ ascribi* (Gel. I, 94, 733), être inscrit au livre de la vie bienheureuse ; (subst.) *cum* **beatis** (secr. 15 sept.), avec les bienheureux ; *ad* **beatorum** *requiem ... perveniat* (Leon. 1110 fin.).

Les biens éternels :

cælestium bonorum([16]) *facias esse consortes* (or. d. 10 p. Pent., Gel. III, 6), faites-nous avoir part au bonheur du ciel ;

ut ... **bonis** *... perfruamur* **æternis** (postc. 12 jul., Leon. 167) ;

Deus, qui diligentibus te **bona invisibilia** *præparasti* (or. d. 5 p. Pent., Gel. III, 1), ô Dieu, qui avez préparé, pour ceux qui vous aiment, des biens invisibles ;

ut ... **divitias cælestes** *... in futuro percipere mereamur* (Moz. L. sacr. 719), afin que nous méritions de jouir, dans la vie future, des richesses célestes ;

ut iisdem ... **spiritales divitias** *(Deus) communicet* (Miss. Goth. 236), leur donne part aux richesses spirituelles ;

ut Dominus cælestis ... **spiritales divitias** *largiatur* (Gel. III, 48).

Felicitas est moins fréquent que *beatitudo* : *perpetua* **felicitas** (Aug. Serm. 280, 1 ; postc. comm. sanc. p. al. loc.) ; *perpetua et plena* **felicitas** (Leon. 486) ;

in superna **felicitate** *locandus* (secr. p. vivis et def.), appelé au bonheur du ciel.

§ 300 La joie éternelle :

gaudia æterna, sempiterna (or. et Sacram. passim) ;

ex. **gaudia** *æterna possideat* (or. in die depos. def.) ;

ad beatæ vitæ **gaudia** *festinantes* (Gel. Cagin 1826), tendus vers les joies de la vie bienheureuse ; *æternitatis* **gaudia** *infinita* (Miss. Goth. 416) ;

(plus rare au sing.) *in æternæ claritatis* **gaudio** (or. p. patre et matre) ;

cælestis **gaudii** *consortes* (Leon. 876bis) ;

---

15. Saint Augustin emploie aussi *beatitas.*
16. Cf. au sing. *beatificum bonum* (Aug. Civ. 9, 15) ; *bonum quo beati sunt* (ibid. 9, 22).

*obtinere **gaudium** infinitum* (Moz. L. ord. 39) ;

*ubi mors non est, ubi dulce **gaudium** et infinita **lætitia** perseverat in æternum* (Moz. L. ord. 124), où la mort n'existe plus, où la douce joie et le bonheur sans fin demeure à jamais ;

*Ut videntes Jesum **collætemur*** (« *Ave, Maris stella* ») ;

*a præsenti liberari tristitia et æterna perfrui **lætitia*** (or. comm. B. M. V.), être délivré de la tristesse présente et jouir de l'éternelle joie ;

*ad æternam ... pervenire **lætitiam*** (secr. 25 mart., Greg. 31, 3) ;

*perpetua **lætitia*** (secr. d. in albis, Greg. 94, 2) ;

*in transitu suo ad te pervenire in tuæ dilectionis **dulcedine*** Moz. L. ord. 393), à son départ parvenir jusqu'à vous dans la douceur de votre amour ;

*indumentum **jucunditatis**, stola **jucunditatis*** (v. § 373).

§ 301 L'éternité.

Le mot *æternitas* ([17]) seul peut désigner l'éternité bienheureuse :

ex. *ut ... **æternitatis** gloriam consequamur* (or. 6 jul., Gel. III, 36), d'obtenir l'éternité glorieuse ;

***æternitatem** nobis, Domine, conferat ... mensa cælestis* (postc. 30 apr.), que cette table céleste nous accorde la vie éternelle ; *æternitatis aditum* (§ 198) ;

*ad **æternitatis** nobis medelam ... proficiant* (secr. vigil. Pasch., Gel. I, 45), que (ces offrandes) nous aident à obtenir le remède éternel.

L'éternité s'oppose au temps ; mais dans l'ex. suivant, *æternitas temporum* (ant. 1 vesp. comm. apost. t. pasch.), il s'agit d'une expression emphatique et non d'une formule théologique ; cf. *per æternitatem temporis* ([18]) (4 Esdr. 2, 35).

Æternus : *eis proficiat **in æternum*** (or. p. plur. def., Gel. III, 102), leur profite pour l'éternité.

Cet adjectif est fréquent avec des substantifs comme *beatitudo, bona, consortium, gaudium, gaudia, gloria, lumen, præmia, requies, vita*, etc. (or. passim) ;

*ut ... in pacis regno conquiratur possessio **æterna*** (Moz. L. sacr. 1428), pour obtenir, dans le royaume de la paix, l'éternelle possession.

Ex. du substantif pluriel neutre : ***æterna** sectari* (or. 13 apr.), rechercher les biens éternels (opp. à *caduca*) ;

*ad **æterna** festinare* (or. p. proph. 5 vigil. Pent., Greg. 110, 2), être empressé pour les biens éternels (opp. à *temporalia*) ;

---

17. A noter encore l'adverbe *perenniter* : ex. *ut ... perenniter ejus gloriæ salutaris potiamur effectu* (secr. 14 sept ; *perennitatis ... potiamur effectum*, Greg. 159, 2), que nous jouissions éternellement des effets de sa gloire salvatrice (en parlant de la croix).

18. Cf. *ante tempora æterna* (S. S. Tit. 1, 2, ap. Hilar. Trin. 12, 34), mais dans la Vulgate : *ante tempora sæcularia*, avant tous les siècles (πρὸ χρόνων αἰωνίων).

ad æterna contendat (Leon. 1299).

Sempiternus est aussi fréquent avec les substantifs mentionnés plus haut et d'autres : ex. *munera* **sempiterna** (secr. 24 dec., Leon. 1253) ;

ad dona perveniat **sempiterna** (or. 27 dec., Greg. II, 1) ;

subst. pl. n., **sempiterna** ... *appetamus* (or. ad pet. pluv., Leon. IIII).

Le mot *perennitas* est plus rare et accompagné d'une détermination :

ex. *effectum beatæ* **perennitatis** *acquirat* (secr. d. oct. Nat. Dom., Greg. 73, 2), qu'il (nous) procure l'éternité bienheureuse; cf. *ad* **perennem** *in cælis gloriam* (or. 13 nov.) ;

vita **perennis** (Leon. 205) ;

perennis *patria* (Moz. L. ord. 125) ; *perenne regnum* (v. § 294).

Perpetuus (v. § 294, 302, 308).

§ 302 La vie éternelle :

qui credit in me habet **vitam æternam** (Jo. 6, 47), celui qui croit en moi a la vie éternelle ; *si quis manducaverit ex hoc pane,* **vivet in æternum** (ibid. 51) ; celui qui mangera de ce pain vivra éternellement ;

si autem spiritu facta carnis mortificaveritis, **vivetis** (Rom. 8, 13), mais si par l'Esprit vous faites mourir les œuvres du corps, vous vivrez.

Le mot *vita*, désignant la vie de la grâce, qui prépare la vie éternelle, peut être employé absolument : ex. *si vis ad* **vitam** *ingredi* (Ord. bapt. Rit. R. II, 2 et 5), si tu veux accéder à la vie.

Mais, dans les oraisons, le mot est normalement accompagné des adjectifs *æterna, sempiterna, cælestis* ([19]), quelquefois *perpetua* (et v. *perennis,* § 301) :

ex. *adnotentur in* **libro vitæ cælestis** (Moz. L. sacr. 1248), qu'ils soient inscrits au livre de la vie céleste ; v. *liber vitæ* et expressions analogues (§ 275) ;

sanctificetur et fecundetur fons iste oleo salutis renascentibus ex eo in **vitam æternam** (Ben. font. vigil. Pasch.), que par l'huile du salut ces fonts soient sanctifiés et rendus féconds pour ceux qui en renaîtront en vue de la vie éternelle ;

ut (populus tuus) ... ad **vitam** *proficiat* **sempiternam** (or. fer. 2 oct. Pasch., Gel. I, 48), qu'il progresse vers la vie éternelle ;

ut ... **vitam** *te nobis dedisse* **perpetuam** *confidamus* (postc. fer. 4 Maj. Hebd., Greg. 76, 4), d'avoir la ferme croyance que vous nous avez donné (par la mort de votre Fils) la vie éternelle.

---

19. *Vita cælestis*, vie céleste, digne du ciel, qui mène au ciel, ce qui est conféré par la grâce eucharistique (postc. sabb. p. Cin., Leon. 658 ; secr. d. 2 p. Pent.).

Autres expressions : *in regione* **vivorum** ([20]) (secr. p. patre et matre, Gel. I, 38, 354), dans la terre des vivants ; *refrigerium in regione* **vivorum** (Miss. Goth. 278) ; *in regione* **viventium** (Gel. III, 91, 1609 ; Moz. L. ord. 149 etc.) ;

in terra **viventium** (« *Lauda, Sion* » ; Ps. 141, 6) ; V. § 43 et 167.

La liberté, la libération éternelle : *ut (caro nostra) ... post obtineat æternæ gloriæ* **libertatem** (Moz. L. sacr. 523), pour qu'elle obtienne ensuite la libération dans la gloire éternelle ;

ut ... **perpetuæ libertatis** *consortes (nos) efficias* (Gel. II, 80).

§ 303 L'Immortalité :

bravium **immortalitatis** (secr. fer. 6 p. Cin. p. al. loc.), la palme de l'immortalité ; cf. *bravium supernæ vocationis Dei* (Philipp. 3, 14) (v. *brabeum*, Dict.) ;

immortalitatis *sit ipse largitor* (postc. 3a miss. 25 dec., Leon. 1271), que lui-même nous accorde l'immortalité ;

futuræ **immortalitatis** *promissio* (præf. def.).

Les promesses éternelles :

præmia *pœnitentibus* **repromissa** (Ben. cin. or. 2), les récompenses promises à ceux qui se repentent ;

promissa *æterna* (secr. fer. 3 p. d. Pass., Leon. 488) ;

ut ad **promissiones** *tuas ... curramus* (cit. § 44) ;

ut mereamur assequi quod **promittis** (or. d. 13 p. Pent., Leon. 598), pour que nous méritions d'obtenir ce que vous promettez ;

Quæ tu martyribus munera **præparas** ? (hymn. comm. plur. mart.), (quelle voix pourra dire) les biens que vous préparez pour vos martyrs ?

Les récompenses éternelles :

æterna **præmia** (or. passim, Greg. 4, 1, etc.) ; **præmium** *cæleste* (Leon. 116, etc.) ; *futura* **præmia** (or. m. p. grat. act.) ; cf. supra, *bravium* ;

ut ... te largiente ditetur **præmiis** *infinitis* (Moz. L. ord. 305), pour que vous lui accordiez la richesse des récompenses éternelles ;

ut ... æternæ vitæ **præmia** *consequamur* (or. 16 jun. p. al. loc.) ; **præmium** *æternæ vitæ* (Greg. 193, 6) ;

v. *beata retributio* (§ 299) ; *tribuere, retribuere, reddere* (§ 144) ;

ut copiosam **mercedem** *in regno gloriæ cum sanctis habeamus* (postc. 26 nov.), pour que nous ayons une riche récompense avec les saints dans le royaume de gloire ;

ut eo veniente **remuneremini** *donariis sempiternis* (Moz. L. sacr. 37), afin qu'à sa venue vous obteniez la récompense des dons éternels ;

v. *munerator, remunerator, persolutor* (§ 144).

---

20. Ps. 114, 9, au sens propre : ici-bas, comme dans le Ps. 141, 6.

§ 304 La Demeure étenellé.

L'idée est exprimée par les mots *tabernaculum, habitaculum, mansio,* et expressions similaires :

ex. *ut, cum defeceritis, recipiant vos in* **tabernacula** *æterna* (Luc. 16, 9), afin que, quand vous viendrez à manquer, (les pauvres) vous reçoivent dans les tentes éternelles ; *in æterna* **tabernacula** *recipi* (postc. S. Famil.) ;

Deus, qui de vivis et electis lapidibus æternum majestati tuæ præparas **habitaculum** (postc. Dedic., Gel. Cagin 2166), ô Dieu, qui de pierres vivantes et bien choisies préparez pour votre Majesté une demeure éternelle (cf. § 313) ;

qui ex omni coaptatione ([21]) *sanctorum æternum tibi condis* **habitaculum** (or. Dedic. altar., Gel. I, 90), avec la parfaite unité de vos saints... ;

in domo Patris mei **mansiones** ([22]) *multæ sunt* (Jo. 14, 2), il y a plusieurs demeures dans la maison de mon Père ;

tribuere dignetur placitam et quietam **mansionem** (Gel. III, 91, 1607), daigne lui accorder une place tranquille et paisible (au ciel) ;

æternam **mansionem** *in cælis* (Moz. L. ord. 20) ; *superna* **mansio** (L. sacr. 662) ; *sidereæ* **mansiones** (ibid. 653) ; *defunctorum fidelium animabus cælestium* **receptacula mansionum** *... tribuantur* (ibid. 66), que les âmes des fidèles défunts obtiennent d'être reçues dans les demeures célestes ; *æternæ* **receptacula mansionis** (L. ord. 391) ;

dissoluta terrestris hujus incolatus domo, æterna in cælis **habitatio** *comparatur* (præf. def.), une fois détruite cette demeure terrestre, une autre nous est préparée éternellement dans le ciel ; **habitatio** *cælestis* (Leon. 1192) ;

in cælis **habitemus** (cit. § 295) ;

ut ... digni efficiamur **habitatores domus** *sanctæ tuæ* (or. 10 dec. p. al. loc.), de devenir dignes d'habiter votre sainte demeure ;

cælesti **sede** *gloriosa semper exsultet* (Leon. 1159), qu'il se réjouisse sans fin dans la glorieuse demeure du ciel ; *in cælesti* **sede** (postc. Chr. Reg.) ;

Cælorum **pulset** *intimum* (hymn. dom. vesp.), que (notre âme) puisse aborder aux mystères du ciel (modif. *Cæleste pulset* **ostium**, frapper à la porte du ciel ; cf. *quæ cæli pandis ostium* (« *Verbum supernum* »).

Aperi ei **portas** *justitiæ* (Gel. III, 91, 1610).

§ 305 Autres images désignant la demeure céleste.

---

21. *ex omnium cohabitatione sanctorum* (or. ben. prim. lap., Pont. R.).

22. *Mansio* n'existe pas en ce sens dans le Missel actuel, mais en parlant de l'habitation de Dieu en nous (§ 153).

Cf. *duas vitas ... una in tempore peregrinationis, altera in æternitate mansionis* (Aug. Tr. ev. Jo. 124, lect. 7, 27 dec.), deux vies, l'une dans le temps de notre pérégrination ici-bas, l'autre dans l'éternité de notre demeure.

Paradisus ([23]), le jardin, le paradis :

ex. *hodie mecum eris in paradiso* (Luc. 23, 43), aujourd'hui tu seras avec moi en paradis ; *raptus est in* **paradisum** (2 Cor. 12, 4) ;

cum sanctis omnibus eum faciat in **paradisi** *amœnitate jucundari* (Moz. L. ord. 134), le fasse jouir de la douceur du paradis avec tous les saints ;

paradisus *cælestis* (ibid. 400) ;

ut **paradisi** *delicias possideret* (Miss. Goth. 429) ;

paradisi *januas introire* (postc. miss. vot. Pass.) ;

paradisi *portas aperiat* (absol. in articulo mortis) ;

in **paradisum** *deducant te angeli* (ord. obseq.), que les anges te conduisent au paradis.

Ad tribunal æterni Regis ascensuræ celsaque **palatia** (Ben. virg. Pont. R.), quand vous monterez au tribunal du Roi éternel et à son sublime palais.

Qui (Christus) martyrem suum Stephanum cælestis **aulæ** *collegio muneravit* (Miss. Goth. 30), qui a accordé à son martyr Étienne de faire partie de la cour céleste ; cf. *cælestis* **aulæ** *milites* (Ambr. Hymn. 17, 2) ;

qui triumphantibus pro te martyribus regiam cælestis **aulæ** ... *pandis* (Gel. Cagin 1840), qui ouvrez le palais de la cour céleste aux martyrs qui ont triomphé pour vous ;

Cælestis **aulæ** *nuntius* (hymn. 1 vesp. S. S. Rosar.), le messager de la cour céleste.

L'image du bonheur figuré par un beau pâturage est familière au Psalmiste et aux prophètes ; cf. *salvabitur* ... *et* **pascua** *inveniet* (Jo. 10, 9) ;

constituat te Christus ... *intra* **paradisi sui amœna virentia** *et inter oves suas te verus ille Pastor agnoscat* (ord. commend. an.), que le Christ te place dans les prairies verdoyantes de son paradis et que ce vrai Pasteur te reconnaisse parmi ses brebis (cf. Jo. 10, 14) ;

ad **pascua** *æternæ vitæ perducamur in cælis* (or. 3 sept. p. al. loc.) ;

Ut gregem Pastor pius ad salutis **Pascua** *ducat* (hymn. 1 vesp. B. M. V. Auxil. Christianorum), que le Bon Pasteur conduise son troupeau au bercail du salut.

L'aire du Seigneur, où le bon grain sera rassemblé, purifié et séparé de la paille destinée au feu : *permundabit* **aream** *suam et congregabit triticum suum in horreum, paleas autem comburet igni inexstinguibili* (Mat. 3, 12 ; cf. Is. 21, 10 ; Luc. 3, 17 ; figure courante chez les Pères, v. ex. Aug. § 275).

§ 306 La Couronne et la Gloire.

Le mot *gloria* désigne la gloire des élus après la résurrection,

---

23. Le paradis terrestre : *paradisus voluptatis* (Gen. 2, 8) ; *qui paradisi felicitate decidimus* (Leon. 194), déchus de notre félicité paradisiaque.

et aussi le bonheur céleste qui nous fera participer à la gloire de Dieu : *et gloriamur in spe* **gloriæ** *filiorum Dei* (Rom. 5, 2), et nous nous glorifions de la gloire des fils de Dieu (en grec, ἐπ 'ἐλπίδι τῆς δόξης τοῦ Θεοῦ, dans l'espérance de la gloire de Dieu) ; *existimo quod non sunt condignæ passiones hujus temporis ad futuram* **gloriam** *quæ revelabitur in vobis* (Rom. 8, 18), j'estime que les souffrances du temps ne sont pas comparables à la gloire future qui se révélera en vous ; *qui vocavit nos in æternam* **gloriam** *suam* (1 Petr. 5, 10).

En ce sens, le mot est accompagné, dans les oraisons, des épithètes *æterna, sempiterna, cælestis,* et quelquefois *immortalis, perennis* :

ut ... ad **cælestem gloriam** *transeamus* (secr. fer. 3 Oct. Pasch., Greg. 90, 2), afin d'obtenir notre passage vers la gloire du ciel ;

eorum (apostolorum) **gloriam sempiternam** *celebrare* (or. 28 oct., Gel. II, 35) ;

avec un génitif : ex. *ut ...* **æternitatis gloriam** *consequamur,* (or. 6 jul., Greg. 131, 1 ; *æternam Trinitatis gratiam,* Gel. II 36) ;

ut ... **gloriam** *æternæ beatitudinis acquirant* (secr. p. devot. amic., Greg. suppl. Alc. 194) ; v. *gloriosus* (§ 109).

La couronne est le symbole de la vie des élus (24) : *accipiet* **coronam vitæ** (Jac. 1, 12) ; *esto fidelis usque ad mortem et dabo tibi* **coronam vitæ** (Apoc. 2, 10), sois fidèle jusqu'à la mort et je te donnerai la couronne de vie.

D'autre part, dans les cités hellénistiques, le vainqueur des jeux athlétiques reçoit une couronne : le mot *corona* devient un des symboles de la victoire remportée par le martyr (v. § 110), de la victoire de tout chrétien contre les forces mauvaises (v. le combat spirituel : *bravium, coronari,* § 440). Cette couronne ne se fanera jamais : *illi quidem ut corruptibilem* **coronam** *accipiant, nos autem* **incorruptam** (1 Cor. 9, 25), (les athlètes se privent) pour obtenir une couronne périssable, mais, nous, une impérissable ; *percipietis* **immarcescibilem** *gloriæ* **coronam** (1 Petr. 5, 4), vous recevrez la couronne de gloire qui ne se flétrit pas (après la résurrection) ; v. praef. 1 nov. (§ 440).

Ex. dans les oraisons : **corona** *æterna* (Leon. 1190 ; Gel. I, 56, 529 ; Greg. 93, 5) ;

ut ... ad **cælestem** *mereamus* **coronam** *pervenire* (or. 18 jul.) ;

emploi absolu : *ejus in cælis* **coronæ** *participes fieri* (or. 15 mai.), partager avec lui la couronne dans le ciel.

Coronare : ex. *meque cum illis gratia tua* **coronet** *æterna*

---

24. Chez les Juifs, elle symbolisait l'espérance de l'immortalité (Daniélou, Les symboles chrétiens primitifs, p. 26).

(postc. p. patre et matre), que votre éternelle bienveillance
me couronne avec eux ;

ut ... coronari cum ipso mereamur in cælis (or. 31 jul.).

§ 307 La Paix et le Repos éternel :

*ipsis, Domine, et omnibus in Christo quiescentibus, locum
refrigerii* ([25]), *lucis et pacis ut indulgeas deprecamur* (Canon,
Greg. 224, 5), à eux, Seigneur, et à tous ceux qui reposent
dans le Christ, daignez, nous vous en prions, accorder le séjour
du bonheur, de la lumière et de la paix ;

in pacis ac lucis regione (or. p. un. def., Gel. III, 104) ;
cf. *in cælesti regione* (Greg. suppl. Alc. 279 ; Moz. L. sacr.
619) ;

pace perpetua respirare (postc. 15 nov.), trouver le repos
dans la paix éternelle ; v. d'autres formules (§ 94, 95) ;

festinemus ergo ingredi in illam requiem (Hebr. 4, 11),
hâtons-nous donc d'entrer dans ce repos ;

requies æterna (or. passim) ; *ad beatorum requiem ... pervenire* (Leon. 1110 ; Greg. 200, 10) ;

ut ... pervenire mereatur ad requiem sempiternam (secr. die
depos.).

Être appelé à participer à la béatitude divine est assimilé
au repos du septième jour : *itaque relinquitur sabbatismus* ([26])
populo Dei (Hebr. 4, 9), c'est pourquoi est réservé au peuple
de Dieu le repos du septième jour ;

le dimanche éternel : *quatenus, in octavo resurrectionis
renovati, ... ad gaudia sine fine mansura perveniatis* (Sacram.
Greg. M. 78, c. 376), afin que, rénovés à l'octave de la résurrection, vous parveniez aux joies qui n'auront pas de fin.

§ 308 La Lumière éternelle :

*Et nox ultra non erit, et non egebunt lumine lucernæ neque
lumine solis, quoniam Dominus Deus illuminabit illos* (Apoc.
22, 5), et il n'y aura plus de nuit, et ils n'auront plus besoin de
la lumière d'une lampe ni de la lumière du soleil, car le Seigneur Dieu les illuminera ; cf. ibid. 21, 23 ;

lux perpetua lucebit sanctis tuis, Domine (ant. 1 vesp.
comm. apost. t. pasch.), la lumière éternelle luira pour vos
saints, Seigneur ;

lux æterna luceat eis (Intr. m. def. ; cf. 4 Esdr. 2, 35, cit.
§ 94) ;

in lucem sanctam, quam olim Abrahæ promisisti et semini

---

25. *Refrigerium*, rafraîchissement, réconfort. Terme qui désigne fréquemment le
bonheur éternel aux premiers siècles : *æternum refrigerium* (Tert. Apol. 49) ; *æterni
refrigerii quies* (Moz. L. sacr. 1329) ; *refrigerium sempiternum* (Greg. 224, 6) ; v.
prières pour les morts (§ 94).

26. Cf. *ut ... sabbato vitæ æternæ requiescamus in te* (Aug. Conf. 13, 36, 52), afin que,
au sabbat de la vie éternelle, nous reposions en vous ; *pax sabbati, pax sine vespera*
(Conf. 13, 35, 50), la paix du sabbat, celui qui n'aura pas de soir ; v. *octava, octavum,*
dans le Dict.

ejus (ant. off. m. def., Gel. III, 91, 1617), dans la lumière sainte
que vous avez promise jadis à Abraham et à sa descendance ;

inveniat, q. D., anima famulæ tuæ **lucis æternæ** *consortium*
(postc. p. una def. ; *inveniant animæ*, Gel. III, 110), que l'âme
de votre servante ait part à la lumière éternelle ;

ad **lucem indeficientem** *pervenire* (or. 3 ben. cand. 2 febr.) ;

ut **luce perfecta** *fruamur in cælis* (or. 15 nov.) ;

ad **perpetuæ claritatis** *... festa pertingere* (or. ben. novi ign.
vigil. Pasch.), parvenir aux fêtes de la lumière éternelle ;

ad **perpetuam claritatem** *... perveniat* (Gel. I, 12, 68) ;

perveniamus ad patriam **claritatis æternæ** (Gel. I, 11) ;

in **æternæ claritatis** ([27]) *gaudio* (or. p. patre et matre) ;

æternæ beatitudinis percipiat **claritatem** (Leon. 478) ;

Largire **lumen** *vespere, Quo vita nusquam decidat* (hymn.
non.), accordez-nous la lumière sur le soir, afin que notre vie
ne connaisse pas le déclin (mais dans l'hymne primit. : *Largire
clarum vespere*) ;

Ut in beato gaudeat Se collocari **lumine** (hymn. mat. fer. 5),
pour qu'elle ait la joie d'être admise dans la lumière bienheureuse.

§ 309 Le « sein d'Abraham ».

C'est une expression hébraïque ([28]) équivalant à « être réuni
à ses pères » : *factum est autem ut moreretur mendicus et portare-
tur ab angelis in sinum Abrahæ* (Luc. 16, 22), or il arriva que
le mendiant mourut et fut porté par les anges dans le sein
d'Abraham.

Dans la liturgie, l'expression désigne le repos du ciel :

ex. *in* **sinum Abrahæ** *angeli deducant te* (or. commend.
an.) ;

da ei requiem et regnum, id est Hierusalem cælestem, ut in
sinibus patriarcharum *nostrorum, id est Abraham, Isaac et
Jacob collocare digneris* (Gel. III, 91, 1612), accordez-lui le
repos et le royaume, c'est-à-dire la Jérusalem céleste, daignez
le placer dans le sein de nos patriarches, Abraham, Isaac et
Jacob ;

electos suos ... in **sinu Abrahæ** (ibid. 1620).

Le sein de la misericorde :

ut in hora mortis nostræ ... in **sinum misericordiæ** *tuæ læti
suscipi mereamur* (postc. 18 jul.), (accordez-nous) le bonheur,

---

27. Dans les Sacramentaires et le Missel, *claritas tua* désigne la lumière de Dieu,
de la grâce de Dieu qui éclaire. De même *lumen*, avec les épithètes *æternum, cæleste,
indeficiens*.

28. L'image exprime aussi l'intimité : ex. *unigenitus Filius, qui est in sinu Patris*
(Jo. 1, 18 ; cf. *recumbens ... in sinu Jesu* (Jo. 13, 23) ; et aussi la proximité avec
Abraham dans le banquet messianique : *et recumbent cum Abraham ... in regno
cælorum* (Mat. 8, 11) (Note de la Bible de Jérus. ad Luc. 16, 22). Pour Tertullien
(Adv. Marc. 4, 34, 12 et 14), cette expression désigne, non le ciel, mais le séjour
provisoire des justes de l'ancienne Loi.

à l'heure de notre mort, d'être reçus dans le sein de votre
miséricorde ; cf. *sempiternam misericordiam promereri* (secr.
22 jun.).

§ 310 Le banquet céleste.

Il est préparé et préfiguré par le banquet eucharistique (v.
§ 254 et suiv. ; 259). *Cæleste convivium* désigne tantôt l'eucharistie ([29]), tantôt le ciel :

ex. **cælesti convivio** *fac nos, Domine, nuptiali veste indutos*
accumbere (secr. 21 jun.), accordez-nous, Seigneur, de pouvoir,
revêtus de la robe nuptiale (Mat. 22, 12), nous asseoir au
banquet céleste ;

ut **æterni convivii** *mereamur esse participes* (secr. 27 nov.
p. al. loc.) ;

et justi **epulentur** *et exsultent in conspectu Dei* (or. commend.
an.), que les justes soient dans la joie ([30]) et l'exultation en
présence de Dieu (Ps. 67, 4) ;

ad **epulas** *æternæ salutis* (Leon. 76).

Image plus rare : *ad* **supernas** *ejus (Filii tui)* **nuptias** *ad-*
mittamur (postc. m. « *Virgines* », p. al. loc.), d'être admis à ses
noces célestes (comme les vierges aux noces de l'Époux).

Le secours éternel, le remède éternel :

et (vitæ) æternæ reperire **subsidium** (or. 19 jan., Leon. 8),
et trouver notre refuge dans la vie éternelle ; v. *perpetuum*
subsidium (§ 71) ;

ut, quod est nobis in præsenti vita mysterium, fiat **æternita-**
tis auxilium (postc. sabb. p. Cin., Gel. I, 17, 102), que (ce
don), qui est pour nous encore un mystère dans la vie présente,
nous aide à obtenir l'éternité.

Ici encore, plusieurs expressions s'appliquent à l'eucharistie
comme au bonheur du ciel : ex. *et præsens nobis* **remedium**
esse facias et **futurum** (postc. d. oct. Pasch., Greg. 191, 8),
faites que (ces mystères) soient pour nous un remède pour la
vie présente comme pour la vie future ;

et **remedia** *nobis* **æterna** *proveniant* (or. 8 mart.), que nous
soient accordés les remèdes éternels ;

et ad **remedia** *perducant* **æterna** (or. fer. 3 p. d. Pass.,
Greg. 68, 1) ;

Deus, cui soli competit **medicinam** *præstare post mortem*
(postc. p. plur. def., Leon. 1147), à qui seul revient de donner
la guérison après la mort ;

ad æternitatis nobis **medelam** ... *proficiant* (secr. vigil.
Pasch., Gel. I, 45), nous apportent le remède éternel.

§ 311 Le Salut éternel, le Port du salut :

v. *salus, salvatio* (§ 284) ;

---

29. Dans les Sacramentaires, il n'a que le premier sens.

30. Dans le latin biblique, ce verbe signifie « participer à un festin » et aussi
« être dans la joie » (Eccli. 39, 37 ; Luc. 12, 19 ; etc. ; εὐφραίνεσθαι).

autres ex. *ad* **æternam salutem** *pervenire* (postc. 26 jul.) ;
ad **perpetuam** *nobis fac provenire* **salutem** (secr. 7 dec.) ;
salus æterna (Leon. 76 et passim) ; *salus perpetua* (Leon. 417
et passim) ;
nos ... in **portum** ([31]) **perpetuæ salutis** *inducat* (Leon. 897) ;
ad æternæ **salutis portum** ... *feliciter pervenire* (postc. 16 jun.
p. al. loc.).

La Rédemption éternelle :
ex. *dignos fieri* **sempiterna redemptione** (postc. p. prælat.,
Gel. III, 50) ; *sempiterna redemptio* (Leon. 491, etc.) ; *perpetua
redemptio* (ibid. 1215, etc.) ; *præmium redemptionis æternæ*
ibid. 575) ;
ad **redemptionis** *æternæ, quæsumus, proficiamus augmentum*
(postc. fer. 4 p. d. 2 Quadr., Gel. III, 9), puissions-nous
progresser, nous vous en prions, vers la rédemption éternelle;
v. autres ex. (§ 259) ;
æterna redemptione inventa (Hebr. 9, 12), nous ayant acquis
une rédemption éternelle.

§ 312 La Louange éternelle.

Les visions de l'Apocalypse font souvent allusion aux
louanges des anges et ([32]) des élus devant le trône de l'Agneau
(ex. chp. 4-7-14). De même les oraisons et les hymnes :
ex. *ad* **perpetuam** *nos majestatis tuæ* **laudationem** ...
perducat (postc. 31 jul.), que (ce sacrifice) nous fasse parvenir
à la louange éternelle de votre Majesté ;
*majestatem tuam ... cæli cælorumque virtutes ac beata Se-
raphim socia exsultatione* **concelebrant** (præf., Gel. III, 17,
1243), les cieux et les puissances célestes avec les bienheureux
Séraphins célèbrent votre Majesté dans une allégresse unanime.

Les fêtes de la terre présagent celles du ciel : *ut, sicut populus
christianus martyrum tuorum ... temporali* **solemnitate** *congaudet, ita perfruatur* **æterna** ; *et quod votis celebrat, com-
prehendat* ([33]) *effectu* (or. 29 jul., Leon. 1170), comme le
peuple chrétien se réjouit de célébrer dans le temps vos martyrs, puisse-t-il de même jouir pleinement de cette joie dans
l'éternité ; et ce qu'il célèbre dans ses vœux, puisse-t-il le
posséder dans sa réalité.

Ex. dans les hymnes : *Digneris ut te supplices* **Laudemus
inter cælites** (vesp. sabb.), accordez à nos supplications
d'être avec ceux qui vous louent dans le ciel (mais l'hymne
authentique comporte : *Te nostra supplex gloria Per cuncta*

---

31. *portus salutis*, au sens propre (or. 6 Parasc.).
32. Cf. *concentus angelicus* (Leo-M. Serm. 26, 3), le concert des anges ; *inter choros
supernorum civium* (Greg.-M. Moral. c. 546).
33. Cf. *comprehensor*, qui, pour les théologiens, désigne celui qui jouit de la
vision béatifique (Thom.-Aq. Summ. III, 9, 2 ; 30, 2).

laudet sæcula, que notre glorification suppliante vous loue pendant tous les siècles) ;

Exsultet cælum laudibus, *Resultet terra gaudiis* (vesp. comm. apost.), que le ciel exulte en chants de louange, que la terre y réponde dans la joie (modif. en *Exsultet orbis gaudiis*, **Cælum resultet laudibus**) ;

Te, Joseph, **celebrent** *agmina cælitum* (vesp. 19 mart.), ô Joseph, que les foules du ciel vous célèbrent ;

Gaudet **chorus** *cælestium, Et angeli* **canunt** *Deo* (laud. Nat. Dom.), le chœur des habitants du ciel est dans la joie, et les anges chantent devant Dieu.

§ 313 La Patrie céleste, la Cité du ciel :

nostra autem **conversatio** *in cælis est* (Philipp. 3, 20), notre citoyenneté (πολίτευμα) est au ciel ; *estis* **cives** ([34]) *sanctorum et domestici Dei* (Ephes. 2, 19), vous êtes les concitoyens des saints, vous êtes de la maison de Dieu ;

atria supernæ **civitatis** (Leon. 550 ; Gel. I, 84), les palais de la cité d'en haut.

Ad cælestem **patriam** ([35]) *pervenire* (or. 6 febr.) ;

ad cælestem **patriam** *perducamur* (or. 19 jun.) ;

ad æternam **patriam** *pervenire* (postc. 11 febr.) ;

ad **patriam** *paradisi perduci* (or. die depos.) ; v. *superna vocatio* (§ 390).

La Jérusalem céleste :

sancta civitas Jerusalem (Apoc. 21, 2) ;

in paradisum ... et perducant te in **civitatem sanctam Jerusalem** (ord. obseq.).

L'hymne de la Dédicace (du 7e s.) a été divisée en deux hymnes (vêpres et laudes) : *Urbs Hierusalem beata, Dicta pacis visio, Quæ construitur in cælis Vivis ex lapidibus* ([36]), Jérusalem, bienheureuse cité, dont le nom évoque une vision de paix, toi qui de pierres vivantes a été construite dans les cieux (modifiée ainsi : *Cælestis Urbs Jerusalem, Beata pacis visio, Quæ celsa de viventibus Saxis ad astra tolleris*).

Dans la 2e strophe, elle est comparée à l'Épouse : *Nova veniens e cælo nuptiali thalamo Præparata, ut sponsata copuletur Domino*, Nouvelle, elle descend du ciel, parée pour la couche nuptiale, pour devenir l'épouse du Seigneur (modif. ainsi : *O sorte nupta prospera, Dotata Patris gloria, Respersa Sponsi gratia, Regina formosissima, Christo jugata Principi*, Heureuse Épouse, dotée de la gloire du Père, inondée des grâces de l'Époux, ô Reine très belle, dont le Christ est l'Époux royal).

---

34. Cf. *superni cives* (Greg.-M. Hom. Ez. 2, 5, 4) ; *superna illa civitas* (Hom. ev. 34, 11) ; *superna patria* (Hom. ev. 9, 1) ; v. Aug. Civ. 1, 1 ; 2, 29, 1.
35. *Cælestis patria* (Cass. Inst. 32) ; *patria* (Ps.-Ambr. Hymn. 6, 15).
36. Cf. *lapides vivi* (1 Petr. 2, 5 ; Aug. Enarr. psal. 81, 5).

§ 314 A) Dans le latin biblique de l'A. T., les mots *infernum*, *infernus*, *inferus*, et le pl. *inferi* désignent le shéol, l'outre-tombe des Hébreux :

ex. *ad inferos* (Tob. 6, 15 ; 13, 2) ;

in profundum infernum descendent omnia mea ? (Job 17, 16), descendrai-je tout entier au plus profond de l'enfer ?

si descendero in infernum (Ps. 138, 8), si je descends aux enfers.

Ou encore, au figuré, la mort, la tombe :

ex. *et eruisti animam meam ex inferno inferiori* (Ps. 85, 13), tu as arraché ma vie du plus profond de l'enfer ; cf. *in puteum interitus* (Ps. 54, 24), dans le gouffre de la mort ; v. *lacus* (note 7) ;

eruet animam meam de manu inferi (Ps. 88, 49) ;

vita mea inferno appropinquavit (Ps. 87, 4), ma vie a été tout près de l'enfer ;

cf. *quem (Jesum) Deus suscitavit, solutis doloribus inferni* (Act. 2, 24), que Dieu a ressuscité, le délivrant des affres de la mort ; *qui (Christus) solutis doloribus inferni potentialiter resurrexit* (Moz. L. sacr. 665) ;

Lazarum vivum ab inferis resuscitasti (or. 22 jul.), vous avez ressuscité Lazare, le ramenant vivant du séjour de la mort.

Ces mots désignent aussi le séjour des justes de l'ancienne Loi (¹), où le Christ est descendu : *inferi* (Tert. ; Aug. (²)) ; *Christum redisse ex inferis* (Prud. Cath. 1, 68), le Christ est revenu des enfers ; *descendit ad inferos* (Symb. apost.), est descendu aux enfers.

Expression empruntée à la poésie classique :

Consurgit Christus tumulo, Victor redit de barathro (³), **Tyrannum trudens vinculo**, *et paradisum reserans* (hymn. vesp. t. pasch.), le Christ se lève du tombeau, revient vainqueur de l'enfer, traînant le tyran enchaîné et ouvrant le ciel. Strophe modifiée ainsi : *Victor subactis inferis Trophæa Christus explicat, Cæloque aperto, subditum Regem tenebra-*

---

1. Chez les théologiens, *limbus*, limbes, « bordure » de l'enfer : *limbus inferni* ou *patrum* (Thom. Aq. Summ. II, 11, 2, 7 ad 2) ; et pour les enfants morts sans baptême : *limbus puerorum* (ibid. I, 11, 89, 6a). A propos de ces derniers, *limbus* est un exemple de ces inventions verbales qui donnent l'illusion d'éclairer notre ignorance du mystère, alors qu'il s'agit simplement de s'en remettre à la bonté et à la justice de Dieu.

2. Cet auteur emploie aussi *infernum* : ex. *Dominum ... venisse in infernum* (Aug. Ep. 164, 2, 3) ; cf. *descendit in inferiora terræ* (Tert. Prax. 30), descendit au plus profond de la terre.

3. *Barathrum* désigne ordinairement la géhenne (Prud. Cath. 11, 40 ; Juvenc. 4, 67) ; *animas quiescentium ne patiaris æterno baratro demergi* (Moz. L. ord. 401), ne laissez pas l'enfer éternel engloutir les âmes de ceux qui s'endorment dans la mort ; v. § 319.

rum trahit, le Christ, vainqueur des enfers, déploie ses trophées, et, ouvrant le ciel, entraîne prisonnier le prince des ténèbres. Ici l'enfer désigne moins le séjour des justes que l'empire de Satan en général (v. plus loin, *portæ inferi*) ; et les figures utilisées semblent indiquer que les poètes ont pensé aux travaux d'Hercule enchaînant le monstre infernal. Le séjour des justes est alors considéré comme une prison ([4]) (v. *ergastulum*, § 319), où le démon retenait les prisonniers du péché d'Adam. La strophe suivante, mieux dans l'hymne modifiée que dans l'authentique, précise cette libération : *A morte dira criminum Vitæ renatos libera*, délivrez ceux qui viennent de renaître à la vie de l'affreuse mort du péché.

La liturgie du Samedi saint évoque encore cette libération : *elevamini, portæ æternales, et introibit rex gloriæ (*ant. 4, II noct. ; Ps. 23, 7), levez-vous, portes éternelles, et le Roi de gloire entrera ; *Domine, abstraxisti ab inferis animam meam* (ant. 6 ; *eduxisti*, Vulg. Ps. 29, 4), Seigneur, vous avez arraché mon âme (Ps. ma vie) aux enfers ; cf. *regressus ab* **inferis** (præcon. vig. Pasch.) ;

   qui descendit in **lacum**, *ut ex* **inferis** *vinctos educeres, descende nunc quoque, precamur, ... ut ex vinculis peccatorum ... nos absolvas* (Miss. Gall. 23, 120, or. p. lect. sabb.), vous qui êtes descendu dans la fosse pour ramener des enfers les prisonniers, descendez encore aujourd'hui, nous vous en prions, pour nous délivrer des liens du péché.

A noter que des expressions analogues désignent parfois l'« ici-bas » opposé à l'« en-haut » : ex. *in inferiore parte mundi laborantes* (Leon. 853) ; *ex inferno inferiori* (Ps. 85, 13) « du plus profond de l'enfer » désigne l'enfer proprement dit, pour s. Césaire (Serm. 150, 1), tandis que notre monde est lui-même un enfer ; cf. Aug. Enarr. psal. 85, 17 ; *superiorem esse terram* (celle de la promesse, le ciel), *non istam in valle terrenam* (Ambr. Psal. 36, 75).

§ 315 B) Les mêmes mots désignent le lieu où sont enfermées les puissances du mal ([5]), le séjour de la damnation éternelle, les lieux inférieurs, l'Enfer :

   ex. **portæ inferi** *non prævalebunt adversus eum* (Mat. 16, 18), les portes de l'enfer ne prévaudront pas contre lui ;

---

4. Cf. *ut ... infernali carcere mancipatis sua resolvendis descensione succurreret* (Moz. L. sacr. 670), pour secourir par sa descente aux enfers ceux qu'il devait délivrer de cette prison.

5. Ou le Mal lui-même : *nomen illi Mors, et Infernus sequebatur eum* (Apoc. 6, 8), on l'appelle la Mort, et l'Enfer le suivait. Aux cas obliques, on ne sait s'il s'agit du neutre *infernum* ou du masculin *infernus* : ce dernier est attesté en Aug. Serm. 352, 3, 8 ; cf. *infernus domus mea est* (Job 17, 13).

a porta ([6]) **inferi** *erue, Domine, animam ejus* (resp. off. def.),
« des portes de l'enfer, Seigneur, délivrez son âme » ; ainsi
la même expression désigne, dans un cas, les puissances du
mal, dans l'autre, le séjour des damnés ;

mortuus est ... dives et sepultus est in **inferno** (Luc. 16, 22),
le riche mourut et on l'enterra dans le séjour des morts (il y est
représenté comme en proie aux tourments, loin du sein
d'Abraham).

Mais dans le latin chrétien, le sens s'est précisé davantage :
ex. dans les textes liturgiques :

inferni *portæ* (Leon. 975 et passim ; Greg. 129, 6) ;

ut ... non pœnas **inferni** *sustineat* (or. die depos.), qu'il n'endure pas les peines de l'enfer ;

libera animas omnium fidelium defunctorum de **portis inferni**
et de profundo **lacu** ([7]) (ant. offert. m. def.), délivrez l'âme de
tous les fidèles défunts des portes de l'enfer et du gouffre
profond ;

Dominus ... famulum suum ab **inferorum cruciatibus** *liberet*
(Moz. L. ord. 397) ; **inferorum** *carceres* (Moz. L. ord. 402) ;
æternum evadens carcerem **inferorum** (L. sacr. 1055).

Adjectifs : ex. **inferni** *carceris pœnam* (Moz. L. ord. 96) ;
infernali *carcere* (L. sacr. 670) ;

Deus, qui ecclesiam tuam ... ab **infernarum** *eruis terrore
portarum* (comm. un. aut pl. summ. pont., Decr. 9. 1. 1942,
Leon. 296), ô Dieu, qui délivrez votre Église des terreurs des
portes de l'enfer (ici encore, les deux sens : les portes de l'enfer
ne prévalent pas contre elle et ses fidèles sont sauvés de la
damnation). Dans le Sacram. Grégorien (129, 6), il s'agit du
substantif *infernum* : *ab infernorum eruis terrore portarum*.

Les mêmes expressions peuvent désigner le purgatoire :

ex. *transfer eum de* **loco ardoris** *in locum lucis et refrigerii*
(Moz. L. ord. 134 ;

qui peccatorum meritis **inferni** *tenebris ac suppliciis detinentur ... ad requiem transire præcipias* (Miss. Goth. 479), faites
passer au séjour du repos ceux qui sont encore retenus, à cause
de leurs péchés, dans les ténèbres et les supplices de l'enfer ;

liceat ei transire portas **infernorum** *et vias tenebrarum ma-
neatque in mansionibus sanctorum* (Gel. III, 91, 1617), qu'il

---

6. Dans des expressions comme *portæ inferi*, les « portes » personnifiées évoquent
les puissances du mal.

D'autre part, le mot *porta* peut évoquer le seuil que l'on franchit : ex. *de portis
mortis* (Ps. 9, 15) ; ou l'idée de prison : *porta inferi*.

Tertullien, lui, imaginait une prison inférieure, *in carcerem infernum* (An. 35),
où l'âme seule expie, en attendant la résurrection.

7. Dans les Psaumes, *lacus* (2e ou 4e déclin.) désigne aussi la tombe : *æstimatus
sum cum descendentibus in lacum* (87, 5), j'ai été déjà compté avec ceux qui descendent
dans la fosse ; *assimilabor descendentibus in lacum* (27, 1).

puisse franchir les portes des enfers et les voies ténébreuses, et qu'il demeure au séjour des saints.

§ 316 La condamnation éternelle, les Peines éternelles.

Damnatio ([8]), la condamnation, la damnation (Tert. ; Aug. ; Leo-M. ; etc.) :

ex. *ab æterna* **damnatione** ... *eripi* (« *Hanc igitur* », Gel. III, 17, 1247), être arraché à la damnation éternelle ; *ab æterna* **damnatione** *eripias* (litan.) ;

ut ab imminentibus peccatorum nostrorum **periculis** *te mereamur protegente eripi* (or. d. 1 Adv. ; *te mereamur veniente salvari*, Gel. II, 85), pour que votre protection nous fasse éviter les périls dont nos péchés nous menacent (chez les Romains, *periculum* désignait la situation de l'accusé, du coupable) ;

pœnæ *ultrices* (Moz. L. ord. 134), le châtiment vengeur ; *libera eam (animam)* ... *de locis* **pœnarum** (Gel. III, 91, 1621), sauvez-la du séjour des tourments ;

cum esset in **tormentis** (Luc. 6, 25) ; étant en proie aux tourments (dans le séjour des morts) ;

ut ... *a* **cruciatu** *nos eripias sempiterni* **supplicii** (Lib. Goth. Hisp. 90), nous arracher aux tourments du supplice éternel ; **cruciatus** *tartarei* (Moz. L. ord. 131) ; *inferni* **dolores** (v. § 314) ;

et ibunt hi in **supplicium** *æternum* (Mat. 25, 46) ;

ut ... *temporaliter potius maceremur, quam* **suppliciis** *deputemur æternis* (or. fer. 6 p. d. Pass., Greg. 71, 1), afin de nous mortifier dans le temps, plutôt que d'être voués aux supplices dans l'éternité ;

ut ... *quod denuntiatum est in* **ultionem**, *transeat in salutem* (or. p. proph. 11 sabb. sc. vet. ord., Gel. I, 43, 440), afin que le châtiment annoncé se transforme en notre salut ; cf. *ut quod pronuntiatum est ad* **supplicium**, *in remedium transferatur æternum* (or. p. proph. 3 vigil. Pent. ; *prænuntiatum*, Gel. I, 77, 621) ;

mereantur evadere judicium **ultionis** (tract. miss. depos. def.), qu'ils obtiennent d'échapper à la condamnation ;

Juste judex **ultionis** (« *Dies iræ* »), juge, qui punissez avec justice ; v. plus loin, *vindicta* et § 145 ; *extrema ultio* (§ 203) ;

ut ... *non tradas eam (animam) in manus inimici* (or. m. depos. def. ; cf. Ps. 77, 71) ; *libera eas de ore leonis* (ant. offert. def. ; cf. Ps. 21, 22).

§ 317 La Mort éternelle, la Perte de l'âme.

Dans les Épîtres de saint Paul, le mot *mors* (θάνατος) désigne aussi bien la mort spirituelle entrée dans le monde par

---

8. Quant à *damnare*, il s'emploie généralement, chez les Pères, avec un complément : ex. *damnare gehennæ* (Prud. Psych. 496) ; *pœna æterna damnari* (Aug. Civ. 21, 11) ; v. *damnate* (§ 321).

le péché originel (v. § 224) que la mort éternelle (⁹) de ceux qui
ne sont pas sauvés (Rom. 5, 12-14 ; 2 Cor. 2, 16 et passim) ;
Cf. *est peccatum ad mortem* (1 Jo. 5, 16), il y a un péché qui
conduit à la mort (le péché contre l'Esprit).

Dans les oraisons, *mors æterna* ou *perpetua* désigne la
damnation :

ex. *quos **perpetuæ** **mortis** eripuisti casibus* (or. d. 2 p.
Pasch., Gel. I, 57), ceux que vous avez arrachés aux occasions
de tomber dans la mort éternelle ;

***a morte perpetua** libera nos, Domine* (litan.) ;

*libera me, Domine, **de morte æterna*** (absol.) ;

*vinculis horrendæ **mortis** exuti* (secr. p. def. qui in cœm.
req.), dégagés des liens de la mort effroyable ;

*In hoc paschali gaudio, Ab omni **mortis** impetu Tuum defende populum* (« *Ad regias...* » t. pasch.), dans cette joie
pascale, défendez votre peuple contre toutes les attaques de
la mort (modif. *A morte dira...*, v. § 314).

Synonyme : *interitus*, ex. *qui pænas dabunt in **interitu**
æternas* (2 Thess. 1, 9), qui subiront dans la mort une peine
éternelle ;

*eorum qui a veritate sunt devii flere debemus **interitum*** (Leon.
458), quant à ceux qui se sont écartés de la vérité, nous devons
déplorer leur perte (mort spirituelle maintenant, qui préjuge
de la mort éternelle ensuite) ;

*sempiternus **interitus*** (Greg. 83, 1) ;

(pléon.) *ab æternæ **mortis interitu** erigere* (Moz. L. ord. 226),
sauver de la perte dans la mort éternelle ;

*(Deus) qui utrumque sexum de **interitu perpetuæ mortis** ...
redemisti* (Gel. Cagin 1850).

De même, *perdere* (¹⁰), *perire* et les mots de la même famille,
désignent la mort éternelle, comme la perte du genre humain
par le péché originel :

ex. *sed potius timete eum qui potest et animam et corpus
perdere in gehennam* (Mat. 10, 28), mais craignez plutôt celui
qui peut perdre dans la géhenne l'âme aussi bien que le
corps ;

*qui omnem animam pænitentem ... magis vis emendare quam
perdere* (postc. p. public. pæn.), qui préférez la conversion
de toute âme pénitente plutôt que sa perte ;

*humanam naturam peccato **perditam*** (or. fer. 6 p. d. 3
Quadr. p. al. loc.) ; *hominem olim **perditum*** (Leon. suppl.
Rotul. Rav. 1347) ;

---

9. *Secunda mors* (Apoc. 2, 11), la seconde mort (des réprouvés, après la résurrection) ; cf. *a morte animæ resurgamus* (Gel. 1, 46) ; *ne ... renatum lavacro salutari
mors secunda possideat* (Gel. I, 38, 358), que la seconde mort ne s'empare pas de
ceux qui sont renés dans le bain salutaire.

10. Cf. *ne perdar in die judicii* (Aug. Serm. 5, 3).

spatiosa via est quæ ducit ad **perditionem** ([11]) (Mat. 7, 12), la voie est large, qui conduit à la perdition ; *filius perditionis* (Jo. 17, 13), le fils ([12]) de perdition, l'homme perdu ;

nos ... a totius eripiat **perditionis** *incursu* (secr. p. vitand. mortal., Gel. III, 38), nous préserve des atteintes de tout mal (perte de l'âme comme du corps) ;

via **perditionis** (or. 26 febr. p. al. loc.), la voie de perdition ;

perditionis *auctor* (Leon. 1264), l'auteur de notre perte (le démon) ; cf. *auctor mortis* (Leo-M. Serm. 37, 3 ; Miss. Goth. 106 ; et passim) ; v. § 223, 224 ;

nolens aliquos **perire**, *sed omnes ad pænitentiam reverti* (2 Petr. 3, 9), voulant que personne ne périsse, mais que tous se tournent vers le repentir ;

qui ... neminem vis **perire** (or. 7 Parasc., Gel. I, 41, 413).

§ **318** La Géhenne, les Ténèbres extérieures.

Gehenna (de Geenna, Geennom, la vallée des fils d'Ennom, près de Jérusalem, où l'on brûla des enfants en l'honneur de Moloch) désigne l'enfer dans le N. T. et chez les auteurs chrétiens (Tert. ; Cypr. ; etc.) :

ex. *reus erit* **gehennae ignis** (Mat. 5, 23), il sera passible de la géhenne du feu ;

ut ejus meritis et precibus a **gehennae incendiis** *liberemur* (or. 6 dec.), que ses mérites et ses prières (de s. Nicolas) nous délivrent des feux de la géhenne ; *mittere in* **gehennam** (Leon. 275) ;

mittite eum in **tenebras** ([13]) **exteriores**, *ubi erit fletus et stridor dentium* (Mat. 22, 13), jetez-le dans les ténèbres extérieures où il y aura des pleurs et des grincements de dents (« dehors, dans les ténèbres », Bible de Jérus.) ;

ne cadant in obscurum (ant. offert. def.), qu'ils ne tombent pas dans les ténèbres infernales.

Le Puits de l'abîme :

clavis putei ([14]) *abyssi* (Apoc. 9, 1) (où sont détenus les anges déchus) ; *in puteum abyssi relegatus* (Tert. Herm. 11) ;

oramus ne urguat **inferni puteus** *super nos os suum* (Miss. Gall. 119), nous demandons que le puits infernal ne referme pas sur nous sa trappe.

Le Feu ([15]) éternel :

---

11. *In perditione* (Ps. 87, 12), dans la mort.

12. Hébraïsme ; cf. *filii maledictionis* (2 Petr. 2, 10), les maudits ; *filius gehennæ* (Mat. 23, 15).

13. *De tenebris et umbra mortis* (Leon. 1247) fait allusion au péché originel ; cf. *umbra mortis* (Is. 9, 2).

14. Cf. en parlant de la mort : *deduces eos in puteum interitus* (Ps. 54, 24).

15. Cf. *erit æterna combustio, sicut ignis* (Aug. Fid. et op. 15, lect. 3 fer. 2 p. d. 1 Quadr.), éternelle sera la combustion, comme le feu (contre ceux qui croyaient le feu seul éternel).

discedite a me, maledicti, in **ignem** ([16]) **aeternum** (Mat. 25, 41), allez loin de moi, maudits, au feu éternel ;

gehennae ignem |*flammamque tartari* (Gel. III, 91, 1609) ;

animas ... famulorum tuorum ab æstuantis **ignis ardoribus** *eruas* (Moz. L. ord. 427), arrachez les âmes de vos serviteurs à l'ardeur des flammes brûlantes ;

Ne perenni cremer **igne** (« *Dies iræ* »), que je ne brûle pas dans le feu éternel ;

pœnales **flammae** (Moz. L. sacr. 931), les flammes du châtiment ; *pœnalis ignis* (ibid. 265) ;

quia crucior in hac **flamma** (Luc. 16, 24), car je suis à la torture dans cette flamme (le mauvais riche) ;

debita **flammarum incendia** (secr. p. petit. lacr.), le feu que nous avons mérité (peut désigner aussi le purgatoire) ;

Flammis *acribus addictis* (« *Dies iræ* »), voués aux flammes cruelles ; cf. *cremabit addictos ardens semper gehenna* (Cypr. Ad Dem. 24).

Le Ver rongeur (Is. 66, 24 ; Aug. Civ. 21, 9, 1 et 2) ;

ut famulum tuum ... non sinatur **vermis** *vorare* **perpetuus** (Moz. L. ord. 395), ne permettez pas que votre serviteur devienne la proie du ver qui ne meurt pas.

§ 319 Dans les hymnes et les parties chantées principalement, quelques expressions ont été empruntées à la mythologie classique :

Barathrum (v. § 314).

L'Averne : ex. *Horrens* **Avernus** *infremit* (hymn. laud. Pasch.) (mais le texte primitif dit : *Gemens infernus ululat*) ;

Tibique gentes creditas **Averni** *ab igne libera* (hymn. mat. 15 oct.), délivrez du feu de l'enfer les peuples qui sont sous votre protection ;

Averni *claustra* (Moz. L. sacr. 705 et 708) ; *in ergastulo Averni* (L. 415) ; cf. *ab inferorum ergastulis* (ibid. 113) ; v. § 226.

Le Styx : **Stygis** *victor* (hymn. laud. 19 mart., Br. Mon.).

Le mot *Tartarus* désigne l'enfer, pas seulement chez les poètes, mais aussi chez Augustin, Jérôme, Hilaire de Poitiers, etc.

ex. dans la liturgie : *ne absorbeat eas (animas)* **Tartarus** (ant. offert. def.), qu'elles ne deviennent pas la proie de l'enfer.

Il désigne aussi l'empire de Satan ou de la mort, vaincu par le Christ :

---

16. En 2 Thess. 1, 8, il s'agit du feu du jugement dernier ; cf. *qui venturus est judicare vivos et mortuos et sæculum per ignem* (Greg. 78, 2) ; *dum veneris judicare sæculum per ignem* (« *Libera me* »).

Tulitque prædam **Tartari** (« *Vexilla* »), et il a arraché sa proie à l'enfer ;

O vere digna hostia Per quam fracta sunt **tartara** (« Ad *regias...*, t. pasch.), ô Victime vraiment digne, par qui sont brisées les portes de l'Enfer (modif. *O vera cæli victima, Subjecta cui sunt* **Tartara**).

XI

LE DÉMON

§ 320 De nombreux termes désignent le démon dans le latin biblique et liturgique.

Dæmon (¹) (δαίμων) : ex *ejicere* **daemones** (Mat. 9, 34), chasser les démons ;

Raphaelem, in virtute Alligantem **daemonem** (hymn. vesp. 14 oct.), Raphaël, qui dans sa puissance a enchaîné le démon ;

(Quo) fraude quidquid **dæmonum** *In noctibus deliquimus* (hymn. mat. fer. 6), toutes les fautes que nous avons pu commettre durant le nuit, trompés par le démon.

Le mot se trouve aussi dans les hymnes modifiées des vêpres de l'Avent et aux laudes du commun d'un confesseur non pontife, mais pas dans les hymnes primitives.

Il est rare dans le Missel et les Sacramentaires :

ex. *ad abjiciendos* **daemones** (Greg. 207, 2), pour chasser les démons ;

ut ... a peccatis omnibus et captivitate **daemonis** *liberemur* (or. 24 sept.), d'être délivrés de tous nos péchés et de l'esclavage du démon.

Dæmonium (²) : **daemonium** ou **daemonia** *habere* (Mat. 4, 24 ; 9, 33), être possédé ;

erat Jesus ejiciens **daemonium** (Luc. 11, 14), Jésus expulsait un démon.

Pas d'ex. dans les anciens Sacramentaires ni dans le Missel : *dæmonia expellite* (Gel. III suppl. 1709) est une citation.

§ 321 *Diabolus* (διάβολος, calomniateur (³)) : *et projectus est* **draco** *ille magnus,* **serpens** *antiquus, qui vocatur* **diabolus** *et* **satanas***, qui seducit omnem orbem et projectus est in terram et angeli ejus cum illo missi sunt... Nunc facta est salus... quia projectus est* **accusator** *fratrum nostrorum* (Apoc. 12, 9-10), il fut jeté, l'énorme dragon, l'antique serpent, que l'on appelle le diable ou le satan, le séducteur du monde entier, il fut jeté sur la terre et ses anges furent chassés avec lui... Désormais

---

1. Dans l'A. T., ce mot désigne aussi les idoles : ex. *immolare hostias dæmonibus* (Lev. 17, 7), immoler des victimes aux démons (des génies à forme animale censés habitant les lieux déserts, Bible de Jérus.). D'autre part, les démons, génies vivant dans l'air et intermédiaires entre les dieux et les hommes, dans la théorie d'Apulée (v. plus loin, *potestates aeris*), sont, pour Saint Augustin (Civ. 8, 15), des démons ; cf. *dæmon Sacratis* (Civ. 8, 14).

2. Idole : *immolaverunt filios suos et filias suas dæmoniis* (Ps. 105, 37) ; cf. *dæmoniorum novorum annuntiator* (Act. 17.18), disent les Athéniens de s. Paul. Quant à *dæmonium meridianum* (Ps. 90, 6), le démon de midi, c'est une version qui ne correspond pas à l'hébreu (trad. du nouveau Psautier : *a pernicie qua vastat meridie*).

3. Un satan, un accusateur (Ps. 108, 6). Le diable est appelé aussi le père du mensonge (Jo. 8, 44).

le salut est acquis, puisqu'on a jeté bas l'accusateur de nos frères ;

*ductus est Jesus in desertum a Spiritu, ut tentaretur a **diabolo*** (Mat. 4, 1), Jésus fut conduit au désert par l'Esprit pour y être tenté par le diable ;

*resipiscant a **diaboli** laqueis a quo captivi tenentur* (2 Tim. 2, 26), qu'ils reviennent à la raison, dégagés des filets du diable qui les retient prisonniers.

Ex. dans les oraisons : *contra omnes **diaboli** nequitias* (or. 16 mai.), contre toutes les malices du démon ; ***diabolicae** nequitiæ* (Leon. 1272) ;

*contra nequitiam et insidias **diaboli*** (or. post missam), contre la malice et les embûches du démon ; *stare adversus insidias **diaboli*** (Ephes. 6, 11) ; ***diabolicae** insidiæ* (Leon. 1304) ;

*tua nos, Domine, sacramenta ... contra **diabolicos** semper tueantur incursus* (secr. d. 15 p. Pent., Gel. III, 11), que votre sacrement nous protège toujours contre les attaques du démon ; ***diabolica** incursio* (Leon. 520).

Au début, ces attaques, c'étaient le paganisme, les hérésies ; aujourd'hui le sens est plus général :

ex. *respice ad animas **diabolica** fraude deceptas* (or. 7 Parasc., Gel. I, 41, 413), regardez les âmes trompées par la ruse du démon ;

***diabolica** vitare contagia* (or. d. 17 p. Pent., Gel. III, 13), éviter le contact impur du démon.

Dans les exorcismes, le vocatif *diabole* est employé seul ou avec les épithètes *maledicte* (exorc. ord. bapt. Rit. R., Gel. III, 106, 1711 et passim), ou (sans *diabole*) *maledicte, damnate* (ord. bapt., Gel. I, 33, 296 et passim).

§ 322 Le Mal spirituel, l'Esprit du mal, l'Esprit impur :

*quoniam non est nobis colluctatio adversus carnem et sanguinem, sed adversus principes et potestates, adversus mundi rectores tenebrarum harum, contra **spiritalia nequitiae** in cælestibus* (Ephes. 6, 12), car ce n'est pas contre des adversaires de chair et de sang que nous avons à lutter, mais contre les Principautés et les Puissances, contre les gouverneurs de ce monde des ténèbres, contre les Esprits du Mal qui sont dans les airs ; cf. *principes potestatis aeris* ([4]) *hujus* (ibid. 2, 2) ; *principes hujus mundi* (Jo. 12, 31) ; *principatus et potestates* (or. 1 Parasc.) ;

*repelle ab ea (anima) **principes tenebrarum*** ([5]) (Gel. III, 91, 1610), écartez d'elle les princes des ténèbres ;

*contra **spiritales nequitias** pugnaturi* (or. concl. ben. Cin.,

---

4. Cf. *aeriæ potestates* (Cassian. Coll. 8, 12 ; etc.).

5. Cf. *Manichæi dicunt principem tenebrarum a se habere principium* (Arn.-J. Psal. c. 477D), les Manichéens disent que le prince des ténèbres tient de lui-même son principe.

Leon. 207), dans le combat que nous avons à livrer contre les esprits du mal ;

a domo tua, q. D., **spiritales nequitiae** *repellantur* (or. miss. ad repell. temp. ; *a plebe tua,* Gel. I, 93), que les esprits du mal soient chassés de votre demeure ;

contra omnes diaboli **nequitias** (or. 16 mai.).

Le superlatif de *nequam* : *omnia tela* **nequissimi** *ignea exstinguere* (Ephes. 6, 16), éteindre tous les traits enflammés du Mauvais ; *ignita jacula* **nequissimi** (Cypr. Ep. 58, 8).

§ 323 *Malus* et *malignus* sont employés comme substantifs ou comme adjectifs : *venit Malus et rapit quod seminatum est* (Mat. 13, 19), arrive le Mauvais qui emporte tout ce qui a été semé ;

malorum spirituum *fraudes* (or. 9 aug. p. al. loc.) ; v. autres ex. § 73 ;

erue nos a **maligno** (S. S. Mat. 6, 13 ; *a malo,* Vulg.), délivrez-nous du Malin ;

quoniam vicistis **malignum** (1 Jo. 2, 13), parce que vous avez vaincu le Malin (*Malignus,* subst., Tert. ; Hier. ; Aug. ; etc.) ; v. plus loin : *malignus hostis, spiritus malignos.*

Immundus spiritus est souvent employé dans les Évangiles à propos des possédés (Mat. 12, 43 ; Marc. 1, 26 ; 9, 24 ; Luc. 9, 43) ;

et dans les exorcismes : ex. *procul ergo hinc ... omnis* **spiritus immundus** *abscedat* (ben. aq. vigil. Pasch., Gel. I, 44, 445), que tout esprit impur s'en aille de cette eau ; cf. *exorcizo te,* **immunde spiritus** (cit. § 327).

Autres expressions : *mortis repertor, justitiæ declinator* (exorc. Pont. Rom.-Germ. 115, 31), inventeur de la mort, ennemi de la justice ;

inveterator ([6]) *malitiæ* (exorc. Pont. Rom.-Germ. 118, 2), implantateur du mal ;

laqueator (rétiaire, Isid.), celui qui tend des pièges : *inimice laqueator* ibid.).

§ 324 Les mauvais anges :

si enim Deus **angelis peccantibus** *non pepercit* (2 Petr. 2, 4), si donc Dieu n'a pas épargné les anges pécheurs ;

angeli **apostatici** ([7]) (Greg. 207, 1 ; Aug. Civ. 12, 2) ; v. d'autres ex. § 326.

Lucifer ([8]), l'étoile du matin ; une apostrophe d'Isaïe (14, 12) s'adresse au roi de Babylone : *quomodo cecidisti de cælo, Lucifer* ? comment es-tu tombé du ciel, Lucifer ? Les auteurs

---

6. *Inveterator* (Isid.). Cf. *veterator,* fourbe, en parlant du diable (Cypr. ; Lucif.-Cal.).

7. Cf. *angeli desertores* (Tert. Apol. 35).

8. V. *Lucifer,* ‹ Porte-Lumière ›, appellation du Christ (§ 207).

chrétiens l'ont appliquée à la chute de Satan (Ruf. Orig. Princ. 1, 5, 5, c. 163C ; Cassian. Coll. 8, 8).

Le traître :

*Multiformis **proditoris** Ars* (« *Pange, lingua* » Fort.), les multiples artifices du Traître ;

***proditor** angelus* (hymn. 1 vesp. 2 oct.).

Le Prince de l'enfer, de la mort, des ténèbres :

Regem tenebrarum (v. § 314) ; *filius **tenebrarum*** (Gel. suppl. 1705) ;

*de **mortis** principe* (or. ben. palm. vet. ord.) :

*(Christus) qui morte sua **mortis principem** vicit* (Moz. L. ord. 424) ;

*Sævumque **Averni principem*** (hymn. Ambr. II, 79b. 20) ; v. *principes* (§ 322).

§ 325 L'Ennemi, *inimicus* ([9]), *hostis, adversarius* :

ex. ***inimicus** autem, qui seminavit ea, est diabolus* (Mat. 13, 39), l'ennemi qui a semé (l'ivraie), c'est le diable ;

*ut **inimici** a nobis expelleres potestatem* (or. fer. 4 Maj. Hebd., Greg. 76, 2), pour chasser loin de nous la puissance de l'ennemi ;

scitote vos cum callido ([10]) *et veternoso **inimico** suscepisse certamen* (Aug. Serm. lect. 6, vigil. Pent.), sachez que vous avez engagé le combat contre un ennemi habitué dès longtemps à la ruse ;

*ignita jacula **inimici*** (Gel. Cagin 2047).

*Spiritualium **hostium** ... superatis insidiis* (or. 28 mart.), ayant surmonté les embûches des forces spirituelles qui nous sont hostiles ;

*ut ab **hoste** maligno defendas* (postc. 3 mai., Gel. II, 18) ;

*antiqui **hostis** superbia* (or. miss. ad postul. grat.), l'orgueil de l'antique ennemi ; ***hostis** antiqui machinamenta* (Leon. 29), les machinations de notre ennemi de toujours ;

***Hostem** repellas longius* (« *Veni, Creator* »).

Adversarius ([11]), en parlant du démon, est substantif ou adjectif :

ex. ***adversarius** vester diabolus tanquam leo rugiens circuit quærens quem devoret* (1 Petr. 5, 8), votre ennemi, le diable, tel un lion rugissant, rôde à la recherche de qui dévorer ;

*hunc eumdem ejus (Christi) **adversarium*** (Leon. 826) ;

*ut in hora mortis ejus non prævaleat contra eum **adversarius*** (postc. p. infirm.), pour qu'à l'heure de sa mort, l'Ennemi ne l'emporte pas sur lui ;

*ad conterendas **potestatis adversæ** insidias* (secr. 3 mai. ; *ad*

---

9. En latin chrétien, *inimicus* équivaut souvent à *hostis*.

10. Cf. *callidus hostis* (Greg.-M. Past. 3, 33).

11. Usage fréquent chez les Pères (Tert. ; Cypr. ; Aug. ; etc.) ; de même que *contrarius* qui, chez Hier. et les traductions d'Origène, s. Clément, traduit le mot *satan*.

conterendas potestates (sic) *adversariorum insidias*, Gel. II, 18), pour écraser les ruses de la puissance ennemie ; cf. *(spiritus immundus) non latendo* **subrepat** (ben. aq. vig. Pasch. ; *subripiat*, Gel. I, 44), ne se glisse pas en cachette ;

nihil hic loci habeat **contrariæ virtutis** *admixtio* (ben. aq. vigil. Pasch., Gel. I, 44, 445), qu'il n'y ait point de place ici pour une immixtion de la puissance ennemie.

Impugnator, celui qui attaque : *ab omni* **impugnatoris** *incursu* (ben. aq. Vig. Pasch.).

Le tentateur : *callidus* **tentator** (Leo-M. Serm. 68, 4 ; Moz. L. sacr. 319) ;

Deus enim intemptator est malorum (Jac. 1, 13), *diabolus vero est* **tentator** (Pont. Rom.-Germ. 99, 150), Dieu n'épreuve pas pour entraîner au mal, c'est le diable qui est le tentateur.

§ 326 Les traductions bibliques et le latin des Pères ont repris aussi le mot hébreu *satan*, indéclinable (ex. Job I, 6, celui qui accuse), ou *satanas, -æ*, pour désigner l'ennemi de Dieu :

ex. *ecce* **Satanas** *expetivit vos ut cribraret sicut triticum* (Luc. 22, 31), voici que Satan vous a réclamés pour vous passer au crible comme le froment ;

Satanas *et angeli ejus* (Apoc. 12, 9) ; cf. *angelus* **Satanæ** (2 Cor. 12, 7), en parlant d'une maladie qui le tourmente ;

Satanam *aliosque spiritus malignos* (or. post missam) ;

disrumpe omnes laqueos **Satanæ** (or. ord. bapt. Rit. R., Greg. 81), brisez tous les liens du démon (dont l'élu avait été prisonnier) ;

maledicte **Satana** (exorc. ord. bapt. Rit. R., Gel. I, 33, 294).

§ 327 Formules d'exorcisme :

da honorem *Deo vivo et vero* (ord. bapt. Rit. R., Gel. I, 33), cède la place au Dieu vrai, au Dieu vivant ;

da locum *Christo* (Gel. suppl. 1717) ; **da locum** *Spiritui Sancto* (ord. bapt.) ;

audi, maligne satana, **adjuratus** *per nomen æterni Dei* (exorc. ord. bapt. Rit. R., Gel. I, 33) ; **adjuro** *te per Regem cælorum* (Gel. suppl. 1706), je te conjure au nom du Roi des cieux ;

exorcizo *te, immunde spiritus ... ut* **exeas**... (exorc. ord. bapt. Rit. R., Gel. I, 33, 296), je te conjure, esprit impur ... de sortir... ; v. Bénédictions : *exorcizare aliquid* (§ 88) ;

recede *ab hoc famulo* ou *famula, famulis Dei* (ord. bapt. Rit. R., Gel. I, 33, 292), retire-toi de ces serviteurs de Dieu ;

tu autem **effugare**, *diabole* (ibid., Gel. I, 72), prends la fuite, démon ; cf. *ad* **effugandam** *omnem potestatem inimici* (Greg. 207, 1) ; *ad* **effugandum** *inimicum* (ben. sal. ord. bapt. Rit. R.) ;

exi ... **fuge**, *immunde spiritus* (ord. bapt. Rit. R.) ;

adjuro *te ... ut* **tollas** *te et* **exeas** (Pont. Rom.-Germ. 119, 1), je te conjure, ôte-toi de là et va-t-en ;

non ultra eos audeas **designare***, qui vexillo Christi ... notantur* (Moz. L. ord. 76), ne te permets plus de profaner ceux qui sont marqués du signe de la croix ([12]) ; cf. *et vas signatum non* **designabis** (ibid. 74), tu ne souilleras pas ce vase marqué du signe : dans ces ex., *designare* est mis pour *dissignare*.

Aux autres modes que l'impératif, « se retirer, disparaître » se dit *cessare, absistere, abscedere, recedere,* etc., dans les Sacramentaires et le Rituel ; ex. dans le Missel : *procul tota nequitia diabolicæ fraudis* **absistat** (ben. aq. vigil. Pasch., Gel. I, 44), loin d'ici toute la méchanceté de la ruse diabolique ;

aspersione hujus aquæ **effugiat** (Greg. 207, 3), s'enfuie à l'aspersion de cette eau ;

(aquam fontis) non **inficiendo corrumpat** *(diabolus)* (ben. aq. vig. Pasch., Gel. I, 44, 445).

§ 328 Métaphores désignant le « Serpent ».

Serpens, à cause du récit de la Genèse (3), désigne le diable, même chez les prosateurs (Aug. ; Cassian. ; etc.) : ex. **serpens** *antiquus* (Apoc. 12, 9) ;

serpens *inimicus* (exorc. c. energ. Gel. suppl. 1705).

Draco (Apoc. 12, 3 et 9) ;

Draco *nequissimus* (Gel. III, 1718) ;

Draco *antiquus* (Moz. L. sacr. 716) ;

Draconis *... dirum caput* (hymn. modif. 29 sept.) ;

Turris **draconi** *impervia* (hymn. mat. 8 dec.), tour inaccessible au dragon.

Anguis (Prud. ; Orient. ; Vict.-Petav. ; P.-Petric.) :

dirus **anguis** (hymn. mat. 1 jul.).

A été souvent appliquée au démon la figure du lion rugissant : *sicut* **leo** *rapiens et rugiens* (Ps. 21, 14) ; cf. 1 Petr. 5, 8 (cit. § 325) ;

Deus, invictæ virtutis ... qui **inimici rugientis** *sævitiam superas* (Pont. Rom.-Germ. 40, 38), ô Dieu, à la puissance invincible, qui domptez la méchanceté de l'ennemi rugissant.

---

12. Le signe de la croix écarte le démon : *sanctæ crucis signaculo adversus impugnationes diaboli totus victor muniatur homo* (Moz. L. ord. 160), que le signe de la croix sainte munisse l'homme tout entier contre les attaques du démon ; v. *signaculum*, au chp. du baptême (§ 329).

LES SACREMENTS

1. LE BAPTÊME ([1])

§ 329 La Marque, le Sceau, le Caractère.

Le baptême est un des trois sacrements qui impriment un « caractère » indélébile. Tertullien compare le sceau du baptême à la marque ([2]) du soldat : *signaculum fidei* (Spect. 24 ; cf. *signare*, Præscr. 40). Chez les auteurs chrétiens, *signaculum* désigne donc (entre autres sens), soit le signe de la croix en général, soit le sceau, la marque imposée par le sacrement :

ex. en parlant du baptême, *factus impresso crucis tuæ* **signaculo** *christianus* (Moz. L. ord. 80), devenu chrétien par la marque de votre croix imprimée sur lui ;

(à l'imposition des mains sur le catéchumène malade) *ut ... gloriosum semper bajulet quod accipit* **signaculum** *crucis* (Gel. I, 66), qu'il porte toujours la marque glorieuse de la croix qu'il reçoit (ou « qu'il a reçue, *accepit* : à cette époque, la confusion de ces deux voyelles est courante).

Saint Augustin emploie aussi le mot *character* (χαρακτήρ, de χαράσσω, graver, marquer) pour désigner la marque du baptême et celle du soldat (Bapt. 6, 1, 1 ; Serm. 359, 5). Ex. liturgique : *inimicus divinæ inscriptionis* **character** *agnoscens* (Miss. Gall. 16, 77), l'ennemi (le diable) reconnaissant la marque inscrite par Dieu.

Signare ([3]), marquer, se dit, dans les Épîtres de saint Paul, du baptême et du don du Saint-Esprit : *qui unxit nos Deus, qui et* **signavit** *nos et dedit pignus Spiritus in cordibus nostris* (2 Cor. 1, 21), Dieu qui nous a donné l'onction, qui nous a aussi marqués de son sceau (σφραγισάμενος, de σφραγίς, sceau) et a mis dans nos cœurs le gage du Saint-Esprit ; cf. Ephes. 1, 13 ; 4, 30.

---

1. Comme il s'agit d'une étude de vocabulaire, tout est rangé ici, non à la manière d'un exposé théologique, mais selon les affinités sémantiques ou étymologiques.

2. Tels des troupeaux, les soldats étaient marqués au fer rouge, pour empêcher les désertions.

3. V. aussi *signare, consignare* au chp. Confirmation.

Signare ([4]), « marquer du signe de la croix » en général (Tert. ; Lact. ; etc.) ; les premiers chrétiens imprimaient le signe de la croix sur une partie du corps : ex. *signare frontem*, **consignare** *in frontem* (la grande signation ne date que du 8e s. environ). Le mot s'emploie, dans la liturgie, chaque fois que l'on marque un objet ou une personne du signe de la croix, qu'il s'agisse d'une onction ou d'une simple signation.

Ex. concernant le baptême ou les différents scrutins qui le précédaient jadis : *hos electos* ([5]) *tuos crucis Dominicæ, cujus impressione* **signamur**, *virtute custodi* (Gel. I, 30, 286, au cours de la 3e semaine du Carême, donc pas encore à la veillée pascale), gardez vos élus que voici par la vertu de la croix du Seigneur, dont nous les marquons ;

signo *te in nomine Patris et Filii et Spiritus Sancti, ut sis christianus, oculos ut videas claritatem Dei, aures ... nares ...* (coll. *ad christianum faciendum*, Miss. Goth. 254), je te marque au nom du Père et du Fils et du Saint-Esprit, pour faire de toi un chrétien, les yeux pour que tu voies la lumière de Dieu (cf. *illuminare*, § 337), les oreilles... le nez... ;

signo *tibi frontem ... aures ... oculos ... nares ... os ... pectus ... scapulas* (ord. bapt. adult. introd. in catech., Rit. R.), je te signe le front ... les oreilles ... les yeux ... le nez ... les lèvres ... le cœur ... les épaules ... ;

hunc electum tuum N. crucis Dominicæ impressione **signatum** *perpetua virtute custodi* (or. ibid. cf. Gel. supra) ; dans le Rituel, faire le signe de la croix sur le front du baptisé se dit aussi *facere crucem in* ;

cf. *postea cum ascenderit a fonte infans,* **signatur** *a presbytero in cerebro de chrismate his verbis* (Gel. I, 44, 449), (après avoir été plongé trois fois dans l'eau) quand le nouveau-baptisé remonte des fonts, le prêtre le signe au front avec le saint chrême en disant ; v. *linio* (§ 330).

Signum ([6]), sceau, marque (au sens matériel ou spirituel :

ex. en parlant du baptême : *qui cum* **signo fidei** *nos præcesserunt* (Greg. M. 78, c. 28A) ; *qui nos præcesserunt cum signo fidei* (Canon), qui nous ont précédés, marqués du sceau de la foi ;

---

4. Cf. le sens figuré de « sceller » : *eam* (*fidem*) *aqua signat* (Tert. Præscr. 36), il la scelle par le baptême.

5. Dans le Rituel d'aujourd'hui, *electus* désigne simplement celui que l'on est en train de baptiser. Chez les Pères ou dans les anciens livres liturgiques, on appelle ainsi celui qui, arrivé à la fin de son catéchuménat (v. *catechizare, catechumenus, competentes,* § 391), devait être baptisé à la prochaine Pâque et était soumis, durant le Carême, aux différents scrutins (*scrutinia*), avec prières, exorcismes, remise du symbole (*traditio*), que l'on devait par la suite répéter (*reddere*). Un équivalent de *scrutinium* est *scrutamen* (Miss. Gall. 16, 76). Les étapes du catéchuménat sont actuellement restaurées pour le baptême des adultes.

6. *Signum crucis*, marque, signe de la croix sur des personnes ou des objets : ex. *faciens signum crucis de oleo sancto super patenam* (Sacr. Greg. Migne 78, c. 158D ; autre expression : *signum Domini* (P.-Nol. Ep. 12 ; Cassian. Coll. 15, 10, 5).

accipe ([7]) **signum crucis** *tam in fronte quam in corde* (ord. bapt. Rit. R., Gel. I, 71), reçois le signe de la croix sur le front comme dans ton cœur ([8]).

La circoncision était aussi une marque ; le baptême sera donc une circoncision spirituelle : *in quo (Christo) circumcisi estis circumcisione non manu facta* (Col. 2, 11), en qui vous avez été circoncis d'une circoncision non matérielle.

§ 330 Formules concernant les onctions.

Le baptême se termine par une onction (cf. *unxit*, 2 Cor. 1, 21). Le Christ (Χριστός, de χρίω, oindre) étant l'Oint par excellence (v. § 204), le chrétien, par l'onction ([9]) baptismale, devient un nouveau Christ et fait partie du corps mystique : *omnes quippe unctos ejus* **chrismate** *recte* **christos** *possumus dicere* (Aug. Civ. 17, 4), tous ceux qui ont reçu cette onction, nous pouvons à juste titre les appeler christs ; *a cujus (Christi) nomine sancto* **chrisma** *nomen accepit* (praef. miss. chrism., Greg. 77, 11), a été appelé chrême du saint nom du Christ ;

ex. baptismaux : *ipse (Deus) te* **linet** (pour *linat* du verbe *linere*) **chrismate** *salutis in vitam æternam* (Greg. 206, 4), que lui-même te confère l'onction du salut pour la vie éternelle ; *te* **liniat** (verbe *linire*) **chrismate** *salutis ... in vitam æternam* (Rit. R.) ;

baptizat et **linit** *eum presbyter de* **chrismate** *in cerebro* (Greg. 85, 11 ; cf. Gel. I, 450 cité plus haut) ;

perungo *te* **crismate** *sanctitatis, induo te tunicam immortalitatis* (Miss. Goth. 261), je fais sur toi l'onction sainte, je te revêts de la tunique d'immortalité (le vêtement blanc, auj. le chrémeau).

Chrisma salutis est aussi l'expression employée dans la préface de la messe chrismale du Jeudi-Saint (Miss. R. et Greg. 77, 11).

Linire ([10]) est encore le verbe employé pour l'onction avec l'huile des catéchumènes, (*oleum catechumenorum*), *oleum sanctum* (miss. chrism. ; et Greg. 83, 3) :

---

7. Impératif habituel dans ces formules : ex. *accipe sal sapientiæ* (Rit. R., Gel. I, 31 ; autre ex. § 334).

8. Le signe de la croix a été précédé d'une exsufflation pour l'exorcisme (*exsufflat ter in faciem*), d'une insufflation pour symboliser le Saint-Esprit (*halat in faciem*) : *accipe Spiritum bonum per istam insufflationem* (ord. bapt. adult. 9, Rit. R.), reçois l'Esprit Saint par ce souffle. Mais les termes appartenant aux rubriques n'entrent pas dans le cadre de ce travail.

9. Autre symbole (cf. *oleo lætitiæ*, Ps. 44, 8, l'huile symbolisant, entre autres, la joie) : *hæc olei unctio vultus nostros jucundos efficit ac serenos* (præf. miss. chrism., Greg. 77, 8), l'onction de cette huile (au baptême) rend nos visages joyeux et paisibles (ou encore : nous rend agréables à Dieu).

10. C'était le verbe *ungere* qui était employé par Hippolyte de Rome (Trad. éd. dom Botte, p. 51 et 52) pour l'onction au sortir des fonts : *ungeo te oleo sancto in nomine Jesu Christi* ; de même pour la consignation qui avait lieu aussitôt après.

ego te **linio** *oleo salutis* (ord. bapt. Rit. R.), reçois par mon onction l'huile du salut.

Différents sens du mot *chrisma* : 1) onction postbaptismale (Tert. ; Cypr. ; Aug.) - 2) huile des malades (Innoc. I) ; appelée *oleum infirmorum*, dans la messe du saint chrême - 3) saint chrême (Sacram.) :

commixtio **chrismatis** *sanctificationis et* **olei unctionis** *et aquæ baptismatis pariter fiat in nomine Patris et Filii et Spiritus Sancti* (ben. font. vigil. Pasch.), que le chrême qui sanctifie ([11]) et l'huile des onctions (huile des catéchumènes) et l'eau du baptême se mêlent ensemble au nom du Père...

Exorcismes (au cours des scrutins ou du baptême actuel) ([12]) : v. formules aux § 88 ; 327.

Renonciation à Satan.

Avant les Sacramentaires, les formules suivantes sont courantes : *renuntiare ipsi (diabolo) et pompæ et angelis ejus* (Tert. An. 35) ;

abrenuntiare *diabolo et operibus ejus* (Ambr. Incarn. 1, 2, 5) ; *pompis diaboli* **renuntiare** (Aug. Symb. 4, 1). Le Rituel Romain a gardé les formules du Sacramentaire Gélasien (I, 42, 421) : *Abrenuntias Satanæ ? Abrenuntio. Et omnibus operibus ejus ? Abrenuntio. Et omnibus pompis* ([13]) *ejus ? Abrenuntio* (v. *pompa*, § 405).

Pour l'enseignement avant le baptême, v. § 171 ; 172.

§ 331 Le Bain salutaire.

Mais le rite essentiel du baptême, et qui lui a donné son nom (βαπτίζω, plonger dans l'eau), c'est le « bain » salutaire, accompagné de la formule trinitaire ; et les termes *baptizo, baptisma, baptismus* ou *baptismum, lavari, lavacrum, tingere* ou *intingere, tinctio* s'y réfèrent.

Les derniers, des mots proprement latins, se sont employés au début en concurrence avec les mots d'origine grecque, puis n'ont plus été utilisés qu'au sens spirituel, en insistant sur l'idée de purification.

Lavacrum : ex. *Christus ... se ipsum tradidit pro ea (ecclesia) ut illam sanctificaret mundans* **lavacro** *aquæ* (τῷ λουτρῷ τοῦ ὕδατος) *in verbo vitæ* (Ephes. 5, 26), le Christ s'est livré pour elle, afin de la sanctifier en la purifiant par un bain d'eau qu'une parole de vie accompagne ;

---

11. Saint Léon aux nouveaux baptisés : *accepistis chrisma salutis et signaculum vitæ æternæ* (Serm. 24, 6), vous avez reçu l'onction salutaire et le sceau de la vie éternelle.

12. Les termes concernant la profession de foi se retrouvent dans d'autres chapitres.

13. *Pompa* désignait primitivement la procession des jeux du cirque, symbole des spectacles païens et du culte idolâtre ; ensuite toutes les séductions du « prince de ce monde » : *quando baptizamur, renuntiantes diabolo et pompæ ejus* (Hier. In Psal. 9, p. 23, 2).

per **lavacrum** ([14]) *regenerationis accepta remissione omnium peccatorum* (or. 5 Parasc., Gel. I, 41, 408), après avoir reçu le pardon de tous leurs péchés grâce au bain qui les fera renaître ;

omnes hoc **lavacro** *salutifero diluendi* (præf. vigil. Pasch., Gel. I, 44, 445), tous ceux qui vont être purifiés par ce bain salutaire ;

ad novæ regenerationis **lavacrum** (or. imp. sal. bapt., Rit. R.), jusqu'au bain de la nouvelle naissance ; *ad beatæ regenerationis* **lavacrum** (exorc. olei, Greg. 78, 1).

Aqua seul peut désigner le baptême chez Tertullien, Jérôme, Augustin ; et naturellement aussi avec une détermination : *aquæ gratiæ* (Aug. Conf. 5, 8, 15) ; *aqua salutaris* (ibid. 9, 13, 35). Mais, dans les textes liturgiques, *aqua* désigne seulement l'eau du baptême, ou l'eau du déluge qui la préfigure : ex. *hanc aquam, regenerandis hominibus præparatam* (præf. vigil. Pasch., Gel. I, 44, 445), cette eau destinée à faire renaître les hommes.

Tinctio, action de tremper, de baigner, désigne parfois le baptême chez Tertullien ([15]), Augustin, Grégoire le Grand. Rares ex. liturgiques : *per* **tinctionem** *baptismatis* (Moz. L. Sacr. 392), par le bain du baptême ;

deinde doctas (gentes discipuli) **intingunt** *aqua* (Hier. Mat. lect. 2, fer. 6 oct. Pasch.), après les avoir instruits, ils les plongent dans l'eau (dans le contexte, l'auteur emploie normalement *baptizare, baptismus*) ;

Quos **tinxit** *unda milites* (Fort. hymn. laud. 18 mai.), les soldats que cette eau a baignés.

§ 332 Comme il a été dit, ce sont les termes d'origine grecque qui ont été adoptés dès le début, pour désigner

soit le baptême de Jean : **baptismus** *Joannis* (Mat. 21, 25) ; **baptismus** *pænitentiæ* (Marc. 1, 4) ; *ego* **baptizavi** *vos aqua, ille vero* **baptizabit** *vos Spiritu Sancto* (Marc. 1, 8 ; cf. Act. 1, 5), moi, je vous ai baptisés dans l'eau, mais lui vous baptisera avec l'Esprit Saint ;

soit le baptême chrétien : *unus Dominus, una fides, unum* **baptisma** ([16]) (Ephes. 4, 5) ;

an ignoratis quia quicumque **baptizati** *sumus in Christo Jesu, in morte ipsius* **baptizati** *sumus ? Consepulti enim sumus cum illo per* **baptismum** *in mortem ...* (Rom. 6, 3-4), ignorez-

---

14. *Lavacrum* seul (Tert. Pud. 19 etc.) ; avec une détermination : *lavacrum vitale* (Cypr. Laps. 24) ; *l. salutare* (Hab. virg. 23) ; *l. spiritale* (Lact. Inst. 4, 15, 2) ; *l. sanctum* (Aug. Symb. 4, 1) ; *lavacri sacramentum* (Bapt. 5, 8, 9), le rite sacré du baptême. *Lavari*, être baptisé (Hier. Tr. II in Psal. p. 16) ; *loti sunt* (de *lavere*, ibid.). *Aqua lavas baptismatis* (hymn. modif. mat. d. 2 p. Pasch.). Cf. les composés *diluo, abluo* (§ 334). Pour l'immersion, v. le Dict. à *mergo, mergito*.

15. Et *intinctio* (Tert. Pæn. 9) ; *intingere* (Bapt. 4).

16. *Baptizari*, au sens de « se laver » (Marc. 7, 6) ; *baptismata*, « ablutions rituelles » (Hebr. 6, 2).

vous que, nous tous qui avons été baptisés dans le Christ Jésus, c'est dans sa mort que nous avons été baptisés ? Nous avons donc été ensevelis avec lui par le baptême... ;

euntes ergo, docete omnes gentes, **baptizantes** *eos in nomine Patris et Filii et Spiritus Sancti* ([17]) (Mat. 28, 19 ; v. § 215) ;

baptizo *te N. in nomine Patris et Filii et Spiritus Sancti* (Miss. Goth. 261, Greg. 206, 3 ; *ego te baptizo...*, Rit. R.).

Par le baptême, nous entrons dans le corps mystique : *etenim in uno Spiritu omnes nos in unum corpus* **baptizati** *sumus* (I Cor. 12, 13), c'est en un seul Esprit que nous avons tous été baptisés, pour ne former qu'un seul corps ; *ut, renati fonte* **baptismatis**, *adoptionis tuæ filiis aggregentur* (or. 5 Parasc., Gel. I, 41, 409), afin qu'ils renaissent dans les eaux du baptême et soient incorporés parmi les fils adoptifs.

Dans les textes liturgiques, *baptisma* est plus fréquent que *baptismus*, v. ex. dans les pages suivantes.

Baptismus désigne aussi la grâce ([18]) du baptême (qui nous a purifiés) : *accipe lampadem ardentem et irreprehensibilis custodi* **baptismum** *tuum* (ord. bapt. Rit. R.), reçois cette lumière et, sans défaillance, garde la grâce de ton baptême.

§ 333 Les Fonts baptismaux.

Dans les oraisons, les expressions suivantes désignent moins les fonts au sens concret que l'eau du baptême et ses effets :

ex. *sanctificetur et fecundetur* ([19]) **fons** *iste oleo salutis* (or. ben. font. vigil., Pasch.), que par l'huile du salut (l'huile des catéchumènes) cette fontaine soit rendue sainte et féconde ;

ad recreandos novos populos, quos tibi **fons baptismatis** *parturit* (or. ben. font. vigil. Pasch. ; *creandos*, Gel. I, 44, 444), pour renouveler les peuples que la fontaine baptismale engendre pour vous ;

Mare Rubrum ([20]) *forma* **sacri fontis** (or. p. proph. 2 vigil. Pent., Gel. I, 77, 620), la Mer Rouge, préfigure des fonts sacrés ;

per **fontem baptismi** (ibid. p. proph. 4, Gel. 622) ;

descendat in hanc plenitudinem **fontis** *virtus Spiritus Sancti* (or. ben. font., Gel. 448), que la puissance du Saint-Esprit descende pour remplir cette fontaine ;

ad suam sanctam gratiam et benedictionem, **fontemque baptismatis** *vocare dignatus* (exorc. bapt. Rit. R.), (Dieu) qui a daigné l'appeler à sa sainte grâce, à sa bénédiction et à la fontaine baptismale ; *fons baptismatis* (Greg. 79, 10, etc.).

---

17. Il est possible que cette formule se ressente, dans sa précision, de l'usage liturgique établi plus tard dans la communauté primitive (Note Bible de Jérus.). Cf. (*Petrus*) *jussit eos baptizari in nomine Domini Jesu Christi* (Act. 10, 48).

18. Cf. *baptismata perdere* (Fort. Mart. 2, 187), perdre la grâce du baptême. Mais *gratia baptismi* (Greg. 82, 2 et 205, 3) désigne la grâce que constitue le baptême.

19. Cf. *de Spiritu Sancto, qui hanc aquam ... fecundet* (Greg. 85, 4).

20. Cf. hymn. vesp. dom. Res.

Pour les Pères, la descente dans la cuve baptismale évoquait la descente du Christ au tombeau et aux enfers avant la résurrection glorieuse, suivant le symbolisme déjà formulé par saint Paul : *consepulti enim sumus cum illo per baptismum in mortem* (Rom. 6, 4), nous avons donc été ensevelis avec lui par le baptême dans la mort (la mort du péché) ; cf. Col. 2, 12) ;

dixisti « credo » et mersisti, hoc est sepultus es (Ambr. Sacram. 2, 7, 20) ;

sicut ei (Christo) consepulti estis baptismate (Moz. L. sacr. 647).

Pour l'enfantement des baptisés par l'Église, v. *mater* (§ 354).

§ 334 Les Effets du sacrement.

La Purification [21] : *omnes, qui sacro baptismate* **diluuntur** (or. p. proph. 6 vigil. Pent., Gel. I, 77, 623), tous ceux qui sont lavés par les eaux sacrées du baptême ;

sit fons vivus, aqua regenerans, unda **purificans** (præf. ben. font. vigil. Pasch., Gel. I, 44, 445), qu'elle soit une source de vie, l'eau qui régénère, l'onde qui purifie ; *hic omnium peccatorum* **maculæ deleantur** (or. ibid., Gel. ibid. 448) ;

per aquam mundi peccata **diluuntur** (Miss. Gott. 316) ;

quos aqua baptismatis **abluis** (Greg. 84, 4).

Cette purification est symbolisée par le vêtement blanc revêtu par les nouveaux baptisés : *accipe vestem* **candidam** (ord. bapt. Rit. R., Miss. Goth. 263), reçois ce vêtement blanc (aujourd'hui, simplement un linge blanc placé sur la tête du baptisé) ; cf. *dominica in* **albis**, dimanche des vêtements blancs (jour où ils les déposaient) ; *totius* **albæ** *orationes* (Gel. I, 47 tit.), oraisons de la semaine après Pâques ;

stolis **albis candidi** (hymn. vesp. dom. Res.), dans la blancheur de nos vêtements ;

post baptismi gratiam et regenerationis **stolam** (Moz. L. ord. 136) ;

ecclesiam nostram splendore **nivei candoris** *illuminat* (Cæs.-Arel. Serm. 204, 1), (le peuple régénéré) illumine notre église par l'éclat de sa blancheur de neige ; (v. *niveus candor*, en parlant des martyrs, § 111 ; en parlant du vêtement sacerdotal, Moz. L. sacr. 701).

§ 335 La Régénération, la Rénovation.

(Salvator noster) salvos nos fecit per lavacrum **regenerationis** [22] *et* **renovationis** *Spiritus Sancti* (Tit. 3, 5), nous a sauvés par le bain de la régénération et de la rénovation en l'Esprit

---

21. V. d'autres symboles de l'eau baptismale qui donne la vie (Tert. Bapt. 1, 3 ; Ambr. Sacram. 3, 3).

22. *Post regenerationem lavacri* (Hier. Orig. Ez. 6, c. 773B).

Saint ; *per lavacrum **regenerationis*** (or. 5 Parasc., Gel. I, 41, 408) ;

   ***regenerationis** speciem in ipsa diluvii effusione signasti* (præf. ben. font., Gel. I, 44, 445), dans les eaux du déluge vous avez donné une image mystique de la régénération ;

   *Deus omnipotens ... qui te **regeneravit** ex aqua et Spiritu Sancto* (ord. bapt. Rit. R., Greg. 85, 11) ; v. *regeneratio, renovatio*, à propos de la Rédemption (§ 231) ; cf. *recreare* (§ 333) ;

   *fontemque baptismatis aperis toto orbe terrarum gentibus **innovandis*** ([23]) (præf. ben. font., Gel. I, 44, 445), vous faites jaillir la source du baptême pour renouveler les peuples dans tout l'univers ;

   *baptismate **renovati*** (secr. fer. 5 oct. Pasch., Greg. 92, 2).

Comme on l'a noté (§ 333), cette vie nouvelle nous assimile au Christ enseveli ([24]) et ressuscité : *quomodo Christus resurrexit a mortuis ... ita et nos in **novitate vitæ** ambulemus* (Rom. 6, 4), (après avoir été ensevelis avec lui par le baptême dans la mort) de même que le Christ est ressuscité d'entre les morts, nous aussi marchons dans une vie nouvelle.

§ 336 La nouvelle Naissance.

   *Amen, amen dico tibi : nisi prius **renatus** fuerit ex aqua et Spiritu, non potest introire in regnum Dei* (Jo. 3, 5), en vérité, en vérité, je te le dis : à moins de renaître par l'eau et l'Esprit, nul ne peut entrer au royaume de Dieu ;

   ***renati** fonte baptismatis* (v. § 332) ;

   *qui per gratiam tuam **renati sunt*** (or. vigil. Pent., Greg. 111, 1) ;

   *pro **renatorum** expiatione peccati* (secr. fer. 6 p. Pasch., Gel. I, 48), pour expier le péché des (nouveaux) baptisés ;

   *omnibus parvulis **renatis** fonte baptismatis* (or. ord. sepel. parv., Rit. R. VII, 7), à tous les petits enfants que la fontaine baptismale a fait renaître.

Cette régénération s'appelle aussi *secunda nativitas* (Moz. L. sacr. 621) ; v. *prima nativitas* (§ 224) ; *festinate ad secundæ nativitatis gratiam* (Max.-Taur. Serm. c. 567B).

Les renés sont comparés à des enfants ([25]) : *quasi modo geniti **infantes** ... rationabile sine dolo lac concupiscite* (Intr. d. 1 p.

---

23. *Innovare*, renouveler (en parlant du baptême, Cypr. ; Hilar. ; Aug. ; etc.).

24. Notre Seigneur lui-même appelle la Passion son baptême (Luc. 12, 50). D'autre part, le martyre est considéré comme un baptême de sang : *sanguinis lavacrum* (Tert. Scorp. 6), et chez les auteurs postérieurs.

25. C'était même le terme consacré (v. ex. du Sacr. Gel., § 329). *Infantes dicuntur quia modo nati sunt Christo* (Aug. Serm. 228, 1), on les appelle enfants, parce qu'ils viennent de naître au Christ. Saint Césaire appelle les parrains et marraines *parentes* (Serm. passim). Des termes comme *patrinus, matrina* sont postérieurs.

   Ne pas confondre avec l'*infantia* des chrétiens débutants (Tert. Monog. 11, 6), dont la foi n'est pas encore capable de la nourriture forte dont parle saint Paul : *tanquam parvulis in Christo* (1 Cor. 3, 1). Le même fait encore allusion à cette enfance des nouveaux baptisés : *quibus lacte opus sit, non solido cibo* (Hebr. 5, 13).

Pasch.), comme des enfants nouveaux-nés, désirez le lait spirituel non falsifié (Vulg. 1 Petr. 2, 2 : *sicut modo geniti* **infantes** *rationabile sine dolo lac concupiscite,* ... le lait spirituel et pur) ;

ut omnis homo sacramentum hoc regenerationis ingressus in veræ innocentiæ **novam infantiam** *renascatur* (or. ben. font., Gel. I, 44, 448), que tout homme, une fois entré dans ce mystère de régénération, renaisse pour la nouvelle naissance d'une innocence réelle.

Le baptisé est considéré comme une nouvelle plantation (νεόφυτος, 1 Tim. 3, 6), d'où *neophytus*, néophyte (Tert. ; Hier. ; Greg.-M.) ; cf. *plantare*, en parlant de la plantation du Père (Mat. 15, 13) ; même métaphore : *ego plantavi* (1 Cor. 3, 6) ;

le mot a désigné aussi un catéchumène : **neophitis** *(tardis Domini nostri cultoribus) Dominum deprecemur, ut eis desiderium beatæ et perpetuæ regenerationis infundat* (Miss. Gall. 26, 159).

§ 337 Enfin le baptême a été aussi regardé comme une illumination ([26]) (φωτισμός) : *qui semel sunt* **illuminati**, *gustaverunt etiam donum cæleste et participes facti sunt Spiritus Sancti* (Hebr. 6, 4-5), ceux qui ont une fois été illuminés, qui ont goûté au don céleste et sont devenus participants de l'Esprit Saint ;

cf. *ut digneris eos* **illuminare** *lumine intelligentiæ tuæ* (or. p. fide, ord. bapt. adult., Rit. R., Greg. 82, 1), afin que vous daigniez les éclairer de la lumière de votre intelligence.

On a reconnu de nombreux types ou préfigures du baptême dans les événements de l'A. T., par ex. (outre ceux qui ont été mentionnés plus haut) la colonne de feu et le passage de la mer Rouge : *columna ignis* (Ex. 13, 22) ; *columna ignis et nubis* (Ex. 14, 24, lect. 2 vigil. Pasch.) ; *patres nostri omnes sub nube fuerunt, et omnes mare transierunt, et omnes in Moyse* **baptizati sunt in nube et in mari** (1 Cor. 10, 1-2), nos pères ont tous été sous la nuée, tous ont passé à travers la mer, tous ont été baptisés en Moïse dans la nuée et dans la mer.

2. LA CONFIRMATION

§ 338 A l'âge apostolique, l'imposition des mains avait lieu aussitôt après le baptême, et elle conférait le Saint-Esprit : *baptizati tantum erant in nomine Domini Jesu ; tunc* **imponebant manus** *super illos et* **accipiebant Spiritum** *Sanctum* (Act. 8, 16-17), ils avaient seulement été baptisés au nom du Seigneur Jésus ; alors ils leur imposèrent les mains et ils reçurent le Saint-Esprit ;

---

26. *Illuminatio* a désigné parfois le baptême : *illuminationem quod dicit Græcus fotisma* (Didasc. apost. 62, 29). D'où les applications du Ps. 33 (v. 6 au baptême.

his auditis, baptizati sunt in nomine Jesu. Et, cum im-
posuisset illis manus Paulus, venit Spiritus Sanctus super
eos (ibid. 19, 5-6).

L'imposition des mains est d'ailleurs un rite fréquent dans
l'A. T. et dans l'administration des sacrements chrétiens,
notamment l'ordre. Cette imposition des mains désigne encore
la confirmation à l'époque de saint Boniface de Mayence (7e
s.) : *impositionem manus acceperunt* (Vit. Bonif., Levison p.
30).

La confirmation, *consignatio*, est réservée à l'évêque ([1])
(Gelas. I Ep. 9, 61) ; le Sacramentaire Gélasien du 8e s. nous
montre qu'elle a lieu aussitôt après le baptême ([2]) : (au sortir
des fonts) *infans signatur a presbytero* (I, 44, 450) ... *Deinde ab*
episcopo datur eis spiritus septiformis. Ad consignandum
imponit eis manum in his verbis ... (ibid. 451).

Comme il s'agit encore d'une marque et d'une onction,
nous retrouvons les mots *signare, consignare, signaculum,*
consignatio :

signaculo Dominico consignentur (Cypr. Ep. 73, 9), qu'ils
soient marqués du sceau du Seigneur ; car l'Esprit Saint est
le sceau de Dieu : *qui autem confirmat nos vobiscum in*
Christo, et qui unxit nos Deus, qui et signavit nos et dedit
pignus Spiritus in cordibus nostris (2 Cor. 21-22), Celui qui
nous affermit avec vous dans le Christ et qui nous a donné
l'onction, c'est Dieu, Lui qui nous a aussi marqués de son
sceau et a mis dans nos cœurs les arrhes de l'Esprit. Dans le
« *Veni, Creator* », le S. Esprit est appelé *spiritalis unctio*.

Autres ex. concernant la confirmation :

signare in frontibus chrismate (Greg.-M. Ep. 4, 9) ;

N., signo te signo crucis et confirmo te chrismate salutis
(Rit. confirm., Pont. et Rit. R.), je te marque du signe de la
croix et te confirme avec le chrême du salut ;

præsta ut ejus cor, cujus frontem sacro chrismate delinivimus
et signo sanctæ crucis signavimus, idem Spiritus Sanctus
in eo superveniens, templum gloriæ suæ dignanter inhabitando
perficiat (or. ibid.), quant à celui dont nous avons oint le
front avec le saint chrême, le marquant du signe sacré de la
croix, faites que son cœur aussi devienne une digne habitation
de ce même Saint-Esprit (qui a rempli les apôtres) descendu
sur lui ;

adimple eum (ou *eam, eos, eas*) *Spiritu timoris tui et con-*
signa eum signo crucis Christi, in vitam propitiatus æternam
(or. ibid. ; Greg. 86, sans *Christi, oratio ad infantes consignan-*
dos, donc après le baptême), remplissez-le de l'esprit de votre

---

1. Ex. antérieur : *de consignandis infantibus* (*ab episcopo*) (Innoc. I Ep. 25).

2. A partir du 9e s., la confirmation est souvent séparée du baptême (Béraudy,
dans A. G. Martimort, « L'Église en prière », p. 554 et suiv.).

crainte et daignez, dans votre bonté, le marquer du signe de la croix pour la vie éternelle.

Au Sacram. Gélasien (I, 75, 615, avec cette addition *da ei*) remonte l'invocation : *emitte in eum septiformem Spiritum tuum Sanctum Paraclitum de cælis ... Spiritum sapientiæ et intellectus ... Spiritum consilii et fortitudinis ... Spiritum scientiæ et pietatis.*

3. LE SACREMENT DES MALADES [1]

§ 339 Pour la salutation et la bénédiction de la maison à l'entrée du prêtre, v. § 89.

Nous rencontrons encore, à propos de ce sacrement, les mots *unctio* et *ungere* :

ungentes eum (infirmum) **oleo** *in nomine Domini* (Jac. 5, 14) ;

per istam sanctam **unctionem** *et suam piissimam misericordiam, indulgeat tibi Dominus quidquid* **per visum deliquisti** (Rit. R. VI, 2), grâce à cette onction sainte et à sa très clémente miséricorde, que le Seigneur te pardonne tous les péchés que tu as commis par la vue (et même formule pour les différents sens : *per auditum, per odoratum, per gustum et locutionem, per tactum, per gressum*).

Ex. de formules plus variées, au lieu de *deliquisti* : *(ad labia) quidquid otiosa vel etiam criminosa peccasti locutione* (Pont. Rom.-Germ. 143, 18), tous les péchés que tu as commis en prononçant des paroles oiseuses ou même coupables ;

(ad pedes) quidquid superfluo vel nocivo incessu commiserunt (ibid. 25), tout le mal qu'ils ont commis par des démarches inutiles ou fautives ;

(ad manus) quidquid illicito vel noxio opere peregerunt (ibid. 24), tout ce qu'elles ont fait d'une manière illicite ou répréhensible.

L'huile des malades : **oleum** *infirmorum* (miss. s. chrism. fer. 5 Maj. Hebd.) ;

istud **oleum ad unguendos** *infirmos* (Gel. I, 40, 381) ;

emitte, q. D., Spiritum Sanctum tuum Paraclitum de cælis in hanc pinguedinem olivæ [2] *... ad refectionem mentis et corporis* (m. chrism., Greg. 77, 5), envoyez, Seigneur, du haut du ciel, votre Esprit Saint, le Paraclet, sur cette huile d'olive ... pour restaurer nos âmes et nos corps.

Unguentum signifie : 1) parfum (ex. Ps. 132, 2 ; Marc. 14, 5) -

---

1. « *Extrema Unctio* », *quæ etiam et melius* « *Unctio infirmorum* » *vocari potest* (Const. liturg. Vatic. II, 73).

2. Cf. *pinguedo olivæ* (Rom. 11, 17), la sève de l'olivier. Dans l'ancien ordo des Rameaux, les branches d'olivier symbolisent la douceur de la miséricorde rédemptrice : *misericordiæ pinguedinem declarant* (or. 5), symbolisent l'effusion débordante de sa miséricorde.

2) ce qui sert à embaumer (Mat. 26, 12) - 3) parfum (spirituel) : *(sacerdotes) instructos cœlestis unguenti fluore* (Leon. 947), enrichis des parfums du ciel ; *sacerdotali nos opimat unguento* (ben. chrism.), (le baume) qui nous honore du parfum sacerdotal - 4) ce qui sert à oindre, huile des onctions : *condi hoc unguentum, Domine, aromatibus sanctitatis, unde omnes languidi medelam percipiant sanitatis* (Moz. L. ord. 7), enrichissez cette huile, Seigneur, des parfums mystiques, afin que tous les malades puissent y trouver la guérison et la santé ; cf. en parlant d'une huile de consécration : *per infusionem hujus unguenti* (Gel. I, 40, 387 ; Greg. 77, 9).

4. LE MARIAGE

§ 340 *Conjungere*, unir : *quod ergo Deus conjunxit, homo non separet* (¹) (Mat. 19, 6), « ce que Dieu a uni, que l'homme ne le sépare pas » ; le Christ avait cité auparavant le verset de la Genèse (2, 24) : *relinquet homo patrem et matrem et adhærebit uxori suæ et erunt duo in carne una*, l'homme quittera son père et sa mère et s'attachera à son épouse et ils seront deux dans une seule chair ; cf. *(Deus) qui Adæ comitem tuis manibus addidisti* (Leon. 1110), qui avez, de vos mains, donné une compagne à Adam ;

Deus Israel conjungat vos (Intr. miss. nupt.); *Deus Abraham et Deus Isaac et Deus Jacob vobiscum sit et ipse conjungat vos* (Tob. 7, 15) ;

ego conjungo vos in matrimonium (Rit. R. VIII, 2), je vous déclare unis par le mariage.

Conjux désigne surtout l'épouse : *ipso (s. Joachim) cum conjuge sua* (secr. 16 aug.) ; ex. masc., *cum suo conjuge* (Leon. 1107 ; Gel. III, 52, 1447).

Conjugalis : *conjugalis tori jussa consortia* (Leon. 1110), l'association conjugale voulue (par Dieu) ; v., plus loin, *castitas conjugalis, licentia conjugalis*.

Conjugium : *pro sacra lege conjugii* (Leon. 1106 ; *connubii*, Greg. 200, 2 et Miss. R.) ;

quos (filios) casto fetu sancti conjugii mater fecunda progenuit (Leon. 1206), qu'elle enfanta, comme une mère féconde, dans le chaste enfantement d'un saint mariage.

nubere, « se marier », en général, mais surtout en parlant de la femme, le plus souvent intransitif en latin classique :

ex. *melius est nubere quam uri* (1 Cor. 7, 9), il vaut mieux se marier que de brûler ;

fidelis et casta nubat in Christo (or. 2 miss. nupt. p. « *Pater* »,

---

1. En opposition avec la loi mosaïque, qui permettait à l'époux, dans certains cas, de répudier sa femme, *dimittere uxorem* (Mat. 19, 3) ; cf. *libellus repudii* (Mat. 5, 31), acte de divorce.

Leon. 1110), qu'elle se marie dans le Christ, fidèle et chaste.

En latin postclassique, *nubere* peut être transitif et signifie alors « épouser », en parlant de l'homme ; le passif *nubi*, « être épousée », en parlant de la femme : *in resurrectione enim neque* **nubent***, neque* **nubentur** *; sed erunt sicut angeli in cælo* (Mat. 22, 30), à la résurrection en effet, il n'y a plus d'époux ni d'époises ; mais ils seront comme des anges au ciel.

A *nubere* se rattachent *nuptiæ, nuptialis, connubium* :

ex. *honorabile* **connubium** *in omnibus et* **torus** (²) *immaculatus* (Hebr. 13., 4), que le mariage soit honoré de tous et le lit nuptial sans souillure ;

pro sacra **connubii** *lege* (secr. m. nupt.) ;

actio **nuptialis** (Gel. III, 52 tit.), messe de mariage ;

ipse (Dominus) fecit **nuptias** ... *ac per hoc ergo Dominus invitatus venit ad nuptias, ut conjugalis castitas firmaretur et ostenderetur* **sacramentum nuptiarum** (Aug. Tr. ev. Jo. 9, lect. 7 et 9, d. 2 p. Epiph.), c'est lui qui a institué le mariage ... le Seigneur donc, pour cette raison, accepte de venir à une noce, lorsqu'on l'y invite, pour authentifier la chasteté conjugale et montrer le caractère sacré du mariage ;

fœdus **nuptiarum** (or. 2 m. p. spons., p. « Pater » ; *fœdera*, Greg. 200, 3), le pacte du mariage.

§ 341 L'étymologie de *nubere* évoque le voile qui couvrait la tête de la mariée. On trouve *velatio nuptialis* dans le Sacramentaire Léonien (XXXI tit., 1105) ; mais chez saint Augustin (Ep. 150), il s'agit du mariage mystique, de la prise de voile des religieuses ; cf. *nuptiæ, sponsa*, etc. dans les textes liturgiques (§ 378).

La grande oraison de la bénédiction nuptiale, empruntée au Sacramentaire Grégorien (200, 6-10) (avec des variantes prises dans Leon. 1110 ; Gel. III, 52, 1451), évoque les devoirs de l'épouse avec le vocabulaire traditionnel de la vieille honnêteté romaine,

fidelis, casta, fecunda, contactus illicitos (³) *fugere, probata et innocens, pudore venerabilis,*

rehaussé d'ex. bibliques,

imitatrix sanctarum feminarum : sit amabilis viro suo, ut Rachel ; sapiens, ut Rebecca.

Mais surtout elle rappelle le caractère sacré et solennel du mariage institué par Dieu :

---

2. Comme *thalamus*, le mot *torus* était plutôt réservé à la poésie, en latin classique ; mais chez les prosateurs chrétiens, il désigne couramment le mariage ou l'épouse (Lact. ; Ambr. ; etc.) : *uni toro juncta* (ben. nupt.), fidèle à une seule union. Cf. *matrimonium*, mariage ou épouse (Tert. ; Cypr. ; etc.).

3. Le style des Sacramentaires n'est pas celui des anciens pénitentiels, il s'agit simplement ici de l'adultère ou de ce qui y mène ; dans le Léonien, l'expression est plus vague : *uni toro juncta contactos* (sic) *vitæ incitos fugiat*, ... qu'elle évite les occasions de la vie journalière.

homini ad imaginem Dei facto ... inseparabile mulieris adjuto-
rium condidisti, pour l'homme fait à l'image de Dieu, vous
avez créé la femme, son aide inséparable ;

et aussi son caractère mystique : *Deus, qui tam excellenti*
mysterio **conjugalem copulam** *consecrasti, ut* **Christi et**
Ecclesiæ sacramentum *præsignares in fœdere nuptiarum*, ô
Dieu, qui par un si grand mystère avez rendu sacré le lien
conjugal en préfigurant par le mariage l'union mystique du
Christ et de l'Église (trad. du Rituel bilingue).

Cf. *Mulieres viris suis subditæ sint, sicut Domino ; quoniam*
vir caput est mulieris, sicut Christus caput est ecclesiæ ... Viri,
diligite uxores vestras, sicut et Christus dilexit ecclesiam ...
Sacramentum hoc magnum est, ego autem dico in Christo et in
ecclesia (Ephes. 5, 22-25-32), Que les femmes soient soumises
à leurs maris comme au Seigneur : en effet le mari est le chef
de la femme, comme le Christ est chef de l'Église... Maris,
aimez vos femmes, comme le Christ a aimé son Église... Ce
mystère est de grande portée : je veux dire qu'il s'applique au
Christ et à l'Église.

Le Sacramentaire Léonien fait allusion aussi aux devoirs
concernant l'éducation des enfants : *memineritque se, Domine,*
non tantum ad licentiam conjugalem, sed ad observantiam Dei
sanctorum pignorum (⁴) *custodiæ delegatam* (1110, p. 140, 21),
qu'elle se souvienne, Seigneur, qu'elle a été chargée non seulement de se prêter à ce que permet le mariage, mais aussi de
veiller attentivement sur les saints enfants de Dieu (litt., à
l'observance de la garde...).

---

4. *Pignus*, gage de tendresse, enfant (v. le Dict.).

XIII

LES SIGNES ET LES SYMBOLES

§ 342 Notre objet n'est pas de passer en revue les différents sens symboliques des rites et des objets qui interviennent dans l'administration des sacrements ou qui constituent ce qu'on appelle les sacramentaux, ni les significations mystiques que les Pères ont données à certains gestes du Christ. Quant au vocabulaire concernant les préfigures, v. § 176.

Nous avons seulement à rappeler les termes latins se rapportant au symbolisme chrétien en général.

Signum, signe. Par ex. *signum* ou *signum crucis* n'est pas seulement la marque de la croix, faite sur le front ou ailleurs (§ 329), c'est le symbole de la Passion du Christ. Un miracle est appelé *signum* (§ 132), parce qu'il est un signe de la puissance divine. Ce fut aussi un des noms de la cloche (Greg.-T. Mart. 38 ; Gel. Cagin 2042), signal qui accompagnait l'exorcisme chassant les démons, ou évoque simplement la prière liturgique pour ceux qui doivent s'y rendre, ou qui sont absents, ou qui ne voient pas.

Dans le rituel du baptême, le sel est un signe, un symbole de la sagesse : **signo** *sapientiæ tuæ imbutus* (or. ante impos. salis ; *indutus*, Greg. 81), imprégné du symbole de votre sagesse.

Une des oraisons du commun de la Dédicace d'une église oppose les signes visibles à l'action invisible de Dieu (Greg. 197, 1) : *Deus, qui invisibiliter omnia contines et tamen pro salute generis humani* **signa** *tuæ potentiæ visibiliter ostendis,* ô Dieu, dont la main invisible contient tout l'univers et qui pourtant montrez, pour le salut du genre humain, des signes visibles de votre puissance.

Signaculum, sceau, et aussi symbole ([1]) :

le *signaculum fidei* (§ 329), c'est le « sceau » de la foi imprimé par l'onction et la signation du baptême ; c'est aussi le « symbole » de l'engagement de foi par les promesses baptismales ; de même que cette expression (§ 384) désigne l'engagement de l'évêque à son église ; cf. *annulum fidei* (§ 378).

Désignare, signifier, symboliser :

ex. *Deus, qui, miro dispositionis ordine, ex rebus etiam insensibilibus, dispensationem nostræ salutis ostendere voluisti, da, quæsumus, ut devota tuorum corda fidelium salubriter intelligant, quid* **mystice designet** *in facto, quod hodie ... olivarum ramos vestigiis ejus (Redemptoris) turba substravit* (or. 5 ben.

---

1. Cf. *anulum, signaculum lavacri* (Tert. Pud. 9), l'anneau, marque ou symbole du baptême ; en parlant de l'imposition des mains à la confirmation (Cypr. cit. § 338).

palm. vet. ord. ; *quid mystice **designetur** in facto,* Pont. Rom.-
Germ. 99, 189 = Ord. Rom. L), ô Dieu, qui, dans vos admirables dispositions providentielles, avez voulu montrer, même
en des objets insensibles, l'économie de notre salut, faites, nous
vous en prions, que les cœurs aimants de vos fidèles compren-
nent pour leur salut la signification mystique de ce fait qu'en
ce jour la foule (des Hébreux) joncha la route de branches
d'olivier sous les pas de notre Rédempteur ;

*ut ... coronam, quam illa (ornamenta) **designant**, in cælo
percipere mereantur* (or. ben. coron. consecr. virg., Pont. R.),
afin qu'elles méritent de recevoir au ciel la couronne symbolisée par eux (ces ornements) ;

*ecce manipulum, per quem **designantur** fructus bonorum
operum* (ord. subdiac., Pont. R.), reçois le manipule qui symbolise le fruit des bonnes œuvres.

Significare, signifier, symboliser :

ex. *hæc indumenta humilitatem cordis ... **significantia*** (or.
ben. vest. consecr. virg., Pont. R.) ;

*hostias ... quæ temporalem consolationem **significent*** (secr.
fer. 3 p. d. Pass., Greg. 68, 2), sacrifice, montrant que vous
nous soutenez dans le temps ; cf. *qui temporali consolatione
significas ut ...* (Leon. 488), qui nous montrez, en nous soute-
nant dans le temps, (que nous ne devons pas désespérer des
promesses éternelles) ;

*nos quoque plena fide et factum et **significatum** retinentes* (or.
ben. palm. loc. cit.), nous qui, éclairés par la foi, retenons le
fait et sa signification.

Significatio, sens symbolique :

ex., en parlant du vêtement (*mystico amictu*) d'Aaron (Ex.
28), *cum et apud veteres reverentiam ipsa **significationum*** ([2])
*species obtineret, et apud nos certiora essent experimenta rerum
quam ænigmata figurarum* (præf. consecr. episc., Pont. R. ;
Leon. 947 ; Greg. 2, 3 *benedictio episcoporum*), alors que nos
pères révéraient le seul aspect des symboles, tandis que clez
nous les réalisations éprouvées sont plus évidentes que le
mystère des figures.

Signare, marquer, symboliser : v. ex. § 335 ;

*quidquid illa velamina in fulgore auri ... **signabant*** (Leon.
947), tout ce que symbolisaient ces draperies, avec l'éclat de
l'or...

Præsignare, préfigurer : v. ex. § 341.

Prænotare, symboliser : *quod nuptiis **prænotatur*** (Leon.
1104), la signification mystique du mariage.

---

2. A côté de *significatio,* on trouvait aussi *significantia* : ex. *significantiæ arcanæ
legis* (Tert. Adv. Marc. 2, 12), les sens symboliques et secrets de la Loi ; cf. Hilar.
Myst. 1, 6.

§ **343** *Sacramentum* ([3]), signe sacré :

ex. *exorcizo te, creatura* ([4]) *salis ... ut in nomine sanctæ Trinitatis efficiaris salutare* **sacramentum** *ad effugandum inimicum* (ord. bapt., Rit. R., Gel. I, 31), je t'exorcise, sel, créature de Dieu, pour qu'au nom de la sainte Trinité tu deviennes un signe salutaire destiné à chasser l'ennemi ;

omnia **sacramenta** *quæ acta sunt et aguntur in vobis (catechumenis) per ministerium servorum Dei, exorcismis, orationibus ... insufflationibus ...* (Ps.-Aug. Symb. catech. 4, 1, lect. 4 vigil. Pent.), tous ces rites sacrés qui ont été pratiqués et sont encore pratiqués sur vous (au cours des scrutins) par le ministère des serviteurs de Dieu : exorcismes, prières, insufflations... ;

Deus, qui ad salutem humani generis maxima quæque **sacramenta** *in aquarum substantia condidisti ... elemento huic, multimodis purificationibus præparato, virtutem tuæ benedictionis infunde* (or. ben. aq. eccl. consecr., Pont. R.), ô Dieu, qui avez déposé dans la substance de l'eau tous les plus grands mystères se rapportant au salut du genre humain, versez dans cet élément, préparé pour de multiples purifications, la puissance de votre bénédiction.

§ **344** Comme dans d'autres cas, là aussi *mysterium* peut être un synonyme de *sacramentum* :

ex. *Deus,* **mysteriorum** *cælestium et virtutum omnium præparator, nostras, quæsumus, preces exaudi, hanc odoriferam sicci corticis lacrymam ... acceptabilem tuis præsta mysteriis* (or. ben. bals. fer. 5 Maj. Hebd.), ô Dieu, qui avez prévu tous les signes mystiques ainsi que leurs vertus, daignez exaucer nos prières et faire que cette larme parfumée extraite d'une écorce sèche devienne capable de symboliser vos mystères ;

ut unius ejusdemque elementi **mysterio** *et finis esset vitiis et origo virtutibus* (præf. ben. font. vigil. Pasch., Gel. I, 44, 445), de sorte que ce même et unique élément (l'eau du déluge symbolisant le baptême) soit le symbole de la fin du péché et le commencement de la vertu ;

sub eodem quoque **mysterio** *et eadem* **figura** (admon. ordin. presb., Pont. R.), sous le même symbole et la même figure (en parlant des 70 vieillards choisis par Moïse et des 70 disciples choisis par Jésus) ; v. autres ex. § 183.

Mysticus ([5]), mystique, symbolique :

---

3. Ex. au sens de sacrement : *sacramentum pœnitentiæ* (cit. § 280) ; *sacramentorum tuorum effectum* (præf. vigil. Pasch. post litan.) ; et v. chp. eucharistie.

4. *Creatura salis, creatura olivæ, creatura aquæ* (déjà dans Cypr.), pour exprimer que ce ne sont pas de simples objets, inertes et sans signification, mais des créatures de Dieu.

5. Autres sens : mystique, relatif aux mystères, sacramentel (ex. § 241) ; et aussi : spirituel : ex. *mysticis ... votis et gaudiis* (postc. 6 mart., Gel. II, 67).

ex. *mystico amictu vestiri* (Leon. 947, en parlant d'Aaron) ;

sicut illi (Magi) de thesauris suis **mysticas** *Domino munerum species obtulerunt* (Leo-M. Serm. 2 Epiph., lect. 6 Epiph.), de même qu'ils offrirent de leurs trésors des offrandes mystiques au Seigneur (v. § 183) ;

hoc quod per illud **mystice** *datur intelligi* (ben. veli, ben. abbatissæ, Pont. R.), ce que nous avons à comprendre de son sens mystique ; v. ex. § 342 ;

quæ sub oblatis muneribus **mystice designantur** (secr. S. S. Corp. Chr.), dont les présents offerts (par nous) sont le symbole mystique ; cf. *quod eisdem muneribus* **declaratur** (secr. Epiph., Greg. 17, 2).

Spiritalis signifie aussi spirituel et symbolique :

ex. *omnes eamdem escam* **spiritalem** *manducaverunt et omnes eumdem potum* **spiritalem** *biberunt* (1 Cor. 10, 4), (les Hébreux au désert) tous ont mangé le même aliment spirituel et tous ont bu le même breuvage spirituel (figure de l'eucharistie) ; cf. *omnia in figura contingebat illis* (ibid. 10, 11) ;

intelligentia **spiritalis** (Hier. In. Am. 1, 4, 4 et passim ; Cassian. Coll. 14, 8, 1), intelligence du sens symbolique des Écritures ; cf. *ut* **intelligentiæ sensum** *caperet posteritas* (Greg. 2, 3), pour que la postérité pût en toute sécurité comprendre le sens des exemples anciens.

V. § 176, *figura, præfiguratio, forma, sacramentum, imago, signum, typus, umbra.*

XIV

L'ÉGLISE

1. LE TEMPLE CHRÉTIEN

§ 345 Le temple de Jérusalem, v. § 235.

Le temple chrétien n'a pas la prétention d'enfermer et de contenir la divinité ; mais l'Église demande à Dieu de vouloir bien avoir sa maison ici-bas, la maison de Dieu, la maison de prière, où se rassemble le peuple chrétien pour célébrer son culte, et en particulier l'eucharistie :

Domine Deus, qui, licet cælo et terra non capiaris ([1]), **domum tuam** *dignaris habere in terris, ubi nomen tuum jugiter invocetur* (or. ben. prim. lap., Pont. R. II, p. 7), ô Dieu, notre Seigneur, qui acceptez, bien que le ciel et la terre ne puissent vous contenir, d'avoir votre maison sur la terre, où votre nom soit invoqué sans cesse ;

o quam metuendus est locus iste : vere non est hic aliud nisi **domus Dei** ([2]) *et porta cæli* (Gen. 28, 17 ; ant. eccl. consecr., Pont. R. II, p. 22), que ce lieu est terrible : vraiment ce n'est pas autre chose que la maison de Dieu et la porte du ciel ; cf. *terribilis est locus iste : hic* **domus Dei** *est et porta cæli et vocabitur aula Dei* (Intr. comm. Dedic.) ;

effunde super hanc **orationis domum** ([3]) *gratiam tuam* (or. eccl. consecr., Pont. R. II, p. 22 et 50 ; Gel. I, 88, 689), répandez sur cette maison de prière la bienveillance de votre grâce ; *super hunc* **locum** (Gel. I, 90, 711) ;

effunde super hanc **orationis domum** *benedictionem tuam* (secr. in ipsa die Dedic.) ; cf. *ecclesiæ domus* (Gel. I, 90, 712) ;

(*domus* seul) *quotiescumque in hac* **domo** *nomen sanctum tuum fuerit invocatum* (præf. consecr. eccl., Pont. R. II, p. 24).

---

1. *Si ... cæli ... te capere non possunt, quanto magis domus hæc* (3 Reg. 8, 27), si les cieux ne peuvent vous contenir, encore moins cette demeure.

2. *Domus Dei* (Conc. Carth. IV, can. 91). Dans Tertullien (Idol. 5, 1), *in domum Dei admitti* peut désigner la maison aussi bien que l'assemblée. L'expression a désigné aussi le cloître (Ben. Reg. 31, etc.). Au sens mystique, c'est l'ensemble des serviteurs de Dieu, *domestici Dei* (Ephes. 2, 19) : ex. *ut prædicatione atque exemplo ædificetis domum, id est familiam Dei* (admon. ordin. presb., Pont. R.), pour que, par la prédication et l'exemple, vous édifiiez la maison de Dieu, c'est-à-dire ses serviteurs.
   Pour le temple de Jérusalem : *domus Domini* (Ps. 22, 6 ; 91, 14) ; *domus Dei* (Ps. 83, 11).

3. En parlant du temple de Jérusalem : *domus orationis* (Mat. 21, 13 ; Marc. 11, 17 ; Luc. 19, 46 ; cf. Jer. 7, 11). En parlant d'une église : *domus orationum* (Aug. Ep. 22, 3) ; *domus orationis* (Vict.-Vit. 1, 4 ; etc.) ; *domus divina* (Salv. Gub. 8, 2)

§ 346 L'église est consacrée à Dieu et édifiée pour Dieu :
hoc in templo **tibi ædificato** *appare* (or. eccl. consecr., Pont.
R. II, p. 17, Gel. I, 89, 704), soyez présent dans ce temple qui
a été construit pour vous ;

Deus, qui loca **nomini tuo dicanda** *sanctificas* (or. ibid.,
Pont. R. II, p. 22 ; *dedicata*, Gel. I, 91), ô Dieu, qui sanctifiez
les lieux consacrés à votre nom ;

in hoc loco, quem **nomini tuo** *indigni* **dedicavimus** (postc.
in ipsa die Dedic., Greg. 197, 6).

La garde en est confiée à Dieu : *porta, sis consecrata et Domino Deo* **commendata** (Pont. R. II, p. 35).

Il opère lui-même cette dédicace : *Deus, qui in omni loco
dominationis tuæ* (Leon. ; Gel.) *clemens ac benignus* **dedicator**
assistis (Pont. R. II, p. 35), ô Dieu, dont la clémence et la
bonté est présente en tout lieu de votre domaine pour opérer la
dédicace ; cf. *cunctarum sanctificationum* **consecrator** (II,
p. 75).

L'église est consacrée aussi en l'honneur d'un mystère, ou
de la Sainte Vierge, ou d'un saint :

quam (ecclesiam) sub **invocatione sancti nominis tui** *et in
memoriam sancti tui N. nos indigni* **consecramus** (præf.
consecr., Pont. R. II, p. 24) ;

hanc quoque ecclesiam, **in honore sancti** *tui N.* **sacris
mysteriis** *institutam, clementissimus* **dedica** (or. ibid. p. 19),
dans votre grande bonté, inaugurez vous-même cette église
construite en l'honneur de votre saint N. pour la célébration
des mystères sacrés ;

super hanc basilicam **in honore beati** *N. nomini tuo* **dicatam**
(Gel. I, 93) ;

ejus (sancti) meritis hanc ecclesiam **deputatam** (Gel. I, 91).

Les oraisons sollicitent la présence de Dieu dans son
sanctuaire :

templum hoc potentia tuæ **inhabitationis** *illustra* (or. in ipsa
die Dedic. ; *potentiæ tuæ inhabitatione*, Greg. 197, 1), illuminez
ce temple de votre puissante présence ;

locum hunc ... **visita** (Pont. R. II, p. 7) ;

ut locum istum **visitare** *digneris* (ibid. p. 16) ; v. plus haut,
appare ;

in hoc **habitaculo** *supplicantes libens protege* (ibid. p. 19) ;

ut **habitaculum** *istud benedicere et custodire dignetur* (ibid.
p. 22) ;

sit (hoc templum) æternæ lucis **habitaculum** *temporale* (Gel.
I, 90, 713), qu'il soit l'habitation temporelle de la lumière éternelle ; cf. *omnes habitantes in hoc habitaculo* (or. p. aspers.
dom.), tous ceux qui sont présents dans cette église (où il
s'agit de la présence humaine, de même que dans l'oraison du
prêtre entrant dans la maison du malade).

Dans l'ex. suivant, *ecclesia* désigne aussi bien le lieu de réunion des chrétiens que leur communauté (⁴) : *quorum (sanctorum) imagines evicit in* **ecclesia** *esse venerandos* (postc. 27 mart.), dont il a fait valoir qu'il fallait, dans l'Église, honorer les images (v. § 348).

§ **347** L'endroit où s'élèvera l'église, de même que la construction elle-même, doit, avant la consécration, être purifié et exorcisé :

et, per infusionem gratiæ tuæ, ab omni inquinamento (locum hunc) purifica, purificatumque conserva (Pont. R. II, p. 7) ;

nulla hic nequitia contrariæ potestatis obsistat, sed, virtute Spiritus Sancti operante, fiat hic tibi semper purum servitium (ibid. p. 13), qu'aucune malice de la puissance diabolique ne vienne ici s'interposer, mais que, par l'action puissante du Saint-Esprit, on vous serve toujours en ce lieu dans la pureté ; *ecce crucis signum : fugiant phantasmata cuncta* (ibid.), voici le crucifix : arrière tous les phantasmes.

Il n'y a pas lieu ici, comme dans un cours de liturgie, de parler des différentes bénédictions, de la première pierre, de l'emplacement de l'autel, etc., ni de la différence entre la bénédiction et la consécration d'une église. Remarquons seulement que, dans le vocabulaire des oraisons, *consecrare*, « rendre sacré », est souvent accompagné de *benedicere, sanctificare* (v. § 88 et 370) :

ex. *sanctificare, benedicere consecrareque digneris hæc linteamina* (Gel. I, 98, 695) ;

ex. dans les formules du Pontifical : *ut altare hoc ... benedicere, sanctificare et consecrare digneris* (II, p. 54) ;

templum istud ... benedicere et sanctificare digneris (præf. consecr., II, p. 40) ;

signetur, sanctificetur et consecretur hoc altare (II, p. 35) ;

consecrare et sanctificare digneris, Domine Deus, calicem hunc (II, p. 101).

Comme dans beaucoup de formules de bénédiction, on implore la descente du Saint-Esprit sur l'objet de cette bénédiction :

ex. **descendat** ... *Spiritus Sanctus tuus super hoc altare* (Greg. 196) ;

assistant angeli claritatis et **Sancti Spiritus illustratione** *(hoc altare) præfulgeat* (præf. cons., Pont. R. II, p. 41), que les anges de lumière l'entourent et que le Saint-Esprit l'illumine de son éclat.

---

4. *Ecclesia*, église, lieu de réunion des fidèles (Tert. Or. 22, 9 ; Lact. Mort. 12, 2, 3 ; Cypr. Ep. 59, 16 ; etc.).

Mais les Pères ont insisté sur le fait que la vraie *ecclesia*, ce sont les fidèles (v. chp. suivant).

Dans les oraisons du commun de la Dédicace des églises, les mots *consecratio* et *dedicatio* sont équivalents :

Deus, qui nobis per singulos annos hujus sancti templi tui **consecrationis** *reparas* **diem** (coll., Gel. Cagin 2162), ô Dieu, qui, chaque année, renouvelez pour nous le jour où ce saint temple vous a été consacré ;

quicumque intra templi hujus, cujus anniversarium **dedicationis diem** *celebramus, ambitum continemur* (secr., Greg. suppl. Alc. 186), nous tous qui nous trouvons réunis dans l'enceinte de ce temple, dont nous célébrons l'anniversaire de la dédicace.

Natalis templi a parfois désigné l'anniversaire de la Dédicace d'une église (Gel. Cagin 2163 ; Cæs-Arel. Serm. 229, 3).

Encænia ('Εγκαίνια), pl. n., fêtes de la dédicace du temple de Jérusalem (1 Mac. 4, 59 ; Jo. 10, 22), à désigné aussi une dédicace d'église (Isid. Eccl. off. 1, 35) : *hæc basilica, cujus hodie initiamus* **encenia** (Pont. Rom.-Germ. 40, 72, or. ben. basil. novæ), cette basilique dont nous inaugurons la dédicace.

2. LE CORPS MYSTIQUE

§ 348 Pour l'Église du ciel, la Jérusalem céleste, v. § 304 et 313.

Le mot *ecclesia*, l'assemblée des fidèles, des fidèles réunis pour célébrer les mystères, est le terme naturellement adopté par les premiers chrétiens, de même que, dans les cités grecques, ἐκκλησία désignait l'assemblée du peuple. Les verbes employés sont *convenire* (¹), *simul esse* (Act. 20, 18), *congregari* (Act. passim), *colligi* : ex. *nobis collectis in unum* (Act. 15, 25). *Conventus* désigne quelquefois cette assemblée : ex. *ecclesiae tuæ ... placatus intende* **conventum** (Gel. III, 39), regardez favorablement la réunion de votre église ; *lætatur, Domine, omnis* **conventus ecclesiæ tuæ** *in proximitate paschalis lætitiæ* (Moz. L. sacr. 561), Seigneur, toute l'assemblée de votre église se réjouit à l'approche de la joie pascale.

Mais le mot *ecclesia* s'est chargé, dès le début, d'un sens mystique. Et d'abord elle est assimilée à une construction : *tu es Petrus, et super hanc petram* **ædificabo** *ecclesiam meam* (Mat. 16, 18). Saint Paul parle aussi de l'habitation de Dieu dans le corps mystique de l'Église devenue sa demeure : *in quo (Christo) omnis* **ædificatio** *constructa crescit in* **templum** *sanctum in Domino, in quo et vos* **coædificamini** *in* **habitaculum** *Dei in Spiritu* (Ephes. 2, 21-22), en lui toute construction

---

1. Cf. *in conveniendo populos in unum* (Ps. 101, 23) ; *omnes qui huc deprecaturi conveniunt* (or. in ipsa die Dedic. eccl.).

s'ajuste et grandit en un temple saint, dans le Seigneur ; en lui, vous aussi êtes intégrés à la construction pour devenir une demeure de Dieu, dans l'Esprit ; v. *manere* (§ 153 et 263).

Et surtout à un corps : *in ædificationem* **corporis** *Christi* (Ephes. 4, 12) ; *vos autem estis* **corpus** *Christi et* **membra** *de membro* (I Cor. 12, 27), or vous êtes le corps du Christ, et membres chacun pour sa part ; *et ipse (Christus) est caput* **corporis** *ecclesiæ* (Col. 1, 18), et lui-même est la tête du corps constitué par l'Église ; *universum ecclesiæ* **corpus** (Leo-M. Serm. 63, 7).

Ex. dans les oraisons : *ecclesiæ tuæ sacrum* **corpus** (Leon. 682) ;

qui de ecclesiæ **corpore** *gloriosa Christi membra facti sunt* (Moz. L. sacr. 312), (les saints et les martyrs) qui, faisant partie du corps de l'Église, sont devenus les membres glorieux du Christ ;

omnipotens sempiterne Deus, cujus spiritu totum **corpus** **ecclesiæ** *sanctificatur et regitur* (or. 3 Parasc., Gel. I, 41, 405), Dieu tout-puissant et éternel, dont l'Esprit sanctifie et dirige tout le corps de l'Église ;

ut inter ejus **membra** *numeremur, cujus* **corpori** *communicamus* (postc. sabb. p. d. 3 Quadr., Leon. 1116), d'être comptés parmi les membres de celui dont nous avons reçu le corps.

§ 349 Saint Paul insiste sur l'unité de ce corps, le *Credo* l'affirme et les oraisons demandent à Dieu de la garder :

multitudinis autem credentium erat **cor unum et anima una** (Act. 4, 32), or la foule des croyants ne formaient qu'un seul cœur et une seule âme ;

unum corpus *et unus Spiritus ... Unus Dominus, una fides, unum baptisma* (Ephes. 4, 4-5) ;

et in **unam**, *sanctam, catholicam et apostolicam* (²) *ecclesiam* (*Credo*) ;

pro ecclesia tua sancta, catholica (³), *quam pacificare, custodire,* **adunare** (⁴), *et regere digneris toto orbe terrarum* (Canon, Gel. III, 17, 1244), pour votre sainte Église catholique, que nous vous demandons de vouloir bien garder dans la paix, rassembler dans l'unité et gouverner à travers le monde entier ;

---

2. Dès le 4e s., l'adjectif *apostolicus* s'applique à la dignité du siège de Rome : *apostolicæ cathedræ principatus* (Aug. Ep. 43, 7) ; v. § 384.

3. Καθολικός, universel, apparaît pour la première fois, désignant l'Église, chez s. Ignace (Ep. ad Smyrn. 8). Déjà courant chez Tertullien (ex. Monog. 2) ; Cyprien (ex. Ep. 66, 8). Chez saint Augustin, *catholicus* signifie catholique, orthodoxe (en face des hérésies ou des schismes).

4. On cite souvent la prière de Jésus, à la dernière Cène : *Pater sancte, serva eos ... ut sint unum* (Jo. 17, 11) ; cf. *ut filios Dei, qui erant dispersi, congregaret in unum* (Jo. 11, 52), (Jésus allait mourir) pour rassembler en un tout les fils de Dieu, qui étaient dispersés.

tui nobis, q. D., communio sacramenti ... tribuat **unitatem** (postc. d. 9 p. Pent., Gel. III, 20), que la communion à votre sacrement nous accorde l'unité ;

ecclesiæ tuæ, q. D., **unitatis** *et pacis propitius dona concede* (secr. S. S. Corp. Chr.), dans votre bienveillance, accordez à votre Église le don de l'unité et de la paix ;

(avec une détermination) *ad* **veritatis** *tuæ redeant* **unitatem** (or. 7 Parasc. ; *firmitatem,* Gel. I, 41, 413) ;

super populum christianum tuæ **unionis** *gratiam clementer infunde* (or. pro unitate Eccl.), sur le peuple chrétien répandez avec bonté la faveur de l'union qui vient de vous ; *pro* **unione** *populi christiani* (secr. ibid.) ;

et cela, malgré la diversité des nations : *Deus, qui diversitatem gentium in confessione tui nominis* **adunasti** (or. fer. 5 p. Pasch. ; **unum esse** *fecisti,* Gel. I, 43, 439), ô Dieu, qui avez rassemblé les nations diverses dans la confession de votre nom ;

omnes gentes, *Israelis privilegium merito fidei consecutæ* (or. p. proph. 2 vigil. Pent., Gel. I, 77, 620), toutes les nations, ayant obtenu par la foi d'avoir part aux privilèges d'Israël.

§ 350 Autres épithètes (outre *una, sancta, catholica*) :

oremus ... pro **ecclesia sancta Dei** (or. 1 Parasc., Gel. 400) ;

Deus, qui ... **universam ecclesiam** *tuam in omni gente et natione sanctificas* (Greg. 110, 7), qui sanctifiez votre Église répandue partout dans toutes les races et toutes les nations (le plur. a un autre sens : *universis ecclesiis,* Leon. 989 et 993 ; mais *ecclesia cuncta,* Leon. 319 équivaut à *universa ecclesia*) ;

sacrosanctæ *Romanæ ecclesiæ ...* **pontificem** (or. m. vot. p. elig. pont.).

Le courant de charité qui doit passer de l'un à l'autre rend possible l'unité des chrétiens ([5]), et leur union avec l'Église du ciel ([6]), et avec le Christ lui-même : *veritatem autem facientes in caritate crescamus in illo per omnia, qui est caput Christus, ex quo* **totum corpus compactum et connexum** *... augmentum corporis facit in ædificationem sui in caritate* (Ephes. 4, 15-16), vivant selon la vérité et dans le charité, grandissons de toutes manières en celui qui est la tête, le Christ, dont le corps tout entier reçoit concorde et cohésion... il opère sa croissance et se construit lui-même dans la charité ;

ut ... nos in tua simus voluntate **concordes** (or. 28 mai.), qu'en votre volonté se réalise notre accord ;

---

5. C'est ce qu'indique le *communicantes* du Canon (Gel. 1246), unis dans la même communion (avec toute l'Église, le participe se rapportant au sujet de la phrase de la prière précédente).

6. La communion des saints : *sanctorum communionem* (Symb. apost. ; Miss. Gall. 5, 26). Pour la plupart des commentateurs du Symbole (ex. Cæs.-Arel. Serm. 9, Mor. p. 50), cette expression se réfère à la vie éternelle.

ut, quos uno cælesti pane satiasti, una facias pietate **concordes**
(Leon. 1049), afin que, ceux que vous avez rassasiés du même
pain céleste, ne fassent qu'un seul cœur dans la même charité ;

Deus, qui fidelium mentes **unius** *efficis* **voluntatis** (or. d. 4 p.
Pasch., Gel. I, 59), ô Dieu, qui faites que les cœurs des fidèles
soient unis dans une même volonté ;

da ... ut **nulla divisione** *mentium nullaque perversitatis
varietate sequestrentur, quos sub* **unius** *regimine pastoris* **unus**
grex continet **unius***que, te custode, ovilis septa concludunt* (or.
eccl. consecr., Pont. R.), faites qu'aucune division morale,
aucune divergence engendrée par l'erreur ne vienne séparer
ceux qui sont unis en un seul troupeau sous l'autorité d'un
seul pasteur, ceux qu'enferme l'enclos du même bercail, sous
votre protection ;

ut (ecclesia tua) ... in **religionis integritate** *persistat* (postc.
un. aut plur. summ. pont., Leon. 1026).

Jérusalem unie dans la concorde était le symbole de l'unité
de l'Église : *Jerusalem, quæ ædificatur ut civitas, cujus participatio ejus* **in idipsum** ([7]) (Ps. 121, 3), Jérusalem bâtie comme
une ville, où tout fait corps ; v. § 353.

De même que la tunique sans couture du Christ (Jo. 19,
23) : cf. Aug. Tr. ev. Jo. 118, 4 ; v. plus loin, d'autres images.

§ 351 Les oraisons demandent, non seulement l'unité de
l'Église, mais qu'elle s'étende de plus en plus dans la liberté
et dans la paix :

ut ecclesia tua, **toto orbe diffusa,** *stabili fide in confessione tui
nominis perseveret* (or. I Parasc., Gel. I, 41), que votre Église,
répandue dans l'univers entier, se maintienne fermement dans
la foi pour confesser votre nom ;

ut, destructis adversitatibus et erroribus universis, **secura**
(ecclesia tua) tibi serviat **libertate** (or. c. persec. ; *destitutis,*
Gel. III, 63 ; *adversantibus,* Leon. 425), que, par la ruine de
toutes les oppositions et de toutes les erreurs, elle puisse vous
servir dans la sécurité et la liberté ;

ut ecclesiam tuam sanctam regere et **conservare** *digneris*
(litan.) ; *regere, gubernare et* **conservare** (præf. vigil. Pasch.) ;
gubernare ecclesiam (Leon. passim) ;

ecclesiam tuam, q. D., gratia cælestis **amplificet** (or. 27 jan.),
que la faveur du ciel fasse grandir votre église ;

ad ecclesiæ **augmentum** (Greg. 200, 3), pour l'extension de
l'Église (par la multiplication des baptêmes) ;

ut **cunctae familiæ gentium** *... ejus (Christi Regis) suavissimo subdantur imperio* (or. Chr. Reg.), que toutes les familles
des nations se soumettent à la douceur de son empire ;

---

7. *Id ipsum = idem,* trad. de τὸ αυτό. Différents sens de *in idipsum* : a) sur le
champ, au même instant (ex. Ps. 4, 9 ; 40, 8) - b) tous ensemble, d'un commun
accord (Act. 2, 47 ; Ps. 121, 3).

Deus, qui Indiarum gentes ... ecclesiæ tuæ **aggregare** *voluisti* (or. 3 dec.), qui avez voulu incorporer à votre Église les populations des Indes ;

et **aggrega** *(eos) ecclesiæ tuæ sanctæ* (or. 9 Parasc., Gel. I, 41, 417) ;

pro ejusdem fidei **dilatatione** (or. 29 apr.), pour la propagation de cette foi.

§ 352 La vraie foi : *vera fides* (or. passim) ; *in veræ fidei* **propagatione** (or. 24 apr.) ; **verae fidei** *sacramenta* (secr. 25 mart., Greg. 31, 3) ; **veræ fidei** *luce* (or. 28 mai.) ;

catholica fides (Hilar. Trin. 2, 22 ; or. 27 apr.) ;

christiana fides (secr. 2 nov., Gel. III, 101).

Elle a toujours eu à se défendre des hérésies et des schismes :

obsecro autem vos, fratres ... ut **idipsum dicatis** *omnes, et non sint in vobis* **schismata** (1 Cor. 1, 10), frères, je vous en conjure, ayez tous même sentiment ; qu'il n'y ait point parmi vous de divisions (⁸) ;

oremus et pro **hæreticis** *et* **schismaticis** (or. 7 Parasc., Gel. I, 41, 412 : ancien texte) ;

omni **hæretica** *pravitate deposita* (ibid.), rejetant toute erreur hérétique (⁹) ;

(hæretici) pravis opinionibus ad **falsa dogmata** (¹⁰) *convertuntur* (Aug. Qu. ev. Mat. 11, 4, lect. 7, d. 5 p. Epiph.), leurs opinions erronées les détournent vers de fausses croyances ;

non sint, Domine, inter renatos tuos, qui fluctuent et circumferantur omni vento doctrinæ (Preces p. conc. Trident. 1558, Ephem. lit. 1962, p. 136), qu'on ne voie plus, Seigneur, parmi vos baptisés, des gens qui flottent et sont emportés ici et là à tout vent de doctrine ; cf. *non circumferamur omni vento doctrinæ* (Ephes. 4, 14) ;

ut et veritate doctrinæ **hæreses** *expugnaret* (or. 28 jun.), pour vaincre les hérésies, grâce à la vraie doctrine.

§ 353 Dans l'Évangile, le « royaume de Dieu » désigne quelquefois l'Église (¹¹), ou du moins la prédication (¹²) de la Bonne Nouvelle (Mat. 6, 33 et les paraboles du chp. 13) :

sæpe in sacro eloquio **regnum cælorum** *præsentis temporis* **ecclesia** *dicitur* (Greg.-M. Hom. ev. 12, lect. 8 comm. virg.),

---

8. *Schisma*, au sens de schisme, dès Tertullien.

9. Le nouveau Rituel du baptême a supprimé les formules agressives, telles que *horresce hæreticam pravitatem*.

10. *Dogma*, opinion, croyance (Lact. ; Aug. ; Hier. ; etc.) ; « dogme », en latin médiéval.

11. *In sancto Evangelio regnum cælorum præsens ecclesia nominatur* (Greg.-M. Hom. ev. 38, 2).

12. *Regnum cælorum prædicatio evangelii est* (Hier. Mat. 2, 13).

souvent, dans la sainte Écriture, le royaume des cieux désigne l'Église de ce temps.

Comme la Jérusalem céleste, elle est aussi appelée une cité ([13]) :

Deus ... qui gratiæ tuæ affluentis impetu lætificas **civitatem** *tuam* (præf. p. litan. vigil. Pasch., Greg. 85, 3), ô Dieu, qui par le torrent impétueux de votre grâce réjouissez votre cité (cf. § 313 et 350).

L'« Élue », dit saint Jean (2 Jo. 1), en s'adressant à une église particulière : *Senior* **electæ** *dominæ et natis ejus*, moi, l'Ancien, à la dame élue et à ses enfants.

§ 354 De nombreuses autres figures symbolisent l'Église ([14]). La Mère ([15]) :

lætetur et **mater** *ecclesia* (« *Exultet* » vigil. Pasch., Miss. Gall. 25, 132) ;

ut ... gratum majestati tuæ pontificem **sanctæ matris eccle-siæ** *regimini præesse gaudeamus* (secr. p. elig. summ. pont.), afin que nous ayons la joie d'avoir, pour présider au gouvernement de la sainte Église notre Mère, un pontife agréable à votre Majesté ;

ad sanctam **matrem** *ecclesiam ... revocare* (or. 7 Parasc.) ;

Omnia sacramenta ... escæ sunt, quæ vos reficiunt in **utero** ([16]), *ut renatos ex baptismo hilares vos* **mater** *exhibeat Christo* (Aug. Symb. catech. 4, 1, lect. 4 vigil. Pent.), tous ces rites sacrés (d'avant le baptême) sont destinés à vous nourrir dans son sein, pour qu'après votre renaissance au baptême la mère puisse, tout épanouis, vous présenter au Christ ;

jam vobis **conceptis prægnans** *gloriatur ecclesia* (Gel. I, 34, 309), maintenant l'Église est fière de vous avoir conçus et de vous porter (*ad electos*) ;

in tuæ ecclesiæ **gremio** (Miss. Goth. 12 ; Gel. I, 16), dans le giron de votre Église ; cf. *ad matris ecclesiæ* **gremium** (Arn.-J. Prædest. c. 647B) ;

---

13. *Ecclesia Christi, civitas regis magni* (Aug. Civ. 17, 4). *In civitate sancta, id est in ecclesia Dei* (Leo-M. Serm. 66, 3).

14. Dans « *Preces speciales pro salute populi christiani* » (an. 1558, à l'occasion du concile de Trente), l'Église est présentée comme un temple saint : *erige brachium tuum ... et allide virtutem ipsorum ... qui promittunt se violare dogmata tua, pollutum ducere tabernaculum nominis tui, universalem ecclesiam* (cit. Ephem. liturg. 1962, p. 140), levez votre bras ... écrasez la puissance de ceux qui se promettent de faire violence à vos dogmes, de souiller et de confisquer le tabernacle de votre nom, l'Église universelle ; *ostende faciem tuam super* **sanctuarium** *tuum...* (ibid.).

15. Cf. en parlant de la Jérusalem future : *filii tui de longe venient et filiæ tuæ de latere surgent* (Is. 60, 4), tes fils arriveront de loin et tes filles surgiront à tes côtés.

Mater Ecclesia est une expression courante depuis Tertullien ; à distinguer de ce qu'on appelle une église-mère, une métropole.

16. L'Église les a reçus dans son sein, quand elle les a acceptés comme catéchumènes, avant de les enfanter au jour du baptême.

*intra **sinum** sanctæ ecclesiæ* (Moz. L. sacr. 256), dans le giron de la sainte Église ; *ad **sinum matris** ecclesiæ ... redintegretur* (Moz. L. ord. 247) ;

*complectere hunc populum in ecclesiæ **sinu*** (Gel. Cagin 1807), serrez ce peuple dans le giron de l'Église ;

*Deus, qui ecclesiam tuam novo semper **fetu** multiplicas* (or. fer. 3 p. Pasch., Gel. I, 78), ô Dieu, qui agrandissez sans cesse votre Église en lui donnant de nouveaux enfants ;

***nova prole** fecundasti* (or. 8 mart.) ; *nova proles* (or. passim, en parlant des conquêtes de l'Église) ; *florentissima **proles** ecclesiæ* (Leon. 398).

§ 355 L'Épouse du Christ : v. l'oraison de la bénédiction nuptiale et les citations de saint Paul, § 341 ;

*ut exhiberet ipse sibi gloriosam ecclesiam non **habentem maculam aut rugam*** (Ephes. 5, 27), pour se la présenter à lui-même, cette glorieuse Église, sans taches ni rides ;

*hic tuta permaneat et ad te post **sine macula et ruga** perveniat omnis ecclesia tua* (Moz. L. sacr. 944) ;

*cælesti **Sponso juncta** est ecclesia, quoniam in Jordane lavit Christus ejus crimina* (ant. oct. Epiph.), l'Église a été unie à son Époux céleste, car le Christ a lavé ([17]) ses péchés dans le Jourdain.

Le Liban couvert de neige (le nom lui-même signifiant « blancheur ») symbolise la pureté de l'Église ou de la Vierge :

veniens a Libano, quam pulchra facta est (resp. d. 3 p. Pasch.), venant du Liban, qu'elle est devenue belle (l'Épouse) ; cf. *veni de Libano, sponsa mea* (Cant. 4, 8).

La Reine :

***regina** plane, cujus regnum est indivisum, de diversis et distantibus populis in unum corpus assurgens* (Ambr. Luc. 7, 11, lect. 1 fer. 4 p. d. 1 Quadr.), vraiment reine, dont le royaume est sans divisions, surgissant en un seul corps formé de peuples différents et éloignés entre eux (symbolisée par la reine de Saba venant consulter Salomon sur la sagesse, 3 Reg. 10).

§ 356 Le Bercail.

Dans l'Évangile apparaît fréquemment le symbolisme du troupeau, du pasteur, du bercail : *ego sum pastor bonus et cognosco meas (oves) ... et alias **oves** habeo, quæ non sunt ex hoc **ovili** ... et fiet unum **ovile** et unus pastor* (Jo. 10, 14-16), je suis le bon pasteur et je connais mes brebis ... j'ai d'autres brebis encore que ne sont pas de cet enclos ... et il y aura un seul troupeau et un seul pasteur ; cf. Jo. 21, 15-17 ;

---

17. Dans l'ancien Orient, la fiancée était baignée et parée par « les fils de la noce » ;... dans le cas mystique de l'Église, c'est le Christ qui a lavé sa fiancée de toute souillure par le bain du baptême (note Bible de Jérus. ad Ephes. 5, 27).

pascite qui in vobis est **gregem Dei** (1 Petr. 5, 2), paissez le troupeau qui vous est confié ([18]) ;

deprecantes ut oves quæ perierant ad **unum ovile** *reversæ* ... (secr. 28 mai.), en demandant que les brebis qui s'étaient perdues reviennent au bercail unique... ;

ut de profectu **sanctarum ovium** *fiant gaudia æterna pastorum* (or. 3 jul. p. al. loc., Greg. 198, 2), pour que le progrès spirituel de leurs saintes ouailles devienne la joie éternelle des pasteurs ; *ut ... profectus* **gregis** *tui sit forma pastoris* (Leon. 972), pour que le progrès de votre troupeau soit la règle du pasteur ;

ut ... nec pastori obœdientia **gregis**, *nec* **gregi** *desit cura pastoris* (postc. 25 mai., Leon. 997), pour que l'obéissance du troupeau ne manque pas au pasteur, non plus qu'au troupeau la sollicitude du pasteur ;

grex commissus, creditus (v. § 371).

§ 357 La Vigne est encore un symbole biblique, le peuple de Dieu étant assimilé à une vigne plantée par Lui (Ps. 79, 9 ; Is. 5, 1-7 ; Ez. 17, 1-8).

Le royaume de Dieu est comparé à une vigne dans plusieurs paraboles evangéliques (Mat. 20, 1-16 ; 21, 33-42).

Dei agricultura *estis,* **Dei** *ædificatio estis* (1 Cor. 3, 9), vous êtes le champ de Dieu, l'édifice de Dieu ; cf. *agricola cælestis* (Cæs.-Arel. Serm. 126, 5) ;

Deus, qui in omnibus ecclesiæ tuæ filiis, sanctorum prophetarum voce, manifestasti ... **satorem** *bonorum seminum et* **electorum palmitum** *esse* **cultorem** (or. p. proph. 8 sabb. sc. vet. ord., Gel. I, 43, 438), ô Dieu, qui, chez tous les fils de votre Église, et par la voix des saints prophètes, vous êtes révélé comme celui qui répand la bonne semence et qui cultive une vigne de choix ;

populis tuis, qui et **vinearum** *apud te nomine censentur* (ibid.), à vos peuples désignés par vous sous le nom de vigne ; cf. *plantavi te vineam electam* (Is. 2, 21) ; v. autres ex. § 207 ;

qui, per unicum Filium tuum, ecclesiæ tuæ demonstrasti te esse **cultorem** (or. p. proph. 4 vigil. Pent., Gel. I, 77, 622), qui, par votre Fils unique, vous êtes montré comme le vigneron de votre Église.

§ 358 Dans les Évangiles et les Épîtres, il est question de la lutte spirituelle (v. § 440) ; il est donc naturel que l'Église

---

18. Cf. le symbolisme des bergers de la Nativité : *Videte ecclesiæ surgentis exordium : Christus nascitur, et pastores vigilare cœperunt, qui gentium greges, pecudum more ante viventes, in caulam Domini congregarent* (Ambr. Luc. 2, 2, lect. 8 Nat. Dom.), voyez les débuts de l'Église naissante : le Christ vient au monde, et les bergers se mirent à veiller, pour rassembler dans le bercail du Seigneur les troupeaux des nations, vivant jusqu'alors à la manière des bêtes.

soit figurée par une milice et elle-même appelée « militante »
dans son aspect terrestre :

*Deus, qui ... « ad majorem tui nominis gloriam » propagan-
dam, novo per beatum Ignatium subsidio, **militantem ecclesiam
roborasti*** (or. 31 jul.), ô Dieu, qui, pour étendre la plus grande
gloire de votre nom, avez renforcé l'Église militante, grâce
au nouveau renfort de saint Ignace ;

*præsidia **militiæ christianae*** (or. concl. ben. Cin., Leon.
207), la garde de la milice chrétienne ;

*tuorum **militum**, Rex omnipotens, virtutem robora* (secr.
fer. 6 p. Cin. p. al. loc.), renforcez, Roi tout-puissant, le courage
de vos soldats ;

*qui sub Christi Regis vexillis **militare** gloriamur* (postc. dom.
ult. oct.), qui sommes fiers de combattre sous les drapeaux du
Christ Roi ;

***propugnatores** tui* (postc. c. pagan. et passim), vos défen-
seurs.

Et en parlant des adversaires de l'Église : *ut ... (ecclesia)
hostili nullatenus incursione turbetur* (or. fer. 6 Quat. T. Pent.),
qu'elle ne soit troublée par aucune attaque de ses ennemis
(ou de l'ennemi, car *hostis* désigne aussi le démon).

L'Arche enfin a été aussi une figure de l'Église (Hilar. ;
Ambr. ; Aug.) :

sicut in figura ecclesiæ multiplicasti Noe egredientem de arca
(or. ben. ram., vet. ord.), de même que, en figurant l'Église,
vous avez multiplié la descendance de Noé après sa sortie de
l'arche ;

dans l'ancien ordo de la semaine sainte, office du samedi-
saint, l'expression *totius ecclesiæ mirabile sacramentum*,
« tout le corps mystique de l'Église », se trouve dans l'oraison
qui suit la 2e lecture de Gen. 6 et seqq. où l'arche symbolise
l'Église.

3. LES MINISTRES DE L'ÉGLISE, L'ORDRE

§ 359 Pour désigner les degrés du ministère, c'est le mot
sacerdos qui est le terme le plus élevé. C'est lui qui est employé, dans l'Épître aux Hébreux (ἀρχιερεύς), ainsi que
pontifex, en parlant du Christ, ministre principal, seul capable
d'offrir à Dieu, au nom des hommes, un hommage parfait :
*talis enim decebat ut nobis esset **pontifex** sanctus, innocens,
impollutus, segregatus a peccatoribus ... qui non habet necessitatem cotidie, quemadmodum sacerdotes, prius pro suis delictis
hostias offerre, deinde pro populi; hoc enim fecit semel se ipsum
offerendo* (Hebr. 7, 26-27), oui, tel est précisément le grand
prêtre qu'il nous fallait, saint, innocent, immaculé, séparé des
pécheurs ... qui ne soit pas journellement dans la nécessité,

comme les prêtres (hébreux), d'offrir des victimes d'abord pour ses propres péchés, ensuite pour ceux du peuple ; car ceci, il l'a fait une fois pour toutes, en s'offrant lui-même. *Hic autem, eo quod maneat in æternum, sempiternum habet* **sacerdotium** (ἱεροσύνη) (ibid. 7, 24), mais lui, du fait qu'il demeure dans l'éternité, il a un sacerdoce immuable. Comme le grand prêtre avait accès seul, une fois par an, au saint des saints, désormais, par le Christ, tous les croyants ont accès auprès de Dieu : *habentes itaque, fratres, fiduciam in introitu Sanctorum in sanguine Christi... et* **sacerdotem magnum** (ἱερέα μέγαν) *super domum Dei* (ibid. 10, 19-20), ayant donc, frères, l'assurance voulue pour l'accès au sanctuaire par le sang de Jésus ... et un prêtre souverain à la tête de la maison de Dieu.

Deus, qui ... Unigenitum tuum **summum atque æternum** *constituisti* **sacerdotem** (or. m. vot. D. N. J. C. Summi et Æterni ([1]) Sacerd.), ô Dieu, qui avez établi votre Fils unique Prêtre souverain et éternel ; v. § 205, appellations du Christ.

§ 360 Dans la Vulgate, le mot *sacerdos* désigne les prêtres hébreux (Lev. 1, 25 ; etc.) ; le grand prêtre est appelé *sacerdos magnus* (1 Mac. 15, 2), *summus sacerdos* (Marc. 14, 53) ; cf. *summi sacerdotes* (Marc. 15, 31), *principes sacerdotum* (Mat. 26, 59 ; etc.).

Pour l'entrée du pape ou d'un évêque, on chante l'antienne *Ecce sacerdos magnus* ([2]) ; mais c'est une expression poétique et non le terme consacré ; v. plus loin, au chp. Les chefs de l'Église.

Dans les premiers siècles, à cause de sa solennité, le mot *sacerdos* a désigné surtout les évêques (Tert. ; Cypr. ; Ambr. ; etc.) ; le prêtre étant *sacerdos secundi ordinis* ([3]) (Innoc. I ; Facund. ; Sid.) ou *sacerdos secundi meriti* (Leon. et Gel. passim). Des expressions analogues se rencontrent dans le Pontifical Romain :

ex. *cum alii in ea (ecclesia) pontifices, alii* **minoris ordinis sacerdotes**, *diaconi et subdiaconi consecrantur* (admon. ordin. presb.) ;

ut acceptum a te, Deus, **secundi meriti munus** *obtineat* (præf. ibid.), afin qu'il tienne fermement la charge de la prêtrise qu'il a reçue de vous ;

sequentis ordinis *viros et* **secundæ dignitatis** (ibid., Leon. 954, par opposition à *summi pontifices*).

---

1. Cf. *omnis ecclesia ... membrum est æterni Regis et Sacerdotis* (Isid. Eccl. off. 2, 26).

2. *Princeps sacerdotum* ou *summus sacerdos*, expressions qui ont été écartées, pour désigner un évêque, par le troisième concile de Carthage (Mansi III, c. 834) ; mais la dernière a subsisté : *inter summos sacerdotes* (or. p. def. summ. pont.).

3. Cf. *secundi meriti munus* (Leon. 954 ; Gel. I, 20, 146) ; *presbyterii munus* (Gel. ibid. 143).

Puis le mot *sacerdos* seul a désigné de plus en plus les prêtres en général : *et presbyteri* **sacerdotes** *vocantur, qui sacrum dant* (Isid. Or. 5, 12, 21), les prêtres sont appelés « *sacerdotes* », car ils donnent les choses sacrées.

La secrète du 23 juillet emploie le mot *sacerdos* pour désigner le saint évêque martyr Apollinaire ; mais c'est le mot *pontifex* qui est normal en ce sens dans les Sacramentaires et les livres liturgiques actuels.

Ex. concernant *sacerdos*, le prêtre :

pro anima famuli tui N. **sacerdotis** (secr. p. def. sacerd., Gel. III, 92, mais dans le Sacramentaire il s'agit d'un évêque) ;

cui **sacerdotale** *donasti meritum* (secr. ibid.), à qui vous avez confié la charge sacerdotale ;

sacerdotalis *dignitas* (or. p. def. episc. seu sacerd.) ; *officium* **sacerdotale** (or. ante miss.).

Le titre est parfois donné par extension à tous les chrétiens ([4]) (Tert. ; Ambr. ; Aug. ; etc.) : *et fecisti nos Deo nostro regnum et* **sacerdotes** (Apoc. 5, 10), et vous avez fait de nous pour notre Dieu une royauté de prêtres ; cf. 1, 6 ; 20, 6 ;

vos autem genus electum, regale **sacerdotium** (1 Petr. 2, 9 ; cf. Leon. 1130), vous êtes une race élue, un sacerdoce royal ;

omnes in Christo regeneratos ... Spiritus unctio consecrat **sacerdotes** (Leo-M. Serm. 86), l'onction du Saint-Esprit sacre prêtres tous ceux qui ont été régénérés dans le Christ. Mais ce sens mystique n'apparaît pas dans les textes liturgiques.

§ 361 *Presbyter* ([5]), presbytre, ancien, a désigné dès le début le chef d'une communauté chrétienne : *infirmatur quis in vobis ? inducat* **presbyteros** *ecclesiæ et orent super eum ungentes cum oleo in nomine Domini* (Jac. 5, 14), quelqu'un parmi vous est-il malade ? qu'il fasse venir les presbytres de l'église, et que ceux-ci prient sur lui en l'oignant d'huile au nom du Seigneur ;

cum constituissent illis per singulas ecclesias **presbyteros** (Act. 14, 23), après leur avoir désigné des anciens dans chaque

---

4. Comme jadis au peuple de Dieu (Is. 61, 6).

5. Πρεσβύτερος, vieillard. Le mot *senior*, ancien, a été aussi employé : *convenerunt apostoli et seniores* (Act. 15, 6).

Seniores, les anciens, les membres du sénat juif (Marc. 14, 53).

Senior = presbyter (Tert. Apol. 39, 5 ; Cypr. Ep. 75, 4).

Senex a eu souvent une nuance de respect, en parlant d'un évêque (Aug. Ep. 128 fin et 209, 3). En s'adressant aux ordinands, le pontife fait allusion aux 70 hommes choisis par Moïse : *dixit Dominus ad Moysen : congrega mihi septuaginta viros de senibus Israel, quos tu nosti quod senes populi sunt ac magistri* (Num. 11, 16), « le Seigneur dit à Moïse : rassemble pour moi soixante-dix hommes parmi les anciens d'Israël, ceux que tu connais pour être les anciens du peuple et les chefs ». Et il ajoute : *vos siquidem in septuaginta viros et senibus signati estis* (admon. ordin. presb. Pont. R.), car c'est vous qui étiez symbolisés par les soixante-dix hommes et par les anciens.

église (donc choisis ici par les apôtres, non par la communauté).

Puis le mot est devenu l'équivalent de *sacerdos* :

ex. *ordinatio* **presbyteri** (⁶) (Const. Apost. 8, 16, 4), ordination ou installation du prêtre (par l'évêque) ; cf. Isid. Or. 5, 12, 20 ;

consecratio **presbyteri** (Leon. 952) ;

oremus et pro omnibus episcopis, **presbyteris,** *diaconibus* ... (or. 3 Parasc., Gel. I, 41, 404) ;

Cujus officium committi voluit Solis **presbyteris** (« *Sacris solemniis* »), dont il voulut que la charge (de célébrer le saint sacrifice) fût confiée aux prêtres seuls.

Presbyterium (⁷), dignité de prêtre, prêtrise (Cypr. ; Aug. ; etc.) :

ex. *presbyterii munus* (admon. ordin. presb., Pont. R., Leon. 952) ;

presbyterii honor (Gel. I, 20, 148).

§ 362 Le sacerdoce est considéré comme le ministère (⁸), la fonction de ceux qui administrent la parole, les sacrements (⁹) : ... *alios autem pastores et doctores* (¹⁰) *ad consummationem sanctorum in opus* **ministerii** (¹¹) (Ephes. 4, 12), (il a donné aux uns d'être apôtres) ... à d'autres d'être pasteurs et docteurs, organisant ainsi les saints pour l'œuvre du ministère ;

ut non vituperetur **ministerium** *nostrum* (2 Cor. 6, 4), pour que notre ministère ne soit pas décrié ;

ministerium *meum honorificabo* (Rom. 11, 13), je ferai honneur à mon ministère ;

in accepto **ministerio** *adimplendo* (or. m. vot. D. N. J. C. Summ. et Æt. Sacerd.), (fidèles) dans l'accomplissement du ministère qu'ils ont reçu ;

quod humilitatis nostræ gerendum est **ministerio** (or. consecr. episc. ; ord. bapt. ; Greg. 2, 1 ; *nostro gerendum est,*

---

6. *Cardinalem illic presbyterum ... ordinare* (Greg.-M. Ep. 1, 15), y installer un prêtre titulaire ; à noter que *cardinalis* a d'abord été un adjectif.

7. Autres sens de *presbyterium* : a) ensemble, collège des prêtres (1 Tim. 4, 14) ; *presbyterium contrahere* (Cypr. Ep. 49, 2), réunir le clergé - b) partie de l'église où se tient le clergé (Gelas. I Ep. 14, 8 ; Ord. Rom. I, 47) - v. le Dict.

8. Le terme *ministerium* est aussi, comme *sacerdotium*, appliqué au Christ en Hebr. 8, 6.

9. Et aussi le soin des pauvres, des biens de l'Église, etc., en parlant des diacres (v. § 363).

10. Cf. *ac providentia, Domine, apostolis Filii tui doctores fidei comites addidisti, quibus illi orbem totum secundis prædicatoribus (prædicationibus,* Pont. R.) *impleverunt* (Leon. 954), dans votre providence, Seigneur, vous avez donné, comme compagnons aux apôtres de votre Fils, des enseignants de la foi, grâce à qui ils ont pu emplir le monde entier de prédicateurs capables de les suppléer.

11. *Ministerium* traduit aussi λειτουργία des Septante, désignant le culte juif (Aug. Enarr. psal. 135, 3).

Leon. 942), le ministère que notre humble personne va accomplir ;

ad exsequendum injuncti officii **ministerium** ([12]) (secr. p. seipso sacerd.), pour accomplir le ministère qui incombe à ma charge ; v. *officium* (§ 1) ;

quod nostro **ministratur** ([13]) *officio* (or. m. p. spons., Leon. 1105), ce que nous accomplissons en vertu de notre charge ;

ministrantibus ([14]) *autem illis Domino* (Act. 13, 2), or, tandis qu'ils célébraient le culte du Seigneur... ;

tuis mysteriis digne **ministrare** (or. præp. ad miss.).

§ 363 *Minister* a désigné plus spécialement les diacres ([15]) (Lact. ; Cypr. ; etc.). Mais le terme normal est *diaconus* (ex. 1 Tim. 3, 8 ; Cypr. ; Hier. ; Sacram. ; du grec διάκονος, correspondant à διακονέω, servir), quelquefois *diacon, -onis* (Philipp. 1, 1 ; Cypr. ; Greg.-M.) ; *diaconium* désignant le diaconat (Cypr. ; Sacram.), ainsi que *diaconatus* (Hier. ; etc.) : ex. *in diaconatus ministerio* (Gel. I, 23).

Levita, homme de la tribu de Lévi, ministre du culte au temple de Jérusalem (ex. Deut. 12, 19), a désigné aussi chez les chrétiens un clerc de rang inférieur, un diacre (Prud. ; Sid. ; etc.) :

ex. *in levitam Laurentium, qui non solum ministeria sacramentorum, sed etiam* **dispensatione** *ecclesiasticæ substantiæ præminebat* (Leo-M. lect. 4, 10 oct.), le diacre Laurent éminent dans le service sacré, aussi bien que dans la gestion des biens de l'Église.

Dans les textes liturgiques, ce mot n'apparaît pas comme le terme technique ou consacré, mais comme une expression d'un genre plus élevé (un peu comme la poésie classique française dirait « un jeune lévite » pour « un enfant de chœur ») :

ex. *sacerdotales gradus atque officia* **levitarum** (præf. ordin. presb., Pont. R., Greg. 3, 3) ; *officium* **levitarum** (Leon. 950) ; *provehendi ... ad* **leviticum** *ordinem* (ordin. diac., Pont. R.), vous qui allez être élevés au diaconat ;

levitici *primus officii* (Leon. 680 et 686), le premier élevé à l'office de diacre (en parlant de saint Étienne).

---

12. Ex au pluriel : *ecclesiasticis convenienter servire ministeriis* (Gel. I, 100).

13. *Administrare, subministrare* s'emploient aussi en parlant de la charité individuelle : ex. *qui ... de justis laboribus suis victum indigentibus subministrat* (Gel. III, 48, 1422), celui qui, de ses gains raisonnables, distribue des vivres aux pauvres ; *administrat* (ibid. 1423).

14. Λειτουργούντων, l'usage de ce terme assimile les prières communes des chrétiens au culte sacrificiel de l'ancienne Loi (Bible de Jérus.).

15. Cf. *qui (diaconi)... bene ministraverint* (1 Tim. 3, 13) ; *qui comministri et cooperatores estis corporis et sanguinis Domini* (admon. ordin. diac.), vous qui participez et coopérez au ministère eucharistique.

§ 364 Saint Paul se dit lui-même le ministre de Dieu, du Christ (Rom. 15, 16 ; Ephes. 3, 7), et donne aussi ce nom à ses collaborateurs dans le ministère : *exhibeamus nosmetipsos sicut* **Dei ministros** ([16]) (2 Cor. 6, 4) ; **ministros** *Christi et* **dispensatores** *mysteriorum Dei* (1 Cor. 4, 1). *Minister Dei*, chez Augustin, Ambroise, désigne les prêtres :

ex. dans les oraisons : *quos* **ministros** *et mysteriorum suorum dispensatores elegit* (or. m. D. N. J. C. Summi et Æt. Sacerd.), qu'il a choisis comme ministres et dispensateurs de ses mystères ;

me famulum tuum ... dignum sacris altaribus fac **ministrum** (or. p. seipso sacerd., Gel. I, 100), accordez-moi, comme à votre humble serviteur, de servir dignement à vos saints autels ;

nos ... sacramentorum tuorum **ministros** (postc. 7 aug., Leon. 392) ;

cf. *Deus ... qui me peccatorem* **sacris altaribus astare** *voluisti* (postc. p. seipso sacerd.), qui m'avez voulu, malgré mes péchés, au service du vos autels ;

sacrosancto tuo semper **adstabat altario** (Moz. L. sacr. 924) ; *in sacrosancto altari* (Cæs.-Arel. Serm. 228, 3).

Officium peut être l'équivalent de *ministerium* (v. ex. § 1 et 366).

§ 365 Etymologiquement *minister* s'oppose à *magister* et évoque une idée de subordination au service de quelqu'un. La même idée est souvent exprimée par les mots *famulus, servus, servitus, servitium*, s'appliquant au prêtre :

ex. *debitum tibi, Domine, nostræ reddimus* **servitutis** (secr. 21 dec. etc., Gel. I, 71), nous nous acquittons, Seigneur, de ce qu'exige notre service envers vous ; *debitum nostræ reddimus* **servitutis** (Leon. 767) ;

hanc igitur oblationem **servitutis** ([17]) *nostræ, sed et cunctæ familiæ* ([18]) *tuæ* (Canon. Gel. III, 17, 1247), l'offrande que nous vous présentons, nous vos serviteurs, et aussi votre famille entière ;

respice, Domine, quæsumus, nostram propitius **servitutem** ([19]) (secr. d. 11 p. Pent., Leon. 1114), daignez jeter un regard favorable sur nous, vos serviteurs ;

(gratia) sacræ nos deditos faciat **servituti** (postc. fer. 5 p. d. 2 Quadr., Gel. I, 25, 181), nous voue davantage à votre service sacré ;

---

16. *Minister Dei* (Rom. 16, 3), en parlant d'un fontionnaire, d'un percepteur.

17. Comme souvent en latin chrétien, l'abstrait peut avoir un sens concret collectif : *servitus nostra = nos servi tui*.

18. Ici *familia*, l'ensemble des serviteurs (*famuli*) de Dieu, les fidèles.

19. Ici le mot peut avoir le sens abstrait et désigner le service sacerdotal : que Dieu regarde, non seulement les ministres, mais l'acte qu'ils accomplissent.

pro nostræ **servitutis** *augmento* (secr. d. 23 p. Pent., Greg. 163, 2), pour un accroissement de notre zèle sacerdotal (ici sens nettement abstrait, à moins qu'il ne s'agisse d'une prière de S. Léon pour un anniversaire de sa consécration).

Protege nos, Domine, tuis mysteriis **servientes** (secr. c. persec., Leon. 634), protégez-nous, Seigneur, nous qui assurons la célébration de vos mystères ;

quos tuis sacris altaribus **servituros** *in officium diaconatus suppliciter dedicamus* (præf. ordin. diac., Pont. R. ; *tuis sacrariis servituros* ([20]), Leon. 951) ; *tuis sacris servituros*, Gel. I, 22, 153), ceux que nous consacrons dans la charge de diacre pour servir à vos saints autels ; v. autres ex. § 2.

Unde et memores, Domine, nos **servi** ([21]) *tui, sed et plebs* ([22]) *tua sancta* (Canon, Gel. I. cit. 1250) ;

ut ... ejusdem proficiamus et fidei consortio et digno **servitio** ([23]) (postc. 7 aug. ; *iisdem fideli consortio et digno* **servitio**, Leon. 392), « que nous progressions dans la foi qui nous est commune (avec ce martyr) et dans un service digne de vous » ; dans les litanies, *in tuo sancto servitio* peut s'appliquer aux prêtres et aux fidèles.

Hanc immaculatam hostiam, quam ego indignus **famulus** *tuus offero tibi* (Offert. ; *quam tibi offero ego tuus* **famulus** *et sacerdos*, Leon. 958) ;

famulus *tuus* ([24]) *diaconus, presbyter, abbas, episcopus, pontifex* (or. et Sacram. passim).

Respice propitius ad humilitatis ([25]) *nostræ* **famulatum** (or. Rit. confirm. in periculo mortis), regardez favorablement ce qu'accomplit votre humble serviteur ;

Deus, qui digne tibi servientium nos imitari desideras **famulatum** (Greg. 199, 1), ô Dieu, qui désirez que nous imitions le service de ceux qui vous servent comme il convient ; (mais en Greg. 68, 4, il s'agit du peuple) ;

da nobis ... perseverantem in tua voluntate **famulatum** (sup. pop. fer. 3 p. d. Pass., Gel. I, 40, 375), de persévérer au service de votre volonté (le contexte indique qu'il s'agit du prêtre).

Famulatio, var. de *famulatus* : ex. *adesto famulationibus*

---

20. Cf. *qui in sacrario operantur* (1 Cor. 9, 13), ceux qui sont les ministres du culte.

21. *Servi* peut désigner aussi les fidèles : ex. *capitibus servorum tuorum* (or. 3 ben. Cin.), sur la tête de vos serviteurs. De même *servitium, servire* (v. § 389).

22. *Plebs*, même opposition, signalée (note 18) pour *familia*.

23. Ex. de sens concret : *quod nostro servitio geritur* (Leon. 565), ce que nous accomplissons, nous, vos serviteurs.

24. *Famulus tuus* s'applique naturellement aussi aux fidèles (v. § 389).

25. Cf. *sub nostræ humilitatis ingressu* (or. ord. extr. unct., Rit. R. VI, 2), à mon humble entrée dans cette maison (sens concr., à l'entrée d'un pauvre homme comme moi) ; *sanctifica nostræ humilitatis ingressum* (ibid.).

(Pont. Rom.-Germ. 22, 5), assistez-nous dans votre service (ou : assistez vos serviteurs).

§ 366 Tout en étant l'humble serviteur de Dieu et de ses ouailles ([26]), le prêtre occupe une place honorifique ; le sacerdoce est une dignité, un honneur, une charge, un office : *dignitas* (v. ex. de ce mot au chp. les Chefs de l'Église), *honor, munus, officium*.

Ex. *nec quisquam sumit sibi* **honorem**, *sed qui vocatur a Deo tanquam Aaron* (Hebr. 5, 4), et personne ne s'arroge à soi-même cet honneur (du grand prêtre), mais celui qui est appelé par Dieu, comme Aaron ;

ordinandorum conversatio ... digna ... **ecclesiastici honoris** ([27]) *augmento* (ordin. presb. Pont. R.), la conduite des ordinands ... digne de l'honneur ecclésiastique qui les rehausse ;

ad ... ecclesiastici ordinis **decore** *promovendum* (or. 19 jul.) ;

ut quod nunc pii nobis est oneris, perpetui sit **honoris** (Leon. 1005), pour que, ce qui est pour nous maintenant une pieuse charge, devienne notre honneur éternel ;

omnipotens Deus, **honorum** *dator, ordinum distributor officiorumque dispositor* (Leon. 951, ben. super diaconos), Dieu tout-puissant, qui donnez les honneurs, distribuez les rangs, et disposez des charges; et v. ex. § 361 ; pour *honor*, épiscopat, juridiction, v. le Dict.) :

Deus, conlator sacrarum magnifice **dignitatum** (Leon. 950), ô Dieu, qui, dans votre largesse, conférez les honneurs sacrés ;

distributor omnium **dignitatum** (Pont. Rom.-Germ. 16, 29).

Quem (sacerdotem) **sacris muneribus** *decorasti* (or. p. def. sacerd., Leon. 1159) ;

secundi meriti **munus** (v. § 360, note 3) ;

sacri muneris *servitutem* ([28]) (Greg. 4, 5), le service de la sainte liturgie.

Quos ad subdiaconatus **officium** ([29]) *vocare (Deus) dignatus est* (or. ordin. subdiac., Pont. R.) ; *quem ad subdiaconatus* **officium** *dignatus es eligere* (Gel. I, 96, 755) ; *quos ad* **officium**

---

26. L'expression *servus servorum Dei*, appellation que se donne le pape (ex. Ben. I, Ep. c. 683B ; Greg.-M. Ep. 1, 39a), peut exprimer l'humilité ou l'éminence : le prêtre des prêtres, le prêtre suprême (forme de superlatif).

27. Cf. *in officio vel in honore* (Tert. Idol. 8) ; *ecclesia honor* (Id. Bapt. 17) ; *presbyteralis honor* (Leo-M. Ep. 14, 4) ; surtout en parlant des évêques : *honores ecclesiastici* (Aug. Ep. 167, 18).

28. *Munus* peut désigner aussi un office solennel, une liturgie (Ambr. Ep. 20, 14 ; Hilar.-pap. Ep. 2, 1). Sens à rapprocher de *munus*, jeu du cirque, spectacle donné par un grand personnage (Cic. ; Pass. Perp. 9). Ainsi *munera nostra* (Gel. I, 2) peut désigner nos offrandes ou le saint sacrifice célébré ; de même *munus oblatum*, dans les secrètes, bien que l'intention actuelle n'envisage plus que le premier sens.

29. Cf. *(presbyteri et diaconi) ne sibi assumant dicatum episcopi officium* (Tert. Bapt. 17).

diaconatus vocare dignatur (Gel. I, 22, 150) ; v. ex. de *officium* (§ 1).

§ 367 Dans les premiers siècles, les évêques étaient élus par le peuple, et les autres clercs choisis ou désignés par l'autorité ecclésiastique ; mais, dans les oraisons, le verbe *eligere* se réfère au choix de Dieu [30], du Christ :

ex. *quos ministros ... **elegit** (Christus)* (cit. § 364) ;

*Deus et Dominus noster, qui **elegit** eum in ordine episcopatus* (or. 2 Parasc., Gel. I, 41, 402 ,en parlant du pape) ;

***electum** nobis antistitem* (ibid.), le chef que vous nous avez choisi ;

***elegit** eum Dominus sacerdotem sibi* (vers. mat. fer. 3, p. conf. pont. ; cf. 1 Reg. 2, 28).

Quand il n'a pas le sens spirituel (choix de Dieu), *eligere* est un terme technique : faire entrer dans un collège ecclésiastique, ordonner : ex. *ordo qualiter in Romana Sedis Apostolicæ Ecclesia presbyteri, diaconi, vel subdiaconi **eligendi** sunt* (Gel. I, 20 tit.) ;

eligimus in ordine diaconii (sive) presbyterii (illum) subdiaconum (ibid. 22), nous admettons le sous-diacre un tel à l'ordre du diaconat (ou de la prêtrise) ;

dans le Pontifical, *electus* désigne celui qui va être consacré : ex. *consecratio electi* [31] *in episcopatum.*

§ 368 L'ordination, la consécration à une fonction dans l'Église, se faisait, dès les temps apostoliques, par l'imposition des mains [32] : *admoneo te ut resuscites gratiam Dei quæ est in te per **impositionem manuum** mearum* (2 Tim. 1, 6), je t'invite à raviver le don que Dieu a déposé en toi par l'imposition de mes mains ; *manus cito nemini imposueris* (1 Tim. 5, 22), ne te hâte pas d'imposer les mains à qui que ce soit (pour leur conférer une fonction dans l'Église) ; cf. ibid. 4, 14 ;

decernimus et disponimus : sacrorum ordinum diaconatus, presbyteratus et episcopatus materiam [33] *eamque unam esse **manuum** impositione* (Pii XII, Act. A. S. jan. 1948), nous décrétons et décidons que la seule et unique matière du sacrement de l'ordre, diaconat, prêtrise, épiscopat, est l'imposition des mains.

Dans l'ancienne Rome, il y avait l'« ordre » sénatorial, l'« ordre » équestre ; *ordo* a désigné aussi le « corps » de ceux

---

30. Cf. *et elegi eum ... mihi in sacerdotem* (1 Reg. 2, 28), je l'ai choisi pour être mon prêtre. Ce choix est aussi un appel : v. *vocare* (§ 366).

31. Pour *electus*, celui qui est admis au baptême (v. § 329 et note 5).

32. L'imposition des mains est aussi un rite qui transmet une grâce, un charisme (Hebr. 6, 2), qui communique aux baptisés le Saint-Esprit (Act. 8, 17-18) ; v. Confirmation (§ 338).

33. *Materia*, matière d'un sacrement, terme proprement théologique et qu'on ne rencontre pas dans le style de la prière.

qui gouvernaient la ville ; il est donc naturel qu'on ait appliqué
ce terme aux ministres de l'Église ([34]) : *differentiam inter*
ordinem *et plebem constituit ecclesiæ auctoritas* (Tert. Exh.
cast. 7, 3), la différence entre les ordres et le peuple, c'est
l'autorité de l'Église qui l'a établie. Il s'agit d'abord de l'ensemble du clergé, *ordo ecclesiasticus* (ex. Cod. Theod. 16, 26),
et aussi des différents degrés de cet ordre, *ordo episcoporum*,
ordo presbyterii (v. *sequentis* ou *minoris ordinis*, § 360) :

ex. *ad episcopatus* **ordinem** (Greg. 2, 9) ;

sit probus cooperator **ordinis** *nostri* (or. ordin. presb., Greg.
3, 6) ;

(pl.) *sacratis* **ordinibus** (Leon. 947), aux ordres sacrés.

Ce n'est pas tout : *ordo* a désigné aussi le rang que l'on
occupe dans l'Église : ex. *ordo viduarum* (Tert. Ux. 1, 7),
l'ordre des veuves (qui ont reçu une sorte de consécration ([35]).
Il s'est même étendu à tous les ordres de fidèles : ex. *quinque
ecclesiæ* **ordines** : *episcopos, presbyteros, diaconos, fideles,
catechumenos* (Hier. In Is. 5, 20, 18).

La troisième oraison du Vendredi-Saint, *pro universis*
ordinibus pour tous les rangs dans l'Église, semble avoir
gardé ce sens étendu, puisqu'il est dit avant : *oremus et pro
omnibus episcopis, presbyteris, diaconibus, subdiaconibus,
acolythis, exorcistis, lectoribus, ostiariis* ([36]), *confessoribus,
virginibus, viduis, et pro omni populo sancto Dei* (Gel. I, 41,
404).

§ **369** Mais au clergé seulement sont appliqués les mots
ordinatio, ordination, *ordinare* ([37]), ordonner, faire entrer dans
les ordres ecclésiastiques (Cypr. ; Aug. ; Hier. ; Innoc. I ; etc.) :

χειροτονίαν, *id est* **ordinationem** *clericorum* (Hier. Is. 15,
58, 10), l'imposition des mains, c'est-à-dire l'ordination des
clercs ;

ordinavit *et* **consecravit** *eos nisi in gremio basilicæ* (Conc.
Rom. II, Ma. II, c. 628), il les ordonna et les consacra seulement au sein de la basilique ;

oratio in **ordinatione** *presbyteri* (Greg. 199 tit.) ; *oratio ad*
ordinandum *presbyterum* (ibid. 3 tit.) ; *ad* **ordinandum**
diaconum (4 tit.) ; *ad pontificem* **ordinandum** (ibid. 226 tit.).

La nomination d'un fonctionnaire civil ou laïc s'appelait

---

34. Autres sens de *ordo* : rituel (sens encore en dehors de notre domaine) ;
ordre religieux (§ 380).

35. Le 4e Concile de Tolède distingue : *duo sunt genera viduarum, sæculares et
sanctimoniales* (an. 671, can. 50, M. 84, c. 379),... les séculières et les religieuses (les
premières pouvant se remarier).

36. On a employé aussi le mot *janitor* (Optat. ; Hier. ; Miss. Franc 2, 10). *Confessor* désigne ici un religieux ascète (v. le Dict.).

37. *Cardinare, incardinare*, installer (un prêtre, un évêque), de même que *incar-
dinatio*, appartiennent à la langue du droit canonique.

aussi *ordinatio* ; mais quand il s'agit d'ordres ecclésiastiques non inférieurs, interviennent les termes *consecratio*, consécration, *consecrare*, déclarer sacré, consacrer (**³⁸**). Les Sacramentaires donnent plus précisément le titre de *consecratio* à la prière qui accompagne l'imposition des mains : ex. *consecratio presbyteri* (Leon. 952 tit.) ; *consecratio episcoporum* (ibid. XXVIII tit.) ; *consecratio* (Gel. I, 20, 145) ;

consecrentur *manus istæ per istam unctionem et nostram benedictionem* (Gel. I, 96, 756), que ces mains soient consacrées par cette onction et la bénédiction que nous leur donnons ;

consecrandi *in presbyteratus officium* (ordin. presb., Pont. R.), qui vont être consacrés dans le sacerdoce ;

quos tuæ pietatis aspectibus offerimus **consecrandos** (or. ordin. presb., Pont. R., Gel. I, 20, 144), ceux qu'aux regards de votre bonté nous présentons pour être consacrés.

§ 370 On implore la bénédiction (**³⁹**) de Dieu sur ceux qui vont être consacrés ;

super hos famulos tuos **benedictionem** *Sancti Spiritus et gratiæ sacerdotalis effunde virtutem* (ord. ordin. presb. Pont. R., Gel. I, 20, 144), sur vos serviteurs que voici répandez la bénédiction du Saint-Esprit et la force de la grâce sacerdotale ;

oremus, dilectissimi, Deum Patrem omnipotentem, ut super hos famulos suos, quos ad officium diaconatus vocare dignatur, **benedictionem** *gratiæ suæ clementer effundat et consecrationis indultæ propitius dona conservet* (or. ordin. diac. Pont. R., Gel. I, 22, 150), très chers, prions Dieu le Père tout-puissant de répandre avec bonté la bénédiction de sa grâce sur ses serviteurs ici présents, qu'il a bien voulu appeler à la charge de diacres, et de leur conserver dans sa faveur les dons que comporte la consécration à eux accordée.

Dans ces demandes de bénédiction, apparaît aussi le forme *dedicamus* (plus sacrée que *eligimus*) : ex. *super hos famulos tuos, quos ad presbyterii honorem* **dedicamus***, munus tuæ benedictionis infunde* (or. ordin. presb. Pont. R., Gel. I, 20 148), ... que nous vouons à l'honneur du sacerdoce.

§ 371 Le Bon Pasteur de la parabole évangélique (Jo. 10, 1-12 ; v. § 206) est à l'opposé du mercenaire qui fuit et aban-

---

38. Cf. en parlant des prêtres hébreux : *pontifex ... cujus manus in sacerdotio consecrata sunt* (Lev. 21, 10) ; *ut mihi in sacerdotio consecrentur* (Ex. 29, 1), pour les consacrer à mon sacerdoce.

39. A noter cette gradation dans les trois invocations des litanies, à la consécration épiscopale (Pont. R.) :

ut hunc præsentem electum benedicere digneris,			*te rogamus, audi nos.*	
»	»	*benedicere et sanctificare*	»	»
»	»	*benedicere et sanctificare et consecrare*	»	».

De même aux ordinations (*ut hos electos...*). V. *benedictio, consecratio* (§ 87).

donne son troupeau : *Mercennarius quippe est, qui locum quidem* **pastoris** *tenet, sed lucra animarum non quærit ... honore prælationis gaudet, temporalibus lucris pascitur* (Greg.-M. Hom. ev. 14, lect. 9, d. 2 p. Pasch.), « le mercenaire, c'est celui qui tient la place du pasteur, mais sans chercher le bien des âmes... il se réjouit de l'honneur de commander, se repaît de gains terrestres ». Ainsi le mot a désigné tout naturellement le pasteur d'âmes, le chef d'une communauté chrétienne (v. § 362), plus spécialement les évêques et le pape (Tert. ; Cypr. ; Greg.-M.) ; v. le chp. les Chefs de l'Église.

§ 372 Le mot clerus (κλῆρος) signifie héritage, part tirée au sort (Ps. 67, 14) ; et, au sens spirituel, l'héritage du Seigneur, les fidèles ... *pascite ... gregem Dei ... non ut dominantes in cleris* (1 Petr. 5, 3), paissez le troupeau de Dieu, non comme des dominateurs sur ceux qui vous sont échus en partage. *Cleri* et *clerici*, dès l'époque patristique (Tert. ; Cypr. ; Hier. ; Ambr. ; etc.), désignent ceux qui ont reçu une ordination ecclésiastique. Ces mots sont rares dans les oraisons :

Sancta Maria, ... ora pro populo, interveni pro **clero** (or. divers.), ... incédez pour le clergé ;

novas in ecclesia tua **clericorum** *et virginum familias* (or. 5 jul.) ;

oratio ad **clericum** *faciendum* (Greg. 212 tit.), prière pour l'ordination d'un clerc ;

cum omni laude **clericis** *aliis antecelleret* (lect. 4, S. Silvest.), comme il l'emportait par toutes sortes de mérites sur les autres membres du clergé.

Mais le sens étymologique est parfois rappelé : *si enim* κλῆρος *Græce,* **sors** [40] *Latine appellatur, propterea vocantur* **clerici** *vel quia de sorte sunt Domini, vel quia ipse Dominus* **sors***, id est* **pars clericorum** *est* (Hier. Ep. 52, 5), étant donné que le mot grec κλῆρος se dit en latin *sors*, les clercs ont reçu ce nom, soit parce qu'ils font partie de l'héritage du Seigneur, soit parce que le Seigneur lui-même est l'héritage, c'est-à-dire la part des clercs.

Le mot *hereditas* [41] exprime la même idée :

ex. *Dominus pars* **hereditatis** *meæ et calicis mei, tu es qui restitues* **hereditatem** *meam mihi* (Ps. 15, 5, ant. de cler. fac. Pont. R.), le Seigneur est ma part d'héritage et ma coupe ; c'est toi qui me rendras mon lot ;

---

40. Cf. (*Judas*) *qui connumeratus erat in nobis et sortitus est sortem ministerii hujus* (Act. 1, 17), qui avait rang parmi nous et s'était vu attribuer une part dans notre ministère. Mais en Act. 1, 26, *sors* a son sens ordinaire.

41. Cf. *qui ... hereditatem benedictionis æternæ sorte perpetua possiderent* (Leon. 951 ; et Greg. 4, 4, consecr. diac.), (les fils de Lévi) qui devaient posséder dans leur part perpétuelle l'héritage de la bénédiction éternelle.

ut digne addamini ad numerum **ecclesiastici** *gradus, ut* **hereditas** *et tribus amabilis Domini esse mereamini* (admon. ordin. diac. Pont. R.), afin d'être dignes de votre incorporation aux membres du clergé, et de mériter d'être l'héritage du Seigneur et la tribu qu'il aime (comme celle de Lévi).

§ 373 L'habit distingue les personnes consacrées au service de Dieu. Le mot *habitus*, en latin classique, peut déjà signifier « la mise, la tenue » ; il est employé couramment ensuite au sens de « habit » ([42]) :

ex. *dum ignominiam* **sæcularis habitus** *deponunt* (or. de cler. fac. Pont. R.), en quittant l'habit ordinaire du siècle ;

hunc famulum tuum, cui in tuo sancto nomine **habitum sacræ religionis** *imponimus* (or. ben. abb. Pont. R.), votre serviteur que voici, auquel, en votre saint nom, nous imposons l'habit sacré du religieux ;

sacerdotii anterioris **habitus** ([43]) (Leon. 947), le vêtement du sacerdoce ancien (des Juifs) ;

Deus, qui Moysen ... de **habitu quoque indumenti** *sacerdotalis instituens, electum Aaron* **mystico amictu** *vestiri inter sacra jussisti* (præf. consecr. episc. Pont. R., Leon. 947 ; Greg. 2, 3), ô Dieu, qui, en instruisant aussi Moïse sur la façon de revêtir les prêtres, avez ordonné que votre élu Aaron revête une tenue mystique (symbolique) au cours des cérémonies sacrées.

ex. de symbolisme du vêtement (qu'il s'agisse des clercs ou non) :

et datum est illi (Agno) ut cooperiat se byssino splendenti et candido ; **byssinum enim justificationes** *sunt sanctorum* (Apoc. 19, 8), on lui a donné de se revêtir de lin d'une blancheur éclatante ; le lin, c'est en effet les bonnes actions des fidèles ;

tunica jucunditatis *et* **indumento lætitiæ** *induat te Dominus* (or. ordin. subdiac. Pont. R.), que le Seigneur te revête de la tunique de joie et du vêtement de l'allégresse ;

qui vestimentum salutare et **indumentum jucunditatis** *tuis fidelibus promisisti* (Gel. I, 103, 791), en faisant allusion au bonheur du ciel ;

cf. **stola jucunditatis** *induit eum Dominus* (resp. 29 dec., S. Thomas et pour d'autres martyrs) ; **stola gloriæ** *induit eum* (17 jan. et passim) ; cf. **stola gloriæ** *vestiet illum* (Eccli. 15, 5) ;

(et plus spécialement en parlant de vêtements ecclésiastiques ou religieux)

hæc **indumenta** *humilitatem cordis et contemptum mundi*

---

42. Cf. *habitus nuptialis* (S. S. Mat. 22, 11, ap. Cypr. Ep. 30, 7), la robe nuptiale.
43. Mais *habitus religionis* (Greg. 212), en parlant de l'aspect et du comportement du tonsuré.

significantia (or. ben. vest. consecr. virg., Pont. R., Gel. loc.
cit. 791) ;

dalmatica *justitiæ circumda me semper* (or. episc. ante missam) ;

zona, ceinture, baudrier, peut symboliser la chasteté ou la
milice du Christ :

zona castitatis *succincta (caro mea)* (var. postc. ad postul.
cont. Sacram. Fuldense)

zona Domini *præcinctus* (Antiph. Bench.-de Bangor, M.
72, c. 592).

§ **374** Enfin, si la lutte pour la foi est comparée à un combat
qui intéresse tous les chrétiens (ex. 2 Cor. 20, 4), le mot *militia*
a été plus spécialement appliqué au service de Dieu (44), à la
cléricature (Aug. ; Leo-M. ; Greg.-M.). En 2 Tim. 2, 3, *miles
Christi* désigne l'apôtre : *nemo* **militans Deo** *implicat se nego-
tiis sæcularibus* (ibid. 2, 4), aucun soldat de Dieu ne s'embarrasse dans les affaires du siècle (selon le texte grec : aucun
soldat ne s'embarrasse dans les affaires civiles) ;

ut eos in sacrario tuo sancto strenuos sollicitosque **cælestis
militiæ** *instituas* **excubitores** (or. ordin. subdiac. Pont. R.),
afin que vous les placiez dans votre sanctuaire sacré comme
des veilleurs courageux et empressés de la milice céleste ; cf.
mysticis operationibus domus tuæ fidelibus **excubiis** *permanentes* (Leon. 951), demeurant de fidèles gardiens dans l'accomplissement des mystères de votre demeure ;

qui **sacræ militiæ** ... *nobis exempla veneranda proposuit*
(Leon. 694), (saint Étienne) qui nous a proposé de vénérables
exemples de service sacré ;

trinis gradibus ministrorum nomini tuo **militare** (Leon. 951),
pour militer en faveur de votre Nom dans les trois degrés du
ministère ;

quatenus **castris** *tuis insertus, ita tibi* **militando** ... (or. ben.
abb. Pont. R.), afin que, enrolé sous vos étendards et combattant pour vous...

4. LES RELIGIEUX

§ **375** Certains termes appartiennent plutôt à l'histoire
ecclésiastique qu'au latin liturgique proprement dit.

Monachus (¹) (μόνος, seul, μοναχός, moine), solitaire,
ermite, (puis) membre d'un monastère, moine : le mot est
signalé par dom P. Bruylants dans le *Vetus Missale Romanum*

---

44. Ne pas oublier que, sous l'Empire, les mots *militia, militare* s'emploient pour
n'importe quel officier, civil ou militaire.

1. V. dans le Dict. les nombreux mots de la même famille : *monacha, monachalis,
monachatus, monachicus, monachilis, monachium, monachulus, monasterialis, monasteriolum,
monasterium, monasticus.*

monasticum Lateranense, mais ne figure pas dans les oraisons du Missel Romain.

Ex. dans les « Oraisons diverses » du Bréviaire Monastique : *O alme Pater Benedicte*, **monachorum** *dux et monarcha*, ô vénérable Père saint Benoît, chef et guide unique des moines ;

sanctorum **monachorum** ... *meritis et exemplis* (ibid.) ;

cf. *omnes* **monachi** *et eremitæ* (litan. omn. sanct.).

Eremus (ἔρημος), désert, vie érémitique (Hier. ; Cassian ; etc.) :

ex. *ad* **eremum** *vocare* (or. 26 nov.), appeler au désert (en parlant d'une vocation érémitique).

Monasticus : ex. **monastica** *conversatio* (Cass. ; Pont. Rom.-Germ. 26, 10), vie monastique.

Conversus désigne « celui qui s'est détourné », retiré du monde, un moine, un religieux (Salv. ; Greg.-M.) :

ex. **conversus** *in monasterio* (Conc. Aurel. an. 511, can. 21) ; v. *professus* (§ 380) ;

super hunc famulum ... *a sæculo* **conversum** (Pont. Rom.-Germ. 29, 3).

Religio ([2]), vie religieuse, monastique : ex. *religionem profiteri* (Salv. Eccl. 2, 11), faire profession (v. plus loin, ex. dans le Pontifical) ;

religiosus, religieux, moine (Greg.-M. Ep. 4, 24 ; etc.) ; (adj.) *religiosa persona* (ibid. 6, 11).

Sanctimonialis (subst. f. ou adj.), religieuse (Hier. ; Aug. ; Cæs.-Arel.).

Voyons maintenant le vocabulaire plus susceptible de se rencontrer dans les prières ou les chants liturgiques.

Ancillæ ([3]) *Dei*, les religieuses, les servantes du Seigneur :

ex. *oratio super* **ancillas Dei** *quibus conversis vestimenta mutantur* (Gel. I, 104 tit.), prière sur les servantes de Dieu qui prennent l'habit en entrant en religion ;

ut præsentes **ancillas tuas** *benedicere digneris* (or. ben. et consecr. virg., Pont. R.).

§ 376 Nous avons déjà vu les mots *famulus, famula* désignant des clercs, de simples fidèles vivants ou morts. *Famula, famula Dei, famula tua* s'emploient aussi en parlant de moniales (Gaudent. Serm. 17, c. 965A ; Cass. Var. 10, 26, 2) ; mais dans les textes liturgiques, il s'agit sans doute d'une servante de Dieu en général qui se voue à l'état religieux et va devenir une vierge consacrée; le mot ne signifie donc pas par lui-même « religieuse » :

---

2. Pour les autres sens de *religio, religiosus*, v. le Dict. ; piété, v. § 471.

3. Sens plus général : servante de Dieu, femme soumise à Dieu : ex. *filius ancillæ tuæ* (Ps. 85, 16 ; Sap. 9, 5) ; *ancilla Dei* (Tert. Ux. 2, 6), en parlant d'une chrétienne ; *ecce ancilla Domini* (Luc. 1, 38), dit la Sainte Vierge à l'Annonciation.

ex. *his* **famulabus tuis**, *quas* **virginitatis honore** *dignatus es decorare* (coll. consecr. virg., Pont. R. et Miss. Rom. miss. vot. consecr. virg.), à vos servantes, que vous avez daigné honorer de la parure virginale ; cf. *flos virginitatis* (or. 2 dec.) ;

quas (vestes) **famulæ tuæ** *pro indicio cognoscendæ religionis induere se volunt* (Ben. et consecr. virg., Pont. R. ; **famulæ tuæ quam**..., Gel. I, 105), que vos servantes veulent revêtir, afin qu'on puisse les reconnaître pour des religieuses ;

respice, Domine, propitius super has **famulas tuas**, *ut* **sanctæ virginitatis propositum** (⁴), *quod te inspirante susceperunt, te gubernante custodiant* (or. ibid., Gel. I, 103, 787), regardez, Seigneur, avec bonté vos servantes, pour qu'elles gardent, sous votre conduite, le vœu de sainte virginité, qu'elles ont formé sous votre inspiration.

Familia, qui, dans le Canon de la messe, désigne l'ensemble des serviteurs de Dieu, peut désigner aussi une famille, un ordre religieux :

ex. *novas in ecclesia tua clericorum et virginum* **familias** *congregavit* (or. 5 jul.), il rassembla dans votre Église de nouvelles familles de clercs et de vierges ; v. plus loin, *ordo, congregatio.*

§ 377 *Vas* (⁵), en latin biblique, peut désigner des personnes, ex. *vas electionis* (Act. 9, 15), vase d'élection, instrument choisi par Dieu (saint Paul). Ainsi, en parlant des moniales :

de his **vasis** *nomini tuo* **consecratis** (Ben. et consecr. virg., Pont. R.).

L'adjectif *sacer* est plus fréquent en ce sens que le participe *consecratus* (Aug. ; Prud. ; etc.) :

sacræ virgines (Leon. 1103 tit. ; Gel. I, 103 tit.) ;

Deus, qui novum ... **sacrarum virginum** *collegium* (⁶) *in ecclesia tua florescere voluisti* (or. 31 mai.), ô Dieu, qui avez voulu faire prospérer dans votre Église une nouvelle communauté de vierges consacrées ;

sacratæ virgines (Leon. 283 tit.).

On dit aussi : *sanctæ virgines* (v. ex. note 6) ;

ou *virgines* (seul) : *confessoribus, virginibus, viduis* (or. Parasc. cit. § 368).

Mais *virgo* seul désigne ordinairement une sainte honorée comme « vierge ».

§ 378 De nombreuses images représentent les vierges consacrées comme les épouses du Christ :

---

4. Cf. *continentiæ sanctæ propositum* (præf. ibid., Leon. 1104), le vœu de sainte virginité.

5. Cf. *redempta vasa sui Domini passione* (Leon. 625).

6. *Collegium*, congrégation : ex. *sanctarum tuarum virginum collegio aggregare* (or. 4 sept. p. al. loc.), admettre dans la congrégation de vos saintes vierges.

ex. *illius* **thalamo**, *illius* **cubiculo** *se devovit (beata virginitas), qui sic perpetuæ virginitatis est* **sponsus** *quemadmodum
perpetuæ virginitatis est Filius* (præf. consecr. virg., Pont. R.,
Leon. 1104, p. 139, 3), elle s'est vouée aux noces, à la chambre
nuptiale de celui qui est l'Époux de la virginité perpétuelle,
de la même manière qu'il est le Fils de la Virginité perpétuelle ([7]) ;

*quo (velamine) cognoscaris ... te Christo Jesu veraciter
humiliterque ...* **sponsam** *perpetualiter subdidisse* (Ben. veli
ben. abbat., Pont. R.), qui te fera connaître, en toute vérité et
humilité, comme l'épouse soumise pour toujours au Christ
Jésus ;

elegit eam *Deus et præelegit eam* (resp. comm. virg.), Dieu
l'a choisie d'un choix de prédilection ;

veni, **sponsa Christi** (tract. comm. virg. mart.) ;

ipsi sum **desponsata** *cui angeli serviunt* (resp. S. Agnet.
21 jan.), je suis fiancée à celui même auquel obéissent les
anges ;

in **Agni** *tui perpetuo* **comitatu** (præf. consecr. virg. Pont.
R. ; cf. Apoc. 14, 4), dans le cortège éternel de votre Agneau ;

Cælestis Agni **nuptias**, *o Juliana, dum petis* (hymn. vesp.
20 jun.), en désirant les noces avec l'Agneau céleste.

Le voile ([8]) est le symbole du mariage mystique (cf. § 341) :
oratio ad ancillas Dei **velandas** (Greg. 215 tit.).

Pour le symbolisme du vêtement, v. § 373.

Symbolisme de l'anneau :

annulo *suo* **subarrhavit** ([9]) *me Dominus meus Jesus Christus
et tanquam* **sponsam** *decoravit me corona* (Act. Agnet., ant.
consecr. virg., Pont. R.), mon Seigneur Jésus-Christ m'a donné
son anneau comme gage et m'a ornée d'une couronne comme
une épouse (cf. ant. laud. 21 jan.) ;

desponso te Jesu Christo ... accipe **annulum fidei**, *signaculum
Spiritus Sancti, ut* **sponsa Dei** *voceris* (consecr. virg., Pont. R.),
je te fiance à Jésus-Christ... reçois l'anneau de sa foi, la marque du Saint-Esprit, pour mériter le nom d'épouse de Dieu.

§ 379 La virginité en général et la vie monastique en particulier ont été souvent comparées à un état angélique : *insulana*
angelicæ congregationis *militia*, « la milice des îles et sa
communauté angélique, » dit Fauste de Riez (Ep. 8), en
parlant des moines de Lérins :

beata virginitas et æmula **integritatis angelicæ** (præf. consecr. virg., Pont. R., Leon. 1104, p. 139, 2), la sainte virginité,
émule de l'innocence angélique ;

---

7. V. *Virginitas incorrupta*, désignant la Sainte Vierge (§ 211).

8. *Velatio virginum* (Ambr. De virginibus, 3, 1).

9. *Annulo fidei Agnes se asserit subarratam* (Aug. Serm. 48, 5), Agnès se déclare
engagée par l'anneau de fiançailles.

Deus ... qui ... obstrictos adhuc conditione mortalium jam ad similitudinem provehas **angelorum** (ibid., p. 138, 17), ô Dieu, qui dès maintenant faites accéder à un état quasi-angélique ceux qui sont encore retenus dans leur condition mortelle.

La virginité est considérée comme un sacrifice et une immolation :

quæ (sanctæ virgines) se tibi gratas pudoris et fidei **victimas immolarunt** (secr. m. « *Deus meus* », p. al. loc.), qui se sont immolées à vous comme victimes agréables de chasteté et de foi ;

... **dedicat** Se *(Martina) rerum Domino* (hymn. mat. 30 jan.), elle se voue au Seigneur de toutes choses ;

se tibi pro hominibus caritatis **victimam devovit** (postc. 3 oct., S. Ter. a Jesu Inf.), pour les hommes, elle s'est vouée pour vous en victime de la charité ;

quæ pro timore tuo continentiæ pudicitiam **vovit** (Pont. Rom.-Germ. 24, 3), qui, dans la crainte de votre nom, a fait vœu de chasteté ;

munus hoc, D. q., apostolica pro nobis interventio prosequatur, ut quod tremente servitio nos **vovemus** *oblatum, eorum nobis precibus efficias* **sacramentum** ([10]) (Leon. 288), nous vous en prions, Seigneur, que l'intervention des apôtres seconde cette offrande : celle que nous présentons par la consécration à votre service redoutable, faites-en pour nous, grâce à leurs prières, un sacrement.

Vota (pl.), vœux, cérémonie par laquelle le religieux « promet » et « s'offre » ;

qui in tuo nomine sua celebrat **vota** (or. ad puerum tonsurandum, Pont. Rom.-Germ. 2, 1), qui, prononce ses vœux en invoquant votre nom ;

(Sing.) *suscipe propitius* **votum professionemque** *famuli tui N., qui de hujus sæculi vanitate et turbine ad te confugit* (ibid. 29, 4), accueillez favorablement les vœux et la profession de votre serviteur un tel, qui, abandonnant les vanités et les troubles de ce monde, se réfugie vers vous.

Comme au baptême, le verbe *renuntiare* intervient :

Deus, qui **renuntiantibus sæculo** *mansionem paras in cælo* (Gel. III, 80), ô Dieu, qui préparez une demeure au ciel pour ceux qui renoncent au monde ;

famulis tuis **renuntiantibus** *sæcularibus pompis* (ibid. 82).

---

10. Cette prière, lors de l'oblation des moniales, associe deux idées : le pain et le vin offerts deviennent le sacrement ; ici l'offrande, c'est aussi leurs personnes destinées à devenir comme des hosties sacramentelles ; en même temps on pense à *sacramentum* « engagement sacré » ; *nos* est sujet : *nos vovemus munus hoc oblatum*, ce *nos* rapproché de *vovemus oblatum* associe dans un élan hardi l'oblation de leurs personnes à celle du saint sacrifice.

§ 380 *Profiteri*, déclarer ouvertement, professer, a été employé aussi pour désigner l'entrée en religion : *professis* ([11]) *virginibus* (Aug. Doct. chr. 4, 21, 48) :

*ut integram et immaculatam virginitatem, quam **professæ estis** coram Deo et angelis ejus, conservetis* (Ben. et consecr. virg., Pont. R.), pour garder intact et sans tache le vœu de virginité que vous avez prononcé en présence de Dieu et de ses anges ;

*propositum castitatis, quod te auctore **professæ sunt*** (Leon. 283), le vœu de chasteté qu'elles ont prononcé sous votre inspiration (v. ex. § 376) ;

*in ordine Fratrum Prædicatorum solemni emissa **professione*** (Br. R. lect. 5, 23 jan.), après avoir prononcé ses vœux solennels dans l'ordre des Frères Prêcheurs.

Ordo, ordre religieux : ex. *beatum Franciscum, novi **ordinis** institutorem* ([12]) (or. 4 jun.), saint François, fondateur d'un nouvel ordre religieux ;

*gratias ago tibi, Domine Jesu Christe, pro gratia singulari, qua me vilissimum peccatorem de hoc sæculo nequam eduxisti et in hoc religiosissimo **ordine** ad solemnem **professionem** admisisti* (or. ad renov. prof., Brev. Mon.), je vous rends grâce, Seigneur, pour la faveur singulière, par laquelle vous m'avez tiré, moi, très pauvre pécheur, hors de ce siècle mauvais, et m'avez admis à la profession solennelle dans cet ordre très saint.

Institutum, institut, ordre, (et) règle : *ordinis sancti Benedicti monasticum **institutum** amplexus est* (lect. 5, 23 jan., Brev. Mon.), embrassa la règle monastique de saint Benoît.

Congregatio désigne soit un ordre, soit une communauté : *super **congregationes** illis commissas* (or. p. prælat. Br. R., et Ben. abb. auct. ordin. Pont. R.), sur les communautés qui leur sont confiées.

V. *collegium* (§ 377).

Le verbe *congregare*, et quelquefois *colligere*, a souvent pour complément le mot *familiam* ou *familias*, qui évoque l'idée de serviteurs de Dieu (*famuli*) réunis dans une congregation et aussi le sentiment qui les unit comme au sein d'une grande famille :

ex. *et novam per eum in ecclesia **familiam collegisti*** (or. 15 mai.) ;

*novas in ecclesia tua **familias congregare** voluisti* (or. 19 aug.) ;

*novam in ecclesia tua **familiam congregasti*** (or. 9 oct.).

---

11. *Professa*, religieuse (Conc. Tolet. I, cap. 9, Ma. III, c. 1000). *Professus, -us*, profession religieuse (Cod. Theod. 39, 2, 16).

12. Cf. le fém. *institutrix* (or. 24 sept.), en parlant de la Sainte Vierge inspiratrice d'un ordre religieux.

5. LES CHEFS DE L'ÉGLISE

§ 381 Les chefs de la communauté chrétienne ([1]) sont, dans le latin du N. T., appelés quelquefois *præpositi* (ἡγούμενοι) (Hebr. 13, 7 et 17). Le mot a été souvent employé en parlant des évêques (Tert.; Aug.; etc.) : *hunc enim (episcopum) servum fidelem et prudentem* (Mat. 25, 45) **præpositum** *familiæ significat, commoda atque utilitates commissi sibi populi curantem* (Hilar. Mat. 26, lect. 8 comm. conf. pont.), « par ce serviteur bon et fidèle il veut désigner le chef de la famille, celui qui veille sur les besoins et les intérêts du peuple à lui confié. » Le mot a gardé un sens général :

ex. *Deus, qui ad gubernandas ecclesias* **præpositos** *instituisti* (or. ben. abb. auct. apost., Pont. R.), ô Dieu, qui avez établi des chefs pour gouverner les églises.

Par contre, *episcopus* (ἐπίσκοπος, surveillant, inspecteur, évêque) est devenu le terme officiel (v. ex. § 368 et passim).

Episcopatus, épiscopat : ex. *ad episcopatus* **ordinem** *promovere* (« *Hanc igitur* » consecr. episc., Pont. R. et Miss. Rom. consecr. episc.) ; *presbyterum ad onus* **episcopatus** *sublevare* (ibid.) ;

cf. *si quis* **episcopatum** *desiderat, bonum opus desiderat* (1 Tim. 3, 1), celui qui aspire à la charge d'épiscope (fonction qui n'est pas encore celle de l'évêque), désire une noble fonction.

Prælatus a donné le mot français « prélat » ; mais chez saint Grégoire le Grand, il a encore le sens général de chef (Past. 1 prol.) ;

cf. en parlant de la crosse abbatiale : *accipe* **prælationis** *virgam* (Pont. Rom.-Germ. 26, 13).

Præsul, avant de désigner un évêque, a le sens général de chef, gardien : *Dominicarum* **praesul** *gregum* (Leo-M. Serm. 26, 1). Dans le Sacramentaire Léonien, il désigne soit le souverain pontife : ex. *sancti Xysti* **praesulis** *apostolici natalicia* (723) ; soit un évêque : ex. *ut … sit tibi grata devotio et plebis et* **praesulis** (963), pour que vous soit agréable le dévouement religieux du peuple et de l'évêque (les oraisons postérieures opposent en ce cas *grex* et *pastor*).

§ 382 On a parfois donné au mot *pontifex* un sens mystique (pont entre le ciel et la terre) inconnu des premiers chrétiens. En réalité ce terme est emprunté à l'ancienne religion romaine. Dans le latin liturgique, il désigne soit le souverain pontife, *pontifex, summus pontifex* ([2]), (et rarement) *pontifex maximus* (or. 5 mai.) :

---

1. V. *sacerdos*, prêtre, évêque (§ 359-360) ; *presbyter, senior* (§ 361).
2. Dans le Léonien, *summi pontifices* (954) désigne aussi les évêques (opp. à *sequentis ordinis viros*) ; de même *summum sacerdotium* (947), l'épiscopat.

ex. *oremus pro* **pontifice** *nostro N.* (or. Rogat. et passim) ;

Deus, qui beatum Petrum Cælestinum ad **summi pontificatus** *apicem sublimasti* (or. 19 mai.), ô Dieu, qui avez élevé le bienheureux Pierre Célestin à l'honneur du souverain pontificat ;

soit un évêque :

ex. *beati Ambrosii confessoris tui atque* **pontificis** (secr. 7 dec.) ;

beatus pontifex, sanctus pontifex (or. passim) ;

Deus, qui ... famulos tuos **pontificali** *seu sacerdotali fecisti dignitate vigere* (or. miss. p. def. episc. seu sacerd., Gel. III, 92), ô Dieu, qui avez élevé vos serviteurs à la dignité épiscopale (ou) sacerdotale ;

Infulatus ([3]) **pontifex** (hymn. « *O Redemptor* », miss. chrism.), le pontife revêtu des ornements sacrés.

Summa ministerii, le ministère suprême, se dit aussi en parlant de l'épiscopat : ex. *comple in sacerdote tuo* **ministerii** *tui summam* (præf. consecr. electi in episc., Pont. R.), achevez dans votre prêtre la plénitude de votre sacerdoce ;

comple in sacerdotibus tuis **mysterii tui summam** (Leon. 947 et Greg. 2, 5) (pour *mysterium*, var. de *ministerium*, v. le Dict.) ;

cf. *ad summi sacerdotii ministerium* (Greg. 2, 5).

Le mot *antistes*, chef ([4]), a désigné les évêques dès l'époque de Tertullien. Dans le latin liturgique, il est aussi courant ([5]) que *pontifex* et *episcopus* :

ex. *una cum famulo tuo Papa nostro N. et* **Antistite** *nostro N.* (Can. miss., Gel. III, 17, 1244) ;

in solemnitate sancti **antistitis** *tui Nicolai* (secr. 6 dec.) ;

dans la 2e oraison du Vendredi-Saint (Miss. R.), *antistes* désigne le pape : *electum nobis* **antistitem** *tua pietate conserva*, dans votre bonté conservez le chef suprême que vous avez choisi pour nous ;

mais dans la même du Gélasien (I, 41), il s'agit des évêques: *pro famulo Dei papa nostro sedis apostolicæ Illo* (un tel) *et pro* **antistite** *nostro Illo* (402) ; *electos a te nobis* **antistites** *tua pietate conserva* (403).

Le terme *patres* désigne les évêques réunis en concile :

ex. *concilii* **patres** *illumina* (Preces, an. 1558, op. cit. § 354 note 14) ;

ut sacrum universale concilium **patrum** *numero, sanctitate, et merito augere et ad perfectum deducere digneris, te rogamus,*

---

3. *Infula*, la mitre, mais aussi l'ornement sacerdotal en général : *sacerdotalem infulam* (Greg. 199, 4, or. in ordinatione presbyteri).

4. Comme dans la célèbre apostrophe par laquelle débute l'Apologétique : *antistites populi Romani*, s'adressant aux hauts magistrats de l'Empire.

5. Moins dans les anciens Sacramentaires : 1 ex. dans le Léonien ; 2 dans le Grégorien.

audi nos (ibid. p. 145), daignez rehausser le sacré concile universel par le nombre, la sainteté, le mérite des pères, et ainsi le conduire jusqu'à son achèvement parfait, nous vous en supplions, écoutez-nous.

§ 383 Le mot *pastor* s'applique non seulement au clergé en général (v. § 356), mais aussi aux évêques, aux chefs de communauté, au pape et même à Dieu :

ex. **pastori** *obœdientia gregis* (cit. § 356) ; cf. *cum grege sibi credito, cum commisso sibi grege* (or. passim), avec le troupeau qui lui a été confié ;

Deus, omnium fidelium pastor et rector, famulum tuum N., quem **pastorem ecclesiæ tuæ** *praeesse voluisti, propitius respice* (or. p. papa), ô Dieu, maître et pasteur de tous les fidèles, regardez favorablement votre serviteur N., que vous avez voulu mettre comme pasteur à la tête de votre Église ;

pastoralis *officii culmen subire* (Or. ben. abb. auct. apost., Pont. R.), être investi de la dignité pastorale.

Cathedra désignait le siège où était assis l'évêque présidant l'assemblée, avant de désigner l'épiscopat lui-même. *Cathedra Petri* (Hier. Ep. 15, 1), *Apostolica cathedra* (Ep. 130, 16) désignent le siège apostolique de Rome.

In cathedra Petri Antiochiæ (22 febr.), en la fête de la chaire de saint Pierre à Antioche (ancien Missel : fête de la chaire de saint Pierre apôtre, auj. 18 jan.). Un sermon pseudo-augustinien (*De sanctis* 15) évoque l'origine de cette fête : *institutio solemnitatis hodiernæ a senioribus nostris* **Cathedræ** *nomen accepit, ideo quod primus apostolorum Petrus hodie episcopatus cathedram suscepisse referatur* (ap. Brev. R. lect. 4, 22 febr.), l'institution de la fête d'aujourd'hui a pris le nom de « Chaire » chez nos ancêtres ; car, selon la tradition, c'est aujourd'hui que Pierre, le premier des apôtres, a inauguré sa chaire épiscopale (⁶).

§ 384 *Apostolicus* s'applique au siège de Rome, comme à l'Église catholique (Aug. ; Damas. ; Leo-M. ; etc.) :

ex. *ad ...* **apostolicae Sedis** *jura propugnanda* (or. 13 mai.), pour défendre les droits du Siège Apostolique.

Le souverain pontife est appelé le Seigneur Apostolique, *domnus apostolicus* (ex. dans les litanies).

Mais le mot *apostolicus*, apostolique, successeur des apôtres, s'applique aussi aux évêques (P.-Nol. ; Faust.-R. ; Sid. ; Fort.) :

ex. *Deus, qui, inter* **apostolicos sacerdotes**, *famulos tuos*

---

6. Les chrétiens ont continué la tradition des anciens Romains, qui se réunissaient autour de la chaise vide du mort le 22 février. La *Cathedra Petri* est donc, à l'origine, la chaire funéraire de saint Pierre, avant d'évoquer la chaire épiscopale (P. Jounel, dans Martimort « L'Église en prière », p. 767).

pontificali seu sacerdotali fecisti dignitate vigere (or. m. p. def. episc. seu sacerd.), ô Dieu, qui, parmi les prêtres ayant exercé le sacerdoce apostolique, avez doté vos serviteurs de la dignité épiscopale (ou) sacerdotale ; cf. *qui inter* **apostolicos sacerdotes** *famulum tuum illum* (un tel) *fecisti vigere pontificem* (Leon. 1160).

Papa, pape, père, est un mot de la langue familière, puis un titre d'honneur donné aux évêques (Cypr. ; Hier. ; Aug. ; etc.), réservé à l'évêque de Rome dès le 6e s. (sauf exceptions, v. le Dict.) : v. ex. § 385 et passim.

Papatus, la papauté (terme plus récent) : ex. **papatum Romanum** *et regalia Sancti Petri adjutor ... ero ad retinendum et defendendum* (consecr. episc. Pont. R.), j'aiderai à garder et défendre la papauté romaine et les droits de Saint Pierre.

Les insignes du pontife.

La crosse, le bâton pastoral :

sustentator imbecillitatis humanæ, Deus, benedic **baculum** *istum* (or. consecr. episc., Pont. R.), ô Dieu, qui êtes le soutien de la faiblesse humaine, bénissez ce bâton pastoral ;

accipe **baculum** *pastoralis officii* (ibid.).

L'anneau :

emitte benedictionem tuam super hunc **annulum** (ibid.) ;

accipe **annulum**, **fidei** *scilicet* **signaculum** (ibid.) ; ce *signaculum fidei* fait penser à un engagement : l'évêque est fiancé, engagé à son église (Rupert. Divin. off. 1, 25, M. 170, c. 24).

La mitre :

benedicere et sanctificare dignare hanc **mitram** *hujus famuli tui antistitis capiti imponendam* (ibid.), daignez bénir et sanctifier cette mitre que nous allons poser sur la tête de l'évêque, votre serviteur que voici ;

imponimus, Domine, capiti hujus antistitis et agonistæ tui **galeam** *munitionis et salutis* (ibid.), nous plaçons, Seigneur, sur la tête de cet évêque, votre champion, le casque qui doit le protéger et le sauver.

§ 385 Le gouvernement des âmes est le devoir pastoral le plus fréquemment rappelé dans les oraisons :

ex. *ut Deus et Dominus noster ... (papam nostrum) salvum atque incolumem custodiat ecclesiæ suæ sanctæ ad* **regendum** *populum sanctum Dei* (or. 2 Parasc., Gel. I, 41, 402), que notre Dieu et Seigneur le garde sain et sauf à la sainte Église, pour gouverner le peuple consacré à Dieu ;

cf. *cujus (Dei) spiritu totum corpus ecclesiæ sanctificatur et* **regitur** (ibid. 405), dont l'Esprit sanctifie et gouverne tout le corps de l'Église ;

ecclesiæ tuæ ... prædicator et **rector** (or. 30 nov., Leon. 1234), (S. André) qui a enseigné et dirigé votre Église ;

tuo populo pro salubri **regimine** ... *sit assidue reverendus* (or. m. p. elig. summ. pont.), qu'il soit, de la part de son peuple, l'objet d'une incessante vénération pour son gouvernement salutaire ;

regimen *ecclesiæ* (Leon. 348, en parlant du pape) ;

regimen *animarum* (Greg. 216 ; or. ben. abb. auct. apost., Pont. R., en parlant d'une abbesse ou d'un abbé) ;

da ecclesiæ tuæ ... eorum semper **moderamine** *gubernari* (Leon. 303), accordez à votre Église d'être toujours gouvernée et dirigée par eux (en parl. de s. Pierre et s. Paul) ;

da mihi (episcopo) famulo tuo sufficientiam commissi **moderaminis** (Leon. 963), à moi, votre serviteur, accordez la grâce de ne pas être inférieur à la direction qui m'a été confiée.

En parlant de ce gouvernement, les Pères ont souvent comparé l'Église à un navire et ses chefs à des pilotes :

ex. *plebemque commissam, te in omnibus protegente,* **gubernare** *(me) concede* (Gel. I, 100), faites que, sous votre protection continuelle, je puisse gouverner le peuple qui m'a été confié (prière épiscopale) [7] ;

Sedis apostolicæ **gubernacula** *tenere* (Leon. 1156) ;

Sedis apostolicæ **gubernaculo** *præesse* (Greg. 224, 3) ;

ad **gubernandas** *ecclesias* (or. ben. abb. auct. apost., Pont. R.) ;

ad **gubernationem** *ovium tuarum* (ibid. ; ici évidemment, la métaphore primitive est oubliée).

Les décisions du Saint-Siège : *decretum, decretalis epistola, decretalis* (f.) : v. le Dict. ; **decretales** *sanctæ et apostolicæ Sedis* **constitutiones** *veneranter suscipere, docere ac servare* (cons. episc. interr., P. R.), accueillir avec respect, expliquer et sauvegarder les saintes décrétales et les constitutions apostoliques (mais ces termes appartiennent plutôt à la langue canonique).

La charge des âmes :

accipe gregis Domini paternam providentiam et **animarum** **procurationem** (trad. regulæ, ben. abb., P. R.), reçois le soin de gouverner paternellement le troupeau du Seigneur, ainsi que la charge de leurs âmes.

Cura signifie soin et administration ; il a ce double sens dans l'expression *cura animarum*, charge d'âmes (v. *cura pastoris*, § 356). Saint Bernard (Ep. 42, 7, 27 et Mor. ep. 7) fait un jeu de mots à ce propos contre ceux qui recherchent les cures (*curas*), les charges ecclésiastiques avec leurs revenus, sans se soucier des charges morales (*sine curis*) que cela comporte.

---

7. Dans le Missel, aux mots *gubernare, gubernatio, gubernator*, il est question du gouvernement de Dieu sur l'Église (ex. postc. comm. un. aut plur. summ. pont.) ; dans les Sacramentaires, il s'agit de Dieu ou des chefs de l'Église.

L'évêque, au-dessus des diacres, a la responsabilité des biens d'Église : *nec nos extollat noxia potestatis elatio, sed potius modestos efficiat* **administratio** *legitima caritatis* (Leon. 1005), ne nous laissons pas emporter par un dangereux orgueil de puissance, mais bien plutôt pratiquons avec modestie la répartition réglementaire des secours de la charité (v. § 482).

6. LES LAICS, LES FIDÈLES

§ 386 Il faut envisager d'une part les termes qui désignent les laïcs, la foule des chrétiens, en les distinguant des clercs ; d'autre part les fidèles, les croyants dans leur ensemble, en les distinguant des infidèles.

A) Le mot *laicus* (λαικός, du peuple λαός), laïc, laïque, adjectif ou substantif (Tert. ; Cypr. ; Greg.-M. ; etc.) n'apparaît pas dans les chants ou les prières liturgiques.

Dans le Canon de la messe (Gel. III, 17, 1250 ; Greg. I, 25), on distingue le clergé (*servi tui*) et les fidèles (*plebs tua sancta*) ; de même dans le « *Te igitur* » (Gel. 1244, Greg. 2, 19), prière nettement hiérarchisée : le pape, l'évêque local et tous les évêques gardiens de la vraie foi, *omnibus orthodoxis, atque catholicæ et apostolicæ fidei cultoribus* ; ainsi que dans le « *Hanc igitur* » (Gel. 1247 ; Greg. I, 22) : *servitutis nostræ sed et cunctæ familiæ tuæ*, de nous, vos serviteurs, et aussi de votre famille tout entière.

Mais, comme on le verra plus loin, le mot *plebs*, ainsi d'ailleurs que *familia, famulus, servus*, peuvent désigner l'ensemble des serviteurs de Dieu, dans la liturgie, comme dans le latin patristique.

Inversement le mot *populus* se rencontre au sens de *plebs*, les laïcs :

ex. *oblata tibi, Domine, munera* **populi tui** (secr. 9 oct., Leon. 756) ;

populi tui *oblationes* (secr. d. 6 p. Pent., Gel. III, 2) ;

populo *tibi commisso* (consecr. episc. P. R. (on a vu précédemment le mot *grex*) ;

cum pontifices summos regendis **populis** *præfecisses* (Greg. 3, 3), ayant mis à la tête de vos peuples, pour les diriger, des pontifes suprêmes ;

cf. *annuntiat clero et* **populo** (rubr. ord. presb. P. R.).

§ 387 *Circumstantes* ([1]) (*circumadstantium*, Gel. III, 1245) désigne les fidèles, jadis debout autour de l'autel (v. § 84).

Exemples d'adresses aux fidèles dans le latin du N. T. ou chez les Pères :

---

1. Cf. *in circuitu sacræ hujus mensæ tuæ* (secr. 4 jun.).

fratres dilecti a Deo (1 Thess. 1, 4), frères aimés de Dieu ;
fratres mei (Philipp. 3, 1 ; Jac. 1, 2) ;
fratres mei dilectissimi (Jac. 1, 19) ;
fratres (Philipp. 3, 17) ;
fratres mei carissimi et desideratissimi (ibid. 4, 1), mes frères
bien-aimés et tant désirés ;
filioli mei (1 Jo. 2, 1), mes chers petits ;
carissimi (ibid. 7 ; Aug. ; Greg.-M.) ;
dilectissimi (Aug. ; Leo-M.) ;
caritas vestra (Aug.), vous qui m'êtes chers ;
fraternitas vestra (Leo-M.), vous, mes frères ;
sanctitas vestra (Max.-Taur. Hom. 44), votre Sainteté (cf. le
peuple saint, c.-à-d. consacré à Dieu, fidèle, or. Parasc. cit. § 385
et 388) ;
auribus vestræ sanctitatis (Leo-M. Serm. lect. 9, 11 apr.), à
vos oreilles fidèles.

§ **388** B) Les chrétiens, les croyants, les fidèles (opp. aux
infidèles).

Les disciples du Christ ont été appelés pour la première fois
« les chrétiens » (Χριστιανοί) à Antioche : *ita ut cognominaren-
tur primum Antiochiæ discipuli* **Christiani** (Act. 11, 26). Dans
les oraisons, le mot est moins souvent employé comme substantif que comme adjectif :

ex. *ut pax ...* **christianorum** *fines ab omni hoste faciat esse
securos* (secr. 28 jun., Gel. III, 56, 1475), que la paix maintienne les pays chrétiens à l'abri de tout ennemi ;
populus **christianus** (or. passim ; Leon. ; Greg.) ;
christiana *plebs* (or. 2 Parasc.) ; **christianæ** *plebis humilitas*
(Leon. 843) ;
præsidia militiæ **christianæ** (or. concl. fer. 4 Cin., Greg. 35,
1), la garde de la milice chrétienne (symbolisée par le jeûne) ;
cunctis qui **christiana** *professione censentur* ([2]) (Gel. ap.
Sacram. Leon. 75 ; or. d. 3 p. Pasch.), à tous ceux qui font
profession d'être chrétiens ;
fides **christiana** (or. passim ; Gel. ; Greg.) ;
sens plus moderne « d'inspiration chrétienne » : *ad* **christianam** *pauperum eruditionem* (or. 15 mai., s. J. Bapt. de la
Salle), pour l'instruction chrétienne des pauvres.

Expressions plus rare : *ad liberandos* **Christifideles** *a
potestate paganorum* (or. 24 sept.), pour délivrer les chrétiens
prisonniers des infidèles (*paganus* étant ici une qualification
plus populaire que théologique) ;
Christiadum *chori* (« *Te Joseph* ») ;
les poètes chrétiens avaient formé des expressions comme

---

2. *Censeri*, être catalogué, rangé, compté au nombre de, être appelé, se réclamer
de (Tert. ; Cypr. ; Aug. ; Cassian.).

Christicola (Prud. ; P.-Petric. ; Fort.), *Christicolus* (Prud. ; P.-Nol. ; Fort.), non retenues dans les oraisons.

Le peuple de Dieu :

ex. *miserere, Domine,* **populo tuo** (sup. pop. fer. 3 p. d. 4 Quadr., Greg. 61, 4) ; *miserere, Domine,* **populi tui** (Leon. 449 ; pour ce gén. et ce dat., v. § 64 note 4) ;

populus tuus (or. et Sacram. passim) ; le plur. *populi tui* est plus rare ;

ad regendum **populum sanctum Dei** (or. Parasc. cit. supra) ;

credentes in te **populos** (secr. 28 jun., Gel. III, 56) ;

populus *tibi serviens* (sup. pop. fer. 3 p. d. Pass., Greg. 68, 4) ;

subjectum tibi **populum** (sup. pop. fer. 5 p. d. 3 Quadr., Greg. 56, 4), le peuple qui vous est soumis.

Mais *sacratus tibi* **populus** (Gel. I, 40, 375) désigne les prêtres (opp. à *regenerandis plebibus tuis,* ibid.).

Plebs : v. ex. supra ; *alumna plebs* (Moz. L. sacr. 246 et passim), la foule de vos serviteurs ; cf. *alumna Christi* (Salv. Ep. 5), servante du Christ.

§ 389 Les serviteurs de Dieu.

Comme on l'a dit (§ 365 note 22), *servus, famulus* désignent soit les ministres de Dieu, soit les fidèles :

ex. *dirige ad te tuorum corda servorum* (sup. pop. fer. 4 p. d. 2 Quadr., Gel. I, 52), dirigez vers vous les cœurs de vos serviteurs (v. *servus, famulus* dans les prières pour les morts (§ 96).

Dans les hymnes, le diminutif *servulus* exprime l'humilité :

ex. *Placare, Christe,* **servulis** (hymn. modif v. § 59) ;

Qui passus es pro **servulis** (hymn. laud. d. 3 sept., Sept. Dolor. B. M. V.), qui avez souffert la Passion pour nous, vos humbles serviteurs.

Has candelas, quas nos **famuli tui** ... *gestare cupimus* (or. 2 ben. cand. 2 febr.), ces cierges que nous, vos serviteurs, nous désirons porter ;

quas (oblationes) tibi offerimus pro **famulis tuis** [3] (secr. p. peregr. ; *pro famulo tuo illo,* Gel. III, 24, 1316).

Familia tua, votre famille, l'ensemble de vos serviteurs :

ex. **familiam tuam,** *q. D., continua pietate custodi* (or. d. 5 p. Epiph., Greg. 51, 4), dans votre bonté, gardez sans cesse votre famille.

cf. **subditorum tibi** *corpora mentesque sanctificet* (secr. Quinq., Greg. 52, 2), (que cette offrande) sanctifie, corps et âmes, vos serviteurs soumis.

Le participe *credentes* est souvent employé comme sub-

---

3. Cf. en parlant des chrétiens en général : *de tot famulis famulabusque Christi* (Aug. Ep. 36, 3).

stantif (Cypr. ; Hier. ; Greg.-M. ; etc.) ; cf. *credentes populos* (cit. § 388) :

plebs **credentium** (Leon. 204) ;

tuorum corda **credentium** (Gel. I, 56, 523) ;

salus æterna **credentium** (or. m. p. infirm., Gel. III, 70), qui sauvez les croyants pour l'éternité ;

saluti **credentium** (secr. d. 3 p. Pent., Gel. Cagin 1021) ;

aperuisti **credentibus** *regnum cælorum* (« *Te Deum* ») ;

Æterna lux **credentium** (Hymn. vesp. Adv.).

Les frères ([4]) (outre les adresses, § 387) :

ex. *visus est plus quam quingentis* **fratribus** *simul* (I Cor. 15, 6), (le Christ ressuscité) est apparu à plus de cinq cents frères à la fois ;

commendamus animam **fratris** *nostri* (Gel. III, 91, 1626) ; mais dans les oraisons pour les défunts, *animæ fratrum* a été remplacé par *animæ famulorum*.

Il est vrai que le mot ne désigne pas seulement les croyants, les frères dans le Christ ([5]) (Tert. ; Hier ; Aug.), mais aussi tous les hommes (Minuc. ; Tert. ; Lact.) :

ex. *animas* **fratrum** *lucrari Christo* (or. 9 aug.), gagner au Christ les âmes de nos frères ;

animam nostram pro **fratribus** *ponere* (or. 14 nov.), donner sa vie pour ses frères (cf. *dare, ponere animam suam pro*, Jo. 15, 13 et passim).

§ 390 *Confessor* a désigné parfois celui qui fait profession de christianisme : ex. *ecclesia ... veris* **confessoribus** *falsisque permixta* (Gelas. ap. Sacram. Leon. 77), l'Église où se mêlent les vrais et les faux croyants (sens inusité dans la liturgie actuelle).

Le croyant est « né de Dieu » (Jo. I, 13) : *qui ex Deo est, verba Dei audit* (Jo. 8, 47) ;

homo Dei (2 Tim. 3, 17) désigne plutôt l'apôtre ; mais un saint homme en général chez Augustin, Cassien, de même que *vir Dei* à l'époque mérovingienne (v. le Dict.).

Fidelis, adjectif ou substantif, désigne le fidèle qui a la foi, et, en particulier, celui qui vit dans une perspective de foi :

ex. *noli esse incredulus, sed* **fidelis** (Jo. 20, 27), ne sois plus incrédule, mais croyant ;

qui est filius meus carissimus et **fidelis** *in Domino* (I Cor. 4, 17) ;

populus **fidelis** (or. et Sacram. passim), le peuple fidèle, le peuple des croyants.

---

4. *Falsi fratres* (Gal. 2, 4), les faux frères, des chrétiens égarés ou fourbes ; cf. *frater inordinate ambulans* (Leon. 530), frère qui se conduit mal.

5. Sans parler des frères en religion : ex. *fratres nostræ congregationis* (or. 2 nov. Sacram. Rossianum).

Le substantif est surtout employé au pluriel :

ex. *et obstupuerunt ex circumcisione* **fideles** (Act. 10, 45), les croyants qui étaient venus du judaïsme furent stupéfaits ;

ut ... **fideles** *in veritatis confessione perseverent* (or. 27 apr.), que les fidèles persévèrent dans leur témoignage rendu à la vérité ;

fideles tui, *Deus, per tua dona firmentur* (postc. Septuag., Greg. 32, 3), ô Dieu, que vos dons raffermissent vos fidèles ;

v. *fideles* en parlant des défunts (§ 96) ; cf. *in Commemoratione omnium* **fidelium** *defunctorum* (2 nov.).

Electi ne désigne pas seulement les élus, les bienheureux dans le ciel, mais aussi les chrétiens sur cette terre :

ex. *vos ergo sicut* **electi Dei**, *sancti et dilecti* (Col. 3, 12), vous donc, les élus de Dieu, ses saints et ses bien-aimés ;

cf. **electorum** *palmitum ... cultorem* (cit. § 357) ;

scientes ... **electionem** *vestram* (1 Thess. 1, 4), sachant que vous êtes ses élus.

Le mot *vocatio* ([6]) exprime une idée analogue :

videte **vocationem** *vestram* (1 Cor. 1, 26), considérez votre appel ;

ad bravium supernæ **vocationis** (Philipp. 3, 14), vers la récompense qui nous appelle là-haut ; *sicut martyres tui ad bravium supernæ* **vocationis** *tetenderunt* (Miss. Goth. 460) ;

da populis tuis digne ad gratiam tuæ **vocationis** *introire* (Gel. I, 43, 434), accordez à vos peuples d'accéder comme il convient à la grâce de votre appel.

Les fils de la promesse :

jam non estis hospites et advenæ, sed estis **cives sanctorum** ([7]) **et domestici Dei** (Ephes. 2, 19), désormais vous n'êtes plus des hôtes et des étrangers, mais vous êtes les concitoyens des saints, et de la maison de Dieu ;

qui prædestinavit nos in **adoptionem** *filiorum per Jesum Christum in ipsum* (ibid. 1, 5) ;

multiplica ... quod patrum fidei spopondisti, et **promissionis filios** *sacra* **adoptione** *dilata* (Gel. I, 43, 436), agrandissez la promesse faite à la foi de nos pères (Gen. 22, 17) et multipliez les fils de la promesse par votre sainte adoption ;

ut, renati fonte baptismatis, **adoptionis tuae filiis** *aggregentur* (or. 5 Parasc., Gel. I, 41, 409), afin que, nés à une vie nouvelle dans les eaux du baptême, ils soient incorporés au nombre de vos fils, adoptifs ;

ut ipsius Regis gloriæ nos **coheredes** *efficias* (or. 6 aug.

---

6. Chez les Pères (Hilar. ; Hier. ; etc.), *vocatio gentium* signifie l'invitation à la foi, au salut, faite par Dieu aux nations païennes, et plus seulement aux Juifs.

7. Déjà le peuple des Hébreux était appelé saint, c.-à-d. consacré à Dieu : *eritis mihi sancti* (Lev. 20, 26). Et en parlant des chrétiens : *audivi ... quanta mala fecerit sanctis tuis* (Act. 9, 13) ; cf. supra, *populum sanctum Dei.*

Transfig.), nous rendre cohéritiers du Roi de gloire ; v. autres ex. § 233.

§ 391 *Catholicus*, universel, catholique (pour l'origine de ce mot, v. § 350).

Ecclesia catholica ou (abs.) *Catholica* (Tert. ; Cypr. ; Aug. ; etc.) désigne l'Église, catholique principalement pour la distinguer des sectes (⁸), dans les oraisons, comme dans les différents symboles (v. ex. § 349) :

ex. de *catholicus* (subst.), en parlant des fidèles : *pro animabus famulorum famularumque tuarum et omnium* **catholicorum** *hic et ubique in Christo dormientium* (secr. p. his qui in cim. requiescunt), pour les âmes de vos serviteurs et de vos servantes et de tous les catholiques qui reposent ici et partout ailleurs dans le Christ ; (adj.) *omnium* **fidelium catholicorum orthodoxorum** *in hac basilica in Christo quiescentium, et qui in circuitu hujus ecclesiæ tuæ requiescunt* (Gel. III, 103, 1683), ... et qui reposent ici dans le pourtour de votre église.

Catechumenus (⁹), catéchumène, celui qu'on instruit pour le baptême :

oremus et pro **catechumenis** *nostris* (or. 5 Parasc., Gel. I, 41, 408) ; v. *electus* (§ 329) ;

ils étaient aussi appelés *competentes* (Ambr. ; Aug. ; Cæs.-Arel.), « ceux qui demandent ensemble ».

7. LES NON-CHRÉTIENS, LES INFIDÈLES

§ 392 L'adjectif *incredulus*, incrédule (en Jo. 20, 27, cit. § 390 et 467), s'oppose à *fidelis* ; cf. *o generatio* **incredula** *et perversa* (Mat. 17, 17) ; *incredulus Filio* (Jo. 9, 36). Le mot s'emploie aussi comme substantif, au sens de incrédule ou incroyant (Hebr. 11, 31) ; mais on ne le rencontre pas dans les oraisons du Missel ou des Sacramentaires.

Incredulitas, incrédulité : ex. *venit ira Dei super filios* **incredulitatis** (Col. 3, 7).

Infidelis, infidèle (¹), qui n'a pas la foi, se rencontre une fois dans le Léonien : **infidelium** *persecutione* (688) ;

à noter aussi ces ex. qui rappellent les guerres contre les « infidèles » (Mahométans ou Saxons) : *terroremque suæ potentiæ (rex)* **infidelibus** *inferat* (Pont. Rom.-Germ. 72, 11, or.

---

8. Pour les hérésies et les schismes, v. § 352. En 2 Tim. 3, 8, *homines corrupti mente, reprobi circa fidem*, ne désigne pas des infidèles, mais ceux dont la foi n'est pas de bon a loi.

9. *Catechizare* (*-cizare*) (κατηχέω, faire retentir aux oreilles, instruire), enseigner en vue du baptême (Tert. ; Hier. ; Aug. ; Sacram. Greg. 206, 1).

1. Dans le latin biblique et patristique, *infidelis* : 1) infidèle à la loi de Dieu - 2) qui n'a pas la foi, incrédule - 3) infidèle, païen - 4) juif non chrétien (Rom. 15, 31). V. le Dict. pour les autres sens.

reg. ben.), qu'il inspire aux infidèles la terreur de sa puissance ; *ad opprimendas rebelles et **paganas nationes*** (ibid. 14), pour écraser les nations rebelles et païennes.

Infidelitas désigne soit le simple manque de foi : *Thomæ **infidelitas*** (Greg.-M. Hom. ev. 26, lect. 7, 21 dec.) ;

soit l'incroyance des païens, dont saint Grégoire parle avec un certain frisson : *infidelitatis hieme* (Moral. 9, 6, lect. 4, comm. doct), l'hiver de l'infidélité ; *expletis longis noctibus infidelitatis* (ibid.), une fois terminée la longue nuit de l'incroyance ;

autres ex. *quos de **infidelitatis** tenebris liberasti* (Gel. I, 52), que vous avez délivrés des ténèbres de l'incroyance ;

*de **infidelitatis** tenebris liberati* (Greg. 96, 5) ;

*caligo **infidelitatis*** (Moz. L. sacr. 252), la nuit de l'incroyance ; pas d'ex. dans le Missel.

Autres mots de la même famille :

*spiritus qui nunc operatur in filios **diffidentiæ*** (Ephes. 2, 3), cet esprit qui poursuit son œuvre en ceux qui n'ont pas la foi ; pas d'ex. dans le Missel.

Perfidia ([2]), refus de la foi, incrédulité (Cypr. ; Ambr. ; Aug. ; Hier. ; etc.) :

ex. *si enim justus est, qui ex fide vivit, iniquus est, qui non habet fidem. Quod ergo hic ait iniquitatem, **perfidiam** intellige* (Aug. Enarr. psal. 54, 1, lect. 6 Cen. Dom.), car si le juste est celui qui vit de la foi, l'inique est celui qui n'a pas la foi. Donc quand il dit « iniquité », entends « incrédulité » ;

*omnipotens sempiterne Deus, qui etiam judaicam **perfidiam** a tua misericordia non repellis* (or. 8 Parasc., vet. ord. Gel. I, 41, 415), Dieu tout-puissant et éternel, qui n'écartez pas de votre miséricorde même les Juifs incrédules (ancien texte) ;

*oremus et pro **perfidis** Judæis* (ibid.) ;

***perfidia** Judaica, **perfidia** Mahumetica* (ord. bapt. adult., Rit. R.).

Dans les Épîtres de saint Paul, *circumcisio*, la circoncision, désigne souvent les Juifs (Rom. 15, 8 ; Gal. 2, 8 ; etc.) ; de même que *præputium* désigne les incirconcis (Rom. 3, 30).

Idiota désigne le non initié à la doctrine chrétienne (dans les Épîtres et chez Tertullien) : *infidelis vel idiota* (1 Cor. 14, 24).

§ 393 Le mot *gentes* désigne tantôt les nations : *omnes gentes, universæ gentes* (or. passim) ;

tantôt les païens, les Gentils : ex. *simulacra **gentium*** (Ps. 134, 15 ; et souvent dans la Vulgate de l'A. T.), les idoles des païens ;

---

2. Il ne s'agit pas de « perfidie » ; néanmoins l'Église a supprimé ces termes, souvent mal compris, dans les textes concernant les Juifs.

sicut et **gentes** *qui ignorant Deum* (I Thess. 4, 5).

De même *gentiles* (Vulg. ; Tert. ; Aug. ; Hier.) :

ex. *famulum tuum N. quem liberasti de errore* **gentilium** (or. ord. bapt. adult., Rit. R., Gel. I, 71), votre serviteur un tel que vous avez délivré des erreurs païennes ;

vocata **gentilitas** (Leon. 1281), les nations appelées (à la foi) ; v. *vocatio* (§ 390) ;

quia autem **gentilitas** *colligenda erat et Judæa pro culpa perfidiæ dispergenda* (Greg.-M. Hom. ev. 20, lect. 1 sabb. Quat. T. Adv.), car la gentilité devait être rassemblée, tandis que les Juifs, coupables d'incrédulité, devaient être dispersés.

Paganus, païen ([3]) :

ex. *propugnatores tuos a* **paganorum** *defende periculis* (postc. c. pag. ; *ab hostium,* Leon. 444 et Gel. III, 61), défendez ceux qui combattent pour vous des attaques dangereuses des païens ;

oremus et pro **paganis** (or. 9 Parasc.) ([4]).

Impii, les impies (Ps. passim) ;

gladiis **impiorum** *occubuit* (or. 29 dec.), (en parlant d'un martyr), succomba sous le glaive des impies.

On verra au chp. XVI ce qui concerne les pécheurs (§ 411 et suiv.).

---

3. Non baptisé, païen : soit par opposition à *miles Christi* (Tert. Cor. 11), car *paganus* signifiait aussi « civil » (Plin.-J. ; Tac.) ; soit parce que les villages, les cantons ruraux (*pagi*) étaient demeurés plus longtemps rebelles au christianisme : cf. *gentiles, vel jam vulgo usitato vocabulo paganos* (Aug. Ep. 184 bis, 3, 5), les gentils, ou, selon le vocabulaire désormais courant, les païens.

4. Il faut noter que ces prières du Vendredi-Saint sont attestées déjà dans le *Missale Gallicanum vetus*, 20. Elles existaient probablement dès le 5e siècle en Gaule : *Supplicat ergo ubique Ecclesia Deo, non solum pro sanctis et in Christo jam regeneratis, sed etiam pro omnibus infidelibus et inimicis crucis Christi, pro omnibus idolorum cultoribus, pro omnibus qui Christum in membris ipsius persequuntur, pro Judaeis... pro haereticis et schismaticis...* (Prosp. Vocat. gent, 1, 12).

XV

L'HOMME

1. L'HOMME INTÉRIEUR, LA CONSCIENCE, L'AME

§ 394 Saint Paul parle à plusieurs reprises (ex. Ephes. 3, 6 ; 2 Cor. 4, 16) de l'homme intérieur (¹), c'est-à-dire de l'âme raisonnable, par opposition à l'homme extérieur, le corps : *condelector enim legi Dei secundum* **interiorem hominem** (Rom. 7, 22), car je me complais dans la loi de Dieu, selon l'homme intérieur.

Le langage des Pères présente des antithèses analogues : ex. *qui ab appetitu se* **exteriori** *custodiunt, et spe ad* **interiora** *rapiuntur* (Greg.-M. Hom. ev. 12, lect. 9, 21 jan.), qui se gardent des désirs matériels et sont emportés par l'espérance vers les biens spirituels.

De même les oraisons (²) :

ex. *quæ* **extrinsecus** *annua tribuis devotione venerari,* **interius** *assequi gratiæ tuæ luce concede* (or. p. distrib. cand. 2 febr., Greg. 27, 1), ce que (c.-à-d. la lumière du Christ) vous nous permettez de vénérer extérieurement par cette célébration annuelle (³), accordez-nous de l'obtenir intérieurement par la lumière de votre grâce ;

interius *exteriusque custodi* (or. d. 2 Quadr., Greg. 45, 1) ;

ut per eum (Unigenitum tuum), quem similem nobis **foris** *agnovimus,* **intus** *reformari mereamur* (or. oct. Epiph., Gel. I, 12), que nous méritions d'être renouvelés intérieurement par celui que nous avons reconnu extérieurement semblable à nous ; v. plus loin, *mens, anima* opp. à *corpus*.

Une expression de l'Épître aux Hébreux désigne le plus profond de l'âme, ce subconscient où l'esprit rejoint l'instinct vital : *vivus est sermo Dei... et pertingens* **ad divisionem animæ et spiritus** *... et discretor cogitationum et intentionum cor-*

---

1. Autres oppositions : a) *animalis*, qui participe à la vie animale, doté seulement de la vie physiologique et soumis à la corruption, opp. à *spiritalis* : *seminatur corpus animale, surget corpus spiritale* (1 Cor. 15, 44), il est engendré comme corps animal, il ressuscitera comme corps spirituel (πνευματικός) - b) *animalis*, (ψυχικός) laissé aux seules ressources de la nature, vivant selon la chair, opp. à *spiritalis*, qui ressent l'action de l'Esprit divin, qui voit les choses d'un point de vue surnaturel (1 Cor. 2, 14-15 ; Tert. ; Aug.).

Pour *homo novus, vetus*, v. § 462.

2. Autre genre d'opposition assez fréquent dans les oraisons : les effets invisibles de la grâce et les signes extérieurs ou visibles des sacrements : v. ex. § 406.

3. Cf. *lumen exterius (cerei)* opp. à *lumen Spiritus tui ... interius* (or. 4, 2 febr.).

dis (4, 12), vivante est la parole de Dieu ... pénétrant jusqu'au point de division de l'âme et de l'esprit (ψυχῆς καὶ πνεύματος), ... capable de discerner les pensées et les sentiments du cœur (cf. § 142).

§ 395 L'intimité de l'âme est comparée à un sanctuaire :

sacramenti tui ... divina libatio **penetralia nostri cordis** *infundat* (postc. sabb. p. d. 2 Quadr., Greg. 51, 3), que votre sacrement divin auquel nous avons goûté pénètre jusqu'au fond de notre cœur ; cf. *arca* ou *arcella conscientiæ* (Aug. ; Cæs.-Arel., v. Dict.) ;

ou à une demeure secrète : *et tunc ad* **mentis nostræ habitaculum** *Dominus venit, quando verba exhortationis præcurrunt, atque per hoc veritas in mente suscipitur* (Greg.-M. Hom. ev. 17, lect. 8 comm. evang.), le Seigneur vient habiter notre âme, quand les paroles de l'exhortation ont précédé, ce qui permet à la vérité d'être accueillie dans notre âme ; v. *habitaculum, hospitium* (§ 153 ; *intima cordis* (§ 219) ;

tergat ergo sordes pravi operis, qui Deo præparat **domum mentis** (id. Hom. 30, lect. 3 Pent.), qu'il efface donc les souillures de péché, celui qui prépare pour Dieu la demeure de son âme ; v. *conscientia* (§ 401 et 412).

Chez les auteurs chrétiens et dans le latin biblique, comme aussi d'ailleurs dans la poésie classique, le mot *cor* est employé au sens de *anima* ou *animus, mens, intellectus* :

ex. *quia nullus est qui recogitet* **corde** (Jer. 12, 11), et personne n'y pense ;

et meditatus sum nocte cum **corde** *meo* (Ps. 76, 7), et j'ai médité la nuit en moi-même ;

det vobis ... illuminatos **oculos cordis** *vestri* (Ephes. 1, 18), qu'il illumine les yeux de votre cœur ;

erectis sensibus et oculis **cordis** *ad sublimia elevantes* (*elevatis ?*) (Gel. I, 63, 579), toute l'attention et le regard de notre cœur dressés et tournés vers le ciel (en cette fête de l'Ascension) ;

verbum Dei ... **cogitationes cordis** *et secreta scrutatur animorum* (Ambr. Luc. 22, lect. 8 oct. Nat. Dom.), la parole de Dieu sonde les pensées des cœurs et les secrets des âmes (cf. Hebr. 4, 12) ; v. *corda et renes* (§ 142) ;

purifica per infusionem Sancti Spiritus **cogitationes cordis** *nostri* (or. m. ad postul. grat.), purifiez les pensées de notre cœur en l'inondant de votre Saint-Esprit ; cf. *cogitationes cordis* (Ez. 11, 5) ;

deprecemur, ut ad contuenda mirabilia de lege sua ... **aciem cordis** *expurget* (Moz. L. sacr. 639), qu'il purifie et affine notre contemplation intérieure des merveilles de sa loi ; cf. *mentis acies* (ibid. 756 ; Leo-M. Serm. 74, 3).

En opposition avec *corpus* ou *caro* :

ascendamus cum Christo interim ([⁴]) **corde** ; *cum dies ejus promissus advenerit, sequemur et corpore* (Ps.-Aug. Serm. lect. 4 d. oct. Ascens.), en attendant (sur cette terre) montons de cœur avec le Christ ; lorsque viendra le jour qu'il a promis, nous le suivrons aussi de corps ;

et refloreat **cor et caro** *nostra vigore pudicitiæ* (postc. ad postul. cont., Gel. Cagin 2297), que notre cœur et notre chair retrouvent leur jeunesse, fortifiés par la chasteté ;

ab omni ægritudine **cordis et corporis** *sana propitius* (Moz. L. ord. 359), dans votre bonté guérissez toutes nos maladies physiques ou morales.

Par une métaphore qui nous semble un peu étonnante, saint Augustin, et après lui saint Léon, saint Grégoire le Grand, parlent non seulement des yeux, mais aussi des oreilles du cœur : ex. *si hæc vox Dei in* **cordis** *ejus (uniuscujusque vestrum)* **aure** *convaluit* (Greg.-M. Hom. ev. 18, lect. 8 d. Pass.), si cette parole de Dieu s'est fait entendre à l'oreille de son cœur ; cf. *ante mentis oculos* (ibid.) ;

ut Deus ... adaperiat **aures præcordiorum** *ipsorum* (or. 5 Parasc., Gel. I, 41, 408), que Dieu ouvre les oreilles de leur cœur.

§ 396 Le mot *mens* ne désigne pas seulement la pensée, mais aussi le cœur, les dispositions intérieures, et, dans les oraisons, il est très fréquent avec les épithètes *pura* (ou pl. *puris mentibus*), *munda, purificata, digna, secura, sincera* :

ex. *ut ... libera* ([⁵]) *tibi* **mente** *serviamus* (secr. 12 febr.), de vous servir avec un cœur libre ; v. § 21 et note 5.

Verbes les plus fréquents : **mentes** *illuminare, illustrare, instruere, purificare, sanctificare* (or. passim).

D'une manière analogue, *sensus* désigne soit les dispositions intimes, soit les convictions intimes, donc nos intelligences :

ex. *dignis* **sensibus** *capere* (postc. fer. 4 Quat. T. Sept., Gel. II, 6), recueillir (les fruits du sacrement) avec les sentiments qui conviennent ; cf. *placitis* **sensibus** (Leon. 1123) ;

purgatis **sensibus** (Leon. 935) ; *puris* **sensibus** *et mentibus* (967), avec une âme et un cœur pur ;

ut ... illumines corda et **sensus** *nostros* (or. 2 ben. novi ign. vet. ord.), pour éclairer nos cœurs et nos intelligences ;

ut non noster **sensus** *in nobis, sed jugiter ejus (doni cælestis) præveniat effectus* (postc. d. 15 p. Pent., Gel. III, 11), pour

---

4. *Interim*, en attendant, sur cette terre (Aug. Serm. 216, 5 ; 54, 14, 15 ; S. Bern. Serm. M. 183, c. 587 et 588) ; en attendant la résurrection (Tert. Monog. 10).

5. *Libera mens* est assez fréquent pour désigner l'âme délivrée de toute entrave spirituelle ; cf. *quæcumque recta sunt libera exerceat caritate* (or. 15 jun. ; *matura sunt*, Gel. II, 22), que (votre Église) puisse, dans la liberté de la charité, accomplir tout ce qui est juste.

qu'en nous ce soit son influence et non notre sentiment personnel qui l'emporte ;

largire **sensibus** *nostris ... ut ... vitam te nobis dedisse perpetuam confidamus* (postc. fer. 4 Maj. Hebd., Greg. 76, 4), accordez à nos intelligences d'avoir la pleine confiance que vous nous avez donné la vie éternelle ;

Accende lumen **sensibus** (« *Veni, Creator* »), illuminez nos intelligences.

Sentire, éprouver au fond du cœur (par ex. les effets de la grâce) :

ex. *deprecamur ut ... salvationis tuæ* **sentiamus** *augmentum* (postc. 14 apr., Leon. 793), faites que nous en (par ce don sacré) sentions notre salut plus assuré ;

ut ... quæ humiliter gerimus, salubriter **sentiamus** (postc. 28 aug., Leon. 384), d'éprouver les effets salutaires de ce que nous venons d'accomplir humblement ;

ou simplement, éprouver : ex. **sentire** *clementiam tuam, auxilium defensionis tuæ, patrocinium,* etc. (or. passim).

Les oraisons demandent à Dieu de purifier nos pensées, *cogitationes* :

ex. *quatenus animas nostras ab immundis* **cogitationibus** *purges* (secr. ad repell. mal. cog.), pour que vous purifiiez nos âmes des pensées impures ;

libera corda nostra de malarum tentationibus **cogitationum** (or. ibid.), délivrez nos cœurs des mauvaises pensées qui nous tentent ;

ut à pravis **cogitationibus** *mundemur in mente* (or. d. 2 Quadr., Greg. 45, 1).

Pectus, le cœur : v. ex. § 46, 66, 250.

§ 397 En latin chrétien, *animus* est moins fréquent que *anima,* pour désigner l'âme. Comme en latin classique, *animo* peut signifier : en esprit, en pensée :

ex. *recolentes* **animo** *caritatem qua ...* (secr. 13 aug. p. al. loc.), évoquant avec vénération la charité dont... ;

animis *corporibusque curandis,* pour la guérison de l'âme et du corps (Leon. 226 ; Gel. I, 17, 100, remplacé dans le Missel actuel par *animabus corporibusque curandis,* or. sabb. p. Cin.) ; v. § 398.

Ex. de *anima* opposé à *corpus* : *proficiat nobis ad salutem* **corporis et animæ** *... hujus sacramenti perceptio* (postc. S. S. Trin.), « que la réception de ce sacrement serve au salut de notre corps et de notre âme »; v. autres ex. au chp. suivant et dans les prières pour les morts.

Spiritus désigne aussi l'âme, l'esprit : **spiritus** *quidem promptus est, caro autem infirma* (Mat. 26, 41), l'esprit est prompt, mais la chair est faible ;

quis enim hominum scit quæ sunt hominis, nisi **spiritus** *hominis qui in ipso est* (1 Cor. 2, 11), qui donc chez les hommes connaît les secrets de l'homme, sinon l'esprit de l'homme qui est en lui ?

spiritus (defunctorum), v. § 95 note 10.

Parallèlement à ce sens, l'adjectif *spiritalis* ou *spiritualis*, de l'âme, spirituel, accompagne des mots tels que *alimenta, alimonia, gaudia, auxilia, hostia* (or. passim) : *Spiritalis unctio* (« *Veni, Creator* »), onction spirituelle, en parlant du Saint-Esprit [6].

De la même façon, *spiritaliter* s'opposera à *corporaliter* (v. chp. suivant).

Mais, dans les oraisons, il est plus souvent question de nos dispositions, et *spiritus* signifie alors : « esprit de, mentalité de », comme dans l'expression : **spiritus** *adoptionis filiorum* (Rom. 8, 15), esprit de fils adoptifs, esprit filial d'adoption :

ex. *concede, ut* **spiritum** *adoptionis, quo filii tui nominamur et sumus, fideliter custodiamus* (or. 20 jul. ; cf. 1 Jo. 3, 1), fait que nous conservions fidèlement l'esprit d'adoption, qui fait qu'on nous appelle et que nous sommes réellement vos fils ;

spiritum *nobis, Domine, tuæ caritatis infunde* (postc. 21 aug.), répandez en nous, Seigneur, l'esprit de votre amour ;

largire nobis, q. D., semper **spiritum** *cogitandi quæ recta sunt, propitius et agendi* (or. d. 8 p. Pent., Gel. III, 4), accordez-nous, Seigneur, dans votre bonté, l'inspiration de penser toujours et d'agir avec droiture ; *spiritum cogitandi quæ bona sunt promptius et agendi* (Leon. 1015), la grâce de penser au bien et de le réaliser au plus vite ; cf. § 439 ;

spiritus dilectionis tuæ, spiritus fortitudinis (or. passim).

Viscera, les entrailles, désigne au figuré les sentiments intimes, le cœur (Hilar. ; Hier ; Aug.) : v. 1 Jo. 3, 17, cit. § 480 avec d'autres ex. ;

et spiritum rectum innova in **visceribus** *meis* (Ps. 50, 12), restaure en moi un esprit de droiture.

2. LE CORPS,
L'OPPOSITION ENTRE LA CHAIR ET L'ESPRIT

§ 398 Le corps a sa dignité, il est même pour les chrétiens le temple de l'Esprit Saint : **membra** *vestra* **templum** *sunt Spiritus Sancti* (1 Cor. 6, 19). On le dépose en terre avec respect, car il sera associé à la résurrection (V. § 394 note 1).

Les oraisons demandent le salut, la santé du corps, aussi bien que de l'âme [1] ;

---

6. Cf. *unctionem habetis a Sancto* (1 Jo. 2, 20), vous avez reçu l'onction venant du Saint (l'Esprit Saint, considéré dans l'A.T., Is. 11, 2, comme onction du Christ) Note Bible de Jérus.

1. En latin classique, l'antithèse *animi-corporis*, le moral-le physique, évoque une opposition d'ordre intellectuel plutôt que spirituel.

ex. *Deus ... **interius exteriusque** custodi, ut ab omnibus adversitatibus muniamur in **corpore**, et a pravis cogitationibus mundemur **in mente*** (or. d. 2 Quadr., Greg. 45, 1), ô Dieu... gardez-nous au dedans et au dehors, pour que nous soyons prémunis contre tous les dangers physiques et purifiés moralement de toute mauvaise pensée ;

*da nobis salutem **mentis et corporis*** (or. et Sacram. passim) ;

*perpetua **mentis et corporis** sanitate gaudere* (or. comm. fest. B. M. V.) ; ***mentis et corporis** sanitatem* (Greg. 62, 3) ; ***corporis et animæ** sanitatem* (secr. 11 febr.) ;

*(Deus) qui ægritudines et **animorum** depellis et **corporum*** (Gel. III, 70, 1540), qui écartez les maladies spirituelles aussi bien que les maladies corporelles ;

*(virgines sacræ) te in sanctitate **corporis**, te in **animi** sui puritate glorificent* (Leon. 1104, p. 139, 13), qu'elles vous glorifient par leur intégrité physique aussi bien que par leur pureté de cœur.

Par notre présence physique, le corps, comme l'âme, participe à la célébration (cf. *temporaliter agere, gerere*, § 5) : *præsta, ut, quod populus tuus in tui venerationem hodierno die **corporaliter agit**, hoc **spiritualiter** summa devotione perficiat* (or. ben. ram.), par une action extérieure votre peuple aujourd'hui manifeste sa vénération envers vous : faites qu'intérieurement il achève cet acte en se donnant entièrement à vous.

Mais le corps a pourtant moins d'importance que l'âme : *qui occidunt **corpus**, **animam** vero non possunt occidere* (Mat. 10, 28).

Il est voué à la mort : *in **carne** nostra **mortali*** (2 Cor. 4, 11).

Surtout il alourdit l'élan spirituel et il faut lui résister : ***spiritus** est qui vivificat, **caro** non prodest quicquam* (Jo. 6, 63), c'est l'esprit qui vivifie, la chair ne sert de rien ; cf. Mat. 26, 41 (cit. § 397) ;

*si enim secundum **carnem** vixeritis, moriemini* (Rom. 8, 13), si vous vivez selon la chair, vous mourrez ;

carnalis sapientia (2 Cor. 1, 12) ; v. ex. au par. suivant.

§ 399 Plus souvent que *corpus, corporalis*, les mots *caro, carnalis* présentent en effet un sens péjoratif : *abstinere vos a **carnalibus** desideriis* (1 Petr. 2, 11) ; *ego autem **carnalis** sum, venumdatus sub peccato* (Rom. 7, 14), mais moi, je suis un être de chair, vendu au pouvoir du péché ;

*castigatio **carnis*** (or. sabb. p. d. 2 Quadr., Leon. 1301), la mortification de la chair ; ***carnalis** castigatio* (Gel. I, 18, 114) ;

*ut nec blanditiis **carnis** ... vincamur* (or. comm. sanct. p. al. loc., missa « *Deus meus* »), pour ne pas succomber aux attraits de la chair ;

carnalibus desideriis pressi (Greg.-M. Hom. ev. 21, lect. 3 d. Pass.) ; v. chp. suivant :

Dans le N. T., *caro* ne désigne pas seulement la chair qui s'oppose à l'esprit, les désirs charnels, la faiblesse humaine, mais aussi la chair, siège des passions et du péché, vouée à la corruption et à la mort, une force du mal que le Christ a brisée : *nam quod impossibile erat legi, in quo infirmabatur per* **carnem**, *Deus, Filium suum mittens in* **similitudinem carnis peccati**, *et de peccato damnavit peccatum in carne ut justificatio legis impleretur in nobis, qui non* **secundum carnem** *ambula-mus sed* **secundum spiritum** (Rom. 8, 3-4), de fait, chose impossible à la loi, que la chair rendait impuissante, Dieu, en envoyant son propre Fils avec une chair semblable à celle du péché, à cause du péché a condamné le péché dans la chair, afin que la justice de la loi s'accomplît en nous, dont la conduite n'obéit pas à la chair mais à l'esprit.

Dans le latin biblique, *caro* peut désigner aussi tout être vivant (ex. Gen. 6, 17), ou l'homme : *videbit omnis caro salutare Dei* (Is. 40, 5 ; Luc. 3, 6) ; v. le Dict.

3. LA FAIBLESSE HUMAINE

§ 400 Voir l'Humilité, § 494.

Comme le livre de Job, les Psaumes sont pleins de ces constatations sur la pauvreté de la condition humaine :

ex. *quasi flos egreditur et conteritur (homo)* (Job 14, 2), comme une fleur, il éclôt, puis se fane ;

memento, quæso, quod sicut lutum feceris me, et in pulverem reduces me (Job 10, 9), souviens-toi, je t'en prie, que tu m'as pétri comme l'argile et que tu me renverras à la poussière ; *homo in pulverem revertetur* (ibid. 34, 16) ; le mercredi des Cendres, le prêtre rappelle : *memento, homo, « quia pulvis es et in pulverem reverteris »* (Gen. 3, 19) ;

omnis caro fenum, et omnis gloria ejus quasi flos agri (Is. 40, 6), toute chair est comme l'herbe, et toute sa gloire est comme la fleur des champs ;

quid est homo quod memor es ejus ; aut filius hominis, quoniam visitas eum ? (Ps. 8, 5), qu'est-ce que l'homme pour que tu en gardes la mémoire ; le fils de l'homme, pour que tu le visites ?

ecce mensurabiles posuisti dies meos ; et substantia mea tanquam nihilum ante te (Ps. 38, 6), tu as mesuré mes jours, et ma substance est comme un néant devant toi ;

anni nostri sicut aranea meditabuntur (Ps. 89, 9), nos années sont comptées comme une toile d'araignée ;

recordatus est quia pulvis sumus ; homo, sicut fenum dies ejus ; tanquam flos agri sic efflorebit (Ps. 102, 15), il s'est rappelé que nous sommes poussière ; l'homme, ses jours sont comme l'herbe, comme la fleur des champs, on le verra fleurir ;

heu mihi, quia incolatus meus prolongatus est (Ps. 119, 5), malheur à moi, car mon exil s'est prolongé ([1]).

La faiblesse humaine est évoquée aussi par saint Paul : *ego autem carnalis sum ... non enim quod volo bonum hoc ago, sed quod odi malum, illud facio... Infelix ego homo, quis me liberabit de corpore mortis hujus ?* (Rom. 7, 14-15-24), je suis un être de chair ... le bien que je veux, je ne le fais pas ; mais le mal que je déteste, je le fais... Malheureux homme que je suis ! Qui me délivrera de ce corps de mort ? (litt. du corps de cette mort, la mort du péché : en employant la 1e personne, saint Paul pense à l'humanité en général).

§ 401 Les oraisons de même constatent le néant de l'homme et font appel à la miséricorde de Dieu, eu égard à notre faiblesse et à notre fragilité :

ex. **infirmitatem** *nostram propitius respice* (or. d. 3 p. Epiph. et passim ; Greg. 158, 1), regardez avec bonté notre faiblesse ;

muniat **infirmitatem** *suam robore disciplinæ* (or. p. « *Pater* », miss. nupt., Leon. 1110), qu'elle fortifie sa faiblesse (de la femme) par une énergique règle de vie ;

infirmitatis *nostræ conscii* (sup. pop. fer. 6 p. d. 4 Quadr., Greg. 64, 4) ;

Infirma *tu scis virium* (hymn. vesp. Quadr.), vous connaissez la faiblesses de nos forces ;

Deus, qui nos conspicis ex nostra **infirmitate** *deficere* (or. 14 oct. et passim, Greg. 171, 1), ô Dieu, qui voyez les défaillances de notre faiblesse ;

quia **sine te** ([2]) *nihil potest mortalis* **infirmitas** (or. d. 1 p. Pent., Gel. I, 62), puisque, faibles mortels, nous ne pouvons rien sans vous ;

quia **sine te** *labitur humana mortalitas* (or. d. 14 p. Pent., Gel. III, 10), car, sans vous, l'humanité mortelle glisse et tombe ;

qui **sine te** *esse non possumus* (or. d. 8 p. Pent., Leon. 1015) ;
da nobis et velle et posse quod præcipis (Gel. I, 49) ;

qui nos in tantis periculis constitutos pro humana scis **fragilitate** *non posse subsistere* (or. d. 4 p. Epiph., Greg. 44, 2), qui savez bien que notre faiblesse humaine ne peut tenir, placée au milieu de tant de périls ;

fragilitatem *conditionis humanæ benignissime respice* (or. 2 ben. Cin.), regardez avec une très grande indulgence la fragilité

---

1. En chantant ce verset, l'Église pense à la vie présente ; dans l'office des morts, il est permis de songer aux âmes du purgatoire.

2. *Quia sine me nihil potestis facere* (Jo. 15, 5).

de la nature humaine ; *conditio humana* ([3]) (Leon. ; Greg. passim) ;

quidquid conversatione **contraxerunt** *humana* (postc. p. plur. def., Gel. III, 102), ce qu'ils ont pu contracter au cours de leur vie d'hommes ; v. § 419 et 425.

Deus, qui conspicis **omni nos virtute destitui** (or. d. 2 Quadr., Greg. 202, 1), ô Dieu, qui nous voyez dépourvus de toute force ;

Deus, qui conspicis quia **ex nulla nostra actione** *confidimus* (or. Sexag., Greg. 33, 1), qui voyez que nous ne pouvons avoir confiance en aucune de nos œuvres ;

Deus, sine quo *nihil est validum, nihil sanctum* (or. d. 3 p. Pent., Gel. Cagin 1019), ô Dieu, sans qui rien n'est solide, rien n'est saint ;

quod **possibilitas nostra** *non obtinet* (or. 19 mart., Greg. 11, 5), ce que nous ne pouvons obtenir par nous-mêmes ; v. § 287.

Notre conduite incline au péché, qui alourdit notre élan spirituel :

quia pondus propriæ actionis **gravat** (or. 20 jan., Greg. 22, 1), puisque le poids de notre propre conduite nous alourdit ; v. *præpedio*, § 411 ;

quæ (munera oblata) conscientiæ nostræ **præpediuntur** *obstaculis, illorum (sanctorum) meritis grata reddantur* (secr. 27 oct., Leon. 778), que, malgré les obstacles qu'elles rencontrent dans notre conscience, les mérites (des saints) vous rendent (ces offrandes) agréables.

4. LE MONDE, LA TERRE

§ 402 Les épreuves, v. § 442 et suiv.

Cette vie a été souvent comparée à un lieu de passage, à une pérégrination en pays étranger, loin de la patrie : v. *incolatus* (§ 304 et 400 ; *peregrinatio* (§ 304) :

in loco **peregrinationis** *meæ* (Ps. 118, 54) ;

scientes quoniam, dum sumus in corpore, **peregrinamur** ([1]) *a Domino* (2 Cor. 5, 6), sachant bien que demeurer dans ce corps, c'est vivre en exil loin du Seigneur ;

vita ista tentationibus plena, in qua **peregrinamur** *ab eo (Domino)* (Aug. Serm. 157 de temp., lect. 6 d. in albis) ;

exules *filii Evæ ... post hoc* **exilium** (« Salve, Regina ») ;

in præsenti etenim vita, quasi in **via** *sumus, qua ad patriam pergimus* (Greg.-M. Hom. ev. 11, lect. 8, 2 dec. vet. Brev.),

---

3. Cf. *conditio carnis* (secr. 15 aug. vet. ord., Greg. 149, 2), condition mortelle, nature mortelle (de la Sainte Vierge).

1. Le mot est employé au sens propre dans les oraisons du Vendredi-Saint : *peregrinantibus reditum* ; mais on peut imaginer aussi en même temps le sens spirituel, de même que dans la conclusion : *navigantibus portum salutis indulgeat.*

car dans la vie présente, nous sommes en quelque sorte sur
la route qui nous conduit à la patrie ;

inter omnes viæ et vitæ hujus varietates (or. miss. p. peregr. ;
inter omnes vitæ hujus varietates, Gel. III, 24), au milieu de
toutes les vicissitudes de ce voyage qu'est la vie ;

*Ecce panis angelorum, Factus cibus **viatorum*** ([2]) (« *Lauda,
Sion* »), voici le pain des anges, devenu la nourriture de ceux
qui sont en route.

Dans le Psaume 83, 7, *vallis lacrymarum*, la vallée des larmes ([3]), désigne le nord de la vallée de Gé-Hinnon (v. *gehenna*,
§ 318). Les Pères (Hier. ; Ambr. ; etc.) en ont fait le symbole de
cette vie d'épreuves ; dans d'autres versions : *convallis plorationis* (Ps. 83, 7 ap. Aug. Psal. 83, 10 ; Ambr. ; Cæs.-Arel.) ;

*qui in **convalle plorationis** consistimus* (Moz. L. sacr. 185) ;

*gementes et flentes in hac **lacrymarum valle*** (« *Salve, Regina* ») ;

cf. *in inferiore mundi parte* (Leon. 853), peinant en ce bas
monde ([4]).

Ce monde est comparé à une prison de forçat : *ergastulum
carnis* (Hier. Ep. 22, 7, 4) ; *de **ergastulo** hujus sæculi vocare*
(Pont. Rom.-Germ. 149, 16), rappeler de cette prison terrestre.

La vie présente : *in **praesenti vita** positi* (Gel. Cagin 1801) ;
cf. *in terris positi* (Leon. 23) ; *nos in terra positi* (Gel. I, 36,
323) ;

elle est souvent opposée à la vie éternelle :

ex. *in præsenti vita* (opp. a *æternitatis*, postc. sabb. p. Cin.,
Leon. 658) ;

***vitæ** nobis conferant **præsentis** auxilium et gaudia sempiter-
na concilient* (postc. fer. 5 oct. Pasch,. Leon. 555), soient pour
nous un secours dans la vie présente et nous fassent obtenir les
joies éternelles.

§ 403 De même les mots *tempus, temporalis, sæculum* sont
opposés à *æternitas, æternus* :

ex. ***temporalia** relinquere atque ad æterna festinare* (or. p.
proph. 5 vigil. Pent., Greg. 110, 2), délaisser les biens temporels et nous hâter vers les biens éternels ;

---

2. *Viator* est opposé à *comprehensor* (v. § 312 note 33) ; mais le mot a déjà un
sens analogue chez s. Augustin (Peccat. merit. 2, 13, 20 ; Nat. et grat. 13, p. 665).

3. Selon d'autres versions : le val du pleureur, du micocoulier.

4. Cf. *liquet superiorem esse terram, non istam in valle terrenam, sed illam quæ est
repromissionis æterna* (Ambr. Psal. 36, 75), il est clair qu'il existe une terre supérieure,
non la nôtre ici-bas dans la vallée, mais celle de la promesse éternelle. C'est peut-
être un souvenir du mythe platonicien du Phédon. Pour s. Césaire (Serm. 22, 4),
l'expression du Psalmiste, *ex inferno inferiori* (85, 13), du plus profond de l'enfer,
désigne l'enfer proprement dit, par opposition à notre terre, qui est elle-même
déjà un enfer.

ut ... sic transeamus per bona **temporalia** ([5]), *ut non amitta-mus æterna* (or. d. 3 p. Pent., Gel. Cagin 1019), pour que nous passions parmi les biens de ce monde, de façon à ne pas perdre les biens éternels ;

tempore *nostræ mortalitatis* (postc. fer. 5 Cen. Dom., Leon. 1323) (opp. à *immortalitatis munere*) ;

temporalis *vita* (opp. à *vita æterna*, or. 19 jan., Leon. 8) ;

Deus, et **temporalis vitæ** *auctor et æternæ* (Gel. III, 61, 1499).

Temporaliter, dans le temps, est de même opposé soit à *spiritualiter* (ex. postc. 6 mart., Gel. II, 67) ; soit à *æternis gaudiis* (ex. postc. fer. 4 Quat. T. Pent., Leon. 108) ; ou à *suppliciis æternis* (ex. or. fer. 6 p. d. Pass., Greg. 71, 1).

Præsens tempus, præsens sæculum (or. et Sacram. passim) ; cf. *a præsenti tristitia* (§ 300) ;

juste et pie viventes in **hoc sæculo** (or. 6 febr.), menant une vie juste et pieuse en ce monde ; v. autres ex. de *sæculum, mundus* dans les paragraphes et les chapitres suivants.

§ 404 Termes exprimant ce que cette vie a de transitoire, de caduc (cf. *præterit figura...*, note 5) :

non enim habemus hic **manentem** *civitatem, sed futuram in-quirimus* (Hebr. 13, 14), car nous n'avons pas ici-bas de cité permanente, mais nous recherchons celle de l'avenir ;

in parvo vitæ præsentis **excurso** *(= excursu)* (Miss. Goth. 466), dans le court délai de la vie présente ; cf. *in hujus sæculi transeuntis excursu* (Greg. 59, 4) ;

caducæ *carnis fragilitatem deponant* (Miss. Gall. 169), régénérés par le baptême) qu'ils dépouillent la fragile faiblesse de la chair;

caduca *despicere atque æterna sectari* (or. 13 apr.), mépriser les biens périssables et rechercher les biens éternels ;

discamus **perituras** *mundi calcare delicias* (or. 16 oct.), que nous apprenions à mépriser les plaisirs périssables ;

electorum mentes, dum **transitoria** *cuncta nulla esse conspi-ciunt* (Greg.-M. Moral. 1, 10), les âmes d'élite, considérant comme rien tous les biens passagers ;

transitoriis *operibus abstinentes* (Gel. I, 18, 119), nous tenant à l'écart des occupations de ce monde qui passe (en Carême, se libérer en partie de ses travaux pour se tourner vers les choses spirituelles : cf. Cæs.-Arel. Serm. 96, 1).

§ 405 Autres expressions péjoratives ([6]) désignant le monde, la terre.

---

5. Il s'agit d'user des biens de ce monde avec modération, comme n'en usant pas : *qui utuntur hoc mundo, tanquam non utantur : præterit enim figura hujus mundi* (1 Cor. 7, 31), ... car elle passe, la figure de ce monde.

6. *Mundus* n'est pas uniquement péjoratif : dans les Évangiles, ce terme désigne aussi l'univers humain où est venu le Christ et où s'exerce la Rédemption : ex. *ager est mundus* (parabole de l'ivraie, Mat. 13, 38) ; *quamdiu sum in mundo, lux sum mundi* (Jo. 9, 5) ; *sic Deus dilexit mundum, ut Filium daret* (3, 16).

Cf. *redemptio mundi, redemptor mundi, creator, creatio mundi* (or. et Sacram. passim).

Mundus : ex. *quia vero de* **mundo** *non estis, sed ego elegi vos de* **mundo**, *propterea odit vos* **mundus** (Jo. 15, 18), car vous n'êtes pas du monde.; mais mon choix vous a tirés du monde, c'est pourquoi le monde vous haït ;

sapientia enim **hujus mundi** *stultitia est apud Deum* (1 Cor. 3, 19), car la sagesse de ce monde est folie aux yeux de Dieu ; cf. Ephes. 6, 12 ;

da servis tuis illam, quam **mundus** *dare non potest, pacem* (coll. m. p. pace, Gel. III, 56 ; cf. Jo. 14, 27) ;

spretis **mundi** *oblectamentis* (secr. 25 aug.), méprisant les agréments du monde ;

prospera **mundi** *despicere* (or. 28 aug. et passim, Greg. 23, 1) ; cf. *cuncta* **mundi** *despicere* (or. 19 mai.) ;

prosperitate **mundana** *a beatitudinis sempiternæ tramite deviare* (Leon. 314), dans le bonheur terrestre oublier le chemin de la béatitude éternelle ;

mundi hujus *blandimenta vitare* (or. 15 jul.), éviter les attraits de ce monde ; cf. **blanditiæ** *carnis* (or. comm. sanc. p. al. loc.) ;

regnum **mundi** *et omnem ornatum sæculi* (resp. mat. comm. virg.), la pompe de ce monde et tout l'apparat du siècle ;

inter ... **mundi** *illecebras* (or. 4 mart.), parmi les séductions du monde ;

totam ab hac die **mundanam** *conversationem despiciat* (or. ben. abb. auct. ap., Pont. R.), qu'à partir de ce jour il dédaigne toute vie mondaine ;

inter **mundanæ** *conversationis adversa* (Leon. 749), au milieu de calamités de notre vie terrestre ;

inter **mundanas** *varietates* (or. d. 4 p. Pasch., Gel. I, 59), parmi les vicissitudes de ce monde ;

mundanæ *sapientiæ fumus* (Leo-M. Serm. lect. 4, 1 jan.), la fumeuse sagesse terrestre ;

nos sub **mundialium** *fasce curarum gementes* (Miss. Goth. 117), gémissant sous la charge des soucis terrestres.

Terra : ex. *quæ sursum sunt sapite, non quæ super* **terram** (Col. 3, 2), songez aux choses d'en haut, non à celles de la terre;

primus homo de **terra** *terrenus, secundus homo de cælo cælestis* (1 Cor. 15, 47), le premier homme, issu du sol, est terrestre ; le second homme, lui, venant du ciel, est céleste ;

qui de **terra** *sunt, in* **terram** *revertentur* (secr. temp. terræmot.), ceux qui sont de la terre retourneront à la terre ;

terrenis *omnibus abdicatis* (or. 31 mai.), renonçant à toutes les choses de la terre ;

in **terreni** *honoris contemptu* (or. 10 oct.), dans le mépris des honneurs terrestres ;

munera tua nos, Deus, a delectationibus **terrenis** *expediant* (postc. d. 4 p. Epiph., Gel. Cagin 199), ô Dieu, que vos dons nous dégagent des plaisirs terrestres ;

terrenis affectibus expiati (postc. p. quac. necess., Gel. III, 35), purifiés des désirs terrestres ; *terrenæ cupiditates* (secr. d. 24 p. Pent., Gel. Cagin 1489) ;

Opposition fréquente : *terrestris ... cælestis* (Leon. 195) ; *terrena despicere et amare cælestia* (postc. d. 2 Adv. et passim, Gel. II, 80, 1124) ;

animæ ... terrenis exutæ contagiis (postc. p. plur. def. ; *anima*, Leon. 1147), les âmes ayant dépouillé leurs souillures terrestres ;

per terrestrium rerum contemptum (opp. à *æterna gaudia*, or. 23 febr.).

Sæculum : ex. *illecebras sæculi superare* (or. 15 jul.), surmonter les attraits du siècle ; inter *sæculi blandimenta* (Leon. 1178) ;

a sæculi pompa (or. 16 oct.), loin du faste mondain ;

superbis sæculi vanitatibus ([7]) *exutis* (postc. 17 oct.), une fois dépouillées les orgueilleuses vanités du siècle ; cf. *ecclesia tua a* **profanis** *vanitatibus expiata* (Leon. 515), purifiée des vanités profanes ;

post hujus sæculi caliginosa discrimina (or. 3 ben. cand. 2 febr.), après les sombres dangers de ce monde ; cf. *hujus vitæ* **caligines** (Gel. III, 5) ;

in **nocte** *hujus sæculi* (Arn.-J. Psal. c. 536C) ;

qui in **hujus sæculi nocte** *vagatur incertus ac dubius* (or. bapt. adult. Rit. R., Gel. I, 71, 600), qui erre, plein de doute et d'incertitude, dans la nuit de ce monde ;

curæ **sæculares** (Leo-M. Serm. 88, 3 ; Moz. L. sacr. 846) ;

a mundi *impedimento* ([8]) *vel sæculari desiderio cor ejus (Spiritus S.) defendat* (Greg. 212, or. ad cler. faciendum), qu'il garde son cœur des embarras du monde ou des désirs du siècle ;

quam (animam) de hujus **sæculi** *eduxisti laborioso certamine* (or. p. episc. def. ; *de* **sæculo** *educens*, Greg. 224, I), que vous avez retirée de ce monde et de ses luttes pénibles.

Mortalitas, la condition mortelle :

ex. *in hujus mortalitatis* ([9]) *stadio* (secr. fer. 6 p. Cin. p. al. loc.), dans la lutte de cette vie mortelle ; v. *humana mortalitas* (cit. § 401) ;

(animam) a contagiis **mortalitatis** *exutam* (or. p. una def., Gel. III, 106), dépouillée des souillures de sa condition mortelle.

---

7. *Vanitas vanitatum et omnia vanitas* (Eccl. 1, 2).

8. *Impedimenta mundi* donné par Césaire comme une expression biblique est signalé dans la *Visio Pauli* 10 (v. Vigiliæ Christianæ, 5, 1951, p. 84-87).

9. *Mortalitas* signifie aussi épidémie : ex. *missa pro vitanda mortalitate* (Miss. R.) ; *tempore mortalitatis* (Gel. III, 38 tit.).

§ 406 Cette terre est le domaine des choses visibles, où le Christ s'est manifesté aux regards des hommes, où les signes sacramentels parlent à nos yeux, pour nous faire penser aux choses invisibles, aux réalités spirituelles :

in ipso (Christo) condita sunt universa in cælis et in terra, **visibilia** *et* **invisibilia** (Col. 1, 16), car c'est en lui qu'ont été créées toutes choses, dans les cieux et sur la terre, les visibles et les invisibles ;

fide intellegimus aptata esse sæcula verbo Dei, ut ex **invisibilibus visibilia** *fierent* (Hebr. 11, 3), par la foi nous comprenons que les mondes ont été formés par une parole de Dieu, de sorte que ce que l'on voit provient de ce qui n'est pas apparent ;

concede propitius, ut, sicut hæc luminaria, igne **visibili** *accensa, nocturnas depellunt tenebras, ita corda nostra* **invisibili** *igne, id est Sancti Spiritus splendore illustrata, omnium vitiorum cæcitate careant* (or. ben. cand. 2 febr.), de même que ces lumières, animées d'une flamme visible, chassent les ténèbres de la nuit, faites que nos cœurs, éclairés du feu invisible, c'est-à-dire de la splendeur de l'Esprit Saint, soient délivrés de tout aveuglement des passions ;

ut, quæ **visibilibus** *mysteriis sumenda percepimus,* **invisibili** *consequamur effectu* (postc. Ascens. ; *celebrando suscepimus,* Leon. 172), (accordez-nous) d'obtenir l'effet invisible de cette communion que nous venons de recevoir dans le mystère célébré visiblement devant nous ;

ut, dum **visibiliter** *Deum cognoscimus, per hunc in* **invisibilium** *amorem rapiamur* (præf. Nat. Dom., Greg. 6, 3), afin que, connaissant ce Dieu visiblement (par l'Incarnation), nous soyons, grâce à lui, entraînés vers l'amour des réalités invisibles.

Supernaturalis, surnaturel, n'apparaît pas dans les textes liturgiques (1er ex. Rustic., Conc. Schwartz I, 4, p. 15, 16).

5. LA MORT

§ 407 Voir Prières pour les morts (§ 93-96).

Mors æterna, v. § 317.

L'agonie, *agonia* ([1]) (ἀγωνία, combat) : *et factus in agonia prolixius orabat* (Luc. 22, 43), en proie à la détresse, il prolongeait sa prière (*agonia*, agonie, sens post.) ;

in **mortis** *agone refecti et roborati* (or. 19 jun.), ranimés et fortifiés dans ce dernier combat ;

---

1. *Agonizare* (S. S. 1 Cor. 9, 25, cod. Boern.), *agonizari* (ibid. ap. Iren. Hær. 4, 37, 7), lutter (dans les concours).

Pro agonizantibus (rubr. Rit. R. app. 130), pour les agonisants : ce sens n'apparaît que dans le latin médiéval.

ad animarum in extremo agone luctantium subsidium (or.
18 jul.), pour le soutien des âmes qui livrent leur dernier
combat ;

pro famulo tuo in extremo vitæ constituto (secr. p. infirm.
proxim. mort.), pour votre serviteur à l'extrémité.

Comme en latin classique, la mort se dit *mors, obitus, exitus* :
ex. *in hora mortis nostræ* (*Ave, Maria*) ;

in hora exitus nostri (or. 18 jul.) ;

in exitu nostro (secr. fer. 3 p. Sexag. p. al. loc.) ;

ne subito præoccupati die mortis (resp. 1 hebd. Quadr.), de
peur que, surpris à l'improviste par l'heure de notre mort ;

post obitum nostrum (postc. m. vot. de Pass.) ;

dies obitus (Miss. R.), le jour de la mort.

Le passif *finiri* signifie aussi mourir : ex. *dum finiuntur in
terris* (Gel. II, 38) ; *dum finitur in terris* (ibid. 48) ; cf. *gere
curam mei finis* (« *Dies iræ* »).

§ 408 La mort est un départ ([2]) : v. *proficiscere* (§ 94) ;

migranti *in tuo nomine de hac instabili et tam incerta sempiternam illam vitam ac lætitiam in cælestibus præsta* (Commend.
an. Gel. III, 1626), à celui qui, marqué de votre nom, s'en va
hors de cette vie chancelante et si incertaine, accordez celle
qui dure éternellement ainsi que le bonheur céleste ;

quam (animam) de **hoc sæculo migrare** ([3]) *jussisti* (or.
passim p. def., Greg. 225, 1), que vous avez fait partir de ce
monde ; v. *educere* (§ 405) ; (abs.) *migrare* (secr. 15 aug., vet.
ord., Greg. 149, 2) ;

Quo (die) sanctus hic de corpore Polum **migravit** *præpotens*
(hymn. laud. conf. non pont. ; modif. **Migravit** *inter sidera*),
(le jour) où ce saint triomphant s'en est allé de ce corps vers
le ciel ;

qui nos **præcesserunt** (Canon, Greg. 224, 4).

Un passage : *ut ... ad cælestem gloriam* **transeamus** (secr.
fer. 3 oct. Pasch., Greg. 90, 2), afin d'obtenir notre passage
vers la gloire du ciel ;

transire ad vitam (ant. offert. et or. p. plur. def.) ; v. autres
ex. de *transire, transitus* (§ 94 et note 4) ;

tuis enim fidelibus, Domine, **vita mutatur** *non tollitur* (præf.
def.), car pour vos fidèles, Seigneur, c'est un passage à une
autre vie, non une suppression ;

martyribus vita non tollitur, sed **mutatur** (Miss. Goth. 418) ;

fidelium tuorum **mutatur** *vita, non tollitur* (Moz. L. ord. 421).

La mort est une délivrance des liens de la chair et de la
demeure terrestre : v. *exuta (anima)*, § 405 ; *exutos corpore* (or.
Rogat. et Quadr.) ;

---

2. Et aussi, chez les Pères, un rappel : *vocatio, evocatio, arcessitio,* etc.

3. *Migrare* (Eugipp. ; Greg.-M. ; Cæs-Arel.).

(animæ) mortalitatis **vinculis absolutæ** (or. p. plur. def.),
délivrées des entraves de leur condition mortelle ;

mortis **vinculis absolutis** (Leon. 1140) ;

(animam) mortalitatis **nexibus absolutam** (Gel. III, 99,
1664) ;

certus quod velox est **depositio tabernaculi** *mei* (2 Petr. 1, 14),
certain que l'abandon de ma tente est proche ;

si terrestris **domus nostra hujus habitationis** *dissolvatur*
(2 Cor. 5, 1), si cette demeure terrestre que nous habitons est
détruite (opp. *domum æternam*) ;

cf. *dissoluta terrestris hujus incolatus* **domo** (cit. § 304).

§ 409 La mort est comparée à un sommeil (⁴) : v. ex. § 95 ;
cum **dormitionem** *mortis acciperent apostoli* (Aug. Qu. ev. Mat.
11, 4, lect. 7 d. 5 p. Epiph.), les apôtres une fois entrés dans
le sommeil de la mort ;

et multa corpora sanctorum, quæ pie **dormierant,** *surrexerunt*
(Mat. 27, 52), de nombreux corps de saints, pieusement
décédés, ressuscitèrent ;

omnium catholicorum ... in Christo **dormientium** (secr. p.
his qui in cœm. req., cf. Gel. III, 1683, cit. § 391) ;

pro animabus famulorum tuorum illorum (N.) et hic omnium
dormientium (Gel. ibid. 1682).

Car les mots *pax, requies quiescere*, ne désignent pas seulement la paix du ciel (§ 54 et 307), mais aussi la mort elle-même
et la sépulture (v. ex. § 94).

Une expression biblique appelle notre mort « nos fins
dernières » :

in omnibus operibus tuis, memorare **novissima tua** (Eccli. 7,
40), dans tous tes actes, songe à ta fin (⁵) ; v. *novissimus* à
Parousie, Jugement dernier (§ 203).

6. LA RÉSURRECTION

§ 410 Nous retrouvons ici les mêmes termes qu'au chapitre
concernant la résurrection du Christ (plus *reformare, respirare*) :

ex. *credo ... in carnis* **resurrectionem** (Symb. apost.) ; *et
exspecto* **resurrectionem** *mortuorum* (Symb. Nic.) ;

nam, si mortui non **resurgunt** (¹), *neque Christus* **resurrexit**
(1 Cor. 15, 16), car, si les morts ne ressuscitent pas, le Christ
non plus n'est pas ressuscité ;

---

4. Chez les Pères (Tert. ; Hier. ; Aug. ; Greg.-M.), le mot de sommeil fait penser à l'attente de la résurrection ; mais il désigne aussi la paix de l'âme après la
mort : *sacrificium pro dormitione* (Cypr. Ep. 1, 2).

5. « La fin » (texte hébreu) ; comme le texte latin, le texte grec (τὰ ἐσχατά σου)
précise qu'il s'agit de notre mort.

1. Sens figuré : *ut ... a nostris iniquitatibus resurgamus* (postc. 7 dec., Greg. 147, 3),
de nous relever de nos fautes ; *ut ... a morte animæ resurgamus* (Greg. 88, 7).

ut ... ad **resurrectionis** *gloriam perducamur* (postc. 25 mart., Greg. 31, 4) ;

ut ... et **resurrectionis** *consortia mereamur* (or. dom. Palm., Gel. I, 37), et mériter de partager sa résurrection ;

qui spem beatæ **resurrectionis** *dedisti nobis* (Moz. L. ord. 392).

Surget *corpus spiritale* (v. cit. § 394 note 1) ;

in novissimo die de terra **surrecturus sum** ([2]) (Job 19, 25), au dernier jour je ressusciterai de la terre.

Et ego **resuscitabo** *eum in novissimo die* (Jo. 6, 40) ;

quoniam qui **suscitavit** *Jesum, et nos cum Jesu* **suscitabit** (2 Cor. 4, 14), (sachant) que Celui qui a ressuscité Jésus, nous ressuscitera nous aussi avec Jésus ;

ut in resurrectionis gloria inter sanctos et electos tuos **resuscitatus** ([3]) **respiret** (postc. p. un. def., Greg. 225, 2), pour qu'au jour de la résurrection glorieuse il ressuscite et revive parmi vos saints et vos élus.

Prima resurrectio de Apoc. 20, 5 et 6 désigne la résurrection spirituelle qui s'accomplit en ce monde et prépare à la résurrection corporelle qui s'accomplira à la parousie (v. différentes autres interprétations dans la note de la Bible de Jérus. ad loc. et dans le Dict.):

beatus et sanctus, qui habet partem in **resurrectione prima** (Apoc. 20, 6) ;

habeat partem in **prima resurrectione** *et inter surgentes resurgat* (Gel. III, 91, 1612) ;

ut eos Dominus ... in parte **primæ resurrectionis** *resuscitet* (Miss. Goth. 248) ;

eosque ... in **prima anastasi** *cum sanctis et electis tuis jubeas sociari* (Miss. Goth. 479) (dans la première phase de la vie éternelle, avant la résurrection générale, cf. Arn.-J. c. 352 A) ;

in **prima resurrectione** *quæ in hac vita consistit, per humilem confessionem partem habentes* (Moz. L. ord. 358), ayant part, grâce à une humble pénitence, à la première résurrection qui a lieu en cette vie.

Les corps glorifiés : *corpus spiritale* (v. § 394 note 1) ;

qui (Jesus Christus) **reformabit** *corpus humilitatis nostræ configuratum corpori claritatis suæ* (Philipp. 3, 21), qui transfigurera notre corps de misère pour le conformer à son corps de gloire ;

ut, in utroque salvati (mente et corpore), cælestis remedii plenitudine gloriemur (postc. d. 11 p. Pent., Leon. 630), afin

---

2. Texte de la Vulgate. Le sens de l'hébreu est autre.

3. Les mêmes termes sont employés en parlant du miracle de la résurrection d'un mort : *suscitare (Lazarum)* (Jo. 11, 5) ; *suscitare mortuos* (Mat. 10, 8) ; *Lazarum vivum ab inferis resuscitasti* (or. 22 jul.) ; *de juvene illo resuscitato* (Aug. Serm. 98, lect. 7, 4 mai.).

que, sauvés corps et âme, nous puissions jouir pleinement de la gloire procurée par ce remède céleste.

L'incorruptibilité : *sic et resurrectio mortuorum : seminatur in corruptione, surget in* **incorruptione** (1 Cor. 15, 42), ainsi en va-t-il de la résurrection des morts : on sème de la corruption, il ressuscite de l'incorruption ;

induere **incorruptionem** ... *immortalitatem* (ibid. 53) ;

immutari, être transformé, devenir incorruptible : *omnes quidem resurgemus sed non omnes* **immutabimur** (1 Cor. 15, 51) ; cf. *immutari in illam incorruptionem* (Aug. Peccat. merit. 1, 5).

Vivificare, faire revivre, ressusciter (Rom. 8, 11 ; 4, 17 ; Leo-M. Serm. 25, 5) :

Domine, cui **vivificare** *mortuos facile est* (Miss. Goth. 241) ;

qui potens est **vivificare** *mortuos* (Moz. L. ord. 375).

Vivificator, celui qui donne la vie (le Saint-Esprit, Hier. ; Aug. ; etc. ; le Christ, Cass. ; Mercat.) : *Deus, ...* **vivificator** *mortuorum, sanator ægrotantium* (Moz. L. ord. 97), qui avez ressuscité les morts et guéri les malades.

XVI

LE PÉCHÉ

§ **411** Le péché originel : v. § 223-224.

De nombreux termes désignent le péché, la faute contre la loi divine ; les plus fréquents sont *peccatum* et *delictum* ([1]) ; v. *peccamen*, § 422 :

ex. *et* **peccatum** *meum contra me est semper* (Ps. 50, 5), et ma faute est devant mes yeux sans relâche ;

omnis qui facit **peccatum**, *et iniquitatem facit ; et* **peccatum** *est iniquitas* (1 Jo. 3, 4), quiconque commet le péché, commet une transgression ; le péché est la transgression de la loi ;

Domine, ne statuas illis hoc **peccatum** (Act. 7, 60), Seigneur, ne leur impute pas ce péché ;

cum essetis mortui **delictis** *et* **peccatis** *vestris* (Ephes. 2, 1), quand vous étiez morts par la suite de vos fautes et de vos péchés.

Expressions les plus fréquentes dans les oraisons : *peccata abluere, mundare, purificare, delere, dimittere, relaxare, expellere, deplorare, plangere, vitare ;*

peccatorum abolitio, expiatio, redemptio, macula, indulgentia, remissio, venia, purgatio, vincula, nexus, captivitas, pondus ;

a peccatis absolvere, abstrahere, emundare, expiare, exuere, liberare, condonare (v. dans l'Index les paragraphes où se retrouvent ces ex.) ;

nullæ **peccatorum** *spinæ prævaleant* (or. p. proph. 4 vigil. Pent., Gel. I, 77, 622), que les épines du péché ne prennent pas le dessus (dans la vigne du Seigneur) ;

ut ... quod nostra **peccata** *præpediunt, indulgentia tuæ propitiationis acceleret* (or. d. 4 Adv., Gel. II, 80), afin que le pardon de votre miséricorde hâte ce que nos péchés retardent (c.-à-d. notre salut) ;

si quæ ... **peccata** *admisit* (Greg. suppl. Alc. 102) ;

omnes laqueos disrumpe **peccati** (Miss. Goth. 217), rompez tous les pièges du péché ;

actuale **peccatum** (Greg.-M. ; Cæs.-Arel.), péché actuel (opp. au péché originel) :

de ... **actualis peccati** *contagione ... redimamur* (Moz. L. ord. 384) ; cf. *libera nos de mortalibus actibus* (L. sacr. 232).

Peccare : ex. *tibi soli* **peccavi**, *et malum coram te feci* (Ps. 50, 6), contre toi seul j'ai péché, et j'ai commis le mal à tes yeux ;

---

1. Saint Augustin avait essayé de discerner une nuance entre ces deux termes : *fortasse ergo peccatum est perpetratio mali, delictum autem desertio boni* (Qu. Hept. 3, 20), peut-être le péché est-il la perpétration du mal, tandis que la faute est l'abandon du bien (*delinquere*, abandonner).

patres nostri **peccaverunt** *et non sunt ; et nos iniquitates
eorum portavimus* (Jer. lam. 5, 7), nos pères ont péché et ne
sont plus ; et c'est nous qui avons supporté le poids de leurs
iniquités ;

quantumvis **peccantibus** (or. p. remiss. pecc.), aux pécheurs,
si grands soient-ils ; dans les oraisons, ce verbe est beaucoup
moins fréquent que *delinquere.*

Peccator (²) : ex. *non enim veni vocare justos, sed* **peccatores**
(Marc. 2, 17), car je ne suis pas venu appeler les justes, mais
les pécheurs ;

(adj.) *exi a me, quoniam* **homo peccator** *sum* (Luc. 5, 8),
éloigne-toi de moi, car je suis un pécheur ;

Deus, qui non mortem, sed pœnitentiam desideras **peccatorum**
(or. 2 ben. Cin., Gel. III, 38 ; cf. Ez. 18, 23), ô Dieu, qui ne
voulez pas la mort du pécheur, mais sa conversion ;

Deus, qui et justis præmia meritorum, et **peccatoribus** *per
jejunium veniam præbes* (or. 1 fer. 4 p. d. 4 Quadr. ; *erroris
sui veniam*, Gel. I, 27, 239), ô Dieu, qui, grâce au jeûne, accordez aux justes la récompense de leurs mérites et aux pécheurs le pardon.

Peccatrix, pécheresse (adj. ou sub.) : ex. *mulier, quæ erat
in civitate* **peccatrix** (Luc. 7, 37) ; *gens* **peccatrix** (Is. 1, 4) ;
generatio **peccatrix** (Marc. 8, 38).

§ 412 *Delictum* : ex. **delicta** *juventutis meæ et ignorantias
meas ne memineris* (Ps. 24, 7), des fautes de ma jeunesse et de
mes erreurs, ne te souviens pas ;

tu scis insipientiam meam ; et **delicta** *mea a te non sunt
abscondita* (Ps. 68, 6), tu sais ma folie, mes fautes ne sont pas
restées cachées devant toi ;

lex autem subintravit, ut abundaret **delictum**. *Ubi autem
abundavit* **delictum** *superabundavit gratia* (Rom. 5, 20), la loi
est intervenue, pour que se multipliât la faute ; mais où le
péché s'est multiplié, la grâce a surabondé ;

*ut ... *delicta* nostra miseratus absolvas* (secr. d. 5 p. Epiph.,
Gel. III, 37), pour que votre miséricorde nous absolve de nos
péchés.

Expressions les plus fréquentes dans les oraisons : *delictorum
conscientia, expiatio, indulgentia, purgatio, remissio, venia,
vinculum* ;

delicta emundare, absolvere ; delictis absolvi.

Delinquere, pécher : ex. *peccavi et vere* **deliqui** (Job 33, 27),
j'ai péché et vraiment commis la faute ;

*dixi ... * **delinquentibus** (Ps. 74, 5), j'ai dit aux pécheurs ;

---

2. C'est souvent un terme d'humilité : ex. *ora pro nobis peccatoribus*. Les lettres
signées par saint Paulin de Nole et son épouse se terminaient ainsi : *Paulinus et
Terasia peccatores.*

*qui majestatem tuam graviter **delinquendo** offendimus* (or.
6 oct.), qui avons, par nos fautes, gravement offensé votre
Majesté ;

*quidquid per visum **deliquisti** ...* (v. Extr. unct., § 339) ;

*Deus, qui **delinquentes** perire non pateris* (Leon. 861), ô
Dieu, qui ne laissez pas se perdre les pécheurs ;

*Ignosce quid **deliquimus*** (hymn. laud. plur. mart.), pardonnez les péchés que nous avons commis.

§ 413 *Culpa* désigne souvent le péché originel, mais aussi
nos fautes personnelles : *culpis, culpa* ou *a culpa expiari,
absolvi, solvi, liberari* (or. passim) ;

*a **culpa** jejunare* ([3]) (v. § 282) ;

autres ex. *ab omni nos **culparum** labe purifica* (secr. 17 sept.),
purifiez-nous de toutes les souillures de nos péchés ;

*Mens ecce torpet impia, Quam **culpa** mordet noxia* (hymn.
mat. fer. 5), voici, dans sa langueur, l'âme coupable, en proie
au remords de sa faute funeste.

Abominatio peut désigner un péché particulièrement odieux,
tel que la sodomie (Lev. 18, 22) ; mais, dans le latin de l'A. T.,
il s'agit plus souvent de l'abomination constituée par l'idolâtrie (§ 160).

Excessus, action de sortir de la voie droite, excès :

ex. *qui nos ... ab humanis retrahat semper **excessibus*** (secr.
fer. 3 p. d. 3 Quadr., Gel. III, 39), qui nous empêche de tomber
sans cesse dans les excès de la nature humaine ;

*sensus ... nostros a noxiis retrahamus **excessibus*** (or. fer. 2
p. d. 3 Quadr. ; *a noxio retrahamus **excessu***, Leon. 1307), afin
que nous tenions nos sens à l'écart des excès coupables.

§ 414 Le péché étant l'injustice par excellence, celle qui
consiste à violer la loi de Dieu (cf. 1 Jo. 3, 4 cit. § 411 et Aug.
cit. § 392), il est fréquemment désigné par le mot *iniquitas* :

ex. *odisti omnes qui operantur **iniquitatem*** (Ps. 5, 7), tu
hais tous ceux qui font le mal ; cf. *operarii **iniquitatis*** (1 Mac.
3, 6 ; Luc. 13, 27) ;

*secundum multitudinem miserationum tuarum, dele **iniquitatem** meam* (Ps. 50, 3), en ta grande miséricorde, efface mon
péché ;

*multiplicatæ sunt **iniquitates** nostræ coram te* (Is. 59, 12), nos
fautes se sont multipliées devant toi ;

*ut Deus omnipotens auferat **iniquitatem** a cordibus eorum*
(or. 9 Parasc., Gel. I, 41, 416), que le Dieu tout-puissant enlève
toute injustice de leur cœur ;

*nos ab omni **iniquitate** custodi* (sup. pop. fer. 3 p. d. 3

---

3. Cf. *jejunus animus a vitiis* (P.-Nol. Ep. app. 2, 25) ; *Jejunet ut mens sobria A labe
prorsus criminum* (hymn. vesp. Quadr.).

Quadr., Greg. 54, 4), gardez-nous sans cesse de tout péché ;

*ut ... intercessionis ejus (Mariæ) auxilio a nostris **iniquitatibus** resurgamus* (postc. 7 dec., Greg. 147, 3), afin qu'aidés par son intercession, nous nous relevions de nos fautes ;

(au sens de *reatus) qui ex **iniquitate** nostra reos nos esse cognoscimus* (or. 22 jan., Greg. 25, 1), qui avons conscience de notre état de pécheurs.

Dans le latin des Psaumes, *iniquus* (adj. ou subst.), *iniqui* (11, 10 ; 27, 49 ; etc.), comme *impii, injusti*, désignent en général les pécheurs, les méchants, les impies.

Injustitia, injustice (ἀδικία), état de pécheur, (et concr.) péché :

ex. ***injustitiam** meam non abscondi* (Ps. 31, 5), je n'ai pas caché ma faute ;

*qui operantur **injustitiam*** (Ps. 93, 4) ;

*et **injustitia** in illo non est* (Jo. 7, 18) ;

*Deus, quem **injustitia** nostra incessanter offendit* (Leon. 499) ;

***injusti** punientur et semen **impiorum** peribit* (Ps. 36, 28) ;

*qui **injustos malosque** non deseris* (Leon. 909), (Dieu), qui n'abandonnez pas les pécheurs et les méchants.

Impietas (ἀσέβεια), mépris de Dieu, impiété : *pietas est cultura Dei, **impietas** est contemptus* (Ps.-Primas. In 2 Tim. c. 670B), la piété consiste à honorer Dieu, l'impiété à le mépriser ; (pour *impietas*, hétérodoxie, v. § 467 note 7) ;

*abnegantes **impietatem** et sæcularia desideria* (Tit. 2, 12), renonçant à l'impiété et aux convoitises de ce monde ;

(concr.) *secundum multitudinem **impietatum** eorum expelle eos* (Ps. 5, 11), pour leurs crimes sans nombre, chasse-les ;

impius (adj. ou subst.), impie, (et aussi) pécheur (v. ex. supra et § 393, 461) ;

*Deus, qui justificas **impium** et non vis mortem **peccatoris*** (or. divers., Greg. suppl. Alc. 191), ô Dieu, qui pardonnez à l'impie et ne voulez pas la mort du pécheur.

§ 415 Le péché « heurte » violemment la majesté divine : c'est du moins le sens étymologique, lorsqu'il s'agit des mots *offendere, offensio, offensa* ([4]) :

ex. *ut sitis sinceri et sine **offensa** in diem Christi* (Philipp. 1, 10), pour que vous soyez purs et sans reproche pour le jour du Christ ;

*hæc oblatio, q. D., ab omnibus nos purget **offensis*** (secr. m. vot. de S. Cruce), que cette offrande nous purifie de toutes nos fautes ;

*ut ... ab omnibus mundentur **offensis*** (or. d. 20 p. Pent., Gel. III, 16) ;

---

4. Pour *offensio, offendere*, concernant le scandale, v. § 454.

ut ad promissiones tuas sine **offensione** *curramus* (or. d. 12 p. Pent., Gelas. ap. Leon. 574), de pouvoir, sans trébucher, courir vers vos promesses (sauf dans cet ex., ainsi que dans l'expression *lapis offensionis*, § 454 note 5) le mot *offensio* désigne toujours, dans les oraisons, l'offense envers Dieu) ;

pro innumerabilibus peccatis et **offensionibus** *et negligentiis meis* (Offert.) ;

munera quæ ... pro nostris **offensionibus** *immolamus* (secr. 23 jul., Leon. 163).

Offendere signifie « heurter » dans le latin de la Vulgate, et « offenser » (Dieu), dans les oraisons :

ex. *qui majestatem tuam graviter delinquendo* **offendimus** (or. 6 oct.), qui avons, par nos fautes, gravement offensé votre Majesté ;

Deus, qui culpa **offenderis**, *pænitentia placaris* (or. fer. 5 p. Cin., Greg. 36, 1), ô Dieu, que le péché offense et que la pénitence apaise.

§ 416 Les mots *facinus* ([5]), *scelus, crimen* assimilent le péché à un acte criminel :

ex. *ante conspectum divinæ clementiæ tuæ* **facinora** *sua deplorantibus* (or. 1 ben. Cin.), à ceux qui, en présence de votre divine miséricorde, déplorent leurs péchés ;

facinora *nostra ... expelle* (Greg. 201, 34) ;

(redondance) *iniquitatum nostrarum* **facinora** (Moz. L. sacr. 364) ;

propter **scelera** *populi mei percussi eum* (Is. 53, 8), pour les péchés de mon peuple, je l'ai frappé (le Serviteur de Yahvé) ;

præsta, ut hoc tuum sacramentum ... sit ablutio **scelerum** (postc. p. vivis et def. ; *abolitio peccatorum*, Leon. 876), faites que votre sacrement ... nous purifie de nos crimes ;

quamvis tanta sint nostra **facinora** (Leon. 136), malgré l'énormité de nos fautes ; **scelera** *nostra* (Leon. ibid.) ;

hujus nos, Domine, perceptio sacramenti mundet a **crimine** (postc. fer. 6 p. d. 3 Quadr., Greg. 57, 3), Seigneur, que la communion à ce sacrement nous purifie du péché ; *purget a* **crimine** (postc. fer. 2 p. d. 2 Quadr., Greg. 46, 3) ;

quo per eam (abstinentiam) ... **criminibus** *careamus* (Moz. L. sacr. 328), afin que, grâce à elle, nous soyons exempts de péché ; cf. *peccatis carere* (ibid. 1008) ;

ad ... peccatorum **crimina** *abluenda* (Moz. L. ord. 18), pour les laver de la culpabilité de leurs fautes (au baptême) ;

Resolve culpæ vinculum, Everte moles **criminum** (hymn. vesp. fer. 4), dénouez le lien du péché, écartez le fardeau de nos fautes ;

---

5. En Act. 18, 14, *facinus* désigne un méfait au regard de la loi civile.

*Laudes canentes martyris Absolve nexu **criminis*** (hymn. comm. un. mart.), déliez des liens du péché ceux qui chantent les louanges de votre martyr.

§ 417 Le péché est le mal moral, *malum* : ex. Ps. 50, 6 (cit. § 411) ; *libera nos a malo* (v. § 73) ;

*ut non simus concupiscentes **malorum*** (1 Cor. 10, 6), pour que nous n'ayons pas de convoitises mauvaises ;

*oramus autem Deum, ut nihil **mali** faciatis* (2 Cor. 13, 7).

Dans les oraisons, il s'agit soit des calamités en général de la vie présente, *mala præsentia* ou *præsentis vitæ, mala imminentia* (comme *adversa, adversitas*),

soit du mal moral, soit des deux à la fois :

ex. *qui **malorum** nostrorum pondere premimur* (or. 2 sabb. Quat. T. Quadr., Greg. 44, 3), qui sommes accablés sous le poids de nos mauvaises actions ; cf. *peccatorum pondere* (or. 12 mart. et passim, Greg. 30, 1) ;

*ab omnibus **malis**, sanctæ Mariæ Magdalenæ patrociniis, eruamur* (postc. 22 jul.), que le patronage de sainte Marie-Madeleine nous délivre de tous les maux ;

*flere **mala** quæ fecimus* (sup. pop. sabb. p. d. 4 Quadr., Greg. 65, 4) ;

*omnia in nobis vitiorum **mala** mortifica* (or. 28 dec., Gel. I, 8), faites mourir en nous tous nos penchants pervers (v. *vitium*, § 424).

§ 418 *Noxius* signifie : nuisible moralement, donc coupable :

ex. *ut declinemus **noxios** appetitus* (Leon. 977), d'écarter tous nos désirs mauvais ;

*ut a **noxiis** delectationibus elongentur* (or. comm. sanc. p. al. loc.), pour qu'ils se tiennent à l'écart de tous les plaisirs mauvais ;

***noxias** delectationes vitare* (Gel. III, 17, 1281) ;

*a **noxiis** voluptatibus* (secr. d. 1 Quadr., Gel. I, 18, 106) ;

*a **noxiis** vitiis* (or. fer. 4 p. d. 2 Quadr., Gel. I, 26, 205) ; *culpa noxia* (§ 413) ;

*Absit libido sordidans Et omnis actus **noxius*** (hymn. mat. dom.), loin de nous la concupiscence impure et tout acte coupable (modif. *Absint faces libidinis*).

Le substantif neutre signifie : l'acte coupable, le péché, ou ce qui est nuisible spirituellement :

ex. *tuis semper auxiliis et abstrahatur (ecclesia tua) a **noxiis** et ad salutaria dirigatur* (or. d. 14 p. Pent., Gel. III, 10), que votre soutien continuel la délivre de tout mal et la conduise vers ce qui la sauve ;

*Vitemus omne **noxium*** (« *Veni, Creator* ») ;

*Ut tollat omne **noxium*** (hymn. laud. d. 1 Adv., en parlant du Christ *qui tollit peccata mundi*).

Dans les hymnes, *noxa* ([6]) a aussi ce sens :

ex. *Ne **noxa** corpus inquinet* (Prud. Cath. 2, 104; laud. fer. 5), que le péché ne souille nos corps ;

*Dimitte **noxam** servulis* (Ps.-Ambr. Hymn. 78, 28 ; vesp. comm. un. mart.).

§ 419 Le péché est une souillure, une sorte de maladie morale contractée par notre condition humaine : *inquinamentum* (Tert. ; Hier. ; Ambr. ; Greg.-M.) :

*mundemus nos ab omni **inquinamento** carnis et spiritus* (2 Cor. 7, 1), purifions-nous de toute souillure de la chair et de l'esprit ;

macula *peccati* ou *peccatorum* (or. passim ; Greg. 8, 2, etc.) ;

*omnium cupiditatum **fetoribus** careant* (Gel. I, 30; ord. bapt. adult. Rit. R. ; cf. Hilar. Mat. 24, 7), loin d'eux la puanteur de toutes les passions ;

*ab omni nos **labe** purifica* (secr. 17 sept.) ; v. ex. *labes* (§ 42 ; 223) ;

*quæ (peccata) pro nostra fragilitate **contraximus*** (or. d. 23 p. Pent., Greg. 163, 1), que notre faiblesse humaine nous a fait commettre ; v. *contraxerunt* (§ 401) ;

*populum tuum ... ab omni fac animæ et corporis **contagione** securum* (or. 16 aug. p. al. loc.), gardez votre peuple, au moral comme au physique, à l'abri de tout contact impur ;

*(animæ) terrenis exutæ **contagiis*** (postc. p. plur. def. ; *anima exuta*, Leon. 1147), dégagées des souillures terrestres ;

*emundati ab omni **contagione** criminum* (Moz. L. ord. 416) ;

*præsta ut ... ab omni **colluvione** peccati ... reddamur innoxii* (Miss. Goth. 420), accordez-nous d'être à l'abri de toute souillure du péché ; *a colluvione peccati purgari* (Leo-M. Serm. 66, 4) ;

*nostris nos **piaculis** exuens* (secr. 2 jul., 8 sept. ; *a nostris*, Greg. 156, 2), nous dépouillant de nos souillures ;

*Ut auferas **piacula**, **Sordesque** mentis abluas* (hymn. mat. fer. 5), d'enlever nos péchés et laver les souillures de notre âme ;

*Ut **expiatos sordibus** Reddat polorum sedibus* (hymn. mat. dom.), et, lavés de nos souillures, il nous rende aux demeures célestes.

Une blessure, en faisant allusion au péché originel comme au péché en général : *dignitas conditionis humanæ, per immoderantiam **sauciata*** (or. fer. 5 p. d. Pass., Leon. 193), la dignité de la condition humaine blessée par ses excès.

Une maladie invétérée, en parlant aussi bien du péché

---

6. Un ex. dans la Vulgate : *dimitte eis hanc noxam* (Ex. 32, 31).

originel pour l'humanité sauvée, que du péché individuel pour le pénitent réconcilié :

populus tuus, q. D., renovata semper exultet animæ juventute, ut qui ante peccatorum veternoso in mortis venerat **senio,** *nunc lætetur in pristinam se gloriam restitutum* (Gel. I, 55), que votre peuple ... éprouve sans cesse la joie de voir rénovée sa jeunesse spirituelle, afin que, lui qui avait été conduit auparavant dans la décrépitude mortelle par l'ancien péché, se réjouisse maintenant d'être rétabli dans sa gloire ancienne.

Une fièvre : *ut ... vitiorum* **æstibus** *obsistamus* (postc. comm. sanc. p. al. loc., missa « *Da nobis* »), pour que nous puissions résister à la chaleur des passions ;

vitiorum nostrorum **flammas** *exstinguere* (or. 10 aug., Greg. 143, 1), éteindre le feu de nos passions (comme saint Laurent a surmonté les flammes) ;

Deus, qui tribus pueris mitigasti flammas ignium, concede propitius, ut nos famulos tuos non exurat **flamma vitiorum** (or. 7 sabb. Quat. T. Adv. ; *flammas igneas*, Gel. II, 60), ô Dieu, qui avez adouci pour les trois enfants la chaleur des flammes, faites que le feu des passions ne brûle pas vos serviteurs (allusions fréquentes à cette fournaise, *caminus ignis ardentis*, Dan. 3, 17 : cf. Gel. II, 85, 1176 ; Moz. L. ord. 75) ;

Exstingue **flammas** *litium, Aufer* **calorem noxium** (hymn. sext. dom.), éteignez l'ardeur des disputes, dissipez toute chaleur mauvaise.

§ 420 Le péché est un égarement, *error*, hors de la voie droite (v. § 426), une prévarication, *prævaricatio*, une transgression, *transgressio*, une tricherie avec la loi, *fraus* :

ex. *qui converti fecerit peccatorem ab* **errore** *viæ* (Jac. 5, 20), celui qui ramènera le pécheur de son égarement ;

secundum desideria **erroris** (Ephes. 4, 22), au fil des convoitises décevantes ;

qui te peccatorum suorum **errore** ([7]) *læserunt* (Miss. Goth. 422), qui vous ont offensé en s'égarant dans leurs péchés ;

quæ (oblatio sacrificii) nos ab **erroribus** *universis potenter absolvat* (secr. p. vitand. mortal., Gel. III, 38), nous délivre de tous les égarements ;

ablato vetustatis **errore** (or. fer. 5 Cen. Dom., Gel. I, 41, 396), supprimant les erreurs du vieil homme ;

Pallens fatiscat cæcitas, Quæ nosmet in præceps diu **Errore** *traxit devio* (hymn. laud. fer. 5 ; modif. *facessat*), que cesse, en pâlissant, la nuit aveugle, qui longtemps nous a conduits à l'abîme en nous égarant hors du chemin.

Facientes **prævaricationes** *odivi* (Ps. 100, 3), j'ai détesté les dévoyés ;

---

7. Cf. *Maria quæ nescit errorem* (Ambr. Luc. 2, 28), qui ignore le péché. Erreur doctrinale (v. ex. § 351).

prævaricatio (⁸) *legis* (παράβασις, Rom. 2, 23) ; *ubi enim non est lex, nec prævaricatio* (Rom. 4, 15), en l'absence de loi, il n'y a pas non plus de prévarication.

Propter ***transgressiones*** *(lex) posita est* (Gal. 3, 19), elle a été posée en vue des transgressions ; ***transgressor*** *legis* (Jac. 2, 11) ; ***transgressi sunt*** *leges* (Is. 24, 5).

Fraudis *novæ ne casibus Nos error atterat vetus* (hymn. vesp. fer. 2), de peur que, nous faisant tomber dans un nouveau manquement, l'égarement ancien ne nous écrase ; cf. ***fraudis-que*** *pectus conscium* (Prud. Cath. 2, 10), notre conscience coupable ; v. § 223, en parlant de la faute d'Adam ;

ce mot désigne plus souvent la fourberie du démon (§ 321) ; et quelquefois l'hérésie : ***Fraudis*** *venena nesciat* (hymn. laud. fer. 2), que (notre foi) ignore les poisons de l'erreur.

Le péché est comparé à un mauvais ferment, opposé à la pureté de l'azyme :

expurgate vos vetus ***fermentum***, *ut sitis nova conspersio, sicut estis azymi* (1 Cor. 5, 7), purifiez-vous du vieux levain, pour être une pâte nouvelle, puisque vous êtes des azymes ;

neque in ***fermento malitiæ et nequitiæ***, *sed in azymis sinceritatis et veritatis* (ibid. 8), non avec un levain de malice et de perversité, mais avec des azymes de pureté et de vérité.

§ 421 Le péché est une chute :

ex. *itaque qui se existimat* ***stare***, *videat ne* ***cadat*** (1 Cor. 10, 12), que celui donc qui se flatte d'être debout prenne garde de tomber ;

succurre ***cadenti***, ***surgere*** *qui curat, populo* (ant. « *Alma Redemptoris* »), venez au secours de votre peuple, qui cherche à se relever de ses chutes ;

attende ne forte ***labaris*** *in lingua et* ***cadas*** (Eccli. 28, 30), évite les faux pas dans tes paroles, de peur de tomber ; cf. ***lapsus*** *falsæ linguæ* (ibid. 20, 20), écart de langage ; *qui lingua non sunt* ***lapsi*** (or. 16 mai. p. al. loc.), dont la langue n'a jamais péché (⁹) ;

sine te ***labitur*** *humana mortalitas* (or. d. 14 p. Pent., Gel. III, 10), sans vous les faibles mortels sont sujets à tomber ;

Lapsis *fides revertitur* (hymn. laud. dom.), la confiance revient à ceux qui sont tombés ;

reddit innocentiam ***lapsis*** (« *Exultet* », Miss. Gall. 25), (cette nuit) rend l'innocence aux pécheurs ;

Nescire ***lapsus*** *criminum* (hymn. vesp. fer. 5), ignorer les chutes dans le péché ;

---

8. *Prævaricatio, transgressio, fraus* s'appliquent aussi au péché originel (§ 223). En parlant de l'hérésie : *prævaricatio veritatis* (Leon. 282).

9. La discrétion de saint Jean Népomucène, gardant héroïquement le secret de la confession, est aussi rappelée dans cette oraison par les paroles du Psalmiste : *posui ori meo custodiam* (38, 2), j'ai mis une garde à ma bouche ; cf. Ps. 140, 3).

et Israel et Ephraim **ruent** *in iniquitate sua* (Os. 5, 5), Israël comme Ephraïm s'écrouleront dans leur iniquité ;

Nullis **ruamus** ([10]) *actibus* (hymn. mat. fer. 6), pour que notre conduite ne tombe pas dans le péché ;

Discedat omne **lubricum** (hymn. laud. sabb.), que disparaisse tout ce qui fait chanceler.

Un naufrage : ex. *nec ignorantia fallente* **mergamur** (Gel. III, 5), que, trompés par l'ignorance, nous ne fassions pas naufrage ;

ne vitiorum gurgite **mergamur** (Moz. Psalt. 363), de ne pas plonger dans le gouffre du vice.

§ 422 Un aveuglement :

ex. **incrassatum** *est enim cor populi hujus* (Act. 28, 27), l'âme de ce peuple s'est épaissie ; cf. Is. 6, 9-10 ;

quia tenebræ **obcæcaverunt** *oculos ejus* (1 Jo. 2, 11), parce que les ténèbres ont aveuglé ses yeux ;

Judæorum **obcæcatio** (Leo-M. Serm. lect. 6 Epiph.) ; cf. *auribus surdis* (§ 392) ;

exaudi preces nostras quas pro illius populi **obcæcatione** *deferimus* (or. 8 Parasc.), écoutez les prières que nous vous adressons pour ce peuple aveuglé ;

alienati sunt a vita Dei ... propter **cæcitatem** *cordis ipsorum* (Ephes. 4, 18), ils sont devenus étrangers à la vie de Dieu à cause de l'endurcissement de leur cœur ;

ut ... corda nostra ... omnium vitiorum **cæcitate** *careant* (or. 3 ben. cand. 2 febr.) ;

omnem **cæcitatem** *cordis ab eo expelle* (or. bapt. adult. Rit. R., Greg. 81) ([11]) ;

(nox) quæ **peccatorum** *tenebras columnæ illuminatione purgavit* (Miss. Goth. 225), qui a dissipé les ténèbres du péché grâce à l'éclat de la colonne de feu ;

cordis nostri **tenebras** *lumine tuæ visitationis inlustra* (Gel. II, 83) ;

ut Deus et Dominus noster auferat **velamen** *de cordibus eorum* (or. 8 Parasc., Gel. I, 41, 414), que notre Dieu et Seigneur enlève le voile de leurs cœurs ;

crassam **nubem** *scinde peccatorum* (Moz. L. ord. 279), percez la nuée épaisse des péchés ; *detersa* **nube** *peccaminum* (Miss. Goth. 185) ; **caligo** *peccatorum* (Miss. Goth. 225, p. 60, 16).

L'endurcissement du cœur :

ex. *nolite* **obdurare** *corda vestra* (Ps. 94, 8), n'endurcissez pas vos cœurs ;

1.0 Cf. *ne ... in fornicationes vel adulteria corruantur* (Aug. Nupt. et conc. 1, 14, 16).
11. Les ténèbres de la nuit symbolisent celles du cœur qui doivent se dissiper : *Repelle tu caliginem* (hymn. mat. fer. 5).

V. *cæcitas*, au sens intellectuel, § 466.

*cum **induratus** esset Pharao* (Ex. 13, 15), comme le Pharaon s'endurcissait dans son entêtement ;

(intr.) *curva cervicem ejus in juventute ... ne forte **induret*** (Eccli. 30, 12), fais-lui courber l'échine pendant sa jeunesse, de peur qu'il ne s'endurcisse ;

dura cervice *et incircumcisis cordibus et auribus vos semper Spiritui Sancto resistitis* (Act. 7, 51), nuques raides, oreilles et cœurs incirconcis, vous résistez toujours à l'Esprit Saint ;

aures suas aggravaverunt, *ne audirent* (Zach. 7, 11), ils endurcirent leurs oreilles pour ne pas entendre (v. autres sens de *aggravare* dans le Dict.) ;

· *in **obstinatis** peccatorum cordibus* (or. 26 nov. p. al. loc.), dans les cœurs endurcis des pécheurs ;

*educ de cordis nostri **duritia** lacrymas compunctionis* (or. p. petit. lacr.), tirez de notre cœur endurci les larmes du repentir ;

duritiam *nostri cordis emollire* (postc. 26 febr. p. al. loc.) ;

duritiam *nostri cordis averte* (Leon. 188).

Le péché constitue une entrave et une lourdeur :

ex. *quod nostra peccata **præpediunt*** (cit. § 56) ;

*nostrorum peccatorum **pondus*** (or. 12 mart., Greg. 30, 1) ;

*impediente **mole** delicti* (Moz. L. sacr. 945) ; *criminum **mole*** (ibid. 701) ; **moles** *facinorum* (Miss. Goth. 59) ;

*præsta ut ... peccatorum nostrorum **onere** non premamur* (Moz. Psalt. 330), faites que nous ne soyons pas écrasés sous le poids de nos péchés ;

sarcinam *criminum portare* (Moz. L. sacr. 678) ; *peccatorum* **sarcina** (Gel. I, 42, 427).

Une chaîne : *delictorum meorum **catena** constrictus* (Moz. L. ord. 262), enchaîné par mes péchés.

§ 423 Le mot *reatus* (de *reus*, coupable, pécheur) désigne notre état de pécheurs dû au péché originel, mais aussi notre culpabilité en général, et par extension nos péchés eux-mêmes :

ex. *qui ex iniquitate nostra **reos** nos esse cognoscimus* (cit. § 414) ;

*Solve vincla **reis*** (« *Ave, maris stella* »), délivrez les pécheurs de leurs chaînes ;

*Ingemisco tanquam **reus*** (« *Dies iræ* »), je gémis, conscient de ma faute ;

*præsta ut hoc sacramentum non sit nobis **reatus** ad pœnam* (postc. p. vivis et def., Leon. 876), faites que ce sacrement ne constitue pas pour nous un titre à nous faire châtier ;

*qui conscientiæ **reatu** constringuntur* (postc. p. tent. et tribul., Greg. suppl. Alc. 192), ceux qu'étreint le remords de leur conscience ;

*a **reatibus** absolvere, expedire* (or. passim, Greg. 52, 3 ; 64, 3, etc.) ;

*ut **reatus** nostros munera sacrata purificent* (postc. 14 oct., Greg. 171, 3), que ces dons consacrés purifient nos fautes ;

*nostri **reatus** confessio* (or. fer. 4 p. d. 4 Quadr., Gel. I, 27, 239) ;

*Nostrum **reatum** dilue* (hymn. laud. comm. un. mart.).

§ **424** En demandant d'en être délivrés, les oraisons confessent souvent nos dispositions au péché (v. Faiblesse humaine, § 400, 401), ainsi que la perversité, les vices, la concupiscence qui nous y entraînent :

ex. *nostræ voluntatis **pravitatem** frangere* (or. p. proph. 1 vigil. Pent., Greg. 110, 1), briser notre volonté mauvaise ;

*ob **pravitatis** nostræ demeritum* (or. 2 ben. Cin.), pour ce qu'a mérité notre perversion ;

*vincula nostræ **pravitatis** absolvat* (secr. 30 jul., Greg. 66, 2);

***vitiorum** monstra devitare* (or. p. rege) ;

*(Filius Dei) ab omnium **vitiorum** vos immunes reddat illecebris* (Moz. L. sacr. 172), vous mette à l'abri des attraits de tous les vices ; cf. *facinorum illecebræ* (ibid. 798) ;

*ut jejunium hoc ... animas nostras ab omni **vitiorum** impugnatione defendat* (Moz. L. sacr. 437), que ce jeûne défende nos âmes contre tous les vices qui les assiègent ; *incentiva **libidinum*** (Moz. L. sacr. 955) ;

*exstingue S. Spiritus rore nostrorum **incentiva vitiorum*** (ibid. 252), éteignez, grâce à la rosée du Saint-Esprit, les passions qui nous excitent ;

***vitia** nostra purgentur* (postc. d. oct. Nat., Gel. Cagin 95) ;

*a **vitiis** absolvi, emundari, erui, expiari* (or. et Sacram. passim) ;

*Ut **probra** nostra diluas* (hymn. mat. dom.), de laver nos hontes ;

*a nostris **perversitatibus** expediri, expiari* (v. Libération, § 73 et suiv. ; Purification, § 283) ;

*a cordibus nostris **concupiscentiam** carnis et oculorum ... auferat* (secr. ad postul. humil.), enlève de nos cœurs toute concupiscence charnelle et visuelle ;

*humana **concupiscentia*** (Leon. 1244) ; ce terme de *concupiscentia* est fréquent dans le latin biblique et patristique.

Le vocabulaire concernant les différents péchés n'appartient pas au latin liturgique.

LEX VIVENDI

I

LA VOIE DROITE

1. LA CONDUITE DU JUSTE, LA VOIE

§ 425 Termes désignant la conduite, la manière de vivre.

Conversatio (¹) : ex. *in sancta conversatione permansit* (Tob. 14, 17), continua à mener une vie sainte ;

audistis enim **conversationem** *meam aliquando in Judaismo* (Gal. 1, 13), vous avez appris en effet que j'ai vécu jadis dans le judaïsme ;

secundum pristinam **conversationem** (Ephes. 4, 22), selon votre ancienne manière de vivre ; cf. **conversatus** *sine querela* (Philipp. 3, 6), vivant sans reproche ;

conversatio *digna, pia, sancta* (or. et Sacram. passim) ;

ut hæc sacrosancta mysteria ... præsentis vitæ nos **conversatione** *sanctificent* (secr. d. 8 p. Pent., Gel. III, 4), que ces mystères sacrés nous fassent mener une vie sainte en ce monde ;

conversatione *tibi placeat* (or. 25 jul., Leon. 363), que sa conduite vous plaise.

Vita : ex. *ut per ea (munera)* **vita** *nostra inter adversa et prospera ubique dirigatur* (secr. 11 nov.), afin qu'ils nous fassent mener une vie droite à travers tous les revers ou les succès ;

ut fidem tuam, quam lingua nostra loquitur, etiam moribus **vita** *fateatur* (or. 28 dec., Gel. I, 8), pour que la foi en vous exprimée par nos paroles soit aussi affirmée par notre conduite (V. oppositions analogues au chp. 4) ;

miram **vitæ** *innocentiam* (or. 21 jun. S. Al. Gonz.) ; cf. *innocentia* (abs.) : *Deus, innocentiæ restitutor et amator* (sup. pop. fer. 4 p. d. 2 Quadr., Gel. I, 52), ô Dieu, qui restaurez et aimez l'innocence ;

angelicis ... da moribus **vivere** (postc. 21 jun.), accordez-nous de vivre comme des anges (après avoir été nourri du pain des anges) ;

innocenter, pie, veraciter **vivere** (or. passim) ; *recte* **vivere** (postc. 14 oct., Greg. 171, 3) ; *laudabiliter* **vivere** (Leon. 1104, p. 139, 12) ;

in sancta conversatione **viventes** (postc. p. omni grad. eccl., Gel. I, 28, 267) ;

---

1. On a vu *conversatio* au sens péjoratif (§ 401), c'est le cas le moins fréquent. D'autre part ce mot s'emploie aussi au sens de *conversio*, action de retourner, se retourner : ex. *in conversatione faciei* (Eccli. 18, 24) ; et au sens spirituel de conversion (Hilar. Mat. 17, 8 ; Leo-M. Serm. 21, 3).

v. d'autres termes, *mores*, etc. au chp. 4, les actes (§ 435 et suiv.).

§ 426 De nombreuses métaphores assimilent notre conduite à une route, une marche.

Via : ex. *custodire* **viam** *Domini* (Gen. 18, 19, et Vulg. passim) ;

quoniam novit Dominus **viam** *justorum ; et iter impiorum peribit* (Ps. 1, 6), car le Seigneur connaît la voie des justes ; mais celle des impies se perdra ;

non est Deus in conspectu ejus ; inquinatæ sunt **viæ** *illius in omni tempore* (Ps. 9, 26), Dieu est loin de sa pensée, et ses voies sont impures en tout temps ;

Deus, qui errantibus, ut in **viam** *possint redire justitiæ, veritatis tuæ lumen ostendis* (or. d. 3 p. Pasch.), ô Dieu, qui montrez la lumière de votre vérité à ceux qui sont perdus, pour qu'ils puissent retrouver le chemin du devoir ; cf. *qui errantes, ut in* **via** *possint redire*, ... (Gel. I, 58; cf. Leon. 75), où il s'agit du paganisme) ;

ut ... **viam** *mandatorum tuorum dilatato corde curramus* (postc. 26 nov. p. al. loc.), de pouvoir nous élancer de grand cœur dans la voie de vos commandements (cf. Ps. 118, 32) ;

via *humilitatis, innocentiæ, perfectionis* (or. passim) ;

via *salutis* (Leon. 241 ; Greg. 123, 1) **via** *recta* (Prov. 29, 27, etc.).

Semita : ex. *dirige me in* **semitam** *rectam* (Ps. 26, 11) ;

deduxit me super **semitas** *justitiæ* (Ps. 22, 3) ;

ut ... *per justitiæ* **semitas** *sine offensione gradiatur* (Gel. III, 24, 1314), qu'il avance sans broncher sur le juste chemin ;

deduc me in **semitam** *mandatorum tuorum* (Ps. 118, 35) ;

per omnes vitæ **semitas** *in via perfectionis* (or. 21 aug.), par tous les sentiers de la vie sur la voie de la perfection ;

perfice gressus meos in **semitis** *tuis* (secr. ad postul. carit., Gel. III, 26 ; Ps. 16, 5), assurez nos pas dans vos sentiers ;

da cordibus nostris illam tuarum rectitudinem **semitarum** (Leon. 237), donnez à nos cœurs cette droiture dans vos voies (que réclamait saint Jean-Baptiste ; le thème de la voie, *rectas facite* **semitas** *ejus*, Luc. 3, 4, est repris dans les oraisons du 23 et du 24 juin par le mot *via*, Leon. cap. XIII ; Greg. 125, 5; Miss. R.).

§ 427 *Gressus* : ex. *et ponet in via* **gressus** *suos* (Ps. 84, 4), placera ses pas sur le chemin ;

et **gressus** *rectos facite pedibus vestris* (Hebr. 12, 13), rendez droits vos pas ;

custodiet (Dominus) rectorum salutem, et proteget **gradientes** *simpliciter* (Prov. 2, 7), il assurera le salut des justes et protégera ceux qui marchent dans la simple honnêteté ;

concede propitius, ut ... *per ejus ad te exempla* **gradiamur** (or. comm. virg. et mart., Greg. 153, 1), daignez nous accorder de suivre à son exemple le chemin qui mène à vous ;

judica me, Domine, quoniam ego in innocentia mea **ingressus** *sum* (Ps. 25, 1), fais-moi justice, Seigneur, car j'ai marché ([2]) en toute innocence.

Ambulare, marcher, avancer, se conduire, est fréquent dans la Vulgate : ex. *ambulare cum Deo* (Gen. 6, 9) ; *coram Deo* (Gen. 17, 1) ; *in conspectu Dei* (Gen. 24, 40) ; etc. ;

si autem dereliquerint filii ejus legem meam, et in judiciis non **ambulaverint** (Ps. 88, 31), mais si ses fils abandonnent ma loi et ne marchent pas selon mes justes commandements ;

in ipso (Christo) **ambulate** *radicati et superædificati in ipso* (Col. 2, 6), c'est en lui qu'il vous faut marcher, enracinés et édifiés en lui ;

ut ... ita et nos in novitate vitæ **ambulemus** (Rom. 6, 4), pour marcher nous aussi dans une vie nouvelle ;

inordinate **ambulare** (2 Thess. 3, 6; Leon. 530), se conduire mal ;

ut ... per ostensum salutis **tramitem ambulemus** (postc. comm. plur. conf. pont. p. al. loc.), pour avancer dans la voie du salut qu'ils nous ont tracée.

Perambulare : ex. **perambulabam** *in innocentia cordis mei* (Ps. 100, 2).

Incedere : ex. **incedentes** *in omnibus mandatis ... sine querela* (Luc. 1, 6), suivant d'une manière irréprochable tous les commandements.

§ **428** *Sequi, sectari*, suivre : ex. *(Christus) vobis relinquens exemplum, ut* **sequamini** *vestigia ejus* (1 Petr. 2, 21) ;

(sancti) vestigia ou *exempla sequi, prosequi, sectari, vestigiis inhærere* (or. passim et v. § 106) ;

ut apostolicæ fidei doctrinæque vestigia vel longe **sequamur** *imitando* (Leon. 998), de suivre, même de loin, les traces de l'enseignement et de la foi des apôtres ;

gentes quæ non **sectabantur** *justitiam* (Rom. 9, 30), des païens qui ne poursuivaient pas de justice ;

te solum Deum pura mente **sectari** (or. d. 17 p. Pent. ; *te solum, Domine, puro corde* **sectari**, Gel. III, 13), de vous suivre d'un cœur pur, vous qui êtes notre seul Dieu ;

et illa respuere quæ huic (christiano) inimica sunt nomini, et ea quæ apta sunt **sectari** (or. d. 3 p. Pasch., Gelas. ap. Leon. 75), repousser tout ce qui est indigne de cette profession (chrétienne) et s'attacher à ce qui lui est conforme ;

quæ divina sunt jugiter **exsequentes** ([3]) (postc. fer. 3 p. d.

---

2. Même en latin classique *ingredior* peut avoir le sens de *gradior*.
3. Plus souvent *exsequi* signifie : accomplir.

Pass., Greg. 68, 3), recherchant sans cesse ce qui est divin ;
cf. **ambire** *quæ recta sunt* (Leon. 423), rechercher le bien (opp.
à *vitare noxia*).

Dirigere signifie aussi : mettre dans la bonne voie, la voie
droite :

ex. **dirige** *actus nostros in beneplacito tuo* (or. 5 jan., Greg. 15,
1), dans votre bienveillance, dirigez notre conduite.

2. LA LOI DIVINE

§ 429 Dans la Vulgate, *lex* désigne

1) la loi mosaïque, l'ancienne loi : ex. *qui* **in lege** *sunt* (Rom.
3, 19) ; **ex lege** *sunt* (Rom. 4, 14), en parlant des Juifs ;

2) le Pentateuque en particulier ou l'Ancien Testament en
général : ex. *solvere* **legem** *aut prophetas* (Mat. 5, 17, cit. §
168) ;

3) la loi chrétienne, la religion chrétienne : ex. **lex** *fidei* (Rom.
3, 27) ; **lex** *Christi* (Gal. 6, 2) ;

omnis enim **lex** *in uno sermone impletur : diliges proximum
tuum sicut te ipsum* (Gal. 5, 14) ; cf. *diliges amicum tuum sicut
te ipsum* (Lev. 19, 18, cité plusieurs fois dans les Évangiles) ;

plenitudo ergo **legis** *est dilectio* (Rom. 13, 10), la charité est
donc la loi dans sa plénitude.

4) Chez les Pères, *lex* désigne aussi la loi de Dieu en général,
écrite ou non : ex. **lex** *non scripta* (Tert. Jud. 2) ; *divinæ* **legis**
præcepta (Leo-M. Ep. 12, 2).

Les premiers sens se retrouvent dans les oraisons :

ex. *Deus, qui dedisti* **legem** *Moysi in summitate montis Sinai*
(or. 25 nov.) ;

hoc patriarchæ ... signaverunt ; hoc illa **legis** *observantia
figuralis adseruit* (Leon. 1241), (ce caractère sacré et mystique
du mariage) les patriarches l'ont marqué ; il a été affirmé par
les observances de cette loi qui n'était qu'une figure ;

instituta **legalia** *et sanctorum præconia prophetarum* (Leon.
247), les institutions de la loi et les proclamations des saints
prophètes ; **legales** *hostiæ* (§ 234) ;

Observata **lege** *plene Cibis in* **legalibus** (« *Pange, lingua* »,
Thom.-Aq.), en observant pleinement la loi avec les mets
rituels ;

... juxta **legitima** *Priscis indulta patribus* (« *Sacris solemniis* »), selon les rites légaux accordés à nos pères.

Ex. concernant les autres sens de *lex* :

ut bono et prospero sociata consortio **legis** *æternæ jura
custodiat* (Leon. 1110, p. 140, 19), afin que, dans une union
heureuse et prospère, elle garde les règles de la loi éternelle ;

pro sacra connubii **lege** (secr. p. spons., Greg. 202, 2 ; *pro
sacra* **lege** *conjugii*, Leon. 1106), en raison du caractère sacré
du mariage ;

dirige ... sensus, sermones et actus nostros in **lege tua** (or. prim.), faites que nos pensées, nos paroles et nos actions soient en conformité avec votre loi ;

lex *Domini irreprehensibilis* (Vulg. *immaculata*), *convertens animas* (Ps. 18, 8, Intr. sabb. p. d. 2 Quadr.), la loi du Seigneur est parfaite, elle réconforte les âmes.

§ 430 Les commandements.

Dans les Psaumes, *judicium* signifie parfois : disposition juste, loi (de Dieu) : ex. *a* **judiciis** *tuis non declinavi, quia tu legem tuam posuisti mihi* (Ps. 118, 102), de ta loi je ne me suis pas détourné, car c'est toi qui me l'a enseignée; cf. 88, 11 ; *secundum* **judicium** *legis* (1 Mac. 2, 24), selon le commandement de la loi ;

de même *justificatio* : ex. *inclinavi cor meum ad faciendas* **justificationes** *tuas* (Ps. 118, 112) ; *ad custodiendas* **justificationes** *tuas* (118, 5).

Præceptum : ex. **præceptum** *Domini lucidum, illuminans oculos* (Ps. 18, 9), les préceptes du Seigneur sont clairs, ils sont lumière pour les yeux ;

præcepta *Dei* (Eccli. 6, 37) ; **præcepta** *Domini* (2 Petr. 3, 2) ; **præceptum** *Domini* (1 Cor. 7, 25) ;

tuis **præceptionibus** *inhærentes* (Miss. Goth. 135) ; mais, chez les Pères, *præceptio* désigne plutôt un ordre particulier : ex. *momento divinæ* **præceptionis** *mundus assurgens* (Ambr. Hex. 1, 8, 32), (à la création) le monde qui surgit à l'ébranlement de l'ordre divin ;

tuorum **præceptorum** *rectitudinem in omnibus adimplere* (or. p. proph. 1 vigil. Pent., Greg. 110, 1), suivre toujours vos commandements avec droiture ;

ut ... ad suavem odorem (¹) **præceptorum** *tuorum lætus tibi in ecclesia tua deserviat* (or. ord. bapt. imp. man. Rit. R., Gel. I, 30), pour qu'imprégné du parfum suave de vos commandements il vous serve avec joie dans votre Église ;

quæ nobis agenda **præcipis** (or. 17 mart.) ; v. autres ex. de *præceptum, mandatum*, au chp. suivant.

Mandatum : ex. *quia omnia* **mandata** *tua æquitas* (Ps. 118, 172), car tous tes commandements sont justice ;

et si quod est aliud **mandatum**, *in hoc verbo instauratur : diliges proximum tuum* ... (Rom. 13, 9), et s'il y a un autre commandement, il se résume en cette formule : tu aimeras... ;

mandata *tua ... sectantes* (Leon. 5) ;

divinis inhærendo **mandatis** (Gel. I, 82) ;

corda nostra **mandatis** *tuis dedita* (or. m. p. pace, Gel. III, 56), voués à vous obéir ;

ut ... tuorum potius repleantur delectationibus **mandatorum**

---

1. Opposé à *cupiditatum fetoribus*.

(sup. pop. fer. 5 p. d. Pass., Greg. 70, 4), qu'ils soient plutôt rassasiés des joies de vos commandements ;

tuis ... *servire* **mandatis** (sup. pop. fer. 5 p. d. 3 Quadr., Greg. 56, 4).

Jussa : ex. *legis æternæ jussa* (var. de *jura*, Gel. III, 52, p. 210, 10) ;

(participe) *quæ a te jussa cognovimus* (or. p. proph. 5 vigil. Pent., Greg. 110, 2), les commandements que vous nous avez fait connaître ;

Jussus, -us, il s'agit d'un ordre particulier de Dieu, non des commandements : *jussu tuo* (or. 1 ben. cand. 2 febr.).

3. LA DISCIPLINE,
L'OBEISSANCE AUX LOIS DE DIEU

§ 431 *Disciplina* signifie, entre autres sens, l'enseignement, la doctrine religieuse (§ 171) ; le mot signifie aussi, pour le point de vue qui concerne ce chapitre : la foi morale, la discipline, l'esprit de discipline et d'obéissance à la loi de Dieu :

ex. *bonitatem et* **disciplinam** *et scientiam doce me* (Ps. 118, 66), apprends-moi le bien, la discipline et le savoir ;

noli negligere **disciplinam** *Domini* (Hebr. 12, 5 ; cf. Prov. 3, 11) ;

muniat infirmitatem suam robore **disciplinæ** (or. ben. nupt., Leon. 1110, p. 140, 26), qu'elle fortifie sa faiblesse par une morale énergique.

Dans certains cas, le mot peut s'appliquer à la morale comme à la doctrine : *mentes nostras cælestibus instrue* **disciplinis** (or. fer. 2 p. d. 1 Quadr. ; *institue*, Gel. II, 85, 1170), éclairez nos âmes par vos enseignements divins ;

quibus (antistitibus) dedisti regimen **disciplinæ** (or. 3 jul. p. al. loc.), à qui vous avez confié le gouvernement spirituel.

§ 432 De même *doctrina* : ex. (morale) *sit (uxor) ... pudore venerabilis,* **doctrinis** *cælestibus erudita* (or. ben. nupt., Leon. p. 140, 28), qu'elle soit respectable par sa pudeur, instruite de la loi divine ;

(doctrine) *Deus, qui ... beatum Joannem (Damascenum) cælesti* **doctrina** *... imbuisti* (or. 27 mart.), ô Dieu, qui avez rempli saint Jean d'une science céleste ;

suscipiat, te, Domine, largiente, hodie in bono opere perseverantiam ... in **doctrina** *pervigilantiam* (Pont. Rom.-Germ. 26, 7), par votre grâce, Seigneur, que (l'abbé qui vient d'être consacré) reçoive aujourd'hui la persévérance dans les bonnes œuvres, ... une vigilance incessante dans la doctrine.

La discipline céleste peut être la grâce, le jeûne, la parole de Dieu qui nous instruit et que l'on doit aimer :

divina **institutione** *formatos* (secr. fer. 3 p. Septuag. p. al.

loc., comme dans le Canon, allusion au Pater, cf. Greg. I, 31) ;

da populis tuis id amare quod **præcipis** (or. d. 4 p. Pasch. et passim, Gel. I, 59) ;

ut illa legis iteratio fieret etiam nostra **directio** (or. p. lect. 4 vigil. Pasch., Gel. I, 43, 440), pour que cette promulgation nouvelle de la loi (par la lecture à l'office) en fasse notre règle de conduite.

§ 433 Termes désignant l'obéissance à la loi, l'observation de la loi.

Obedientia (et *obeditio*) : ex. *animas vestras castificantes in obœdientia caritatis* (1 Petr. 1, 22), sanctifiant vos âmes dans l'obéissance à la charité ;

servi estis ejus cui obœditis, sive peccati ad mortem, sive **obœditionis** *ad justitiam* (Rom. 6, 16), vous êtes les esclaves de celui à qui vous obéissez, soit du péché pour la mort, soit de l'obéissance pour la justification ;

Deus, qui, in Abrahæ famuli tui opere, humano generi **obedientiæ** *exempla præbuisti* (or. p. proph. 1 vigil. Pent., Greg. 110, 1), ô Dieu, qui, dans la conduite de votre serviteur Abraham, avez montré au genre humain des exemples d'obéissance ;

fac nos tuis ... semper **obedire** *mandatis* (postc. fer. 3 p. d. 2 Quadr., Greg. 47, 3).

Quelquefois le verbe simple *audire* signifie, non seulement entendre la parole de Dieu, mais aussi la mettre en pratique : ex. *qui vos audit, me audit* (Luc. 10, 16).

Observatio et *observantia* : ex. *circumcisio nihil est ; sed* **observatio** *mandatorum* (1 Cor. 7, 19), la circoncision n'est rien ; ce qui compte, c'est l'observation des commandements ;

annua quadragesimali **observatione** (or. d. 1 Quadr., Greg. 38, 1), par l'observance annuelle de la loi du Carême (*observatio quadragesimæ*, suppl. Alc.) ;

observationes *sacras annua devotione recolentes* (or. fer. 2 p. d. 4 Quadr., Gel. I, 26, 215), pratiquant chaque année avec zèle ces saintes observances ;

ut, quod **observantia** *nostra profitetur extrinsecus, interius operetur* (secr. sabb. Quat. T. Quadr., Gel. I, 25, 175), afin que se réalise à l'intérieur de notre âme ce que nous accomplissons par nos observances extérieures ;

observantia *quadragesimalis* (secr. fer. 6 p. Cin., Greg. 37, 2) ;

observantia *paschalis* (Gel. I, 28, 275), même sens ;

mandata **observare** (1 Jo. 2, 3) ;

ut ... castitatis munditiam **observemus** *in corpore* (postc. plur. conf. non pont. p. al. loc.), afin que nous puissions garder notre corps pur et chaste ;

le verbe simple s'emploie aussi : ex. *mandata* **servare** (1 Jo. 3, 24) ;

corporis et mentis **servare** *puritatem* (or. miss. « *Deus meus* »
p. al. loc.).

Garder les commandements : *mandata* **custodire** (1 Jo. 2, 4;
Ps. 88, 3 et passim) ; cf. *legis æternæ jura* **custodire** (cit. § 429) ;
fac me tuis semper **inhærere** *mandatis* (or. ante comm.) ;
tuis servitiis **inhærentes** (Leon. 588), ceux qui sont attachés
à vous servir.

Accomplir, *implere, adimplere* :

ex. *alter alterius onera portate, et sic* **adimplebitis** *legem
Christi* (Gal. 6, 2), portez les fardeaux les uns des autres, de
cette façon vous accomplirez la loi du Christ ;

ut, quæ te auctore facienda cognovimus, te !*operante* **im-
pleamus** (or. fer. 3 p. d. 2 Quadr., Gel. I, 17, 85), afin que,
grâce à votre action en nous, nous puissions accomplir les
devoirs que vous nous avez appris ;

quæ nobis agenda præcipis ... **adimplere** (or. 17 mart.) ;

implere *tua præcepta* (or. p. remiss. pecc.) ; v. autres ex.
§ 430 et 438.

Exsequi : ex. *in* **exsequendis** *mandatis tuis* (or. d. 1 p. Pent.,
Gel. I, 62), dans l'accomplissement de vos commandements.

§ 434 Accomplir les commandements, c'est servir Dieu,
se faire son serviteur ; c'est ainsi que nous rencontrons ici
certains termes déjà mentionnés à propos du service de Dieu
(§ 1 ; 2 ; 21) ; l'adoration, la dévotion s'expriment aussi par
des actes :

servite *Deo in timore* (Ps. 2, 11) ;

ita nunc exhibete membra vestra **servire** *justitiæ in sanctificationem* (Rom. 6, 19), offrez de même aujourd'hui vos membres
au service de la justice (de la sainteté) pour vous sanctifier ;

servire *mandatis, tibi* **servire, deservire** (or. et Sacram.
passim) ;

ut ... tibi placitis moribus dignanter **deservire** *concedas*
(postc. Sexag., Greg. 33, 3 et passim), de vous servir comme il
convient par une conduite qui vous plaise.

Les mots *servitus, servitium* peuvent de même s'appliquer
à la conduite :

ex. *ut (renati) ... puram tibi exhibeant* **servitutem** (coll.
vigil. Pasch., Gel. I, 45, 454), afin qu'ils puissent se donner
complètement à votre service ;

ut hoc solemne jejunium ... devoto **servitio** *celebremus* (or.
sabb. p. Cin., Gel. I, 17, 100), de pratiquer ce jeûne annuel
avec un fervent empressement ;

ut jejuniorum veneranda solemnia ... secura **devotione**
percurrant (or. fer. 4 Cin., Greg. 35, 2 ; *procurant = procurent*,
Gel. II, 60, 1037), de pratiquer jusqu'au bout avec une ferveur
inaltérable ces jeûnes vénérables qui reviennent tous les ans ;

da nobis, q. D., perseverantem in tua voluntate **famulatum** (sup. pop. fer. 3 p. d. Pass., Greg. 68, 4), accordez-nous de demeurer au service de votre volonté en toute persévérance (dans la même formule de Gel. I, 40, il s'agit du service du clergé).

Famulari s'applique au service de Dieu auquel s'est donné le prêtre (ex. or. in collat. sacr. ord., Leon. 874), plus rarement à la conduite des fidèles (ex. or. ad tollend. schisma). On a vu des ex. de *famulus, servus*, au chapitre XIV, 3 et 6 de la IIe Partie.

4. LES ACTES, LES ŒUVRES

§ 435 *Opus*, pl. *opera*, est le terme le plus fréquent pour désigner soit nos actes, notre conduite bonne ou mauvaise :

ex. **opera** carnis, fornicatio, immunditia... (Gal. 5, 19) ;

opera tenebrarum (Rom. 13, 12) ;

opera ejus (Cain) maligna (1 Jo. 3, 12) ;

opera illorum (mortuorum) sequuntur illos (Apoc. 14, 13), leurs œuvres les accompagnent ;

reddet unicuique secundum **opera** sua (Rom. 2, 6), il rendra à chacun selon ses œuvres ; secundum **opera** (Ep. passim) ;

soit nos bonnes œuvres, notre bonne conduite :

ex. sic et fides, si non habeat **opera**, mortua est in semetipsa (Jac. 2, 17), ainsi en est-il de la foi : si elle n'a pas les œuvres, elle est tout-à-fait morte ;

(le plus souvent avec une détermination) ad omne **opus bonum** instructus (2 Tim. 3, 17), équipé pour toute bonne œuvre ;

bonum **opus** (passim) ; bonis **operibus** (Tit. 3, 8) ; **opera** vestra bona (Mat. 5, 16) ;

non ex **operibus** justitiæ, quæ fecimus nos (Tit. 3, 5), non des œuvres de justice que nous avons pu accomplir.

Le sens péjoratif n'apparaît pas dans les oraisons du Missel [1] :

ex. **bonis operibus** abundare (or. d. oct. Nat. Dom., Greg. 15, 1) ; bona opera (or. passim) ;

bonis operibus jugiter ... esse intentos (or. d. 16 p. Pent., Greg. 204, 24), être sans cesse attentifs à pratiquer le bien ;

bonis operibus inhærendo (sup. pop. fer. 6 p. d. 2 Quadr., Greg. 50, 4) ;

(en parlant du jeûne et des bonnes œuvres du Carême) pia **opera** (Leo-M. Serm. lect. 5 d. 1 Quadr.) ; (mais au sens

---

1. Ex. en dehors des oraisons, dans la vigile pascale, au renouvellement des promesses baptismales : abrenuntiatis Satanæ ... et omnibus operibus ejus ? (Gel. I, 42, 421) ; cf. abrenuntio (Satanæ) et omnibus operibus ejus (ord. bapt. Rit. R., Greg. 83, 3) ; quos (hostes) perpeti malis operibus promeremur (Leon. 617), que nous méritons d'avoir à supporter à cause de notre mauvaise conduite.

Voir dans le lexique *opus*, au sens de travail.

général) comme *bona opera* : **pia opera** *imitari* (Leon. 768) ;
piis operibus *indesinenter (plebem tuam) exerce* (Leon. 670),
inspirez-lui sans cesse de pratiquer le bien ;

(sing.) **opere** *exercere quod docuit* (or. 17 aug., Leon. 753),
pratiquer ce qu'il nous a enseigné ;

ut ... in fide inveniantur stabiles et in **opere** *efficaces* (sup.
pop. fer. 4 p. d. 2 Quadr., Greg. 48, 4), afin qu'ils se révèlent
fermes dans la foi et efficaces dans leur action ; cf. Col. 1, 23 ;

ut ... nos ejus intercessio et **verbo et opere** *tibi reddat acceptos*
(secr. 25 apr.), que son intercession nous rende agréables à vos
yeux par nos paroles et par nos actes ; cf. *ore et* **opere** (or.
6 jun.), par sa parole et sa conduite ; on verra plus loin d'autres
exemples de cette opposition.

§ 436 *Operatio* désigne souvent, dans les oraisons, l'action
de Dieu, de la grâce, des sacrements (V. § 249, 272, etc.).

Mais il peut aussi avoir le même sens que *opus* :

ex. *in* **operationem** *immunditiæ* (Ephes. 4, 19), en se livrant
à la débauche ;

(non péjoratif) *ostendat ex bona conversatione* **operationem**
suam in mansuetudine sapientiæ (Jac. 3, 13), qu'il fasse voir
par une bonne conduite des actes empreints de douceur et de
sagesse ;

ut cuncta nostra oratio et **operatio** *a te semper incipiat et per
te cœpta finiatur* (or. p. lect. 4 sabb. Quat. T. Quadr., Greg. 44,
7), que toutes nos prières et toute notre activité commence
toujours par vous, et, une fois engagée, soit achevée par vous.

§ 437 Autres termes désignant notre conduite, nos actes,
en opposition souvent avec les pensées ou les paroles.

Mores ([2]) : ex. *sint* **mores** *sine avaritia* (Hebr. 13, 5), que
votre conduite soit exempte de cupidité ;

corrumpunt **mores bonos** *colloquia mala* (1 Cor. 15, 33), les
conversations (ὁμιλίαι, rencontres, fréquentations) mauvaises
corrompent les bonnes mœurs ;

hæc (festa paschalia) **moribus et vita** *teneamus* (or. d. 1 p.
Pasch., Greg. 95, 1), les prolonger en nous par notre manière
de vivre ;

mores *digni, boni* (or. passim) ; **mores** *placiti* (or. et Sacram.
passim), conduite qui plaît à Dieu ;

sacrificium purgatis **moribus** *offerre* (Leon. 863) ;

(en opposition avec les paroles) v. ex. à *vita* (§ 425) ; *renuntia-
te (diabolo) non solum* **vocibus**, *sed etiam* **moribus** (Ps.-Aug.
Symb. lect. 6 vigil. Pent.) ;

vera fides est quæ, in hoc quod **verbis** *dicit,* **moribus** *non*

---

2. La version de la Vulgate présente un emploi de *mos* qui est inhabituel : *Deus,
qui inhabitare facit unius moris in domo* (Ps. 67, 7), Dieu, qui fait habiter d'un seul
cœur dans la maison (ce qui est loin du sens originel).

contradicit (Greg.-M. Hom. ev. 29, lect. 11, 8 aug. Brev. Mon.), la vraie foi est celle qui ne contredit pas par la conduite ce qu'elle affirme en paroles.

Actus : ex. *exspoliantes vos veterem hominem cum **actibus** suis* (Col. 3, 9), vous dépouillant du vieil homme avec ses agissements ;

*dirige **actus** nostros* (v. cit. § 428) ; ***actus** (sanctorum) imitari* (or. 14 jan., Greg. 19, 1) ;

*qui tibi placere de **actibus** nostris non valemus* (or. 15 aug. vet. ord., Greg. 149, 1), qui ne pouvons vous plaire par nos propres actes.

Actio : ex. *da, ut renatis fonte baptismatis una sit fides mentium et pietas **actionum*** (or. fer. 5 p. Pasch., Greg. 92, 1 ; *populo ad æternitatem vocato*, or. p. proph. 10 sabb. sc. vet. ord., Gel. I, 43), accordez à ceux qui sont renés dans les eaux du baptême d'avoir une même foi dans leur âme et une même ardeur dans leur conduite ;

(singulier plus fréquent) *oblatio nos, Domine, ... de die in diem ad cælestis vitæ transferat **actionem*** (secr. d. 2 p. Pent., Gel. I, 65, 588), que cette offrande, Seigneur, nous porte de jour en jour à mener une vie céleste ;

*ut in exsequendis mandatis tuis et voluntate tibi et **actione** placeamus* (or. d. I p. Pent., Gel. I, 62), pour que, dans l'accomplissement de vos commandements, nous soyons capables de vous plaire par notre volonté et par nos actes (non seulement accomplir les commandements, mais mettre toute volonté à plaire à Dieu) ;

propria actio (v. § 401) ; v. *gerere, facere voluntatem Dei* (§ 503).

Le pluriel *acta* est rare : ex. ***Acta** apostolorum* (= *Actus*) (Cypr. Ep. 72, 1) ; (sans parler de *acta*, actes, procès-verbaux : *acta martyrum, pontificum*, etc.).

§ 438 *Agere* : ex. *qui bona fecerunt ... qui vero mala **egerunt*** ([3]) (Jo. 5, 29), ceux qui auront fait le bien ... mais ceux qui auront fait le mal ;

*ut et quæ **agenda** sunt videant, et ad implenda quæ viderint, convalescant* (or. oct. Epiph., Greg. 16, 1), afin qu'ils voient ce qu'il faut faire, et qu'ils aient la force de l'accomplir, une fois l'avoir vu ;

*ut videre possimus quæ **agenda** sunt ; et, quæ recta sunt, **agere** valeamus* (sup. pop. fer. 4 Quat. T. Quadr., Greg. 41, 5) ; *agendi* opp. à *cogitandi* (or. d. 8 p. Pent., Leon. 1015).

Facere, facta : ex. *sive ergo manducatis, sive bibitis, sive aliud quid **facitis** omnia in gloriam Dei **facite*** (I Cor. 10, 31) ; *qui audit verba mea et **facit** ea* (Mat. 7, 24) ;

---

3. *Bene, male, inique, impie, injuste agere* (Vulg. passim).

*Si autem spiritu **facta** carnis mortificaveritis, vivetis* (Rom. 8, 13), mais si par l'Esprit vous faites mourir les œuvres du corps, vous vivrez ;

*da nobis digne flere mala, quæ **fecimus*** (sup. pop. sabb. p. d. 4 Quadr., Greg. 65, 4), accordez-nous de pleurer comme il convient le mal que nous avons commis ;

*quæ, te auctore, **facienda** cognovimus* (v. cit. § 433) ;

*estote **factores** ([4]) verbi, et non auditores tantum* (Jac. 1, 22), mettez en pratique la parole, au lieu de vous contenter de l'entendre ;

*non enim auditores legis justi sunt apud Deum, sed **factores** legis* (Rom. 2, 13), ce ne sont pas les auditeurs de la loi qui sont justes, devant Dieu, mais les observateurs de la loi (οἱ ποιηταὶ νόμου) ;

*præsta ... ut ... quæ tibi sunt placita, et **dictis** exsequamur et **factis*** (or. d. 6 p. Epiph., Gel. III, 66), faites qu'en actes et en paroles nous accomplissions ce qui vous plaît ; (v. des oppositions analogues, par ex. *verbo et exemplo*, § 452) ;

*da mentibus nostris, ut quod professione celebramus, imitemur **effectu*** (or. fer. 6 p. Pasch., Greg. 93, 1), faites que nous soyons disposés à reproduire par nos actes ce que nous célébrons par notre profession de foi.

§ 439 Une conduite droite suppose une conscience droite
*da nobis in eodem Spiritu **recta sapere*** (or. Pent., Greg. 112, 1), accordez-nous, par ce même Esprit, d'avoir le goût de ce qui est droit ; cf. *spiritu **cogitandi quae recta** sunt* (cit. § 397) ;

*semper **rationabilia** meditantes* (or. d. 6 p. Epiph., Greg. 202, 36), méditant constamment les choses spirituelles ([5]) ; cf. *semper quæ sancta sunt meditantes* (Leon. 587).

Conscientia : ex. *quo hic bene vivamus et ad te de hac vita ... ... secura **conscientia** properemus* (Moz. L. sacr. 1), afin que, après avoir bien vécu sur cette terre, nous quittions cette vie dans l'empressement de vous rencontrer en toute sécurité de conscience ;

(péjor.) *conscientiæ nostræ obstaculis* (cit. § 401) ;

*pro **conscientia** delictorum* (or. 1 ben. Cin.) ;

conscientiæ reatus (Gel. I, 38, 360), sa conscience coupable.

---

4. En latin chrétien, les noms en *-tor* remplacent souvent un verbe : v. Manuel du latin chrétien, § 20.

5. *Rationabilis*, spirituel (Rom. 12, 1 ; 1 Petr. 2, 2 ; Hilar. Trin. 1, 22 ; Ambr. Sacram. 4, 5, 21 ; Canon Gel. et Greg., v. § 247 note 1).

II

LE COMBAT SPIRITUEL

1. LA LUTTE

§ 440 Nous avons déjà vu l'Église comparée à un camp. De nombreuses métaphores assimilent la lutte spirituelle à un combat, ou du moins à une compétition : *non veni pacem mittere, sed* **gladium** (Mat. 10, 34) ;

arma militiæ *nostræ non sunt carnalia* (2 Cor. 10, 4), les armes de notre combat ne sont pas charnelles ;

non est nobis **colluctatio** (¹) *adversus carnem et sanguinem, sed adversus principes et potestates, adversus mundi rectores tenebrarum harum, contra spiritalia nequitiæ in cælestibus* (Ephes. 6, 12), ce n'est pas contre des adversaires de chair et de sang que nous avons à lutter, mais contre les principautés et les puissances, contre les régisseurs de ce monde de ténèbres, contre les esprits du mal qui habitent les espaces célestes ;

concede nobis, Domine, **praesidia militiæ** *christianæ sanctis inchoare jejuniis, ut, contra spiritales nequitias* **pugnaturi**, *continentiæ muniamur* **auxiliis** (or. impos. Cin., Leon. 207), accordez-nous, Seigneur, d'inaugurer notre garde dans le combat chrétien par ces saints jeûnes, afin qu'ayant à lutter contre les esprits du mal, nous soyons défendus par les renforts de l'abstinence ;

certa *bonum* **certamen** *fidei* (1 Tim. 6, 12), mène le bon combat de la foi ;

nullus coronabitur (²), *nisi qui legitime* **certaverit** (2 Tim. 2, 5), aucun athlète ne reçoit la couronne, s'il n'a lutté selon les règles ;

ut, ejus auxilio et imitatione **certantes** *in terris, coronari cum ipso mereamur in cælis* (or. 31 jul.), que, luttant sur la terre avec son secours et son exemple, nous méritions d'être couronnés avec lui dans les cieux ;

jejunando orandoque **certarunt** (Leon. 387) ;

ut ... per patientiam curramus ad propositum nobis **certamen** *et cum eis percipiamus* « *immarcescibilem gloriæ coronam* » (præf. 1 nov. ; cf. 1 Petr. 5, 4), afin que nous courrions courageusement au combat qui nous est offert et que nous recevions avec eux la couronne incorruptible ;

v. le combat du martyre (§ 110) ; de l'agonie (§ 407) ;

ut ... consummato cursu **certaminis**, *immortalitatis* **bravium** *apprehendant* (secr. fer. 6 p. Cin. p. al. loc.), afin que, après

---

1. Saint Augustin présente cette citation en employant le mot *lucta* : *ad quam luctam nos armat Apostolus dicens* (Enarr. psal. 54, 1).

2. Cf. *bravium* (βραβεῖον) (1 Cor. 9, 24 ; Philipp. 3, 14), le prix.

avoir terminé la course, ils saisissent le trophée de l'immortalité ; *hujus sæculi* **certamen** (v. § 405) ;

ut ... regnum Domini Salvatoris, nondum consummato **certamine**, *palam solus aspiceret* (Leon. 680), de sorte que (saint Étienne), avant d'avoir achevé son combat, apercevait déjà clairement, à lui seul, le royaume du Sauveur, son Maître ;

Deus, qui beato confessori tuo Fernando **prœliari prœlia** *tua ... dedisti* (or. 30 mai. p. al. loc.), ô Dieu, qui avez accordé à votre saint confesseur Ferdinand de combattre votre combat (allusion au combat contre les infidèles) ;

propugnator, en parlant de saint Étienne, roi de Hongrie (v. § 105) ;

propugnator se dit aussi en parlant des martyrs ou des confesseurs de la foi : **propugnatores** ([3]) *fidei* (secr. 29 apr.) ; **propugnatores** *tuos a paganorum defende periculis* (postc. c. pagan. ; *ab hostium nos defende*, Leon. et Gel.) (ce qui peut s'appliquer aux guerres matérielles, comme les croisades).

§ 441 Il faut être armé pour cette lutte :

propterea accipite **armaturam** *Dei ... State ergo* **succincti** *lumbos vestros in veritate et induti* **loricam** *justitiæ ... in omnibus sumentes* **scutum** *fidei ... Et* **galeam** *salutis adsumite et* **gladium** *spiritus, quod est verbum Dei* (Ephes. 6, 13-17), c'est pourquoi revêtez l'armure de Dieu ... Tenez-vous donc debout avec la vérité pour ceinture et la justice pour cuirasse ... ayant toujours en main le bouclier de la foi ... Mettez le casque du salut et prenez le glaive de l'Esprit, c'est-à-dire la parole de Dieu ;

sicut lumbos **præcincti** (or. sabb. B. M. V. de Consol. p. al. loc.) ;

quos per lignum sanctæ Crucis Filii tui **arma justitiæ** *pro salute mundi* **triumphare** *jussisti* (postc. 3 mai., Gel. II, 18), nous que vous avez voulu faire triompher grâce au bois de la sainte croix de votre Fils, armes de justice ; v. *arma justitiæ* (§ 484).

Le ceinturon est un symbole de chasteté :

postea detur ei **balteum** *pudicitiæ* (Sacram. Greg. M. c. 240C), qu'ensuite on lui donne (au clerc) la ceinture de chasteté ; v. zona (§ 373).

2. LES ÉPREUVES ET LES TRIBULATIONS

§ 442 V. le monde (§ 402 et suiv.).

Le mot *tribulatio*, évoquant le battage du blé avec une herse (*tribula*), est très fréquent dans la Vulgate pour désigner

---

3. Cf. *propugnatores hæresum* (Rustic. ap. Conc. Schwartz I, 4, p. 9, 12).

le malheur et l'affliction, ainsi que les verbes *tribulare, tribu-lari* :

ex. *in **tribulatione** mea invocavi Dominum* (Ps. 17, 7) ;

*multæ **tribulationes** justorum, et de omnibus his liberabit eos Dominus* (Ps. 33, 20) ;

*dies iræ, dies illa, dies **tribulationis** et angustiæ* (Soph. 1, 15).

De même dans le latin patristique et les oraisons :

ex. *et continuis **tribulationibus** laborantem (populum tuum) propitius respirare concede* (sup. pop. fer. 3 p. d. 4 Quadr., Leon. 449), lui qui est en proie à de continuelles tribulations, que votre bonté lui permette de reprendre haleine ;

*preces de quacumque **tribulatione** clamantium* (or. 6 Parasc., Gel. I, 41, 411), les prières de ceux qui crient vers vous du fond de toutes leurs souffrances ;

*ad Dominum, cum **tribularer** clamavi* (Ps. 119, 1) ;

***tribulatis** succurre placatus* (or. p. quac. tribul.) ; ***laboranti-bus** celeri succurre placatus auxilio* (Leon. 576).

Autres termes ;

Aqua (Ps.), v. § 165.

Ærumna : ex. ***ærumnæ** sæculi et deceptio divitiarum* (Marc. 4, 19), les tracas du monde et la séduction des richesses ;

*de **ærumna** ejus mundi* (Moz. L. ord. 112).

*Abominatio **desolationis*** (Marc. 13, 14) s'applique à la ruine de Jérusalem et à la fin du monde ; cf. Dan. 9, 27) ; cf. § 160.

Angustia et *angustiari* (Hier. ; Aug. etc.) : ex. *tribulatio et **angustia** invenerunt me* (Ps. 118, 143), la tribulation et l'angoisse m'ont trouvé ;

*patimur, sed non **angustiamur*** (2 Cor. 4, 8), nous souffrons, mais nous ne sommes pas dans l'angoisse ; ***angustiati**, afflicti* (Hebr. 11, 37) ;

*inter **angustias** necessarium præstas auxilium* (Leon. 512).

Pressura, tribulation, affliction, malheur (Vulg. ; Cypr. ; Hier. ; Aug.) :

ex. *inter **pressuras** sæculi* (Gel. Cagin 1831) ;

*qui **pressuris** hujus mundi ... fatigamur* (Miss. Goth. 130).

Procella, tempête : ex. *hunc famulum tuum N. ad te de **procella** sæculi hujus ... fugientem* (Moz. L. ord. 86), qui se réfugie auprès de vous loin des tempêtes du siècle ;

procellosum** mare fluctuantis sæculi ... transeuntes* (Moz. L. sacr. 666), franchissant les flots déchaînés de la mer du siècle ; cf. *vita **procellosissima (Aug. Tr. ev. Jo. 124, 7).

Turbo et *turbedo*, ouragan, agitation : ex. *inter sæculi turbe-dines* (Leon. 478, var. *turbines*).

Vorago, gouffre tourbillonnant : ex. *a **voraginibus** hujus sæculi ad te accersiri* (Pont. Rom.-Germ. 149, 22), des orages de ce siècle être rappelé vers vous.

V L

§ 443 *Labor* est classique au sens de travaux, fatigues, souffrances :

ex. *vide humilitatem meam et* **laborem** *meum* (Ps. 24, 18) ;

fui ... in **labore** *et ærumna, in vigiliis multis, in fame et siti* (2 Cor. 11, 27), j'ai été dans la peine et les épreuves, veilles fréquentes, faim et soif ;

famulum tuum infirmitate corporis **laborantem** (or. m. p. infirm., Gel. III, 69), votre serviteur en proie à la maladie ;

calamitatibus **laborantem** (Leon. 356) ; v. ex. de *infirmitates, miseriæ* (§ 187).

Compunctio ne s'emploie, dans les oraisons, que pour la douleur du repentir (§ 92) ; mais, dans les Psaumes, au sens de douleur poignante :

ex. *ostendisti populo tuo dura, potasti nos vino* **compunctio-nis** (59, 5), tu en as fait voir de dures à ton peuple, tu nous a abreuvés d'un vin de malheur ;

compunctos *corde* (108, 17), les hommes au cœur brisé.

Afflictio accablement : ex. *quoniam humiliasti nos in loco* **afflictionis** (Ps. 43, 20), car tu nous a écrasés au séjour de l'affliction (au désert) ;

(en parlant des invasions) *respice ...* **afflictionem** *populi tui* (Leon. 594) ;

qui in **afflictione** *nostra de tua pietate confidimus* (coll. Rogat., Greg. 100, 7), qui, au sein de notre affliction, avons confiance dans votre bonté ;

qui juste pro peccatis nostris **affligimur** (or. Septuag., Gel. II, 85), qui sommes justement éprouvés à cause de nos péchés ;

qui nostris excessibus incessanter **affligimur** (or. 1 fer. 4 Maj. Hebd., Greg. 76, 1) ; v. *affligere*, mortifier (§ 448).

Flagellum, le fouet : ex. *congregata sunt super me* **flagella** (Ps. 34, 15), les malheurs se sont rassemblés au-dessus de moi ;

in labore hominum non sunt (iniqui), et cum hominibus non **flagellabuntur** (Ps. 72, 5), ils ne partagent pas la peine des hommes, comme les autres hommes on ne les verra pas frappés ;

flagella *iracundiæ tuæ* (or. fer. 5 p. Cin., Greg. 36, 1), les fléaux de votre colère ;

qui tuæ dispositionis **flagellis** *in hac vita atteritur* (secr. p. infirm.), qui est accablé ici-bas des maux voulus par vous ;

(populus tuus) dignis flagellationibus castigatus (sup. pop. fer. 5 p. Cin., Leon. 509), affligé des maux qu'il mérite ; v. *visitare, virga* (§ 158).

Perturbatio : ex. *ut nullis nos permittas* **perturbationibus** *concuti* (or. 28 jun., Greg. 128, 1), ne laissez aucun trouble nous ébranler ;

omni **perturbatione** *submota* (postc. c. pagan., Leon. 444).

Malum ne désigne pas seulement le mal moral, mais tous les maux dont nous demandons à Dieu d'être délivrés (v. § 73) : *mala imminentia, præsentia, præsentis vitæ* (or. passim) ; *adversitates, adversa, adversantia* (or. passim) ; *in necessitatibus* (or. passim) ; *omnia **adversantia** fortiter superare* (or. 25 mai.) ;

*cuncta nobis **adversantia** ... vincamus* (sup. pop. fer. 6 p. d. 3 Quadr., Greg. 57, 4).

§ 444 Les malheurs sont une épreuve méritée ou méritoire : v. une partie des exemples précédents ;

un exercice : ex. *contristatus sum in **exercitatione*** (¹) *mea, et conturbatus sum a voce inimici* (Ps. 54, 3), je suis triste dans mon épreuve, je suis troublé par les cris de l'ennemi ; interprétation de saint Augustin : *eamdemque passionem malorum hominum **exercitationem** suam dicit ... Omnis malus aut ideo vivit, ut corrigatur ; aut ideo vivit, ut per illum bonus **exerceatur*** (Enarr. psal. 54, lect. 4 fer. 5 Maj. Hebd.), cette souffrance de la part des méchants, il l'appelle son exercice ... Tout méchant vit pour se corriger ; ou bien vit pour éprouver le bon ;

scientes quod tribulatio patientiam operatur (Rom. 5, 3), sachant bien que la tribulation produit la constance ; v. la vertu de force (§ 490) ;

*quoniam probasti nos, Deus ; igne nos **examinasti** sicut **examinatur** argentum* (Ps. 65, 10), car tu nous a éprouvés, ô Dieu ; tu nous as épurés par le feu, comme on épure l'argent.

*Scripta sunt ad **correptionem** nostram* (1 Cor. 10, 11), (les punitions racontées dans l'A.T.) tout cela a été écrit pour nous avertir ; la *correptio*, c'est ordinairement la réprimande, qu'elle vienne d'un frère ou d'un supérieur (Tit. 3, 10 ; etc. ; Tert. ; Cypr. ; Hier. ; Aug.) ; mais le mot semble avoir été assimilé parfois à *correctio* :

ex. *ut **correptio** tua non sit neglegentibus major causa pœnarum* (Leon. 492), que votre punition ne devienne pas pour les fautifs un plus grand sujet de châtiment ;

*qui non operando justitiam **correptionem** meremur afflicti* (Greg. 201, 26), qui, pour ne pas pratiquer la justice, méritons d'être affligés et corrigés.

Notre Missel ne connaît que *correctio* : ex. *ad remedia **correctionis*** (postc. t. belli, Gel. III, 57), comme remèdes pour nous corriger ; *correctio* est fréquent aussi dans le Léonien.

*Quem autem diligit Dominus, **castigat*** (Hebr. 12, 6 ; cf. Apoc. 3, 19), celui que le Seigneur aime, il le corrige ;

---

1. Les mots *exercitatio, exercere* des traductions bibliques (ἀδολεσχεῖν, ἀδολεσχία, Sept.) ont été aussi compris au sens de « méditation, méditer », et par saint Augustin lui-même (Qu. Gen. 69 ; Enarr. psal. 118, 20, 5).

Deus, qui nos ... castigando sanas (postc. ad repell. temp.,
Leon. 582), ô Dieu, qui par le châtiment opérez notre guérison ;

qui nos ... percutiendo sanas (Gel. III, 57) ; cf. *percutiam
et ego sanabo* (Deut. 32, 39).

§ **445** La persécution : *beati qui persecutionem patiuntur
propter justitiam* (Mat. 5, 10) ; *persecutionem pati* (1 Cor. 4,
12) ;

si me persecuti sunt, et vos persequentur (Jo. 15, 20), s'ils
m'ont persécuté, ils vous persécuteront aussi ;

pro persecutoribus exorare (or. 26 dec. et passim, Greg.
10, 1) ;

pro persecutoribus supplicavit (Stephanus) (Leon. 671,
etc.).

Nos tourments peuvent se changer en joie, car nous ne
sommes pas abandonnés : *aporiamur, sed non destituimur* (2
Cor. 4, 8) ;

*plorabitis et flebitis vos, mundus autem gaudebit ; vos autem
contristabimini, sed tristitia vestra vertetur in gaudium* (Jo. 16,
20), vous pleurerez et vous lamenterez, tandis que le monde
se réjouira ; vous serez dans la tristesse, mais votre tristesse
se changera en joie.

3. LA TENTATION

§ **446** Les oraisons demandent fréquemment à Dieu de
nous délivrer de la tentation ([1]), v. § 73, 74 :

libera corda nostra de malarum tentationibus cogitationum
(or. ad repell. mal. cogit.) ;

ut ... ab omnibus tentationibus emundemur (postc. ad
postul. cont.) ;

ut ab omnibus, quæ nos pulsant, tentationibus liberemur (or.
p. concord. in congr., Gel. III, 27), pour que nous soyons
délivrés de toutes les tentations qui nous ébranlent ; *ad
tentationum pericula superanda* (or. fer. 3 p. d. Septuag. p.
al. loc.) ;

malorum spirituum fraudes vincere (or. 9 aug. p. al. loc.) ;
diabolicæ fraudis incursus (Leon. 418), les attaques du démon
rusé ; *diabolica fraus* (or. et Sacram. passim).

Les textes du N. T. nous avertissent d'avoir à veiller aux
tentations, et les présentent aussi comme une épreuve qui ne
dépasse pas nos forces :

---

1. Saint Grégoire le Grand rappelle, en une gradation, les trois aspects de la
tentation : *tribus modis tentatio agitur : suggestione, delectatione et consensu* (Hom. ev. 16,
lect. 9, d. 1 Quadr.).

vigilate et orate, ut non intretis in **tentationem** (Mat. 26, 41) ;

fidelis autem Deus est, qui non patietur vos **tentari** *supra id quod potestis, sed faciet etiam cum* **tentatione** *proventum, ut possitis sustinere* (1 Cor. 10, 13), on peut avoir confiance en Dieu : il ne permettra pas que vous soyez tentés au-delà de vos forces ; avec la tentation il vous donnera aussi le moyen de la supporter ;

beatus vir qui suffert **tentationem**, *quoniam, cum* **probatus** *fuerit, accipiet coronam vitæ, quam repromisit Deus diligentibus se* (Jac. 1, 12), heureux l'homme qui supporte l'épreuve ! Sa valeur une fois reconnue, il recevra la couronne de vie que Dieu a promis à ceux qui l'aiment.

Synonyme plus rare : *tentamentum* :

ex. *diaboli* **tentamenta** *vincentes* (Gel. II, 1, 804) ;

hostisque **tentamenta** *teterrimi ... ab eo (servo tuo) repellas* (Moz. L. ord. 40).

4. ASCÈSE, MORTIFICATION, RENONCIATION

§ 447 La mortification nous associe aux souffrances du Christ :

qui nunc gaudeo in passionibus pro vobis et adimpleo ea quæ desunt passionum Christi in carne mea (Col. 1, 24), en ce moment je trouve ma joie dans les souffrances que j'endure pour vous, et je complète en ma chair ce qui manque aux épreuves du Christ ;

si quis vult post me venire, abneget semetipsum et **tollat crucem** ([1]) **suam** *et sequatur me* (Mat. 16, 24), si quelqu'un veut venir à ma suite, qu'il se renie lui-même, qu'il se charge de sa croix et me suive ;

qui non **accipit crucem suam** *et sequitur me* (Mat. 10, 38) ;

qui non **bajulat crucem suam** *et venit post me* (Luc. 14, 27) ;

ad humilem tuæ **crucis** *sequelam* (or. 16 oct.), pour suivre humblement votre croix ;

ut ... **crucem** *jugiter feramus* (or. 17 sept.), de porter sans cesse notre croix (par la pénitence) ;

carnem **crucifigentes** (or. 9 jul. p. al. loc.), crucifiant notre chair ;

qui (Lucas) **crucis mortificationem** *jugiter in suo corpore ... portavit* (or. 18 oct., Gel. Cagin 1419), lui qui a constamment porté la croix en mortifiant son corps. Cf. 2 Cor. 4, 10.

Pour comprendre toute la force du terme *mortificare*, il

---

1. Le mot *crux*, chez les Pères, ne désigne pas seulement la souffrance, en particulier celle des martyrs, mais aussi la mortification (Tert. ; Hier. ; Ruf. ; etc.).

faut se rappeler que le premier sens en est « mettre à mort, tuer » ([2]) ; puis « mortifier, réprimer » :

mortificate ergo membra vestra (Col. 3, 5) ; *facta carnis* **mortificare** (cit. § 438) ;

carne **mortificati** (or. 19 oct.), nous mortifiant dans notre chair ;

omnia in nobis vitiorum mala **mortifica** (or. 28 dec., Gel. I, 8), faites mourir en nous tous les germes mauvais du vice.

« Mourir » au péché, v. Conversion (§ 462).

Autres termes désignant la mortification :

castigo *corpus meum et in servitutem redigo* (1 Cor. 9, 27), je châtie mon corps et le réduis en esclavage ;

quæ (mens nostra) se carnis **maceratione castigat** (or. fer. 3 p. d. 1 Quadr., Greg. 40, 1), qui se corrige en mortifiant sa chair ;

castigatio *carnis assumpta* (or. sabb. p. d. 2 Quadr., Leon. 1301), en nous chargeant de mortifier la chair ; v. *mitigare*, § 450 ;

corda nostra in jejunii **maceratione** ... *sanctifica* (Miss. Goth. 332) ;

ut, peccata nostra **castigatione** *voluntaria cohibentes, temporaliter potius* **maceremur**, *quam suppliciis deputemur æternis* (or. fer. 6 p. d. Pass., Greg. 71, 1), afin que, contenant nos péchés par une discipline volontaire, nous souffrions ainsi dans le temps, plutôt que d'être voués aux supplices pour l'éternité.

La mortification, comme toutes les bonnes œuvres, peut être regardée comme un sacrifice spirituel :

exhibeatis corpora vestra **hostiam** *viventem, Deo placentem* (Rom. 12, 1) ; cf. en parlant de la bienfaisance : *talibus enim* **hostiis** *promeretur Deus* (Hebr. 13, 16), c'est par de tels sacrifices que Dieu nous est rendu favorable.

§ 448 Termes se rapportant à l'abstinence :

(abs.) *abstinendo* (or. p. lect. 1 sabb. Quat. T. Sept., Leon. 894), par l'abstinence (distinct de *jejunando*, ibid.) ;

(intr.) *sicut ab escis carnalibus* **abstinemus** (or. fer. 2 p. d. 3 Quadr., Greg. 53, 1), de même que nous nous abstenons d'aliments de chair (ceci peut désigner le jeûne, si l'on entend *carnalis* au sens de « corporel, matériel » : cf. *ab escis* **corporalibus** *temperare*, Leon. 1307) ;

quos ab escis **carnalibus** *præcipis* **abstinere**, *a noxiis quoque vitiis cessare concede* (or. fer. 4 p. d. 2 Quadr., Gel. I, 26, 205), « ceux à qui vous ordonnez de s'abstenir de nourritures char-

---

2. Ex. *quærit mortificare eum* (*justum*) (Ps. 36, 32), il cherche à le faire mourir ; *mortificationem Jesu in corpore nostro circumferentes* (2 Cor. 4, 10), portant partout en notre corps les souffrances de mort de Jésus.

nelles, accordez-leur aussi d'abandonner leurs habitudes coupables » ; ceci peut donc désigner aussi le jeûne : cf. *a cibis* **corporalibus** *se abstinere* (or. 2 fer. 4 Quat. T. Sept., Greg. 164, 2) ;

ut familia tua, quæ **se** ([3]), *affligendo carnem, ab alimentis* **abstinet**, *sectando justitiam, a* **culpa jejunet** (or. fer. 2 p. d. 2 Quadr. ; *culpa jejunet*, Gel. II, 60 ; 1045), que vos serviteurs, qui se mortifient en restreignant leurs aliments, recherchent aussi la sainteté en pratiquant le jeûne du péché ([4]) ;

qui (populi tui) per **abstinentiam macerantur** *in corpore* (or. 2 fer. 4 Quat. T. Quadr., Greg. 41, 2), qui, par l'abstinence, mortifient leur corps ;

per rigorem **abstinentiæ** (Moz. L. sacr. 368) ;

da huic familiæ tuæ fidei calorem, **continentiæ rigorem** (Gel. Cagin 1818), accordez à vos serviteurs, ici présents, une foi ardente, une abstinence rigoureuse ;

Sic corpus extra conteri Dona per **abstinentiam, Jejunet ut** *mens sobria A labe prorsus criminum* (hymn. vesp. Quadr.), faites qu'ainsi l'abstinence mortifie notre corps, pour que notre âme, dans sa réserve, soit complètement à jeun de la souillure du péché (modif. *Concede nostrum conteri Corpus per abstinentiam, Culpæ ut relinquant pabulum Jejuna corda criminum*).

Ainsi les idées de jeûne et d'abstinence sont souvent mêlées.

§ 449 Le Carême : *quadragesima* (Hier. ; Aug. ; Sacram.) ; *observatio, observantia quadragesimæ,* ou *quadragesimalis, paschalis* (v. ex. § 433).

Cette observance, comme on l'a déjà vu, est mise en parallèle avec le profit spirituel : *ut* **observantiam**, *quam corporaliter exhibemus, mentibus etiam sinceris exercere valeamus* (or. fer. 6 p. Cin., Greg. 37, 1 ; *mentibus valeamus implere*, Gel. I, 17, 89), afin que nous puissions pratiquer sincèrement dans nos âmes la même modération que nous observons dans nos corps.

La liturgie applique au Carême les paroles que saint Paul employait pour désigner le temps réservé à la conversion avant que le Seigneur ne vienne : *ecce nunc* **tempus acceptabile** ([5]), *ecce nunc dies salutis* (2 Cor. 6, 2 ; ant. vesp. d. 1 Quadr.), « le

---

3. On peut dire *se abstinere ab aliqua re*, s'abstenir de ; ou *abstinere aliquid* (ou *aliquem) ab aliqua re*, tenir quelque chose (ou quelqu'un) à l'écart de. En modifiant la place des virgules, on aurait : *se affligendo, carnem ab alimentis abstinet,* en se mortifiant, tienne la viande à l'écart de ses aliments. Mais ce changement de virgule n'apparaît dans aucun Missel ni Bréviaire, pas plus qu'au samedi de la 3e semaine, où se retrouve la même formule ; aucune virgule dans le Gélasien (éd. Mohlberg.) Et pourtant certains ont traduit « s'abstiennent de viande ».

4. Figure courante (Tert. ; Hier. ; Aug. ; Cassian. ; Ambr. ; P.-Nol.).

5. Cf. *jejunium et diem acceptabilem Domino* (Is. 58, 5).

voilà maintenant le temps favorable, le voici maintenant le jour du salut ». Le Carême n'est-il pas, pour saint Augustin, une image de notre vie terrestre ? *In hoc sæculo quasi* **quadragesimam abstinentiae** *celebramus, cum bene vivimus, cum ab iniquitatibus et ab illicitis voluptatibus* **abstinemus** (Tr. ev. Jo. 17, lect. 2 fer. 6 Quat. T. Quadr.), en cette vie, nous pratiquons en quelque sorte le carême de l'abstinence, quand nous vivons bien, quand nous nous abstenons du péché et des plaisirs défendus ;

cf. *ut cum* **refrenatione carnalis alimoniæ** *sancta tibi conversatione placeamus* (Gel. I, 19, 138), afin de vous plaire par la sainteté de notre vie en restreignant notre alimentation en chair (ou : l'alimentation de notre corps).

§ **450** Le jeûne matériel et spirituel :

qui **corporali jejunio** *vitia comprimis, mentem elevas* (præf. Quadr.), qui, par le jeûne corporel, réfrénez nos vices, élevez nos âmes ;

Deus, qui, ad animarum medelam, **jejunii** *devotione* **castigari** *corpora præcepisti* (or. 3 sabb. Quat. T. Pent., Greg. 117, 3), ô Dieu, qui nous avez ordonné, pour la guérison de nos âmes, de mortifier nos corps en nous vouant au jeûne ;

exhibita ... solemni (⁶) **devotione jejunii** (Leon. 913), en montrant notre empressement pour ce jeûne annuel ;

mundentur ... viscera nostra a cunctis carnis delictis **jejunii adtenuatione** *confecta* (Miss. Goth. 333), que la mortification du jeûne, qui épuise nos entrailles, les purifie de tous les péchés de la chair ; *jejunii adtenuatio* (ibid. 189 ; Moz. L. sacr. 450) ;

afflictio **jejunii** (Moz. L. sacr. 546) ; *ærumna* **jejunii** (ibid. 415), la mortification par le jeûne ; *cum* **jejunii** *contritione* (ibid. 414), même sens ;

pia **jejunantium** *deprecatione placatus* (or. 1 sabb. Quat. T. Sept., Greg. 166, 1), apaisé par la prière de nos jeûnes fervents ;

jejunium *nostrum misericordiis pauperum suppleamus ... Fiat refectio pauperis* **abstinentia jejunantis** (Leo-M. Serm. lect. 5 d. 3 Adv.), complétons notre jeûne par nos charités envers les pauvres ... Que les privations du jeûne servent à réconforter le pauvre ;

Corpus domas **jejuniis** (hymn. mat. 20 oct.), tu domptes ton corps par le jeûne ;

Utamur *ergo* **parcius** *Verbis, cibis et potibus, Somno, jocis*

---

6. Dans l'expression *hoc solemne jejunium* (autre ex. or. sabb. p. Cin., Leon. 226), l'adjectif *solemnis* a son sens étymologique « qui revient tous les ans à une date consacrée ».

et arctius Perstemus in custodia (hymn. mat. d. 1 Quadr.), mettons donc plus de modération dans nos paroles, nos mets, nos boissons, notre sommeil et nos jeux ; tenons-nous plus fermement en garde ;

te, Domine, deprecantes, ut, cum **epularum restrictione carnalium**, *a noxiis quoque voluptatibus* **temperemus** (secr. d. 1 Quadr., Gel. I, 18, 106), en vous suppliant, Seigneur, que nos restrictions dans la nourriture corporelle s'accompagnent de l'abstention des plaisirs coupables ;

ut, exterius **parsimonia** *convenienter adhibita, intrinsecus a pravis intentionibus* **temperemus** ([7]) (Leon. 864), faites qu'en pratiquant extérieurement l'abstinence, nous réfrénions intérieurement nos intentions mauvaises ; v. tempérance (§ 491).

Quand il s'agit du Carême, *continentia* désigne l'abstinence ou les restrictions de ce temps :

ex. *et* **continentiæ** *salutaris propitius nobis dona concede* (or. fer. 3 p. d. 3 Quadr., Gel. III, 19), et, dans votre bonté, accordez-nous les bénéfices de cette abstinence salutaire ;

per **continentiam** *salutarem* (or. 1 sabb. Quat. T. Sept., Greg. 166, 1).

D'une manière générale, on doit, même en dehors du Carême, modérer ses désirs : *terrena desideria* **mitigantes** (secr. d. 3 p. Pasch., Gel. I, 58).

§ 451 La renonciation : v. *renuntiare, abrenuntiare*, au baptême (§ 330 et note 13).

Renuntiare ([8]) : ex. *a diabolicis, quibus (populus tuus)* **renuntiavit**, *laqueis abstinere* (Leon. 78), se tenir à l'écart des pièges diaboliques, auxquels il a renoncé ; pas d'ex. dans le Missel (sauf dans la vigile pascale) ;

qui non **renuntiat** *omnibus quæ possidet* (Luc. 14, 33).

Abdicare : ex. *sed* **abdicamus** *occulta dedecoris* (2 Cor. 4, 2), mais nous répudions les hontes cachées ;

cunctis abominationibus **abdicatis** (Leon. 623) ;

terrenis omnibus **abdicatis** (or. 31 mai.).

Abnegare : ex. *si quis vult post me venire,* **abneget** *semetipsum* (Mat. 16, 24) ;

abnegansque *semetipsum crucem peregrinationis assumpsit* (Leon. 1190), renonçant à tout, il prit la croix du pèlerin (c.-à-d. les fatigues du voyage à l'étranger, car il s'agit de saint Clément, donc pas encore de la croix du pèlerin au sens propre) ;

---

7. Au sens de « s'abstenir de », le réfléchi est plus fréquent : ex. *se a carnibus temperare* (Aug. Serm. 209, 3), s'abstenir de viande.

8. *Renuntiare alicui rei* (Tert. ; Cypr. ; Hier. ; Aug.).

perfectæ sui **abnegationis** (⁹) *et Crucis amatorem eximium* (or. 24 nov.), extraordinaire fervent de la Croix et du renonce-ment.

Autres termes :

abjiciamus *ergo opera tenebrarum* (Rom. 13, 12), rejetons les œuvres des ténèbres ;
mundi hujus blandimenta **vitare** (or. 15 jul.) ;
perituras mundi **calcare** *delicias* (or. 16 oct.) ;
spretis *mundi oblectamentis* (secr. 25 aug.) ;
superbis sæculi vanitatibus **exutis** (postc. 17 oct.) ;
temporalia **relinquere** (or. p. proph. 5 vigil. Pent., Greg. 110, 2).

---

9. Cf. *abnegatio sui* (Hier. Ep. 121, 3) ; *abnegare* **impietatem** (Tit. 2, 12).

III

L'EFFORT SPIRITUEL

1. L'ÉDIFICATION

§ 452 *Ædificatio* (¹), au sens chrétien, c'est d'abord l'édification de l'Église, du royaume de Dieu (V. § 348) :

ædificationem Dei, quæ est in fide (1 Tim. 1, 4), l'édification de Dieu fondée sur la foi ;

ex quo (Christo) totum corpus ... augmentum corporis facit in ædificationem sui in caritate (Ephes. 4, 16), par qui le corps tout entier opère sa croissance en se construisant lui-même dans la charité ;

puis l'édification de la foi en soi-même, dans sa conduite, le bon exemple que l'on reçoit et surtout que l'on donne :

*nam qui prophetat, hominibus loquitur ad **ædificationem** et exhortationem et consolationem* (1 Cor. 14, 3), celui qui prophétise, parle aux hommes : il édifie, exhorte, console.

Si cette édification se réalise par la parole, elle le fait encore plus par les actes en accord avec les paroles :

ne forte, cum aliis prædicaverim, ipse reprobus efficiar (1 Cor. 9, 27), de peur qu'après avoir servi de héraut pour les autres, je ne sois moi-même disqualifié ;

lucernas quippe ardentes (cf. Luc. 12, 35) *in manibus tenemus, cum per bona opera proximis nostris **exempla** monstramus* (Greg.-M. Hom. ev. 13, lect. 7 comm. conf. n. pont.), nous tenons dans nos mains des lampes allumées, lorsque, par les bonnes œuvres, nous montrons l'exemple à notre prochain ;

*da ei, quæsumus, **verbo et exemplo**, quibus præest, proficere* (or. p. papa), accordez-lui, nous vous en prions, d'être utile, par sa parole et son exemple, à ceux dont il est le chef ; v. *exemplum* (§ 106) ;

sic luceat lux vestra coram hominibus, ut videant opera vestra bona (Mat. 5, 16), ainsi que votre lumière brille aux yeux des hommes, afin qu'ils voient vos bonnes œuvres ; cf. *vos estis sal terræ ... vos estis lux mundi* (5, 13-14).

§ 453 L'édification exige une action mutuelle : *in omni sapientia docentes et **commonentes vosmetipsos*** (Col. 3, 16), instruisez-vous en toute sagesse par des admonitions réciproques ;

---

1. Exemple du sens matériel uni au sens spirituel : *da ædificationi tuæ incrementa cælestia* (or. in die dedic. altar., Gel. I, 90), faites que ce qui vient d'être élevé pour vous connaisse des développements célestes ; *ædificatio ecclesiastica* (Leon. 217), la construction de l'Église (par le miracle des langues, opp. à la construction de la tour de Babel).

in quibus (epistolis) vestram excito in **commonitione** *sinceram mentem* (2 Petr. 3, 1), dans ces lettres, j'éveille en vous, par mes exhortations, une saine intelligence; v. *monitum* (§ 106).

Dans la Vulgate et chez les Pères, le mot *zelus* désigne, entre autres, la jalousie (²), le zèle fanatique, et, en bonne part, le zèle, la ferveur, l'amour de Dieu et de sa loi ; le « zèle » pour le salut des âmes est un sens moderne : ex. *animarum* **zelo** *succensus* (or. 2 aug.).

Gagner des âmes : *si te audierit (corripientem)*, **lucratus eris** *fratrem tuum* (Mat. 18, 15), s'il t'écoute (quand tu le reprends), tu auras gagné ton frère ;

factus sum Judæis tanquam Judæus, ut Judæos **lucrarer** (1 Cor. 9, 20), je me suis fait Juif avec les Juifs, afin de gagner les Juifs ;

animas fratrum **lucrari** *Christo* (or. 9 aug.) ;

ut, eodem caritatis igne succensi, **animas quærere** ... *valeamus* (or. 31 jan.), afin que, enflammés de la même charité, nous puissions gagner (³) les âmes.

L'édification est comparée à un levain : *simile est regnum cælorum* **fermento** ... (Mat. 13, 33) ;

à un parfum : ex. *quia Christi* **bonus odor** *sumus Deo in iis, qui salvi fiunt* (2 Cor. 2, 15), car nous sommes, pour Dieu, la bonne odeur du Christ parmi ceux qui se sauvent ;

qui (pontifex eligendus) et plebem tuam virtutibus instruat et fidelium mentes **spiritualium aromatum** *odore perfundat* (postc. p. elig. pont.), tel qu'il forme votre peuple à la vertu, et qu'il répande dans les âmes des fidèles le parfum de sa sainteté ;

da nobis ... ut, in **odorem suavitatis** (cf. Cant. 1, 3) *ejus (sancti) currentes, Christi* **bonus odor** *effici mereamur* (or. 30 aug.), accordez-nous d'accourir à l'odeur de son parfum sauve (⁴) et de mériter d'être nous-mêmes le bon parfum du Christ ; cf. *quæ (familia tua) in martyre tuo Gorgonio Christi Filii tui* **bono** *jugiter* **odore** *pascatur* (postc. 9 sept.) ;

virgineo fragrans **odore** (secr. 30 apr.), répandant une sauve odeur de virginité.

§ 454 Le contraire de l'édification, c'est le scandale, assimilé à la pierre d'achoppement ou à tout objet dans lequel on fait trébucher quelqu'un (⁵) :

---

2. Ex. de sens péjoratif : *zelus et contentio* (1 Cor. 3, 3), la jalousie et la dispute.

3. Et aussi « aller à la recherche », comme le berger va à la recherche de la brebis perdue : *et vadit quærere eam, quæ erravit* (Mat. 18, 12).

4. On a déjà eu l'occasion de rencontrer, dans le style biblique, des exemples du génitif ayant la valeur d'un adjectif : *virga directionis* (Ps. 44, 7), sceptre plein de droiture.

5. Cf. *fiat mensa eorum ... in laqueum ... et in scandalum* (Ps. 68, 23), que leur table devienne pour eux un piège, un traquenard ; *ne forte offendas ad lapidem pedem tuum* (Ps. 90, 12) ; *in lapidem offensionis et in petram scandali* (Is. 8, 14).

væ homini illi, per quem **scandalum** *venit* (Mat. 18, 7) ;

nemini dantes ullam **offensionem** (2 Cor. 6, 3), ne donnant à personne aucun sujet de scandale ;

ne ... hæc licentia vestra **offendiculum** *fiat infirmis* (1 Cor. 8, 9), que cette liberté ne devienne pour les faibles une occasion de chute ;

ne ponatis **offendiculum** *fratri* (Rom. 14, 13) ;

fratribus ... **offendiculum** *suæ perversitatis opponunt* (Leon. 530), la perversité (des faux chrétiens) constitue pour les frères un scandale.

En un autre sens, Jésus est une cause de scandale pour les Juifs, car il est différent de l'idée qu'ils se faisaient du Messie : *omnes vos* **scandalum** *patiemini in me in ista nocte* (Mat. 26, 31), vous allez tous vous scandaliser à cause de moi, cette nuit même ; **scandalum** *crucis* (Gal. 5, 11).

Une oraison (or. 8 ben. Ram., vet. ord.) rappelait ces expressions : *præsta ... ut illi viam præparemus, de qua, remoto* **lapide offensionis** *et* **petra scandali,** *frondeant apud te opera nostra justitiæ ramis,* faites que nous lui préparions la voie : en écartant de celle-ci toute pierre d'achoppement et de scandale, que nos œuvres verdoient devant vous dans les rameaux de la sainteté.

Le verbe correspondant est *scandalizare* (Vulg. N. T. passim ; Tert. ; Cypr. ; Hier. ; etc.).

2. PERFECTIONNEMENT, PROFIT SPIRITUEL, SANCTIFICATION

§ 455 L'édification du royaume de Dieu en nous consiste en un perfectionnement, un achèvement, obtenu par la grâce et les sacrements (v. aussi les chp. Grâce, Sacrements), idée exprimée par les mots *perfectus, perfectio, perficere* :

ex. *estote ergo vos* **perfecti,** *sicut et Pater vester cælestis* **perfectus** *est* (Mat. 5, 48) ; cf. *sanctus* (§ 157) ;

si vis **perfectus** *esse, vade, vende quæ habes, et da pauperibus ... et veni, sequere me* (Mat. 19, 21) (l'élan donné vise donc d'emblée la perfection elle-même, c'est-à-dire Dieu) ;

ut **perfectus** *sit homo Dei, ad omne opus bonum instructus* (2 Tim. 3, 17), pour être un homme de Dieu accompli, équipé pour toute bonne œuvre ;

qui nos sic pietate pariter atque justitia vis esse **perfectos** (Leon. 440), qui nous voulez parfaits aussi bien dans la justice que dans la charité ;

ut **perfectam** *plebem (Johannes Baptista) Christo Domino præpararet* (Greg. 125, 9), afin de préparer pour le Seigneur Jésus un peuple parfaitement prêt.

Mais, dans le Missel, cette épithète ne s'applique qu'à des mots abstraits : ex. **perfecta** *abnegatio* (cit. § 451) ; **perfecta** *caritas* (secr. 22 jun. ; etc.) ; (au compar.) *perfectiora semper exsequentes* (or. 10 nov.).

In via **perfectionis** (or. 21 aug.), dans la voie de la perfection : sens moderne ; dans les autres oraisons et dans les Sacramentaires, *perfectio* signifie « achèvement parfait » et ne s'applique pas à la perfection d'une personne.

Perficere : ex. *Deus autem omnis gratiæ ... modicum passos ipse* **perficiet***, confirmabit solidabitque* (1 Petr. 5, 10), mais le Dieu de toute grâce, quand vous aurez un peu souffert, vous rétablira lui-même, vous raffermira, vous fortifiera ;

perficiant *in nobis, q.D., tua sacramenta quod continent* (postc. sabb. Quat. T. Sept., Gel. II, 60, 1051), que vos sacrements réalisent pleinement en nous la grâce qu'ils contiennent ;

ut, quod agit mysterio (hæc sacra oblatio), virtute **perficiat** (secr. d. 2 p. Pasch., Gel. I, 57), afin qu'elle achève efficacement ce qu'elle accomplit symboliquement ;

Deus, cujus munere virtus in infirmitate **perficitur** (or. comm. plur. mart. non virg. p. al. loc.), ô Dieu, par votre grâce, c'est dans la faiblesse que se manifeste pleinement la force (du martyr) ; cf. *nam virtus in infirmitate* **perficitur** (2 Cor. 12, 9), car c'est dans la faiblesse que se manifeste pleinement ma force ; il s'agit donc toujours d'un « achèvement » spirituel.

§ 456 Le raffermissement :

fideles tui, Deus, per tua dona **firmentur** (postc. d. Septuag., Greg. 32, 3), ô Dieu, que vos fidèles soient raffermis par vos dons ; *fidelibus tuis ... perpetua dona* **firmentur** (Gel. 1, 17, 103), que s'affirme sans cesse chez vos fidèles la force de vos dons ;

quæsumus ... ut per hujus virtutem sacramenti famulum tuum gratia tua **confirmare** *digneris* (postc. ad postul. grat. bene moriendi), nous vous en prions, daignez par la vertu de ce sacrement fortifier de votre grâce votre serviteur ;

fideles tuos, Deus, benedictio desiderata **confirmet** (sup. pop. sabb. Quat. T. Quadr., Leon. 1079), que votre bénédiction si désirée raffermisse vos fidèles ;

cælesti munere **roboratos** (postc. 9 jul. p. al. loc.), fortifiés par le don céleste ;

munere septiformi tuæ gratiæ (diaconi) **roborentur** (Leon. 951, p. 121, 11) ;

ut castigatio carnis assumpta ad nostram **vegetationem** *transeat animarum* (or. sabb. p. d. 2 Quadr., Leon. 1301), que l'usage de la mortification corporelle devienne pour nous une source de vigueur spirituelle ; v. *vegetati* (§ 259) ;

sacrificia ... mentibus nostris supernæ gratiæ dent **vigorem** (secr. d. oct. Ascens., Gel. I, 64), que ce sacrifice donne à nos âmes la vigueur de la grâce céleste.

§ 457 De nombreux termes désignent a) le progrès, b) ou le profit spirituel.

A) *Proficere* désigne l'un ou l'autre (v. paragr. suiv.) :

ex. *in scientia sanctorum* **proficientes** *(nos)* (or. 20 oct.), grandissant dans la science des saints ;

per arduum quotidie in virtutibus **proficiendi** *votum* (or. 10 nov.), grâce à son désir d'avancer tous les jours dans la montée vers la vertu ;

profectus *ovium, gregis* (v. § 356) ;

ut ... ad majus semper **proficiamus** *pietatis incrementum* (postc. 27 aug.), pour augmenter sans cesse nos progrès vers une plus grande piété ;

proficiendo *celebrare et celebrando* **proficere** (or. 28 oct., Gel. Cagin 1439), les célébrer par nos progrès et progresser en les célébrant.

Incrementum, crescere, accrescere :

ex. *augebit* **incrementa** *frugum justitiæ vestræ* (2 Cor. 9, 10), (Dieu) fera croître les fruits de votre justice ;

fidei nostræ præbeat **incrementa** *virtutum* (or. 1 aug., Gel. II, 78), que (l'exemple de leur martyre) permette à notre foi d'être plus féconde en vertus ;

crescere *in gratia et in cognitione Domini* (2 Petr. 3, 18) ;

in omni opere bono fructificantes et **crescentes** *in scientia Dei* (Col. 1, 10), produisant toutes sortes de bonnes œuvres et grandissant dans la connaissance de Dieu ;

ut ... in tuo amore **crescamus** (postc. Lit. Maj., Greg. 100, 9) ;

ut ... ad bona ... perpetua piæ devotionis **crescamus** *accessu* (Leon. 1294), (accordez-nous) de nous approcher toujours davantage des biens éternels par un accroissement de notre piété ;

ut ... piæ nobis fructus devotionis **accrescat** (secr. 7 aug., Gel. II, 41), que ce culte fervent porte en nous des fruits de plus en plus abondants.

Augere, augmentum :

ex. *ut beatorum martyrum tuorum ... veneranda solemnitas et devotionem nobis* **augeat** *et salutem* (or. 13 aug., Greg. 145, 1 ; *beati Laurenti ... solemnitas*, Leon. 785), que cette fête solennelle de vos saints martyrs nous apporte un surcroît de dévotion et de santé spirituelle ;

da ut ... tua in cordibus nostris caritas jugiter **augeatur** (or. 10 jun.) ; v. *caritatis augmentum* (§ 39) ;

ad redemptionis æternæ ... **proficiamus** *augmentum* (postc. d. 13 p. Pent., Gel. III, 9), que (vos sacrements) nous obtiennent un accroissement de la rédemption éternelle (un plus haut degré de gloire au ciel par un accroissement de notre perfection ici-bas) ;

ut ... salvationis tuæ sentiamus **augmentum** (postc. 10 aug.,

Leon. 793), que (par son intervention) nous éprouvions de plus en plus l'effet de votre rédemption ; *piæ conversationis* **augmentum** (or. fer. 3 p. d. 4 quadr., Gel. I, 25, 191), progrès dans une vie sainte.

§ **458** B) *Proficere*, être profitable, servir :

ex. *ut (sacri dona mysterii) ... in nostræ* **proficiant** *infirmitatis auxilium* (postc. fer. 6 Quat. T. Pent., Leon. 586), servent à secourir notre faiblesse ;

ut nobis jejunium quadragesimale **proficiat** (or. fer. 2 p. d. 1 Quadr., Greg. 39, 1 ; *jejunium corporale*, Gel. II, 85, 1170), que ce jeûne du Carême nous soit profitable ;

proficere *saluti, ad salutem, ad medelam* (or. et Sacram. passim).

Fructus : ex. *facite ergo* **fructum** *dignum pænitentiæ* (Mat. 3, 8), « produisez donc de dignes fruits de repentir » ; cf. la comparaison avec le bon arbre qui produit de bons fruits (Mat. 12, 33 ; Luc. 3, 9) ;

ut sitis sinceri et sine offensa ... repleti **fructu** *justitiæ per Jesum Christum* (Philipp. 1, 11), afin que vous soyez purs et sans reproche ... chargés pleinement de ce fruit de justice que nous portons par Jésus-Christ ;

(fervorem) quo eorum (sancta tua) pariter et actu delectemur et **fructu** (postc. fer. 2 Maj. Hebd., Gel. I, 25, 186), pour que leur célébration nous réjouisse autant que les profits spirituels qu'ils nous apportent ;

ut nos orationi semper intenti ejus copiosum **fructum** *consequi mereamur* (or. fer. 3 p. Septuag. p. al. loc.), que, tournés sans cesse vers la prière, nous puissions en recueillir des fruits abondants ;

divini operis **fructum** *propensius exsequentes* (or. d. 24 p. Pent., Greg. 202, 19), recherchant avec plus d'empressement le fruit de l'œuvre divine (pour ceux qui travaillent à leur perfection) ;

ut (fideles tui) Spiritus tui sanctificatione muniti, perpetua **fruge** *ditentur* (or. p. proph. 4 vigil. Pent., Gel. I, 77, 622), afin que, aidés par l'action sanctificatrice de votre Esprit, ils portent toujours une plus riche moisson ;

fiat, D. q., per gratiam tuam **fructuosus** *nostræ devotionis affectus* (or. sabb. p. d. 4 Quadr., Gel. I, 28, 264), que, par votre grâce, notre désir de vous servir porte des fruits ;

fructuosa *pænitentia* (Cæs-Arel. Serm. 179, 5) ; (en parlant des bonnes œuvres) **fructuosa** *operatio* (Moz. L. sacr. 455).

Provenire : ex. *scio enim quia hoc mihi proveniet ad salutem* (Philipp. 1, 19), je sais en effet que cela servira à mon salut ;

ad nostræ salutis auxilium **provenire** (secr. 25 dec. s. Anast., Greg. 7, 3), être un secours profitable à notre salut ; *in* ou *ad salutem provenire* (or. et Sacram. passim) ;

provenire signifie aussi : tourner à notre profit, se réaliser pour nous, devenir (ex. postc. sabb. Quat. T. Quadr., Greg. 44, 10 ; secr. 2a miss. 25 dec., Gel. I, 2) ;

præsta, Domine, precibus nostris cum exultatione **proventum** (or. 16 sept., Greg. 162, 1 ; *mentibus nostris*, Gel. II, 6), faites, Seigneur, que nos prières soient fructueuses autant que joyeuses.

Prodesse : ex. *ut ... hæc nobis* **prosit** *oblatio* (secr. 12 mart. et passim ; *animæ famuli ... prosit*, Greg. 224, 2 et passim) ;

ut ... medicina sacramenti et corporibus nostris **prosit** *et mentibus* (postc. 15 jun., Gel. II, 22), que le remède de ce sacrement soit profitable à nos corps et à nos âmes.

§ **459** C'est la volonté de Dieu que nous soyons saints, c'est-à-dire purifiés et justifiés à ses yeux : *hæc est enim voluntas Dei*, **sanctificatio** *vestra* (1 Thess. 4, 3).

Sanctificatio ([1]), *sanctificare* (v. aussi § 258) :

ex. *ut illam (ecclesiam)* **sanctificaret** *mundans lavacro aquæ* (Ephes. 5, 26), pour la sanctifier en la purifiant par le bain de l'eau ;

munda eum et **sanctifica** (or. ord. bapt. Rit. R. ; *eos*, Greg. 82, 2) ;

concede propitius, ut fidei ipsius sitis, baptismatis mysterio, animam corpusque **sanctificet** (or. ben. font. vigil. Pasch., Gel. I, 43, 442), dans votre bonté, faites que cette soif de la foi sanctifie, par le sacrement du baptême, l'âme et le corps (de votre peuple) ;

sanctificare animas, corda, mentes (or. et Sacram. passim) ;

sanctificationem *tuam nobis, Domine, his mysteriis operare placatus* (secr. fer. 3 p. d. 2 Quadr., Leon. 470), apaisé, Seigneur, par ces mystères, accomplissez en nous votre œuvre de sanctification ;

sanctificationibus *tuis ... vitia nostra curentur* (postc. sabb. Quat. T. Quadr., Greg. 44, 10), que cette source de sanctification guérisse nos vices ;

quæ (benedictio) ... **sanctificationem** *nobis clementer operetur* (secr. 28 jan., Leon. 1177), que, par votre bonté, elle opère notre sanctification ;

(munera) perpetua **sanctificatione** *sumenda concede* (secr. d. 3 p. Pent., Greg. suppl. Alc. 169), faites qu'ils soient reçus dans un état constant de saintes dispositions (*sanctificatio = sanctitas*, état de grâce) ;

sacrosancta mysteria, in quibus omnis **sanctitatis** *fontem constituisti* (secr. 31 jul.), ces mystères sacrés, en qui vous avez placé la source de toute sainteté ;

serviamus illi in **sanctitate** *et justitia* (Luc. 1, 75) ;

---

[1]. Voir d'autres sens, § 22 note 7 ; § 31 note 14 ; § 88 etc.

sine querela in **sanctitate** (1 Thess. 3, 13), dans une sainteté sans reproche ;

sanctitatis *gratiam conferre* (or. 13 nov. p. al. loc.) ;

innova in visceribus eorum spiritum **sanctitatis** (Leon. 954, consecr. presb.), renouvelez leur cœur par l'esprit de sainteté (cf. Ps. 50, 12).

V. *justificatio* (§ 276) ; *justitia* (§ 484).

3. LA CONVERSION

§ 460 Voir aussi l'expression du repentir (§ 91 et suiv.) ; les deux idées sont souvent liées, car la conversion, la pénitence, exige une purification préalable et une renonciation au vieil homme :

pænitemini *et* **convertimini** (Act. 3, 19), repentez-vous et convertissez-vous ;

dico vobis quod ita gaudium erit in cælo super uno peccatore **pænitentiam agente**, *quam super nonagintanovem justis, qui non indigent* **pænitentia** (Luc. 15, 7), c'est ainsi, je vous le dis, qu'il y aura plus de joie dans le ciel pour un seul pécheur qui se repent que pour quatre-vingt dix-neuf justes qui n'ont pas besoin de repentir ;

ut ... errantium corda **resipiscant** (or. 7 Parasc., Gel. I, 41, 413), pour que les cœurs des égarés viennent à résipiscence.

Aux temps messianiques et apostoliques, se convertir, c'était reconnaître que le temps du salut était proche : *impletum est tempus et appropinquavit regnum Dei :* **pænitemini** *...* (Marc. 1, 15), les temps sont accomplis et le royaume de Dieu est proche : repentez-vous ;

sed nisi **pænitentiam** *habueritis* (μετανοῆτε), *omnes similiter peribitis* (Luc. 13, 5), mais si vous ne vous mettez pas à faire pénitence, vous périrez tous pareillement.

C'est le *tempus acceptabile* dont parle saint Paul (v. § 449). Pour nous, ce sont les temps de pénitence, ou le temps de notre vie, du délai qui nous est imparti jusqu'à la mort (v. § 91).

§ 461 Les termes grecs des Septante ou du Nouveau Testament désignant la conversion (ἐπιστρέφειν, μεταστρέφειν, μετανοεῖν) expriment tous l'idée d'un changement, d'un retour : v. aussi le Dictionnaire aux mots *converto, convertor, conversio* (1) :

---

1. La conversion peut être à rebours : *quomodo convertimini iterum ad infirma et egena elementa, quibus denuo servire vultis* ? (Gal. 4, 9), comment retournez-vous encore à ces éléments sans force ni valeur (v. le Dict. à *elementum*), auxquels de nouveau vous voulez vous asservir ?

Ad ... omnia commutabilia convertitur bona (Aug. Lib. arb. 3, 1, 1), il se retourne vers tous les biens qui changent. V. *aversio* (§ 160).

ex. **converte** *nos, Domine, ad te et* **convertemur** (Jer. lam. 5, 21), fais-nous revenir à toi, Seigneur, et nous reviendrons ;

convertimini *ad me in toto corde vestro, in jejunio et in fletu et in planctu* (Joel 2, 12), revenez à moi de tout votre cœur, dans le jeûne, les pleurs et les cris de deuil ;

si quis ex vobis erraverit a veritate et **converterit** *quis eum* (Jac. 5, 19), si quelqu'un parmi vous s'est égaré loin de la vérité et qu'un autre le ramène ;

converte *nos, Deus, salutaris noster* (Ps. 84, 5; or. fer. 2 p. d. 1 Quadr.), transformez-nous, ô Dieu notre Sauveur (dans le Psaume : fais-nous revenir) ;

omnium nostrum ad te corda **converte**, *ut, a terrenis cupiditatibus liberati, ad cœlestia desideria transeamus* (secr. d. 24 p. Pent. ; *omnium nostrum ad te corda* **converte**., Leon. 603), tournez vers vous tous nos cœurs, afin que, libérés des convoitises terrestres, nous puissions nous livrer aux désirs célestes ;

ut, idolis relictis, **convertantur** *ad Deum vivum et verum* (or. 9 Parasc., Gel. 1, 41, 416) ; cf. *et impii ad te* **convertentur** (Ps. 50, 15) ;

qui beatæ Monicæ pias lacrymas in **conversione** *filii sui Augustini misericorditer suscepisti* (or. 4 mai.), qui avez accueilli miséricordieusement les larmes que l'affection de sainte Monique versait pour la conversion de son fils Augustin ;

Conversio ([2]) *beati Pauli* (25 jan.).

Reverti ([3]) : ex. *venite et* **revertamur** *ad Dominum* (Os. 6, 1), venez, revenons au Seigneur ;

ad pœnitentiam **reverti** (2 Petr. 3, 9) ;

populum ad te **revertentem** *propitius respice* (or. miss. p. vit. mortal.), regardez avec bonté le peuple qui revient vers vous ;

populum tuum ... ad te **converte** *propitius* (Gel. III, 38; Greg. 223, 1) ;

Ad te **reversis** *exhibe Remissionis gratiam* (hymn. vesp. Quadr.), à ceux qui reviennent vers vous, accordez la grâce de votre pardon.

Se corriger : *ut ... parcendo spatium tribuas* **corrigendi** (Miss. Goth. 195), afin de nous accorder par grâce le temps de nous corriger ; cf. *spatium pœnitendi* (Moz. Psal. 304).

---

2. *Conversio* signifie aussi : entrée en religion, vie religieuse (Greg.-M. ; Cæs.-Arel.) : ex. *ut conversionis suæ fidem digne custodiat* (Pont. Rom.-Germ. 29, 3), pour qu'il garde convenablement la fidélité à son état ; cf. *conversus* (§ 375).

3. *Reverti* s'emploie aussi au sens péjoratif : *canis qui revertitur ad vomitum suum* (Prov. 26, 11 ; cf. 2 Petr. 2, 22), proverbe désignant le pécheur qui retombe.

§ 462 Se relever : ex. *concede ... ut ... intercessionis ejus (Mariæ) auxilio a nostris iniquitatibus* **resurgamus** (postc. 7 dec., Greg. 147, 3), faites que son intercession nous aide à nous relever de nos fautes ;

(en parlant de la résurrection spirituelle par la foi et le baptême) **resurrexistis** *per fidem* (Col. 2, 12) ;

surgere *qui curat populo* (« *Alma Redemptoris* ») (opp. à *cadenti*, v. § 421).

Mourir au péché ([4]) : *ita et vos existimate vos* **mortuos** *quidem esse* **peccato** (Rom. 6, 11), et vous de même regardez-vous comme morts au péché ;

ad **mortificationem** *vitiorum* (Moz. L. sacr. 367), pour écraser les vices ;

mortificatis *terrenis vitiis* (Miss. Goth. 144) ; v. *mortificatio* (§ 447).

Le redressement opéré par les épreuves (v. § 444).

L'abandon du vieil homme :

exspoliantes vos **veterem hominem** *cum actibus suis et induentes novum* (Col. 3, 10), vous dépouillant du vieil homme et revêtant le nouveau ;

expurgate **vetus fermentum**, *ut sitis nova conspersio* (1 Cor. 5, 7), purifiez-vous du vieux levain pour être une pâte nouvelle ;

tua nos misericordia ... et ab omni subreptione **vetustatis** *expurget, et capaces* **sanctae novitatis** *efficiat* (sup. pop. fer. 3 Maj. Hebd., Greg. 75, 4), que votre miséricorde nous préserve de tout retour insidieux du vieil homme et nous rende capables de la sainteté de l'homme nouveau ; v. *vetustatis* (§ 420) ;

veteri homine *consumpto* (secr. 20 jul.), le vieil homme une fois détruit.

La rénovation : *spiritum rectum* **innova** *in visceribus meis* (Ps. 50, 12), restaure en moi une âme droite ;

ut ... cælestis vitæ profectibus **innovemur** (Leon. 1017), pour nous renouveler dans nos progrès vers une vie céleste ;

renovamini *spiritu mentis vestræ et induite* **novum hominem** (Ephes. 4, 24), renouvelez-vous par une transformation spirituelle de votre jugement et revêtez l'homme nouveau ;

ab omni nos, q. D., **vetustate** *purgatos sacramenti tui veneranda perceptio in* **novam** *transferat creaturam* (postc. fer. 4 Oct. Pasch., Leon. 40), que la réception de votre adorable sacrement nous purifie complètement du vieil homme et fasse de nous une nouvelle créature ; cf. *ad cælestis vitæ transferat actionem* (§ 437) ;

ut in **novitate vitæ** *ambulemus* (Rom, 6, 4), afin que nous

---

4. Cf. *moriuntur homines culpæ veteri* (Ambr. Ep. 5, 10) ; *mori carnalibus vitiis* (Cassian . Inst. 4, 35).

vivions dans une vie nouvelle ; cf. supra, *sancta novitas* ; *tua nos misericordia ... capaces **sanctæ novitatis** efficiat* (sup. pop. fer. 3 Maj. Hebd) ;

(en abjurant le paganisme) *omni ritu pestiferæ **vetustatis** abolito, cælestis **vitæ novitate** gaudere* (Gelas. ap. Leon. 623), faisant disparaître toute trace empestée des anciens cultes, (nous devons) mettre notre joie dans la nouveauté d'une vie céleste.

L'idée de notre conversion individuelle est souvent liée à celle de la Rédemption du monde : v. des ex. de *renovare, reparare, reformare* (§ 231 et suiv. ; § 257 ; § 394).

La pénitence suppose aussi une satisfaction : *Deus, qui humiliatione flecteris et **satisfactione** placaris* (or. 3 ben. Cin.), ô Dieu, qui vous laissez fléchir par ceux qui s'humilient et apaiser par ceux qui réparent ; v. *satisfactio* (§ 280).

IV

LES VERTUS THÉOLOGALES

§ 463 On a vu, dans la Ire Partie, l'expression des sentiments de foi, d'espérance, de charité. Il s'agira donc surtout ici des termes concernant les notions de ces mêmes vertus.

Elles sont souvent associées :

ex. fidei, spei et caritatis augmentum (cit. § 39) ;

nunc autem manent fides, spes, caritas, tria hæc ; major autem horum est caritas (1 Cor. 13, 13), présentement la foi, l'espérance et la charité demeurent toutes les trois ; mais la plus grande d'entre elles, c'est la charité ;

si habuero prophetiam ... omnem scientiam, et si habuero omnem fidem ... caritatem autem non habuero, nihil sum (1 Cor. 13, 2), quand j'aurais le don de prophétie... la science entière ; quand j'aurais la plénitude de la foi... si je n'ai pas la charité, je ne suis rien ;

sectare vero justitiam, pietatem, fidem, caritatem, patientiam, mansuetudinem (1 Tim. 6, 11).

1. LA FOI

§ 464 Le mot *fides* s'emploie :

ou bien d'une manière absolue : ex. *fidei augmentum, confessio, constantia (in fide constantia), fidem augere, sectari,* etc. (or. passim) ;

ou bien déterminé par un adjectif : ex. *fides vera, nostra, catholica, christiana,* etc. (or. passim) ;

ou par un complément du nom : ex. (subjectif) *christianorum fides ;* (objectif) *resurrectionis fides ;*

fides vestra, quæ est ad Deum (1 Thess. 1, 8), la foi que vous avez en Dieu ; cf. *credere ad.*

La foi est un don, une grâce :

gratia enim estis salvati per **fidem**, *et hoc non ex vobis ; Dei enim* **donum** *est* (Ephes. 2, 8), car c'est par la grâce que vous êtes sauvés moyennant la foi ; cela (ce salut par la foi) ne vient pas de vous, c'est un don de Dieu ;

fidei donum (¹) *integrum custodiamus* (postc. comm. plur. conf. pont. p. al. loc.), gardons intact le don de la foi ;

quibus **fidei** *christianæ* **meritum contulisti** (secr. 2 nov. 1a miss., Gel. III, 101), à qui vous avez accordé la grâce de la foi chrétienne ;

fidei gratiam *contulisti* (Gel. I, 56, 529; Greg. 93, 5) ;

---

1. L'expression traditionnelle en ce cas est : le « dépôt » de la foi : cf. *bonum depositum custodi* (2 Tim. 1, 14).

dato nobis **fidei** *calore* ([2]) (Miss. Goth. 32), en nous donnant la ferveur de la foi (capable de faire affronter le martyre) ;

concede famulis tuis, ut sacramentum vivendo teneant, quod **fide perceperunt** (or. fer. 3 p. d. Pasch., Gel. I, 78), accordez à vos serviteurs (les nouveaux baptisés) de garder dans leur vie le sacrement qu'ils ont reçu par la foi.

La foi enseigne et fait comprendre la révélation : *pro qua* **magistra** *omnium credentium* **fide** (Leon. 285), pour cette foi qui éclaire tous les croyants.

§ **465** La foi s'attache à l'invisible ([3]) : *est autem* **fides** *sperandarum substantia rerum, argumentum* **non apparentium** (Hebr. 11, 1), or la foi est la garantie des biens que l'on espère, la preuve des réalités que l'on ne voit pas ; cf. *ex fide cognoscere* (v. § 466).

Elle doit se manifester par les œuvres (v. § 435) ; v. *fide et opere* (§ 275).

Être maintenue dans son intégrité : *fidei* **integritas** (Gel. III, 58 ; Greg. 217, 2 ; secr. 25 mai.) ; *ut ... nullis tentationibus ab ejus (fidei)* **integritate** *vellantur* (postc. p. salute viv., Gel. III, 51), qu'aucune tentation ne les arrache à son intégrité.

Et surtout ferme et stable :

si tamen permanetis **in fide** *fundati et* **stabiles** *et immobiles a spe evangelii* (Col. 1, 23), si vous persévérez, dans la foi affermis sur des bases solides, sans vous laisser détourner de l'espérance promise par l'Évangile ;

ut ecclesia tua ... **stabili fide** *in confessione tui nominis perseveret* (or. 1 Parasc., Gel. I, 41, 401), que votre Église garde une foi inébranlable pour proclamer votre nom ;

da fidelibus tuis ... **in tua fide** *et sinceritate* **constantiam** (postc. p. salute viv. ; *famulis tuis*, Gel. III, 51), accordez à vos fidèles la fermeté dans une foi sincère ;

in mentibus nostris ... veræ fidei sacramenta **confirma** (secr. 25 mart., Greg. 31, 3), affermissez dans nos âmes les mystères sacrés de la vraie foi (en l'Incarnation, dans le Christ vrai Dieu et vrai homme) ;

ejusdem **fidei firmitate** (or. S. S. Trin.), par la fermeté dans cette même foi ;

inviolabilem fidei **firmitatem** (Leon. 1252) ;

fides catholica, quam nisi quisque **fideliter firmiterque** *crediderit* (Symb. Athan.), la foi catholique, si l'on n'y croit pas fidèlement et fermement ;

les mots *tenere, servare* sont employés dans ce cas : *quicumque vult salvus esse, ante omnia opus est ut* **teneat** *catholicam fidem* (Symb. Athan. init.) ;

quam nisi quisque **integram** *inviolatamque* **servaverit** (ibid.).

---

2. Cf. *ardentis fidei calore* (Max.-Taur. Serm. c. 412C).

3. Autre opposition : *beati qui non viderunt et crediderunt* (Jo. 20, 29).

§ 466 La foi (⁴) suppose la connaissance (⁵) du vrai Dieu et son acceptation, sa reconnaissance :

*scimus quoniam Filius Dei venit et dedit nobis ut **cognoscamus** verum Deum* (1 Jo. 5, 20), nous savons que le Fils de Dieu est venu et qu'il nous a donné de connaître le vrai Dieu ;

*hæc est autem vita æterna : ut **cognoscant** te, solum Deum verum et quem misisti Jesum Christum* (Jo. 17, 3), la vie éternelle, c'est qu'ils te connaissent, toi, le seul vrai Dieu, et ton envoyé Jésus-Christ ;

*ut ... omnes gentes **cognoscant** te solum Deum verum* (or. m. p. propag. fid.) ;

*ut, qui jam te ex fide **cognovimus**, usque ad contemplandam speciem tuæ celsitudinis perducamur* (or. Epiph. cit. § 298) ;

*ut, sicut tuam **cognoscimus** veritatem, sic eam dignis moribus assequamur* (secr. d. 4 p. Pasch., Gel. I, 59), de même que nous connaissons votre vérité, (faites) que nous puissions l'atteindre par une conduite appropriée (cf. opp. *fides, opera*) ;

*Deus, ... quem **nosse** vivere, cui servire regnare est* (postc. 28 jun., Gel. III, 56), ô Dieu, vous connaître, c'est vivre, vous servir, c'est régner.

Agnoscere, reconnaître (⁶) (v. plus loin, *confiteri, profiteri*, pour désigner l'adhésion à la foi se manifestant extérieurement) :

ex. *et omnes gentes **agnoscant** quia tu es Deus* (Judith 9, 19) ;

*ut et ipsi **agnoscant** Jesum Christum Dominum nostrum* (or. 8 Parasc., Greg. 79, 15 ; *cognoscant*, Gel. I, 41, 414) ; ***agnita** veritatis tuæ luce* (ibid.) ;

*te veraciter **agnoscamus** et fideliter diligamus* (or. 5 ben. cand. 2 febr.) ;

*æternæ Trinitatis gloriam **agnoscere*** (or. S. S. Trin.).

Agnitio, connaissance :

ex. *ad **agnitionem** veritatis venire* (1 Tim. 2, 4) ; cf. or. miss. p. propag. fid. ;

*donec occurramus omnes in unitatem fidei et **agnitionis** Filii Dei* (Ephes. 4, 13), jusqu'à ce que nous parvenions tous ensemble à ne faire qu'un dans la foi et la connaissance du Fils de Dieu ;

*Deus, qui nos per beatos apostolos ... ad **agnitionem** tui nominis venire tribuisti* (or. 28 oct., Gel. II, 35), ô Dieu, qui nous avez permis, grâce aux saints apôtres, de parvenir à la connaissance de votre nom.

---

4. A *fides* s'oppose quelquefois *species*, la vision directe, face à face : *per fidem enim ambulamus et non per speciem* (2 Cor. 5, 7), nous cheminons dans la foi, non dans la claire vision (v. § 298) ; *nunc in fide ... tunc autem in specie* (Aug. Serm. 216, 4).

5. Et aussi la recherche, le désir de Dieu : *ut te toto corde perquirant* (sup. pop. sabb. p. d. 3 Quadr., Gel. III, 106).

6. *Agnoscere*, reconnaître (sa faute) (Leon. 446).

L'ignorance de Dieu : *Deus, qui nos ... abjecta* **ignorantiæ**
cæcitate ad cultum tui nominis ... revocasti (Gel. III, 84, 1584),
ô Dieu, qui nous avez ramenés au culte de votre nom, quand
nous avons répudié notre ignorance aveugle ;

tenebræ **ignorantiæ** (ibid. 1585) : *cæcitas* **ignorantiæ** (Leo-
M. Serm. 25, 3) :

caligo **ignorantiæ** (Moz. L. sacr. 821).

§ 467 *Fidelis*, adj. et subst., celui qui a la foi, le croyant ;
fideles, les croyants (v. § 390) ; *infidelis* (§ 392) ([7]) ; *perfidus*,
perfidia (§ 392).

Fidelitas, la qualité de croyant, la foi (Hier. etc.) :

ex. *innocentiæ et* **fidelitatis** *exempla* (or. 26 nov. p. al. loc.),
des exemples de pureté et de foi ; v. *fideliter* (§ 42 et 61).

Le verbe qui exprime la foi est surtout *credere*, croire :

ex. *quis est qui vincit mundum, nisi qui* **credit quoniam**
Jesus est Filius Dei ? (1 Jo. 5, 5), quel est le vainqueur du
monde, sinon celui qui croit que Jésus est le Fils de Dieu ?

o stulti et tardi corde ad **credendum in** *omnibus quæ locuti*
sunt prophetæ (Luc. 24, 25), esprits sans intelligence et lents
à croire tout ce qu'ont annoncé les prophètes ;

quod in te speraverunt et **crediderunt** *(*or. m. p. plur. def.,
Gel. III, 102), leur espérance et leur croyance en vous (litt.
le fait qu'ils...) ;

v. d'autres ex. de la construction de *credere* (§ 39-40) et dans
le Dict.

Credulitas, la croyance, la foi (Hier ; Cass. ; Greg.-M. ; etc.) :

ex. *ut christiana plebs ...* **credulitatis** *suæ meritis augeatur*
(or. 2 Parasc., Gel. I, 41, 403), que le peuple chrétien grandisse
grâce aux mérites de sa foi.

§ 468 La foi n'est pas seulement une affaire intérieure, elle
doit se manifester extérieurement par la parole :

corde enim **creditur** *ad justitiam, ore autem* **confessio** *fit ad*
salutem (Rom. 10, 10), car la foi du cœur obtient la justice, et
la confession des lèvres, le salut ; cf. **confiteri** *in ore, credere*
in corde (ibid. 10, 9) ;

quos in apostolicæ **confessionis** *petra solidasti* (or. 28 jun.,
Greg. 128, 1), ceux que vous avez établis solidement sur le roc
du témoignage des apôtres (ou allusion à la confession de
Pierre, Mat. 16, 17) ; cf. *ecclesiam tuam in apostolicæ petræ*
soliditate fundatam (or. comm. un. aut plur. summ. pont.,
Leon. 332) ;

primus est in Domini **confessione** ([8]), *qui primus est in*

---

7. *Impietas*, impiété, désigne aussi l'hérésie (opp. à *pietas*, l'orthodoxie, Aug. ;
Hier. ; Hilar. ; Innoc. I) : ex. *alienis impietatibus præbere consensum* (Leon. 1083),
donner son assentiment à des impiétés étrangères à la foi.

8. La confession de saint Pierre : *tu es Christus, Filius Dei vivi* (Mat. 16, 17).

apostolica dignitate (Leo-M. lect. 7, 22 febr.), il est le premier
à confesser le Seigneur, celui qui est le premier dans la dignité
d'apôtre ;

et sicut **confessores** *suos in cælestia provehit, ita* **negatores** ([9])
ad infima demergit (ibid.), de même qu'il élève jusqu'au ciel
ceux qui le confessent, de même il plonge au plus bas ceux
qui le renient.

Et par les actes : v. § 425, 437 et suiv.

§ 469 Confesser la foi, confesseur de la foi, v. le culte des
saints, des martyrs (§ 104 et 109).

Confiteri, professer extérieurement une croyance, confesser :
ex. *omnis quicumque* **confessus fuerit** *me coram hominibus...*
(Luc. 12, 8), quiconque se déclarera pour moi devant les
hommes ; cf. Rom. 10, 9 ;

confessus bonam confessionem *coram multis testibus* (I
Tim. 6, 12), ayant fait une belle profession de foi en présence
de nombreux témoins ;

sicut singillatim unamquamque personam Deum ac Domi-
num **confiteri** *christiana veritate compellimur* (Symb. Athan.),
comme la foi chrétienne nous oblige à confesser que chaque
personne séparément est Dieu et Seigneur ;

confiteor *unum baptisma* (Symb. Nic.).

Profiteri, reconnaître, professer (une doctrine, une règle de
foi) :

ex. *da, q. D., populis christianis, et quæ* **profitentur** *agnosce-*
re, et... (sup. pop. fer. 5 p. d. 1 Quadr., Greg. 42, 4 ; *quos (?)*
providentur (?) agnoscere, Gel. I, 18, 123), accordez aux peuples
chrétiens de connaître pleinement ce qu'ils professent ;

qui christiana **professione** *censentur* (or. d. 3 p. Pasch., Leon.
75), qui font profession de la foi chrétienne ([10]) ;

catholica **professio** (Leon. 218), la religion catholique.

Religio ([11]) est rare en ce sens, dans les oraisons : ex. *pro*
religionis *christianæ triumpho* (secr. 24 mai. p. al. loc.) ; car
ce mot désigne plutôt le sentiment religieux, la vertu de
religion, le sens spirituel : ex. **religionis** *augmentum* (or. d. 6
p. Pent., Gel. III, 2) ; v. § 471.

Testificatio peut avoir le sens de *confessio* : ex. *tuæ* **testifica-**
tio *veritatis nobis proficiat ad salutem* (secr. 13 aug., Leon. 791),
le témoignage porté à votre vérité serve à notre salut (comme
le témoignage de ces martyrs).

---

9. *Negare* est le contraire de *confiteri* : ex. *qui autem negaverit me coram hominibus,*
negabo et ego eum coram Patre meo (Mat. 10, 33) ; *confitentur se nosse Deum, factis autem*
negant (Tit. 1, 16), ils professent la connaissance de Dieu, mais ils le renient par
leur conduite.

10. Litt. sont comptés dans la foi chrétienne ; Tertullien, en particulier, emploie
fréquemment *censeri* au sens de : être censé être, d'où « être ».

11. Cf. *religio vera veri Dei* (Tert. Apol. 24) ; *religio nostra* (Hier. Jov. 1, 41).

§ 470 Voir la définition et les ex. des § 44 et suiv.

Dans la Vulgate, *fides* traduit le grec πίστις, de même que *credere* traduit πιστεύειν ; c'est dire que la foi implique la confiance : les termes qui expriment ces deux sentiments sont fréquemment associés :

ex. ***fides sperandarum*** *rerum* (cit. § 465) ;

quibus ***fiduciam sperandæ*** *pietatis indulges* (sup. pop. fer. 2 p. d. 2 Quadr., Greg. 46, 4 ; *cui fiduciam*, Gel. III, 5), à qui vous accordez la grâce de pouvoir compter sur votre bonté.

Confidere, avoir confiance : ex. (abs.) *confide, filia* (Mat. 9, 22) ;

(avec une prop. objet) *scio et* **confido** *in Domino Jesu,* **quia** ... (Rom. 14, 14), je le sais et j'ai confiance en le Seigneur Jésus que... ;

cujus nos **confidimus** *patrocinio liberari* (secr. 27 dec., Greg. 11, 2 ; *quorum scimus patrocinio liberari*, Leon. 731), nous avons confiance que sa protection (de s. Jean Ev.) nous libérera ;

confidere *in, de* (v. ex. § 44) ;

(avec abl.) *ecclesia* ... *(sancti, sanctorum)* **confisa** *suffragiis* (or. 18 aug., Gel. II, 20 ; Greg. 150, 1), votre Église, confiante dans leur protection.

Le verbe *sperare* est lui-même associé à *credere* :

ex. *quod in te* **speraverunt** *et* **crediderunt** (cit. § 467) ;

quia in te **speravit** *et* **credidit** (or. miss. in die depos.) ; v. ex. de *sperare, spes* (§ 43-45).

Notre espérance est aux réalités que l'œil n'a point vues et que l'oreille n'a point entendues, c'est-à-dire les promesses éternelles : *quod oculus non vidit, nec auris audivit ... quæ præparavit Deus iis qui diligunt illum* (1 Cor. 2, 9) ;

Deus, qui diligentibus te bona invisibilia præparasti (or. d. 5 p. Pent., Gel. III, 1) ;

ad tua promissa currentes ([1]) (or. d. 10 p. Pent., Gel. III, 6) ; v. *promissiones* (§ 44 et 303).

3. LA CHARITÉ ENVERS DIEU, L'AMOUR DE DIEU

§ 471 On trouvera des ex. concernant les mots *caritas, dilectio, diligere, amare, amor, pietas, devotio, devotus, affectus* aux §§ 46-47.

Nous nous contentons de rappeler ici quelques expressions concernant la définition de la charité et le précepte de la charité.

---

1. Métaphore empruntée aux compétitions sportives, elle exprime l'ardeur et l'empressement : *sic currite ut comprehendatis* (1 Cor. 9, 24), courez, de manière à saisir (le prix).

Le sens formaliste du mot *religio* chez les anciens Romains a été remplacé chez les chrétiens par une notion plus chaleureuse ([1]) : il désigne un sentiment vécu et sincère, qui se traduit par des actes, et pas seulement par des paroles ou des gestes extérieurs (Jac. 1, 26-27). La vertu de religion se rattache ainsi à la charité :

*præsta in nobis **religionis** augmentum* (or. d. 6 p. Pent., Gel. III, 2), faites que notre piété grandisse ;

*concede, Domine, populo tuo veniam peccatorum et **religionis** augmentum* (Leon. 57), accordez, Seigneur, à votre peuple le pardon de ses péchés ainsi qu'une piété plus grande (*religionis augmentum* se rencontre quatre fois dans ce Sacramentaire ; *caritatis augmentum*, une fois, 598 ; *devotionis augmentum*, une fois, 524).

§ 472 Saint Jean définit la charité comme étant l'imitation de l'amour de Dieu pour nous : *in hoc est **caritas**, non quasi nos dilexerimus Deum, sed quoniam ipse prior **dilexit nos** et misit Filium suum...* (1 Jo. 4, 10), en ceci consiste la charité : ce n'est pas nous qui avons aimé Dieu, c'est Lui qui nous a aimés et nous a envoyé son Fils... ;

l'amour étant l'essence de Dieu : *Deus **caritas** est* (ibid. 4, 8) ;

*quia, dum Deum in ignis visione susceperunt, per **amorem** suaviter arserunt* ([2]). *Ipse namque Spiritus Sanctus **amor** est, unde et Joannes dicit : Deus **caritas** est* (Greg.-M. Hom. ev. 30, lect. 1 Pent.), car, en recevant Dieu dans une vision de feu (les langues de feu), ils brûlèrent d'un suave amour. En effet, l'Esprit Saint lui-même est amour, ce qui fait dire à saint Jean...

Le précepte de l'amour de Dieu est lié à la connaissance de Dieu : *omnis qui **diligit** ex Deo natus est et **cognoscit** Deum* (1 Jo. 4, 7), quiconque aime est né de Dieu et connaît Dieu ; v. *nosse, cognoscere, agnoscere* (§ 466).

C'est le grand précepte : ***diliges** Dominum Deum tuum ex toto corde tuo et ex tota anima tua et ex omnibus viribus tuis et ex omni mente tua ; et proximum tuum sicut te ipsum* (Luc. 10, 27 ; cf. Mat. 22, 37 ; Marc. 12, 30 ; Lev. 19, 18), tu aimeras le Seigneur ton Dieu de tout ton cœur, de toute ton âme, de toutes tes forces et de tout ton esprit ; et ton prochain comme toi-même ;

---

1. Pour les théologiens : vertu morale qui nous porte à rendre à Dieu le culte qui lui est dû ; sans parler des autres sens : vie religieuse, ascétique, monastique.

2. De même que la charité a été comparée à un feu : ex. *caritatis ardor* (postc. 13 mai) et v. ex. § 48 ; cf. *fidei ardor* (Moz. L. sacr. 798 ; Leon. 1168) ; *fidei calor* (§ 464) ;

de même l'absence de la charité est comparée à un froid : ex. (*Judæi*) *friguerant diligendi caritate et ardebant nocendi cupiditate* (Aug. Tr. ev. Jo. 48, lect. 3, fer. 4 p. d. Pass.), ils étaient de glace pour la charité qui fait aimer ; ils étaient de feu, quant au désir de nuire.

Deus, quem **diligere** (³) *et amare justitia est* (or. dom. Palm. vet. ord., Gel. I, 37), ô Dieu, vous qu'il est juste d'aimer et de chérir.

§ 473 La crainte de Dieu.

Timor est quelquefois péjoratif, en parlant de l'ancienne Loi : **timor** *non est in* **caritate**, *sed perfecta* **caritas** *foras mittit* **timorem** (1 Jo. 4, 18), il n'y a pas de crainte dans l'amour ; au contraire, le parfait amour bannit la crainte.

Mais, dans les Psaumes (⁴), et d'une manière générale, chez les auteurs chrétiens, *timor Dei* ou *Domini* exprime la crainte pieuse et scrupuleuse de celui qui a sans cesse présente à l'esprit la pensée de Dieu (⁵) :

ex. *initium sapientiæ* **timor Domini** (Ps. 110, 10), le principe de la sagesse, c'est la crainte du Seigneur ; *timor Domini, timere Deum, Dominum* (Vulg. passim) ;

dedisti hereditatem **timentibus nomen tuum** (Ps. 60, 6), tu accordes l'héritage à ceux qui craignent ton nom ;

perficientes sanctificationem in **timorem Dei** (2 Cor. 7, 1), en achevant de nous sanctifier dans la crainte de Dieu ;

vir Israelitæ et qui **timetis Deum** (Act. 13, 16) ;

viri **timorati** (Act. 8, 2), des hommes pieux ; *justus et timoratus* (Luc. 2, 25) ;

sancti nominis tui ... **timorem** *pariter et* **amorem** (or. cit. § 46) ;

confirma in eum spiritum **divini timoris** (Moz. L. ord. 102); raffermissez en lui le sentiment de la crainte de Dieu; cf. Arn.-J. Psal. c. 563 D ; Max.-Taur. Hom. c. 421 A.

Metus, metuere sont moins fréquents :

ex. *dedisti* **metuentibus te** *significationem* (Ps. 59, 6), tu as donné le signal à ceux qui te craignent ;

placentes Deo cum **metu et reverentia** (Hebr. 12, 28), nous rendant agréables à Dieu avec crainte et religion (μετὰ εὐλαβείας καὶ δέους) ;

ut servilis **metus** *in affectum transeat filiorum* (Leon. 1099 ; cf. Rom. 8, 15), que la crainte servile fasse place à un amour filial (pas d'ex. de ce sens dans le Missel).

---

3. *Diligere* est plus fréquent que *amare* dans les oraisons, quand il s'agit de l'amour de Dieu.

4. *Trepidare* y est plus rare : *et a verbis tuis trepidavit cor meum* (118, 161), tes paroles ont fait trembler mon cœur.

5. Saint Augustin distinguait en effet deux sortes de craintes : *est timor quem perfecta caritas foras mittit et est alius timor castus permanens in sæculum sæculi* (Tr. ev. Jo. 85, 3), il y a une crainte que la charité parfaite bannit ; il y a une autre crainte révérencielle qui demeure éternellement.

Cf. *non enim dedit nobis Deus spiritum timoris, sed virtutes ... dilectionis* (2 Tim. 1, 7), ce n'est pas un esprit de crainte que Dieu nous a donné, mais un esprit d'amour.

§ 474 *Zelus*, le zèle, la ferveur (v. ex. § 48 et 453) ([6]).

Outre le sens de jalouser, *æmulari* de même signifie aussi : aspirer avec ardeur (aux biens spirituels) :

ex. *sectamini caritatem, æmulamini spiritalia* (1 Cor. 14, 1) ; **æmulator** *legis* (Act. 22, 3), zélateur de la loi ;

testimonium enim perhibeo illis quod **æmulationem** *Dei habent* (Rom. 10, 2), je rends témoignage qu'ils ont du zèle pour Dieu.

On rencontre aussi le terme classique *studium* : ex. *pastorali* **studio** *mirabilis* (or. 9 aug.) ; *pietatis* **studio** (or. d. 6 p. Pent. ; *vigilanti* **studio**, Gel. III, 2), par notre zèle pieux ; **studio** *gloriæ tuæ* (or. 15 mai.).

Voir d'autres expressions concernant l'amour de Dieu, dans le dernier chapitre : union avec Dieu.

4. CHARITÉ ENVERS LE PROCHAIN, AMOUR DU PROCHAIN

§ 475 Ce précepte nous est présenté comme venant aussitôt après celui qui concerne l'amour de Dieu et comme son complément ([1]) : *diliges* ... (v. § 472) ;

secundum autem (mandatum) simile est huic : **diliges** **proximum tuum** *sicut te ipsum* (Mat. 22, 39).

Ce terme biblique de *proximus* : ex. *nec fecit* **proximo suo** *malum* (Ps. 14, 3), désigne tous les hommes : **proximum** *omne hominum genus accipiamus* (Hier, In Zach. 2, 8, 13), par le mot « prochain » entendons tout le genre humain ;

concede ut ... **proximos** *opere et veritate diligamus* (or. 9 sept. p. al. loc.), faites que nous aimions notre prochain véritablement et par des actes ;

(le sing. est plus normal) *Deus, qui sacra legis omnia constituta in tua et* **proximi dilectione** *posuisti* (Leon. 493), ô Dieu, qui avez placé tous les saints commandements dans votre amour et dans celui du prochain.

§ 476 Nous retrouvons donc les mêmes termes que dans le chapitre précédent : *dilectio, diligere, caritas*, bien que ce dernier désigne plus souvent, dans les oraisons, l'amour de Dieu pour nous ou notre amour de Dieu :

ex. *qui enim* **diligit** *proximum, legem implevit* (Rom. 13, 8), car celui qui aime autrui a de ce fait accompli la loi ;

---

6. Dans la Vulgate, *zelus, zelare, zelari* ont souvent un sens péjoratif (jalousie, jalouser) ; mais désignent aussi un amour ardent (presque fanatique) au service de Dieu : ex. *(Matathias) zelatus est legem* (1 Mac. 2, 26).

1. Quand saint Paul dit : *caritas patiens est* ... (1 Cor. 13, 4), il pense à l'amour du prochain ; mais tout le lyrisme de ce chapitre est une sorte d'hymne à la charité en soi.

Sainte Thérèse de l'Enfant-Jésus se consacre à Dieu pour les hommes : *se tibi pro hominibus caritatis victimam devovit* (postc. 3 oct.).

majorem hac **dilectionem** *nemo habet, ut animam suam ponat quis pro amicis suis* (Jo. 15, 13), il n'est pas de plus grand amour que de donner sa vie pour ses amis ;

diligite *inimicos vestros* (Mat. 5, 44) ;

concede ... ut ... omnes homines rationabili **diligamus** *affectu* (Gelas. ap. Leon. 432), faites que nous aimions tous les hommes d'une affection spirituelle ;

te super omnia et omnes propter te **diligentes** (secr. 20 oct.) ;

pro quorum quarumque **dilectione** *hæc tuæ obtulimus majestati* (postc. p. dev. amic., Greg. suppl. Alc. 194), à ceux et à celles pour l'amour de qui nous avons offert (ce sacrifice) à votre Majesté ;

super omnia autem hæc, **caritatem** *habete, quod est vinculum perfectionis* (Col. 3, 14), par-dessus tout, ayez la charité, en qui se noue la perfection ;

Deus, auctor **pacis** *et amator* **caritatis** (or. 12 jun.) ; cf. *auctor* **pacis** *et amator* (Gel. III, 56) ; *largitor* **pacis** *et amator* **caritatis** (Gel. III, 27) ; *auctor* **pietatis** (Leo-M. Serm. 88, 4) ;

pacis *vinculum et* **caritatis** *studium* (Miss. Goth. 428), le lien de la paix et l'amour de la charité ; *per* **dilectionis** *vinculum* (ibid. 465) ;

supportantes invicem in **caritate***, solliciti servare unitatem Spiritus in vinculo* **pacis** (Ephes. 4, 3), vous supportant les uns les autres avec charité, soucieux de maintenir l'unité de l'Esprit par ce lien qu'est la paix.

Le terme de « frère » ([2]) ne désigne pas seulement les chrétiens entre eux (§ 387), mais aussi tous les hommes, le prochain:

ex. *qui irascitur* **fratri** (Mat. 5, 27) ;

qui ... viderit **fratrem** *suum necessitatem habere* (1 Jo. 3, 17), celui qui voit son frère dans le besoin ;

ne quis supergrediatur neque circumveniat in negotio **fratrem** *suum* (1 Thess. 4, 6), que personne ne supplante ou ne lèse son frère dans cette affaire (le mariage) ;

animam nostram pro **fratribus** *ponere* (or. 14 nov.), donner notre vie pour nos frères ; *animam suam pro aliquo ponere* (Jo. 13, 38, etc.).

§ 477 La charité dans la famille :

ecce quam bonum est et quam jucundum habitare **fratres in unum** (Ps. 132, 1), voyez comme il est bon, comme il est doux d'habiter en frères tous ensemble ;

Deus, qui inhabitare facit **unanimes in domo** (Psalt. Rom. 67, 7, Intr. d. 11 p. Pent. ; *unius moris*, Vulg. cit. § 437 note 2), ô Dieu, par qui les frères habitent d'un seul cœur dans la maison ;

Deus, qui **unanimes** *nos in domo tua præcipis habitare ... ut*

---

2. *Nos ... fratres vocamus, ut unius Dei parentis homines* (Minuc. 31, 8), nous nous appelons frères, en tant qu'hommes ayant un seul Père, qui est Dieu.

... *possimus esse* **concordes** (Gel. I, 66), ô Dieu, qui nous ordonnez de vivre d'un seul cœur dans votre maison ... de façon que la concorde puisse régner entre nous ; cf. *Deum ...* **unianimiter** *deprecari* (= *unanimiter*) (Miss. Goth. 234) ;

deprecantes, ut, per intercessionem Deiparæ Virginis cum beato Joseph, **familias nostras in pace** *et gratia tua firmiter constituas* (secr. S. Familiæ), en vous suppliant, par l'intercession de la Vierge, Mère de Dieu, et par celle de saint Joseph, d'établir fermement nos familles dans votre paix et votre grâce ;

Jesu, o cui **domestica** *Arrisit orto* **caritas** (hymn. vesp. S. Famil.), Jésus, à qui sourit, dès votre naissance, l'affection familiale ;

honora patrem tuum et matrem tuam (Ephes. 6, 2 ; Mat. 19, 19 ; Deut. 5, 16; etc.).

Dans une communauté : *da famulis tuis veram cum tua voluntate* **concordiam** (or. p. concord. in congreg. ; *servis tuis*, Gel. III, 27), accordez à vos serviteurs une vraie union des cœurs dans votre volonté.

§ 478 De nombreuses expressions traduisent le sentiment de réciprocité.

Invicem : ex. (seul) *supportantes* **invicem** *et donantes* **vobismet ipsis***, si quis adversus aliquem habet querelam* (Col. 3, 13), vous supportant les uns les autres et vous pardonnant mutuellement, si quelqu'un a à se plaindre d'un autre ;

hoc est præceptum meum ut diligatis **invicem** (Jo. 15, 12) ;

hospitales **invicem** (1 Petr. 4, 9) ;

idipsum invicem *sentientes* (Rom. 12, 16), ayant les mêmes sentiments les uns pour les autres ;

(avec prépos.) *abundare faciat caritatem vestram* **in invicem** (1 Thess. 3, 12), qu'il vous fasse abonder dans la charité que vous avez les uns envers les autres ; cf. 2 Thess. 1, 3 ;

pro invicem *sollicita sint membra* (1 Cor. 12, 25), que les membres se témoignent une mutuelle sollicitude (pas d'ex. dans le Missel ou les Sacramentaires).

Alter ... alter : ex. *alter alterius onera portate* (Gal. 6, 2).

Alteruter : ex. (adj.) ([3]) *per* **alterutram** *pietatem* (Leon. 434), par leur bonté réciproque ;

(pronom) *unusquisque sicut accepit gratiam,* **in alterutrum** *illam administrantes* (1 Petr. 3, 10), que chacun, selon la grâce qu'il a reçue, la mette au service des autres.

Mutuus : ex. *ante omnia autem* **mutuam** *in vobismet* ([4])

---

3. Ex. *alterutro ardore* (Aug. Ep. 211, 10) ; *alterutri adjutores* (Cypr. Ep. 77, 3).

4. Le suffixe *-met*, comme on l'a vu par d'autres exemples, correspond au réfléchi grec ; mais le texte latin présente aussi le simple pronom ayant un sens réciproque : ex. *hoc enim sentite in vobis ...* (Philipp. 2, 5), ayez les uns pour les autres le même sentiment (qui fut dans le Christ).

ipsis **caritatem** *continuam habentes* (1 Petr. 4, 8), avant tout, conservant entre vous une continuelle charité ;

mutua *dilectio* (Leon. 1050 ; Greg. 202, 45) ; **mutua** *lege concordes* (Leon. 434), unis dans la concorde et se reconnaissant mutuellement les mêmes devoirs.

§ 479 Autres expressions désignant l'union des cœurs et la réciprocité :

omnia ergo quæcumque vultis ut faciant **vobis** *homines, et vos facite* **illis** (Mat. 7, 12 ; cf. Luc. 6, 31), tout ce que vous désirez que les autres fassent pour vous, faites-le vous-mêmes pour eux ;

veram pacem ... ut nec **alteri** *quisquam moliretur infligere, quos* **sibi** *nollet inferri* (Leon. 434), vraie paix ... en sorte que personne ne cherche à faire à autrui ce qu'il ne voudrait pas qu'on fît à lui-même ;

nulli **malum pro malo** *reddentes* (Rom. 12, 17) ;

diligite **inimicos** *vestros, benefacite his qui oderunt vos* (Luc. 6, 27) ;

in fine autem **unanimes, compatientes**, *fraternitatis amatores* (1 Petr. 3, 8), enfin, vous tous, en esprit d'union, dans la compassion mutuelle et l'amour fraternel ;

vinculo caritatis **connexi** (Moz. L. ord. 262), liés mutuellement par le lien de la charité ; v. ex. de *vinculum* (§ 476).

On pourrait voir dans le Dictionnaire les nombreux composés en *cum-*, exprimant l'union avec nos frères, avec leurs joies ou leurs souffrances : *coexultare, collætari, congaudere, coægrotare, coinfirmari*, etc ; mais, dans les textes liturgiques, il s'agit surtout de l'union des cœurs dans la célébration ou la prière (v. *congaudere, collætari*, § 9 et 300) ; sauf pour les mots *concordes, concordia* dont nous venons de donner des exemples.

§ 480 L'emploi figuré du mot *viscera* ([5]), entrailles, sert à exprimer la profondeur des sentiments intimes de la charité :

ex. *qui ... viderit fratrem suum necessitatem habere et clauserit* **viscera** *sua ab eo, quomodo caritas Dei manet in eo ?* (1 Jo. 3, 17), si quelqu'un voit son frère dans le besoin et lui ferme ses entrailles, comment l'amour de Dieu demeurerait-il en lui ?

induite vos ... **viscera misericordiæ**, *benignitatem, humilitatem* (Col. 3, 12), revêtez-vous des sentiments de tendre compassion, de bienveillance, d'humilité.

§ 481 Dans les textes bibliques et les oraisons, les mots *misericors, misericordia* se réfèrent le plus souvent à la bonté de Dieu, comme on a pu le voir fréquemment ; mais voici

---

5. Ex. en parlant de l'amour de Dieu : *tuæ circa nos pietatis ... viscera* (or. 24 febr.), la tendresse de votre bonté pour nous ; *per viscera misericordiæ tuæ* (Leon. 1247).

quelques ex. concernant la bonté de l'homme envers l'homme :

beati **misericordes** (Mat. 5, 7) ;

quæ autem desursum est sapientia, primum quidem pudica est, deinde pacifica … plena **misericordia** (Jac. 3, 17), quant à la sagesse qui vient d'en haut, elle est tout d'abord pure, puis pacifique … pleine de pitié.

Le mot *merces, -edis,* a désigné aussi les aumônes (Greg.-M. Ep. 2, 38, et même la pitié (anc. fr. merci, f.) : *mercedis intentione* (Ep. 3, 16), dans une intention de miséricorde (ou de « rachat » des captifs). Nous le citons ici, parce que cet emploi a un témoin liturgique : N. D. de la Merci, patronne de l'ordre des Mercédaires, fondé au 13e s. pour le rachat des captifs (fête le 24 sept.) : *in honorem ejusdem Virginis Matris ordinem instituere aggressi sunt, sub invocatione sanctæ Mariæ de* **Mercede** *redemptionis captivorum* (lect. 5, 24 sept), ils entreprirent de fonder un ordre en l'honneur de la Vierge Mère, sous le vocable de saint Marie de la Merci de la rédemption des captifs.

§ 482 La bienfaisance et l'aumône :

beneficientiæ *autem et* **communionis** *nolite oblivisci ; talibus enim hostiis promeretur Deus* (Hebr. 13, 16), quant à la bienfaisance et à la mise en commun des ressources, ne l'oubliez pas : car c'est de tels sacrifices qui gagnent la faveur de Dieu ;

beneficientiæ *studio sempiternam misericordiam promereri* (secr. 22 jun.), par notre application à faire le bien mériter l'éternelle miséricorde (comme saint Paulin de Nole qui distribua ses biens aux pauvres) ;

beatus qui intelligit super egenum et **pauperem** (Ps. 40, 2), bienheureux celui qui comprend les besoins du pauvre et de l'indigent ;

quæcumque habes vende et da **pauperibus** *et habebis thesaurum in cælo* (Marc. 10, 21) ;

Deus, qui beatam Margaritam reginam eximia in **pauperes** *caritate mirabilem effecisti* (or. 10 jun.), ô Dieu, qui avez rendu admirable la sainte reine Marguerite par son extraordinaire charité envers les pauvres ;

in alendis **pauperibus** (Leon. 757), par son soin de nourrir les pauvres (en parlant du diacre saint Laurent) ;

quem **orphanis** *adjutorem et patrem esse voluisti* (or. 20 jul., en parlant de saint Jérôme Émilien) ;

administratio legitima **caritatis** (Leon. 1005), la répartition régulière de la charité (chez un évêque, peut désigner le soin de toutes les âmes, mais aussi des fonds matériels dont il dispose pour les œuvres charitables).

Eleemosyna (ἐλεημοσύνη, pitié), aumône (Tert. ; Cypr. ; Hier. ; Aug.) :

facere **eleemosynam** (Mat. 6, 3) ; *dare* **eleemosynam** (Luc. 11, 41) ;

terrena **eleemosyna** (Gel. III, 48), l'aumône distribuée sur terre ;

quando **helemosyna** *datur* (Greg. 72 tit.) ; pas d'ex. dans le Missel.

L'aumône est comparée à un prêt fait au Seigneur : **feneratur Domino** *qui miseretur pauperis ; et vicissitudinem suam reddit ei* (Prov. 19, 17), qui a pitié du pauvre prête au Seigneur : il lui paiera le bienfait de retour (image reprise par les Pères : Cypr. ; P.-Nol. ; etc.).

Agape (ἀγάπη, amour, charité) a eu aussi le sens concret de : aumône, charité (Cassian.) : *orationes pro his qui* **agape** *faciunt* (Gel. III, 48 tit.) ; *oratio ad* **agapem** *pauperum* (Greg. 210 tit.) ; de même *caritas*, au M. A., a désigné un repas offert par charité ou amitié.

Chez les premiers chrétiens, *refrigerium* désignait souvent le soulagement, l'aide, le réconfort donné aux pauvres [6] ; mais dans nos textes liturgiques, il ne s'applique qu'au repos éternel (Canon), ou à la consolation apportée par le Saint-Esprit : *dulce refrigerium* (« *Veni, Sancte Spiritus* »).

On prie pour les prisonniers dans les oraisons du Vendredi-Saint : *aperiat carceres*.

Dans le Missel Gothique, on demande aussi à Dieu qu'il inspire la clémence aux juges : *judicum mansuetudinem* (276).

§ 483 Le pardon, la réconciliation :
et dimitte nobis debita nostra, sicut et nos **dimittimus** *debitoribus nostris* (Mat. 6, 12) ;

vade prius **reconciliari** [7] *fratri tuo* (Mat. 5, 24), (avant de te présenter à l'autel) va d'abord te réconcilier avec ton frère ;

Deus, **simultatum discussor**, *pacis quæsitor* (coll. ad pacem, Miss. Goth. 141), ô Dieu, qui dissipez les querelles et recherchez la paix ; v. *pacis* (§ 476) ; *dare pacem* (§ 65 ; 75) ;

en parlant de l'échange du baiser de paix (*pax*) à la messe, avant la communion : *communicatio præsentis osculi perpetuæ proficiat caritati* (or. ad pacem, Miss. Gall. 8, 42), que l'échange de ce baiser concoure à l'établissement d'une charité continuelle ;

---

6. Ex. *pauperibus et fratribus refrigeria sumptuum manu propria distribue* (Hier. Ep. 58, 6), distribue personnellement et à tes frais des secours en argent aux pauvres et aux frères.

7. *Reconciliatio nostra* (Leon. 1265), *reconciliatio humana* (secr. d. ult. oct., Greg. 93 ; 1), ainsi que le verbe correspondant (§ 230), désigne notre réconciliation avec Dieu par la Rédemption ; les appliquant aux relations humaines, un prince de Saxe avait fait graver, en 1925, au calvaire de Bierville, ces paroles des litanies du Sacré-Cœur : *Cor Jesu, pax et reconciliatio nostra, miserere nobis* ; la fin de la secrète citée associe les deux idées.

(sancta tua) operatione sua perficiant nos **pacatos** (Leon.
1037), que leur effet produise la paix entre nous.

La correction fraternelle *(correptio,* Tert. ; Cypr. ; Aug. ;
Sacram. Leon. 492) :

si autem peccaverit in te frater tuus, vade et **corripe** *eum inter
te et ipsum solum* (Mat. 18, 15), si ton frère t'a manqué, va le
trouver et reprends-le seul à seul ;

corripere *inquietos* (Leon. 416), reprendre les instables ;

ailleurs et dans les autres Sacramentaires, il s'agit des
avertissements donnés par Dieu : v. *correctio* (§ 444).

V

LES VERTUS CARDINALES (¹)
OU PRINCIPALES

1. LA JUSTICE

§ 484 Dans le latin biblique, *justus* (²) désigne l'homme vertueux en général, sans reproche (³), celui qui suit la loi de Dieu ; et *justitia* (⁴), la vie juste, la perfection morale, la sainteté.

De nombreuses figures expriment la prospérité du juste béni par Yahvé ; elles sont reprises dans les antiennes et entendues au sens spirituel : ex. *justus, ut palma, florebit* (Ps. 91, 13), le juste sera florissant comme le palmier. Cf. *Israel germinabit sicut lilium* (Os. 14, 6), expression appliquée aussi aux justes dans les antiennes.

Autres ex. *erant* **justi** *ambo ante Deum, incedentes ... sine querela* (Luc. 1, 6) ;

petitionem **justi** *Simeonis* (or. 1 ben. cand. 2 febr.) ; *Abel* **justus** (Leon. 1250) ;

deprecatio collata **justorum** (Leon. 703), l'intercession des saints réunis (*deprecatio collata sanctorum*, postc. 27 sept., Greg. 168, 3) ;

credidit Abraham Deo et reputatum est illi ad **justitiam** (Gen. 15, 6), Abraham crut Dieu et cela lui fut compté comme justice ;

beati qui esuriunt et sitiunt **justitiam** (Mat. 5, 6) ;

les bonnes œuvres, et en particulier l'aumône, nous rendent justes devant Dieu : *attendite ne* **justitiam** *vestram faciatis coram hominibus* (Mat. 6, 1), gardez-vous d'afficher votre iustice devant les hommes ;

le mot *justitia* (δικαιοσύνη) a donc pris, dans les textes bibliques un sens très étendu et recouvre toutes les vertus principales : *et si* **justitiam** *quis diligit, labores hujus magnas habent virtutes : sobrietatem enim et prudentiam docet et justitiam et virtutem...* (Sap. 8, 7), si quelqu'un aime la justice, les vertus sont le fruit de ses labeurs : elle enseigne en effet tempérance et prudence, justice et courage ; le contexte qui entoure la

---

1. *Scimus virtutes esse quattuor cardinales, temperantiam, justitiam, prudentiam, fortitudinem* (Ambr. Luc. 5, 62).
2. Opposé : *injustus, iniquus, impius*.
3. *Sine querela* (ἄμεμπτος) (Philipp. 2, 15 ; 1 Thess. 3, 13, etc.).
4. v. *justitia*, justice salvifique de Dieu (§ 276 note 1) ; et autres sens, dans le Dict.

formule *per arma justitiæ* (2 Cor. 6, 7), fait allusion à toutes sortes de vertus.

Ex. dans les oraisons : *ut familia tua ..., sectando **justitiam**, a culpa jejunet* (or. fer. 2 p. d. 2 Quadr., Greg. 46, 1), (faites) que vos serviteurs, recherchant la sainteté, s'abstiennent de pécher ;

*regnum et **justitiam** tuam ante omnia quærentes* (postc. sabb. ante 3 d. nov. p. al. loc.), recherchant avant tout votre règne et votre justice (cf. Mat. 6, 33) ;

(au sens ordinaire de justice) *regnum **justitiæ**, amoris et pacis* (præf. Chr. Reg. ; ***justitia** ... et pietas* (Leon. 1014), la justice et la bonté.

§ 485 *Æquitas* désigne spécialement l'équité : ex. *ducam te per semitas æquitatis* (Prov. 4, 11), « je te conduirai dans les sentiers de la droiture » ; mais le mot s'emploie presque toujours, dans le latin biblique, à propos de la justice de Dieu (ex. § 143) ;

*quantum ab **æquitatis** tramite deviamus* (Leon. 1077), dans la mesure où nous nous écartons du sentier de la justice.

L'équité dans nos rapports sociaux : *date et dabitur vobis ; mensuram bonam et confertam et coagitatam et supereffluentem dabunt in sinum vestrum. Eadem quippe mensura, qua mensi fueritis, remitietur vobis* (Luc. 6, 38), donnez et l'on vous donnera ; c'est une bonne mesure, bien tassée, secouée, débordante que l'on versera dans les plis de votre vêtement ; car de la mesure dont vous mesurerez on mesurera pour vous en retour.

La rectitude : *præceptorum **rectitudinem*** (v. cit. § 430) ; *via **recta**, etc.* (§ 426).

A la vertu de justice se rattache aussi la sincérité, recommandée principalement aux ministres : *(oportet esse) diaconos similiter pudicos, **non bilingues*** (1 Tim. 3, 8), les diacres aussi seront des hommes dignes, n'ayant qu'une parole ;

*odiant superbiam, diligant **veritatem*** (Gel. I, 99, 770, en parlant des évêques).

2. LA PRUDENCE, LA SAGESSE

§ 486 Il s'agit surtout ici de la sagesse morale (¹) qui aide l'homme à se bien conduire : *si quis autem vestrum indiget **sapientia**, postulet a Deo* (Jac. 1, 5), si l'un de vous manque de sagesse, qu'il la demande à Dieu ; *in **sapientia** ambulate* (Col. 4, 5), conduisez-vous avec sagesse.

---

1. *Sapientia* désigne aussi, à un degré supérieur, un charisme : *det vobis spiritum sapientiæ et revelationis* (Ephes. 1, 17).

La sagesse est parfois assimilée à la piété envers Dieu : *radix sapientiæ est timere Dominum* (Eccli. 1, 25) ; cf. *initium sapientiæ...* (§ 473).

V. dans le Dict. les différents sens de *sapientia*.

Mais cette sagesse est liée à l'intelligence des choses spirituelles :

*(justitia) cibabit illum pane vitæ et **intellectus**, et aqua*
***sapientiæ** salutaris potabit illum* (Eccli. 15, 3), elle le nourrira
du pain de vie et d'intelligence, elle lui fera boire l'eau de la
sagesse salutaire ;

(en parlant de l'eucharistie) *ut panis sit **intellectus**, et potus*
*aqua **sapientiæ** salutaris* (postc. 13 nov. p. al. loc.) ;

videte quomodo caute ambuletis, non quasi insipientes, sed ut
sapientes** ... propterea nolite fieri imprudentes, sed **intelligentes
quæ sit voluntas Dei (Ephes. 5, 15), prenez bien garde à votre
conduite ; qu'elle soit celle, non d'insensés, mais de sages ... ne
vous montrez donc pas inconsidérés, mais sachez voir quelle
est la volonté de Dieu ;

*da nobis, quæsumus, et quæ docuit **intellectu** conspicere et*
quæ egit imitatione complere (or. 7 mart.), accordez-nous, nous
vous en prions, d'avoir l'intelligence de son enseignement et
d'imiter ses actes ;

*auge fidem et **intellectum** catechumenis nostris* (or. 5 Parasc.,
Gel. I, 41, 409), augmentez la foi et l'intelligence chez nos
catéchumènes.

Sapientia a parfois un sens péjoratif, la sagesse du siècle :
***sapientia** carnalis* (2 Cor. 1, 12) ; *ista **sapientia** ... terrena,*
animalis, diabolica (Jac. 3, 15), opposée à la sagesse d'en haut :
*quæ autem desursum est **sapientia*** (ibid. 3, 17).

§ 487 Toutefois les auteurs chrétiens ont reconnu la valeur
de la philosophie humaine, si elle reste dans ses limites (Tert. ;
Aug. ; etc.) ; ils l'ont adoptée pour élaborer une philosophie
chrétienne :

Deus, qui beatum Albertum pontificem tuum atque doctorem
*in humana **sapientia** divinæ fidei subjicienda magnum effecisti*
(or. 15 nov.), ô Dieu, qui avez rendu « grand » saint Albert,
votre évêque et docteur, grâce à sa sagesse humaine qu'il
subordonnait à la foi divine (par *sapientia*, il faut entendre :
science et philosophie, non encore distinctes en son temps).

La sagesse (*sapientia, sapere*) se réfère surtout à la pensée :
v. *recta sapere* (§ 439) ;

alors que la prudence (*prudentia, prudens*) se réfère à
l'action ([2]) :

*estote ergo **prudentes** sicut serpentes et simplices sicut colum-*
bæ (Mat. 10, 16) ; les vierges sages sont dites *prudentes* et les
vierges folles *fatuæ* (Mat. 25, 2) ;

*anus similiter in habitu sancto ... bene docentes, ut **pruden-***

---

2. Mais cette nuance n'est pas toujours observée : ex. *qui sapiens est corde, ap-*
pellabitur prudens (Prov. 16, 21), celui qui est sage intérieurement, on l'appellera
prudent.

tiam doceant adulescentulas ut viros suos ament, filios suos diligant, prudentes, castas, sobrias, domus curam habentes ... (Tit. 2, 3-5), que de même les femmes d'âge aient une tenue qui convienne à des saintes, qu'elles donnent de bons conseils, enseignent la prudence aux jeunes femmes, à aimer leur mari et leurs enfants, à être réservées, chastes, sobres, femmes d'intérieur... ;

sit in eis (virginibus sacris), Domine, per donum Spiritus tui, **prudens** *modestia,* **sapiens** *benignitas, gravis lenitas, casta libertas* (Leon. 1104, p. 139, 10), que l'on trouve en elles, Seigneur, grâce aux dons de votre Esprit, une prudente retenue, une sage bonté, du sérieux dans la douceur, une modestie sans contrainte.

§ 488 La prudence doit s'appliquer aussi aux paroles :

sit autem omnis homo velox ad audiendum, tardus autem ad loquendum (Jac. 1, 19), que tout homme soit prompt à écouter, lent à parler ;

qui moderatur sermones suos, doctus et prudens est (Prov. 17, 27), celui qui retient ses paroles est sage et prudent ; cf. *labi in lingua, lapsus linguæ* (§ 421) ;

ut ... ori nostro custodiam ponentes (Ps. 38, 2), *beatis qui lingua non sunt lapsi annumeremur* (or. 16 mai. p. al. loc.), que, mettant une garde sur nos lèvres, nous soyons mis au nombre des saints qui n'ont pas péché par la langue.

Consilium désigne aussi le bon-sens et la prudence dans les résolutions à prendre :

meum est **consilium** *et æquitas, mea est* **prudentia**, *mea est fortitudo* (Prov. 8, 14), à moi (Sagesse) appartient le conseil et la juste mesure ; à moi appartient la prudence et la force ;

Deus, a quo sancta desideria, recta **consilia** *et justa sunt opera* (or. m. p. pace, Gel. III, 56), ô Dieu, de qui viennent les pieux désirs, les jugements droits et les œuvres justes ;

Mater Boni Consilii ; B. M. V. de Bono Consilio (26 apr. p. al. loc.), Mère du Bon Conseil ;

spiritus **consilii** *et fortitudinis* (or. 7 jul. p. al. loc.), esprit de prudence et de force (chez un Confesseur).

3. LA FORCE

§ 489 *Fortitudo* ([1]), au sens de « force morale », est classique. Chez les chrétiens (Aug., Cassian. ; Sulp.-Sev.), le mot désigne la force d'âme qui permet de supporter l'adversité, de vaincre

---

1. Dans les Psaumes, il s'agit du secours puissant de Dieu : *Deus, fortitudo mea* (Ps. 42, 2 et passim. Dans les Actes des Apôtres (6, 8), il s'agit de la puissance que Dieu confère à Étienne pour accomplir des miracles : *plenus gratia et fortitudine.* Ex. de *fortitudo*, force morale (Job 6, 11).

les tentations, d'affronter le martyre, de défendre la foi (Confesseurs) :

ex. dans les oraisons : *spiritum, Domine,* **fortitudinis** *hæc nobis tribuat mensa cælestis* (postc. 14 nov.), que cette table céleste nous apporte, Seigneur, l'esprit de force ; cf. **spiritus** *consilii et* **fortitudinis**... (Is. 11, 2) ;

Deus, qui ... beatum Joannem cælesti doctrina et admirabili **spiritus fortitudine** *imbuisti* (or. 27 mart.), Dieu, qui avez rempli saint Jean (Damascène) d'une science céleste et d'une admirable force d'âme ;

(sancta tua) quæ illis inter persecutiones **fortitudinem** *ministrarunt* (Leon. 717), qui leur ont fourni la force au milieu des persécutions ;

omnia adversantia **fortiter** *superare* (or. 25 mai.), surmonter courageusement toute adversité (sens purement classique).

La colonne est considérée comme un symbole de force : ex. *Jacobus et Cephas et Johannes, qui videbantur* **columnæ** (^{2}) *esse* (Gal. 2, 9), que l'on considérait comme les colonnes.

§ 490 Autres termes.

Firmitas, solidité, fermeté : *firmitas fidei* (v. § 465) ; *firmiter credere* (ibid.) ;

da nobis..., ejus exemplo, nobis adversantia **æquanimiter tolerare** (or. m. ad postul. pat.), accordez-nous de pouvoir, à son exemple (de Jésus-Christ), supporter avec patience toutes les contrariétés ;

ut ... cælestis gratiæ auxilio, cuncta nobis adversantia **vincamus** (or. 21 aug.), de vaincre, avec le secours de la grâce céleste, tous les obstacles que nous rencontrons ;

da fidelibus tuis ... in tua fide et sinceritate **constantiam** (postc. p. salute viv., Gel. III, 106), accordez à vos fidèles d'avoir en vous une foi ferme et sincère ;

ut ... (earum sanctarum virginum) imitemur in morum puritate **constantiam** (postc. comm. virg. et mart. p. al. loc.), afin que nous imitions leur fermeté à mener une vie pure ; *virtus* **constantiæ** (or. 28 aug. et passim, Greg. 152, 1) ;

v. *firmare, roborare* (§ 456) ;

quoniam sanctis tuis ... **patientiam tolerantiæ** *... das* (Leon. 54), car vous donnez à vos saints le courage de supporter.

Patientia (^{3}) ne désigne pas seulement la patience et la résignation (v. *longanimitas,* § 497), mais surtout le courage, la constance et la fermeté qui permet de supporter (*pati*) (Tert.; Cypr. ; Ambr.) :

---

2. Les colonnes évoquent la solidité du monde : *ego confirmavi columnas ejus* (*terræ*) (Ps. 74, 4).

3. Dans le Psaume 70, 5, *tu es patientia mea, Domine, spes mea a juventute mea,* il s'agit de l'attente patiente du secours de Dieu (*exspectatio,* nouveau Psautier).

patientia enim vobis necessaria est, ut voluntatem Dei facientes reportetis promissionem (Hebr. 10, 36), vous avez besoin de constance (après une allusion aux souffrances supportées), pour que, après avoir accompli la volonté de Dieu, vous bénéficiiez de la promesse ;

Deus, qui ad plurimos pro salute animarum perferendos labores beatum Joannem ... invicta patientia decorasti (or. 16 jun. p. al. loc.), ô Dieu, qui avez honoré d'un courage invincible saint Jean (François Régis) pour supporter d'innombrables fatigues en vue du salut des âmes ;

ut nobis patientiæ donum largiri digneris (secr. ad postul. pat.) ;

in tribulatione patientia (Leon. 1104, p. 139, 17).

Sufferentia ([4]) a le même sens : *sufferentiam Job audistis* (Jac. 5, 11) ; v. *sufferre* (§ 497).

Sustinere ([5]) : *ecce beatificamus eos qui sustinuerunt* (Jac. 5, 11), voyez : nous proclamons bienheureux ceux qui ont supporté.

4. LA TEMPÉRANCE

§ 491 *Continentia* ([1]), la retenue, fait partie des vertus énumérées en Gal. 5, 23 ; cf. *sobrium, justum, sanctum, continentem* (Tit. 1, 8), pondéré, juste, pieux, maître de soi. Voir *continentia, abstinentia, abstinere, temperare,* au chapitre du Carême et de la mortification (§ 447 et suiv.).

Dans le latin biblique, *sobrietas* s'emploie souvent au sens moral : ex. *non plus sapere quam oportet sapere, sed sapere ad sobrietatem* (Rom. 12, 3), ne pas s'estimer plus qu'il ne faut, mais garder une sage mesure ;

mulieres ... cum verecundia et sobrietate ornantes se (1 Tim. 2, 9), que les femmes, dans leur parure, soient modestes et réservées ;

cf. *Exsurgat ut mens sobria* (hymn. mat. S. S. Trin.), pour que s'éveille une âme sobre ; cf. *sobria ebrietas* (Ambr. cit. § 9 ; Aug. Conf. 5, 13, 23).

La tempérance, au sens spirituel, est la vertu qui modère toutes les passions et les mouvements de l'âme ; on peut y rattacher la chasteté, l'humilité, la douceur.

§ 492 A) La Chasteté.

Castitas ([2]) : dans les Épîtres de saint Paul, ce mot cor-

---

4. Cf. en parlant des martyrs : Act. Saturn. 9 ; Pass. Perp. 3.
5. *Sustinere,* attendre (Vulg. ; Cass. ; Ben.) ; attendre avec confiance (Ps. 129, 4).
1. Pour ce qui concerne la continence proprement dite, v. plus loin, la chasteté.
2. Dans le latin patristique (Tert. ; Hier. ; Cassian. ; v. Dict.), *castitas* désigne souvent la chasteté morale, tandis que la chasteté physique, l'état de virginité est désigné par les mots *incorruptio, integritas, virginitas.*

respond à des termes grecs (ἁγνεία, ἁγνότης) qui évoquent la pureté (2 Cor. 6, 6 ; 1 Tim. 4, 12).

Dans les oraisons, il s'agit soit de la chasteté physique ([3]) : ex. *ut ... **castitatis** munditiam observemus in **corpore*** (postc. plur. conf. non pont. p. al. loc.), pour que nous gardions dans notre corps la pureté et la chasteté ; v. *fidelis et casta* (§ 340) ;

*ut tibi **casto corpore** serviamus et mundo corde placeamus* (or. ad postul. cont., Gel. Cagin 2294), afin que nous puissions vous servir dans la chasteté de nos corps et vous plaire dans la pureté de nos cœurs ;

soit de la virginité : ex. *quæ tibi grata semper exstitit et merito **castitatis** et tuæ professione virtutis* (or. comm. virg. mart., Greg. 28, 4 ; *virtute martyrii et merito **castitatis***, Gel. II, 9), qui vous a toujours été agréable par le mérite de sa chasteté comme par le témoignage rendu à votre puissance :

*Rex virginum, amator **castitatis et integritatis**, Deus* (or. ante miss. fer. 2) ;

*diligebat autem eum (Joannem) Jesus, quoniam specialis prærogativa **castitatis** ampliori dilectione fecerat dignum* (resp. 27 dec.), Jésus l'aimait, car le privilège particulier de sa virginité le rendait digne d'un plus grand amour.

Autres termes : beati ***mundi corde***, *quoniam ipsi Deum videbunt* (Mat. 5, 8) ;

*ut ... nos ... **corde mundos** facias suæ interesse festivitati* (or. 7 dec.), que nous prenions part à sa fête (Immaculée Conception) avec un cœur pur ; v. plus haut, ex. de *munditia* ;

*miram vitæ **innocentiam*** (or. 21 jun. S. Louis de Gonzague) ;

refloreat ([4]) *cor et caro nostra vigore **pudicitiæ et castimoniæ** novitate* (postc. ad postul. cont., Gel. Cagin 2297), que notre cœur et notre chair retrouvent leur jeunesse, fortifiés par la pudeur et renouvelés par la chasteté.

Normalement *pudicitia* désigne la chasteté morale (ex. Aug. Civ. 1, 16), le sentiment de réserve sous toutes ses formes : cf. *pudicus* (1 Tim. 3, 2 ; Philipp. 4, 8, etc.).

Castimonia, vie chaste : ex. *castimoniam prædicare* (S. S. 2 Cor. 6, 5, ap. Tert. Pud. 15).

Quant au mot *puritas*, d'un sens plus général, il s'applique à la pureté physique ou morale : ex. *mentis et corporis **puritas*** (secr. 5 jul.).

---

3. Saint Ambroise distingue trois sortes de chasteté selon les états : *triplicem castitatis esse virtutem : unam conjugalem, aliam viduitatis, tertiam virginitatis* (Vid. 4, 23), il y a trois vertus de chasteté : la chasteté conjugale, celle des veuves et celle des vierges. Cf. *agrum hunc ecclesiæ fertilem cerno, nunc integritatis flore vernantem, nunc viduitatis gravitate pollentem, nunc conjugii fructibus redundantem* (ibid. lect. 4, comm. non virg.), je vois ce champ fertile de l'Église, tantôt resplendissant des fleurs de la virginité, tantôt riche de la gravité des veuves, tantôt débordant des fruits du mariage.

4. Cf. *et refloruit caro mea* (Ps. 27, 2).

On a vu la blancheur symboliser l'innocence des martyrs (§ 110), des nouveaux baptisés (§ 334) ; *candor vitæ* (secr. 8 jul. p. al. loc.) désigne aussi la pureté d'une vie chaste ([5]).

§ 493 La voie la plus parfaite, la virginité : *dico autem* **non nuptis et viduis** *: bonum est illis si sic permaneant sicut et ego* (1 Cor. 7, 8) ... *Qui sine uxore est, sollicitus est quæ Domini sunt, quomodo placeat Deo ... Et mulier* **innupta et virgo** *cogitat quæ Domini sunt, ut sit* **sancta corpore et spiritu** (ibid. 32-34), je dis aux célibataires et aux veufs : il vaut mieux demeurer comme moi ... L'homme qui n'est pas marié a souci des affaires du Seigneur, des moyens de plaire au Seigneur... La femme sans mari, comme la jeune fille, a souci des affaires du Seigneur ; elle cherche à être sainte de corps et d'esprit ;

et sunt eunuchi, qui **se ipsos castraverunt** *propter regnum cælorum* (Mat. 19, 12), (à côté des eunuques au sens propre) il y a ceux qui se sont rendus tels en vue du royaume des cieux ;

hi sunt, qui cum mulieribus non sunt coinquinati (Apoc. 14, 4), ce sont ceux qui ne se sont pas souillés avec des femmes (métaphore désignant l'idolâtrie) ;

ex. dans les oraisons : *Deus,* **virginitatis** *amator* (or. 29 mai.) ;

Deus ... qui in famula tua Bibiana cum **virginitatis flore** *martyrii palmam conjunxisti* (or. 2 dec.), ô Dieu, qui, dans votre servante Bibiane, avez réuni la palme du martyre et la fleur de la virginité ;

multiplicem victoriam **virgo casta** *martyr explevit* (Leon. 1178), cette chaste vierge (Cécile) remporta par le martyre une multiple victoire ;

*intercedentibus sanctis (*ou *beatis)* **virginibus** (or. passim) ;

sauf dans une oraison (Missa « *Deus meus* » p. al. loc.), *gloria* **virginitatis** ne s'applique qu'à la Sainte Vierge (præf.) ;

v. autres ex. concernant la virginité (§ 376-380).

§ 494 B) L'Humilité.
Notre sentiment d'humilité est à considérer en comparaison de la grandeur et de la sainteté de Dieu :

substantia mea tanquam nihilum ante te (Ps. 28, 6) ; v. § 400 et suiv. la faiblesse humaine ;

humiliamini *sub potenti manu Dei* (1 Petr. 5, 6).

Dans l'Écriture, le mot *humilitas* désigne tantôt un état d'abaissement matériel ou moral :

ex. *vidit Dominus* **humilitatem** *meam* (Gen. 29, 32), le Seigneur a vu ma détresse ;

respexit **humilitatem** *ancillæ suæ* (Luc. 1, 48), il a jeté les yeux sur son humble servante ;

et même de malheur : *vide* **humilitatem** *meam de inimicis*

---

5. Cf. *candidus in virginitate* (Hier. Jov. 1, 31).

meis (Ps. 9, 14), vois mon abaissement du fait de mes ennemis ;

tantôt une disposition d'esprit par laquelle l'homme s'abaisse lui-même en reconnaissant sa petitesse :

ex. *in* **humilitate** ([6]) *superiores sibi invicem arbitrantes* (Philipp. 2, 3), chacun par humilité estimant les autres supérieurs à soi ;

discite a me quia **mitis sum et humilis** *corde* (Mat. 11, 29), apprenez de moi que je suis doux et humble de cœur ;

Deus, qui humano generi, ad imitandum **humilitatis** *exemplum, Salvatorem nostrum carnem sumere et crucem subire fecisti* (or. dom. Palm., Gel. I, 37, 329), ô Dieu, qui, pour donner aux hommes un exemple d'humilité à suivre, avez voulu que notre Sauveur prît chair et subît le supplice de la croix ;

en parlant de l'humilité des saints : *Deus, qui per beatum Philippum ... eximium nobis* **humilitatis** *exemplum tribuisti* (or. 23 aug.), un exemple incomparable d'humilité ;

superbe non sapere, sed tibi placita **humilitate** *proficere* (or. 15 jun., Leon. 430), ne pas avoir des visées orgueilleuses, mais progresser avec l'humilité qui est l'objet de vos complaisances.

Humiliter, humblement : v. humilité de la supplication (§ 62) ;

humiliter supplicare, deprecari, deprecare, obsecrare, etc. (or. passim).

Humiliatio, action de s'abaisser (Tert. ; Aug.) : ex. *Deus, qui* **humiliatione** *flecteris* (or. 3 ben. Cin.) ;

autre sens : abaissement, humiliation (Tert. ; Aug. ; Cassian. ; Vulg. ; v. le Dict.).

A l'humilité s'oppose l'orgueil ou la vanité :

quia omnis qui se exaltat, **humiliabitur** *; et qui se* **humiliat**, *exaltabitur* (Luc. 18, 14), car tout homme qui s'élève sera abaissé ; mais celui qui s'abaisse, sera exalté ;

quia Deus **superbis** *resistit,* **humilibus** *autem dat gratiam* (1 Petr. 5, 5) ; cf. *qui* **superbis** *resistis et gratiam præstas* **humilibus** (Gelas. ap. Leon. 437) ([7]) ;

ut, **superbis** *sæculi* **vanitatibus** *exutis, mansuetudinem et* **humilitatem** *Cordis tui induere mereamur* (postc. 17 oct. ; cf. Mat. 11, 29), (accordez-nous) de dépouiller les orgueilleuses vanités du siècle pour pouvoir revêtir la douceur et l'humilité de votre Cœur.

§ 495 Contre l'orgueil intellectuel : *quia abscondisti hæc a* **sapientibus** *et revelasti ea* **parvulis** (Mat 11, 25), d'avoir caché cela aux sages et de l'avoir révélé aux tout petits ;

---

6. Le modèle étant le Christ lui-même qui s'est abaissé jusqu'à prendre notre nature et à mourir sur la croix : *humiliavit semetipsum factus obœdiens usque ad mortem, mortem autem crucis* (Philipp. 2, 8).

7. Cf. *humilitatis virtutem* (opp. à *elatus*, orgueilleux, or. ad postul. humil., Leon. 437).

quæ **stulta** *sunt mundi elegit Deus, ut confundat* **sapientes** *;
et infirma mundi elegit Deus, ut confundat fortia* (I Cor. I, 27 ;
cf. or. 13 nov. ; 21 jan.), ce qu'il y a de fou dans le monde,
voilà ce que Dieu a choisi pour confondre les sages ; ce qu'il y a
de faible dans le monde, voilà ce que Dieu a choisi pour confondre la force.

L'esprit d'enfance : *amen dico vobis, nisi conversi fueritis et
efficiamini sicut parvuli, non intrabitis in regnum cælorum*
(Mat. 18, 3), en vérité je vous le dis, si vous ne changez pas et
ne vous faites comme des enfants, vous n'entrerez pas dans
le royaume des cieux ;

*deponentes igitur omnem malitiam et omnem dolum ... **sicut
modo geniti infantes*** (I Petr. 2, 1-2), rejetant donc toute
malice et toute fourberie ... comme des enfants nouveaux-
nés ;

*Domine, qui dixisti : nisi efficiamini sicut parvuli ... da nobis,
quæsumus, ... sanctæ Teresiæ virginis in **humilitate et simplicitate** cordis vestigia sectari* (or. 3 oct.), Seigneur, qui avez
dit : « Si vous ne devenez comme des tout petits... », accordez-
nous, nous vous en prions, de suivre les traces de votre vierge
sainte Thérèse dans l'humilité et la simplicité du cœur ; v. plus
loin, *simplicitas*.

§ 496 Le mot *pauper* lui-même, dans le latin biblique, désigne un type de perfection religieuse qui se caractérise par
une attitude humble, par le détachement, la soumission à
Dieu dans les épreuves : *quia consolatus est Dominus populum
suum, et **pauperum** suorum miserebitur* (Is. 49, 13), car le Seigneur a consolé son peuple, il prendra en pitié ses affligés ;

*et factus est Dominus refugium **pauperum*** (Ps. 9, 10) ;

***pauperes** evangelizantur* (Mat. II, 5) ; ***pauperes** spiritu* (ibid.
5, 3), ceux qui ont une âme de pauvre.

L'humilité des serviteurs de Dieu, les prêtres ou les fidèles,
s'exprime dans les mots déjà souvent cités : *famulus, indignus
famulus, servitium, servus* ([8]) : ex. *me indignum servum tuum*
(or. præpar. ad missam). Nous répétons la parole du centurion :
non sum dignus ... (Mat. 8, 8).

L'humilité nous fait reconnaître notre propre impuissance :

non quod sufficientes *simus cogitare aliquid a nobis, ... sed
sufficientia nostra ex Deo est* (2 Cor. 3, 5), non que, de nous-
mêmes, nous soyons capables de revendiquer quoi que ce
soit ..., non, c'est Dieu qui nous a donné qualité ;

qui nostræ justitiæ fiduciam non habemus (or. comm. conf.
non pont., Gel. Cagin 1647), qui ne sommes pas sûrs de notre
rectitude envers vous ;

---

8. Ex. isolé : *quod fragili celebramus officio* (postc. m. de ang., Leon. 349), ce que
nous célébrons dans notre humble service.

*ut **non noster sensus** in nobis, sed jugiter ejus (doni cælestis)
præveniat effectus* (postc. d. 15 p. Pent., Gel. III, 11), de sorte
qu'en nous ce soit son influence, et non pas notre sentiment
personnel, qui l'emporte ;

v. *sine te*, et ex. analogues (§ 286 ; 401).

Notre état de pécheur (*reus, peccator, pænitens*, v. chp. le
péché et passim) doit nous inspirer de la crainte : v. *metus,
reverentia* (§ 473) ;

cum metu et tremore *vestram salutem operamini* (Philipp.
2, 12), avec crainte et tremblement vous travaillez à votre
salut.

A l'humilité peut se rattacher la vertu de simplicité, qui
s'oppose à la ruse (*dolus*, § 495) :

*vir ille **simplex** et rectus* (Job 1, 1) ;

simplici *ex corde invicem diligite* (1 Petr. 1, 22) ;

simplicitas *justorum diriget eos* (Prov. 11, 3) ;

*in **simplicitate** cordis timentes Deum* (Col. 3, 22) ;

*mentis **simplicitatem** sectentur* (Leon. 12, 93) ;

*timeo autem ne ... ita corrumpantur sensus vestri et excidunt a
simplicitate quæ est in Christo* (2 Cor. 11, 3), je crains qu'ainsi
vos pensées ne se corrompent et ne s'écartent de la simplicité
envers le Christ (εἰς Χριστόν).

§ 497 C) La Douceur.

Les « doux », dont il est question dans les Béatitudes, sont
aussi les humbles et les pauvres, dont il a été question précédemment : *beati **mites**, quoniam ipsi possidebunt terram* (Mat.
5, 4) ; cf. **mansueti** [9] *... hereditabunt terram* (Ps. 36, 11) ;

*servum autem Domini non oportet litigare, sed **mansuetum**
esse ad omnes* (2 Tim. 2, 24), or le serviteur du Seigneur ne doit
pas être querelleur, mais doux envers tous.

Douceur et humilité sont souvent associées : *mitis ... humilis*
(cit. § 494) ; *mansuetudinem et humilitatem* (ibid.) ;

*cum omni humilitate et **mansuetudine*** (Ephes. 4, 2).

La douceur rend pacifique et patient :

*beati **pacifici**, quoniam filii Dei vocabuntur* (Mat. 5, 9),
heureux les artisans de la paix, car ils seront appelés fils de
Dieu ;

*inquirat **pacem** et sequatur eam* (1 Petr. 3, 11 ; cf. Ps. 33, 15),
qu'il cherche la paix et s'y attache ;

*da nobis **spiritum pacis** et gratiæ* (Leon. 971), donnez-nous
un esprit de paix et de bienveillance ; *spiritum veritatis et **pacis***
(Greg. 202, 46) ;

*familias nostras **in pace** et gratia tua constituas* (secr. S. Fa-
miliae), établissez nos familles dans votre paix et votre
grâce ; v. *pax* (§ 477).

---

9. *Mansuetus* est devenu un prénom chrétien : cf. saint Mansuy (3 sept.).

Concernant l'union des cœurs et la patience, v. aussi des ex. § 478 :

caritas ... omnia **suffert** *... omnia* **sustinet** (1 Cor. 13, 7) ;

cum **patientia** *supportantes invicem in caritate* (Ephes. 4, 2), avec patience supportez-vous les uns les autres charitablement ;

fructus ... Spiritus est caritas, gaudium, pax, **patientia,** *bonitas,* **longanimitas** (Gal. 5, 22), le fruit de l'Esprit est charité, joie, paix, patience, bonté, longanimité ;

ad obtinendum **patientiæ** *et caritatis augmentum* (secr. 16 jun. p. al. loc.), pour obtenir plus de patience et de charité (on a vu ailleurs le sens fort de *patientia* : § 111 et 490).

L'UNION AVEC DIEU,
LA CONFORMITÉ A DIEU

1. LA « COMPASSION »

§ **498** Voir l'expression de l'amour de Dieu (§ 49 et suiv.) ; quant à la formule « porter sa croix », *bajulare, ferre, tollere crucem suam*, v. mortification (§ 447 et suiv.).

Ce sont principalement les mots composés avec le préfixe *cum-* qui expriment l'union avec les souffrances du Christ, la part que nous devons prendre à sa passion rédemptrice :

ex. *coheredes autem Christi, si tamen* **compatimur**, *ut et conglorificemur* (Rom. 8, 17), cohéritiers du Christ, à condition de souffrir avec lui, pour être aussi glorifiés avec lui ;

communicantes *Christi passionibus, gaudete* (1 Petr. 4, 13), dans la mesure où vous participez aux souffrances du Christ, réjouissez-vous ;

ad cognoscendum illum et virtutem resurrectionis ejus et **societatem passionum illius** *configuratus morti ejus* (Philipp. 3, 10), pour le connaître, lui, avec la puissance de sa résurrection et la communion à ses souffrances, me rendant conforme à sa mort ; v. *consepulti* (§ 333) ;

si enim **complantati** *facti sumus* **similitudini mortis ejus**, *simul et resurrectionis erimus* (Rom. 6, 5), si c'est un même être que nous sommes devenus par une mort semblable à la sienne, nous le serons aussi par une résurrection semblable ; cf. *semper mortificationem Jesu in corpore nostro circumferentes* (2 Cor. 4, 10), portant partout et toujours en notre corps les souffrances de mort de Jésus ;

dira conspecta crucis affixio ipsius (Francisci) animam **compassivi** *doloris gladio pertransivit* (S. Bonav. lect. 4, 17 sept.), le cruel spectacle de la crucifixion transperça son âme d'un glaive de douleur qui l'associait à cette souffrance.

2. LA CONFORMITÉ A DIEU

§ **499** L'homme a été créé à l'image de Dieu : *faciamus hominem ad imaginem et similitudinem nostram* (¹) (Gen. 1, 26) ;

---

1. Pour certains Pères, il n'y a pas de différence entre *imago* et *similitudo*. Pour d'autres, *imago* représente les dons naturels, et *similitudo*, la grâce, l'élévation au-dessus de la nature, l'état de justice originelle avant la chute, qu'il faut tendre à retrouver par l'imitation du Christ (Iren. Hær. 5, 6, 1 ; Aug. Gen. litt. 16 et cap. ult. ; Quæst. Gen. 51, 4). Voir d'autre part la note de la Bible de Jérusalem (à Gen. 1, 26) et le Dict. à ces mots.

justus autem homo ad **imaginem** *Dei est, si propter* **imitan-
dam** *divinæ conversationis* **similitudinem** *mundum hunc Dei
cognitione contemnat* (Ambr. Luc. 11, 22, lect. 7, 23 jul.),
(l'homme n'est pas l'égal de Dieu, mais seulement à sa ressemblance, seul le Christ est la pleine image de Dieu) tandis
que l'homme juste, il est à l'image de Dieu, si, pour reproduire
la ressemblance avec la vie divine, il veut bien mépriser ce
monde par la connaissance qu'il acquiert de Dieu ;

inveniemus hominem ideo ad **imaginem** *Dei conditum, ut*
imitator *sui esset auctoris, et hanc esse naturalem nostri generis
dignitatem, si in nobis quasi in quodam speculo divinæ benignitatis* **forma** *resplendeat* (Leo-M. Serm. lect. 4 d. 4 Adv.), nous
verrons que l'homme a été créé à l'image de Dieu, pour qu'il
imitât son auteur, et que la dignité de notre nature humaine
consiste à faire resplendir en nous, comme en une sorte de
miroir, l'image de la divine bonté.

§ 500 L'imitation de Dieu : *estote* **imitatores** *Dei, sicut filii
carissimi* (Ephes. 5, 1), cherchez à imiter Dieu, comme des
enfants bien-aimés ;

estote ergo ... perfecti, **sicut et Pater** *vester cælestis perfectus
est* (Mat. 5, 48) ;

imitatores *mei estote, sicut ego Christi* (1 Cor. 4, 17) ;

Christus Deus ... indesinenter vos faciat suis **inhærere
vestigiis** (Moz. L. sacr. 163), que le Christ Dieu vous fasse
sans cesse vous attacher à suivre ses traces.

Pour tendre à une conformité de plus en plus parfaite avec
Dieu, la vie spirituelle doit s'assimiler le plus possible au
Christ, qui est l'image du Dieu invisible, *qui est imago Dei
invisibilis* (Col. 1, 15) :

ut, quomodo Christus surrexit a mortuis ... **ita et nos in**
novitate vitæ ambulemus (Rom. 6, 4), afin que, comme le Christ
est ressuscité des morts ... nous aussi nous marchions dans
une vie nouvelle ;

hoc *enim sentite in vobis* **quod** *in Christo Jesu* (Philipp. 2, 5),
ayez entre vous les mêmes sentiments qui furent dans le Christ
Jésus ;

quos præscivit et prædestinavit **conformes** *fieri* **imaginis Filii**
sui (Rom. 8, 29), ceux que d'avance il a discernés, il les a
prédestinés aussi à reproduire l'image de son Fils ;

ut et **imagini bonitatis** ([2]) *tuæ (Domine Jesu)* **conformes**
et tuæ redemptionis mereamur esse participes (fer. 6 oct. S. S.
Corp. Chr. p. al. loc.), afin que nous méritions de reproduire
l'image de votre Bonté et de participer à votre Rédemption ;
cf. *quem similem nobis ...* (cit. § 394) ;

---

2. Cf. Sap. 7, 26 (cit. § 147).

ut ... per hæc sacrosancta commercia, in illius inveniamur
forma (³), *in quo tecum est nostra substantia* (secr. 1a miss. Nat.
Dom., Leon. 1249), afin que, grâce à cet échange mystique,
nous nous trouvions semblables à celui en qui notre nature
vous est unie ;

*ut ... **secundum** (⁴) te vivere valeamus* (or. d. 8 p. Pent.,
Leon. 1015), de pouvoir vivre selon vous.

§ 501 Dans les oraisons, *imitari, imitator*, se rencontrent,
non seulement en parlant de l'imitation des saints (§ 106),
mais aussi de l'imitation du Christ (cf. *Imitatio Jesu Christi*, le
manuel de perfection chrétienne écrit vers la fin du Moyen-
Age) :

ex. *beatum Franciscum ... **imitatorem** tui gloriosum* (Or.
10 oct.) ;

*Dominicæ passionis **imitator** fuit* (or. 19 jan.) ;

*(Stephanus) Dominicæ caritatis **imitator*** (Leon. 676) ;

*... **imitatores** nos tuæ benignitatis efficeret* (Leon. 929), nous
fasse imiter votre bonté ;

*ad **imitandum** humilitatis exemplum* (*Salvatoris*) (cit. § 494) ;

imitamini *quod tractatis, quatenus mortis Dominicæ myste-*
rium celebrantes mortificare membra vestra ... procuretis (ordin.
presb. Pont. R.), imitez ce que vous avez entre les mains (la
Victime divine du sacrifice), afin que, vous qui célébrez le
sacrement de la mort du Seigneur, vous ayez à cœur de mortifier votre corps... A remarquer toutefois que *tractare* ne signifie
pas seulement « toucher », mais aussi (sans parler des autres
sens : « traiter » un sujet, etc.) « pratiquer, exécuter », d'où
« célébrer » (les mystères) : ex. *qui in terrena substantia consti-*
tutos divina tractare concedis (Leon. 689), qui nous permettez,
à nous qui sommes des êtres de chair, de célébrer les mystères
divins ; *tua digne tractare mysteria* (ibid. 475) ; *sancta tua*
tractare (postc. d. 4 Quadr., Greg. 59, 3) ; *mysteria tua ...*
devota mente tractemus (secr. 1 aug., Gel. Cagin 1158), puissions-nous célébrer vos mystères avec ferveur.

3. LA COMPLAISANCE

§ 502 Notons d'abord quelques termes exprimant le bon
plaisir de Dieu :

*etiam, Pater, quoniam sic **placuit** ante te* (Luc. 10, 21), oui,
Père, car tel a été ton bon plaisir ;

*quia **complacuit** Patri vestro dare vobis regnum* (Luc. 12,
32), car il a plu à votre Père de vous donner le royaume ;

---

3. Autres ex. de *forma*, modèle : *cujus (humilitatis) in se formam fidelibus Unigenitus*
tuus exhibuit (or. ad postul. humil.), dont votre Fils unique a montré en lui-même
l'exemple pour les fidèles ; *totius forma virtutis* (Leon. 951, p. 121, 12), modèle de
toute vertu (qu'on doit trouver chez les moniales).

4. Ne pas oublier que *secundum* est de la même famille que *sequor*.

in ipso **complacuit** *omnem plenitudinem habitare* (Col. 1, 19), il lui a plu de faire habiter en lui la plénitude ; v. *bene placitum* (§ 504 note 3) ;

la complaisance de Dieu,

a) envers son Fils :

hic est Filius meus dilectus, in quo mihi **complacui** (¹) (Mat. 3, 17), voici mon Fils bien-aimé, qui a toute ma faveur ;

(impers.) *dilectus meus, in quo bene complacuit animæ meæ* (Mat. 12, 18) ;

in te **complacui** (Marc. 1, 11) ;

b) envers les hommes :

placita *enim erat Deo anima illius (justi)* (Sap. 4, 14), son âme était agréable à Dieu ;

ut semper tibi **placitus** *(populus tuus) ... sit* (sup. pop. fer. 5 p. d. 4 Quadr., Leon. 379), afin qu'il vous plaise toujours ; v. *placitus* (§ 248).

Pour nous, la complaisance consiste à être agréable à Dieu en faisant sa volonté, à l'imitation du Christ qui reconnaît et accepte la volonté de son Père :

complacui *in veritate tua* (Ps. 25, 4), j'ai aimé ta volonté ; v. plus loin *placere* et ses composés ;

verumtamen non mea voluntas, sed tua **fiat** (Luc. 22, 42), cependant, que ce ne soit pas ma volonté qui se fasse, mais la tienne. *Fiat* n'est pas ici un subjonctif concessif exprimant la résignation, mais un optatif (²) exprimant l'acceptation et l'adhésion.

Fiat correspond souvent, pour le sens, au mot *amen* : *amen Septuaginta transtulerunt* γένοιτο, *id est fiat* (Hier. Gal. 1, 1, 4), « les Septante ont traduit *amen* par γένοιτο, c'est-à-dire *fiat* (que ce cela soit) ». Ce mot hébreu *amen*, « certainement, vraiment », exprime, dès les temps apostoliques, l'assentiment à la prière d'actions de grâces ou aux souhaits de bénédiction : *quomodo dicet* **amen** *super tuam benedictionem* (1 Cor. 14, 16), comment dira-t-il amen à ton action de grâces ; cf. Rom. 1, 25.

Dans la liturgie romaine, *amen* exprime : a) l'assentiment, l'adhésion, comme à la fin du *Credo* ; b) l'assentiment et la participation à la prière formulée par le célébrant ; c) le souhait de voir s'accomplir la demande, comme à la fin du *Pater*.

§ **503** Faire la volonté de Dieu :

non ut **faciam voluntatem** *meam, sed voluntatem ejus qui misit me* (Jo. 6, 38) ;

---

1. *Ecce servus meus ... electus meus, complacuit sibi in illo anima mea* (Is. 42, 1), voici mon Serviteur ... mon élu, celui qui a ma faveur.

2. Il n'y a pas d'optatif ici dans le texte grec : je veux donc parler du subjonctif latin exprimant le souhait.

quicumque enim **fecerit voluntatem** *Patris mei qui in cælis est* (Mat. 12, 50) ;

fac nos tibi semper ... devotam **gerere voluntatem** (or. oct. Ascens., Gel. I, 61), faites que toujours nous soyons dévoués à accomplir votre volonté ;

concede ut ... nos in **tua** *simus* **voluntate** *concordes* (or. 28 mai.), faites qu'en votre volonté se réalise notre accord ;

a **tua voluntate** *nunquam ... discrepare* (sup. pop. sabb. Quat. T. Quadr., Leon. 1079), ne jamais nous écarter de votre volonté ;

perseverantem in **tua voluntate** *famulatum* (sup. pop. fer. 3 p. d. Pass., Gel. I, 40, 375), une soumission constante à votre volonté.

§ 504 C'est le verbe *placere*, ainsi que les mots de la même famille, qui expriment le plus souvent le désir de plaire à Dieu :

ex. *qui timent Dominum, inquirent quæ* **beneplacita** *sunt ei* (Eccli. 2, 19), ceux qui craignent le Seigneur rechercheront ce qui lui plaît ;

probantes quid sit **beneplacitum** *Deo* (Ephes. 5, 10), discernant ce qui plaît au Seigneur ;

ut probetis quæ sit **voluntas Dei bona et beneplacens** *et perfecta* (Rom. 12, 2), pour que vous discerniez quelle est la volonté de Dieu, ce qui est bon, ce qui lui plaît, ce qui est parfait ;

ut ... **beneplacitum** ([3]) *tibi nostræ mentis offeramus affectum* (secr. sabb. p. Cin., Leon. 1302), (faites) que nous puissions vous offrir un amour digne de vous plaire ;

ut in veritate tibi **complaceant** (or. p. prælat., Gel. III, 50, 1429), pour qu'ils vous plaisent en toute vérité ; cf. *complacui in veritate tua* (Ps. 25, 3) ;

Fac ut ardeat cor meum In amando Christum Deum, Ut sibi **complaceam** (« *Stabat mater* »), rendez mon cœur brûlant d'amour pour le Christ notre Dieu, afin que je fasse ce qui lui plaît ;

ut ambuletis digne, Deo per omnia **placentes** (Col. 1, 10), pour mener une vie digne et qui plaise à Dieu en tout ; cf. *ambulare et* **placere** *Deo* (1 Thess. 4, 1) ;

ut exhibeatis corpora vestra hostiam viventem, sanctam, Deo **placentem** (Rom. 12, 1), offrir vos personnes en hostie vivante, sainte, agréable à Dieu ;

qui tibi **placere** *de actibus nostris non valemus* (or. 15 aug. vet. off., Greg. 149, 1), qui sommes incapables de vous plaire par nos propres actes ;

---

3. *Beneplacitum* désigne aussi le bon plaisir de Dieu, ce qu'il a jugé bon de faire (v. ex. § 266) ; cf. *quod placitum est illi* (Apoc. 17, 17).

quæ tibi non **placent** *respuentes* (sup. pop. fer. 5 p. d. Pass., Greg. 70, 4) ;

ut ... et voluntate tibi et actione **placeamus** (or. d. 1 p. Pent., Gel. I, 62) ;

et corpore tibi **placeamus** *et mente* (or. fer. 2 p. d. 4 Quadr., Gel. I, 26, 215) ;

mandata ejus custodimus et ea, quæ sunt **placita** *coram eo, facimus* (1 Jo. 3, 22), nous gardons ses commandements et faisons ce qui lui est agréable ;

præsta ... ut semper ... quæ sunt tibi **placita** *et dictis exsequamur et factis* (or. d. 6 p. Epiph., Gel. III, 66), faites que toujours, par nos paroles et par nos actes, nous réalisions ce qui vous plaît ;

quæ tibi sunt **placita** *cernere, cogitare, postulare, perficere* (or. passim) ; *adpetere* (Leon. 566) ; *cupere* (ibid. 653) ; *exercere* (ibid. 1046) ; *sectari* (ibid. 1056 ; Greg. 202, 46).

§ 505 Plaire à Dieu, c'est être réconcilié avec lui : *et pax Dei, quæ exsuperat omnem sensum* (Philipp. 4, 7), la paix de Dieu qui surpasse toute intelligence ;

v. Rédemption (§ 230) ; le Domaine de la grâce (passim).

Saint Paul compare l'union ([4]) avec Dieu à un mariage mystique de l'âme : **despondi** *enim vos uni viro virginem castam exhibere Christo* (2 Cor. 11, 2), car je vous ai fiancés à un époux unique, comme une vierge pure à présenter au Christ.

Expression moderne : *Domine, in* **unione** *illius divinæ* **intentionis** ([5]), *qua ipse in terris laudes Deo persolvisti, has tibi horas persolvo* (or. ante div. off.), Seigneur, en union avec cette divine intention qui vous faisait sur la terre vous acquitter envers Dieu de ce tribut de louanges, je m'acquitte envers vous de cette récitation des heures.

4. LA CONTEMPLATION

§ 506 Déjà chez le philosophe Sénèque, *contemplatio* désigne la réflexion, la méditation ([1]) ; chez les chrétiens, ce mot

---

4. v. *conjungo*, Lexique.

5. Dans le latin patristique, *intentio*, à propos de la prière, signifie la tension morale, la disposition intérieure, la dévotion : ex. *intentione sincera Dominum orare* (Cypr. Dom. orat. 31), prier le Seigneur de toute son âme ; *nostræ mentis intentio* (Leon. 180), l'élan de notre âme (vers le ciel) ; *te ... poscimus mentis intentione ut ...* (Moz. L. ord. 428), nous vous prions avec toute notre ferveur ...

1. Sens classique : *in eorum contemplatione* (Leon. 393), en méditant leur exemple (des saints) ; sens intermédiaire : *in contemplanda Filii tui passione* (or. 22 mart. p. al. loc.).

Meditatio s'emploie aussi en ce sens (Aug. ; Hilar. ; Ambr.) : *assidua ejusdem Crucis meditatione muniri* (postc. 17 sept.), être fortifiés par la méditation continuelle de cette même Croix (comme saint François d'Assise) ;

cf. *testimonia tua meditatio mea est* (Ps. 118, 24), je m'exerce à méditer vos préceptes ; v. *meditantes* (§ 439).

désigne, outre la vision béatifique (v. ex. § 298, *contemplare*),
la contemplation ici-bas des choses divines ([2]) :

ex. *altissimæ* **contemplationis** *munere* (or. 17 oct. cit. §
271) ;

minister Christi Franciscus ... supernæ **contemplationis**
dulcedine abundantius solito superfusus (S. Bonav. lect. 4, 17
sept.), le serviteur du Christ François, inondé plus abondamment que d'habitude des douceurs de la contemplation d'en
haut ;

per **contemplationem** *vero, qua super nosmet ipsos tollimur,
quasi in aera levamur* (Greg.-M. Hom. Ez. 1, 3, lect. 6, 25 apr.),
mais par la contemplation, qui nous élève au-dessus de nous-
mêmes, nous sommes en quelque sorte soulevés dans les airs ;
cf. *penna* **contemplationis** *volare* (ibid.) ;

v. *supernæ* **immissiones** (§ 271).

Expressions désignant les visions et les révélations accordées à saint Paul : *si gloriari oportet ... veniam autem ad*
visiones et revelationes *Domini. Scio hominem in Christo ante
annos quattuordecim, sive in corpore nescio sive extra corpus
nescio, Deus scit,* **raptum** *hujusmodi* **usque ad tertium cælum**
(2 Cor. 12, 1-2), s'il faut se vanter ... eh bien j'en viendrai aux
visions et révélations du Seigneur. Je connais un homme dans
le Christ qui, voici quatorze ans, — était-ce en corps ? je ne
sais ; était-ce hors de son corps ? je ne sais, Dieu le sait — cet
homme fut ravi jusqu'au troisième ciel.

Ex. dans les oraisons : *Domine Deus noster, qui beatæ
Birgittæ per Filium tuum unigenitum secreta cælestia* **revelasti**
(or. 8 oct.) ;

qui investigabiles divitias (cf. Ephes. 3, 8) *Cordis tui beatæ
Margaritæ Mariæ virgini mirabiliter* **revelasti** (or. 17 oct.) ;

(en parlant de saint Jean l'Évangéliste) *qui ab Unigenito
tuo sic familiariter est dilectus et immensæ gratiæ* **revelationibus**
*inspiratus, ut omnem transgrediens creaturam excelsa mente
conspiceret et evangelica voce proferret, quia « In principio erat
Verbum... »* (Leon. 1281), ami si proche de votre Fils unique
et inspiré par la grâce de révélations si extraordinaires qu'il
franchissait toute la création de son œil d'aigle et proclamait
par la voix de son évangile : « Au commencement était le
Verbe... »

§ 507 Une expression des Psaumes, **ascensiones** *in corde
suo disposuit* (83, 6), « il a placé des montées (des psaumes de
montée au temple) dans son cœur », a été interprétée d'une
manière accommodatice pour désigner les élévations spirituelles : *Deus, qui in corde beati Andreæ confessoris tui ..,
admirabiles ad te* **ascensiones** *disposuisti* (or. 10 nov.), ô Dieu,

---

2. Voir les Charismes (§ 271) ; l'Illumination (§ 154).

qui, dans le cœur de votre confesseur saint André (Avellin), avez disposé d'admirables montées vers vous.

Dans le même ordre d'idées, on rencontre le verbe *ascendere* : ex. *Omnipotens et misericors Deus, ad cujus beatitudinem sempiternam non fragilitate carnis sed alacritate mentis* **ascenditur** (Leon. 550), Dieu tout-puissant et miséricordieux, vers qui l'on s'élève, pour contempler votre éternelle béatitude, non par de fragiles moyens charnels, mais grâce à l'ardeur spirituelle ;

cf. *quanta* **mentis alacritate** *idem vir sanctus cœperit sequi Salvatorem* (Moz. L. sacr. 64), avec quel élan de l'âme le même saint se mit à suivre le Sauveur.

Dans les Actes (10, 11), *excessus* ([1]) *mentis* désigne l'extase qui s'empare de saint Pierre voyant le ciel ouvert. *Mentis excessus* se retrouve en ce sens chez ,saint Augustin (Ep. 80, 3 ; Gen. litt. 8, 25), et chez Cassien: *spiritalis excessus* (Coll. 19, 5).

Ce que saint Paul demande pour ses frères, c'est l'intelligence et la science de la charité du Christ : *ut possitis* **comprehendere** *cum omnibus sanctis, quæ sit latitudo et longitudo, et sublimitas et profundum,* **scire** *etiam supereminentem scientiæ caritatem Christi* (Ephes. 3, 18-19), pour que vous puissiez comprendre, avec tous les saints, ce qu'est la Largeur, la Longueur, la Hauteur et la Profondeur (les dimensions mystérieuses du salut), savoir enfin l'amour du Christ qui surpasse toute connaissance ;

cf. *supereminentem* **Jesu Christi scientiam***, spiritu Pauli apostoli, ediscere* (or. 5 jul.), apprendre, dans l'esprit de saint Paul, la science suréminente de Jésus-Christ.

---

1. *In excessu mentis meæ* (Ps. 30, 23) désigne simplement le trouble ou l'égarement ; de même *exstasis* dans l'ex. suivant : *impleti sunt stupore et exstasi* (Act. 9, 10).

Exstasis, extase (Cypr. Ep. 16, 3 ; Aug. Gen. litt. 8, 27).

TABLE DES MATIÈRES

LES PRINCIPAUX THÈMES LITURGIQUES

Première partie

LEX ORANDI

Deuxième Partie

LEX CREDENDI

Troisième Partie

LEX VIVENDI

Imprimé par les Usines Brepols S.A. — Turnhout (Belgique)
D 1966 / 0095 / 38